개념을 쌓아가는 **기본서**

고등 셀파

물리학 I

구성과 특징

STRUCTURE

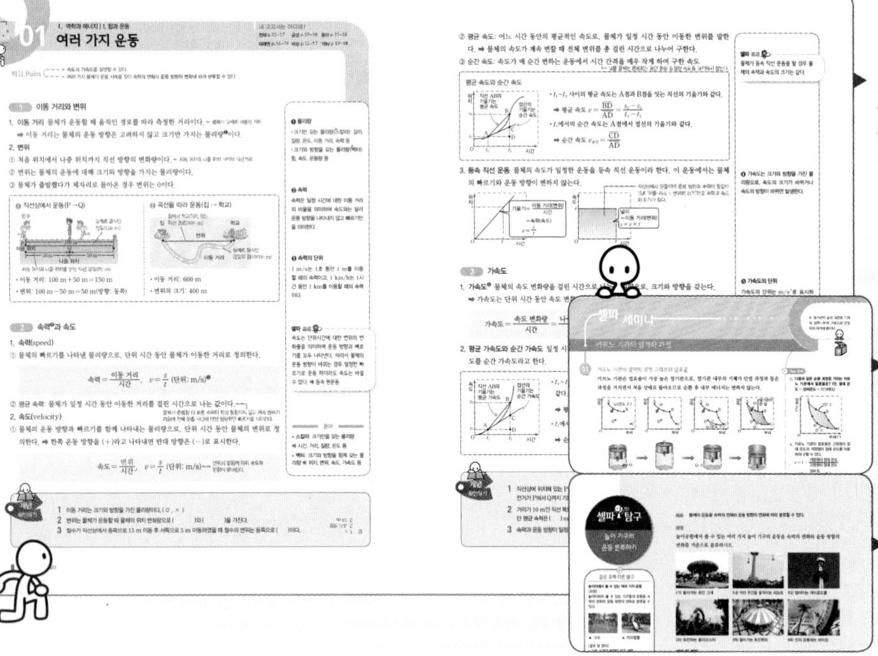

교과서 내용 정리

교과서의 내용을 이해하기 쉽게 정리하고, 중요 자료를 체계적으로 분석하여 핵심 개념을 이해할 수 있습니다.

셀파 세미나

중요한 주제를 선정하여 심화 자료 제공

셀파 탐구

시험에 자주 출제되는 탐구

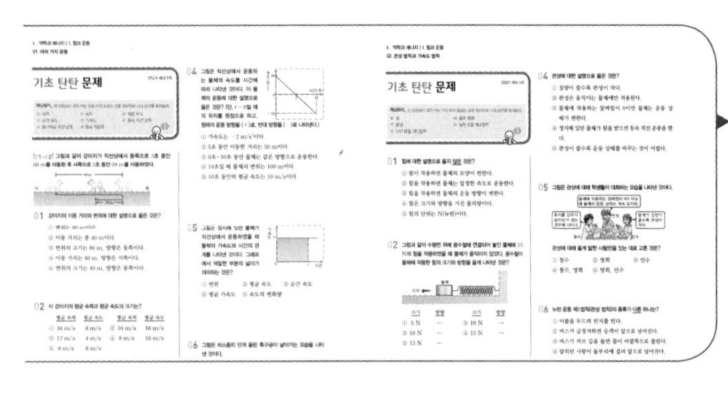

기초 탄탄 문제

중하 난이도의 객관식 문제로 기본 개념을 정립하고, 기초를 탄탄히 다질 수 있습니다.

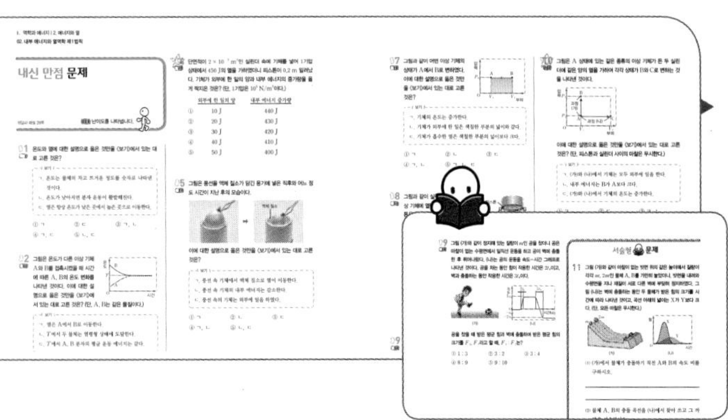

내신 만점 문제

학교 시험에 꼭 나오는 문제로 내신을 대비할 수 있습니다. 시험에 잘 나오는 서술형 문제도 확인할 수 있습니다.

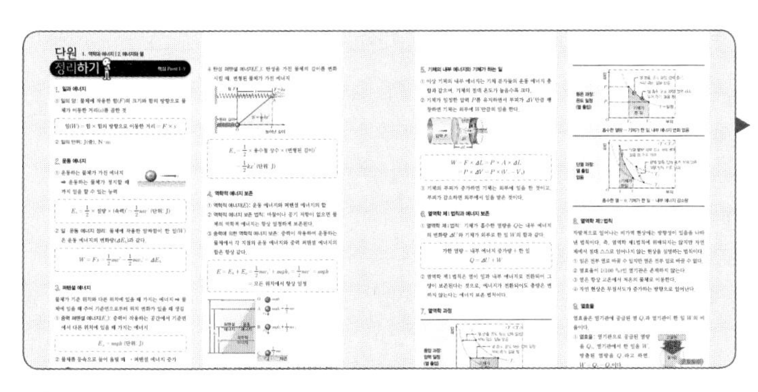

단원 정리하기

이 단원에서 배운 내용을 한눈에 훑어볼 수 있도록 정리하여, 학교 시험을 보기 전에 최종 점검할 수 있습니다.

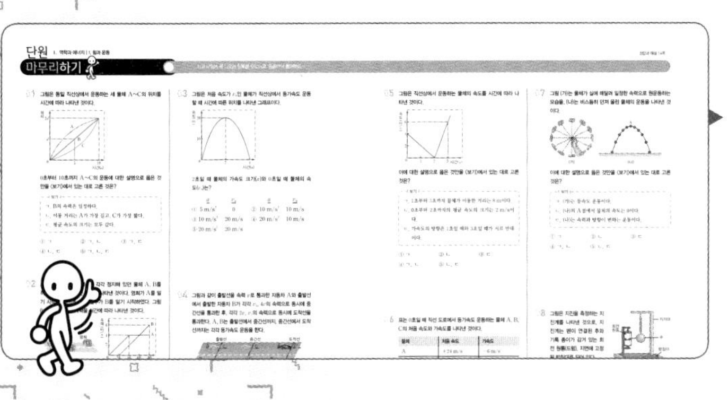

단원 마무리하기

기초 문제와 내신 문제를 통해 탄탄해진 실력을 높이고, 실전에 대비할 수 있습니다.

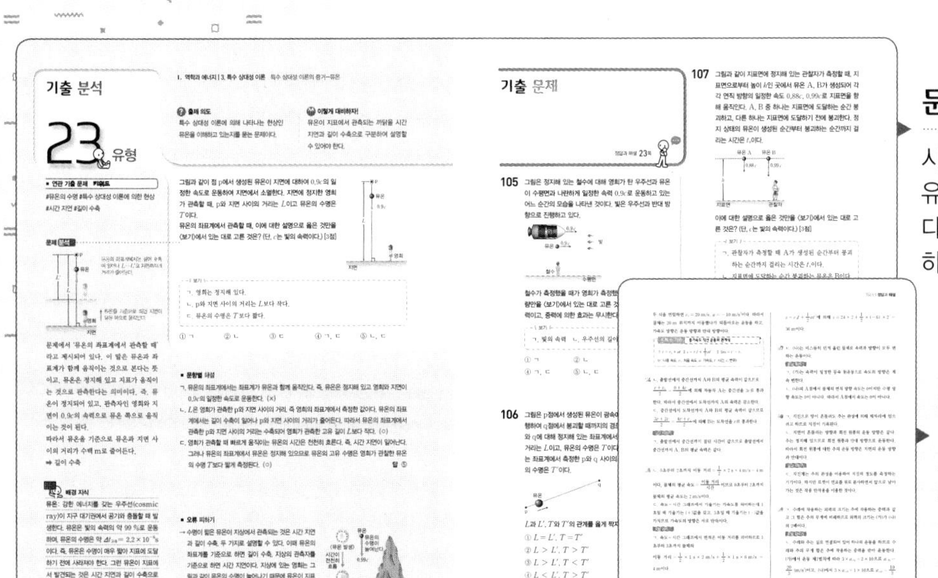

문제 기본서

시험에 잘 나오는 52유형을 선정하여 대표 유형을 분석하고 관련 문제를 제시하였습니다. 52유형과 관련 문제를 풀면 내신을 완벽하게 대비할 수 있습니다.

정답과 해설

모든 선지에 대한 상세한 해설로 개념을 확실히 이해할 수 있습니다.

차례

CONTENTS

S · H · E · R · P · A

역학과 에너지

물질과 전자기장

파동과 정보 통신

학습내용 | 1. 힘과 운동

단원 짚어보기

배운 내용

- 등속 직선 운동
- 힘과 운동
- 역학적 시스템
- 운동량, 충격량
- 입자의 운동
- 압력과 온도에 따른 기체의 부피 변화
- 핵융합과 태양 에너지

01. 여러 가지 운동

- 이동 거리와 변위
- 속력과 속도
- 가속도 운동
- 여러 가지 운동

02. 관성 법칙과 가속도 법칙

- 뉴턴 운동 제1법칙(관성)
- 뉴턴 운동 제2법칙(가속도 법칙)
- 등가속도 직선 운동

03. 작용 반작용과 운동 법칙 적용

- 뉴턴 운동 제3법칙(작용 반작용 법칙)
- 힘의 평형

04. 운동량과 충격량

- 운동량과 충격량
- 힘-시간 그래프
- 충격력

05. 운동량 보존

- 두 물체의 충돌 후 운동량 보존
- 한 물체가 분열 후 운동량 보존

역학과 에너지

학습내용 | 2. 에너지과 열

01. 역학적 에너지와 보존
- 일과 에너지
- 퍼텐셜 에너지
- 역학적 에너지 보존

02. 내부 에너지와 열역학 제1법칙
- 열과 온도의 관계
- 기체가 하는 일
- 열역학 과정

03. 열기관과 열역학 제2법칙
- 가역 과정과 비가역 과정
- 엔트로피와 열역학 제2법칙
- 열기관의 열효율

학습내용 | 3. 특수 상대성 이론

01. 특수 상대성 이론
- 상대성 원리와 광속 불변 원리
- 동시성의 상대성
- 시간 지연과 길이 수축

02. 질량-에너지 등가성
- 질량 에너지 등가성 ($E=mc^2$)
- 핵분열과 핵융합 발전

01 여러 가지 운동

내 교과서는 어디에?
천재 p.11~17 금성 p.12~19 동아 p.11~15
미래엔 p.14~19 비상 p.12~17 YBM p.12~18

핵심 Point
- 속도와 가속도를 설명할 수 있다.
- 여러 가지 물체의 운동 사례를 찾아 속력의 변화와 운동 방향의 변화에 따라 분류할 수 있다.

1 이동 거리와 변위

1. **이동 거리** 물체가 운동할 때 움직인 경로를 따라 측정한 거리이다. — 물체가 실제로 이동한 거리
   ➡ 이동 거리는 물체의 운동 방향은 고려하지 않고 크기만 가지는 물리량❶이다.

2. **변위**
① 처음 위치에서 나중 위치까지 직선 방향의 변화량이다. — 처음 위치와 나중 위치 사이의 직선거리
② 변위는 물체의 운동에 대해 크기와 방향을 가지는 물리량이다.
③ 물체가 출발했다가 제자리로 돌아온 경우 변위는 0이다.

❶ 직선상에서 운동(P → Q)

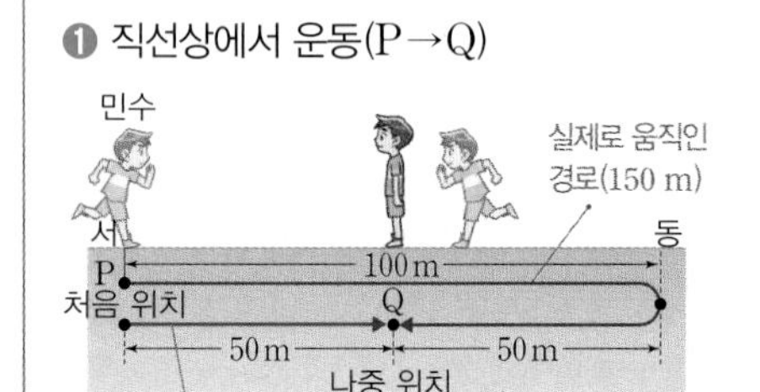

- 이동 거리: 100 m + 50 m = 150 m
- 변위: 100 m − 50 m = 50 m(방향: 동쪽)

❷ 곡선을 따라 운동(집 → 학교)

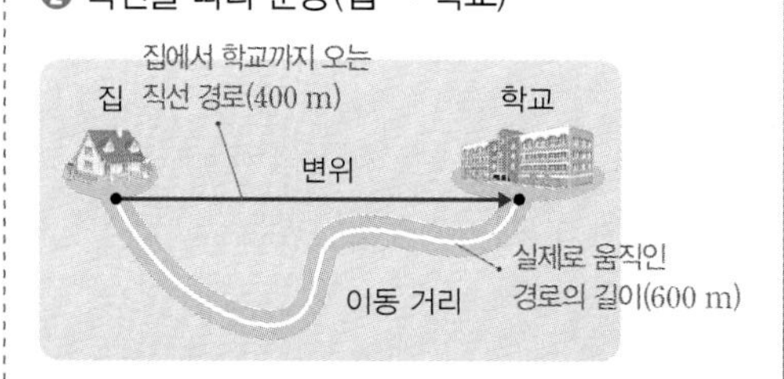

- 이동 거리: 600 m
- 변위의 크기: 400 m

2 속력❷과 속도

1. **속력**(speed)
① 물체의 빠르기를 나타낸 물리량으로, 단위 시간 동안 물체가 이동한 거리로 정의한다.

$$\text{속력} = \frac{\text{이동 거리}}{\text{시간}}, \quad v = \frac{s}{t} \ (\text{단위: m/s})❸$$

② 평균 속력: 물체가 일정 시간 동안 이동한 거리를 걸린 시간으로 나눈 값이다. — 물체가 운동할 때 보통 속력이 항상 일정하지 않고 계속 변하기 때문에 전체 운동 시간에 대한 평균적인 빠르기를 의미한다.

2. **속도**(velocity)
① 물체의 운동 방향과 빠르기를 함께 나타내는 물리량으로, 단위 시간 동안 물체의 변위로 정의한다. ➡ 한쪽 운동 방향을 (+)라고 나타내면 반대 방향은 (−)로 표시한다.

$$\text{속도} = \frac{\text{변위}}{\text{시간}}, \quad v = \frac{s}{t} \ (\text{단위: m/s})$$

— 변위의 방향에 따라 속도의 방향이 달라진다.

❶ **물리량**
- 크기만 갖는 물리량(스칼라): 길이, 질량, 온도, 이동 거리, 속력 등
- 크기와 방향을 갖는 물리량(벡터): 힘, 속도, 운동량 등

❷ **속력**
속력은 일정 시간에 대한 이동 거리의 비율을 의미하며 속도와는 달리 운동 방향을 나타내지 않고 빠르기만을 의미한다.

❸ **속력의 단위**
1 m/s는 1초 동안 1 m를 이동할 때의 속력이고, 1 km/h는 1시간 동안 1 km를 이동할 때의 속력이다.

셀파 콕콕
속도는 단위시간에 대한 변위의 변화율을 의미하며 운동 방향과 빠르기를 모두 나타낸다. 따라서 물체의 운동 방향이 바뀌는 경우 일정한 빠르기로 운동 하더라도 속도는 바뀔 수 있다. 예 등속 원운동

용어
▸ **스칼라**: 크기만을 갖는 물리량
예 시간, 거리, 질량, 온도 등
▸ **벡터**: 크기와 방향을 함께 갖는 물리량 예 위치, 변위, 속도, 가속도 등

개념 확인하기

1 이동 거리는 크기와 방향을 가진 물리량이다. (○ , ×)
2 변위는 물체가 운동할 때 물체의 위치 변화량으로 (   )와 (   )을 가진다.
3 철수가 직선상에서 동쪽으로 15 m 이동 후 서쪽으로 5 m 이동하였을 때 철수의 변위는 동쪽으로 (   )이다.

답 1. × 2. 크기, 방향 3. 10 m

② 평균 속도: 어느 시간 동안의 평균적인 속도로, 물체가 일정 시간 동안 이동한 변위를 말한다. ➡ 물체의 속도가 계속 변할 때 전체 변위를 총 걸린 시간으로 나누어 구한다.

③ 순간 속도: 속도가 매 순간 변하는 운동에서 시간 간격을 매우 작게 하여 구한 속도
└ 보통 물체는 운동하는 동안 항상 일정한 속도를 유지하지 않는다.

평균 속도와 순간 속도

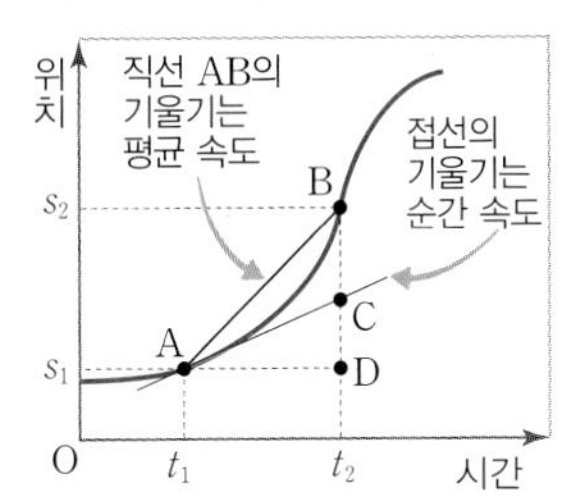

• t_1~t_2 사이의 평균 속도는 A점과 B점을 잇는 직선의 기울기와 같다.

➡ 평균 속도 $v = \frac{\overline{BD}}{\overline{AD}} = \frac{s_2 - s_1}{t_2 - t_1}$

• t_1에서의 순간 속도는 A점에서 접선의 기울기와 같다.

➡ 순간 속도 $v_{순간} = \frac{\overline{CD}}{\overline{AD}}$

3. 등속 직선 운동 물체의 속도가 일정한 운동을 등속 직선 운동이라 한다. 이 운동에서는 물체의 빠르기와 운동 방향이 변하지 않는다.

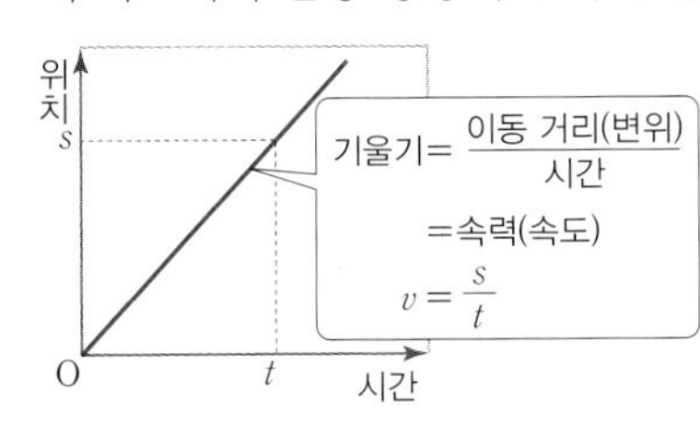

속도 v — 넓이 =이동 거리(변위) $s = v \times t$ — O t 시간

직선상에서 운동하며 운동 방향과 속력이 일정하므로 '이동 거리 = 변위의 크기'이고 속력과 속도의 크기가 같다.

3 가속도

1. 가속도❹ 물체의 속도 변화량을 걸린 시간으로 나눈 ▸물리량으로, 크기와 방향을 갖는다.
➡ 가속도는 단위 시간 동안 속도 변화량이며, 방향은 알짜힘의 방향과 같다.

$$가속도 = \frac{속도\ 변화량}{시간} = \frac{나중\ 속도 - 처음\ 속도}{시간}, \quad a = \frac{v - v_0}{t}\ (단위: m/s^2)$$❺

2. 평균 가속도와 순간 가속도 일정 시간 동안의 속도 변화를 평균 가속도, 어느 한 순간의 가속도를 순간 가속도라고 한다.

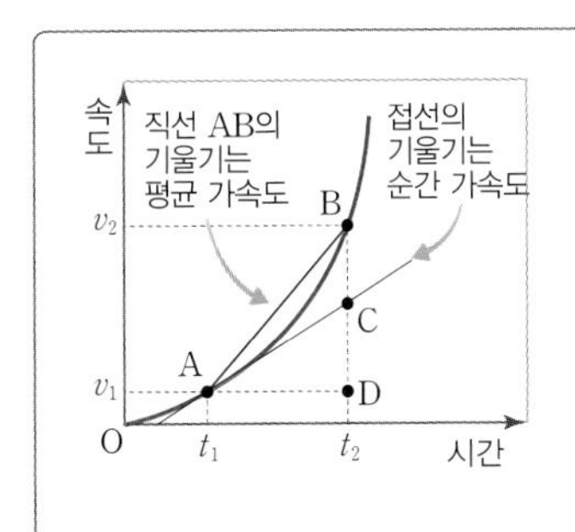

• t_1~t_2 사이의 평균 가속도는 A점과 B점을 잇는 직선의 기울기와 같다.

➡ 평균 가속도 $a = \frac{\overline{BD}}{\overline{AD}} = \frac{v_2 - v_1}{t_2 - t_1}$

• t_1에서의 순간 가속도는 A점에서 접선의 기울기와 같다.

➡ 순간 가속도 $a_{순간} = \frac{\overline{CD}}{\overline{AD}}$

셀파 콕콕
물체가 등속 직선 운동을 할 경우 물체의 속력과 속도의 크기는 같다.

❹ 가속도는 크기와 방향을 가진 물리량으로, 속도의 크기가 바뀌거나 속도의 방향이 바뀌면 발생한다.

❺ **가속도의 단위**
가속도의 단위는 m/s^2로 표시하는데 이는 물체의 속도(m/s)를 시간(s)으로 한 번 나누었다는 의미이다.

용어
▸ **물리량**: 물리학에서 측정 가능한 양으로, 수치 값과 물리 단위(주로 SI 단위)의 곱으로 표현되는 측정의 결과치이다.

1 직선상에 위치해 있는 P 지점에서 50 m 떨어져 있는 Q 지점을 향해 5 m/s의 속력으로 달리는 자전거가 P에서 Q까지 가는 데 걸리는 시간은 (　　)초이다.

2 거리가 10 m인 직선 도로에서 철수가 왕복하는 데 걸린 시간이 20초일 때, 도로를 왕복 운동하는 동안 평균 속력은 (　　) m/s이고, 평균 속도의 크기는 (　　) m/s이다.

3 속력과 운동 방향이 일정한 운동을 (　　　) 직선 운동이라 한다.

답 1. 10 2. 1, 0 3. 등속

3. 가속도의 방향과 속력 가속도의 방향이 운동 방향과 같으면 속도가 증가하고, 가속도의 방향이 운동 방향과 반대이면 속도가 감소한다.

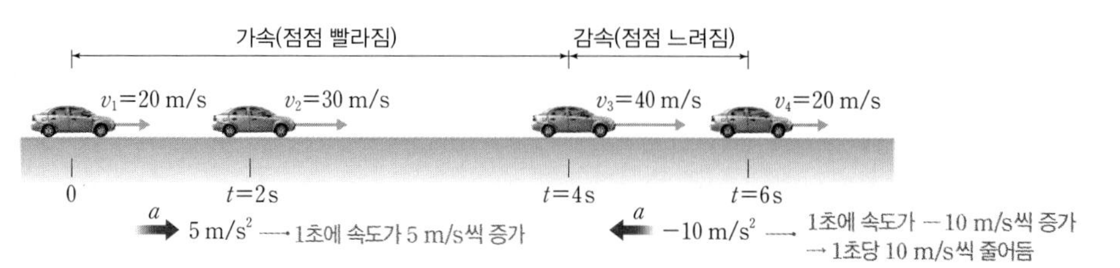

4. 등가속도 직선 운동❻ 직선상에서 속도가 일정하게 변하는 운동으로 가속도의 크기가 일정한 직선 운동이다. 예 자유 낙하 운동, 빗면을 내려오는 물체의 운동

① 물체의 처음 속도가 v_0이고 시간 t 동안 등가속도 운동을 하여 나중 속도가 v가 되었을 때, 등가속도 직선 운동의 식은 다음과 같다.

① 식에서 $t=\frac{v-v_0}{a}$이고 이 식을 ②식의 t에 넣어 정리하면 ③ 식을 구할 수 있다.

• 가속도 $a=\frac{v-v_0}{t}$ ➡ $v=v_0+at$ …… ①   • 변위 $s=v_0t+\frac{1}{2}at^2$ …… ②

• ①식과 ②식을 정리하면 $2as=v^2-{v_0}^2$ …… ③

② 등가속도 직선 운동의 그래프

• 처음 속도 > 0, 가속도 > 0: 변위가 계속 증가하고, 속도 역시 일정하게 증가한다.

가속도–시간 그래프	속도–시간 그래프	위치–시간 그래프
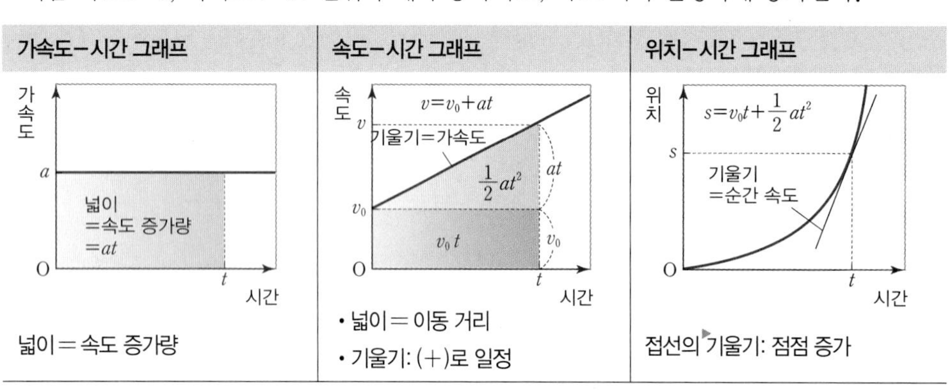		
넓이 = 속도 증가량	• 넓이 = 이동 거리 • 기울기: (+)로 일정	접선의 기울기: 점점 증가

• 처음 속도 > 0, 가속도 < 0: 속도가 일정하게 감소한다. → 속도의 크기가 점점 줄어들다가 속도의 방향이 처음과 반대가 된다.

가속도–시간 그래프	속도–시간 그래프	위치–시간 그래프
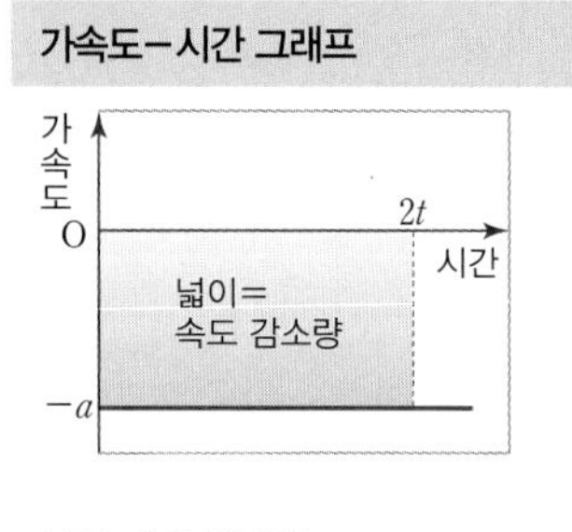	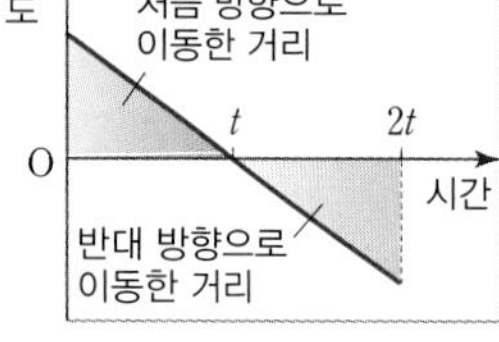	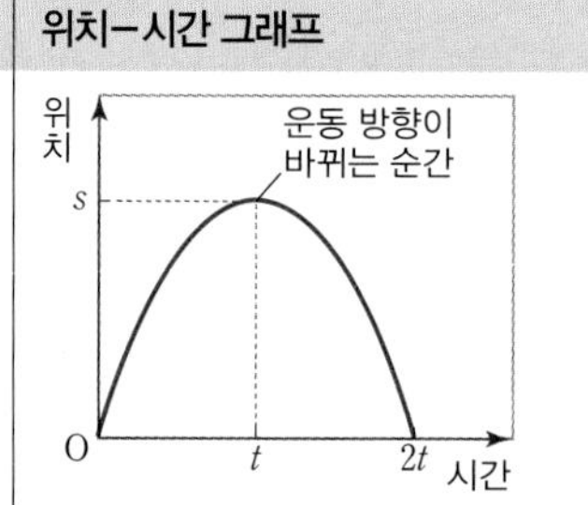
넓이: 속도 감소량	• 기울기: (−)로 일정 • 속도의 부호가 바뀔 때, 운동 방향이 바뀐다.	t 점까지 속도의 크기가 감소하다가 운동 방향이 바뀐 t 점부터 속도의 크기가 증가한다.

❻ 등가속도 직선 운동에서 평균 속도

등가속도 직선 운동을 하는 물체의 속도는 일정하게 증가하거나 감소한다. 따라서 이때 평균 속도($v_{평균}$)는 처음 속도(v_0)와 나중 속도(v)의 중간값이다.

$v_{평균}=\frac{v_0+v}{2}$

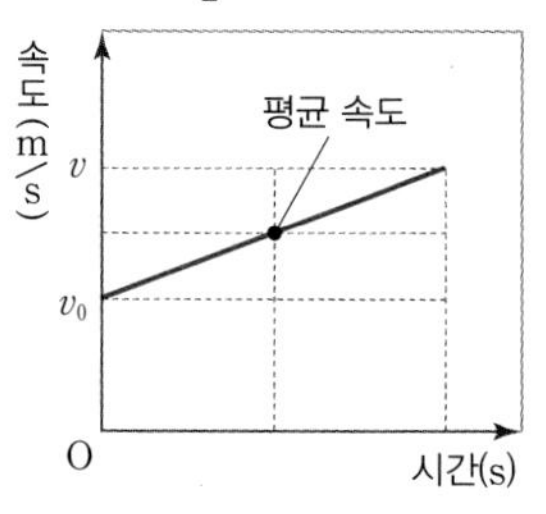

주의 콕

처음 속도와 가속도의 방향이 다른 경우 물체의 속도는 감속하다가 0이 된 후 가속도와 같은 방향으로 가속 운동을 하게 된다. 따라서 처음 속도 > 0, 가속도 < 0인 운동에서 속도가 0이 되는 t 점부터 물체의 속도와 가속도 방향이 같아지므로 t 점부터 속도의 크기가 증가한다.

용어

▸ **직선의 기울기**: 수학에서 기울기는 직선이 기울어진 정도를 나타내는 수이다.

개념 확인하기

1 속도의 크기가 변하거나 운동 방향이 변할 때 시간에 따른 속도 변화량을 (   )라 한다.

2 달리는 자동차가 브레이크를 밟으면 속도가 감소한다. 이때 가속도의 방향은 운동 방향과 (   )이다.

3 정지해 있던 물체가 직선 도로 위에서 출발하여 5초가 지날 때 속력이 20 m/s이었다. 이 물체의 평균 가속도는 (   ) m/s^2이다.

답 1. 가속도 2. 반대 3. 4

4 여러 가지 운동[7]

1. 운동 방향만 변하는 운동

① 원운동[8]: 물체가 원을 그리며 도는 운동을 원운동이라 한다.

② 등속 원운동: 물체가 원 궤도를 그리며 일정한 속력으로 회전하는 운동으로 물체의 속력은 일정하지만, 운동 방향은 원 궤도의 접선 방향으로[9] 매순간 변한다.

③ 등속 원운동의 예

등속 원운동	빠르기가 일정한 물레의 운동	빠르기가 일정한 선풍기 날개의 운동	빠르기가 일정한 대관람차의 운동
운동 방향, 구심력			

2. 속력과 운동 방향이 모두 변하는 운동

① 진자 운동: 실처럼 긴 줄에 매달려 있는 추와 같은 물체의 운동으로, 같은 경로를 반복해서 왕복 운동한다.

- 물체의 속력
  - A, B에서 속력 0, 진동 중심 O에서 속력 최대
  - A→O일 때 속력이 점점 증가하고, O→B일 때 속력이 점점 감소
- 운동 방향: 물체가 운동하는 매 순간 변함

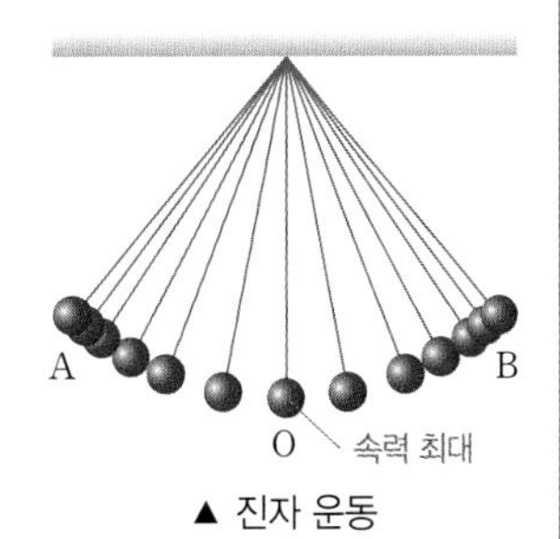

▲ 진자 운동

② 수평으로 던진 물체의 운동: 수평으로 던진 물체는 수평 방향으로는 힘이 작용하지 않으며, 연직 방향으로는 중력이 작용하여 등가속도 운동을 한다.

- 물체의 속력
  - 수평 방향: 일정(등속 직선 운동)
  - 연직 방향: 증가(등가속도 직선 운동)
- 운동 방향: 물체가 운동하는 매 순간 변함

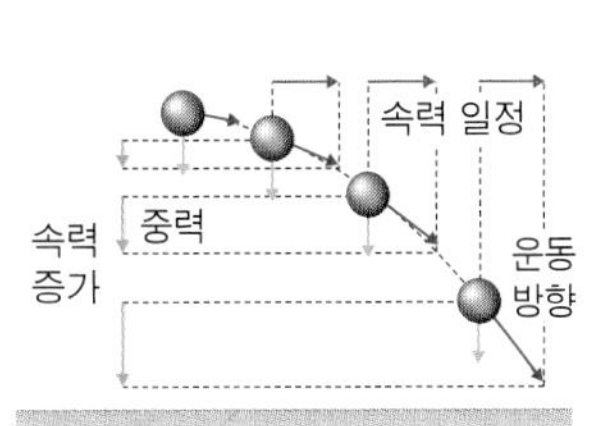

▲ 수평으로 던진 물체의 운동

③ 비스듬히 던져 올린 물체의 운동(포물선 운동): 수평 방향으로는 힘이 작용하지 않으며, 연직 방향으로는 중력이 작용하여 등가속도 운동을 한다.

- 물체의 속력
  - 수평 방향: 속력이 일정
  - 연직 방향: A→B 속력 감소, B→C 속력 증가
- 운동 방향: 물체가 운동하는 매 순간 변함(포물선의 접선 방향)

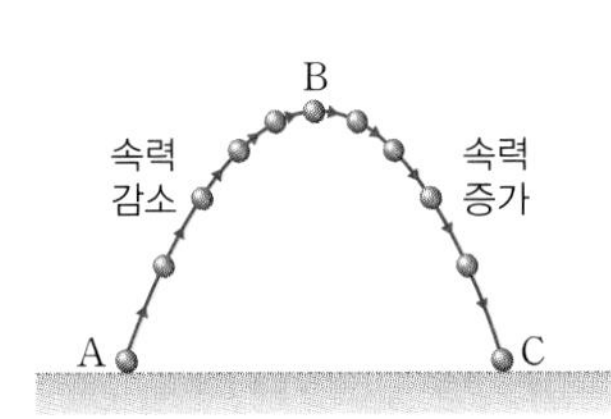

▲ 비스듬히 던져 올린 물체의 운동

---

[7] 여러 가지 운동의 분류
일반적으로 속도가 일정한 운동보다 속도가 변하는 운동이 더 많다.
- 속도의 크기만 변하는 운동: 자유 낙하 운동, 빗면에서 물체의 운동 등
- 속도의 방향만 변하는 운동: 등속 원운동 등
- 속도의 크기와 방향이 모두 변하는 운동: 진자 운동, 포물선 운동

[8] 등속 원운동에서 물체에 작용하는 힘의 방향은 원 중심 방향이다.

[9] 접선 방향은 등속 원운동의 중심에서 현재 위치까지 반지름을 그었을 때 수직한 방향을 의미한다. 즉, 반지름에 수직한 방향이다. 따라서 물체를 놓아 주면 물체는 힘을 받지 않으므로 순간 운동 방향인 접선 방향으로 이동하게 된다.

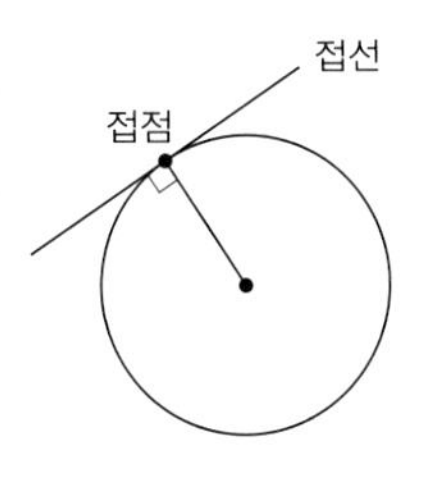

셀파 콕콕
지구 표면에서 자유 낙하 하는 물체에는 중력만 작용하므로 가속도 방향은 항상 아래 방향이다.

용어
▶ **진자**: 진동자의 줄임말로 고정된 한 축이나 점의 주위를 일정한 주기로 진동하는 추이다.

개념 확인하기

1 진자 운동은 운동 방향은 변하지만 속력이 일정한 운동이다. (○ , ×)
2 (   )이란 원 궤도를 그리며 일정한 속력으로 회전하는 운동이다.
3 수평으로 던진 물체는 속도의 크기와 (   )이 모두 변하는 운동이다.

답 1. × 2. 등속 원운동 3. 방향

셀파 탐구

놀이 기구의 운동 분류하기

목표 물체의 운동을 속력의 변화와 운동 방향의 변화에 따라 분류할 수 있다.

과정

놀이공원에서 볼 수 있는 여러 가지 놀이 기구의 운동을 속력의 변화와 운동 방향의 변화를 기준으로 분류하시오.

(가) 돌아가는 회전 그네

(나) 직선 구간을 움직이는 리프트

(다) 떨어지는 자이로드롭

(라) 회전하는 롤러코스터

(마) 돌아가는 회전목마

(바) 진자 운동하는 바이킹

결과 및 정리

1. 다음 표에 (가)~(바)의 놀이 기구를 탄 사람의 운동을 속력과 운동 방향의 변화에 따라 분류하시오.

구분	속력 일정	속력 변함
운동 방향 일정	(나)	(다)
운동 방향 변함	(가), (마)	(라), (바)

2. (나)와 (다) 놀이 기구의 운동은 어떤 차이점이 있는가?

➡ (나)는 운동 방향와 속력이 일정한 등속 직선 운동으로 단위시간당 이동하는 거리가 같다. (다)는 운동 방향은 일정하지만 속력이 변하는 가속도 운동을 한다.

3. (마)와 (바) 놀이 기구의 운동은 어떤 차이점이 있는가?

➡ (마)는 회전하는 속력이 일정한 등속 원운동으로 속도의 크기는 같지만 속도의 방향이 변하는 원운동이다. (바)는 속력과 방향이 모두 변하는 운동으로 실에 매달린 추의 운동과 같은 진자 운동이다.

같은 주제 다른 탐구

놀이터에서 볼 수 있는 여러 가지 운동

[과정]
놀이터에서 볼 수 있는 기구들의 운동을 속력의 변화와 운동 방향의 변화로 분류할 수 있다.

▲ 그네

▲ 미끄럼틀

[결과 및 정리]
- 그네: 속력과 방향이 모두 변함
- 미끄럼틀: 속력은 변하고 방향은 일정

탐구 돋보기

가속도는 크기와 방향을 가지는 물리량으로 운동 방향이 일정하더라도 속도의 크기가 변하면 가속도 운동이다. 또한 속도의 크기가 변하지 않더라도 운동 방향이 변하면 가속도 운동이다.

탐구 대표 문제 정답과 해설 2쪽

01 〈보기〉에서 운동 방향만 변하는 운동을 있는 대로 고른 것은?

보기
ㄱ. [회전 그네] ㄴ. [바이킹] ㄷ. [자이로드롭] ㄹ. [회전목마]

① ㄱ, ㄹ ② ㄴ, ㄷ ③ ㄱ, ㄴ, ㄹ ④ ㄴ, ㄷ, ㄹ ⑤ ㄱ, ㄴ, ㄷ, ㄹ

시험 유형은?

❶ 일정한 방향으로 운동하며 속력이 단위 시간마다 일정하게 증가하는 놀이 기구의 운동을 무엇이라 하는가?
▶ 등가속도 직선 운동

❷ 회전목마와 같이 회전하는 속력은 같지만 운동 방향이 변하는 놀이 기구의 운동을 무엇이라 하는가?
▶ 등속 원운동

셀파 세미나 S·H·E·R·P·

▶ 운동 종류에 따라 변위-시간, 속도-시간 그래프의 모습의 차이를 알아 봅시다.

여러 가지 물체의 운동

01 등속 직선 운동(속력과 방향이 모두 일정)

이동 거리는 시간에 비례하여 증가하다.

- 등속 직선 운동의 위치-시간 그래프에서 물체의 속력은 그래프의 기울기이므로,

  $v=\dfrac{10\text{ m}}{5\text{ s}}=2\text{ m/s}$이다.

- 속력-시간 그래프 아랫부분의 넓이는 이동 거리를 의미하므로 5초일 때 사람의 위치 $s=2\text{ m/s}\times 5\text{ s}=10\text{ m}$이다.

Plus 자료

등속 직선 운동

- 속도는 크기뿐 아니라 방향도 가지는 양이므로, 속력이 일정해도 직선 운동이 아니면 속력과 속도는 다른 값을 가진다.
- 변위: 시간에 따라 일정하게 증가한다.(vt)
- 속도: 일정
- 가속도: 0

02 등가속도 직선 운동

등가속도 직선 운동의 속도-시간 그래프는 기울기가 일정한 직선 그래프이고, 가속도는 그래프의 기울기, 변위는 그래프 아랫부분의 넓이이다.

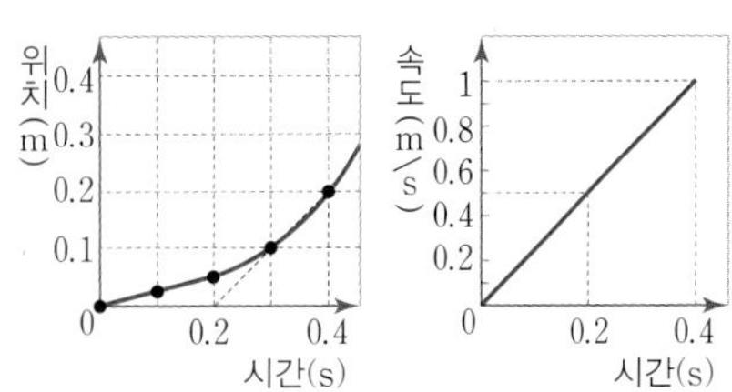

- 위치-시간 그래프에서 0초~0.4초에서 평균 속도 $v_{평균}=\dfrac{0.2\text{ m}}{0.4\text{ s}}=0.5\text{ m/s}$이다.
- 속도-시간 그래프에서 0.2초일 때 변위는 $s=\dfrac{1}{2}\times 0.5\text{ m/s}\times 0.2\text{ s}=0.05\text{ m}$이다.
- 속도-시간 그래프에서 기울기를 구하면 가속도 $a=\dfrac{0.5\text{ m/s}}{0.2\text{ s}}=2.5\text{ m/s}^2$이다.

Plus 자료

등가속도 직선 운동의 변위

등가속도 직선 운동은 속도가 일정하게 변한다.

$$v_{평균}=\frac{\text{처음 속도}(v_0)+\text{나중 속도}(v)}{2}=\frac{v_0+(v_0+at)}{2}=v_0+\frac{at}{2}$$

$$\text{변위}(s)=v_{평균}t=v_0t+\frac{1}{2}at^2$$

03 연직 위나 아래로 던진 운동

- 직선 운동을 하는 물체의 처음 운동 방향을 (+)라고 할 때 속력이 점점 빨라지면 가속도는 (+)이고 속력이 점점 느려지면 가속도는 (−)이다.
- (가)와 같이 공을 가만히 놓으면 공이 떨어지는 동안에는 공의 운동 방향과 같은 방향으로 중력이 작용하므로 속력이 일정하게 증가하는 등가속도 직선 운동을 한다.
- (나)와 같이 공을 연직 위로 던져 올리면 공이 올라가는 동안 공의 운동 방향과 반대 방향으로 중력이 작용하므로 속력이 일정하게 감소하는 등가속도 직선 운동을 한다.

공이 떨어지는 방향을 (−), 연직 위로 던져 올라가는 방향을 (+)라 하자.

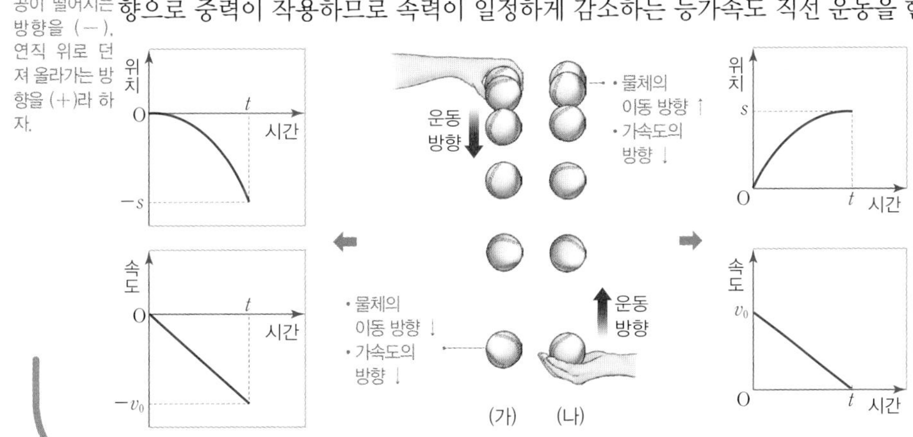

Plus 자료

등가속도 직선 운동

- 가속도의 방향: 속력이 증가하는 경우 가속도는 운동 방향과 같은 방향이고, 속력이 감소하는 경우 가속도는 운동 방향과 반대 방향이다.
- 속도: 시간에 따라 일정하게 증가 혹은 감소한다.
- 가속도: 일정하다.

예) 자유 낙하 운동, 마찰이 없는 빗면에서의 운동 등이 있다.

기초 탄탄 문제

정답과 해설 2쪽

핵심용어_ 이 단원에서 내가 아는 것과 아직 모르는 것을 정리하며 나의 공부를 돌아보자.

□ 속력　□ 속도　□ 평균 속도
□ 순간 속도　□ 가속도　□ 등속 직선 운동
□ 등가속도 직선 운동　□ 등속 원운동

[01~02] 그림과 같이 강아지가 직선상에서 동쪽으로 3초 동안 60 m를 이동한 후 서쪽으로 2초 동안 20 m를 이동하였다.

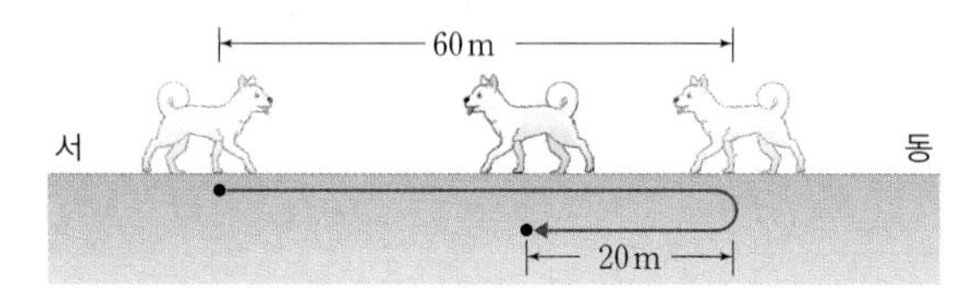

01 강아지의 이동 거리와 변위에 대한 설명으로 옳은 것은?

① 변위는 80 m이다.
② 이동 거리는 총 40 m이다.
③ 변위의 크기는 80 m, 방향은 동쪽이다.
④ 이동 거리는 40 m, 방향은 서쪽이다.
⑤ 변위의 크기는 40 m, 방향은 동쪽이다.

02 이 강아지의 평균 속력과 평균 속도의 크기는?

	평균 속력	평균 속도		평균 속력	평균 속도
①	16 m/s	8 m/s	②	16 m/s	16 m/s
③	12 m/s	4 m/s	④	8 m/s	16 m/s
⑤	8 m/s	8 m/s			

03 그림은 직선상에서 운동하는 물체의 이동 거리를 시간에 따라 나타낸 것이다. 이에 대한 설명으로 옳은 것은?

이동 거리
s
O　t　시간

① 등속 직선 운동이다.
② 등가속도 직선 운동이다.
③ 그래프의 기울기는 가속도이다.
④ 그래프 아랫부분의 넓이는 속도 변화량이다.
⑤ 속력이 일정하게 증가하는 운동이다.

04 그림은 직선상에서 운동하는 물체의 속도를 시간에 따라 나타낸 것이다. 이 물체의 운동에 대한 설명으로 옳은 것은? (단, $t=0$일 때의 위치를 원점으로 하고, 원래의 운동 방향을 (+)로, 반대 방향을 (−)로 나타낸다.)

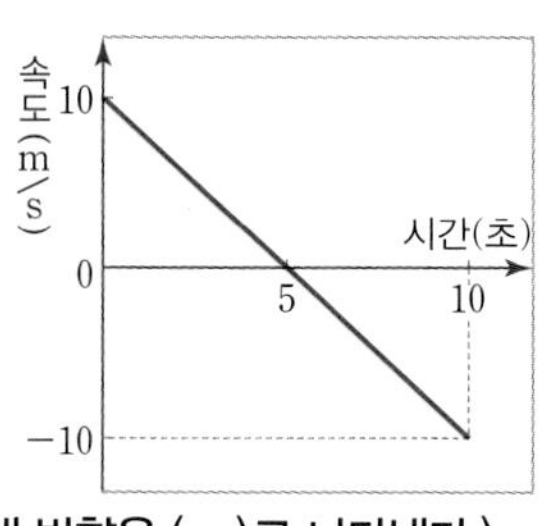

① 가속도는 $-2\ m/s^2$이다.
② 5초 동안 이동한 거리는 50 m이다.
③ 0초~10초 동안 물체는 같은 방향으로 운동한다.
④ 10초일 때 물체의 변위는 100 m이다.
⑤ 10초 동안의 평균 속도는 10 m/s이다.

05 그림은 정지해 있던 물체가 직선상에서 운동하였을 때 물체의 가속도와 시간의 관계를 나타낸 것이다. 그래프에서 색칠한 부분의 넓이가 의미하는 것은?

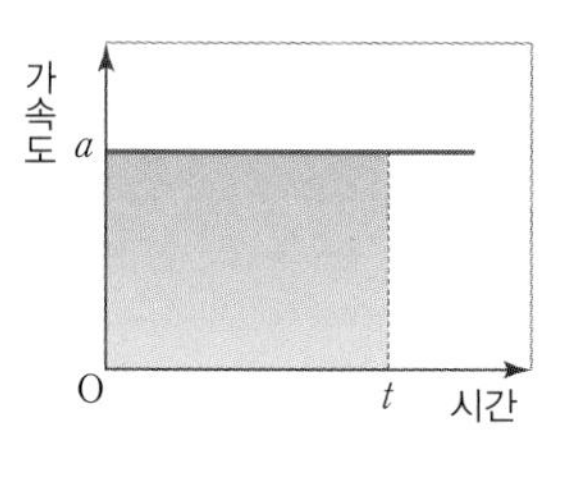

① 변위　② 평균 속도　③ 순간 속도
④ 평균 가속도　⑤ 속도의 변화량

06 그림은 비스듬히 던져 올린 축구공이 날아가는 모습을 나타낸 것이다.

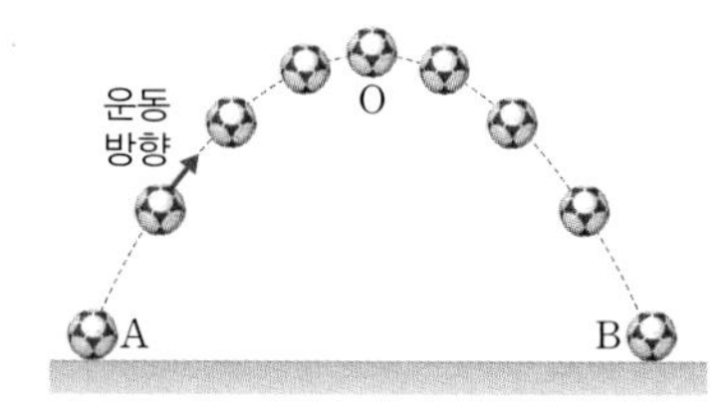

이에 대한 설명으로 옳은 것은? (단, 공기 저항은 무시한다.)

① A에서 O까지 이동하는 동안 속력은 증가한다.
② 운동하는 동안 힘은 아랫방향으로 작용한다.
③ O점을 지날 때 속력은 0이다.
④ 수평 방향의 속력은 계속 변한다.
⑤ O에서 B까지 축구공의 운동 방향은 아랫방향이다.

내신 만점 문제

정답과 해설 2쪽

▮▮▮ 난이도를 나타냅니다.

01 그림은 직선상에서 운동하는 물체의 위치를 시간에 따라 나타낸 것이다.

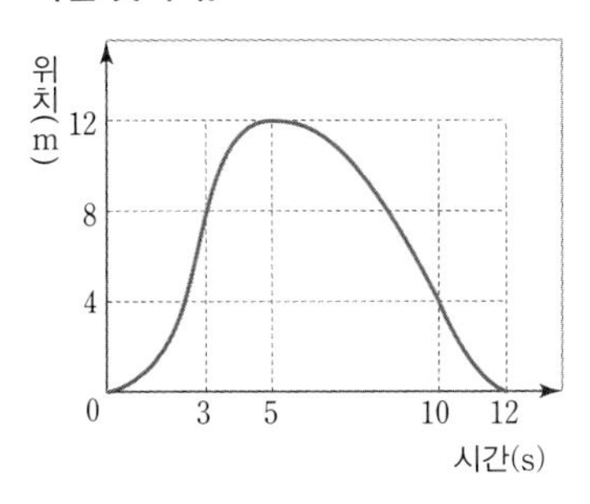

이 물체의 운동에 대한 설명으로 옳지 않은 것은?

① 0초~3초 동안 속력은 증가하였다.
② 5초~10초 동안 속력은 증가하였다.
③ 5초일 때 운동 방향이 반대로 바뀌었다.
④ 0초~12초 동안 평균 속도의 크기는 2 m/s이다.
⑤ 0초~5초 동안의 평균 속력이 5초~10초 동안의 평균 속력보다 크다.

02 그림은 일정한 속력으로 원운동하는 물체의 모습을 나타낸 것이다. 이 물체에 대한 설명으로 옳은 것은?

① 운동 방향은 변하지 않는다.
② 속도는 일정하다.
③ 속력은 일정하다.
④ 가속도는 0이다.
⑤ 힘의 방향은 물체가 운동하는 방향과 같다.

03 그림은 O선 위에 있던 영희와 철수가 동시에 서로 반대 방향으로 출발한 후, 각각 5 m 떨어진 A선과 B선에서 되돌아와 P선에 동시에 도착하는 모습을 나타낸 것이다. 그 동안 영희와 철수의 평균 속력은 각각 2 m/s, 3 m/s이다.

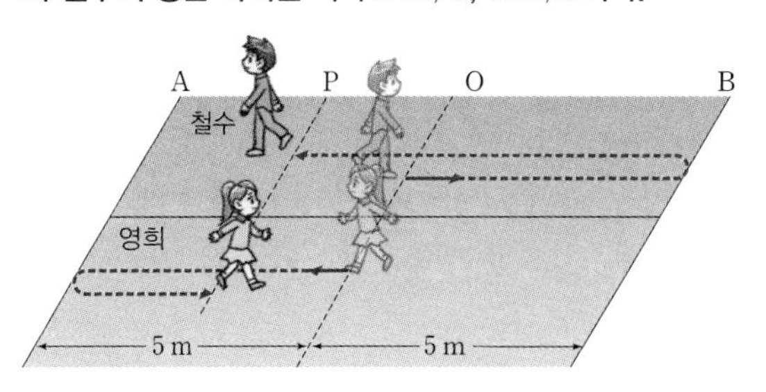

O선에서 출발하여 P선에서 다시 만날 때까지 영희와 철수의 운동에 대한 설명으로 옳은 것만을 〈보기〉에서 있는 대로 고른 것은? (단, 영희와 철수는 직선 운동을 한다.)

보기
ㄱ. 영희와 철수의 이동 거리의 비는 2 : 3이다.
ㄴ. 영희와 철수는 4초만에 다시 만난다.
ㄷ. 철수의 평균 속도의 크기는 0.5 m/s이다.

① ㄱ ② ㄴ ③ ㄱ, ㄷ
④ ㄴ, ㄷ ⑤ ㄱ, ㄴ, ㄷ

04 그림과 같이 직선 도로에서 0초일 때 자동차 A가 출발선을 20 m/s의 속도로 통과하여 등속도 운동을 하였고, 멈춰 있던 자동차 B가 출발선을 일정한 가속도로 출발하였다. 5초 후 두 자동차의 위치는 같다.

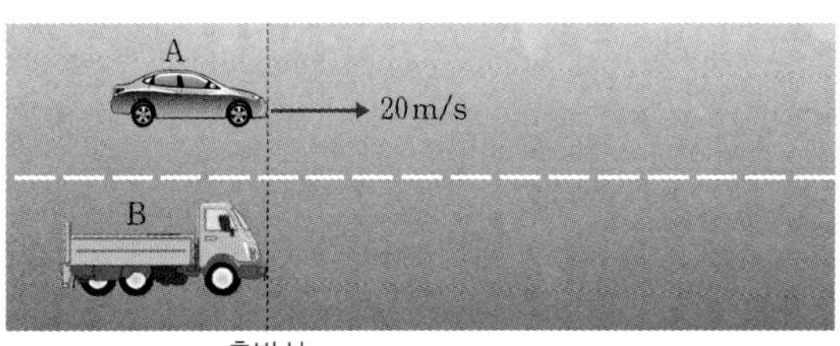

출발선

A, B 자동차에 대한 설명으로 옳은 것만을 〈보기〉에서 있는 대로 고른 것은?

보기
ㄱ. 5초 동안 A는 100 m 이동한다.
ㄴ. B의 가속도 크기는 5 m/s^{2}이다.
ㄷ. 0초~5초까지 B의 평균 속도의 크기는 10 m/s이다.

① ㄱ ② ㄴ ③ ㄷ
④ ㄱ, ㄴ ⑤ ㄴ, ㄷ

[05~06] 그림은 0초일 때 원점에서 $-x$ 방향으로 2 m/s의 속력으로 출발한 물체가 등가속도 직선 운동을 하여 시간 t일 때 $x=8$ m 지점을 속력 v로 통과하는 것을 나타낸 것이다. 0초부터 t까지 평균 속력은 평균 속도 크기의 $\frac{5}{4}$배이다.

05 0초부터 t까지 물체의 운동에 대한 설명으로 옳은 것만을 〈보기〉에서 있는 대로 고른 것은?

보기
ㄱ. 이동 거리는 10 m이다.
ㄴ. $x=-1$ m에서 운동 방향이 바뀐다.
ㄷ. 가속도의 크기는 2 m/s^2이다.

① ㄱ ② ㄷ ③ ㄱ, ㄴ
④ ㄴ, ㄷ ⑤ ㄱ, ㄴ, ㄷ

06 물체가 $x=8$ m 지점을 통과할 때 t와 v는?

	t	v		t	v
①	3초	3 m/s	②	4초	4 m/s
③	4초	6 m/s	④	5초	6 m/s
⑤	5초	8 m/s			

07 그림은 정지 상태에서 출발한 물체의 가속도를 시간에 따라 나타낸 것으로, 물체는 직선상에서 운동한다.

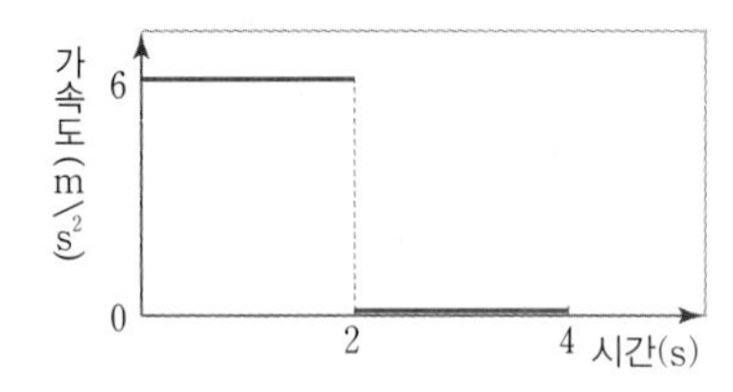

이에 대한 설명으로 옳은 것만을 〈보기〉에서 있는 대로 고른 것은?

보기
ㄱ. 2초일 때 물체의 속력은 12 m/s이다.
ㄴ. 2초부터 4초까지 물체는 움직이지 않는다.
ㄷ. 0초부터 4초까지 평균 속력은 9 m/s이다.

① ㄱ ② ㄴ ③ ㄷ
④ ㄱ, ㄷ ⑤ ㄴ, ㄷ

08 그림은 등가속도 직선 운동을 하는 물체가 점 a, b, c, d를 2 m/s, v, $2v$, 10 m/s의 속도로 통과하는 것을 나타낸 것이다. $\overline{ab}=6$ m, $\overline{cd}=18$ m이고, a에서 b까지 가는 데 걸린 시간과 c에서 d까지 가는 데 걸린 시간은 같다.

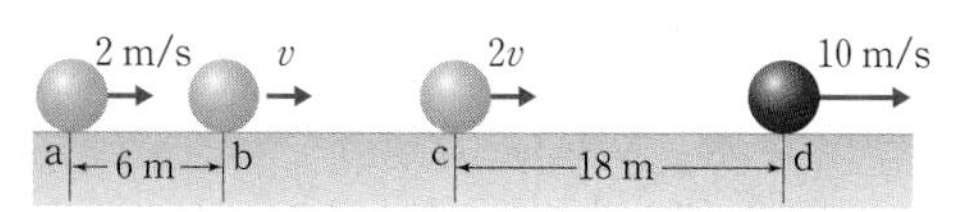

이 물체의 운동에 대한 설명으로 옳은 것만을 〈보기〉에서 있는 대로 고른 것은?

보기
ㄱ. v는 4 m/s이다.
ㄴ. 가속도의 크기는 2 m/s^2이다.
ㄷ. b에서 c까지 가는 데 걸린 시간은 4초이다.

① ㄱ ② ㄴ ③ ㄱ, ㄷ
④ ㄴ, ㄷ ⑤ ㄱ, ㄴ, ㄷ

09 그림은 직선상에서 운동하는 물체의 속도를 시간에 따라 나타낸 것이다. 이에 대한 설명으로 옳은 것만을 〈보기〉에서 있는 대로 고른 것은?

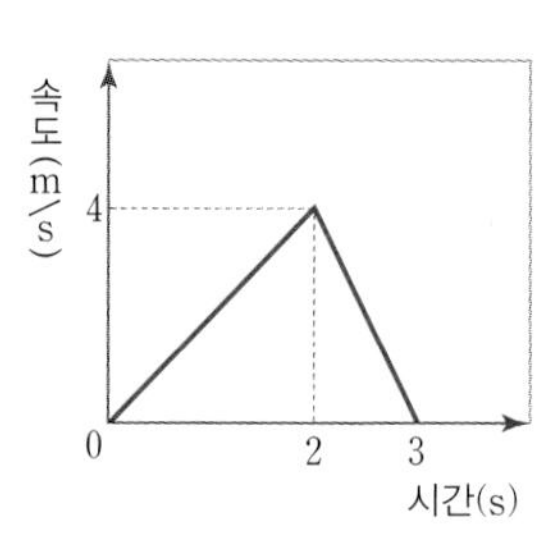

보기
ㄱ. 2초일 때 물체의 운동 방향이 바뀌었다.
ㄴ. 3초일 때 물체는 원점으로 되돌아온다.
ㄷ. 0초~3초 동안 물체의 평균 속력은 2 m/s이다.

① ㄱ ② ㄴ ③ ㄷ
④ ㄱ, ㄴ ⑤ ㄴ, ㄷ

10 그림은 직선상에서 운동하는 물체의 속도를 시간에 따라 나타낸 것이다.
0초~5초 동안 이 물체의 평균 속력은?

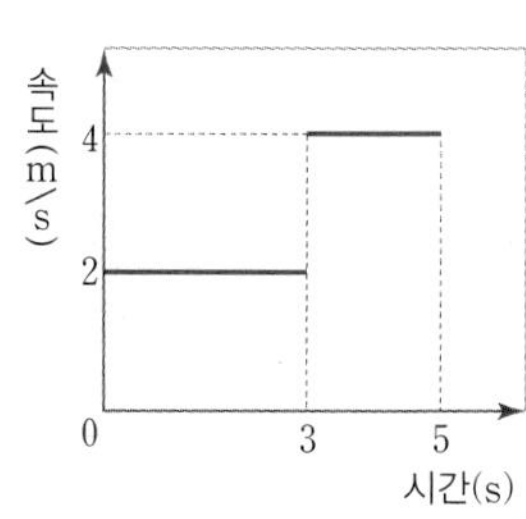

① 1.2 m/s ② 1.6 m/s
③ 2 m/s ④ 2.8 m/s
⑤ 4 m/s

11 그림은 직선상에서 운동하는 두 물체 A, B가 출발점을 동시에 지나는 순간부터 A, B의 속도를 시간에 따라 나타낸 것이다.

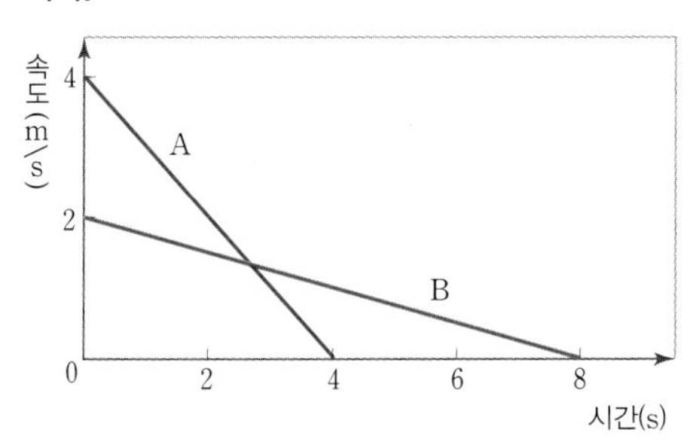

A, B의 운동에 대한 설명으로 옳은 것만을 〈보기〉에서 있는 대로 고른 것은?

보기

ㄱ. 2초일 때 가속도의 크기는 A가 B의 4배이다.
ㄴ. 정지할 때까지 이동한 거리는 A가 B의 2배이다.
ㄷ. A, B의 속도가 같은 순간 A와 B 사이의 거리는 $\frac{8}{3}$ m이다.

① ㄱ　② ㄴ　③ ㄷ
④ ㄱ, ㄷ　⑤ ㄱ, ㄴ, ㄷ

12 그림은 0초일 때 출발하여 일직선을 따라 운동하는 물체의 속도를 시간에 따라 나타낸 것이다.

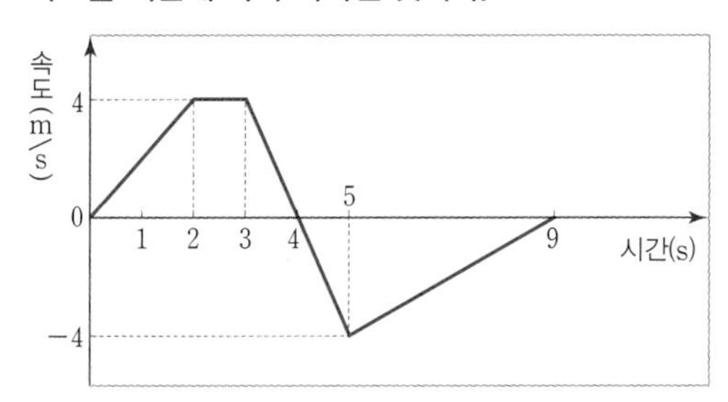

이에 대한 설명으로 옳지 않은 것은?

① 0초~4초 동안 이동한 거리는 10 m이다.
② 가속도의 크기는 1초일 때가 4초일 때보다 크다.
③ 2초~3초 동안 평균 속력은 3초~5초 동안 평균 속력의 2배이다.
④ 7초일 때 운동 방향은 가속도의 방향과 반대이다.
⑤ 9초일 때 물체는 출발점에 있다.

13 그림은 직선상에서 운동하고 있는 A, B의 위치를 시간에 따라 나타낸 것이다. A, B의 운동에 대한 설명으로 옳은 것만을 〈보기〉에서 있는 대로 고른 것은?

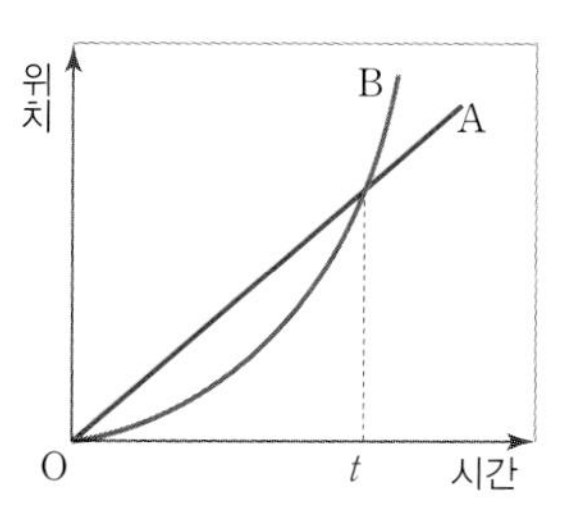

보기

ㄱ. A는 속도가 일정하다.
ㄴ. 시각 t일 때 A, B의 속도는 같다.
ㄷ. 0~t 동안 A, B의 평균 속도는 같다.

① ㄱ　② ㄴ　③ ㄱ, ㄷ
④ ㄴ, ㄷ　⑤ ㄱ, ㄴ, ㄷ

14 그림은 빗면에 놓인 수레가 내려오는 동안 수레의 운동을 시간 기록계로 기록한 것이다.

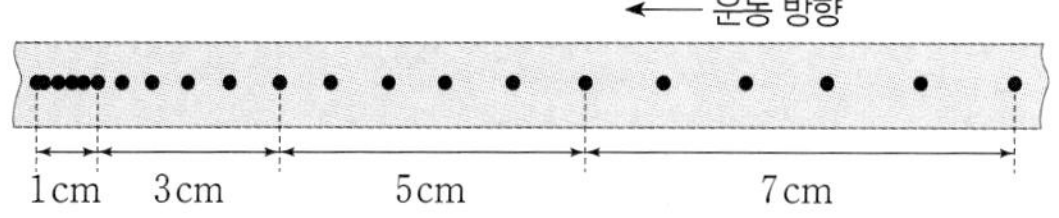

이 수레의 운동과 관련된 물리량을 개략적으로 나타낸 그래프로 옳은 것만을 〈보기〉에서 있는 대로 고른 것은?

보기

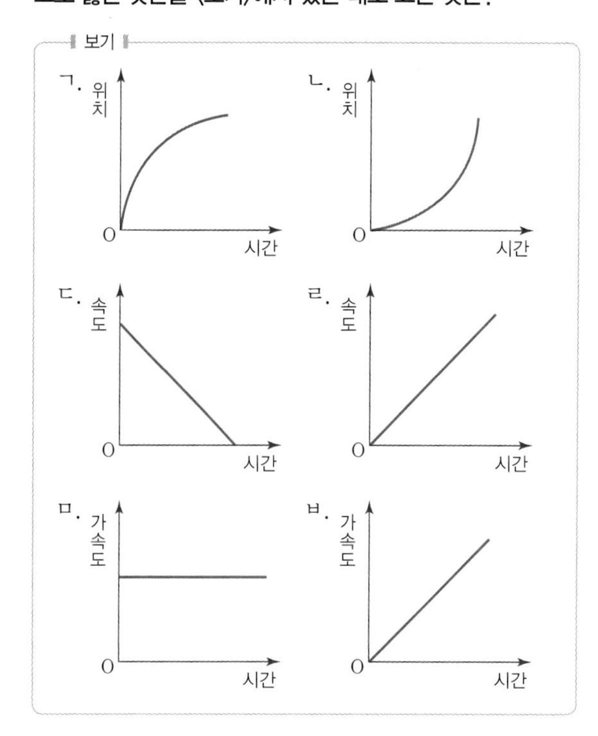

① ㄱ, ㄷ, ㅁ　② ㄱ, ㄹ, ㅁ　③ ㄱ, ㄹ, ㅂ
④ ㄴ, ㄹ, ㅁ　⑤ ㄴ, ㄹ, ㅂ

15 그림과 같이 직선 도로에서 기준선 P를 동시에 통과한 자동차 A, B가 200 m를 이동하여 동시에 기준선 Q에 도달한다. A는 등속도 운동을, B는 등가속도 직선 운동을 하며, P를 통과하는 순간 A, B의 속력은 각각 10 m/s, 15 m/s이다.

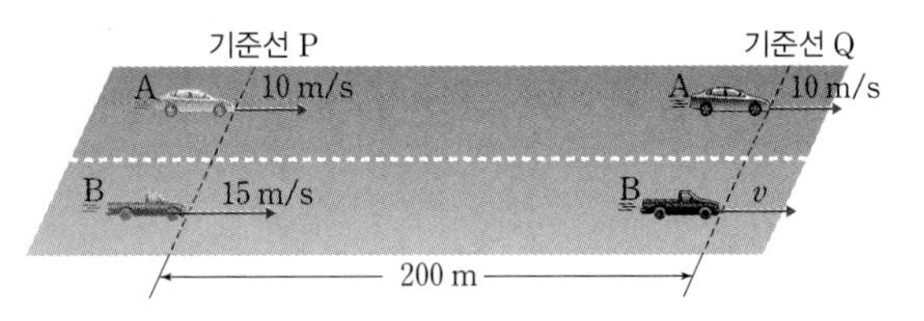

B의 가속도의 크기와 Q에 도달하는 순간 B의 속력을 옳게 짝 지은 것은?

	가속도의 크기	속력
①	$\frac{1}{2}$ m/s^2	5 m/s
②	$\frac{1}{2}$ m/s^2	10 m/s
③	1 m/s^2	5 m/s
④	1 m/s^2	10 m/s
⑤	2 m/s	5 m/s

16 그림은 빗면을 따라 내려가는 공의 위치를 0.4초 간격으로 나타낸 것이다. A, B 구간에서 평균 속력은 각각 v_A, v_B이고, P는 0.8 m 지점이다.

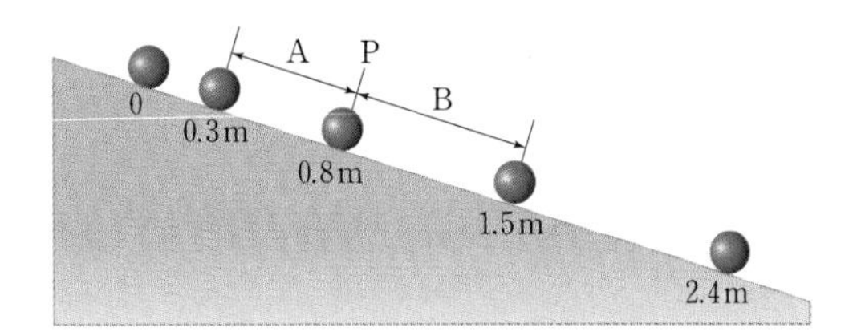

이 공의 운동에 대한 설명으로 옳은 것만을 〈보기〉에서 있는 대로 고른 것은?

보기

ㄱ. v_B는 v_A보다 0.5 m/s만큼 크다.
ㄴ. P에서 속력은 1.5 m/s이다.
ㄷ. 가속도의 크기는 1.5 m/s^{2}이다.

① ㄱ ② ㄷ ③ ㄱ, ㄴ
④ ㄴ, ㄷ ⑤ ㄱ, ㄴ, ㄷ

17 그림은 직선상에서 운동하는 물체 A, B의 속도를 시간에 따라 나타낸 것이다.

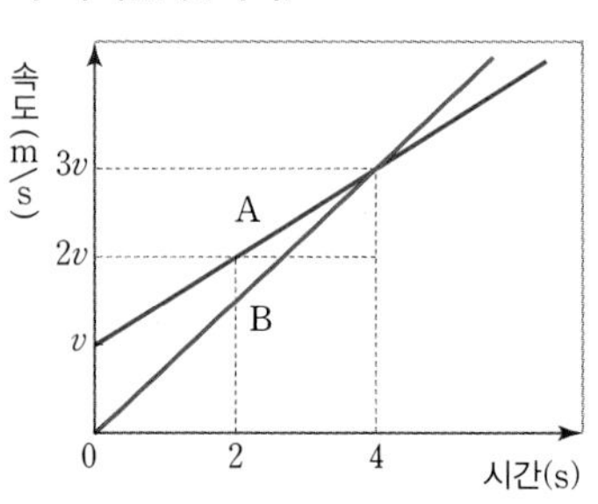

0초~4초까지 두 물체의 운동에 대한 설명으로 옳은 것만을 〈보기〉에서 있는 대로 고른 것은?

보기

ㄱ. 평균 속도는 A가 B의 $\frac{4}{3}$배이다.
ㄴ. 가속도의 크기는 B가 A의 $\frac{3}{2}$배이다.
ㄷ. 2초일 때 속도는 A가 B보다 $0.5v$만큼 크다.

① ㄱ ② ㄷ ③ ㄱ, ㄴ
④ ㄴ, ㄷ ⑤ ㄱ, ㄴ, ㄷ

18 그림 (가)는 철수의 속력을 시간에 따라 나타낸 것이고, (나)는 영희의 이동 거리를 시간에 따라 나타낸 것이다. 철수와 영희는 같은 위치에서 같은 방향으로 출발했으며 직선 운동한다.

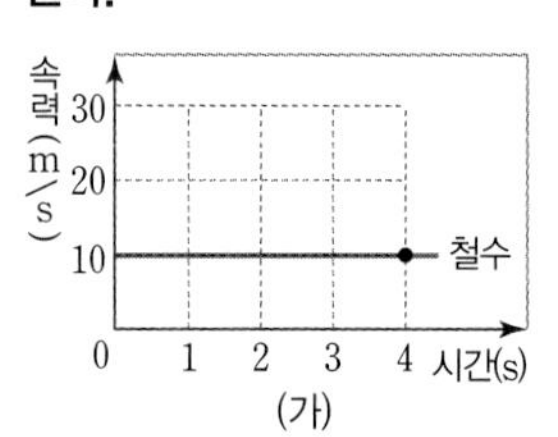

(가)

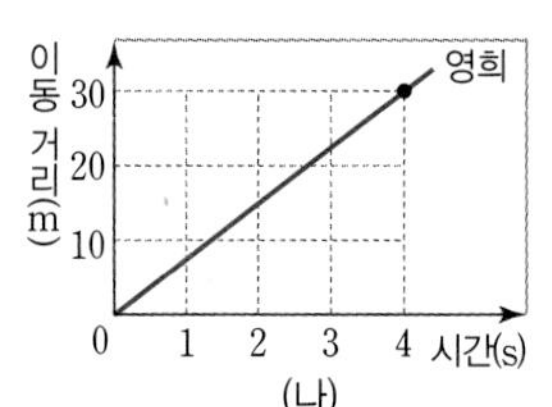

(나)

이에 대한 설명으로 옳은 것만을 〈보기〉에서 있는 대로 고른 것은?

보기

ㄱ. 철수는 등속 직선 운동을 한다.
ㄴ. 영희는 등가속도 운동을 한다.
ㄷ. 4초일 때 철수와 영희는 같은 위치에 있다.

① ㄱ ② ㄴ ③ ㄷ
④ ㄱ, ㄷ ⑤ ㄴ, ㄷ

19 그림 (가)와 (나)는 쇠구슬이 실에 매달려 등속 원운동과 진자 운동하는 모습을 나타낸 것이다.

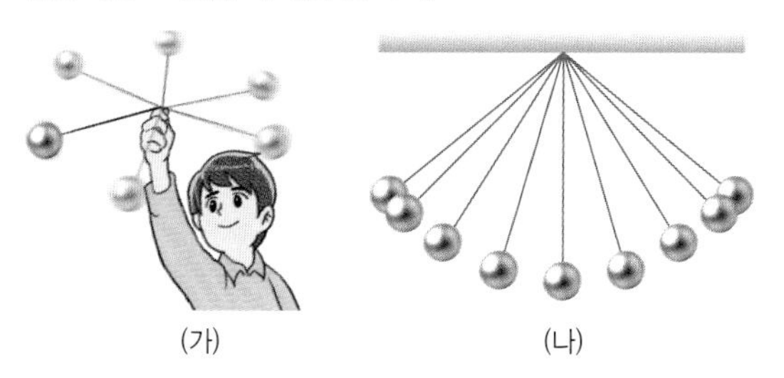

(가) (나)

이에 대한 설명으로 옳은 것만을 〈보기〉에서 있는 대로 고른 것은?

보기

ㄱ. (가)는 속도가 일정한 운동이다.
ㄴ. (가)에서 쇠구슬에 작용한 힘의 크기는 변한다.
ㄷ. (나)는 속력과 방향이 변하는 운동이다.

① ㄱ ② ㄴ ③ ㄷ
④ ㄱ, ㄴ ⑤ ㄴ, ㄷ

20 그림 (가)는 수평으로 던진 물체의 운동을, (나)는 비스듬히 던져 올린 물체를 일정한 시간 간격으로 나타낸 것이다.

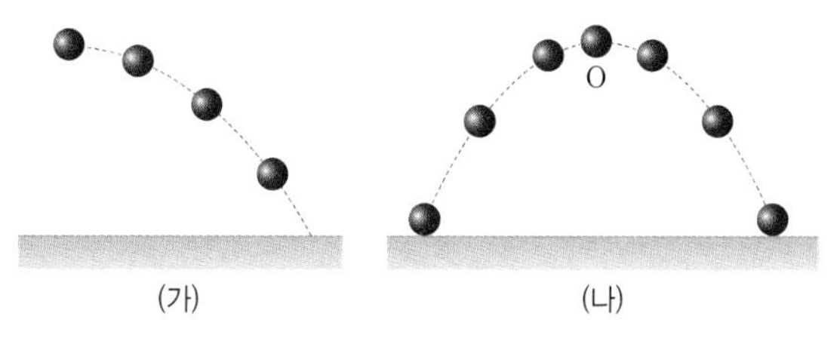

(가) (나)

이에 대한 설명으로 옳은 것만을 〈보기〉에서 있는 대로 고른 것은? (단, 공기 저항은 무시한다.)

보기

ㄱ. (가)에서 물체는 연직 방향으로 속력이 증가한다.
ㄴ. (나)의 O점에서 물체의 속력은 0이다.
ㄷ. 물체의 수평 방향의 속력은 (가)와 (나) 모두 일정하다.

① ㄱ ② ㄴ ③ ㄷ
④ ㄱ, ㄷ ⑤ ㄴ, ㄷ

서술형 문제

21 다음은 직선 운동을 하는 자동차에 대한 설명이다.

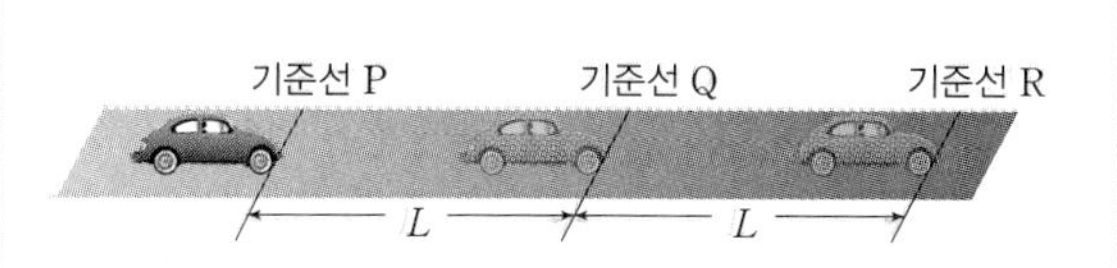

- 기준선 P에서 기준선 Q까지 등가속도 운동을 하는 자동차가 P점에 정지해 있다. 0초일 때 출발해서 20초일 때 Q를 통과하는 순간 속력이 20 m/s이었다.
- Q를 통과하는 순간부터 자동차는 등속도 운동하여 기준선 R를 통과하였다.
- P에서 Q까지와 Q에서 R까지의 거리는 서로 같다.

(1) 자동차가 P에서 출발해 R를 통과하는 순간까지, 시간에 따른 자동차의 속력을 그래프로 그리시오.

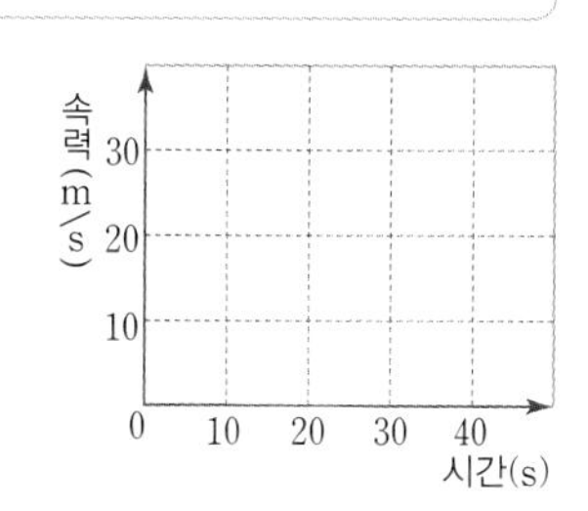

(2) 기준선 P부터 기준선 R까지 자동차가 이동한 거리와 시간을 구하시오.

22 그림은 농구선수가 농구공을 비스듬히 던져 올린 모습을 나타낸 것이다. (단, 공기 저항은 무시한다.)

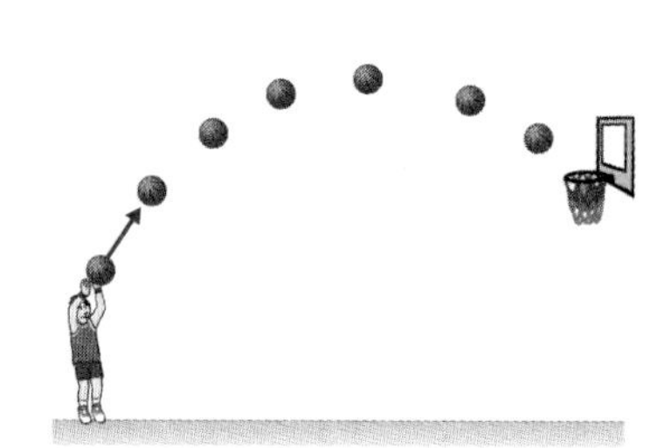

(1) 농구공에 작용하는 가속도의 방향을 쓰시오.

(2) 농구공의 속력을 수평 방향과 연직 방향으로 분리해 서술하시오.

02 관성 법칙과 가속도 법칙

내 교과서는 어디에?
천재 p.18~26 금성 p.20~23, 28~29 동아 p.16~23
미래엔 p.20~27 비상 p.18~25 YBM p.19~25

핵심 Point
- 두 힘이 나란하게 작용할 때 **알짜힘**을 구할 수 있다.
- **뉴턴 운동 법칙**을 이용하여 직선상에서 물체의 운동을 정량적으로 예측할 수 있다.

1 힘의 합성과 알짜힘

1. 힘

① 힘은 물체의 모양이나 운동 상태를 변화시키는 원인이다.

② 힘의 3요소❶: 힘의 크기, 힘의 방향, 힘의 작용점

③ 단위는 N(뉴턴)이다.

힘의 크기 / 작용선 / 힘의 방향 / 힘의 작용점

2. 알짜힘

① 알짜힘❷: 한 물체에 작용하는 모든 힘들을 ▸합성하여 하나의 힘으로 나타낸 것

② 한 물체에 직선상에서 두 힘이 같은 방향으로 작용할 때 알짜힘의 크기는 두 힘을 더한 값과 같고, 두 힘이 반대 방향으로 작용할 때 알짜힘의 크기는 큰 힘에서 작은 힘을 뺀 값과 같다.

3. 힘의 평형

① 일직선상에서 멈춰 있는 한 물체에 크기가 같은 두 힘이 반대 방향으로 작용하면 알짜힘이 0이 되므로 물체가 움직이지 않는다.

② 알짜힘이 0인 경우 물체에 작용하는 힘들이 평형을 이루었다고 한다.

두 힘의 힘의 방향이 같을 때	두 힘의 힘의 방향이 반대일 때	두 힘이 평형을 이룰 때
		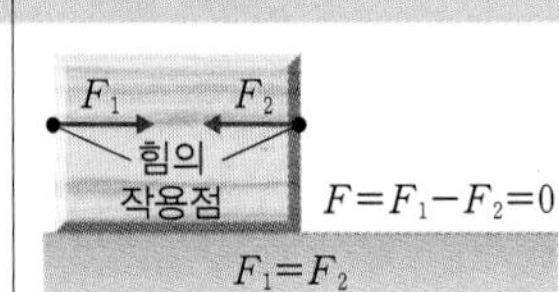
두 힘 F_1, F_2가 같은 방향으로 작용할 때 알짜힘의 크기는 $F=F_1+F_2$이다.	두 힘 F_1, F_2가 반대 방향으로 작용할 때 알짜힘의 크기는 $F=F_1-F_2$이다.	크기가 같은 두 힘 F_1, F_2가 서로 반대 방향으로 작용할 때 알짜힘의 크기는 $F_1-F_2=0$이다.

→ 두 힘은 일직선상에서 작용해야 한다.

2 뉴턴 운동 제1법칙

1. 뉴턴 운동 제1법칙(관성 법칙) 물체에 작용하는 알짜힘이 0일 때 운동하던 물체는 계속 등속 직선 운동을 하고, 정지해 있던 물체는 계속 정지 상태를 유지한다.

2. 관성

① 물체는 처음 운동 상태를 계속 유지하려는 성질을 갖는데, 이를 관성이라 한다.

② 관성의 크기: 물체의 질량이 클수록 관성이 크다. ➡ 물체의 질량이 클수록 물체의 운동 상태를 바꾸기가 어렵다. → 물체의 질량이 크면 물체를 멈추게 할 때나 움직이게 할 때 더 큰 힘이 필요하게 된다. 이렇게 더 큰 힘이 필요하게 되는 현상을 관성이 크다라고 한다.

❶ **힘의 3요소**
힘은 화살표로 나타내면 편리하다. 화살표를 이용하여 힘의 크기, 힘의 작용점, 힘의 방향을 함께 표시한다.

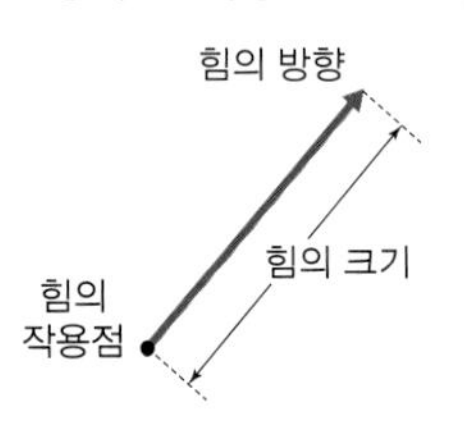

❷ 물리학I에서는 직선상에서 작용하는 힘을 다룬다. 하지만 실제로 물체에 작용하는 힘은 직선상 뿐 아니라 다양한 방향에서 작용한다.

셀파 콕콕
관성을 유지하려면 항상 합력이 0이 되어야 한다. 합력이 0인 경우 물체는 운동 상태를 유지하려 하므로 정지 또는 등속 운동을 한다.

용어
▸ **힘의 합성**: 물체에 둘 이상의 힘이 작용했을 때 작용하는 여러 힘들의 합으로 물체에 작용하는 하나의 힘을 뜻한다.

개념 확인하기

1 힘의 작용점, 힘의 크기, 힘의 방향을 (　　　)라고 한다.

2 일직선상에서 한 물체에 작용하는 두 힘의 크기는 같고 방향이 반대이면 알짜힘은 (　　)이다.

3 그림과 같이 한 물체에 두 힘이 작용할 때 알짜힘의 크기는 (　　) N이다.

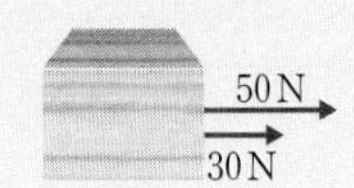

답 1. 힘의 3요소 2. 0 3. 80

③ 관성력: 정지하고 있는 버스가 갑자기 출발할 때 버스 안에 있는 승객은 뒤로 당겨지는 힘을 받게 되는데 이런 가상의 힘을 관성력이라 한다. 이와 같이 관성력은 물체가 포함된 계(system)의 가속도와 반대 방향으로 작용한다.

④ 다양한 관성 현상의 예

• 정지 관성에 의한 현상: 물체에 작용하는 알짜힘이 0일 때 정지해 있는 물체는 계속 정지 상태를 유지하려고 한다.

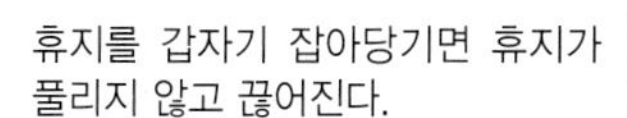
휴지는 관성에 의해 정지해 있고 당기는 힘이 작용하여 끝이 끊어진다.

먼지는 관성에 의해 정지해 있고 옷은 뒤로 밀려나므로 먼지와 옷이 분리된다.

버스는 앞으로 이동하지만 사람은 관성에 의해 정지해 있으려고 하므로 뒤로 밀려난다.

휴지를 갑자기 잡아당기면 휴지가 풀리지 않고 끊어진다.	옷을 막대기로 두드리면 먼지가 떨어진다.	정지해 있던 버스가 갑자기 출발하면 사람은 뒤로 넘어진다.

• 운동 관성에 의한 현상: 물체에 작용하는 알짜힘이 0일 때 운동하는 물체는 계속 운동 상태를 유지하려고 한다.

망치 자루는 바닥과 부딪혀 멈추지만 망치 머리는 운동 관성으로 계속 움직인다.

사람은 운동 관성에 의해 앞으로 가려하는 데 발이 걸리므로 넘어진다.

버스는 멈추지만 사람은 관성에 의해 운동 상태를 유지하려 하므로 앞으로 넘어진다.

망치 자루를 바닥에 치면 헐거워진 망치 머리가 고정된다.	달리던 사람이 돌부리에 걸려 넘어진다.	움직이던 버스가 갑자기 멈추면 사람은 앞으로 넘어진다.

⑤ 관성과 안전: 자동차가 갑자기 멈추면 차에 탄 사람은 운동 관성에 의해 계속 앞으로 움직이기 때문에 차 밖으로 튕겨나갈 수 있어 위험하다. ➡ 안전띠는 관성에 의해 사람이 튕겨나가는 것을 막아 준다.

3. 갈릴레이의 사고 실험❸ 그림과 같이 마찰이 없는 빗면의 A 지점에 공을 놓으면 공은 빗면을 내려오면서 속력이 점점 빨라지다가 빗면을 오르면서 속력이 느려져 처음 위치와 같은 높이인 (가)의 B 지점까지 올라간다. 만약 (다)와 같이 반대쪽 경사면이 수평으로 된다면 공은 멈추지 않고 계속 움직일 것이다. ➡ 운동하는 물체에 다른 힘이 작용하지 않는다면 운동 상태를 유지하려고 한다. → 갈릴레이는 이 사고 실험으로 물체의 관성을 추론하였다.

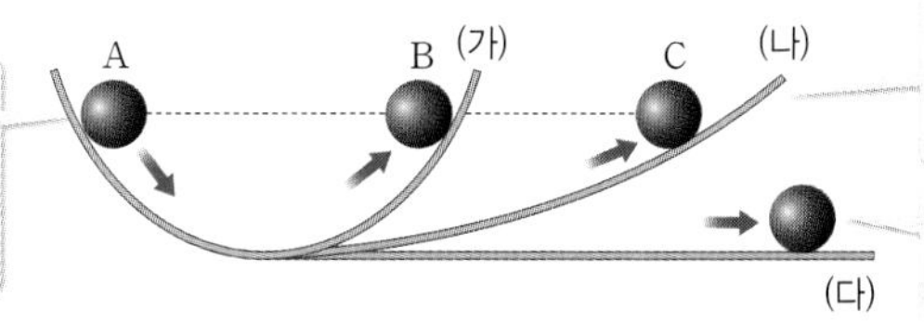
빗면을 (가)와 같이 하면 A 지점에서 내려간 공은 A 지점과 같은 높이인 B 지점까지 올라갈 것이다.
A
B
(가)
C
(나)
(다)
빗면을 (나)와 같이 완만하게 하면 공은 A와 같은 높이인 C 지점까지 올라가기 위해 더 멀리 운동할 것이다.
빗면을 (다)와 같이 수평면으로 하면 공은 처음의 높이까지 올라갈 수 없으므로 계속 등속 직선 운동을 할 것이다.

셀파 콕콕 관성은 물체의 운동 상태를 유지하려는 성질이므로 물체의 운동 상태를 바꾸려면 반드시 힘을 작용해야 한다. 외부에서 힘이 작용하지 않으면 물체의 운동 상태는 변하지 않는다. 이때 관성의 크기는 물체의 질량에 비례한다.

❸ 사고 실험은 머릿속 생각만으로 진행하는 실험으로 갈릴레이 실험의 경우 무한히 긴 마찰이 없는 면을 만들 수 없기 때문에 생각만으로 실험을 할 수 밖에 없었다.

용어

▸ **사고 실험**: 이론을 바탕으로 이상적인 조건을 설정하고 이상적인 실험을 실시했을 때 일어날 것이라 생각만으로 결과를 이끌어 내는 일

개념
확인하기

1 물체에 작용하는 알짜힘이 (　　)일 때, 물체는 운동 상태를 계속 유지하려고 한다.

2 물체가 운동할 때 알짜힘이 0이면, 물체는 계속 (　　　)운동을 한다.

3 (　　　　) 법칙이란 물체에 작용하는 알짜힘이 0이면 정지해 있던 물체는 계속 정지해 있고, 운동하던 물체는 계속 등속 직선 운동을 한다는 것이다.

답 1. 0 2. 등속 직선 3. 뉴턴 운동 제1 법칙(관성)

3 가속도 법칙

1. 가속도와 힘 및 질량의 관계

① 힘과 운동: 운동하거나 정지해 있는 물체에 힘을 작용하면 속도의 변화(가속도)가 생긴다.

➡ 물체에 힘을 작용하면 물체의 속력이나 운동 방향이 변한다.

② 가속도와 힘의 관계: 질량을 일정하게 유지하고 알짜힘을 증가시키면 물체의 가속도가 증가한다. ➡ 가속도 a는 작용한 알짜힘 F에 비례한다. ($a \propto F$)

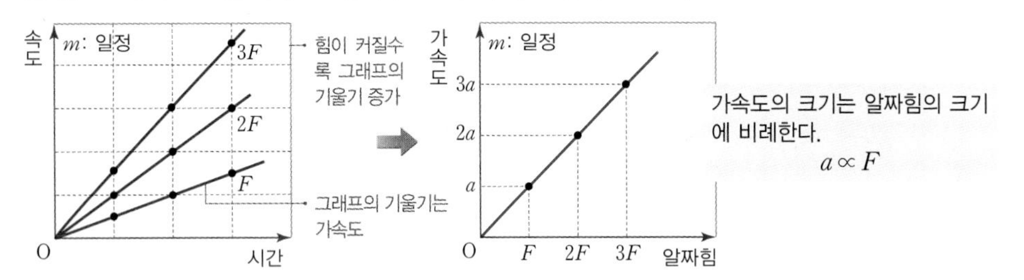

③ 가속도와 질량의 관계: 물체에 작용하는 알짜힘을 일정하게 유지하고 질량을 증가시키면 물체의 가속도가 감소한다. ➡ 가속도 a는 질량 m에 반비례한다. ($a \propto \frac{1}{m}$)

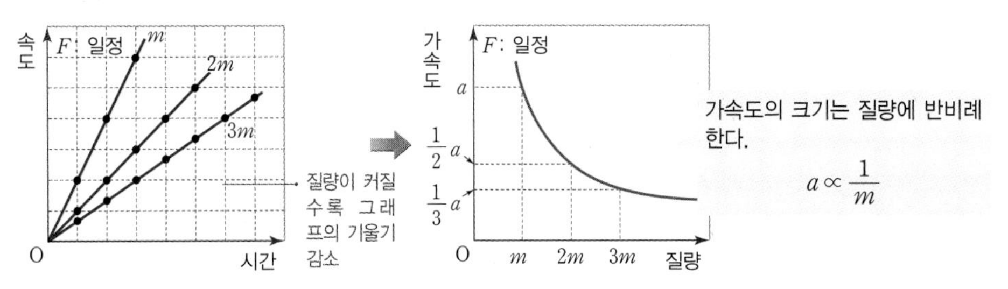

2. 뉴턴 운동 제2법칙(가속도 법칙)

① 질량이 m인 물체에 알짜힘 F가 작용하여 물체가 운동할 때, 물체의 가속도 $a(\mathrm{m/s^2})$는 작용하는 알짜힘 F❹(N)에 비례하고, 질량 m(kg)에 반비례한다.

$$\text{가속도} = \frac{\text{알짜힘}}{\text{질량}}, \quad a = \frac{F}{m} \Rightarrow F = ma$$

② 알짜힘과 가속도의 방향: 알짜힘의 방향과 가속도의 방향은 항상 같다.

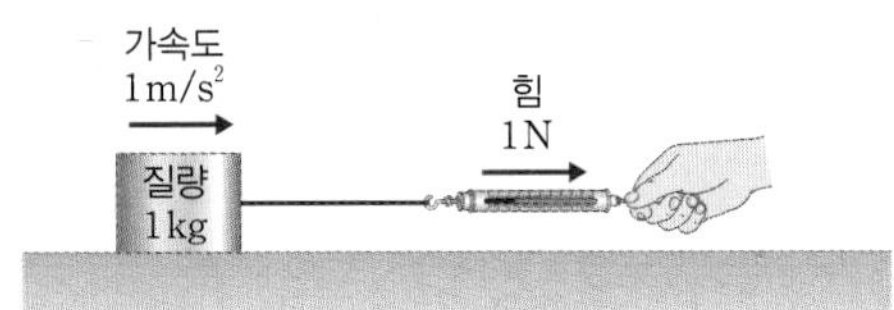

• 물체가 힘을 받아 움직일 때, 힘의 방향과 운동 방향이 같으면 물체의 속도가 증가하고, 힘의 방향과 운동 방향이 반대이면 속도가 감소한다.
• 힘의 방향과 가속도의 방향은 항상 같지만, 운동 방향은 다를 수 있다.

③ 운동 방정식: 한 물체에 여러 힘이 작용할 때 모든 힘의 합력(알짜힘)의 크기는 물체의 질량과 가속도의 곱으로 나타낼 수 있다.

$$F = f_1 + f_2 + f_3 + \cdots = \Sigma f = ma$$

셀파 콕콕
물체에 알짜힘이 작용하면 알짜힘의 방향으로 가속도가 생기며, 그 가속도의 크기는 물체에 작용하는 알짜힘의 크기에 비례하고, 물체의 질량에 반비례한다.

❹ 힘의 단위
운동 방정식에 따라 마찰이 없는 평면에 정지해 있는 질량이 m인 물체를 a의 가속도로 운동하게 하기 위해 필요한 힘의 크기는 $F = ma$이다. 이때 1 N은 1 $\mathrm{kg \cdot m/s^2}$로, 질량이 1 kg인 물체에 1 $\mathrm{m/s^2}$의 가속도를 생기게 하는 힘의 크기이다.

용어
▸ **운동 방정식**: 물리계에서 물체의 운동을 기술하는 방정식이다. 대표적으로 뉴턴 운동 법칙을 활용한 $F = ma$와 같은 방정식이다.

1 질량이 m인 물체에 작용하는 알짜힘의 크기가 F일 때 물체의 가속도 a=(   )이다.

2 마찰이 없는 수평면에서 질량이 2 kg인 물체에 크기가 F인 힘을 작용할 때 물체의 가속도 크기가 3 $\mathrm{m/s^2}$이라면 F는 (   ) N이다.

답 1. $\frac{F}{m}$ 2. 6

셀파 탐구

알짜힘이 작용할 때 물체의 운동

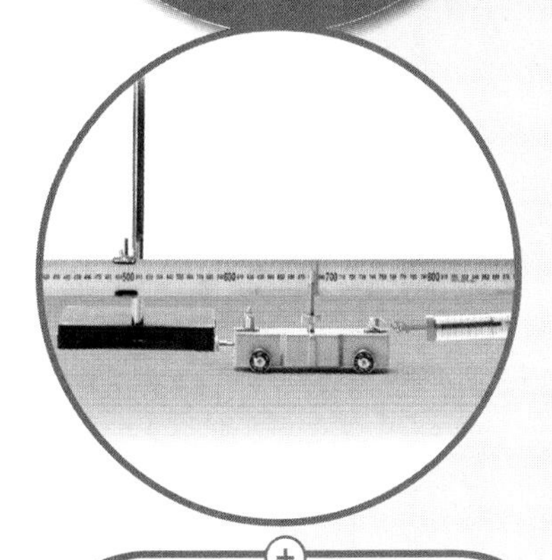

목표 물체에 작용하는 알짜힘과 가속도의 관계를 구할 수 있다.

과정

❶ 역학 수레를 용수철저울에 연결하여 용수철저울의 눈금이 일정한 값을 가리키도록 하며 역학 수레를 잡아당긴다.

왜 용수철저울의 눈금값은 작용한 힘의 크기를 나타낸다. 힘을 일정하게 작용하기 위해서이다.

❷ 역학 수레를 잡아당기는 힘의 크기를 2배, 3배 증가시키면서 역학 수레의 운동을 동영상으로 촬영한다.

❸ 역학 수레를 잡아당기는 힘의 크기는 일정하게 하고, 역학 수레 위에 올려놓은 추의 개수를 증가시키면서 과정 ❶를 반복한다.

결과 및 정리

1. 역학 수레의 질량이 일정할 때 역학 수레를 잡아당기는 힘의 크기와 가속도 사이의 관계 및 역학 수레를 잡아당기는 힘의 크기가 일정할 때 추를 포함한 역학 수레의 질량과 가속도의 관계를 그래프로 그리시오.

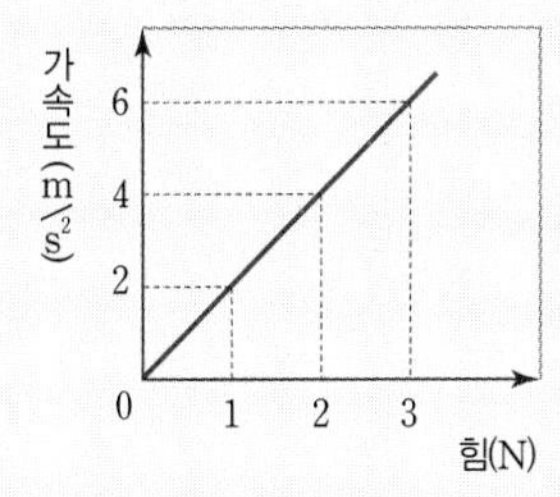

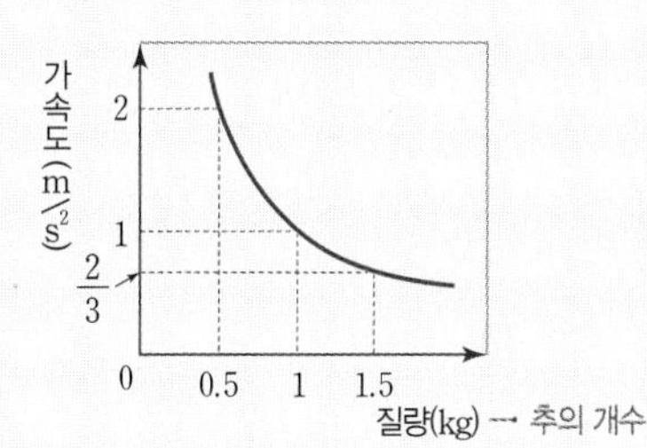

2. 역학 수레의 질량이 일정할 때 잡아당기는 힘의 크기와 가속도의 관계는?

➡ 수레를 당기는 힘의 크기가 커질수록 가속도가 증가한다.

3. 역학 수레를 잡아당기는 힘의 크기가 일정할 때 역학 수레의 질량과 가속도는 어떤 관계가 있는가?

➡ 수레의 질량이 커질수록 가속도가 감소한다.

유의점

• 용수철저울의 눈금은 역학 수레에 작용하는 힘을 의미하므로 일정하게 유지한다.

탐구 돋보기

운동하는 물체의 가속도(a)의 크기(m/s^2)는 작용하는 알짜힘(F)의 크기(N)에 비례하고, 질량(kg)에 반비례한다.

시험 유형은?

❶ 마찰이 없는 지면에 놓인 질량이 4 kg인 나무 도막에 20 N의 힘을 작용했을 때 나무 도막의 가속도는?

▶ $a = \frac{F}{m} = \frac{20\text{ N}}{4\text{ kg}} = 5\text{ m/s}^2$

❷ 그림은 두 물체 A와 B의 속도를 시간에 따라 나타낸 것이다.

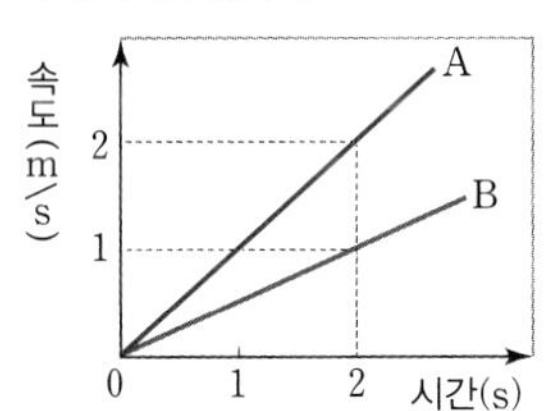

A와 B에 작용하는 알짜힘의 크기가 같은 경우, 질량이 더 무거운 것은?

▶ B의 가속도가 A보다 작으므로 B의 질량이 A보다 크다.

탐구 대표 문제 정답과 해설 6쪽

01 다음은 민수가 수행한 실험에 대한 설명이다.

> 그림과 같이 실험 장치를 설치한 후 역학 수레에 용수철저울을 걸고 눈금이 일정한 값을 가리키도록 당기면서 동영상을 촬영한다. 용수철저울의 눈금을 2배, 3배로 증가시키면서 실험을 반복한다.
>
> 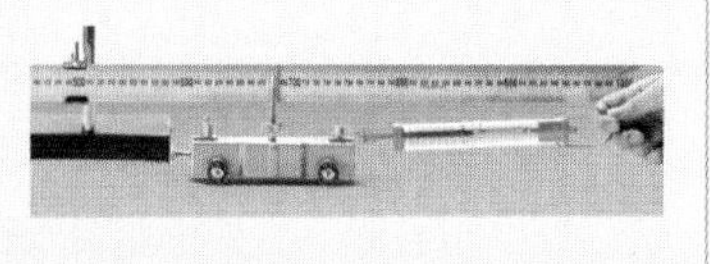

이 실험을 통해 민수가 검증하려는 가설로 가장 타당한 것은?

① 물체에 힘이 작용하지 않으면 물체는 등속 직선 운동 한다.
② 물체에 힘이 작용하면 속도가 변한다.
③ 가속도는 물체에 작용한 힘에 비례한다.
④ 가속도는 물체의 질량에 반비례한다.
⑤ 용수철저울은 역학 수레에 작용한 힘의 크기를 측정한다.

기초 탄탄 문제

정답과 해설 6쪽

핵심용어_ 이 단원에서 내가 아는 것과 아직 모르는 것을 정리하며 나의 공부를 돌아보자.

- □ 힘
- □ 힘의 평형
- □ 관성
- □ 뉴턴 운동 제1법칙
- □ 뉴턴 운동 제2법칙

01 힘에 대한 설명으로 옳지 않은 것은?

① 힘이 작용하면 물체의 모양이 변한다.
② 힘을 작용하면 물체는 일정한 속도로 운동한다.
③ 힘을 작용하면 물체의 운동 방향이 변한다.
④ 힘은 크기와 방향을 가진 물리량이다.
⑤ 힘의 단위는 N(뉴턴)이다.

02 그림과 같이 수평면 위에 용수철에 연결되어 놓인 물체에 15 N의 힘을 작용하였을 때 물체가 움직이지 않았다. 용수철이 물체에 작용한 힘의 크기와 방향을 옳게 나타낸 것은?

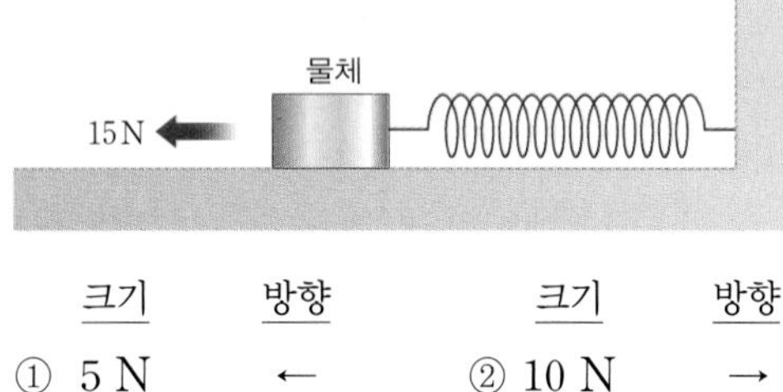

	크기	방향		크기	방향
①	5 N	←	②	10 N	→
③	10 N	←	④	15 N	→
⑤	15 N	←			

03 그림과 같이 수평면 위에 정지해 있던 물체에 F_1, F_2, F_3, F_4의 힘을 작용하였다. 물체에 작용한 알짜힘의 크기와 방향은? (단, 가로와 세로의 눈금 한 칸의 크기는 1 N이고, 모든 마찰은 무시한다.)

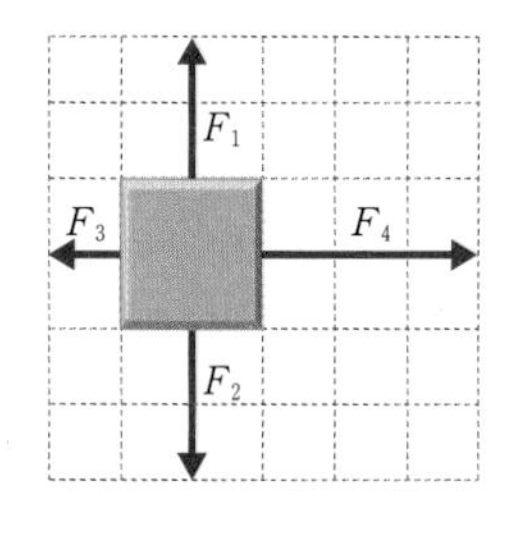

	크기	방향		크기	방향
①	2 N	왼쪽	②	2 N	아래쪽
③	2 N	오른쪽	④	4 N	위쪽
⑤	6 N	오른쪽			

04 관성에 대한 설명으로 옳은 것은?

① 질량이 클수록 관성이 작다.
② 관성은 움직이는 물체에만 적용된다.
③ 물체에 작용하는 알짜힘이 0이면 물체는 운동 상태가 변한다.
④ 정지해 있던 물체가 힘을 받으면 등속 직선 운동을 한다.
⑤ 관성이 클수록 운동 상태를 바꾸는 것이 어렵다.

05 그림은 관성에 대해 학생들이 대화하는 모습을 나타낸 것이다.

관성에 대해 옳게 말한 사람만을 있는 대로 고른 것은?

① 철수 ② 영희 ③ 민수
④ 철수, 영희 ⑤ 영희, 민수

06 뉴턴 운동 제1법칙(관성 법칙)의 종류가 다른 하나는?

① 이불을 두드려 먼지를 턴다.
② 버스가 급정거하면 승객이 앞으로 넘어진다.
③ 버스가 커브 길을 돌면 몸이 바깥쪽으로 쏠린다.
④ 달리던 사람이 돌부리에 걸려 앞으로 넘어진다.
⑤ 망치 자루를 바닥에 쳐 고정시킨다.

07 질량이 5 kg인 물체 A에 힘 F를 작용하였더니 가속도 2 m/s^{2}의 일정한 가속도 운동을 했다. 질량이 m인 물체 B에 힘 F를 작용하였더니 가속도가 5 m/s^{2}의 일정한 가속도 운동을 하였다. 힘 F와 B의 질량 m은?

	F	m		F	m
①	2 N	5 kg	②	5 N	2 kg
③	5 N	5 kg	④	10 N	2 kg
⑤	10 N	4 kg			

내신 만점 문제

정답과 해설 6쪽

난이도를 나타냅니다.

01 〈보기〉에서 물체에 작용하는 알짜힘이 0인 경우만을 있는 대로 고른 것은?

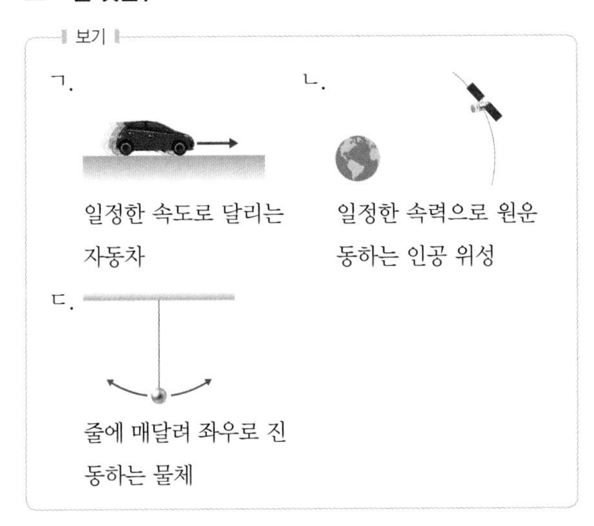

보기
ㄱ.
일정한 속도로 달리는 자동차
ㄴ.
일정한 속력으로 원운동하는 인공 위성
ㄷ.
줄에 매달려 좌우로 진동하는 물체

① ㄱ ② ㄴ ③ ㄷ
④ ㄱ, ㄴ ⑤ ㄱ, ㄴ, ㄷ

02 그림은 마찰이 없는 수평면 위에 정지해 있는 질량이 4 kg인 나무 도막에 작용하는 힘을 나타낸 것이다.

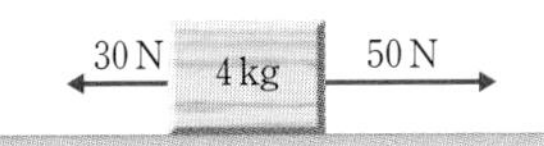

힘을 작용한 순간부터 5초가 지난 뒤 나무 도막의 속도는?

① 15 m/s ② 20 m/s ③ 25 m/s
④ 30 m/s ⑤ 35 m/s

03 그림 (가)는 마찰이 없는 수평면 위에 질량이 3 kg인 물체를 놓고 잡아당기는 실험을 나타낸 것이다. (나)는 물체의 속도를 시간에 따라 나타낸 것이다.

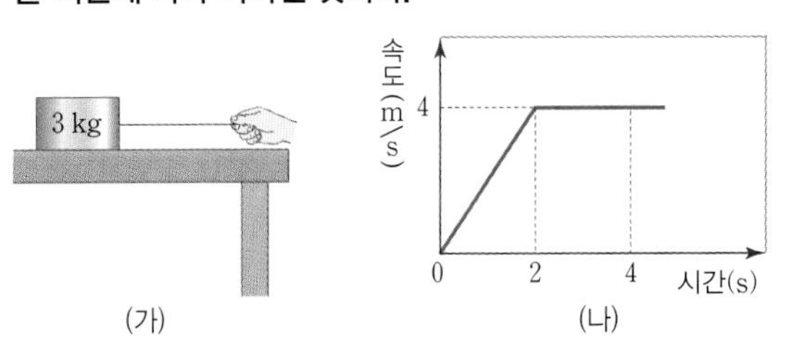

이에 대한 설명으로 옳은 것만을 〈보기〉에서 있는 대로 고른 것은?

보기
ㄱ. 1초일 때 물체를 끄는 힘의 크기는 2 N이다.
ㄴ. 2초부터 물체를 끄는 힘의 크기는 일정하다.
ㄷ. 0초부터 4초까지 물체의 평균 속도는 3 m/s이다.

① ㄱ ② ㄴ ③ ㄷ
④ ㄱ, ㄴ ⑤ ㄴ, ㄷ

04 다음은 물리학 I 수행 평가지의 일부이다.

물리학 I 수행 평가

2학년 ○반 ○번 이름: ○○○

힘이 평형 상태일 때와 평형 상태가 아닐 때 운동의 예를 쓰시오.

알짜힘	운동 상태	운동 상태의 변화
알짜힘 $=0$	정지	정지
알짜힘 $=0$	등속도 운동	(A)
알짜힘 $\neq 0$	등속도 운동	(B)

A와 B에 들어갈 알맞은 내용을 옳게 짝 지은 것은?

	(A)	(B)
①	정지	정지
②	등속도 운동	등속도 운동
③	등속도 운동	가속도 운동
④	가속도 운동	등속도 운동
⑤	가속도 운동	가속도 운동

05 다음은 물체에 작용하는 힘이 평형을 이룰 때, 물체에 작용하는 힘과 물체의 운동을 분석한 내용이다.

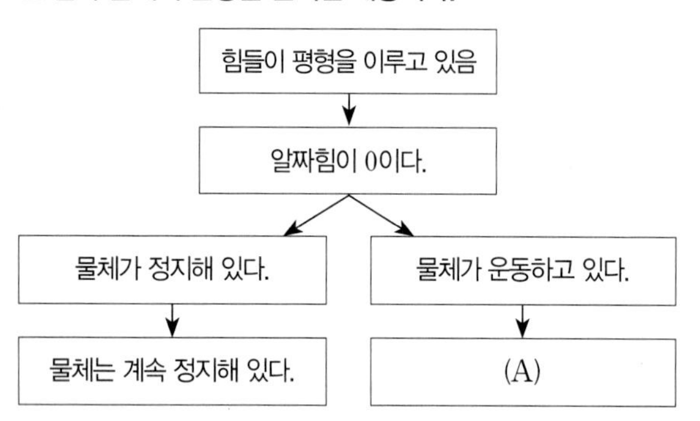

이에 대한 설명으로 옳은 것만을 〈보기〉에서 있는 대로 고른 것은?

보기

ㄱ. (A)는 '물체는 등가속도 직선 운동을 한다.'이다.
ㄴ. 물체가 정지해 있는 경우 알짜힘이 0이 아닌 경우에도 계속 정지해 있는다.
ㄷ. 이와 같은 현상을 관성이라 한다.

① ㄱ ② ㄴ ③ ㄷ ④ ㄱ, ㄴ ⑤ ㄴ, ㄷ

06 그림 (가)는 수평인 실험대 위에 정지해 있는 질량 2 kg인 수레를 용수철저울로 일정한 힘으로 당기는 실험을 나타낸 것이고, (나)는 수레를 F_1과 F_2의 힘으로 당겼을 때, 시간에 따른 수레의 속력을 나타낸 것이다. (단, $F_1 > F_2$이다.)

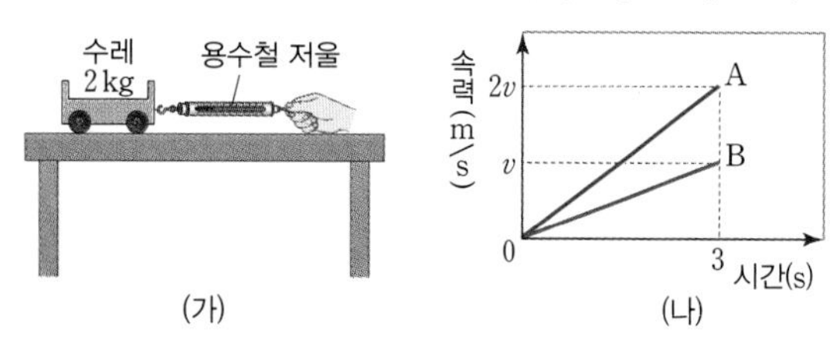

(가) (나)

이에 대한 설명으로 옳은 것만을 〈보기〉에서 있는 대로 고른 것은?

보기

ㄱ. F_1의 힘으로 당겼을 때 속력-시간 그래프는 A이다.
ㄴ. F_1의 힘으로 당겼을 때 가속도는 F_2의 힘으로 당겼을 때 가속도의 2배이다.
ㄷ. A에서 3초 후 속도가 6 m/s일 때 0초~3초 동안 이동한 거리는 9 m이다.

① ㄱ ② ㄴ ③ ㄷ ④ ㄱ, ㄷ ⑤ ㄱ, ㄴ, ㄷ

07 그림 (가)와 같이 긴 직선 철로 위에 정지해 있던 기관차가 객차를 끌고 달리기 시작하였다. 일정한 속력 v로 달리는 도중 객차와 기관차의 연결 고리가 끊어졌다. 그림 (나)는 시간에 따른 객차의 속력을 나타낸 것이다.

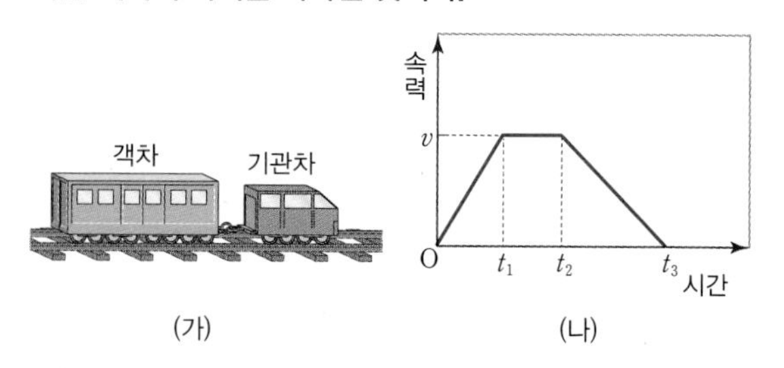

(가) (나)

객차의 운동에 대한 설명으로 옳은 것만을 〈보기〉에서 있는 대로 고른 것은?

보기

ㄱ. $0 \sim t_1$ 동안 기관차가 객차를 끄는 힘의 크기는 객차에 작용하는 마찰력의 크기보다 크다.
ㄴ. $t_1 \sim t_2$ 동안 객차가 받는 알짜힘은 0이다.
ㄷ. $t_2 \sim t_3$ 동안 객차가 받는 알짜힘의 방향은 객차의 운동 방향과 반대이다.

① ㄴ ② ㄷ ③ ㄱ, ㄴ ④ ㄱ, ㄷ ⑤ ㄱ, ㄴ, ㄷ

08 그림은 마찰이 없는 수평면 위에서 정지해 있는 물체 A와 v의 속도로 등속 운동하고 있는 물체 B에 같은 크기의 힘을 동시에 작용했을 때 A, B의 속도를 시간에 따라 나타낸 것이다. $0 \sim t$ 동안 두 물체 A, B의 운동에 대한 설명으로 옳은 것만을 〈보기〉에서 있는 대로 고른 것은?

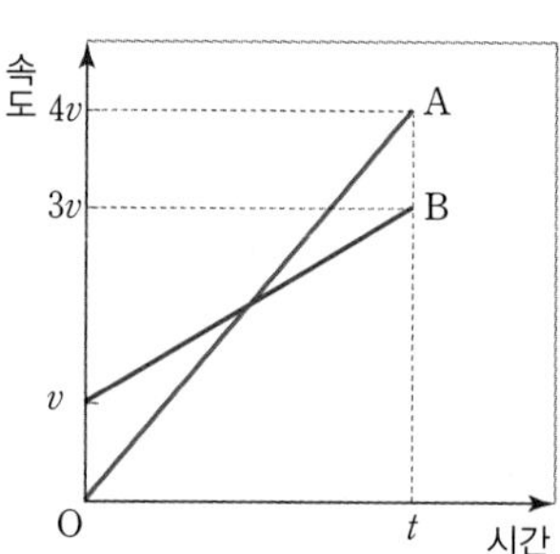

보기

ㄱ. A와 B의 가속도의 비는 2 : 1이다.
ㄴ. A와 B의 이동 거리의 비는 2 : 1이다.
ㄷ. A와 B의 질량의 비는 1 : 1이다.

① ㄱ ② ㄴ ③ ㄱ, ㄷ ④ ㄴ, ㄷ ⑤ ㄱ, ㄴ, ㄷ

09 그림 (가)는 직선 도로에서 질량 60 kg인 철수와 질량 45 kg인 영희가 자전거를 타고 동시에 기준선을 각각 3 m/s, 1 m/s의 속도로 통과하는 순간을, (나)는 기준선을 통과한 순간부터 A와 B의 속도를 시간에 따라 나타낸 것이다.

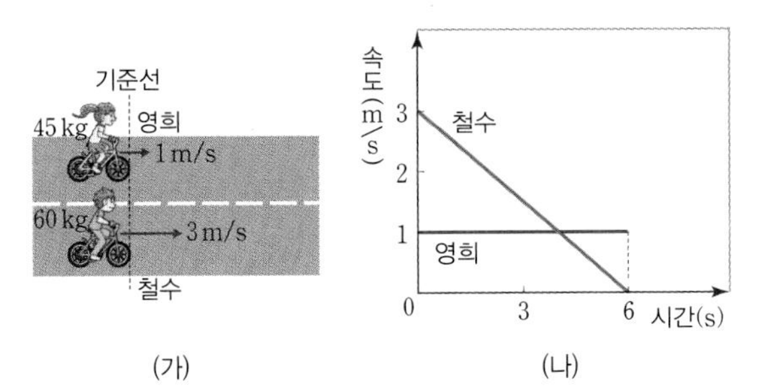

(가) (나)

이에 대한 설명으로 옳은 것만을 〈보기〉에서 있는 대로 고른 것은? (단, 철수와 영희의 크기는 무시한다.)

보기

ㄱ. 철수의 가속도 크기는 2 m/s^{2}이다.

ㄴ. 영희에게 작용한 알짜힘의 크기는 45 N이다.

ㄷ. 철수에게 작용한 알짜힘의 방향은 운동 방향과 반대 방향이다.

① ㄱ ② ㄴ ③ ㄷ ④ ㄱ, ㄴ ⑤ ㄴ, ㄷ

10 그림과 같이 천장에 매달린 용수철저울이 수평면 위의 물체와 연결되어 있다. 물체의 질량은 2 kg이고, 용수철저울의 측정값은 12 N이다. 이에 대한 설명으로 옳은 것만을 〈보기〉에서 있는 대로 고른 것은? (단, 용수철저울의 질량은 무시하고, 중력 가속도는 10 m/s^{2}이다.)

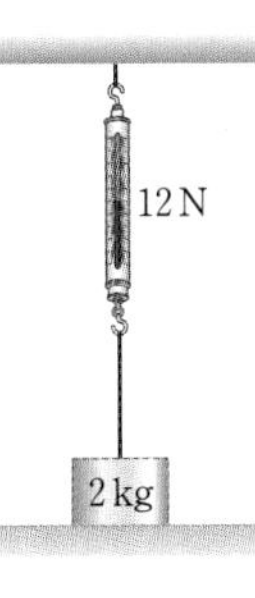

보기

ㄱ. 물체에 작용하는 알짜힘은 0이다.

ㄴ. 수평면이 물체를 미는 힘의 크기는 12 N이다.

ㄷ. 수평면이 물체를 미는 힘과 물체에 작용하는 중력은 평형을 이룬다.

① ㄱ ② ㄷ ③ ㄱ, ㄴ ④ ㄱ, ㄷ ⑤ ㄴ, ㄷ

서술형 문제

11 그림과 같이 물속에 물체가 들어갔을 때 물체 A는 부피 절반만큼 잠겨서 멈춰 있었고, 물체 B는 가라앉아서 바닥에 닿아 멈춰 있었다.

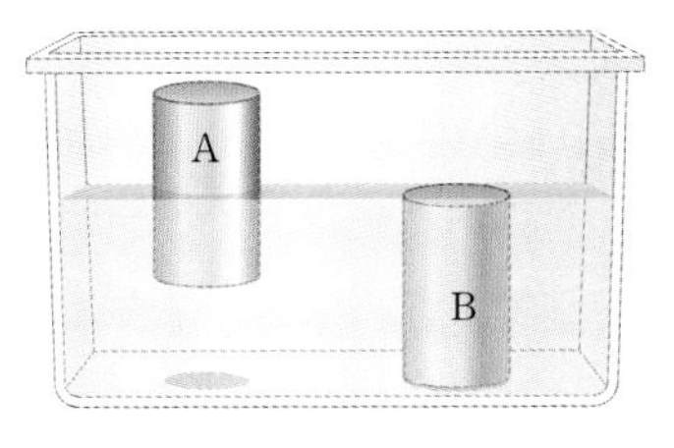

(1) 물체가 A가 물속에 멈춰 있는 까닭을 서술하시오.

(2) 물체 B에 작용하는 힘들의 관계를 서술하시오.

12 그림 (가)와 같이 수평인 실험대 위에 질량이 m인 수레를 놓고 수레 위에 질량이 m인 추의 개수를 변화시키면서 수평한 방향으로 당기는 실험을 하였다. 그림 (나)는 실험 결과를 수레의 속도–시간 그래프로 나타낸 것이다.(단, 모든 마찰과 공기 저항은 무시한다.)

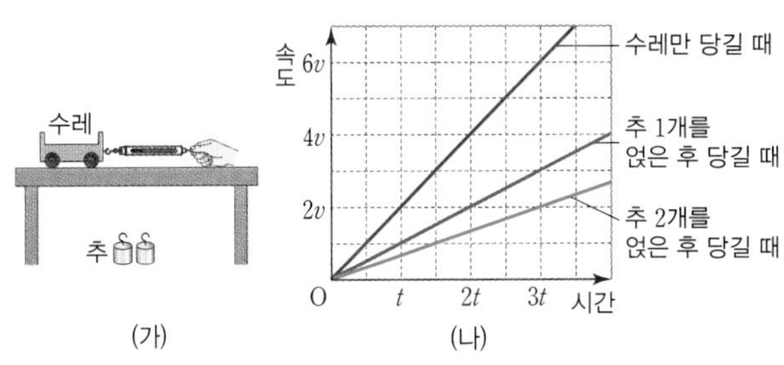

(가) (나)

(1) 수레의 질량이 일정할 때 당기는 힘(F)에 따른 가속도의 변화를 그래프로 그리시오.

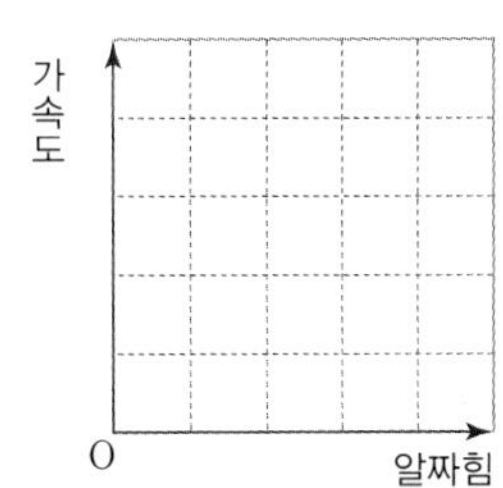

(2) 수레를 당기는 힘이 F로 일정할 때 질량에 따른 가속도의 변화를 그래프로 그리시오.

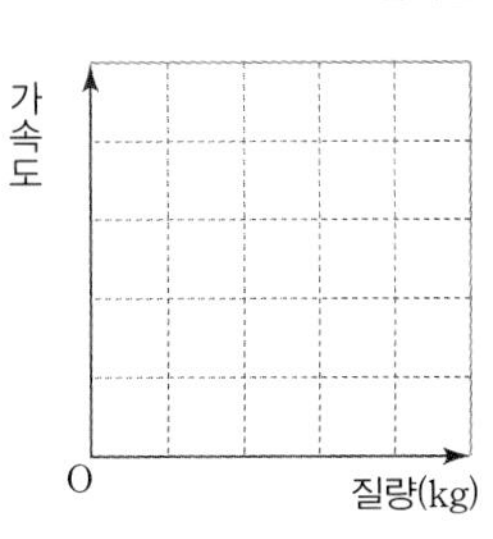

03 작용 반작용과 운동 법칙 적용

내 교과서는 어디에?
천재 p.27~31 금성 p.24~25 동아 p.24~27
미래엔 p.28~31 비상 p.26~28 YBM p.26~30

핵심 Point
- 힘이 두 물체 사이의 **상호 작용**임을 설명할 수 있다.
- **뉴턴 운동 제3법칙**의 적용 사례를 찾을 수 있다.

1 뉴턴 운동 제3법칙(작용 반작용 법칙)

1. **힘의 상호 작용** 두 물체 사이에 나타나는 힘은 항상 쌍으로❶존재한다.

2. **뉴턴 운동 제3법칙(작용 반작용❷ 법칙)** 물체 A가 B에 힘을 가하면 물체 B도 A에 힘을 가한다. 이때 A가 B에 가하는 힘을 작용이라 하면, B가 A에 가하는 힘을 반작용이라 한다.

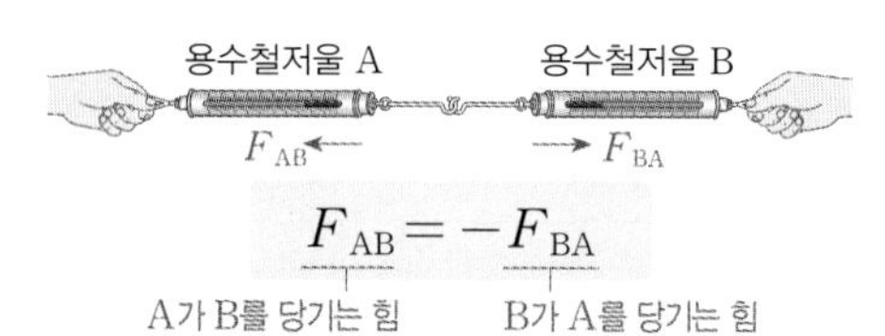

① 서로 다른 두 물체 사이에서 쌍으로 나타난다.
② 작용과 반작용은 크기가 같고 방향이 반대이다.
③ 같은 작용선상에서 서로 다른 물체에 동시에 작용한다.

3. **작용 반작용의 예**

			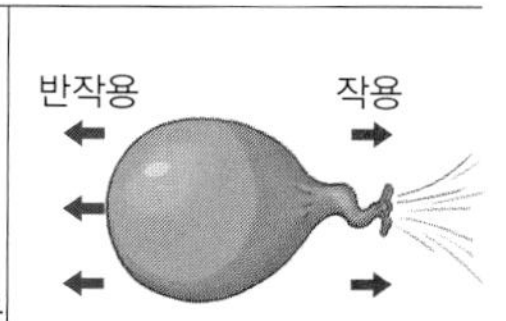
반작용 작용	반작용 작용	반작용 작용	반작용 작용
배를 타고 갈 때 노를 뒤로 저으면 그 반작용으로 배가 앞으로 나아간다. 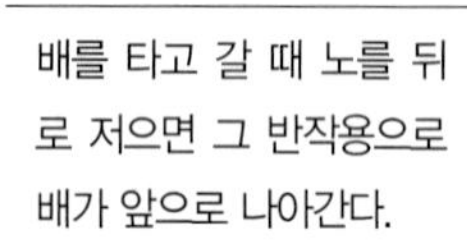	로켓이 날아갈 때 로켓 뒤로 연료를 분출시키면 그 반작용으로 앞으로 나아간다.	단거리 달리기에서 스타팅 블록을 힘껏 밀면 그 반작용으로 출발한다.	고무 풍선에서 바람이 빠져나오면 그 반작용으로 날아간다.

4. **작용 반작용과 힘의 평형❸**

구분	힘의 평형	작용 반작용
공통점	힘의 크기가 같고 힘의 방향이 반대이다.	
다른 점	힘 ← ● → 힘 ① 두 힘 모두 한 물체에 작용한다. ➡ 힘의 작용점이 같다. ② 합성하면 합력이 0이다.	작용 반작용 ① 서로 다른 두 물체에 작용한다. ➡ 힘의 작용점이 다르다. ② 두 힘을 합성할 수 없다.
예	F_1: 지구가 책을 당기는 힘 F_3: 책이 책상을 누르는 힘 F_2: 책이 지구를 당기는 힘 F_4: 책상이 책을 떠받치는 힘 • 작용 반작용 관계인 두 힘: F_1과 F_2, F_3과 F_4 • 힘의 평형 관계인 두 힘: F_1과 F_4	

❶ **힘이 쌍으로 작용할 때**
힘이 쌍으로 작용할 때 두 힘은 같은 작용선상에 있다.

❷ 작용 반작용은 물체가 정지해 있거나 운동하고 있는 경우에도 성립하며 항상 쌍으로 나타난다. 또한 작용 반작용은 두 물체 사이에 충돌이나 분열, 결합이 일어날 때에도 성립한다.

❸ **힘의 평형**
평형을 이루는 두 힘과 작용 반작용에서 두 힘은 크기가 같고 방향이 반대이기 때문에 비슷한 것 같지만 평형을 이루는 두 힘은 작용점이 같고, 작용 반작용은 작용점이 서로 다른 두 물체에 각각 위치한다.

셀파 콕콕
한 물체 A가 다른 물체 B에 힘을 가할 때, 이 힘의 반작용은 B가 A에 가하는 힘이다. 즉, 'A가 B에게~'의 반작용은 'B가 A에게~'라는 형태로 표시된다.

1 두 물체 사이에 작용하는 힘은 쌍으로 존재한다. (○ , ×)
2 물체 A가 물체 B에 힘을 가하면, 물체 B도 물체 A에 크기가 (　　), 방향이 (　　)인 힘을 가한다.

답 1. ○ 2. 같고, 반대

2 운동 법칙 적용

두 물체가 연결되어 움직일 때는 다음과 같은 과정으로 운동 방정식을 세운다.

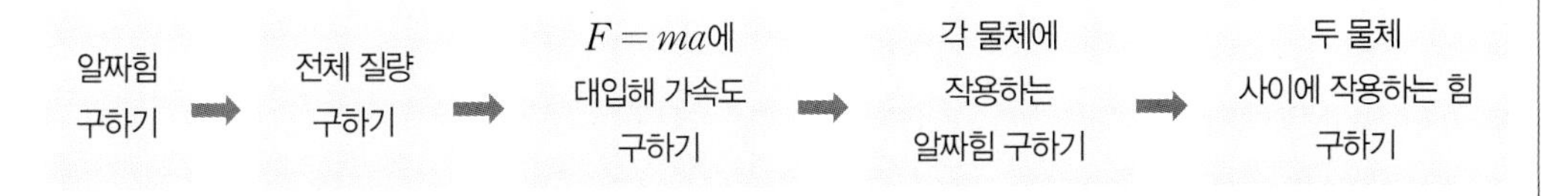

❹ 두 물체가 서로 주고받는 힘으로 작용 반작용의 관계이다.

- F_{AB}: 물체 A가 B에 가하는 힘
- F_{BA}: 물체 B가 A에 가하는 힘

1. 수평면 위에 놓인 두 물체의 운동(모든 마찰은 무시)

① 나란하게 놓인 물체를 밀 때

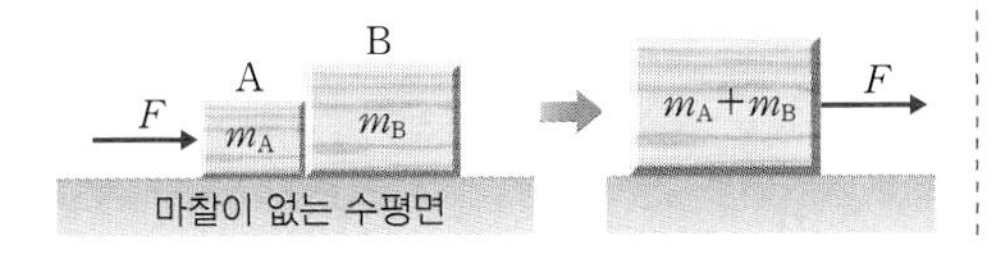

② 실로 연결된 물체를 당길 때

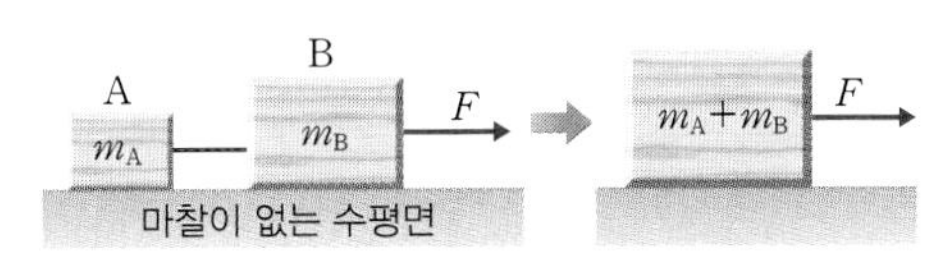

운동 방정식 세우기: 두 물체가 연결되어 있으므로 한 덩어리로 생각한다. 즉, 두 물체는 같은 속도와 가속도로 운동한다.

❶ 두 물체에 작용하는 알짜힘(F)을 구한다. — 주어진 상황에서 어떤 힘이 작용했는지 확인하여 알짜힘을 구한다. 위의 ①, ②에서는 마찰이 없으므로 작용한 힘 F가 알짜힘이다.

❷ 두 물체 질량의 합($m=m_A+m_B$)을 구한다.

❸ 운동 방정식($F=ma$)을 이용하여 가속도를 구한다.

$$F=(m_A+m_B)\times a \Rightarrow a=\frac{F}{m_A+m_B}$$

각각의 물체에 작용하는 알짜힘의 크기: '각 물체의 질량×가속도'로 구한다.

- A에 작용하는 알짜힘 $F_A=m_A\times a=\dfrac{m_AF}{m_A+m_B}$
- B에 작용하는 알짜힘 $F_B=m_B\times a=\dfrac{m_BF}{m_A+m_B}$

두 물체 사이에 작용하는 힘

❶ 나란하게 놓인 물체를 밀 때

- F의 힘으로 두 물체를 밀었을 때, A에는 F_A의 크기로 알짜힘(m_Aa)이 작용하고 A는 B를 F_B의 크기로 민다.
- A가 B를 미는 힘(작용)은 B가 A를 미는 힘(반작용)과 같다.❹

$$F_{AB}=-F_{BA}=F_B=m_Ba$$

(F_{AB}: A가 B를 미는 힘, F_{BA}: B가 A를 미는 힘, m_Ba: B에 작용하는 알짜힘)

❷ 실로 연결된 물체를 당길 때

- F의 힘으로 두 물체를 당겼을 때, B에는 F_B의 크기로 알짜힘(m_Ba)이 작용하고 B는 A를 F_A의 크기로 당긴다.
- 실에 걸리는 장력❺(T)=B가 A를 당기는 힘(F_A)

$$\Rightarrow T=F_A,\ T=\frac{m_AF}{m_A+m_B}$$

A가 B를 당기는 힘은 B가 A를 잡아 당기는 힘과 작용 반작용 관계로, 힘의 크기가 같다.

셀파 콕콕

두 물체를 접촉 시키거나 줄로 연결하여 함께 운동할 때 각 물체 A와 B에 작용하는 알짜힘의 합은 두 물체에 작용하는 알짜힘과 같다.

$$\rightarrow F_A+F_B=\frac{m_AF}{m_A+m_B}+\frac{m_BF}{m_A+m_B}=F$$

❺ 두 물체 사이에 용수철저울이 걸려있는 경우 용수철저울의 눈금은 장력(T)을 의미한다.

용어

▸ **실의 장력**: 두 물체를 실로 연결했을 때 실에 작용하는 힘

개념 확인하기

1 질량이 각각 3 kg, 6 kg인 물체 A와 B를 실로 연결한 후 수평면에서 오른쪽으로 힘 18 N을 작용하였다. 이때 물체 A와 B의 가속도 방향과 크기는?

2 용수철저울을 벽에 매달고 잡아당겼더니 용수철저울의 눈금이 10 N이었다. 이때 벽이 용수철저울을 당기는 힘의 크기는 ( ) N이다.

3 수평면 위의 나란하게 놓인 두 물체를 밀 때 두 물체 사이에 작용하는 힘은 작용 반작용으로 크기가 같다. (○, ×)

답 1. 오른쪽, 2 m/s² 2. 10 3. ○

2. 도르래로 연결된 두 물체의 운동(모든 마찰은 무시)

두 물체를 연결해 도르래에 걸치고 가만히 놓으면 물체 A에 작용하는 중력으로 물체가 움직인다.

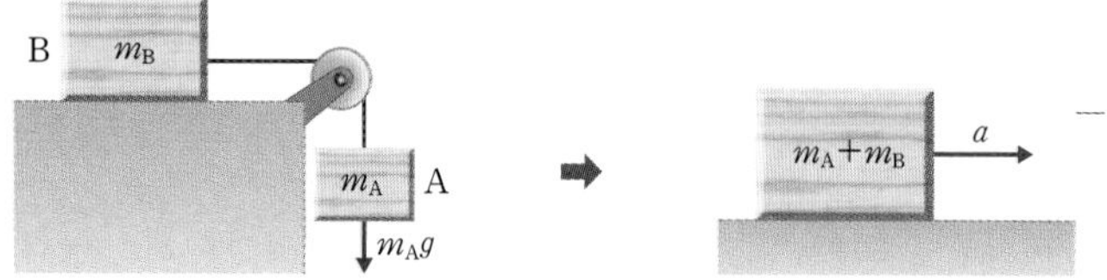

— 도르래는 운동 방향을 바꾸어 주는 도구이므로 도르래로 연결된 물체는 두 물체 A와 B를 두 물체에 작용하는 알짜힘으로 잡아당기는 것과 같다.

운동 방정식 세우기: 도르래로 연결되어 있는 경우 역시 두 물체는 같은 운동을 하므로 한 덩어리로 인식하고 운동 방정식을 세운다.

❶ 두 물체에 작용하는 알짜힘($F=m_A g$)을 구한다. — A와 B를 움직이게 하는 힘은 A에 작용하는 중력이다. 따라서 $m_A g$가 알짜힘이 되며, 이 힘이 작용하여 A와 B가 가속도 a로 움직인다.

❷ 두 물체 질량의 합($m=m_A+m_B$)을 구한다.

❸ 운동 방정식($F=ma$)을 이용하여 가속도❻를 구한다.

$$F=m_A g=(m_A+m_B)a \rightarrow a=\frac{m_A g}{m_A+m_B}$$

각각의 물체에 작용하는 알짜힘의 크기

- A에 작용하는 알짜힘 $F_A=m_A\times a=\dfrac{m_A{}^2}{m_A+m_B}g$
- B에 작용하는 알짜힘 $F_B=m_B\times a=\dfrac{m_A m_B}{m_A+m_B}g$

두 물체 사이에 작용하는 힘

두 물체 사이의 실에 걸리는 장력(T)은 같은 크기이며, 이것은 A가 B를 당기는 힘, 또는 B가 A를 당기는 힘(작용 반작용)과 같다.

➡ 두 물체 사이의 실에 걸리는 장력(T)$=F_B=m_A g-F_A$ $\quad\therefore T=\dfrac{m_A m_B}{m_A+m_B}g$

❻ 두 물체가 연결되어 함께 운동하는 경우 두 물체 사이에 주고받는 힘은 상쇄되므로 두 물체를 한 덩어리로 생각하고 다른 외력의 합만 고려하여 운동 방정식에 적용해 가속도의 크기를 구한다.

➡ 가속도$=\dfrac{\text{알짜힘}}{\text{질량}}$

셀파 콕콕

두 물체가 도르래로 연결되어 함께 운동할 때 각 물체 A와 B에 작용하는 알짜힘의 합은 두 물체에 작용하는 알짜힘과 같다.

$\rightarrow F_A+F_B$

$=\dfrac{m^2{}_A F}{m_A+m_B}+\dfrac{m_A m_B F}{m_A+m_B}$

$=\dfrac{m_A g}{m_A+m_B}$

그림은 마찰이 없는 수평면 위에 질량이 각각 3 kg, 2 kg인 물체 A, B를 도르래로 연결한 것이다. (단, 중력 가속도는 10 m/s²이다.)

① 질량이 3 kg인 A의 가속도(a)

➡ 두 물체는 실로 연결되어 함께 운동한다. 두 물체에 작용하는 알짜힘은 질량이 2 kg인 B에 작용하는 중력 20 N이므로 20 N = (3 kg + 2 kg) × a에 의해 가속도는 4 m/s²이다.

② 질량이 2 kg인 물체에 작용하는 장력(T)

➡ 질량이 2 kg인 물체 B에는 중력과 장력이 작용한다. 알짜힘 $F=20\text{ N}-T=2\text{ kg}\times 4\text{ m/s}^2$ (20 N: 중력, T: 장력, 2 kg × 4 m/s²: B에 작용하는 알짜힘)에 의해 장력 T는 12 N이다.

용어

▸ **도르래**: 홈이 패인 바퀴에 밧줄이나 사슬을 걸고 물건을 들어 올리거나 잡아당기는 기구이다. 도르래는 힘의 작용 방향을 바꾸거나 보다 작은 힘으로 물체를 이동시키기 위해 사용된다.

개념 확인하기

1 두 물체가 실로 연결되어 힘을 받을 때 두 물체는 가속도가 (   ).

2 두 물체가 실로 연결되어 등가속도 운동하는 경우 각 물체가 받는 알짜힘의 크기는 각 물체의 (   ) 에 비례한다.

3 두 물체 A, B가 도르래로 연결되어 있을 때 A가 B에 작용한 힘과 B가 A에 작용한 힘의 크기는 (   )의 관계이다.

답 1. 같다 2. 질량 3. 작용 반작용

셀파 탐구

두 물체 사이에서 상호 작용하는 두 힘

목표 두 물체 사이에 힘이 어떻게 작용하는지 알 수 있다.

과정

❶ A, B 두 사람이 동일한 질량의 바퀴 달린 의자에 타고 있다.

❷ A가 B를 민 다음 같은 시간 동안 A, B가 타고 있는 의자의 이동 거리를 측정하고, 같은 크기의 힘으로 B가 A를 민 다음 같은 시간 동안 A, B가 타고 있는 의자의 이동 거리를 측정한다.

결과 및 정리

1. 실험 결과 측정값은 다음과 같다.

구분	A가 앉은 의자의 이동 거리	B가 앉은 의자의 이동 거리
A가 B를 밀었을 때	1 m	1.5 m
B가 A를 밀었을 때	1 m	1.5 m

2. 한 사람이 다른 한 사람을 밀었을 때 두 사람 모두 힘을 받는가?

➡ A가 B를 밀었을 때 B가 탄 수레가 움직이는 것 이외에 A가 탄 수레도 움직였다.
→ A는 B에 의해 반작용을 받았다.

➡ B가 A를 밀었을 때 A가 탄 수레가 움직이는 것 이외에 B가 탄 수레도 움직였다.
→ B는 A에 의해 반작용을 받았다.

➡ 실험 결과 어느 한 쪽이 다른 쪽에 힘을 가하면 힘을 가한 물체도 힘을 받은 물체에 의해 힘을 받는 것을 알 수 있다.

3. 질량에 따른 이동 거리를 비교해 보자.

➡ 같은 크기의 힘을 작용했을 때 같은 시간 동안 이동한 거리는 B가 앉은 의자가 A가 앉은 의자보다 길다. → A가 B보다 무겁다.

유의점

❶ 마찰이 작은 수평면 위에서 실험을 해야 한다.

❷ 의자의 질량이 사람의 질량에 비해 너무 무거우면 실험 결과가 정확하게 나타나지 않는다.

탐구 돋보기

작용 반작용 관계에 있는 두 물체에는 같은 크기의 힘이 반대 방향으로 각각 작용한다. 이때 두 물체의 가속도의 크기는 물체의 질량에 따라 달라진다.

시험 유형은?

그림은 벽에 붙은 물체를 F의 힘으로 밀고 있는 모습을 나타낸 것이다.

❶ 평형 관계에 있는 두 힘은?
▶ 물체를 미는 힘(F)과 벽이 물체를 미는 힘(F_2)

❷ 작용 반작용 관계에 있는 두 힘은?
▶ 물체가 벽을 미는 힘(F_1)과 벽이 물체를 미는 힘(F_2)

탐구 대표 문제 정답과 해설 8쪽

01 작용 반작용 관계에 있는 힘으로 옳은 것만을 〈보기〉에서 있는 대로 고른 것은?

보기

ㄱ. 수영 선수가 방향을 바꿀 때 벽을 발로 미는 힘과 벽이 선수를 미는 힘

ㄴ. 야구 선수가 휘두른 방망이가 공을 미는 힘과 공이 방망이를 미는 힘

ㄷ. 지구가 책상 위의 책을 당기는 힘과 책상이 책을 떠받치는 힘

① ㄱ ② ㄴ ③ ㄷ ④ ㄱ, ㄴ ⑤ ㄱ, ㄴ, ㄷ

02 그림과 같이 질량이 60 kg인 어른과 질량이 30 kg인 아이가 마찰을 무시할 수 있는 얼음판 위에서 손바닥을 마주대고 있다. 어른이 30 N의 일정한 힘으로 1초 동안 아이를 밀었을 때 1초 후 어른의 속력은 몇 m/s인가?

기초 탄탄 문제

정답과 해설 8쪽

핵심용어_ 이 단원에서 내가 아는 것과 아직 모르는 것을 정리하며 나의 공부를 돌아보자.

- □ 작용 반작용
- □ 힘의 평형
- □ 힘의 상호 작용
- □ 뉴턴 운동 제3법칙(작용 반작용 법칙)
- □ 뉴턴 운동 법칙 적용

01 작용 반작용 법칙에 대한 설명으로 옳은 것은?

① 작용 반작용은 한 물체에 두 힘이 작용할 때이다.
② 작용 반작용의 크기는 다를 수 있다.
③ 작용 반작용은 동일 직선상에서 반대 방향으로 작용한다.
④ 두 힘의 작용점은 한 물체에 있다.
⑤ 두 힘은 합성할 수 있다.

02 그림은 학생이 칠판 지우개로 칠판을 누르고 있는 모습을 나타낸 것이다. 칠판 지우개가 철수를 미는 힘에 대한 반작용은?

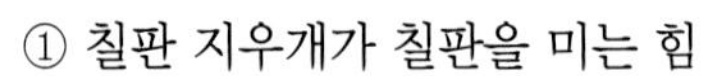
① 칠판 지우개가 칠판을 미는 힘
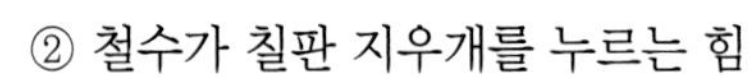
② 철수가 칠판 지우개를 누르는 힘
③ 칠판이 칠판 지우개를 미는 힘
④ 칠판이 벽을 미는 힘
⑤ 철수에게 작용하는 중력

03 그림은 질량 2 kg인 물체 A와 3 kg인 물체 B를 고정 도르래로 연결한 것을 나타낸 것이다.
A, B가 함께 운동할 때 가속도의 크기는? (단, 중력 가속도는 10 m/s² 이다.)

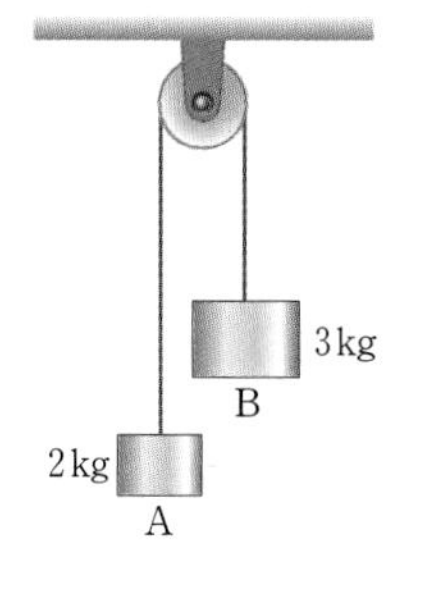

① 1 m/s²　② 2 m/s²
③ 3 m/s²　④ 4 m/s²
⑤ 5 m/s²

04 작용 반작용의 예로 옳은 것은?

① 휴지를 갑자기 잡아당겨 끊는다.
② 버스가 갑자기 급정거하면 승객이 앞으로 넘어진다.
③ 테이블과 그 위에 놓여 있는 컵 사이의 테이블보를 빠르게 당기면 컵은 그대로 있는다.
④ 달리기 경주에서 출발할 때 스타팅 블록을 활용한다.
⑤ 자동차가 충돌할 때 에어백이 작동한다.

05 그림 (가)와 같이 용수철저울의 한쪽 끝을 벽에 고정시키고 반대쪽 끝에 추를 연결한 후 용수철저울의 눈금을 확인하니 N_1을 가리켰다. 그림 (나)는 (가)와 동일한 용수철저울의 양쪽 끝에 (가)에서 사용했던 동일한 추를 매단 것으로, 이때 용수철저울의 눈금이 N_2를 가리켰다.

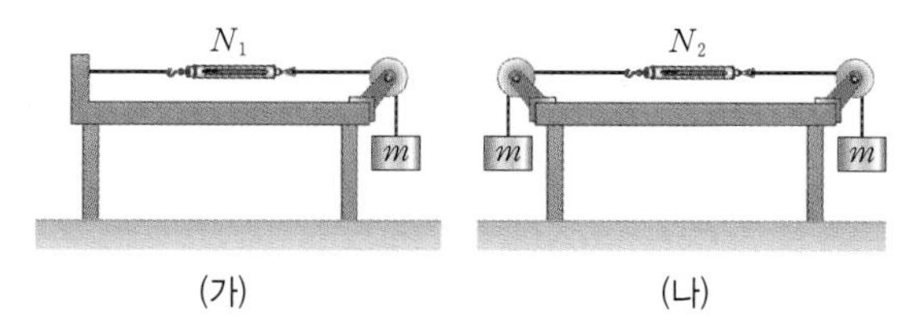

(가)　(나)

N_1과 N_2의 관계를 옳게 나타낸 것은?

① $N_1 = N_2$　② $N_1 = 2N_2$
③ $2N_1 = N_2$　④ $\frac{1}{N_1} = \frac{1}{3N_2}$
⑤ $4N_1 = N_2$

06 그림은 마찰이 없는 수평면 위에 정지해 있는 질량이 각각 2 kg, 3 kg인 두 물체 A, B를 용수철저울로 연결한 후, 수평 방향으로 30 N의 힘으로 당기는 모습을 나타낸 것이다.

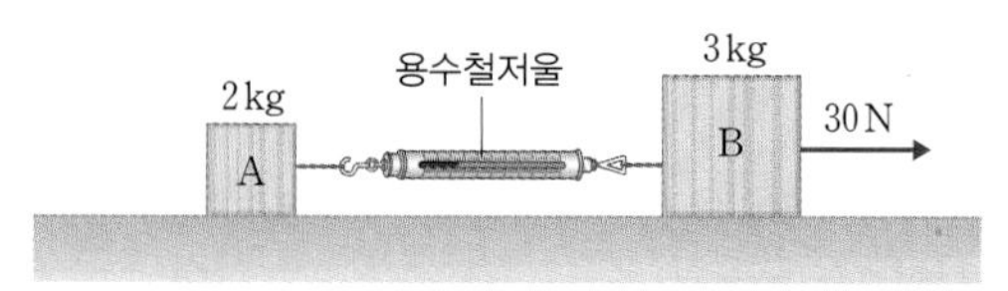

용수철저울에 측정되는 힘의 크기는? (단, 용수철의 질량은 무시한다.)

① 6 N　② 12 N　③ 15 N
④ 18 N　⑤ 30 N

내신 만점 문제

정답과 해설 8쪽

난이도를 나타냅니다.

01 그림과 같이 수평면 위에 놓인 공 위에 피에로가 올라서 공을 누르고 있다.

이에 대한 설명으로 옳은 것만을 〈보기〉에서 있는 대로 고른 것은?

> 보기
> ㄱ. 공이 받는 힘은 피에로의 무게뿐이다.
> ㄴ. 수평면이 공을 위로 밀어 올리는 힘의 크기는 피에로의 무게와 같다.
> ㄷ. 피에로의 무게가 공을 누르는 힘과 공이 피에로를 위로 미는 힘은 작용과 반작용의 관계이다.

① ㄱ ② ㄴ ③ ㄷ
④ ㄱ, ㄷ ⑤ ㄴ, ㄷ

02 그림은 공을 벽에 대고 손가락으로 눌렀을 때 공, 손가락, 벽에 작용하는 힘 F_1, F_2, F_3, F_4를 나타낸 것이다.

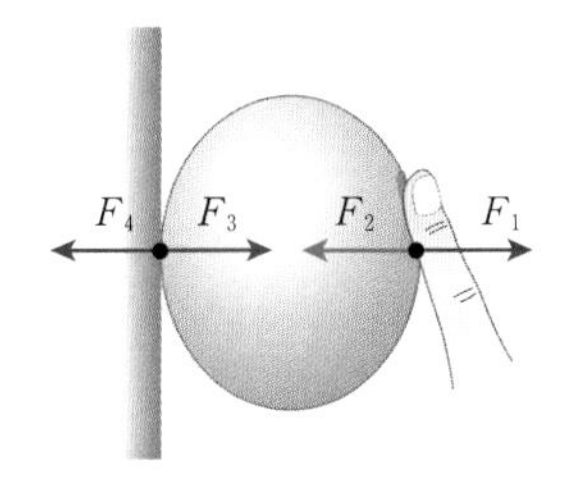

F_1: 공이 손가락을 미는 힘
F_2: 손가락이 공을 미는 힘
F_3: 벽이 공을 미는 힘
F_4: 공이 벽을 미는 힘

이 힘들 중 작용 반작용 관계인 두 힘과 평형을 이루는 두 힘을 옳게 짝지은 것은?

	작용 반작용	힘의 평형
①	F_1, F_4	F_2, F_4
②	F_3, F_4	F_1, F_2
③	F_1, F_4	F_1, F_2
④	F_2, F_3	F_3, F_4
⑤	F_1, F_2	F_2, F_3

03 그림은 인라인 스케이트를 신고 서 있는 철수와 영희가 서로 미는 동안 동일 직선상에서 반대 방향으로 운동하는 모습이다.

이에 대한 설명으로 옳은 것만을 〈보기〉에서 있는 대로 고른 것은? (단, 철수의 질량이 영희의 질량보다 크다.)

> 보기
> ㄱ. 가속도의 방향은 철수와 영희가 같은 방향이다.
> ㄴ. 같은 시간 동안 이동했을 때 속력은 철수보다 영희가 빠르다.
> ㄷ. 철수가 영희에게 작용하는 힘과 영희가 철수에게 작용하는 힘은 작용 반작용 관계이다.

① ㄱ ② ㄴ ③ ㄷ
④ ㄱ, ㄴ ⑤ ㄴ, ㄷ

04 그림은 마찰이 없는 수평면에 놓인 물체 B 위에 물체 A를 올려놓은 것을 나타낸 것이다. A, B의 질량은 각각 m, $3m$이고, A와 B는 정지 상태이다. 이에 대한 설명으로 옳은 것만을 〈보기〉에서 있는 대로 고른 것은? (단, 중력 가속도의 크기는 g이다.)

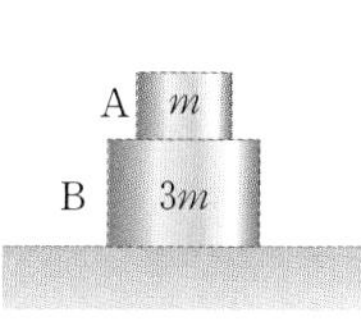

> 보기
> ㄱ. B가 A를 떠받치는 힘의 크기는 mg이다.
> ㄴ. B가 수평면을 누르는 힘의 크기는 $3mg$보다 크다.
> ㄷ. A가 B를 누르는 힘과 B가 A를 떠받치는 힘은 힘의 평형 관계이다.

① ㄱ ② ㄱ, ㄴ ③ ㄱ, ㄷ
④ ㄴ, ㄷ ⑤ ㄱ, ㄴ, ㄷ

05 그림은 지구 위에 있는 책상에 책이 놓여 있는 모습으로 각 물체 사이에 작용하는 힘을 나타낸 것이다.

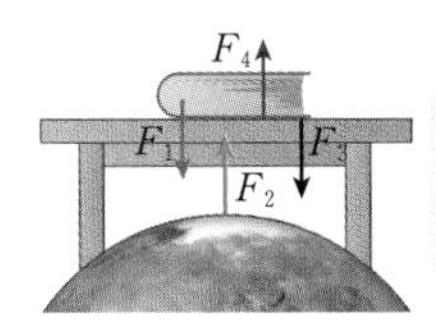

- F_1 : 지구가 책을 잡아당기는 힘
- F_2 : 책이 지구를 잡아당기는 힘
- F_3 : 책이 책상면을 누르는 힘
- F_4 : 책상면이 책을 떠받치는 힘

이에 대한 설명으로 옳은 것만을 <보기>에서 있는 대로 고른 것은?

보기

ㄱ. F_1과 평형을 이루는 힘은 F_4이다.
ㄴ. F_1과 작용 반작용 관계의 힘은 F_2이다.
ㄷ. F_2와 F_3는 힘의 평형 관계이다.

① ㄱ ② ㄴ ③ ㄷ
④ ㄱ, ㄴ ⑤ ㄴ, ㄷ

06 그림과 같이 마찰이 없는 수평면 위에서 3개의 동일한 물체를 용수철저울 A, B로 연결하고 일정한 힘 F로 당기면서 용수철저울 A의 눈금을 측정하였더니 10 N이었다.

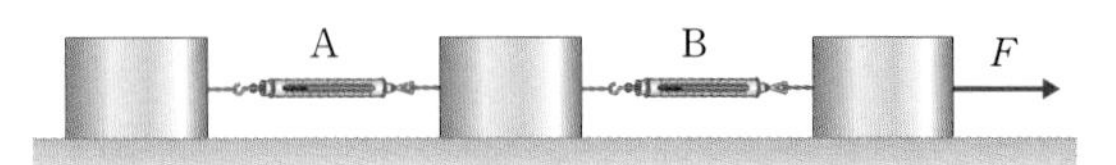

용수철저울 B의 눈금은? (단, 용수철저울의 질량은 무시한다.)

① 10 N ② 20 N ③ 30 N
④ 40 N ⑤ 60 N

07 그림과 같이 마찰이 없는 수평면 위에 질량 3 kg인 물체 A와 질량이 2 kg인 물체 B를 연결하였다. 두 물체가 운동할 때, 이에 대한 설명으로 옳은 것만을 <보기>에서 있는 대로 고른 것은? (단, 중력 가속도는 10 m/s^{2}이다.)

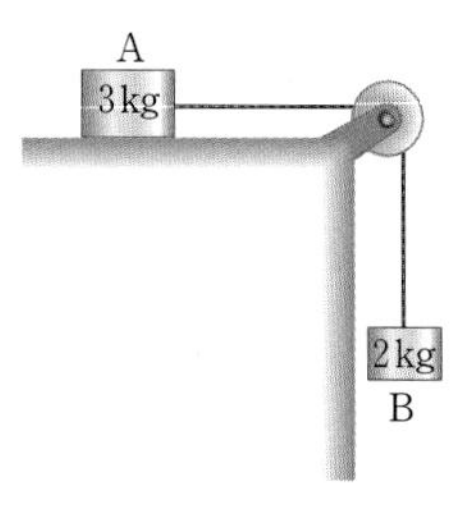

보기

ㄱ. A의 가속도의 크기는 4 m/s^{2}이다.
ㄴ. B가 받은 알짜힘의 크기는 8 N이다.
ㄷ. 실이 B를 잡아 당기는 힘은 20 N이다.

① ㄱ ② ㄴ ③ ㄷ
④ ㄱ, ㄴ ⑤ ㄴ, ㄷ

08 그림은 철수가 농구공을 10 N의 힘으로 던졌을 때 모습을 나타낸 것이다.

이에 대한 설명으로 옳은 것은?

① 철수가 농구공으로부터 받는 힘의 크기는 20 N이다.
② 철수가 농구공으로부터 받는 힘의 방향은 철수가 농구공에 주는 힘의 방향과 같다.
③ 철수가 농구공으로부터 힘을 받는 현상은 작용 반작용으로 설명할 수 있다.
④ 철수가 농구공에 힘을 작용한 시간이 농구공이 철수에게 힘을 작용한 시간보다 길다.
⑤ 철수가 농구공을 던진 후 뒤로 밀리는 것은 길을 걷다 돌에 걸려 넘어지는 것과 같은 원리로 설명한다.

09 마찰이 없는 수평면에 질량이 2 kg인 물체 A에 질량이 3 kg인 물체 B를 연결하여 도르래에 매달아 놓은 후 물체 B를 손으로 받쳐 정지해 있었다. 그림 (가)는 물체 B를 받치던 손을 치운 후 A에 힘 F를 작용하는 모습을 나타낸 것이다. 그림 (나)는 물체 A에 작용하는 힘 F의 크기를 시간에 따라 나타낸 것이다.

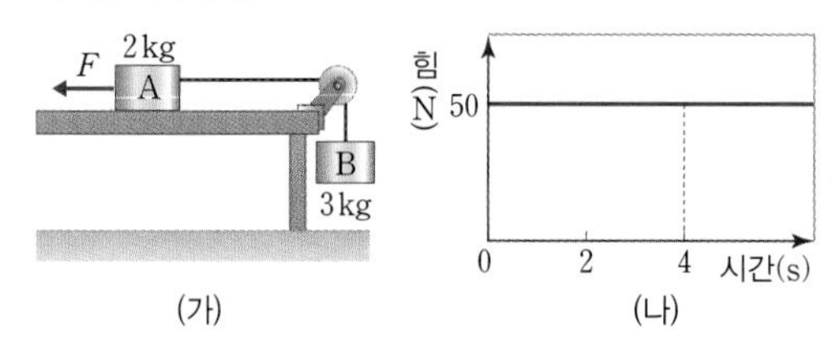

이에 대한 설명으로 옳은 것만을 <보기>에서 있는 대로 고른 것은? (단, 중력 가속도는 10 m/s^{2}이다.)

보기

ㄱ. A의 가속도의 크기는 25 m/s^{2}이다.
ㄴ. B에 작용하는 알짜힘의 크기는 30 N이다.
ㄷ. 4초일 때 A의 속력은 16 m/s이다.

① ㄱ ② ㄴ ③ ㄷ
④ ㄱ, ㄴ ⑤ ㄴ, ㄷ

10 그림 (가)는 마찰이 없는 수평면에서 수레가 추와 실로 연결되어 운동하는 것을 나타낸 것이다. 그림 (나)는 (가)에서 질량이 같은 추 하나를 더 매달은 모습을 나타낸 것이다.

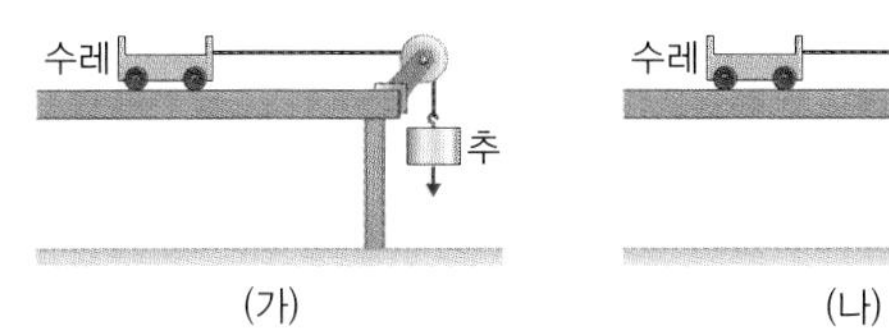

(가) (나)

이에 대한 설명으로 옳은 것만을 〈보기〉에서 있는 대로 고른 것은?

보기

ㄱ. (나)에 매달린 추에 작용하는 중력의 합력은 (가)의 추에 작용하는 중력에 2배이다.
ㄴ. (나)에서 수레에 작용하는 알짜힘은 (가)의 2배이다.
ㄷ. 수레의 가속도의 크기는 (가)가 (나)보다 크다.

① ㄱ ② ㄴ ③ ㄷ
④ ㄱ, ㄷ ⑤ ㄴ, ㄷ

11 그림은 수평면 위에 놓여 있는 상자에 연결된 실을 힘 F로 당길 때, 상자가 $10\ m/s^2$의 가속도로 운동하는 것을 나타낸 것이다. 상자 안에는 질량이 각각 2 kg, 3 kg인 물체 A와 B가 그림과 같이 놓여 있다.

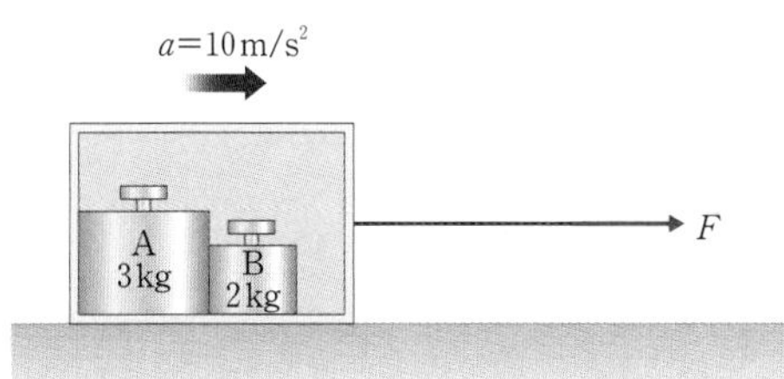

이에 대한 설명으로 옳은 것만을 〈보기〉에서 있는 대로 고른 것은? (단, 상자와 실의 질량 및 마찰은 무시한다.)

보기

ㄱ. $F = 50$ N이다.
ㄴ. A가 B에 작용한 힘의 크기는 20 N이다.
ㄷ. B의 가속도의 크기는 $10\ m/s^2$이다.

① ㄱ ② ㄴ ③ ㄷ
④ ㄱ, ㄴ ⑤ ㄱ, ㄴ, ㄷ

서술형 문제

12 그림 (가)는 수평면에서 자석 A와 B를 다른 극끼리 마주보게 하여 놓은 것을, (나)는 자석 A와 B를 같은 극끼리 마주보게 하였을 때 A가 떠 있는 것을 나타낸 것이다. (단, 수평면에 수직으로 세워진 나무 막대와 자석 사이의 마찰은 무시한다.)

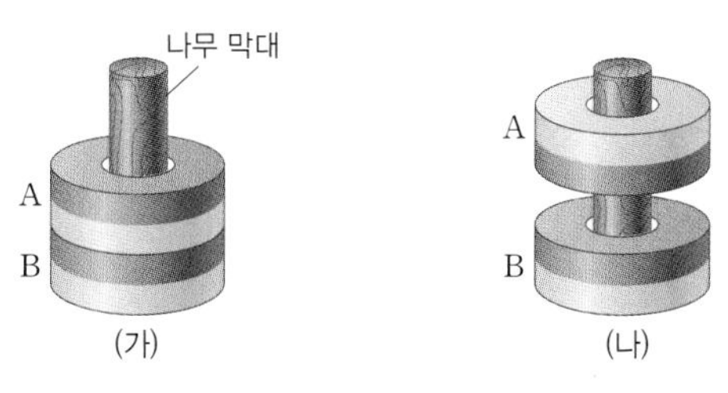

(가) (나)

(1) (가)에서 지구가 A를 당기는 힘의 반작용을 서술하시오.

(2) (나)에서 A가 B로부터 받는 자기력의 반작용을 서술하시오.

13 그림 (가)는 마찰이 없는 수평면 위에 놓여 있는 질량이 2 kg인 물체 A와 3 kg인 물체 B가 용수철로 연결되어 일정한 크기 힘 10 N을 A에 가하는 것을 나타낸 것이고, (나)는 힘 10 N을 B에 가하는 것을 나타낸 것이다. (단, 용수철의 질량은 무시한다.)

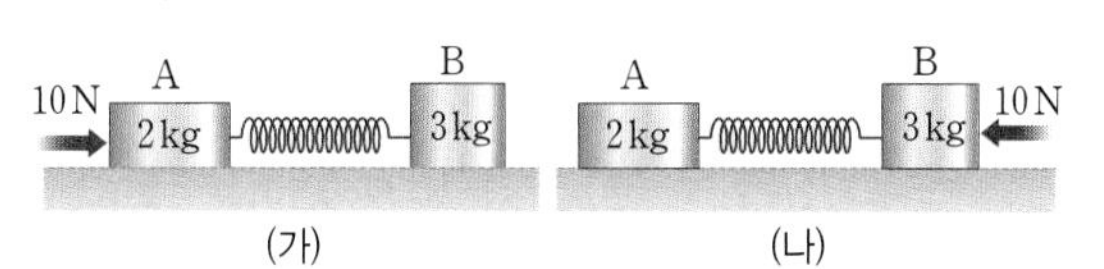

(가) (나)

(1) (가)에서 A의 가속도 크기는 몇 m/s^2인가?

(2) (가)와 (나) 중 용수철이 더 많이 압축되는 것을 찾고 그 까닭을 서술하시오.

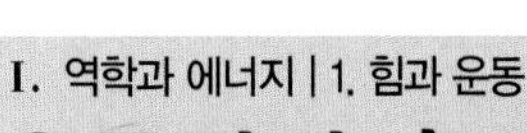

04 운동량과 충격량

내 교과서는 어디에?
천재 p.32~36 금성 p.34~35 동아 p.34~38
미래엔 p.40~45 비상 p.34~41 YBM p.37~43

핵심 Point
- **충격량**과 **운동량**의 관계를 이해할 수 있다.
- 일상생활에서 **충격**을 **감소**시키는 예를 찾아 설명할 수 있다.

1 운동량과 충격량

1. 운동량

① 운동하는 물체의 운동 효과를 나타내는 물리량으로 물체의 질량과 물체의 속도의 곱이다.

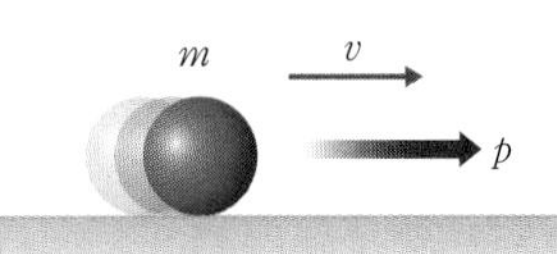

운동량 = 질량 × 속도, $p = mv$ (단위: kg·m/s❶)

② 운동량은 크기와 방향을 모두 가지는 물리량으로, 방향은 속도의 방향과 같다.

2. 운동량의 크기 비교

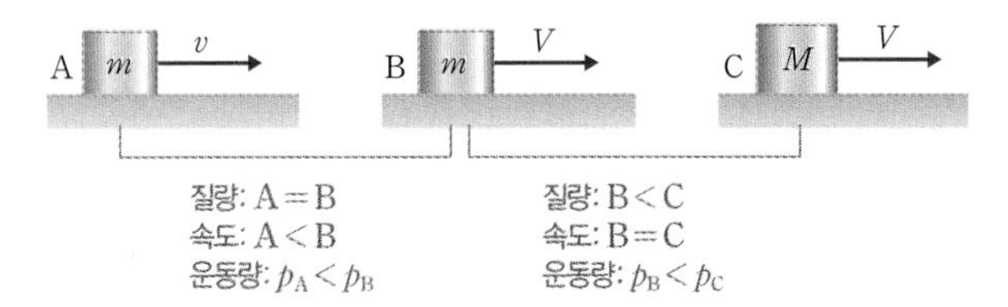

① A와 B는 질량이 같고 B의 속도가 A보다 크다. ➡ $p_A < p_B$

② B와 C는 속도가 같고 C의 질량이 B보다 크다. ➡ $p_B < p_C$

③ 운동량은 물체의 질량이 클수록, 속도가 빠를수록 크다. ➡ $p_A < p_B < p_C$

3. 충격량❷

① 물체가 받는 충격의 정도를 나타낸 물리량으로, 힘과 힘이 작용한 시간의 곱이다.

충격량 = 힘 × 힘을 작용한 시간, $I = F\Delta t$ (단위: N·s, kg·m/s)

② 충격량의 방향은 힘의 방향과 같다.

③ 충돌하는 동안 물체가 받는 힘을 충격력이라 한다.

④ 힘(충격력) – 시간 그래프에서 그래프 아랫부분의 넓이는 충격량이다.

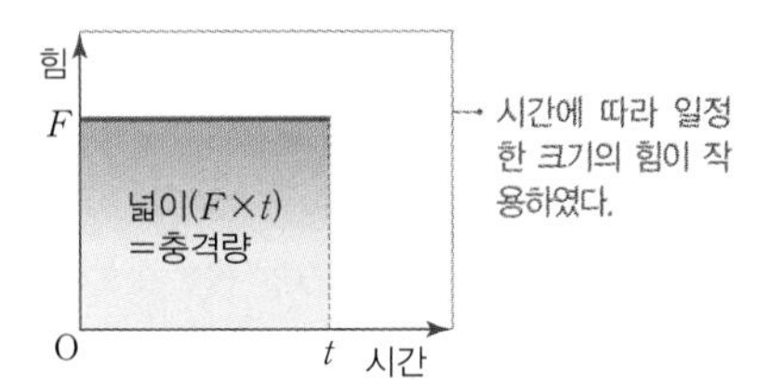

시간에 따라 일정한 크기의 힘이 작용하였다.

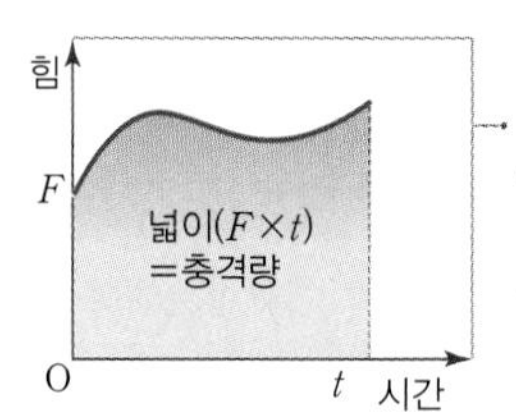

시간에 따라 작용하는 힘의 크기가 계속 변하였다 이때 충격량을 힘이 작용한 시간으로 나눈 값이 평균 힘이다.

평균 힘 = $\dfrac{\text{충격량}}{\text{충돌 시간}}$

❶ 운동량과 충격량의 단위

운동량 = 질량 × 속도이므로 단위는 kg·m/s이고, 충격량 = 힘 × 시간이므로 단위는 (kg·m/s²) × s = kg·m/s이다. 따라서 운동량의 단위는 충격량의 단위와 같다.

셀파 콕콕

처음 속도가 v_0인 질량 m인 물체에 시간 t 동안 F의 크기만큼 힘을 작용하여 나중 속도가 v가 되었을 때 운동량의 변화량은 속도 변화량의 크기에 비례한다.

① 처음 속도와 나중 속도의 방향이 같은 경우: 속도 변화량이 작으므로 운동량의 변화량이 작다.

② 처음 속도와 나중 속도의 방향이 반대인 경우: 속도 변화량이 크므로 운동량의 변화량이 크다.

❷ 충격량은 물체에 작용하는 힘이 클수록 커지고, 힘이 작용하는 시간이 길수록 커진다.

용어

▸ **운동량**: 운동하는 물체가 운동하려는 정도를 나타내는 물리량으로 크기와 방향을 가진다.

개념 확인하기

1 운동량은 물체에 작용한 힘과 속도를 곱한 값과 같다. (○ , ×)

2 물체에 힘을 작용했을 때 물체가 받는 충격량의 방향은 힘의 방향과 ( ) 방향이다.

3 물체가 받은 힘의 크기를 시간에 따라 나타낸 그래프에서 그래프 아랫부분의 넓이는 물체가 받은 ( )의 크기를 의미한다.

답 1. × 2. 같은 3. 충격량

2 운동량과 충격량의 관계

1. 운동량과 충격량 비교

	운동량	충격량
크기	p = 질량 × 속도 = mv	I = 충격력 × 충돌 시간 = Ft
방향❸	물체의 운동 방향과 같다.(속도의 방향)	물체가 받은 힘의 방향과 같다.

2. 운동량과 충격량의 관계 물체가 받은 충격량은 물체의 운동량의 변화량과 같다.

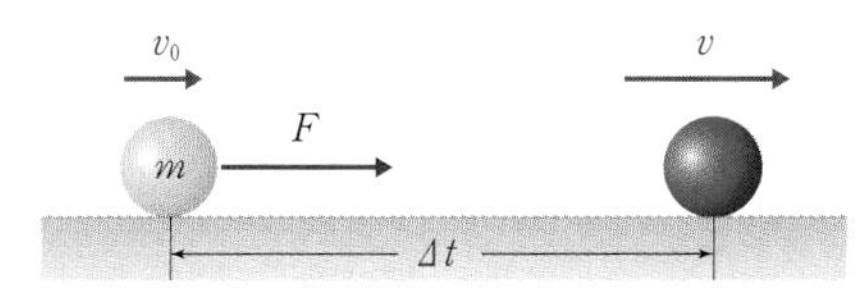

충격량 = 나중 운동량 − 처음 운동량
$= mv - mv_0$
(물체의 질량, 힘을 받은 후 속도, 처음 속도)

• v_0의 속도로 운동하는 질량 m인 물체에 시간 Δt 동안 크기가 F인 힘이 작용하여 속도가 v로 변하였다.

➡ 작용한 힘 $F = ma = m\dfrac{v - v_0}{\Delta t} = \dfrac{mv - mv_0}{\Delta t} = \dfrac{\Delta p}{\Delta t}$

➡ 충격량 $I = F\Delta t = mv - mv_0 = \Delta p$

3. 운동량, 충격량 그래프 해석

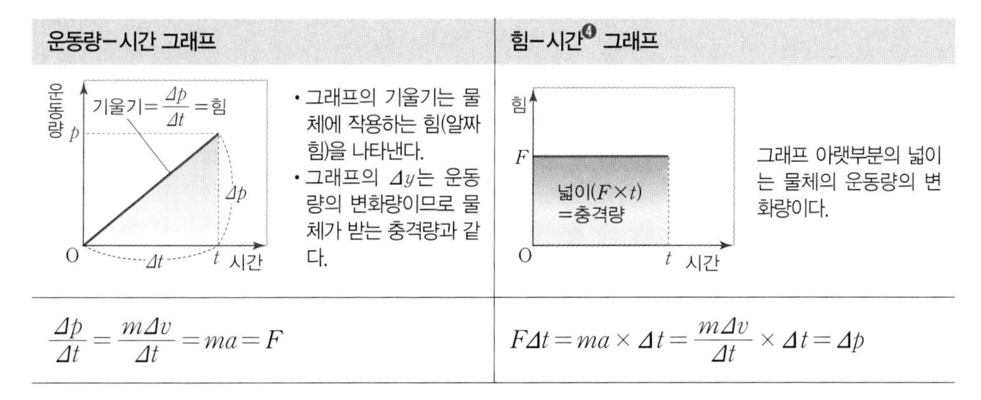

운동량-시간 그래프
힘-시간❹ 그래프
운동량
기울기 = $\frac{\Delta p}{\Delta t}$ = 힘
p
Δp
O
Δt
t 시간
• 그래프의 기울기는 물체에 작용하는 힘(알짜 힘)을 나타낸다.
• 그래프의 Δy는 운동량의 변화량이므로 물체가 받는 충격량과 같다.
힘
F
넓이($F \times t$)
=충격량
O
t 시간
그래프 아랫부분의 넓이는 물체의 운동량의 변화량이다.

$\dfrac{\Delta p}{\Delta t} = \dfrac{m\Delta v}{\Delta t} = ma = F$

$F\Delta t = ma \times \Delta t = \dfrac{m\Delta v}{\Delta t} \times \Delta t = \Delta p$

힘-시간 그래프

그림은 마찰이 없는 수평면 위에 정지해 있는 물체에 작용한 힘의 크기를 시간에 따라 나타낸 것이다. 0초~1초, 1초~2초, 2초~3초 동안 물체가 받은 충격량의 크기를 구해 보자.

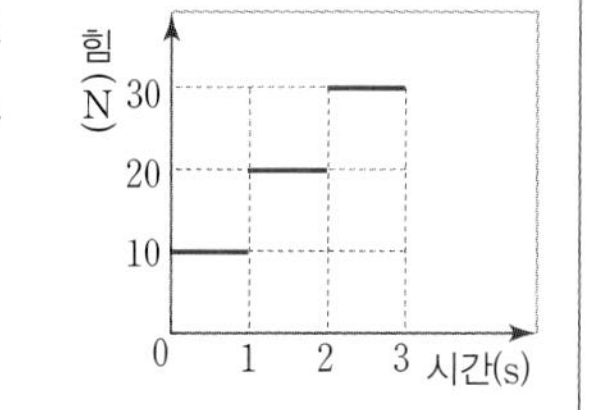

➡ 시간-힘 그래프 아랫부분의 넓이는 물체가 받은 충격량과 같다.

• 0초~1초 충격량: $I_1 = F \cdot \Delta t = 10\ \text{N} \times 1\ \text{s} = 10\ \text{N}\cdot\text{s}$
• 1초~2초 충격량: $I_2 = F \cdot \Delta t = 20\ \text{N} \times 1\ \text{s} = 20\ \text{N}\cdot\text{s}$
• 2초~3초 충격량: $I_3 = F \cdot \Delta t = 30\ \text{N} \times 1\ \text{s} = 30\ \text{N}\cdot\text{s}$

❸ 운동량과 충격량의 방향 비교

물체가 Δt 동안 F의 힘을 받은 후 속도가 변했을 때 그 물체의 운동량의 변화량을 Δp라 하면
$I = \Delta p = F\Delta t = m\Delta v$
이므로 'I의 방향 = Δp의 방향 = F의 방향 = Δv의 방향 = a의 방향'이다.

❹ 힘-시간 그래프

일반적으로 물체가 충돌할 때 받는 힘은 일정하지 않다. 이때 물체가 받는 평균 힘은 충격량을 시간으로 나누어 구할 수 있다.

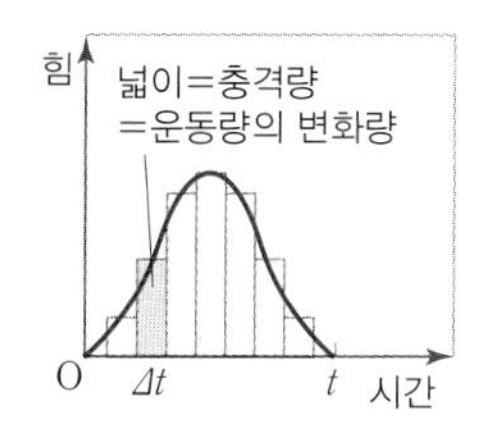

용어

▸ **충격량**: 물체가 받는 충격의 정도를 나타내는 물리량으로 크기와 방향을 가진다.

1 충격력이 일정할 때 충격량의 크기는 충격력을 받는 시간에 (   )한다.
2 물체가 받은 충격량은 물체의 (   )의 변화량과 같다.
3 충격량이 일정할 때 힘을 받는 시간이 (   )수록 작용하는 힘의 크기는 작다.

답 1. 비례 2. 운동량 3. 길

3 충격력

1. 충격력 물체가 충돌할 때 받는 힘

① 충격력의 크기: 단위 시간 동안의 운동량의 변화량과 같다.

$$F=\frac{\Delta p}{\Delta t}=\frac{mv-mv_0}{\Delta t}$$

② 충돌할 때 받는 힘과 시간의 관계: 충격량이 같을 때 충돌 시간이 길수록 충격력이 작아진다.

자료 파헤치기

충격력과 충돌 시간의 관계

동일한 두 컵을 같은 높이에서 딱딱한 시멘트 바닥과 푹신한 방석에 떨어뜨렸다.

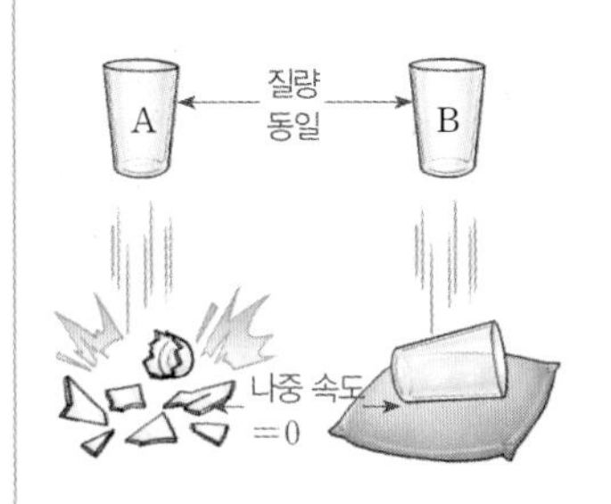

힘
시멘트 바닥(A)
S_1
$S_1=S_2$
F_1
F_2
S_2
방석 위(B)
O
t_1
t_2
시간

- 충돌 직전 A, B의 질량과 속도가 같으므로 운동량[5]은 같다.
- 충돌 직후 A, B의 속도는 모두 0이므로 운동량은 0이다.
- A, B의 운동량의 변화량(충격량)[6]은 같다.
- $S_1=S_2$이므로 A와 B가 받은 충격량의 크기는 같다.
- $F_1>F_2$이므로 컵 A가 받은 충격력의 크기가 크다.
- $t_1<t_2$이므로 컵 B가 A보다 충돌 시간이 길다.

➡ 충격량이 같을 때 충돌 시간이 길어지면 컵이 받는 힘(충격력)의 크기가 줄어든다.

③ 충돌 시간을 길게 하여 충격량을 크게 하는 예(물체가 받는 힘은 일정)

④ 충돌 시간을 길게 하여 물체가 받는 힘을 줄이는 예(충격량은 일정)

5 두 컵의 운동량

떨어뜨리기 전 두 컵의 속도는 0이고 높이만 가지므로 중력 퍼텐셜 에너지만 갖는다. 컵을 떨어뜨리면 감소하는 중력 퍼텐셜 에너지만큼 운동 에너지가 증가한다.
즉, 컵의 속도는 질량과 상관없이 높이에만 영향을 받으므로 높이가 같은 곳에서 떨어진 컵이 바닥과 충돌하기 직전 속도는 같다.

셀파 콕콕

충돌 시간을 길게 하여 충격력을 줄이는지 또는 충격량을 크게 하는지를 구분하는 문제가 출제된다.
충격량이 같을 때 충돌 시간이 길수록 충격력이 작아지고, 충격력이 같을 때 충돌 시간이 길수록 충격량이 커진다.

6 충격량과 운동량의 관계

물체가 충돌하며 받은 충격량은 충돌 전후 물체의 운동량의 변화량과 같다.
충격량 = 운동량의 변화량
= 나중 운동량 − 처음 운동량

용어

▸ **충격력**: 두 물체가 충돌할 때 매우 짧은 시간 동안 물체가 받는 힘

셀파 탐구

힘 작용 시간과 충격량의 관계

준비물 빨대 3개, 물에 적신 휴지, 줄자

과정

❶ 길이가 각각 5 cm, 10 cm, 20 cm인 빨대 3개와 물에 적신 휴지를 준비한다.

❷ 빨대의 입으로 불 부분에 물에 적신 휴지를 넣고, 힘껏 불어서 날아간 거리를 측정한다.

❸ 길이가 다른 빨대로 과정 ❷를 반복한다.

결과 및 정리

1. 빨대의 길이와 휴지의 운동량의 관계는?

- 빨대 속 휴지의 운동량의 변화량

➡ 빨대를 빠져나가는 순간 휴지의 속도를 v, 질량을 m이라 하면 휴지의 운동량 $p=mv$이다. 그러므로 휴지의 운동량의 변화량 $\varDelta p=mv$이다.

- 빨대 속 휴지가 받은 충격량의 크기

➡ 충격량은 운동량의 변화량이다. 그러므로 충격량의 크기 $I=\varDelta p=mv$이다.

- 빨대의 길이와 빨대 속 휴지가 힘을 받는 시간

➡ 빨대의 길이가 길수록 휴지가 빨대 속에서 힘을 받는 시간이 길어진다. 그러므로 빨대의 길이가 길면 빨대 속 휴지의 운동량의 변화량이 증가한다.

2. 빨대의 길이에 따라 휴지가 날아가는 거리가 달라지는 까닭은 무엇인가?

➡ 빨대 속 휴지가 받는 충격량의 크기는 $I=\varDelta p=F\times\varDelta t$이므로 길이가 길수록 휴지가 빨대 끝을 빠져나가는 속도의 크기가 크다. 그러므로 빨대 속 휴지는 빨대가 길수록 멀리 날아간다.

같은 주제 다른 탐구

힘 작용 시간과 충격력의 관계

[과정]

1. 나무젓가락, 빨대, 고무줄, 테이프 등을 이용하여 달걀이 깨지지 않도록 하는 장치를 설계하고 제작해 보자.

2. 충격을 감소시키는 장치에 달걀을 넣고 떨어뜨린다.

[결과 및 정리]

1. 두 달걀을 2 m에서 떨어뜨렸을 때 장치 없이 떨어뜨린 달걀은 깨지지만 장치 안에 넣고 떨어뜨린 달걀은 깨지지 않는다.
2. 장치에 넣은 달걀은 힘이 작용하는 시간이 길어지기 때문에 충격력이 감소하여 깨지지 않는다.

탐구 돋보기

충격량은 물체가 충돌하는 동안 받은 힘과 시간의 곱이다. 그러므로 충격량이 크려면 빨대의 길이가 길어야 한다.

시험 유형은?

❶ 질량이 2 kg인 물체가 정지해 있다가 10 N의 힘을 5초 동안 받아 운동을 하였을 때 물체의 속도의 크기는 몇 m/s인가?

▶ 물체가 받은 충격량 $I=10\times5=50$ N·s이다. 충격량은 운동량의 변화량이므로 $I=\varDelta p=2\times v=50$ (N·s)에서 물체의 속도 $v=25$ m/s이다.

탐구 대표 문제

정답과 해설 10쪽

01 충격력을 감소시키는 예로 옳은 것만을 〈보기〉에서 있는 대로 고른 것은?

보기

ㄱ. 포신이 긴 대포일수록 포탄이 멀리 날아간다.
ㄴ. 자동차가 충돌할 때 에어백이 작동한다.
ㄷ. 야구 경기에서 포수가 공을 받을 때 글러브를 쓴다.

① ㄱ ② ㄴ ③ ㄷ ④ ㄱ, ㄴ ⑤ ㄴ, ㄷ

02 그림은 같은 높이에서 달걀을 낙하시킬 때 단단한 바닥 위에 떨어진 달걀은 깨지고, 방석위에 떨어진 달걀은 깨지지 않는 것을 나타낸 것이다. 달걀이 한 쪽만 깨진 까닭을 서술하시오.

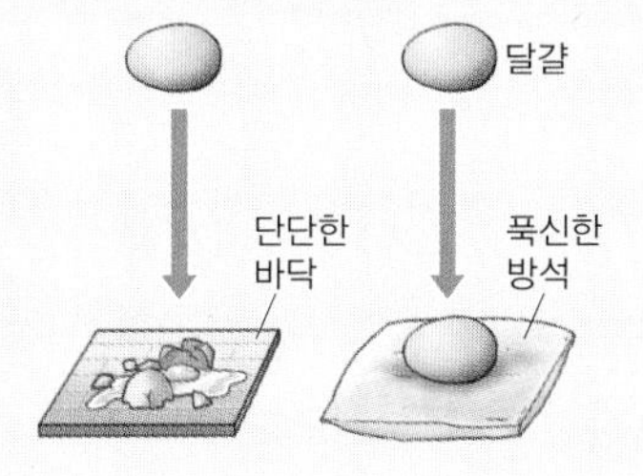

기초 탄탄 문제

정답과 해설 10쪽

핵심용어_ 이 단원에서 내가 아는 것과 아직 모르는 것을 정리하며 나의 공부를 돌아보자.

- □ 운동량
- □ 충격량
- □ 충격력
- □ 운동량과 충격량의 관계
- □ 충돌 시간과 충격력의 관계

01 그림과 같이 질량이 200 g인 공을 던져 주는 기계가 수평 방향으로 20 m/s의 속도로 공을 쏘았을 때 공의 운동량은?

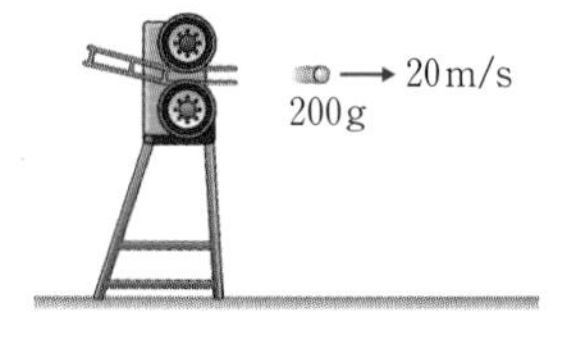

① 0.1 kg·m/s ② 0.4 kg·m/s ③ 4 kg·m/s ④ 10 kg·m/s ⑤ 40 kg·m/s

02 그림은 물체의 운동량을 시간에 따라 나타낸 것이다. 이 그래프의 기울기가 의미하는 물리량은?

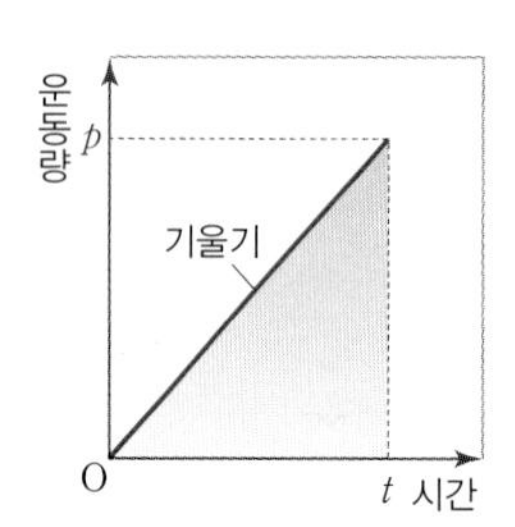

① 힘
② 충격량
③ 가속도
④ 운동 에너지
⑤ 중력 퍼텐셜 에너지

03 그림 (가)는 마찰이 없는 수평면에 정지해 있는 질량 m인 물체에 힘 F를 오른쪽으로 작용하여 운동시키는 것을 나타낸 것이다. 그림 (나)는 시간 t에 따른 힘 F의 크기를 나타낸 것이다.

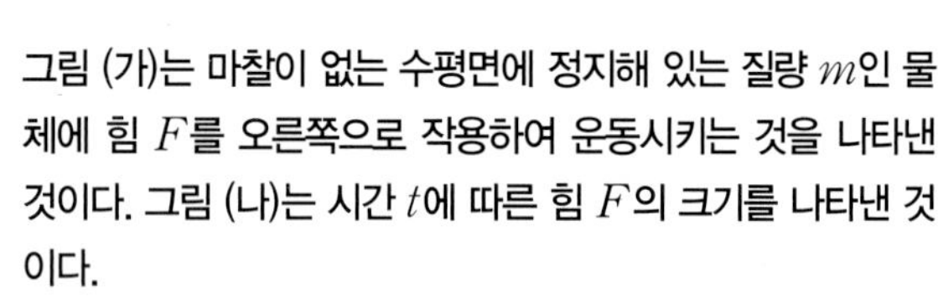

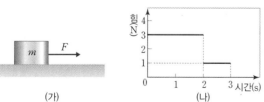

0초부터 3초까지 물체가 받은 충격량은?

① 1 N·s ② 2 N·s ③ 6 N·s ④ 7 N·s ⑤ 9 N·s

04 그림은 수평면 위에 있던 물체의 운동량을 시간에 따라 나타낸 것이다. 5초 동안 물체가 받는 충격량은?

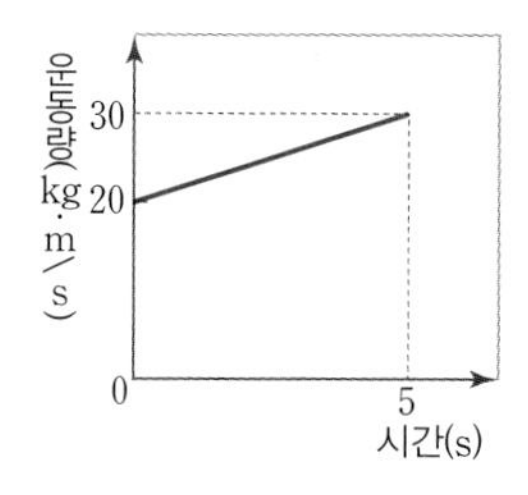

① 10 N·s
② 20 N·s
③ 30 N·s
④ 40 N·s
⑤ 50 N·s

05 그림과 같이 바닥에 정지해 있는 질량이 500 g인 골프공을 골프채로 쳤을 때 공이 튕겨나간 속도는 4 m/s이고, 공과 채는 $\frac{1}{50}$초 동안 접촉하였다. 골프채와 공이 접촉해 있는 동안 받은 평균 힘의 크기는? (단, 모든 마찰에 의한 열 손실은 무시한다.)

① 100 N ② 200 N ③ 300 N ④ 400 N ⑤ 500 N

06 질량이 5 kg인 물체가 매끄러운 수평면 위에 정지해 있는 상태에서 그래프와 같이 시간에 따라 변하는 힘이 수평 방향으로 작용하였다. 5초일 때 물체의 속력은?

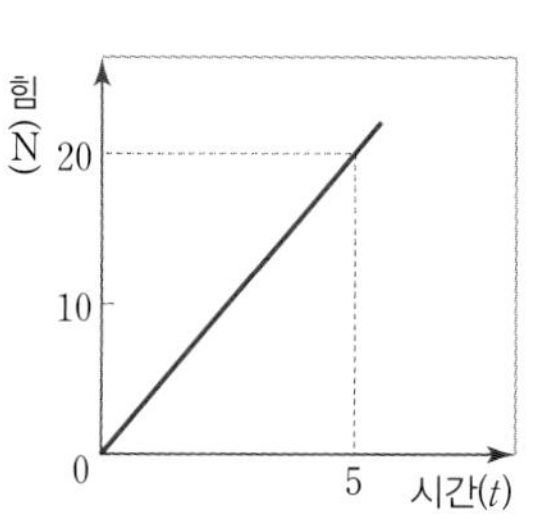

① 10 m/s ② 20 m/s ③ 30 m/s ④ 40 m/s ⑤ 50 m/s

07 그림은 물체가 벽에 충돌하는 동안 작용한 힘을 시간에 따라 나타낸 것이다.
그래프의 밑넓이가 나타내는 물리량으로 옳은 것만을 있는 대로 고른 것은?

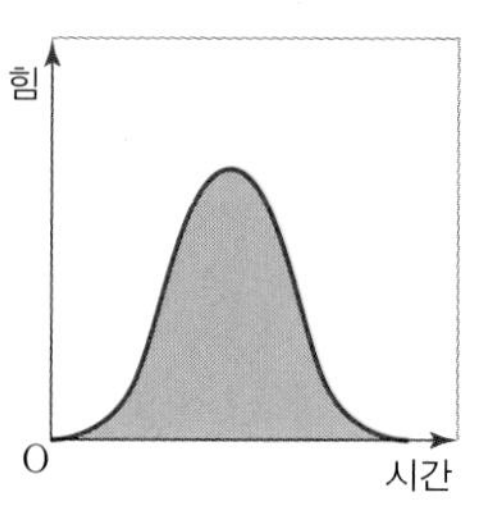

① 변위 ② 충격량 ③ 운동량의 변화량 ④ 운동량 ⑤ 충격력

내신 만점 문제

정답과 해설 10쪽

■■■ 난이도를 나타냅니다.

01 ■■ 그림과 같이 질량이 5 kg인 볼링공이 마찰을 무시할 수 있는 수평면에서 3 m/s의 속력으로 운동하다가 벽에 충돌하여 정지하였다. 이때 볼링공이 받은 충격력은 150 N이다.

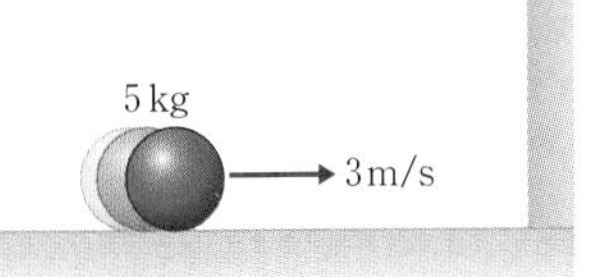

이에 대한 설명으로 옳은 것만을 〈보기〉에서 있는 대로 고른 것은?

| 보기 |
ㄱ. 충돌 전 볼링공의 운동량은 15 kg·m/s이다.
ㄴ. 충돌하는 동안 볼링공이 받은 충격량의 크기는 150 kg·m/s이다.
ㄷ. 볼링공이 벽에 충돌해 정지하는 동안 걸린 시간은 0.01초이다.

① ㄱ ② ㄴ ③ ㄷ
④ ㄱ, ㄴ ⑤ ㄴ, ㄷ

02 ■■ 그림은 마찰이 없는 수평면에 정지해 있는 질량 2 kg인 물체에 힘을 가했을 때, 시간에 따른 힘의 변화를 나타낸 것이다.

이에 대한 설명으로 옳은 것만을 〈보기〉에서 있는 대로 고른 것은?

| 보기 |
ㄱ. 0초부터 4초까지 물체가 받은 충격량은 12 N·s이다.
ㄴ. 2초일 때 물체의 운동량은 8 kg·m/s이다.
ㄷ. 4초일 때 물체의 속력은 2 m/s이다.

① ㄱ ② ㄴ ③ ㄱ, ㄴ
④ ㄱ, ㄷ ⑤ ㄱ, ㄴ, ㄷ

03 ■ 그림은 같은 높이에서 질량이 같은 달걀을 낙하시킬 때 시멘트 바닥에 떨어진 달걀은 깨지고, 방석에 떨어진 달걀은 깨지지 않는 것을 나타낸 것이다.

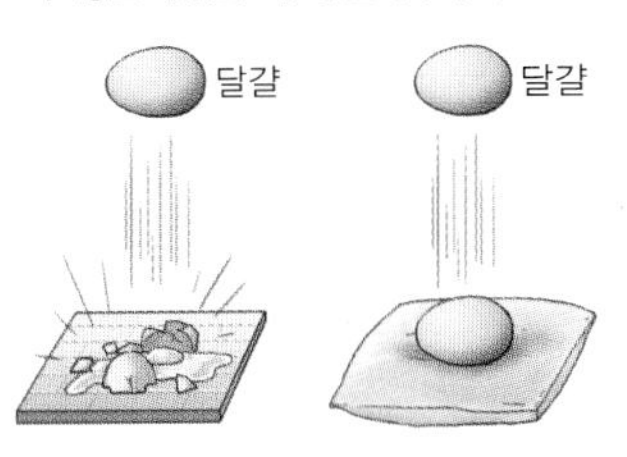

이에 대한 설명으로 옳은 것만을 〈보기〉에서 있는 대로 고른 것은?

| 보기 |
ㄱ. 충돌 전 달걀의 운동량은 방석에 충돌할 때가 시멘트 바닥과 충돌할 때보다 크다.
ㄴ. 충격량은 시멘트 바닥에 떨어질 때가 방석 위에 떨어질 때보다 크다.
ㄷ. 충격력은 시멘트 바닥에 떨어질 때가 방석 위에 떨어질 때보다 크다.

① ㄱ ② ㄴ ③ ㄷ
④ ㄱ, ㄴ ⑤ ㄴ, ㄷ

04 ■ 그림은 질량이 같은 유리컵 A, B를 단단한 바닥과 부드러운 바닥에 같은 높이에서 떨어뜨렸을 때 바닥에 부딪치는 동안 유리컵에 작용하는 힘을 나타낸 것이다. 충돌 후 유리컵의 속력은 0이다.

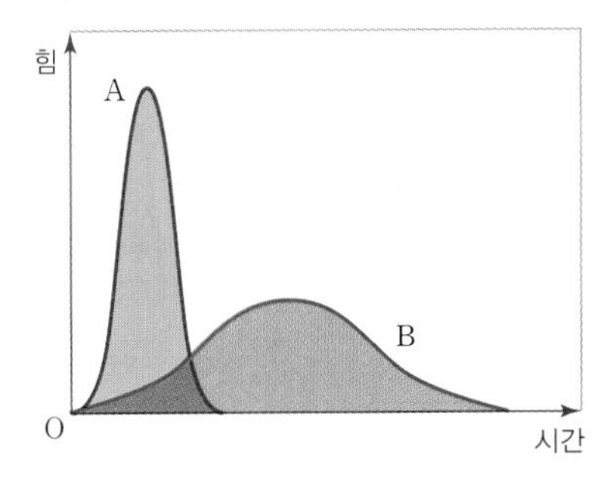

이에 대한 설명으로 옳은 것은?

① 그래프의 아래 면적은 A가 B보다 크다.
② 충돌 전 A의 운동량이 B의 운동량보다 크다.
③ B가 받은 충격력은 A가 받은 충격력보다 크다.
④ 유리컵이 바닥에 작용한 충격량은 B가 A보다 크다.
⑤ 단단한 바닥이 유리컵에 작용하는 힘을 나타낸 그래프는 A이다.

05 그림 (가)는 마찰이 없는 수평면에서 질량이 2 kg인 물체가 속도 v로 운동하는 중에 힘을 받아 등가속도 운동하는 모습을 나타낸 것이다. (나)는 물체의 운동을 속도-시간 그래프로 나타낸 것이다.

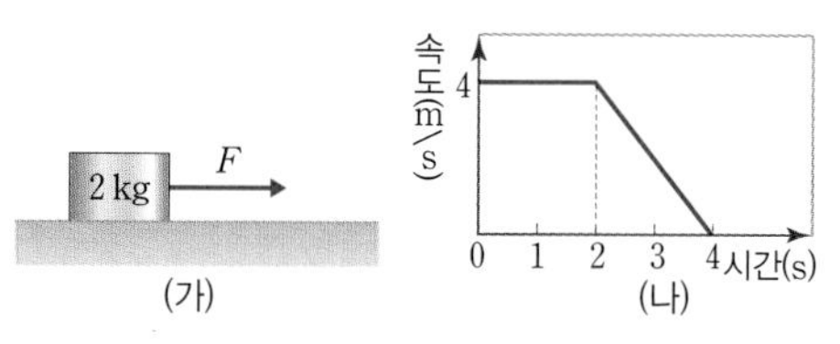

이에 대한 설명으로 옳은 것만을 〈보기〉에서 있는 대로 고른 것은?

보기
ㄱ. 1초일 때 물체의 운동량은 8 kg·m/s이다.
ㄴ. 3초일 때 물체가 받은 힘의 크기는 물체의 운동 방향으로 4 N이다.
ㄷ. 2초부터 4초까지 물체가 받은 충격량의 크기는 4 kg·m/s이다.

① ㄱ ② ㄴ ③ ㄷ
④ ㄱ, ㄴ ⑤ ㄴ, ㄷ

06 그림 (가)는 마찰이 없는 수평면 위에서 질량이 m인 물체가 속도 v로 운동하는 모습을 나타낸 것이다. 그림 (나)는 물체의 운동을 위치-시간 그래프로 나타낸 것이다. 1초일 때 물체의 운동량은 30 kg·m/s이다.

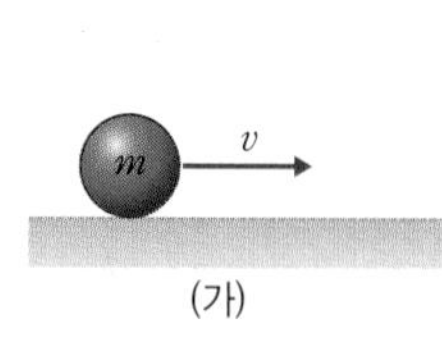

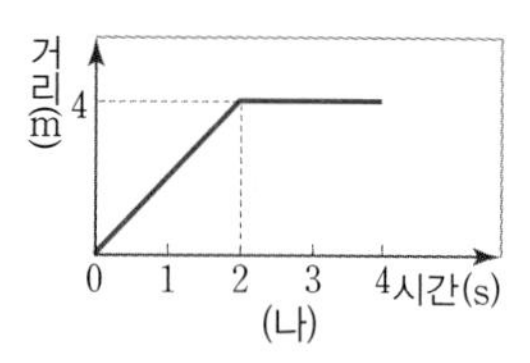

이에 대한 설명으로 옳은 것만을 〈보기〉에서 있는 대로 고른 것은?

보기
ㄱ. $m = 15$ kg이다.
ㄴ. 0초부터 2초까지 물체는 힘을 받는다.
ㄷ. 3초일 때 물체의 운동량은 60 kg·m/s이다.

① ㄱ ② ㄴ ③ ㄷ
④ ㄱ, ㄴ ⑤ ㄴ, ㄷ

07 그림 (가)는 마찰이 없는 수평면 위에서 질량이 m인 물체가 벽을 향해 일정한 속력 v_0로 운동하는 것을 나타낸 것이다. 충돌 후 일직선상에서 등속 운동한다. 그림 (나)는 충돌하는 동안 물체가 벽으로부터 받는 힘의 크기를 시간에 따라 나타낸 것이며, 시간 축과 곡선이 만드는 면적은 $\frac{3}{2}mv_0$이다.

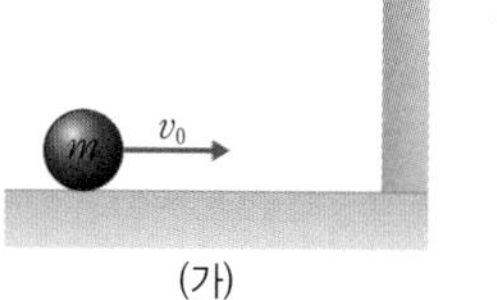

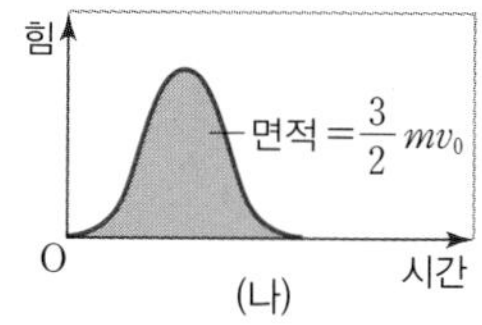

이에 대한 설명으로 옳은 것만을 〈보기〉에서 있는 대로 고른 것은?

보기
ㄱ. 충돌하는 동안 물체가 벽으로부터 받은 충격력은 왼쪽으로 작용한다.
ㄴ. 충돌 후 물체의 속력은 $\frac{3}{2}v_0$이다.
ㄷ. 충돌하는 동안 벽이 받은 충격량의 크기는 $\frac{3}{2}mv_0$이다.

① ㄱ ② ㄴ ③ ㄷ
④ ㄱ, ㄷ ⑤ ㄴ, ㄷ

08 그림은 소방용 에어매트에 사람이 뛰어내리는 모습을 나타낸 것이다. 사람이 매트에 떨어져 멈출 때까지 사람의 충돌에 대해 옳게 말한 사람만을 〈보기〉에서 있는 대로 고른 것은?

보기
철수: 사람의 속력이 작아지는 동안 사람의 운동량 크기는 점점 작아져.
영희: 사람의 운동량의 변화량은 충돌하는 동안 사람이 받은 충격량과 같아.
민수: 사람과 에어매트의 충돌 시간을 작게 하면 에어매트가 사람에 작용하는 평균 힘의 크기도 작아져.

① 철수 ② 영희 ③ 민수
④ 철수, 영희 ⑤ 영희, 민수

09 그림 (가)와 같이 정지해 있는 질량이 m인 공을 찼더니 공은 마찰이 없는 수평면에서 일직선 운동을 하고 공이 벽에 충돌한 후 튀어나왔다. (나)는 공의 운동을 속도-시간 그래프로 나타낸 것이다. 공을 차는 동안 힘이 작용한 시간은 $2t_0$이고, 벽과 충돌하는 동안 작용한 시간은 $3t_0$이다.

(가)

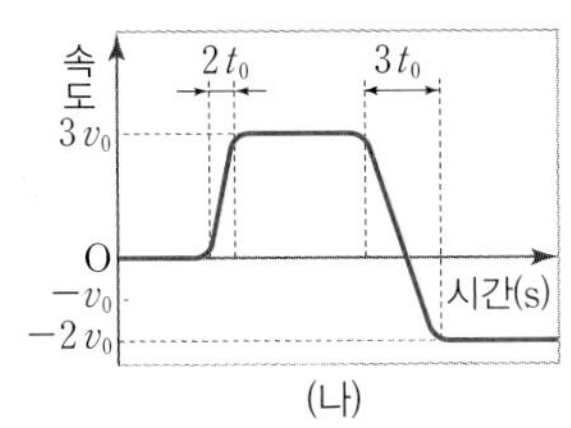

(나)

공을 찼을 때 받은 평균 힘과 벽에 충돌하며 받은 평균 힘의 크기를 F_1, F_2라고 할 때, $F_1 : F_2$는?

① 1 : 3 ② 3 : 2 ③ 3 : 4
④ 8 : 9 ⑤ 9 : 10

10 그림 (가)는 수평면 위에서 속도 v로 운동하던 물체 A, B가 각각 수평 방향으로 운동하다가 벽에 부딪쳐 정지하는 모습을 나타낸 것이다. 그림 (나)는 (가)에서 A, B가 각각 벽으로부터 받은 힘의 크기를 시간에 따라 나타낸 것이다. 시간 축과 각 곡선이 만드는 면적은 A가 B의 2배이다.

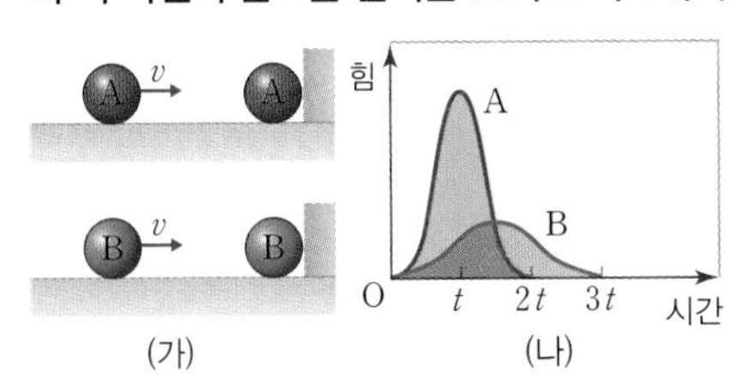

(가) (나)

이에 대한 설명으로 옳은 것만을 <보기>에서 있는 대로 고른 것은? (단, A, B의 크기는 무시한다.)

보기

ㄱ. (가)에서 A, B가 등속도로 운동하는 동안 운동량의 크기는 A가 B의 2배이다.
ㄴ. 질량은 B가 A의 2배이다.
ㄷ. 벽에 충돌하는 동안 벽으로부터 받은 평균 힘의 크기는 A가 B의 3배이다.

① ㄱ ② ㄷ ③ ㄱ, ㄴ
④ ㄱ, ㄷ ⑤ ㄴ, ㄷ

서술형 문제

11 그림 (가)와 같이 마찰이 없는 빗면 위의 같은 높이에서 질량이 각각 m, $2m$인 물체 A, B를 가만히 놓았더니, 빗면을 내려와 수평면을 지나 재질이 서로 다른 벽에 부딪혀 정지하였다. 그림 (나)는 벽에 충돌하는 동안 두 물체가 받은 힘의 크기를 시간에 따라 나타낸 것이고, 곡선 아래의 넓이는 X가 Y보다 크다. (단, 모든 마찰은 무시한다.)

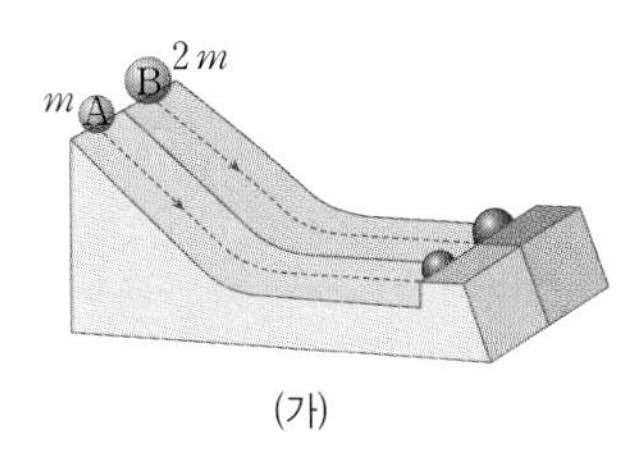

(가)

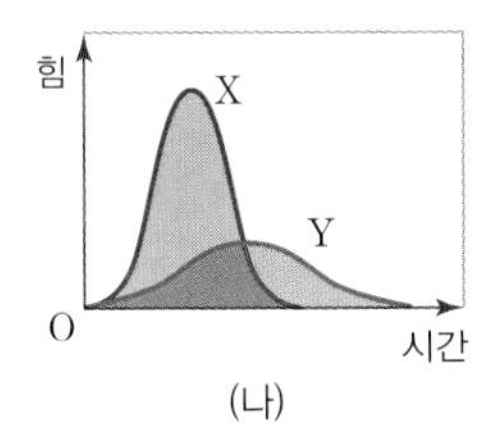

(나)

(1) (가)에서 물체가 충돌하기 직전 A와 B의 속도 비를 구하시오.

(2) 물체 A, B의 충돌 곡선을 (나)에서 찾아 쓰고 그 까닭을 서술하시오.

12 그림은 야구 선수가 야구공을 받는 모습을 나타낸 것이다.

(1) 날아오는 야구공을 글러브를 사용해서 받는 까닭을 서술하시오.

(2) 일상 생활에서 이와 비슷한 예를 2가지 쓰시오.

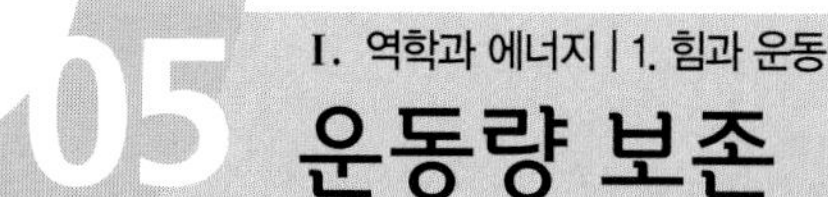

05 운동량 보존

내 교과서는 어디에?
천재 p.37~41 금성 p.32~33 동아 p.28~33
미래엔 p.32~39 비상 p.29~33 YBM p.31~36

핵심 Point
- 직선상에서 물체가 충돌할 때 충돌 전후 **운동량이 보존**됨을 이해한다.
- 운동량 보존을 이용하여 **속력의 변화**를 정량적으로 예측할 수 있다.

1 운동량 보존 법칙

1. 운동량의 변화량

① 운동하는 물체의 속도가 변하면 운동량도 변한다.

② 운동량의 변화량(Δp)은 나중 운동량(mv)과 처음 운동량(mv_0)의 차이이다.

③ 운동량이 증가할 때 운동량의 변화량의 방향은 처음 운동량의 방향❶과 같고, 운동량이 감소하거나 운동량의 방향이 반대가 되면 운동량의 변화량은 처음 운동량의 방향과 반대이다.

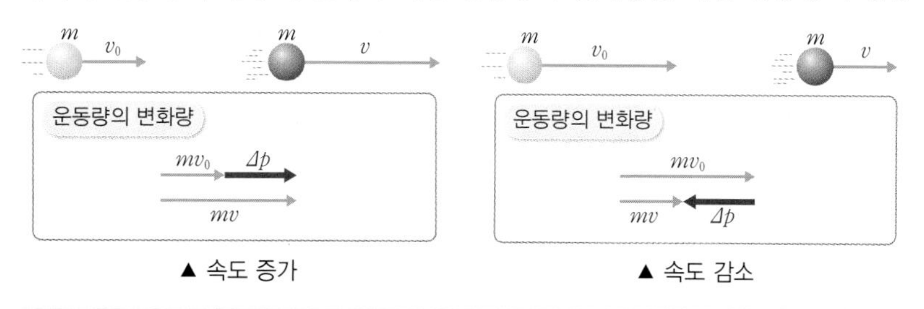

▲ 속도 증가　　▲ 속도 감소

$$\Delta p = mv - mv_0 = m(v - v_0) = m\Delta v \text{ (단위: kg·m/s)}$$
(질량 m, 처음 속도 v_0, 나중 속도 v)

2. 운동량 보존 법칙

두 물체가 서로 ▸충돌할 때 서로에게 작용하는 힘 외에 다른 힘이 없다면 충돌 전과 충돌 후의 운동량의 총합은 항상 같다.

① 운동하던 두 물체가 충돌하면 두 물체의 운동량은 변한다. ― 물체의 속도가 변하므로

② 물체가 충돌할 때 두 물체가 주고받는 힘은 작용 반작용 관계이다. ➡ 두 힘의 크기는 같고 방향은 반대이다.

③ 충돌 과정에서 두 물체가 받은 충격량의 크기는 같다. ― 힘을 받은 시간(접촉 시간)과 받은 힘(작용 반작용)이 같으므로 충격량($= F \times \Delta t$)도 같다.

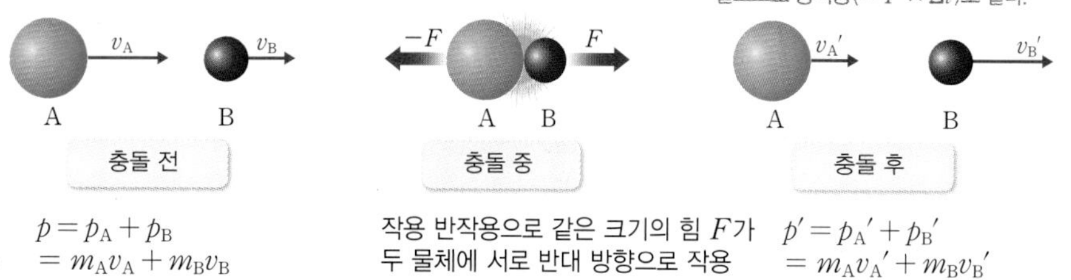

$p = p_A + p_B$
$= m_A v_A + m_B v_B$

작용 반작용으로 같은 크기의 힘 F가 두 물체에 서로 반대 방향으로 작용

$p' = p_A' + p_B'$
$= m_A v_A' + m_B v_B'$

충돌 전 두 물체의 운동량 합 = 충돌 후 두 물체의 운동량 합

$$m_A v_A + m_B v_B = m_A v_A' + m_B v_B'$$

❶ 운동량의 방향

물체의 운동량은 '질량 × 속도'이므로 크기와 방향을 가진 물리량이다. 따라서 운동량의 변화량을 계산할 때 처음 운동량과 나중 운동량의 방향을 주의해야 한다.

셀파 콕콕

충돌 시 모든 경우에 작용 반작용 법칙이 적용되므로 두 물체가 받는 힘은 항상 크기가 같고 방향은 반대이다. 따라서 문제에서 두 물체의 충돌 시 충격량의 크기나 힘의 크기를 물어보는 문제는 항상 크기가 같고 방향이 반대라고 생각하면 된다. 분열에서도 마찬가지로 분열 시 두 물체가 받는 힘은 크기가 같고 방향이 반대이다.

용어

▸ **충돌**: 두 물체가 서로 접촉하여 짧은 시간 내에 다른 물체에 힘을 주고받는 현상

개념 확인하기

1 운동량이 감소하면 운동량의 변화량의 방향은 처음 운동량의 방향과 (　　　　)이다.

2 두 물체가 충돌하는 과정에서 두 물체가 주고받는 힘은 (　　　　) 관계이다.

3 질량이 500 g인 물체가 5 m/s의 속도로 날아가다 벽에 충돌한 후 15 m/s의 속도로 반대 방향으로 날아갔다. 이때 운동량의 변화량의 크기는 몇 kg·m/s인가?

답 1. 반대 2. 작용 반작용 3. 10 kg·m/s

운동량 보존 법칙

두 물체 A, B가 충돌할 때 두 물체가 주고받는 힘과 충격량의 크기가 같으므로 다음과 같은 과정으로 운동량 보존 법칙을 유도할 수 있다.

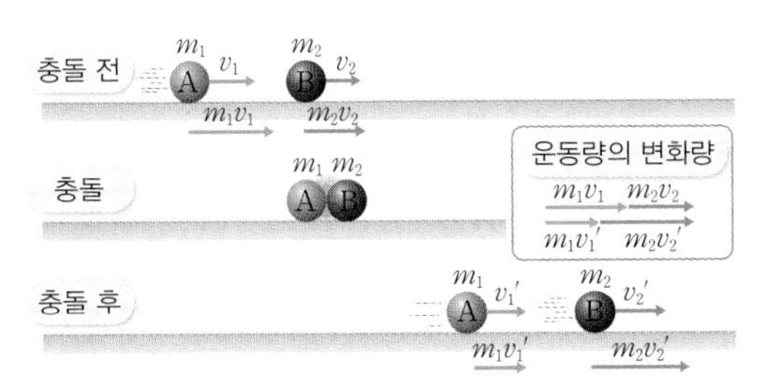

❶ 두 물체가 주고받는 충격량의 크기가 같다.

• A의 충격량 $= F \times \Delta t$ ← 충격량 = 나중 운동량 − 처음 운동량

$= (m_1v_1' - m_1v_1)$

• B의 충격량 $= -F \times \Delta t$

$= (m_2v_2' - m_2v_2)$

➡ $m_1v_1' - m_1v_1 = -(m_2v_2' - m_2v_2)$ (A의 충격량, B의 충격량) ← A와 B의 충격량은 서로 반대 방향이므로

❷ 두 물체가 주고 받은 힘의 크기가 같다.

• A가 B에 작용한 힘 $= m_1 \times \dfrac{v_1' - v_1}{\Delta t}$ ← $F = ma$이고 가속도는 단위 시간 동안의 속도 변화량이다.

• B가 A에 작용한 힘 $= m_2 \times \dfrac{v_2' - v_2}{\Delta t}$

➡ $m_1 \times \dfrac{v_1' - v_1}{\Delta t} = -\left(m_2 \times \dfrac{v_2' - v_2}{\Delta t}\right)$ ➡ $m_1v_1 + m_2v_2 = m_1v_1' + m_2v_2'$

셀파 콕콕
운동량의 변화량과 힘의 관계
물체의 가속도가 $a = \dfrac{\Delta v}{\Delta t}$이면
$F = ma = \dfrac{m\Delta v}{\Delta t} = \dfrac{\Delta p}{\Delta t}$
➡ $F\Delta t = \Delta p$이다.

2 운동량 보존의 예

운동량 보존❷ 법칙은 물체가 폭발할 때나, 두 물체가 충돌 후 한 덩어리가 되어도 성립하며, 두 물체 사이 뿐만 아니라 여러 물체 사이에서도 성립한다.

1. 두 물체가 충돌 후 융합하는 경우의 운동량 보존

질량이 m_A인 물체 A가 v_A의 속도로 운동하다가 v_B의 속도로 운동하는 질량 m_B인 물체 B에 충돌하여 한 덩어리가 되어 속도가 V로 운동하는 경우 ➡ 충돌 전 물체 A, B의 운동량의 합❸은 충돌 후 한 덩어리가 되어 운동하는 물체(A+B)의 운동량과 같다.

충돌 전

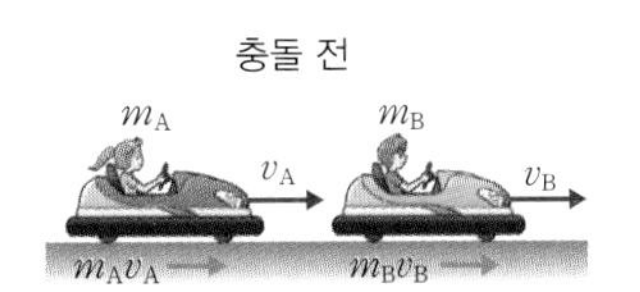

충돌 후

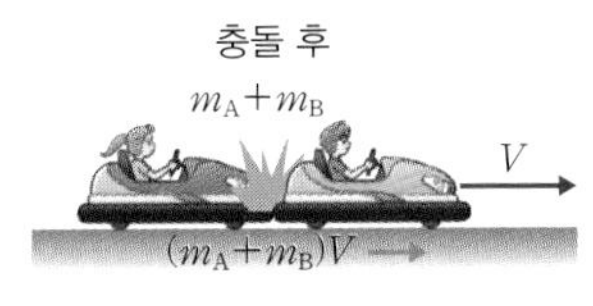

$m_Av_A + m_Bv_B$ ← 충돌 전 운동량
$= (m_A + m_B)V$ ← 충돌 후 운동량

> 질량이 2 kg인 A가 오른쪽으로 10 m/s의 속도로 운동하다가 정지해 있던 질량이 3 kg인 B와 충돌 후 한 덩어리로 운동하였다.
>
> 
>
>
> ➡ 충돌 후 A, B가 함께 운동한 속도를 V라 하고 충돌 전후에 운동량을 구한다.
>
> $2\text{ kg} \times 10\text{ m/s} + 3\text{ kg} \times 0\text{ m/s} = (2\text{ kg} + 3\text{ kg}) \times V$ (충돌 전 운동량 = 충돌 후 운동량)
>
> ➡ $V = 4$ m/s이므로 A와 B는 충돌 후 오른쪽 방향으로 4 m/s의 크기로 운동한다.

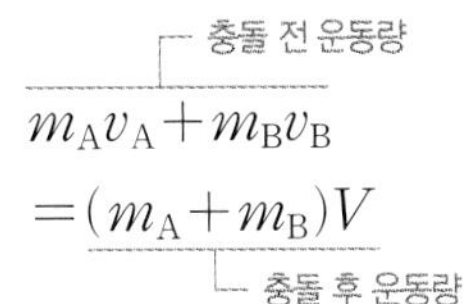

❷ 운동량의 보존
A와 B의 운동량의 합이 보존된다는 것은 A와 B의 운동량의 변화량의 총합이 0이라는 것이다. 그러므로 $\Delta p_A + \Delta p_B = 0$이다.

❸ 운동량의 합
운동량은 방향이 있는 물리량이므로 운동량의 합은 방향을 고려해야 한다.

셀파 콕콕
두 물체가 충돌할 때 외부에서 힘이 작용하지 않으면 충돌 전과 충돌 후의 운동량의 합은 항상 일정하게 보존된다.

개념 확인하기

1 외부에서 힘이 작용하지 않으면 물체들의 (   )의 총합은 보존된다.
2 충돌 과정에서 물체가 받는 충격량의 크기는 충돌 과정 전후 물체의 (   )의 변화량과 같다.
3 운동량 보존 법칙은 두 물체가 충돌할 때만 적용되며, 한 물체가 두 물체로 분리될 때는 적용되지 않는다. (○ , ×)

답 1. 운동량 2. 운동량 3. ×

2. 분열하는 경우의 운동량 보존

정지해 있는 질량이 m인 물체가 분열해 질량이 각각 m_A, m_B의 물체 A, B로 나누어져 v_A, v_B의 속도로 운동하는 경우 분리되기 전 운동량의 합이 0이므로, 분리된 후 두 사람은 서로 반대 방향으로 같은 크기의 운동량을 갖는다. ➡ $0 = m_A v_A + m_B v_B$, $m_A v_A = -m_B v_B$

• 충돌 후 속도 크기: 질량이 큰 물체 < 질량이 작은 물체

정지해 있는 질량이 4 kg인 물체가 폭발하여 질량이 3 kg인 A와 1 kg인 B로 분열하였다. 분열 후 A의 속도는 왼쪽으로 1 m/s이다.

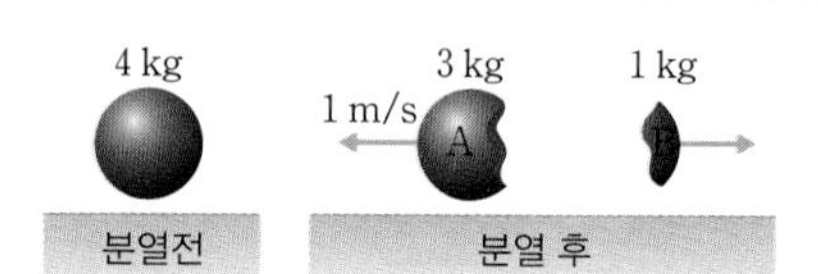

➡ 분열 후 B의 속도를 v_B라 하고 운동량을 구한다.

$0 = 3\text{ kg} \times (-1\text{ m/s}) + 1\text{ kg} \times v_B$ — 분열 후 A와 B의 속도 방향(운동 방향)이 반대이므로 A의 방향을 (−), B의 방향을 (+)로 구한다.

(0: 분열 전, 우변: 분열 후)

➡ $v_B = 3\text{ m/s}$이므로, B는 분열 후 오른쪽으로 3 m/s의 크기로 운동한다.

3. 충돌하는 경우의 운동량 보존

두 물체가 충돌하여 속도가 변하는 경우에도 운동량이 보존된다.

질량이 1 kg인 A가 오른쪽으로 4 m/s, 질량이 2 kg인 B가 왼쪽으로으로 1 m/s로 운동하다가 정면 충돌 후 B의 속도가 오른쪽 2 m/s가 되었다.

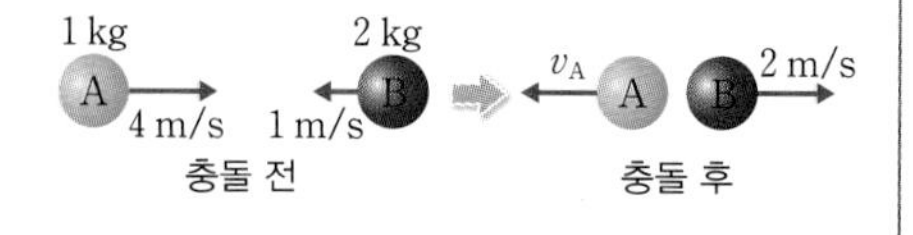

➡ 충돌 후 A의 속도를 v_A라 하고 충돌 전후 운동량을 구한다. 이때 속도 방향에 주의한다.

$1\text{ kg} \times 4\text{ m/s} + 2\text{ kg} \times (-1\text{ m/s}) = 1\text{ kg} \times v_A + 2\text{ kg} \times 2\text{ m/s}$

➡ $v_A = -2\text{ m/s}$로 A는 충돌 후 왼쪽 방향으로 2 m/s의 크기로 운동한다.

4. 충돌의 종류

두 경우 모두 운동량은 보존된다.

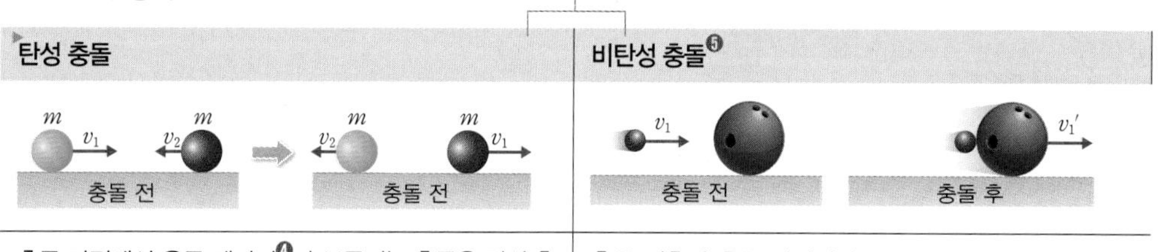

탄성 충돌	비탄성 충돌❺
충돌 과정에서 운동 에너지❹가 보존되는 충돌을 탄성 충돌이라고 한다. 질량이 같은 두 물체가 탄성 충돌을 하면 충돌 과정에서 속도가 교환된다.	충돌 전후에 운동 에너지가 보존되지 않는데 특히 충돌 후 두 물체가 붙어서 한 덩어리가 되는 경우를 완전 비탄성 충돌이라고 한다.

❹ 운동 에너지(E_k)

운동하고 있는 물체가 가지는 에너지로 물체의 질량(m)에 비례하고 속도(v)의 제곱에 비례한다.

$E_k = \frac{1}{2}mv^2$

❺ 비탄성 충돌

충돌 전후에 운동 에너지가 보존되지 않는 충돌로 특히 충돌 후 두 물체가 붙어서 한 덩어리가 되는 경우를 완전 비탄성 충돌이라고 한다. 일반적으로 물체가 충돌할 때 운동 에너지가 열에너지와 소리 에너지 등의 다른 에너지로 전환되어 에너지의 손실이 일어난다.

용어

▸ **탄성 충돌**: 물체가 충돌할때 충돌 전후 운동 에너지의 합이 보존되는 충돌

1 질량이 5 kg인 물체가 4 m/s의 속도로 운동을 하다가 어느 순간 A와 B로 분열하여 운동하였다. 이때 A의 질량은 2 kg이고 처음 운동과 반대 방향으로 2 m/s의 속도로 운동할 때 B의 속도는?

2 비탄성 충돌 과정에서 충돌 후 물체의 운동량 합은 충돌 전 운동량 합보다 작다. (○ , ×)

답 1. 처음 운동 방향으로 8 m/s 2. ×

셀파 탐구

역학 수레를 이용한 운동량 보존

목표 역학 수레를 이용해 수레가 분리되기 전과 후 운동량의 합이 같은지 확인할 수 있다.

준비물 역학 수레 2개, 스마트폰, 고무망치, 추, 삼각대, 1 m자

과정

❶ 그림과 같이 역학 수레 2개를 용수철로 압축한 후 결합해 놓고 역학 수레의 압축 장치를 고무 망치로 쳐서 두 수레가 서로 반대 방향으로 움직이도록 한다.

❷ 역학 수레가 이동한 거리를 측정한다.

❸ 한쪽 역학 수레 위에 올려놓는 추의 개수를 증가시켜 위 과정을 반복한다.

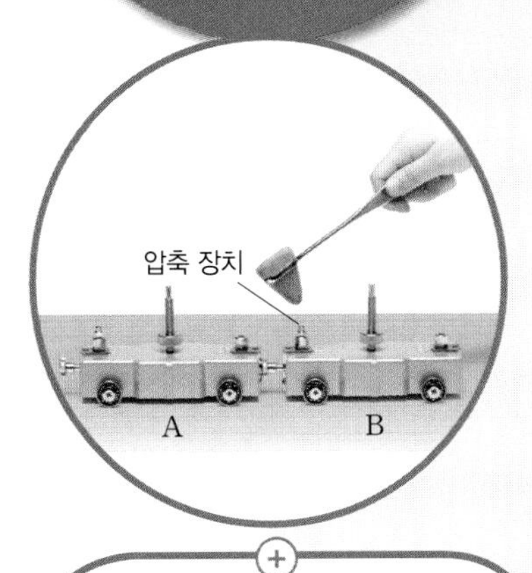

결과 및 정리

[결과]

구분	수레 A				수레 B			
	질량 (kg)	이동 거리 (cm)	속력 (m/s)	운동량 (kg·m/s)	질량 (kg)	이동 거리 (cm)	속력 (m/s)	운동량 (kg·m/s)
I	1	4	0.2	0.2	1	4	0.2	0.2
II	1	4	0.2	0.2	2	2	0.1	0.2
III	2	2	0.1	0.2	1	4	0.2	0.2

II: 수레 B의 질량이 A 질량의 2배일 때

III: 수레 A의 질량이 B 질량의 2배일 때

1. 운동하기 전 수레의 운동량의 합은 얼마인가?
   ➡ 운동하기 전 두 수레가 정지해 있으므로 운동량의 합은 0이다.
2. 움직이는 두 수레의 운동량의 크기는 서로 같은가?
   ➡ 움직이는 두 수레의 운동량의 방향은 반대이지만 크기는 서로 같다.
3. 수레가 분리되기 전과 후에 두 수레의 운동량의 합은 같은가?
   ➡ 수레가 분리되기 전 운동량은 각각 0이고, 분리된 후 두 수레의 운동량은 크기가 같고 방향이 반대이므로 합이 0이다. 따라서 분리되기 전의 운동량의 합과 분리된 후의 운동량의 합은 보존된다.

탐구 돋보기

충돌 시 작용 반작용 법칙에 의해 A가 받는 힘과 B가 받는 힘은 크기가 같고 방향이 반대이며($-F_{AB}=F_{BA}=F$) 두 물체가 힘을 받은 시간 Δt가 같으므로, A와 B가 받은 충격량도 같다. $-F\Delta t=F\Delta t$

• A가 받은 충격량은 A의 운동량의 변화량이므로

$-F\Delta t=m_Av_A'-m_Av_A$ …… ①

• B가 받은 충격량은 B의 운동량의 변화량이므로 $F\Delta t=m_Bv_B'-m_Bv_B$ …… ②

식 ①과 식 ②를 연립하면

$m_Av_A+m_Bv_B=m_Av_A'+m_Bv_B'$이 성립한다. 즉, 충돌 전 운동량의 합은 충돌 후 운동량의 합과 같다. (운동량 보존 법칙은 운동 방향을 항상 고려해야 한다.)

시험 유형은?

질량 5 kg인 총에서 발사된 총알의 속도가 400 m/s이다. 총알의 질량이 0.2 kg일 때, 총의 후퇴 속도는 몇 m/s인가?

▶ 운동량 보존법칙에 따르면 충돌 전 운동량의 합은 충돌 후 운동량의 합과 같다. $0=5\times v-0.2\times 400$이므로 $v=16$ m/s이다.

탐구 대표 문제 정답과 해설 12쪽

01 그림과 같이 마찰이 없는 수평면에서 물체 A가 일정한 속도로 운동하다가 정지해 있는 물체 B에 충돌한 후 한 덩어리가 되어 운동하였다.

이에 대한 설명으로 옳은 것만을 〈보기〉에서 있는 대로 고른 것은?

보기

ㄱ. 충돌 전 물체 A의 운동량은 충돌 후 함께 운동하는 물체 A, B의 운동량의 합과 같다.

ㄴ. 충돌 과정에서 A가 받은 충격량은 B가 받은 충격량보다 크다.

ㄷ. 충돌 과정에서 물체 A와 B가 받은 충격력의 크기는 서로 같다.

① ㄱ ② ㄴ ③ ㄷ ④ ㄱ, ㄷ ⑤ ㄴ, ㄷ

기초 탄탄 문제

정답과 해설 12쪽

핵심용어_ 이 단원에서 내가 아는 것과 아직 모르는 것을 정리하며 나의 공부를 돌아보자.

- □ 운동량 □ 충격량 □ 운동량 보존 법칙
- □ 작용 반작용 □ 탄성 충돌 □ 비탄성 충돌

01 그림은 질량 m인 물체 A가 속도 v로 운동하다가 정지해 있는 질량 $2m$인 물체 B와 충돌한 후 함께 붙어서 운동하는 것을 나타낸 것이다.

충돌 직후 두 물체의 속도는? (단, 모든 마찰은 무시한다.)

① v ② $\frac{1}{2}v$ ③ $\frac{1}{3}v$
④ $\frac{1}{4}v$ ⑤ $\frac{2}{3}v$

02 그림과 같이 질량 m_1, m_2인 물체 A, B가 붙어 있다가 분열되어 떨어져 나갔다.

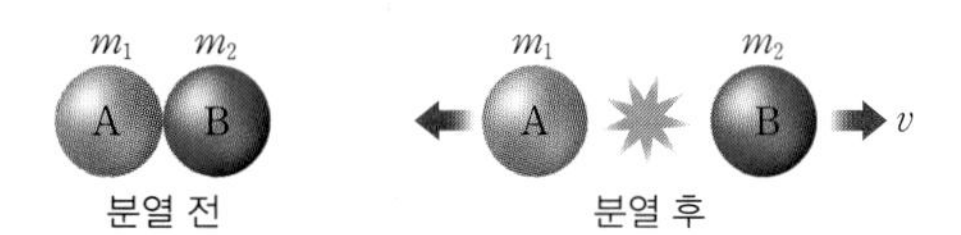

분열 후 B는 속도 v로 운동하였다. 분열 후 A의 속도 크기는?

① $\frac{m_2}{m_1}v$ ② $\frac{m_1}{m_2}v$ ③ $\frac{m_1}{m_1+m_2}v$
④ $\frac{m_2}{m_1+m_2}v$ ⑤ $\frac{m_1-m_2}{m_1+m_2}v$

03 마찰이 없는 수평면의 일직선상에서 질량이 1 kg인 물체 A가 일정한 속력으로 질량이 m인 물체 B와 충돌한다. 그림은 두 물체의 위치를 시간에 따라 나타낸 것이다. B의 질량은?

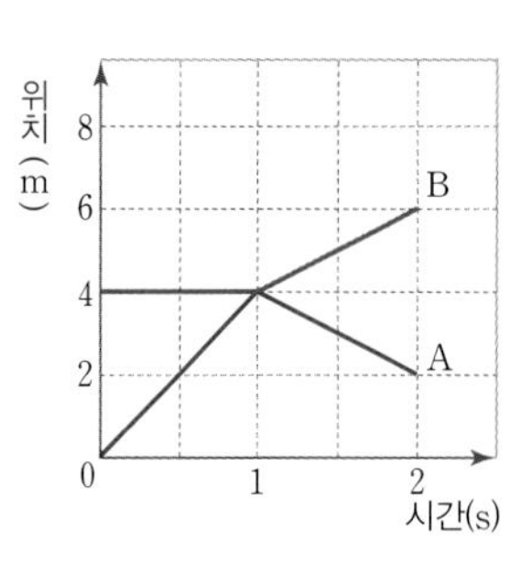

① 1 kg ② 2 kg ③ 3 kg
④ 4 kg ⑤ 5 kg

04 그림은 마찰이 없는 수평면에서 운동하는 물체가 A, B 두 조각으로 폭발하여 운동하던 방향과 일직선상에서 운동하는 것을 나타낸 것이다.

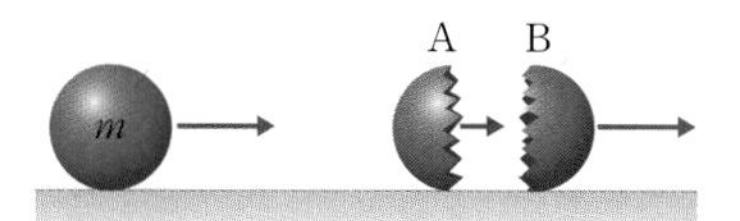

폭발 전후 시간에 따른 물체의 운동량을 나타낸 것으로 옳은 것은? (단, 충돌 전후 물체는 동일 직선상에서 같은 방향으로 운동하며, 모든 마찰은 무시한다.)

①
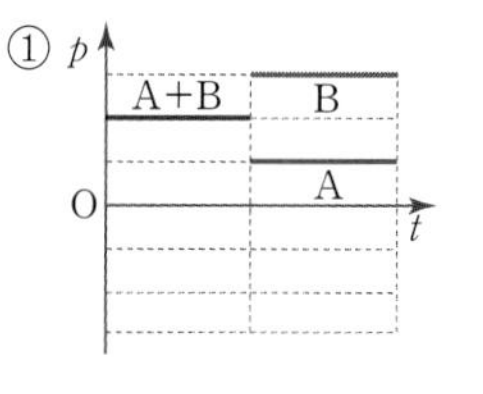

②
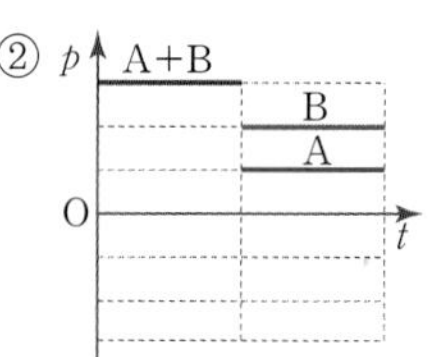

③
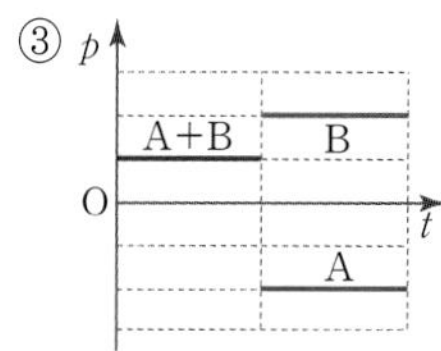

④
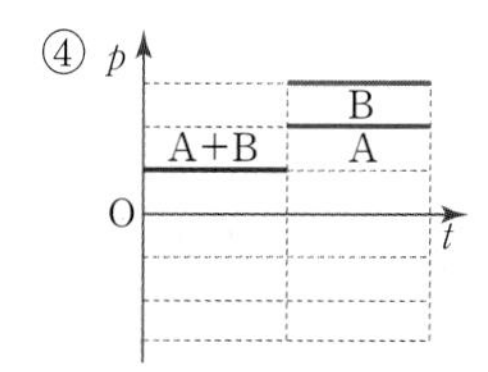

⑤
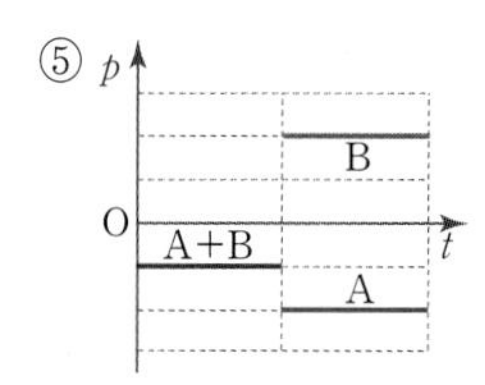

05 그림과 같이 마찰이 없는 수평면 위에서 질량이 $2m$, m인 물체 A와 B가 같은 속력 v로 서로 반대 방향으로 운동하다 정면 충돌하였다. 충돌 후 두 물체는 한 덩어리가 되어 운동하였다.

이에 대한 설명으로 옳은 것은?

① 충돌 과정에서 받는 힘의 크기는 B가 A보다 크다.
② 충돌 과정에서 받는 충격량의 크기는 A가 B보다 크다.
③ 충돌 후 함께 운동하는 두 물체의 속도의 크기는 $\frac{2}{3}v$이다.
④ 충돌 후 두 물체는 B의 충돌 전 운동 방향으로 운동한다.
⑤ B의 처음 속도를 2배로 높여 충돌시키는 경우 충돌 후 한 덩어리가 된 두 물체는 멈춘다.

내신 만점 문제

정답과 해설 13쪽

난이도를 나타냅니다.

01 그림은 질량이 200 g인 총알이 100 m/s의 속력으로 운동하여 정지해 있는 질량이 1.8 kg인 나무 도막에 충돌 후 박힌 채 운동하는 모습을 나타낸 것이다.

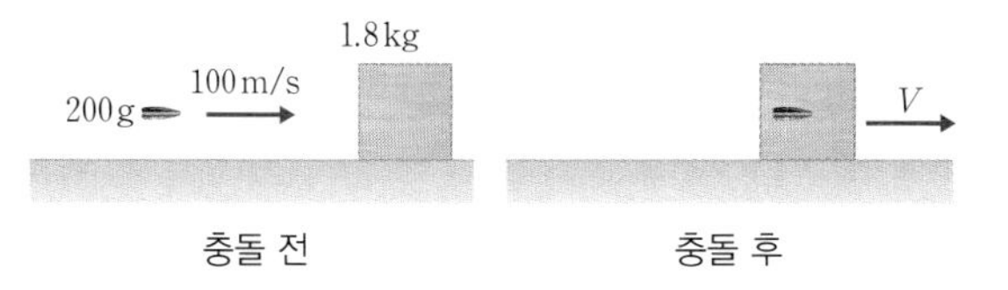

충돌 후 두 물체의 속력 V는? (단, 나무 도막과 수평면 사이의 마찰은 무시한다.)

① 1 m/s ② 2 m/s ③ 5 m/s
④ 10 m/s ⑤ 20 m/s

02 그림 (가)는 마찰이 없는 수평면에서 질량이 다른 두 물체 A와 B 사이에 용수철을 넣고 압축시킨 후 놓았을 때 서로 반대 방향으로 운동하는 모습을 나타낸 것이다. (나)는 두 물체의 운동을 속도-시간 그래프로 나타낸 것이다.

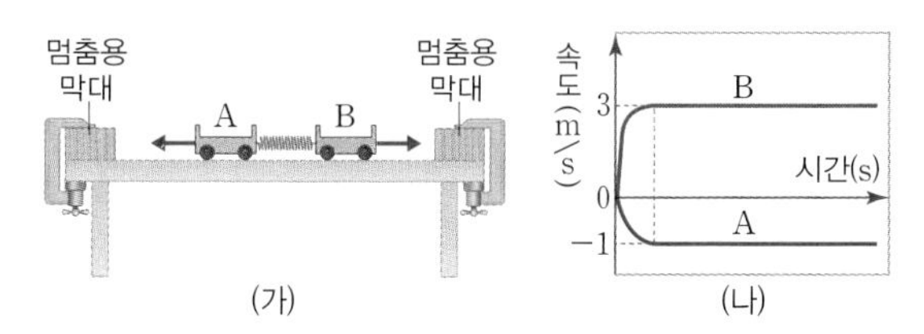

이에 대한 설명으로 옳은 것만을 〈보기〉에서 있는 대로 고른 것은?

보기
ㄱ. 분리 전후 두 물체의 운동량의 합은 0으로 같다.
ㄴ. A의 질량은 B의 2배이다.
ㄷ. 수레가 받은 충격량은 B가 A보다 크다.

① ㄱ ② ㄴ ③ ㄷ
④ ㄱ, ㄴ ⑤ ㄴ, ㄷ

03 그림 (가)는 마찰이 없는 수평면의 일직선상에서 질량이 3 kg인 물체 A가 B를 향해 운동하는 것을, (나)는 물체 A의 운동량을 시간에 따라 나타낸 것이다. 충돌 후 B의 속도는 충돌 전 A의 운동 방향으로 5 m/s이다.

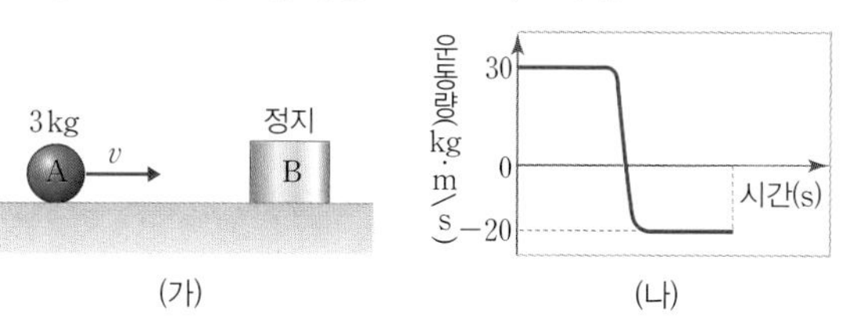

이에 대한 설명으로 옳은 것만을 〈보기〉에서 있는 대로 고른 것은?

보기
ㄱ. 충돌하는 동안 A의 운동량은 50 kg·m/s만큼 변하였다.
ㄴ. B의 질량은 10 kg이다.
ㄷ. 충돌 과정에서 B가 받은 충격량의 크기는 10 N·s이다.

① ㄱ ② ㄴ ③ ㄷ
④ ㄱ, ㄴ ⑤ ㄴ, ㄷ

04 그림 (가)는 마찰이 없는 수평면에서 운동하는 질량이 각각 2 kg과 1 kg인 물체 A와 B가 각각 4 m/s, 1 m/s의 속력으로 등속도 운동하는 것을 나타낸 것이다. 충돌 후 A는 충돌 전과 같은 방향으로 운동하며 충돌 전후 A와 B는 동일 직선상에 있다. 그림 (나)는 충돌하는 과정에서 A가 받은 힘의 크기를 시간에 따라 나타낸 것으로 그래프 아랫부분의 넓이는 4 N·s이다.

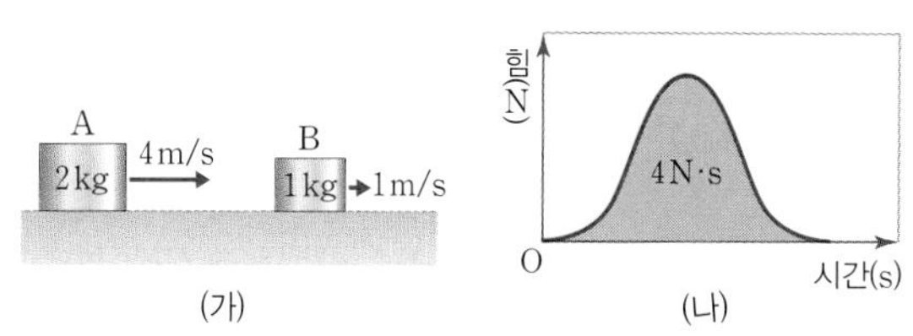

이에 대한 설명으로 옳은 것만을 〈보기〉에서 있는 대로 고른 것은?

보기
ㄱ. 충돌 후 A의 속도는 2 m/s이다.
ㄴ. 충돌 후 B의 운동량은 3 kg·m/s이다.
ㄷ. B가 받은 충격량의 크기는 4 N·s이다.

① ㄱ ② ㄴ ③ ㄷ
④ ㄱ, ㄷ ⑤ ㄴ, ㄷ

05 그림 (가)는 마찰이 없는 수평면 위에 물체 A가 속력 v로 등속도 운동하다가 정지해 있는 B와 충돌해 한 덩어리가 되어 운동하는 모습을, (나)는 A가 속력 v로 등속도 운동하다가 정지해 있는 B와 충돌 후 처음 운동 방향과 반대 방향으로 $0.5v$의 속력으로 등속도 운동을 하는 모습을 나타낸 것이다. A의 질량은 m, B의 질량은 $2m$이다.

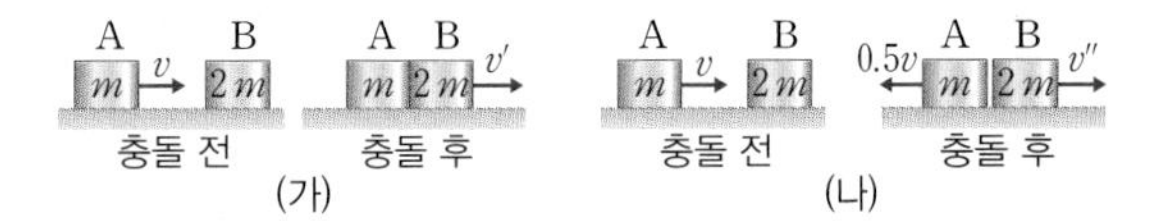

이에 대한 설명으로 옳은 것만을 〈보기〉에서 있는 대로 고른 것은?

보기
ㄱ. (가)에서 $v' = \frac{1}{3}v$이다.
ㄴ. (나)에서 $v'' = \frac{1}{4}v$이다.
ㄷ. (가), (나)의 충돌에서 A가 받은 충격량의 크기는 같다.

① ㄱ ② ㄴ ③ ㄷ
④ ㄱ, ㄴ ⑤ ㄴ, ㄷ

06 그림과 같이 마찰을 무시할 수 있는 수평면 위에 정지해 있던 질량 2 kg인 물체 A가 4 N의 힘을 1초 동안 받아 운동하며 정지해 있던 질량 2 kg인 물체 B와 2초 후에 충돌하였다. 충돌 후 물체 B의 속도는 1 m/s이다.

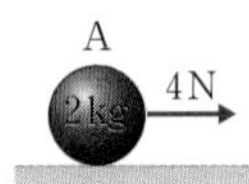

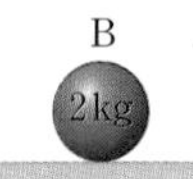

두 물체의 충돌이 일직선상에서 일어났을 때, 이 운동에 대한 설명으로 옳은 것만을 〈보기〉에서 있는 대로 고른 것은? (단, 모든 마찰과 물체의 크기는 무시한다.)

보기
ㄱ. 충돌 전 물체 A의 속도는 2 m/s이다.
ㄴ. 충돌 후 A, B는 한 덩어리가 되어 운동한다.
ㄷ. 충돌 과정에서 물체가 받은 충격량의 크기는 A가 B보다 크다.

① ㄱ ② ㄴ ③ ㄱ, ㄴ
④ ㄴ, ㄷ ⑤ ㄱ, ㄴ, ㄷ

07 그림은 마찰이 없는 수평면에서 속력 $3v$로 운동하던 질량 m인 물체가 벽에 수직으로 충돌한 후 v의 속력으로 정반대 방향으로 튀어 나오는 것을 모식적으로 나타낸 것이다.

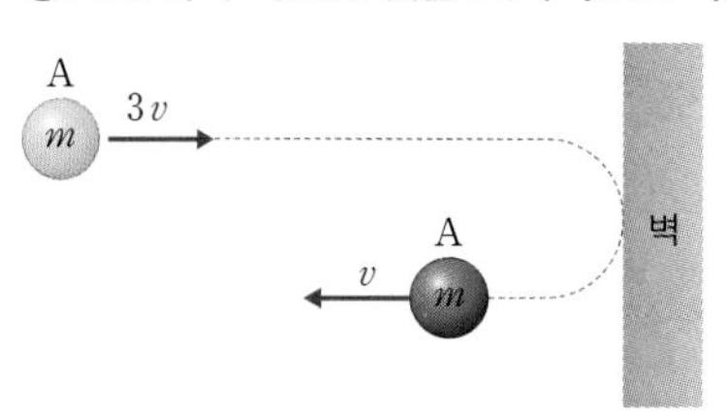

이에 대한 설명으로 옳은 것만을 〈보기〉에서 있는 대로 고른 것은? (단, 물체의 크기와 공기 저항은 무시한다.)

보기
ㄱ. 벽에 충돌하기 전후 물체의 운동량의 변화량의 크기는 $2mv$이다.
ㄴ. 충돌 과정에서 물체가 벽으로부터 받은 충격량의 크기는 $4mv$이다.
ㄷ. 충돌 과정에서 물체가 벽으로부터 받은 충격량은 벽이 물체로부터 받는 충격량보다 크다.

① ㄱ ② ㄴ ③ ㄷ
④ ㄱ, ㄴ ⑤ ㄴ, ㄷ

08 그림 (가)는 동일 직선상에서 같은 방향으로 운동하던 물체 A, B가 충돌하기 전과 후의 모습을 나타낸 것이다. 그림 (나)는 A, B의 속도를 시간에 따라 나타낸 것이다. B의 질량은 A의 2배이다.

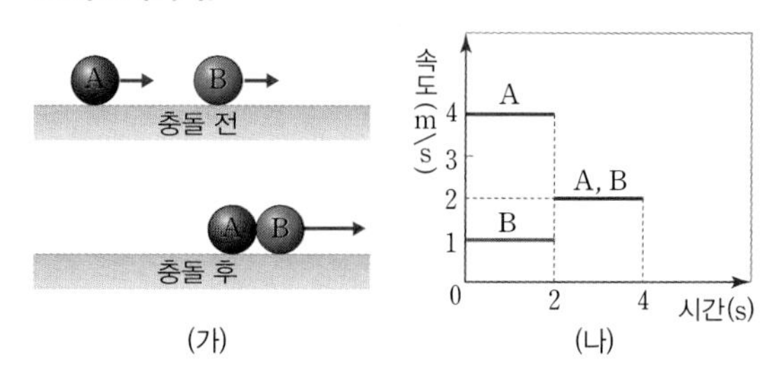

이에 대한 설명으로 옳은 것만을 〈보기〉에서 있는 대로 고른 것은?

보기
ㄱ. 충돌 전 운동량의 크기는 A가 B의 2배이다.
ㄴ. 충돌 전후 물체 A의 운동량의 변화량의 크기는 물체 B의 운동량의 변화량의 크기는 같다.
ㄷ. 충돌하는 동안 A가 받은 충격량 크기보다 B가 받은 충격량의 크기가 크다.

① ㄱ ② ㄴ ③ ㄷ
④ ㄱ, ㄴ ⑤ ㄴ, ㄷ

09 그림 (가)는 수평면에서 질량이 $2m$인 공 A가 정지해 있는 질량이 m인 공 B를 향해 등속도 운동을 하는 모습을, (나)는 A와 B가 충돌하는 동안 B가 A로부터 받은 힘의 크기를 시간에 따라 나타낸 것이다. T는 A와 B의 충돌 시간이고, S는 시간축과 곡선이 이루는 넓이이다.

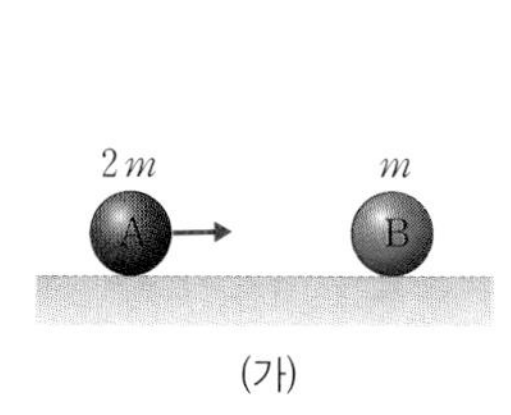

(가)

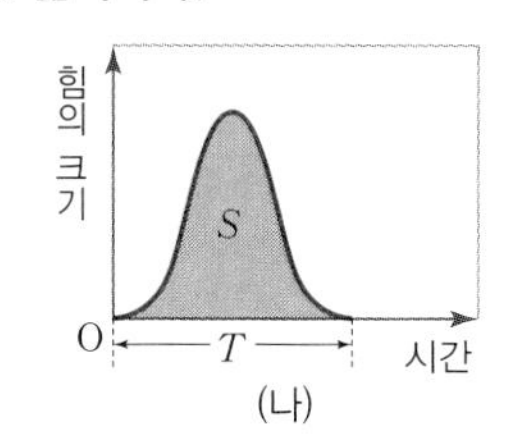

(나)

이에 대한 설명으로 옳은 것만을 〈보기〉에서 있는 대로 고른 것은? (단, 충돌 후 A, B의 운동 방향은 충돌 전 A의 운동 방향과 같은 방향이고, A, B의 크기와 모든 마찰은 무시한다.)

보기

ㄱ. 충돌하는 동안 A가 B로부터 받은 충격량의 크기는 $2S$이다.

ㄴ. 충돌 직후 B의 속력은 $\frac{S}{2m}$이다.

ㄷ. 충돌하는 동안 A가 B에 작용하는 평균 힘의 크기는 $\frac{S}{T}$이다.

① ㄱ ② ㄷ ③ ㄱ, ㄴ
④ ㄱ, ㄷ ⑤ ㄴ, ㄷ

10 그림 (가)는 v_0의 속력으로 운동하던 질량 m인 야구공을 방망이로 쳐서 반대 방향으로 날려 보내는 모습이고 그림 (나)는 이 야구공의 운동량을 시간에 따라 나타낸 것이다.

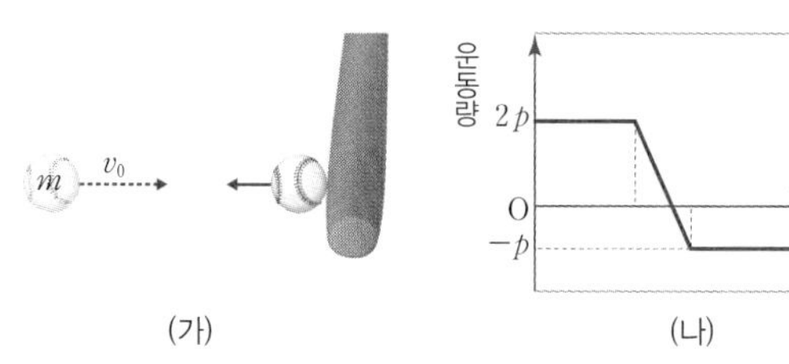

(가) (나)

이에 대한 설명으로 옳은 것만을 〈보기〉에서 있는 대로 고른 것은?

보기

ㄱ. 야구공의 운동량의 변화량 크기는 p이다.

ㄴ. 충돌 후 야구공의 속도의 크기는 $\frac{1}{2}v_0$이다.

ㄷ. 야구공과 방망이가 받은 충격량의 크기는 같다.

① ㄱ ② ㄴ ③ ㄷ
④ ㄱ, ㄷ ⑤ ㄴ, ㄷ

서술형 문제

11 그림 (가)와 같이 질량이 각각 3 kg, 2 kg인 두 수레 A, B 사이에 용수철이 압축되어 끼워져 있고, 두 수레 A, B는 4 m/s의 일정한 속도로 매끄러운 수평면 위에서 함께 운동하고 있다. 그림 (나)와 같이 두 수레 A, B 사이의 용수철이 풀리면서 두 수레가 서로 분리되어 운동하였고, 수레 A는 원래의 운동 방향과 반대 방향으로 2 m/s의 속력으로 운동하였다.

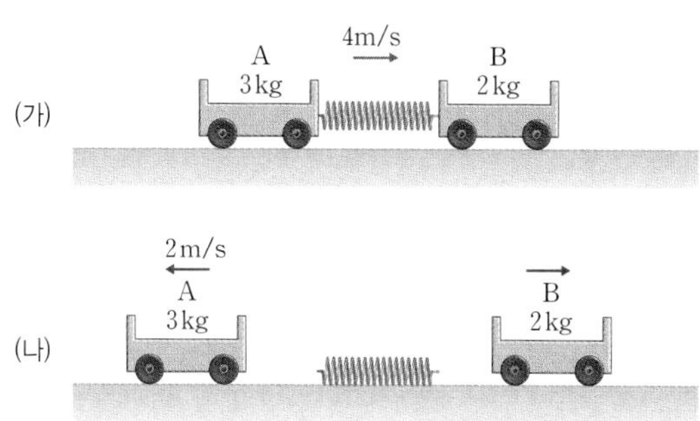

수레 B의 운동 상태를 서술하시오. (단, 용수철의 질량을 무시한다.)

12 그림과 같이 마찰이 없는 수평면 위에서 질량이 2 kg인 물체 A가 오른쪽으로 8 m/s의 속력으로 운동하고, 질량이 4 kg인 물체 B가 왼쪽으로 2 m/s의 속력으로 운동하다가 정면으로 충돌하였다. 충돌 후 물체 A는 왼쪽 방향으로 4 m/s의 속력으로 운동하였다.

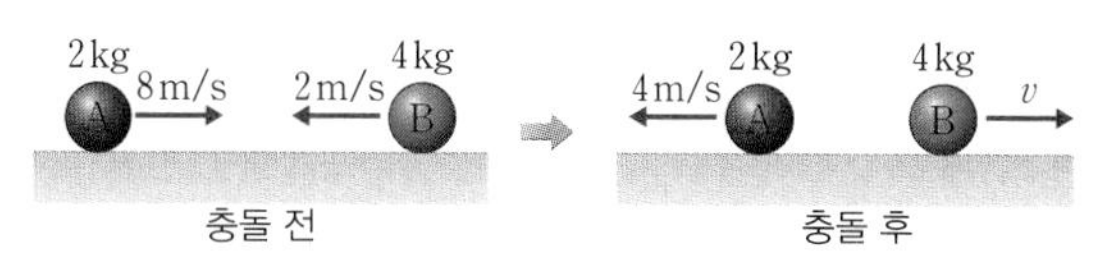

(1) 충돌 후 물체 B의 운동 상태를 서술하시오.

(2) 충돌 과정에서 물체 B가 받은 충격량의 크기를 풀이 과정과 함께 서술하시오.

단원 정리하기 I. 역학과 에너지 | 1. 힘과 운동

핵심 Point 1~12

1. 이동 거리와 변위

① 이동 거리: 물체가 실제로 움직인 경로를 따라 측정한 거리로, 크기만 갖는다.

② 변위: 처음 위치에서 나중 위치를 잇는 직선 방향의 변화량으로, 크기와 방향을 갖는다.

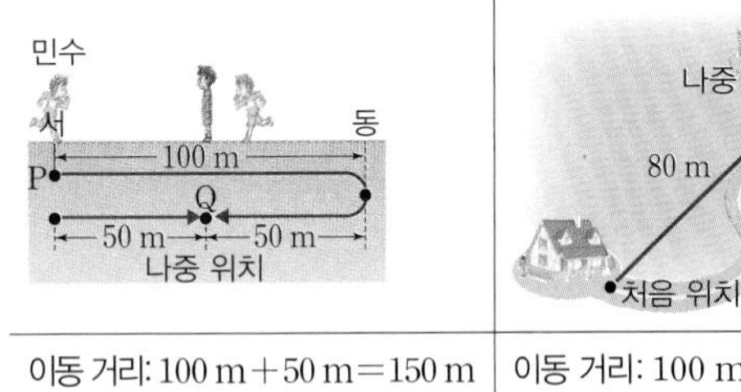

이동 거리: 100 m+50 m=150 m 변위의 크기: 100 m−50 m=50 m	이동 거리: 100 m 변위: 80 m

2. 속력과 속도

① 속력: 단위 시간 동안 이동한 거리, 물체의 빠르기를 나타내며 크기만 갖는다.

➡ 속력 $=\dfrac{\text{이동 거리}}{\text{시간}}$, $v=\dfrac{s}{t}$ (단위: m/s)

② 속도: 단위 시간 동안 변위, 물체의 빠르기를 나타내며 크기와 방향을 갖는다.

➡ 속도 $=\dfrac{\text{변위}}{\text{시간}}$ (단위: m/s)

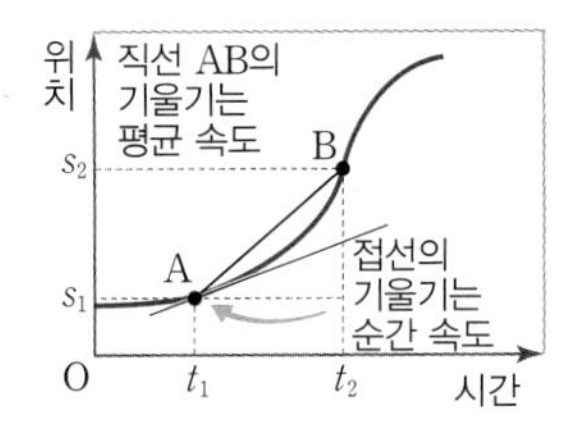

순간 속도	평균 속도
t_1일 때 물체가 갖는 속도. 위치−시간 그래프에서 t_1에서 접선의 기울기	t_1~t_2 동안 물체가 갖는 평균 속도, 위치−시간 그래프에서 A와 B를 잇는 직선의 기울기

3. 가속도

① 가속도: 단위 시간당 속도 변화량, 물체의 속도가 얼마나 빨리 변하는지를 나타내며 크기와 방향을 갖는다.

➡ 가속도 $=\dfrac{\Delta\text{속도}}{\text{시간}}$, $a=\dfrac{v-v_0}{t}$ (단위: m/s^2)

② 등가속도 직선 운동: 직선상에서 속도가 일정하게 변하는 운동

➡ $v=v_0+at$, $s=v_0t+\dfrac{1}{2}at^2$, $2as=v^2-{v_0}^2$

(v_0: 처음 속도, v: 나중 속도, a: 가속도, t: 시간, s: 위치)

• 등가속도 직선 운동 그래프

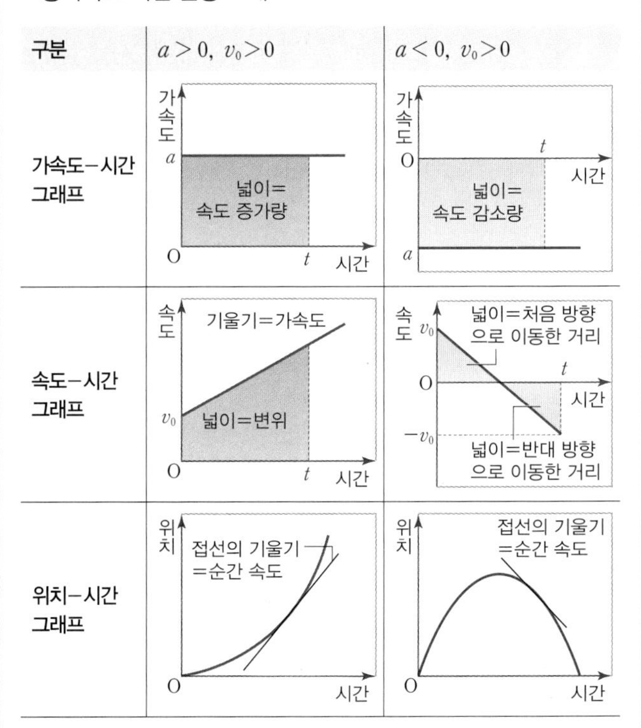

4. 여러 가지 운동

구분	속력 일정	속력 변함
운동 방향 일정	등속 직선 운동	자유 낙하 운동, 빗면 운동
운동 방향 변함	등속 원운동	진자 운동, 포물선 운동

5. 힘

① 힘: 물체의 모양이나 운동 상태를 변화시키는 원인

② 알짜힘: 물체에 작용하는 모든 힘의 합력

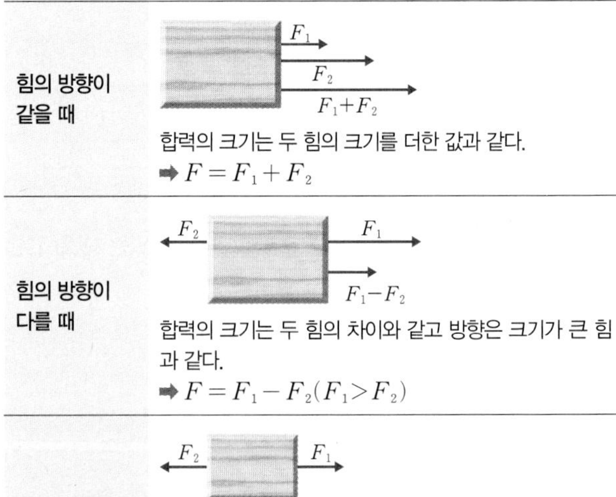

힘의 방향이 같을 때	F_1, F_2, F_1+F_2 합력의 크기는 두 힘의 크기를 더한 값과 같다. ➡ $F=F_1+F_2$
힘의 방향이 다를 때	F_2, F_1, F_1-F_2 합력의 크기는 두 힘의 차이와 같고 방향은 크기가 큰 힘과 같다. ➡ $F=F_1-F_2(F_1>F_2)$
두 힘이 평형을 이룰 때	F_2, F_1, $F_1-F_2=0$ 일직선상에서 두 힘의 크기가 같고 서로 반대 방향으로 작용하면 알짜힘은 0이다. ➡ $F_1-F_2=0$, $F_1=F_2$

6. 뉴턴 운동 제1법칙(관성 법칙)

① 관성: 물체에 작용하는 알짜힘이 0일 때, 정지하고 있는 물체는 계속 정지하려 하고, 운동하는 물체는 계속 같은 운동을 하려는 성질

② 관성에 의한 현상

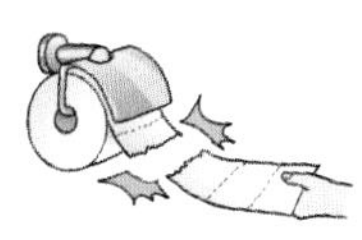		
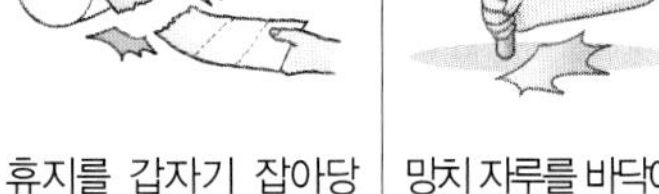		
휴지를 갑자기 잡아당기면 끊어진다.	망치 자루를 바닥에 치면 망치 머리가 고정된다.	달리던 사람이 돌부리에 걸려 넘어진다.

7. 뉴턴 운동 제2법칙(가속도 법칙)

① 힘과 가속도: 물체의 질량이 일정할 때, 가속도 a는 힘 F에 비례한다. ($a \propto F$)

② 힘과 질량: 물체에 작용하는 알짜힘이 일정할 때, 가속도 a는 질량 m에 반비례한다. $\left(a \propto \frac{1}{m}\right)$

➡ 가속도 $= \frac{\text{알짜힘}}{\text{질량}}$, $a = \frac{F}{m}$ (단위: m/s^2)

➡ $F = ma$ (단위: N, $kg \cdot m/s^2$)

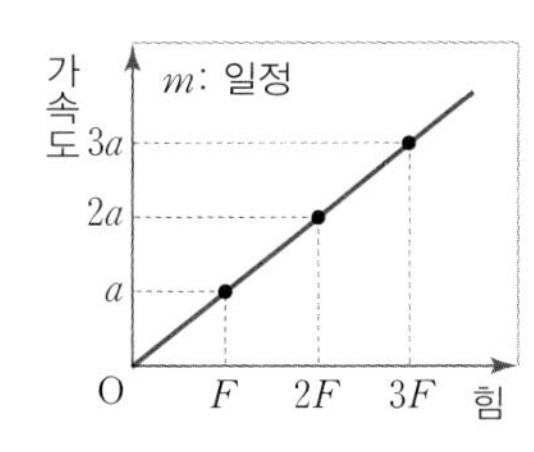

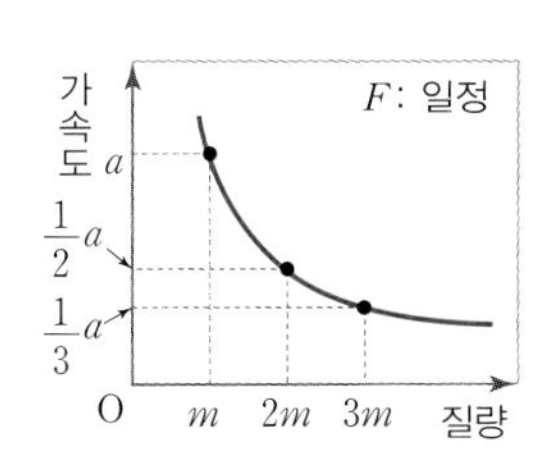

8. 뉴턴 운동 제3법칙(작용 반작용 법칙)

① 힘의 상호 작용: 두 물체 사이에 나타나는 힘으로 항상 쌍으로 존재한다.

② 작용 반작용 법칙: 두 물체의 상호 작용으로 물체 A가 물체 B에 힘을 작용하면, 물체 B도 물체 A에 같은 크기의 힘을 반대 방향으로 작용한다.

구분	힘의 평형	작용 반작용
공통점	두 힘의 크기가 같고 방향이 반대이다.	
다른점	힘 ← ● → 힘 ① 두 힘이 한 물체에 작용한다. ➡ 작용점이 같으므로 두 힘은 합성이 가능하다. ② 합력은 0이다.	작용 반작용 두 힘이 서로 다른 두 물체에 작용한다. ➡ 작용점이 다르므로 두 힘은 합성이 불가능하다.

9. 운동 법칙 적용하기

두 물체에 힘이 작용할 때

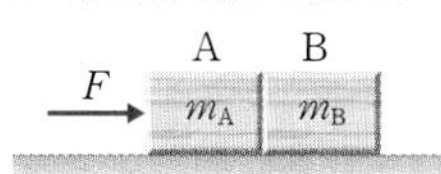

A와 B가 함께 운동한다.

두 물체에 작용하는 합력이 F이고 힘이 작용하는 질량이 $M = m_A + m_B$일 때 가속도는 $a = \frac{F}{M}$이다.

도르래로 연결되어 함께 힘이 작용할 때

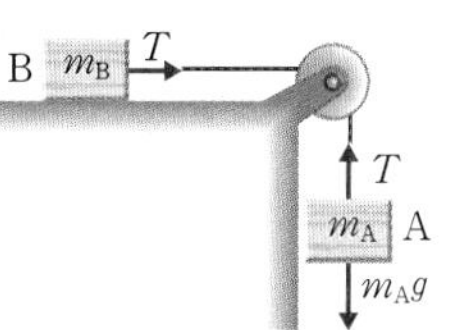

A와 B가 실로 연결되어 함께 운동한다.

A와 B 사이에 주고받는 힘인 장력(T)은 상쇄되므로 두 물체에 작용하는 합력이 $m_A g$이고 힘이 작용하는 질량이 $M = m_A + m_B$일 때 가속도는 $a = \frac{m_A}{M} g$이다.

10. 충격량

① 충격량: 물체가 받은 충격의 정도를 나타내며 힘과 힘이 작용한 시간의 곱이다.

➡ 충격량 = 힘 × 힘이 작용한 시간, $I = F\Delta t$ (단위: N·s)

② 힘(충격력) - 시간 그래프에서 그래프의 아랫부분의 넓이는 물체가 받는 충격량이다.

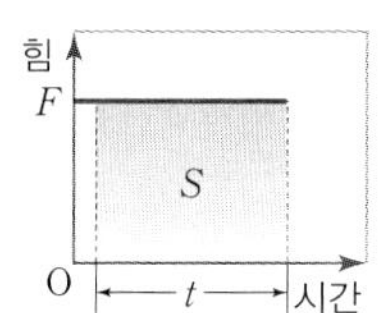

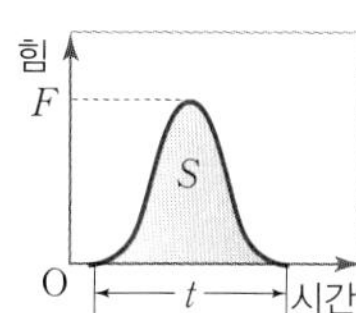

③ 충돌할 때 받는 힘과 시간의 관계: 충격량이 같을 때 충돌하는 시간이 길수록 물체가 받는 충격력은 작아진다.

11. 운동량

① 운동량: 운동을 하는 물체의 운동 효과를 나타내며 크기와 방향을 갖는다.

➡ 운동량 = 질량 × 속도, $p = mv$ (단위: kg·m/s)

② 충격량과 운동량의 관계: 물체가 받은 충격량은 충격을 받은 물체의 운동량의 변화량과 같다.

$I = F\Delta t = mv - mv_0 = \Delta p$ (단위: N·s)

12. 운동량 보존 법칙

두 물체가 충돌할 때 외부의 힘이 작용하지 않으면, 충돌 전 두 물체의 운동량의 합과 충돌 후 두 물체의 운동량의 합은 일정하게 보존된다.

충돌 전 / 충돌 중 / 충돌 후

➡ $m_1 v_1 + m_2 v_2 = m_1 v_1' + m_2 v_2'$

학교 시험에 꼭 나오는 문제를 모았어요. 꼼꼼하게 풀어봐요~

01 그림은 동일 직선상에서 운동하는 세 물체 A~C의 위치를 시간에 따라 나타낸 것이다.

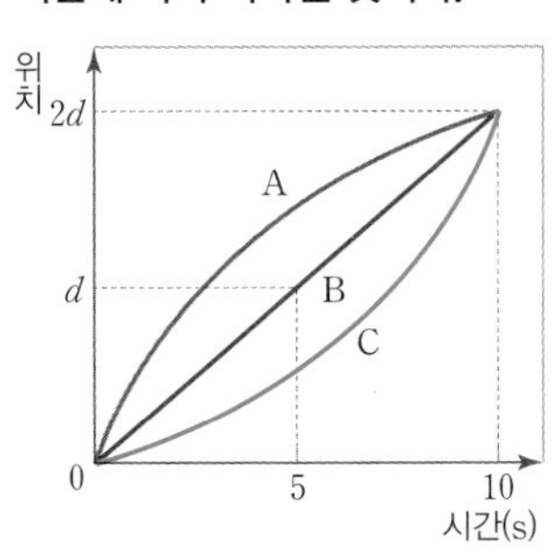

0초부터 10초까지 A~C의 운동에 대한 설명으로 옳은 것만을 〈보기〉에서 있는 대로 고른 것은?

보기
ㄱ. B의 속력은 일정하다.
ㄴ. 이동 거리는 A가 가장 길고, C가 가장 짧다.
ㄷ. 평균 속도의 크기는 모두 같다.

① ㄱ ② ㄱ, ㄴ ③ ㄱ, ㄷ
④ ㄴ, ㄷ ⑤ ㄱ, ㄴ, ㄷ

02 그림 (가)는 영희와 철수가 각각 정지해 있던 물체 A, B를 직선상에서 밀고 있는 모습을 나타낸 것이다. 영희가 A를 밀기 시작하고 20초 후에 철수가 B를 밀기 시작하였다. 그림 (나)는 A와 B의 속력을 시간에 따라 나타낸 것이다.

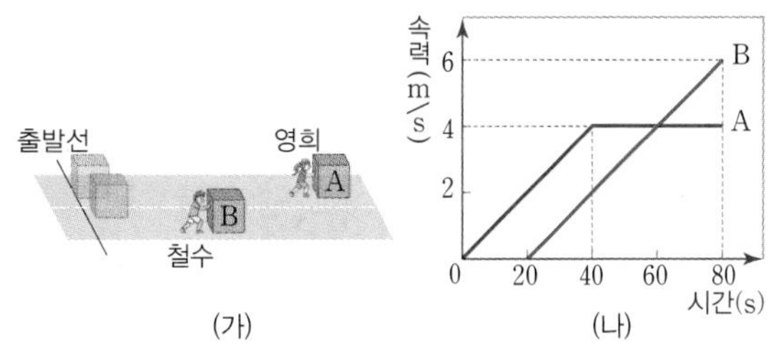

(가) (나)

A, B에 대한 설명으로 옳은 것만을 〈보기〉에서 있는 대로 고른 것은?

보기
ㄱ. 40초~80초까지 A는 등속 직선 운동을 했다.
ㄴ. 80초일 때 A와 B 사이의 거리는 60 m이다.
ㄷ. 40초~80초까지 A의 가속도의 크기는 0.1 m/s^2 이다.

① ㄱ ② ㄷ ③ ㄱ, ㄴ
④ ㄴ, ㄷ ⑤ ㄱ, ㄴ, ㄷ

03 그림은 처음 속도가 v_0인 물체가 직선상에서 등가속도 운동할 때 시간에 따른 위치를 나타낸 그래프이다.

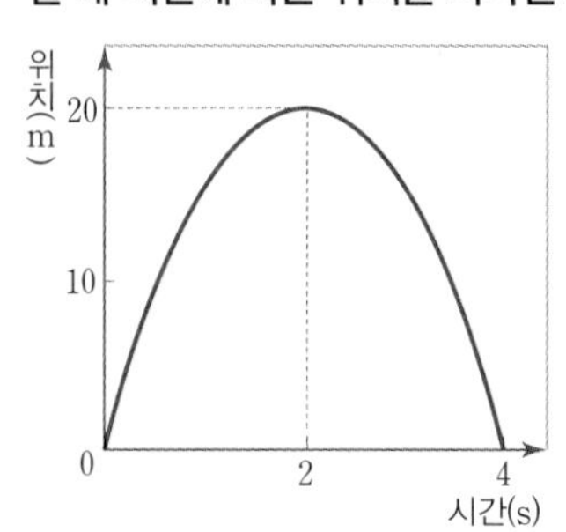

2초일 때 물체의 가속도 크기(a)와 0초일 때 물체의 속도(v_0)는?

	a	v_0		a	v_0
①	5 m/s^2	0	②	10 m/s^2	10 m/s
③	10 m/s^2	20 m/s	④	20 m/s^2	10 m/s
⑤	20 m/s^2	20 m/s			

04 그림과 같이 출발선을 속력 v로 통과한 자동차 A와 출발선에서 출발한 자동차 B가 각각 v_1, $4v$의 속력으로 동시에 중간선을 통과한 후, 각각 $2v$, v_2의 속력으로 동시에 도착선을 통과한다. A, B는 출발선에서 중간선까지, 중간선에서 도착선까지는 각각 등가속도 운동을 한다.

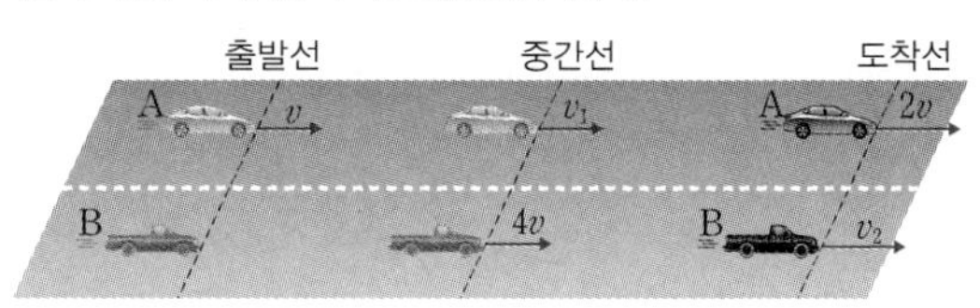

이에 대한 설명으로 옳은 것만을 〈보기〉에서 있는 대로 고른 것은?

보기
ㄱ. 출발선에서 중간선까지의 평균 속력은 A가 B보다 크다.
ㄴ. 중간선에서 도착선까지 A의 속력은 감소한다.
ㄷ. 도착선을 통과하는 속력은 A가 B보다 v만큼 크다.

① ㄱ ② ㄷ ③ ㄱ, ㄴ
④ ㄴ, ㄷ ⑤ ㄱ, ㄴ, ㄷ

05 그림은 직선상에서 운동하는 물체의 속도를 시간에 따라 나타낸 것이다.

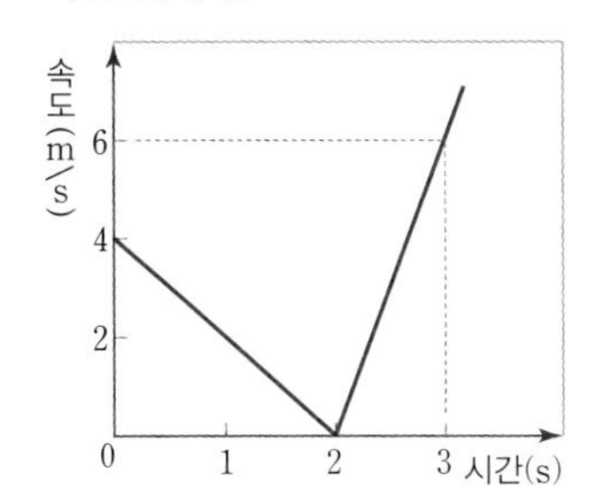

이에 대한 설명으로 옳은 것만을 〈보기〉에서 있는 대로 고른 것은?

보기

ㄱ. 1초부터 3초까지 물체가 이동한 거리는 7 m이다.
ㄴ. 0초부터 2초까지의 평균 속도의 크기는 2 m/s이다.
ㄷ. 가속도의 방향은 1초일 때와 3초일 때가 서로 반대이다.

① ㄱ ② ㄴ ③ ㄷ
④ ㄱ, ㄴ ⑤ ㄴ, ㄷ

06 표는 0초일 때 직선 도로에서 등가속도 운동하는 물체 A, B, C의 처음 속도와 가속도를 나타낸 것이다.

물체	처음 속도	가속도
A	+24 m/s	$-6\ m/s^2$
B	−12 m/s	$-3\ m/s^2$
C	−16 m/s	$+4\ m/s^2$

이에 대한 설명으로 옳은 것만을 〈보기〉에서 있는 대로 고른 것은?

보기

ㄱ. 2초일 때 A의 이동 거리는 50 m이다.
ㄴ. 속도의 크기가 계속 증가하는 자동차는 B이다.
ㄷ. A와 C의 속도가 0이 되는 시각은 서로 같다.

① ㄱ ② ㄷ ③ ㄱ, ㄴ
④ ㄴ, ㄷ ⑤ ㄱ, ㄴ, ㄷ

07 그림 (가)는 물체가 실에 매달려 일정한 속력으로 원운동하는 모습을, (나)는 비스듬히 던져 올린 물체의 운동을 나타낸 것이다.

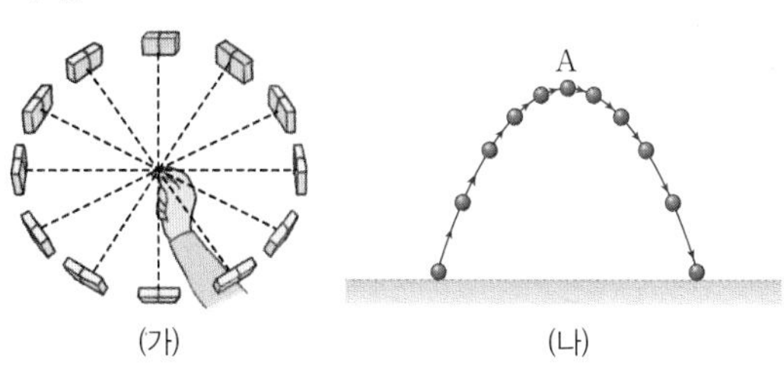

이에 대한 설명으로 옳은 것만을 〈보기〉에서 있는 대로 고른 것은?

보기

ㄱ. (가)는 속도가 일정한 운동이다.
ㄴ. (나)의 A점에서 물체의 속도는 0이다.
ㄷ. (나)는 속력과 방향이 변하는 운동이다.

① ㄱ ② ㄴ ③ ㄷ
④ ㄱ, ㄴ ⑤ ㄴ, ㄷ

08 그림은 지진을 측정하는 지진계를 나타낸 것으로, 지진계는 펜이 연결된 추와 기록 종이가 감겨 있는 회전 원통(드럼), 지면에 고정된 받침대로 되어 있다.

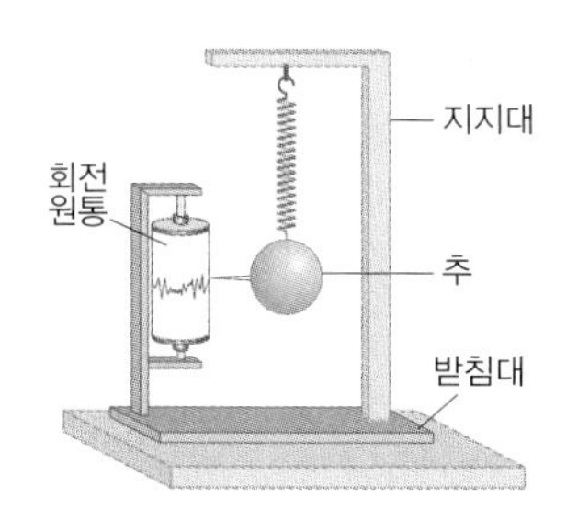

이에 대한 설명으로 옳은 것만을 〈보기〉에서 있는 대로 고른 것은?

보기

ㄱ. 추의 관성을 이용하여 지진을 기록한다.
ㄴ. 회전 원통에 대한 추의 운동 방향은 받침대의 운동 방향과 반대이다.
ㄷ. 지진계의 원리는 로켓이 앞으로 날아가는 것과 같다.

① ㄱ ② ㄴ ③ ㄷ
④ ㄱ, ㄴ ⑤ ㄴ, ㄷ

09 그림 (가)는 질량이 1 kg인 수레에 질량이 2 kg인 추를 도르래를 통해 실로 연결한 것을 나타낸 것이다. (나)는 질량이 2 kg인 수레에 질량이 1 kg인 추를 도르래를 통해 실로 연결한 것을 나타낸 것이다.

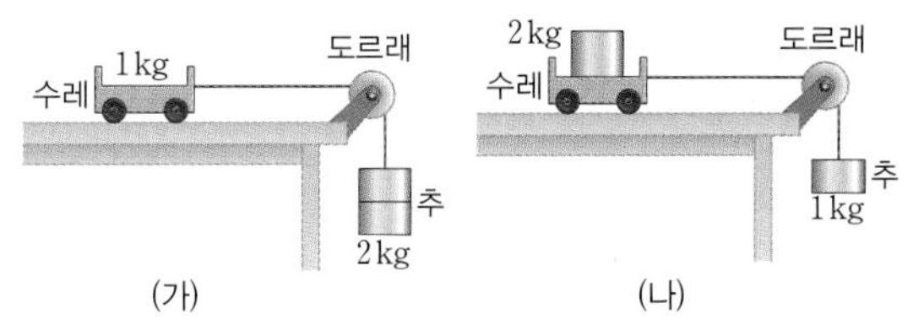

이에 대한 설명으로 옳은 것만을 〈보기〉에서 있는 대로 고른 것은? (단, 중력 가속도의 크기는 10 m/s^{2}이다.)

보기

ㄱ. 수레에 작용하는 외력의 크기는 (가)가 (나)의 2배이다.
ㄴ. 수레의 가속도 크기는 (가)와 (나)가 같다.
ㄷ. 수레에 작용하는 알짜힘의 크기는 (가)가 (나)의 2배이다.

① ㄱ ② ㄴ ③ ㄷ ④ ㄱ, ㄴ ⑤ ㄴ, ㄷ

10 마찰이 없는 수평면에서 직선 운동을 하는 질량이 2 kg인 물체 A가 정지해 있는 질량이 m인 물체 B와 충돌할 때, 그림 (가)는 A의 위치를 시간에 따라 나타낸 것이고, (나)는 B의 속도를 시간에 따라 나타낸 것이다. 충돌하는 동안 A와 B는 동일 직선상에서 운동한다.

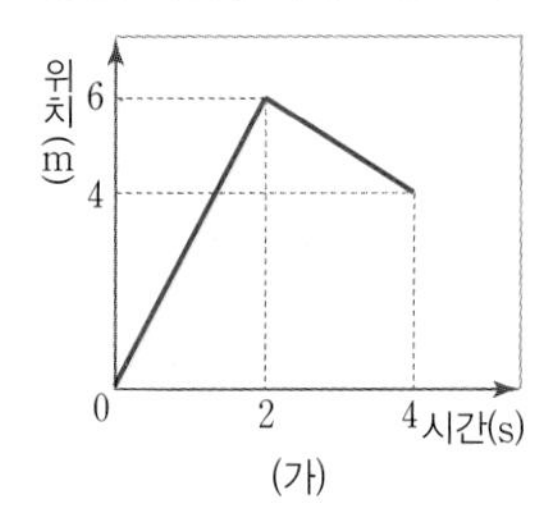

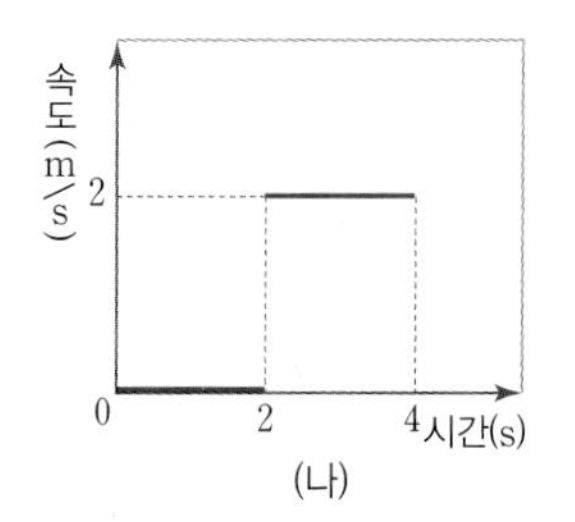

이에 대한 설명으로 옳은 것만을 〈보기〉에서 있는 대로 고른 것은?

보기

ㄱ. A와 B가 충돌하는 시각은 2초이다.
ㄴ. B의 질량은 2 kg이다.
ㄷ. 충돌 과정에서 받은 충격량의 크기는 8 kg·m/s으로 A와 B가 같다.

① ㄱ ② ㄴ ③ ㄷ ④ ㄱ, ㄷ ⑤ ㄴ, ㄷ

11 그림은 A 지점에 정지해 있던 질량이 M인 물체를 철수가 수평 방향으로 일정한 알짜힘 F로 밀어 B 지점을 통과하는 모습을 나타낸 것이다.

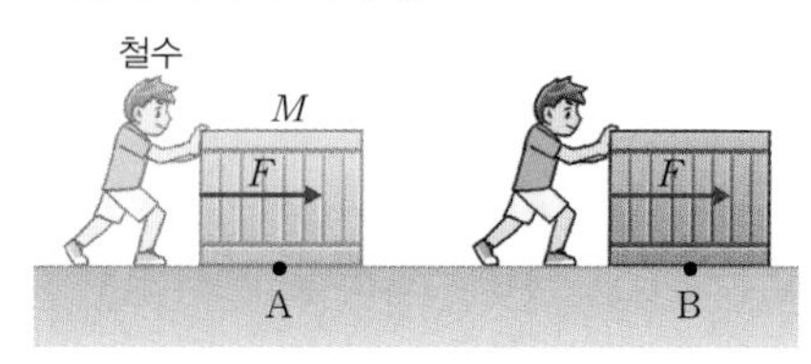

동일한 조건에서 물체의 질량이 2배인 경우에 대한 설명으로 옳은 것만을 〈보기〉에서 있는 대로 고른 것은?

보기

ㄱ. 가속도는 2배가 된다.
ㄴ. 물체가 철수에게 작용한 힘의 크기는 $2F$이다.
ㄷ. B를 통과하는 순간의 속력은 $\frac{1}{\sqrt{2}}$배가 된다.

① ㄱ ② ㄴ ③ ㄷ ④ ㄱ, ㄴ ⑤ ㄴ, ㄷ

12 그림 (가)는 마찰이 없는 수평인 얼음판에서 각각 v, $2v$의 일정한 속력으로 다가오는 질량 m인 퍽을 아이스하키 스틱을 이용해 수평 방향으로 치는 모습을 나타낸 것이다. 그림 (나)는 (가)에서 퍽이 스틱으로부터 받은 힘의 크기를 시간에 따라 각각 나타낸 것으로 그래프 아랫부분의 넓이는 $3mv$로 같다. 퍽을 치기 전과 후 퍽은 동일 직선상에서 운동한다.

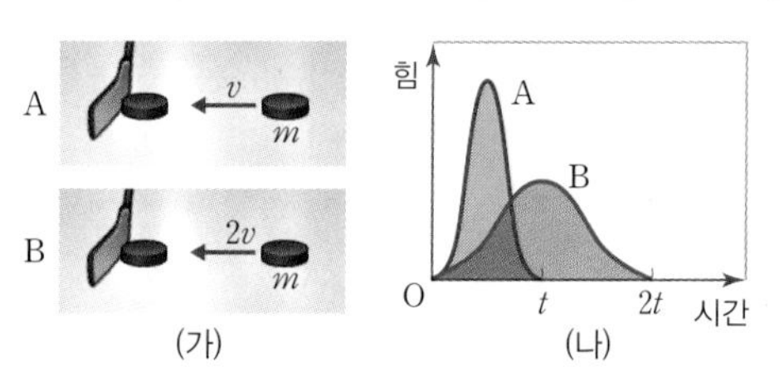

이에 대한 설명으로 옳은 것만을 〈보기〉에서 있는 대로 고른 것은? (단, 퍽의 크기는 무시한다.)

보기

ㄱ. 스틱으로 치는 동안 공이 받은 충격량의 크기는 A에서가 B에서보다 크다.
ㄴ. 스틱으로 치는 동안 퍽이 받은 평균 힘의 크기는 A에서가 B에서의 2배이다.
ㄷ. 퍽이 스틱을 떠나는 순간 퍽의 속력은 A에서가 B에서의 2배이다.

① ㄱ ② ㄴ ③ ㄷ ④ ㄱ, ㄴ ⑤ ㄴ, ㄷ

13 그림 (가)는 수평면 위에서 5 m/s의 속도로 운동하던 공 A가 정지해 있던 공 B에 정면 충돌하였을 때 공 B가 3 m/s의 속도로 운동하는 모습을 나타낸 것이다. 그림 (나)는 수평면 위에서 5 m/s의 속도로 운동하던 공 A가 정지해 있는 공 C에 정면 충돌했을 때 한 덩어리가 되어 운동하는 것을 나타낸 것이다. 공 A, B, C의 질량은 같다.

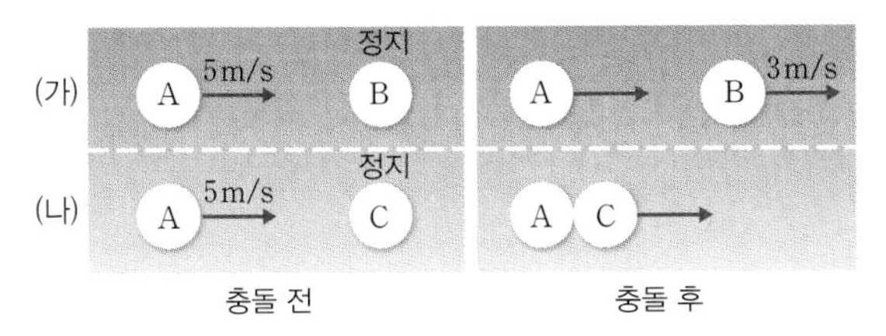

이에 대한 설명으로 옳은 것만을 〈보기〉에서 있는 대로 고른 것은?

보기

ㄱ. (가)에서 충돌 후 A의 속도의 크기는 1 m/s이다.
ㄴ. (나)에서 A와 C가 받은 충격량의 크기는 같다.
ㄷ. A가 받은 충격량의 크기는 (가)에서가 (나)에서 보다 크다.

① ㄱ ② ㄴ ③ ㄷ ④ ㄱ, ㄴ ⑤ ㄴ, ㄷ

14 그림과 같이 질량이 각각 4 kg, 1 kg인 물체 A, B를 실로 연결한 후, B를 손으로 받치고 있다가 손을 치웠다.

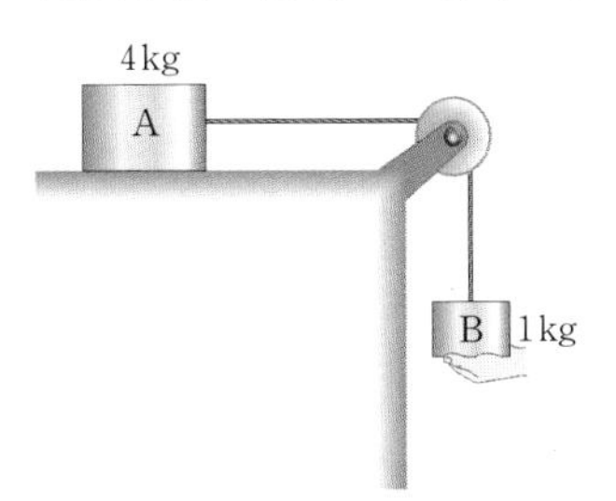

이에 대한 설명으로 옳은 것만을 〈보기〉에서 있는 대로 고른 것은? (단, 중력 가속도는 10 m/s^{2}이고, 모든 마찰은 무시한다.)

보기

ㄱ. A의 가속도의 크기는 2 m/s^{2}이다.
ㄴ. 실이 B를 당기는 힘의 크기는 8 N이다.
ㄷ. 손을 치운 후 B가 2 m 내려갔을 때 B의 속력은 $\sqrt{2}$ m/s이다.

① ㄱ ② ㄴ ③ ㄷ ④ ㄱ, ㄴ ⑤ ㄱ, ㄷ

15 그림 (가)는 마찰이 없는 수평면 위에서 철수가 질량이 500 g인 공을 발로 차는 모습을 나타낸 것이다. 그림 (나)는 공을 발로 찬 순간부터 공의 속도를 시간에 따라 나타낸 것이다.

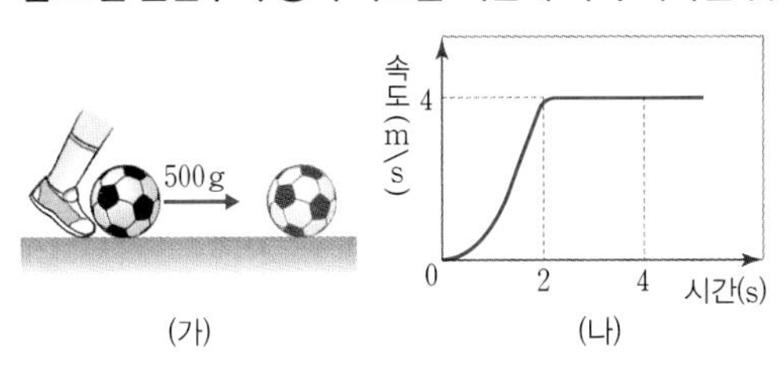

이에 대한 설명으로 옳은 것만을 〈보기〉에서 있는 대로 고른 것은?

보기

ㄱ. 0초부터 2초까지 공의 운동량의 변화량 크기는 2 kg·m/s이다.
ㄴ. 4초일 때 공에 작용하는 알짜힘은 1 N이다.
ㄷ. 공이 발에 작용하는 충격량의 크기는 1 kg·m/s이다.

① ㄱ ② ㄴ ③ ㄷ ④ ㄱ, ㄷ ⑤ ㄴ, ㄷ

16 그림 (가)는 철수가 질량이 m인 농구공을 들고 스케이트 보드 위에서 등속 운동을 하고 있는 모습을 나타낸 것이다. 그림 (나)는 철수가 움직이던 방향으로 농구공을 던졌을 때 농구공의 속도를 시간에 따라 나타낸 것이다. v_1과 v_2는 농구공을 던지기 전과 후의 농구공의 속도이다.

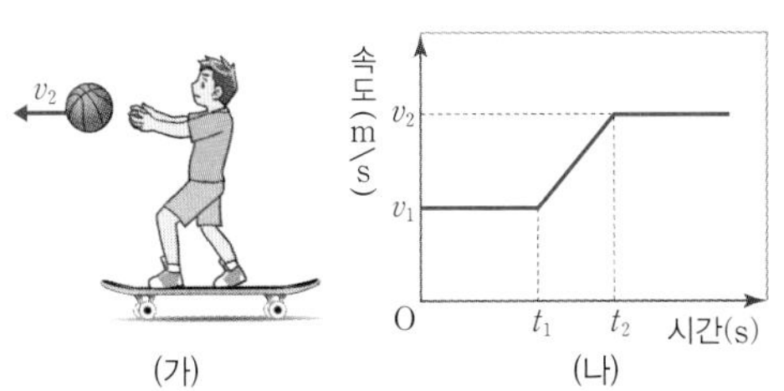

이에 대한 설명으로 옳은 것만을 〈보기〉에서 있는 대로 고른 것은? (단, 사람의 질량이 농구공의 질량보다 크고, 중력은 무시한다.)

보기

ㄱ. 농구공을 던진 직후 철수의 속력은 v_1보다 크다.
ㄴ. 속도의 변화량의 크기는 농구공이 사람보다 크다.
ㄷ. 농구공을 던지는 동안 철수가 농구공에 작용한 평균 힘의 크기는 $\dfrac{m(v_2-v_1)}{t_2-t_1}$이다.

① ㄱ ② ㄴ ③ ㄷ ④ ㄱ, ㄷ ⑤ ㄴ, ㄷ

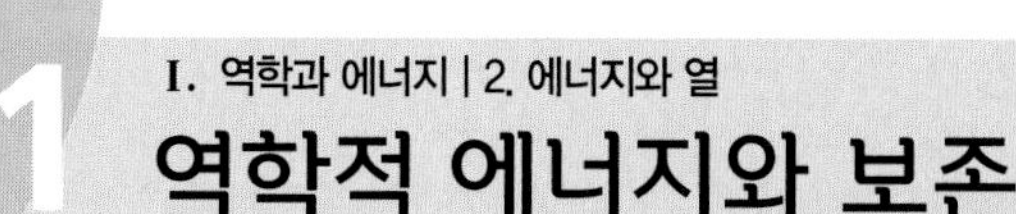

01 역학적 에너지와 보존

내 교과서는 어디에?
천재 p.45~50 금성 p.42~45 동아 p.39~45
미래엔 p.50~55 비상 p.46~51 YBM p.48~55

핵심 Point
- **운동 에너지**와 **퍼텐셜 에너지**(중력 퍼텐셜 에너지, 탄성 퍼텐셜 에너지), 그리고 **역학적 에너지**의 개념을 이해한다.
- **역학적 에너지**가 **보존**되는 경우와, 열에너지가 발생하여 **보존되지 않는 경우**를 설명할 수 있다.

1 일과 에너지

1. 일 물체에 힘이 작용하여 물체가 힘의 방향으로 이동했을 때, 힘이 일을 하였다고 한다.

① 일의 양: 물체에 작용한 힘의 크기(F)와 힘의 방향으로 물체가 이동한 거리(s)의 곱❶❷

$$\text{일}(W) = \text{힘의 크기} \times \text{힘의 방향으로 이동한 거리} = F \times s$$

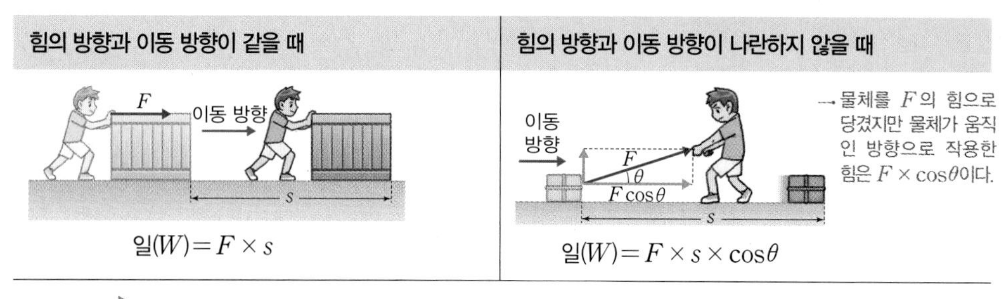

② 일의 단위: J(줄), N·m ➡ 1 J = 1 N·m

- 1 J은 물체에 1 N의 힘을 가하여 힘의 방향으로 1 m 이동시켰을 때 한 일의 양이다.

③ 힘-이동 거리 그래프: 그래프 아랫부분의 넓이는 힘이 한 일의 양을 나타낸다.

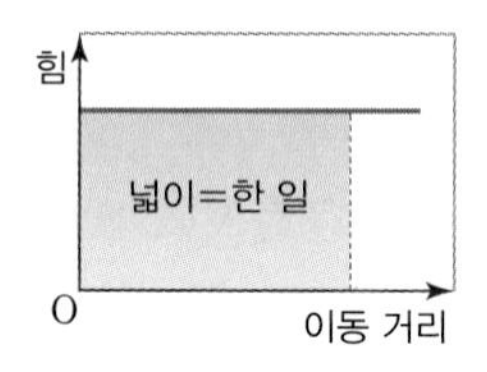

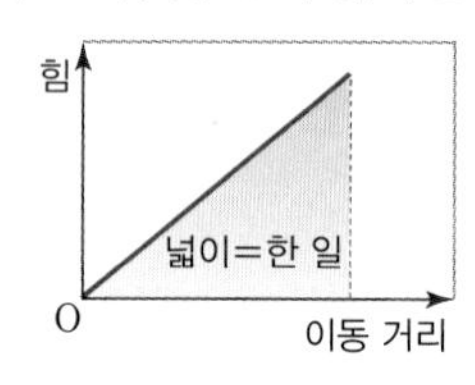

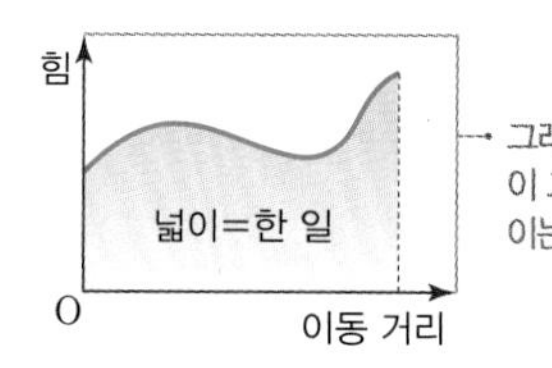

그래프의 형태와 관계없이 그래프 아랫부분의 넓이는 힘이 한 일이다.

④ 일 · 에너지 정리: 물체에 일을 해 주면 해 준 일의 양만큼 물체의 에너지가 변한다.

- 일과 에너지는 서로 전환되므로 일과 에너지의 단위는 모두 J을 사용한다.

돌을 들어 올리면 돌이 일을 받게 되므로, 돌이 가진 에너지가 증가한다.

돌이 떨어지면서 돌은 말뚝을 박는 일을 하고, 돌이 가진 에너지는 감소한다.

2. 운동 에너지(E_k) 운동하는 물체가 가진 에너지 → 운동하는 물체가 정지할 때까지 일을 할 수 있는 능력

① 운동 에너지의 크기: 질량이 m(kg)인 물체가 v(m/s)의 속력으로 운동할 때, 이 물체가 가진 운동 에너지 E_k는 다음과 같다.

$$E_k = \frac{1}{2} \times \text{질량} \times (\text{속력})^2 = \frac{1}{2}mv^2 \ (\text{단위: J})$$

❶ 일이 0인 경우

- 상자를 들고 이동할 때: 이동 방향과 힘의 방향이 수직이므로 물체를 드는 힘이 한 일은 0이다.

- 벽을 밀 때: 벽이 움직이지 않으므로 이동 거리가 0, 한 일도 0이다.
- 마찰이 없는 곳에서 물체가 등속 운동을 할 때: 작용한 힘이 0이므로 한 일도 0이다.

❷ 마찰이 있는 바닥에서 등속 운동을 하는 경우

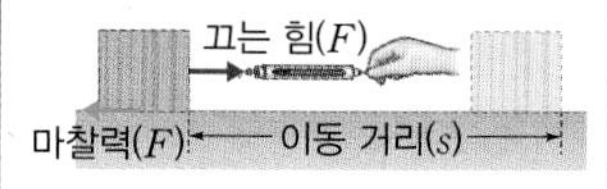

- 물체를 끄는 힘 F가 한 일은
$W = Fs$
- 속력이 일정할 때 마찰력의 크기는 끄는 힘의 크기와 같으므로 마찰력이 한 일도 Fs이다. 이때 마찰력이 한 일과 F가 한 일은 반대 방향이다.
- 마찰력과 작용한 힘이 같은 크기, 반대 방향으로 작용하므로, 알짜힘은 0, 알짜힘이 한 일도 0이다.

용어

▸ W, J(일의 기호와 단위): W는 영어 Work에서 딴 것으로, 일을 표시하는 기호로 사용되며, J(줄)은 일과 에너지양을 나타내는 단위로 사용된다. 예 W = 5 J → 일의 양이 5 J이라는 뜻이다.

▸ **에너지**: 일을 할 수 있는 능력

1 수평면에서 20 N의 힘으로 물체를 밀어 3 m 이동시켰을 때, 이 힘이 물체에 한 일은 (   ) J 이다.

2 일을 받은 물체의 에너지는 (증가 / 감소)하고, 일을 한 물체의 에너지는 (증가 / 감소)한다.

답 1. 60 2. 증가, 감소

② 일 · 운동 에너지 정리: 물체에 작용한 알짜힘이 한 일(W)은 운동 에너지의 변화량(ΔE_k)과 같다.

힘을 주어 속도가 변한 물체의 운동 에너지 / 힘을 주기 직전 물체의 운동 에너지

$$W = Fs = \frac{1}{2}mv^2 - \frac{1}{2}mv_0^{\,2} = \Delta E_k$$

일과 운동 에너지[3]

수평면에서 속도 v_0으로 운동하고 있는 질량 m인 물체에 알짜힘 F를 계속 작용하여 물체가 거리 s만큼 이동하였고, 이때 물체의 속도는 v가 되었다.

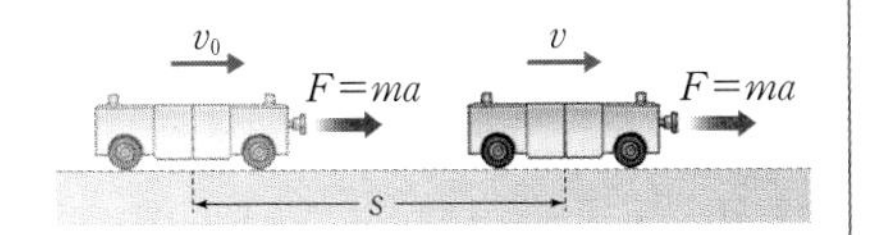

- 운동 제2법칙 $F = ma$에서 힘이 한 일은 Fs이다.
- 힘이 일정하게 작용한 등가속도 운동이므로 $2as = v^2 - v_0^{\,2}$에서 $as = \frac{v^2 - v_0^{\,2}}{2}$이다.
- 힘이 물체에 한 일 $W = Fs = mas = m \times \frac{v^2 - v_0^{\,2}}{2} = \frac{1}{2}mv^2 - \frac{1}{2}mv_0^{\,2} = \Delta E_k$

➡ 알짜힘이 물체에 한 일 = 물체의 운동 에너지 변화량 → 힘을 주기 전 운동 에너지와 힘을 준 후 운동 에너지의 차이

3. 퍼텐셜 에너지(E_p) 물체가 기준 위치와 다른 위치에 있을 때 가지는 에너지로, 물체에 일을 해 주어 기준면으로부터 위치 변화가 있을 때 생긴다.[4]

① 중력 퍼텐셜 에너지(E_p): 중력이 작용하는 공간에서 물체의 무게와 같은 크기의 힘으로 물체를 들어 올리면 물체는 받은 일만큼 에너지가 증가한다. 따라서 질량 m인 물체가 기준점으로부터 높이 h에 있을 때 중력에 의한 퍼텐셜 에너지 E_p는 다음과 같다.

→ 중력과 반대 방향의 힘으로 일을 해 주어 생기는 에너지라는 의미이다.

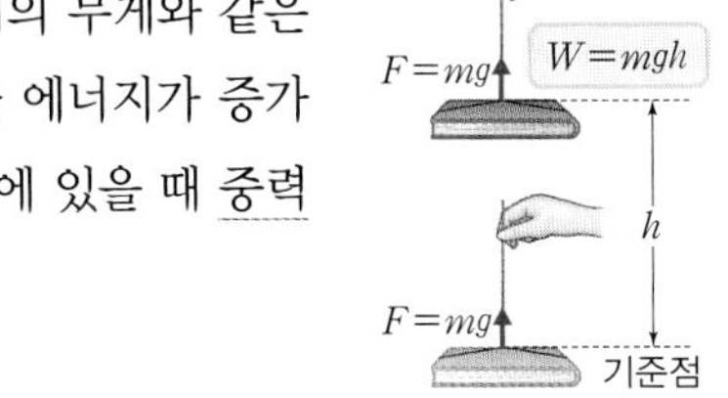

$$E_p = 무게 \times 높이 = 질량 \times 중력\ 가속도 \times 높이 = mgh \text{ (단위: J)}$$

→ 물체에 작용하는 힘 : 중력 → 중력(무게)

자료 파헤치기

일과 중력 퍼텐셜 에너지

❶ 물체를 등속으로 들어 올릴 때 → 위치 증가 → 퍼텐셜 에너지 증가

- 물체를 들어 올리는 힘: mg
- 힘이 물체에 한 일: 힘 × 이동 거리 = mgh
- 물체에 해 준 일의 양만큼 물체의 중력 퍼텐셜 에너지 증가

➡ 증가한 중력 퍼텐셜 에너지 = mgh

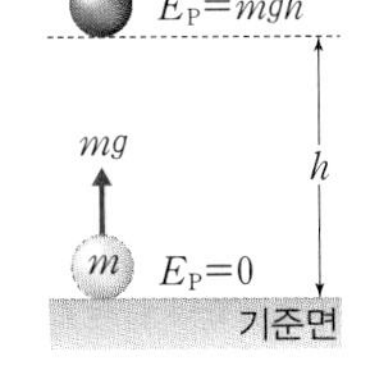

❷ 물체를 자유 낙하시킬 때 → 위치 감소 → 퍼텐셜 에너지 감소

- 물체에 작용하는 중력: mg
- 중력이 물체에 한 일: 힘 × 이동 거리 = mgh
- 물체가 낙하하면서 물체가 가진 중력 퍼텐셜 에너지가 일로 전환

➡ 감소한 중력 퍼텐셜 에너지 = mgh

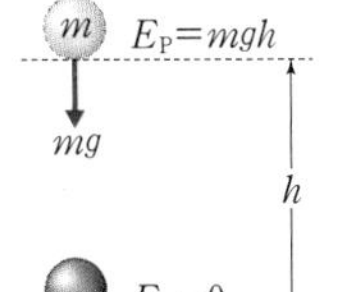

❸ **운동 에너지를 운동량 p로 표현하기**

- 운동량 $p = mv$
- $E_k = \frac{1}{2}mv^2 = \frac{(mv)^2}{2m} = \frac{p^2}{2m}$

❹ **퍼텐셜 에너지의 종류**

퍼텐셜 에너지는 물체의 위치가 변할 때 생기며, 물체의 위치를 변하게 하는 힘의 종류에 따라 중력 퍼텐셜 에너지, 탄성 퍼텐셜 에너지, 만유인력 퍼텐셜 에너지, 전기력 퍼텐셜 에너지, 자기력 퍼텐셜 에너지 등이 있다.

셀파 콕콕

- 일이나 에너지를 계산할 때 속도 단위는 m/s, 질량 단위는 kg, 거리 단위는 m가 되도록 한다. 만약 단위가 다를 때는 단위를 m/s, kg, m로 고친 후 계산한다. 이렇게 하여 계산하여야 일과 에너지의 단위가 J이 된다.
- 운동 에너지, 중력 퍼텐셜 에너지, 탄성 퍼텐셜 에너지의 표현 수식은 모두 다르다. 그러나 모두 일 · 에너지 관계에서 유도된 수식으로, 일은 힘과 이동 거리의 곱이라는 것이 바탕이 된다.

용어

▸ **퍼텐셜 에너지의 기준점**: 퍼텐셜 에너지의 기준이 되는 점으로, 물체의 운동을 설명하기 편리한 곳을 기준점으로 정한다. 기준점에서의 퍼텐셜 에너지는 0이 되며, 기준점에 따라 퍼텐셜 에너지의 값은 달라진다. 그러나 두 점 사이의 퍼텐셜 에너지 차이는 기준점을 다르게 잡아도 두 점 사이의 거리가 같다면 동일하다.

1 질량 5 kg인 물체가 2 m/s의 속력으로 운동하고 있다. 이 물체의 운동 에너지는 ( ) J이다.

2 물체에 일을 해 주어 운동 에너지가 80 J에서 120 J로 변하였다. 이 물체에 해 준 일의 양은?

3 질량 5 kg인 물체가 지면으로부터 3 m 높이에 있다. 중력 가속도를 10 m/s^{2}이라 할 때, 지면을 기준으로 한 중력 퍼텐셜 에너지는 ( ) J이다.

답 1. 10 2. 40 J 3. 150

셀파 세미나 S·H·E·R·P·A

▶ 물체의 운동을 나타낸 그래프를 분석하여 물체에 한 일의 양을 계산해 봅시다.

물체의 힘, 시간, 거리 그래프에서 작용한 일의 양 계산

마찰이 없는 수평면 위에 정지해 있는 질량이 2 kg인 물체에 힘을 주어 물체를 움직였다.

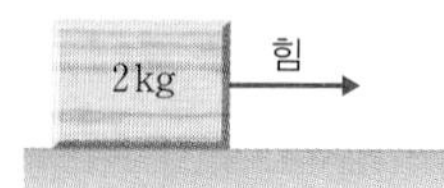

01 힘-이동 거리 그래프가 주어졌을 때 일의 양 계산

힘-이동 거리 그래프에서 힘이 한 일의 양은 그래프 아랫부분의 넓이와 같다.

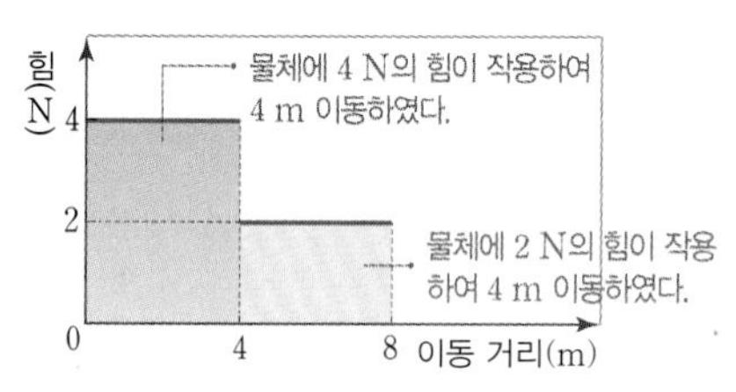

일(W) = 힘 × 힘의 방향으로 이동한 거리
$= F \times s$
= 그래프 아래 넓이의 합
$= 4\text{ N} \times 4\text{ m} + 2\text{ N} \times 4\text{ m} = 24\text{ J}$

Plus 문제

Q. 왼쪽 그래프에서 물체가 4 m에 도달한 순간 물체의 속력을 구하시오.

A. 0~4 m를 이동하는 동안 물체에 한 일은 16 J(그래프 아랫부분의 넓이)이므로 일·운동 에너지 정리에 따라
한 일 = 운동 에너지 변화량
$16\text{ J} = \frac{1}{2} \times 2\text{ kg} \times v^2 - 0$
이므로 4 m에 도달한 순간 물체의 속력 $v = 4\text{ m/s}$이다.

02 힘-시간 그래프가 주어졌을 때 일의 양 계산

힘-시간 그래프에서 그래프 아랫부분의 넓이는 충격량과 같다.

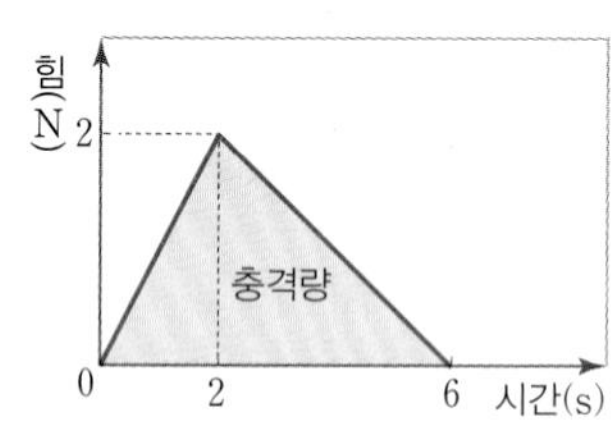

• 0초~6초 동안 물체의 충격량
$= \frac{1}{2} \times 2\text{ N} \times 6\text{ s} = 6\text{ kg}\cdot\text{m/s}$

• 0초일 때 정지 상태이므로
'0~6초 동안 충격량 = 6초일 때 운동량'이다. → 충격량 = 운동량의 변화량

• 힘이 물체에 한 일 = 물체의 운동 에너지 변화량
$$= \frac{1}{2}mv^2 - \frac{1}{2}mv_0^2 = \frac{(\text{운동량})^2}{2m} - 0 = \frac{(6\text{ kg}\cdot\text{m/s})^2}{2 \times 2\text{ kg}} = 9\text{ J}$$

Plus 자료

물체의 힘-시간 그래프가 주어졌을 때는 충격량과 운동량을 이용해 한 일을 계산한다.
• 충격량 = 나중 운동량 − 처음 운동량
• 운동량 = 질량 × 속도
• 물체가 가진 운동 에너지
$E_k = \frac{1}{2}mv^2 = \frac{(mv)^2}{2m} = \frac{p^2}{2m}$
• 운동량과 질량을 알면, 물체의 속력을 구해서 일·운동 에너지 정리를 이용해 풀 수도 있다.

03 속도-시간 그래프가 주어졌을 때 일의 양 계산

등가속도 직선 운동과 같이 작용한 힘이 일정한(속도 변화가 일정) 경우에는 속도를 이용해 운동 에너지 변화량을 구하고 일 · 운동 에너지 정리로 일의 양을 구한다.

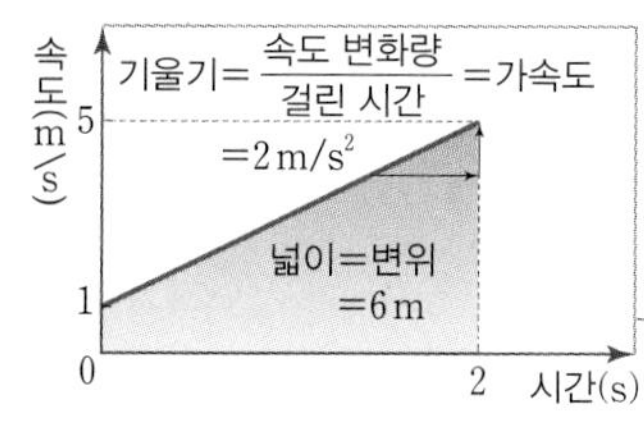

• 방법 ①: 속도를 이용해 운동 에너지 변화량을 구하고 일 · 운동 에너지 정리로 일의 양을 구한다.
• 방법 ②: 가속도를 구하고 $F = ma$에서 작용한 힘을 계산한다. 이동한 거리를 구한 후 작용한 힘과 곱해 일의 양을 구한다.

→ 등가속도 직선 운동이므로 '변위 = 물체의 이동 거리'

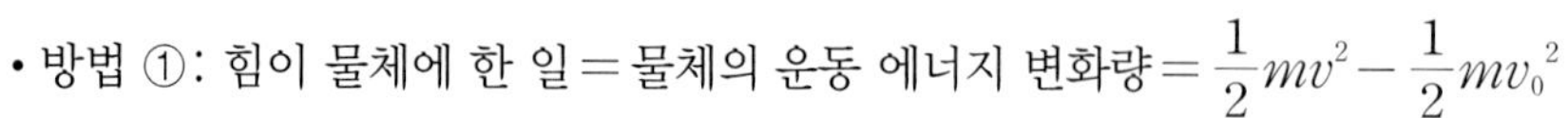

• 방법 ①: 힘이 물체에 한 일 = 물체의 운동 에너지 변화량 $= \frac{1}{2}mv^2 - \frac{1}{2}mv_0^2$
$$= \frac{1}{2} \times 2\text{ kg} \times (5\text{ m/s})^2 - \frac{1}{2} \times 2\text{ kg} \times (1\text{ m/s})^2 = 24\text{ J}$$

• 방법 ②: 가속도가 2 m/s^2이므로 작용한 힘 $F = ma = 2\text{ kg} \times 2\text{ m/s}^2 = 4\text{ N}$, 이동 거리는 6 m이다. 따라서 한 일 $W = 4\text{ N} \times 6\text{ m} = 24\text{ J}$이다.
(가속도: 그래프의 기울기, 이동 거리: 그래프 아랫부분 넓이)

Plus 문제

Q. 그림은 마찰이 없는 수평면에서 질량이 같은 두 물체에 힘이 작용하였을 때 속도-시간 그래프이다. A, B에 작용한 힘이 한 일의 비는?

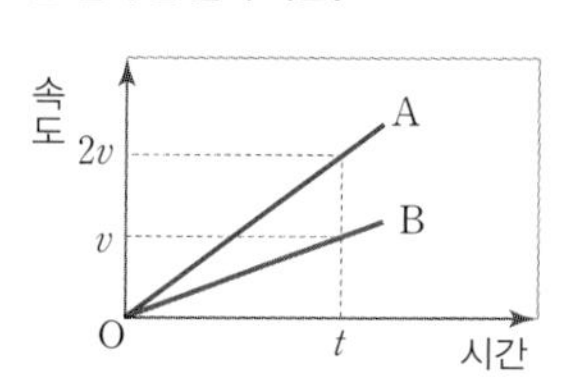

A. 한 일은 운동 에너지 변화량과 같다. 두 물체 모두 처음 속도가 0이므로
$W_A = \frac{1}{2} \times m \times (2v)^2$
$W_B = \frac{1}{2} \times m \times (v)^2$
따라서 $W_A : W_B = 4 : 1$이다.

② 탄성 퍼텐셜 에너지(E_p): 용수철과 같이 탄성을 가진 물체의 길이를 변화시킬 때 물체가 원래 길이로 돌아가는 동안 일을 할 수 있는 능력을 가지는데, 이를 탄성 퍼텐셜 에너지라고 한다.

- 용수철에 작용하는 탄성력 $F = -kx$ (k는 용수철 상수이고, (−)는 탄성력의 방향이 물체가 변형된 방향의 반대임을 의미한다. x: 변형된 길이)
- 탄성력이 한 일은 그래프 아랫부분의 넓이와 같다.

  $W = Fs = \frac{1}{2}kx^2$ → 탄성력은 탄성체가 늘어난 길이에 비례하므로, 용수철을 잡아당기는 동안 작용한 힘의 크기는 점점 증가한다.
- 용수철을 늘이는 일을 하면 용수철의 위치가 변하면서 한 일만큼 용수철의 탄성 퍼텐셜 에너지가 증가한다.

$$E_p = \frac{1}{2} \times \text{용수철 상수} \times (\text{변형된 길이})^2 = \frac{1}{2}kx^2 \quad (\text{단위: J})$$

2 역학적 에너지 보존

1. **역학적 에너지(E)** 물체의 운동 에너지와 퍼텐셜 에너지의 합 ➡ $E = E_k + E_p$
2. **역학적 에너지 보존 법칙** 마찰이나 공기 저항이 없으면 물체의 역학적 에너지는 항상 일정하게 보존된다. ➡ 물체의 운동 에너지와 퍼텐셜 에너지의 합은 항상 같다.
3. **중력에 의한 역학적 에너지 보존** 중력이 작용하여 운동하는 물체의 각 지점에서 운동 에너지와 중력 퍼텐셜 에너지의 합은 항상 같다.❺,❻

① 낙하하는 물체의 역학적 에너지 보존

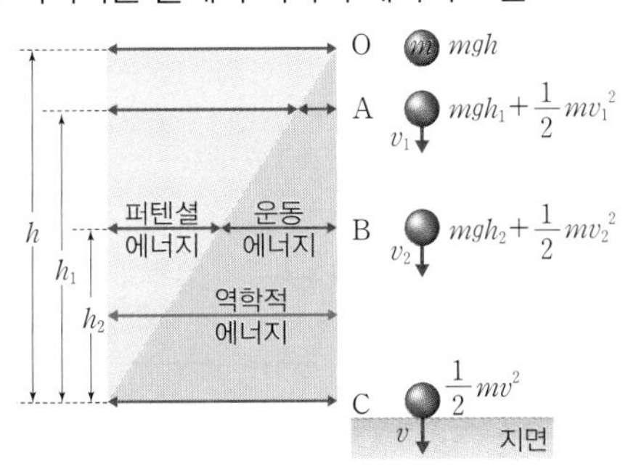

위치	퍼텐셜 에너지	운동 에너지	역학적 에너지
O	mgh(최대)	0(최소)	mgh(일정)
A	mgh_1	$\frac{1}{2}mv_1^2$	
B	mgh_2	$\frac{1}{2}mv_2^2$	
C	0(최소)	$\frac{1}{2}mv^2$(최대)	

② 롤러코스터에서 역학적 에너지 보존

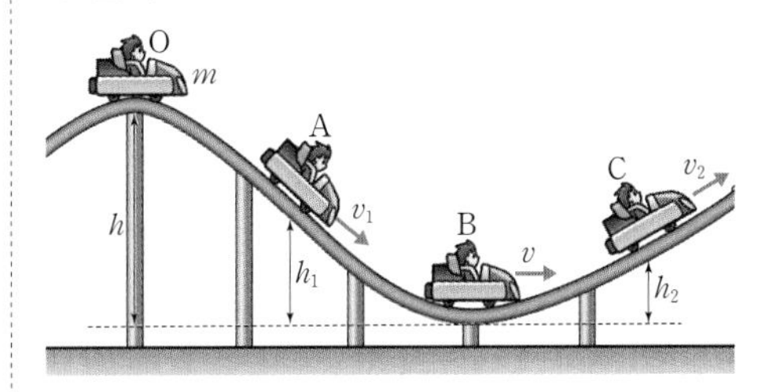

최고점(O)에서 퍼텐셜 에너지 = 각 점(A, C)에서 역학적 에너지 = 최저점(B)에서 운동 에너지

위치	퍼텐셜 에너지	운동 에너지	역학적 에너지
O	mgh(최대)	0(최소)	mgh(일정)
A	mgh_1	$\frac{1}{2}mv_1^2$	
B	0(최소)	$\frac{1}{2}mv^2$(최대)	
C	mgh_2	$\frac{1}{2}mv_2^2$	

$$E = E_k + E_p = \frac{1}{2}mv_1^2 + mgh_1 = \frac{1}{2}mv^2 = mgh \ ➡ \ \text{모든 위치에서 항상 일정}$$

주의 콕 탄성 퍼텐셜 에너지는 용수철에 연결된 물체의 질량과는 관계없고, 용수철이 변형된 길이와 용수철 상수(탄성 계수)에 따라 결정된다. 즉, 중력 퍼텐셜 에너지와는 달리 물체의 질량과는 무관하다.

❺ 높이 h인 곳에서 공을 자유 낙하시킬 때 운동 에너지의 최댓값은 퍼텐셜 에너지의 최댓값과 같다. 즉, 'h에서의 퍼텐셜 에너지(퍼텐셜 에너지 최대) = 지면에 닿는 순간 운동 에너지(운동 에너지 최대)'이다.

❻ 물체가 A점에서 B점으로 떨어질 때 역학적 에너지 보존
- A에서의 높이를 h_1, 속력을 v_1, B에서의 높이를 h_2, 속력을 v_2라 할 때 중력이 한 일 (단, $h_1 > h_2$)
  $W = Fs = mg(h_1 - h_2)$
- 운동 에너지 증가량
  $= \frac{1}{2}mv_2^2 - \frac{1}{2}mv_1^2$
- 중력이 한 일은 운동 에너지 증가량과 같다.
  $mg(h_1 - h_2) = \frac{1}{2}mv_2^2 - \frac{1}{2}mv_1^2$
  ➡ $mgh_1 + \frac{1}{2}mv_1^2$ (A점에서의 역학적 에너지) $= mgh_2 + \frac{1}{2}mv_2^2$ (B점에서의 역학적 에너지)

따라서 A점에서의 역학적 에너지와 B점에서의 역학적 에너지는 같다.

용어

▸ **용수철 상수**: 용수철이 얼마나 쉽게 늘어나는지를 나타내는 값으로, 용수철의 종류에 따라 다르다. 용수철 상수가 작을수록 같은 길이만큼 용수철을 늘이는 데 힘이 적게 든다.

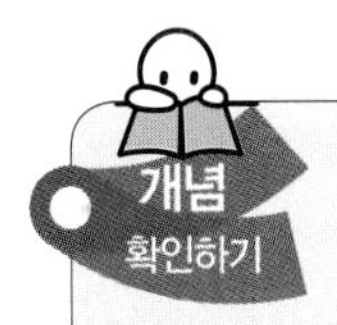

1 용수철 상수가 2 N/m인 용수철을 원래 길이에서 10 cm 늘였을 때, 탄성 퍼텐셜 에너지는 (   ) J이다.

2 물체가 힘을 받아 운동할 때 마찰이나 공기의 저항이 없으면 물체의 (   )는 항상 일정하다.

답 1. 0.01 2. 역학적 에너지

4. 탄성력에 의한 역학적 에너지 보존[7] 용수철에 질량 m인 물체를 매달고 기준점 O에서 A만큼 당겼다가 놓아 물체가 운동할 때, 각 지점에서 물체의 운동 에너지와 탄성 퍼텐셜 에너지의 합은 항상 같다. ➡ 용수철을 당겼다가 놓으면 용수철의 탄성력이 물체에 한 일(= 감소한 탄성 퍼텐셜 에너지)만큼 물체의 운동 에너지가 증가한다.

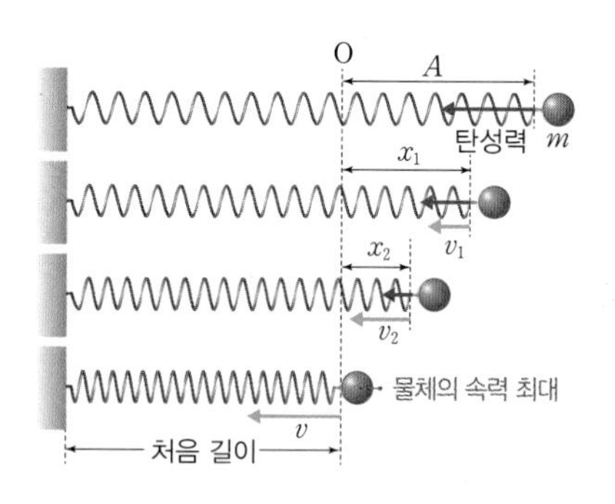

거리	퍼텐셜 에너지	운동 에너지	역학적 에너지
A	$\frac{1}{2}kA^2$(최대)	0(최소)	$\frac{1}{2}kA^2$(일정)
x_1	$\frac{1}{2}kx_1^2$	$\frac{1}{2}mv_1^2$	
x_2	$\frac{1}{2}kx_2^2$	$\frac{1}{2}mv_2^2$	
O	0(최소)	$\frac{1}{2}mv^2$(최대)	

$$E = E_k + E_p = \frac{1}{2}mv_1^2 + \frac{1}{2}kx_1^2 = \frac{1}{2}kA^2 = \frac{1}{2}mv^2$$ ➡ 모든 위치에서 항상 일정

$\frac{1}{2}kA^2$: 용수철을 A만큼 잡아당겼을 때의 탄성 퍼텐셜 에너지(퍼텐셜 에너지 최대)

$\frac{1}{2}mv^2$: 물체가 기준점인 O를 지날 때의 운동 에너지(운동 에너지 최대)

3 열에너지와 역학적 에너지 보존

1. 역학적 에너지가 보존되지 않는 경우 물체가 운동할 때 마찰이나 공기 저항과 같이 운동을 방해하는 힘을 받으면 역학적 에너지는 보존되지 않는다. 이때 감소된 역학적 에너지는 대부분 열에너지로 변한다. → 대부분 열에너지로 전환되며, 일부는 소리 에너지나 빛에너지 등으로 전환되기도 한다.

바닥에 떨어뜨린 물체의 운동에서 역학적 에너지 감소

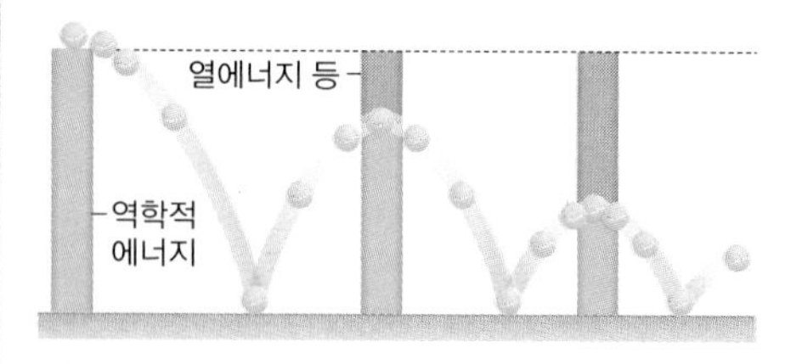

- 공이 운동할 때 바닥이나 공기와의 마찰로 열이 발생하며, 발생한 열에너지만큼 역학적 에너지가 감소한다.
- 공의 처음 역학적 에너지가 모두 열에너지 등으로 전환되면 공이 멈춘다.
- 공의 역학적 에너지와 전환된 열에너지를 합하면 전체 에너지는 일정하게 보존된다.

① 역학적 에너지가 보존되지 않는 예[8]: 역학적 에너지가 다른 에너지로 전환된다. ➡ 번지 점프를 할 때 줄이 몇 번 튀어 오르다가 멈춘다. 용수철이 움직이다가 멈춘다. 미끄럼틀을 타면 엉덩이가 따뜻해진다. 그네를 밀면 움직이다가 멈춘다.

② 전체 에너지의 보존: 마찰에 의한 열에너지를 포함하면 전체 에너지는 보존된다.

---

7 탄성력에 의한 역학적 에너지 보존

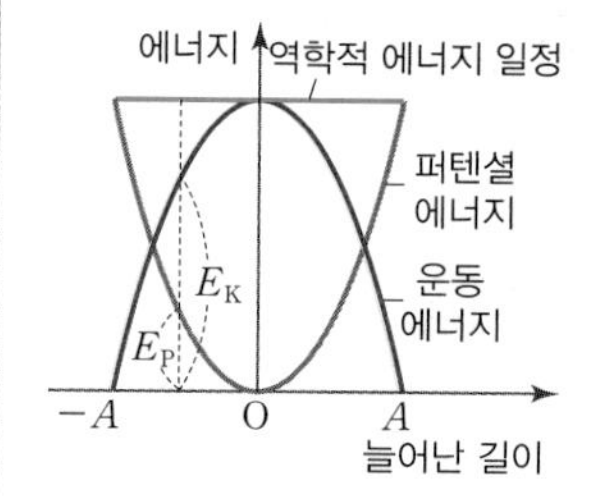

각 점에서 운동 에너지와 퍼텐셜 에너지의 합은 같다. 마찰이나 공기 저항이 없으면 용수철에 매달린 추는 처음 잡아당긴 진폭으로 왕복 운동을 계속한다.

8 낭비되는 열에너지를 줄이는 방법

- 윤활유 사용: 기계의 접촉면에 윤활유를 칠하여 마찰에 의한 열에너지의 발생을 줄인다.
- 베어링 장치: 기계 사이의 마찰이 심하면 베어링 장치를 추가하여 열에너지 발생을 줄인다.
- 자기 부상 열차: 열차를 레일에서 조금 띄워 마찰을 줄이면 빨리 달려도 마찰열이 많이 발생하지 않는다.

주의 콕

역학적 에너지는 마찰이 없는 이상적인 상황에서 보존된다. 우리가 경험하는 일상생활에서는 대부분의 경우 역학적 에너지가 보존되지 않는다.

용어

▸ **기준점**: 기준이 되는 점. 용수철에서 기준점은 용수철이 평형 상태에 있을 때의 위치를 말한다. 즉, 용수철이 정지 상태에 있을 때의 위치이며, 평형점이라고도 한다.

개념 확인하기

1 용수철을 A만큼 당겼다가 놓았을 때, 운동 에너지의 최대값은 A에서의 (　　　)와 같다.

2 마찰이나 공기 저항이 있더라도 열에너지를 포함한 (　　　)는 보존된다.

3 바닥에서 2 m 높이에 있던 질량 1 kg인 공이 바닥으로 떨어져 몇 번 튀어 오르다 결국 멈추었다. 공의 역학적 에너지 감소량은 몇 J인가? (단, 중력 가속도는 10 m/s^{2}으로 한다.)

답 1. 탄성 퍼텐셜 에너지 2. 전체 에너지 3. 20 J

셀파 탐구

용수철 진자의 역학적 에너지 감소

목표 용수철 진자를 이용해 마찰에 따라 역학적 에너지가 어떻게 달라지는지 비교할 수 있다.
용수철에 추를 매달고 진동시킬 수 있는 장치

과정

❶ 간이 공기 부상 궤도를 수평면에 장치한다.

❷ 활차를 용수철에 연결한 후 공기 주입기를 눌러 활차가 공중에 떠 있도록 한다.

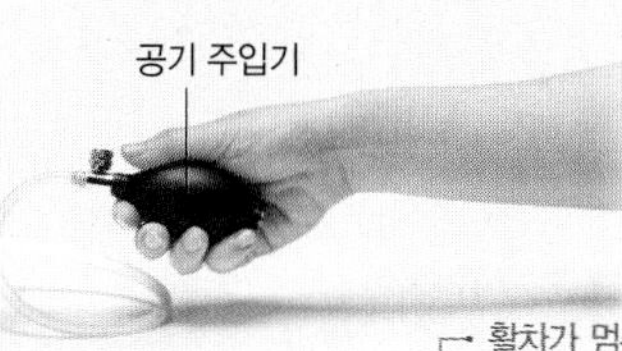

아래에서 공기가 나와 위에 놓인 활차를 살짝 띄울 수 있는 장치이다. 활차는 살짝 떠서 움직이므로 바닥과의 마찰이 거의 없다.

활차가 멈추는 것은 활차의 역학적 에너지가 모두 열에너지 등으로 전환되었기 때문이다.

❸ 활차를 5 cm 당겼다가 놓고 진동을 멈출 때까지 활차의 왕복 횟수를 측정한다.

❹ 이번에는 공기를 주입하지 않고 활차가 궤도와 접촉한 상태에서 과정 ❸을 반복한다. 왜 과정 ❸과는 달리 마찰이 있는 상황을 만들기 위해

결과 및 정리

1. 왕복 횟수가 더 적은 것은 어느 경우인가?
➡ 공기를 주입하지 않은 경우

2. 역학적 에너지는 어느 경우에 더 빨리 줄어드는가?
➡ 공기를 주입하지 않은 경우

3. 과정 ❸, ❹의 결과가 다른 까닭은 무엇인가?
➡ 공기를 주입하지 않은 경우에는 활차와 수평면과의 마찰에 의해 활차의 운동이 방해를 받기 때문이다. 즉, 마찰에 의해 역학적 에너지가 공기를 주입한 경우보다 더 빨리 감소한다.

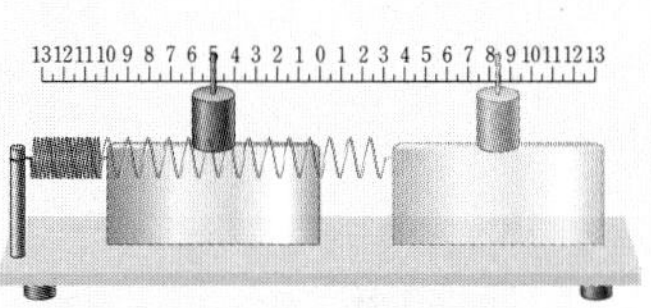
▲ 공기를 넣었을 때 진자의 운동

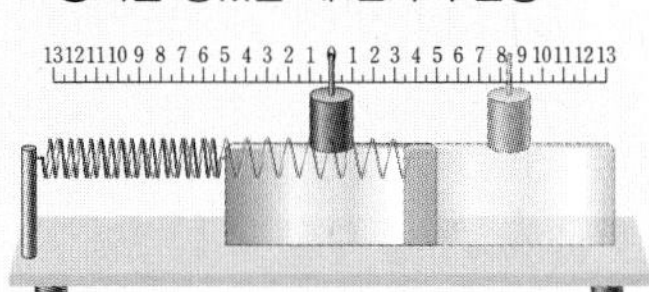
▲ 공기를 넣지 않았을 때 진자의 운동

같은 주제 다른 탐구

마찰면의 종류와 역학적 에너지 감소

[과정]
1. 빗면에 나무 도막을 매단 용수철을 건다.
2. 나무 도막을 기준점에서 x만큼 잡아당겼다 놓고 나무 도막이 1회 왕복했을 때 기준점으로부터의 거리 x_0를 측정한다.
3. 빗면에 유리판, 종이를 각각 깔고 과정 2를 반복한다.

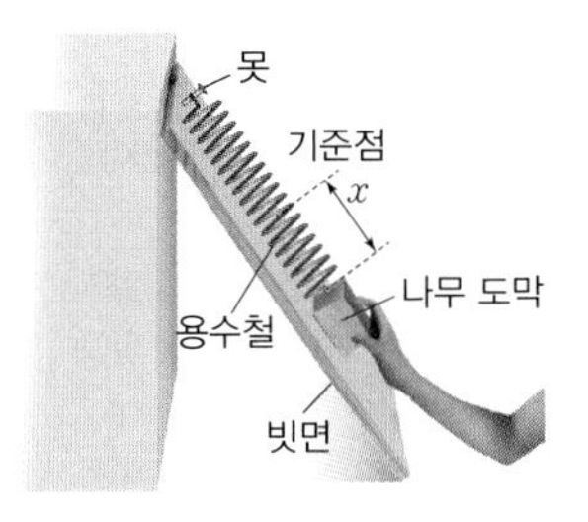

[결과 및 정리]
1. $x_0 < x$이다. 즉, 용수철이 진동하는 폭은 처음 늘인 길이보다 줄어들고, 점점 줄어들다가 결국은 진동을 멈춘다.
2. 진동 폭이 줄어드는 것은 나무 도막의 역학적 에너지가 점점 줄어들기 때문이다. → 역학적 에너지가 열에너지로 전환
3. 접촉면이 거칠수록 마찰이 커지므로 역학적 에너지가 감소하는 정도가 커진다.
4. 진동이 멈추는 순서는 마찰이 큰 순서인 '나무판 → 종이 → 유리' 순이다.

시험 유형은?

❶ 용수철 상수가 k인 용수철을 x만큼 당겼다가 놓았다. 용수철에 매달린 물체의 최대 운동 에너지는?
▸ $\frac{1}{2}kx^2$ → 기준점에서 가장 멀 때의 퍼텐셜 에너지

❷ 용수철 상수가 k인 용수철을 x만큼 당겼다가 놓았다. 용수철에 매달린 물체의 최대 운동 에너지가 $\frac{1}{3}kx^2$이 되었을 때 감소된 역학적 에너지는?
▸ $\frac{1}{6}kx^2$ | 최대 운동 에너지는 역학적 에너지와 같고, 역학적 에너지는 $\frac{1}{2}kx^2$에서 $\frac{1}{3}kx^2$이 되었다. 따라서 감소된 양은 $\frac{1}{2}kx^2-\frac{1}{3}kx^2$이다.

탐구 대표 문제

정답과 해설 17쪽

01 위 실험 과정에 대한 설명으로 옳은 것은?

① 활차의 질량이 클수록 탄성 퍼텐셜 에너지가 크다.
② 활차가 공중에 떠서 움직일 때 역학적 에너지 보존 법칙이 성립한다.
③ 공기를 주입하면 공기를 주입하지 않은 경우보다 역학적 에너지가 더 빠르게 감소한다.
④ 공기를 주입한 경우에는 1회 진동하였을 때 마찰에 의한 열에너지의 발생이 줄어든다.
⑤ 공기를 주입하지 않은 경우에는 전체 에너지가 보존되지 않는다.

02 그림과 같이 용수철에 추를 매달고 평형점 O에서 6 cm 잡아당겼다 놓았다. 잠시 후 용수철의 최대 진동 폭이 3 cm가 되었을 때 용수철이 가진 역학적 에너지는 처음 진동시켰을 때의 몇 배인가?

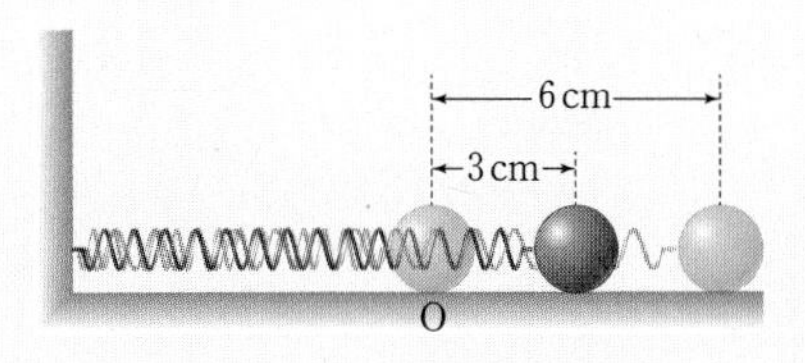

셀파 세미나 S·H·E·R·P·A

▶ 역학적 에너지가 보존되는 것을 이용하여 운동 에너지와 퍼텐셜 에너지를 구해 봅시다.

역학적 에너지 보존을 이용한 운동 에너지와 퍼텐셜 에너지 계산

01 도르래로 연결된 물체를 가만히 놓았을 때(모든 마찰 무시)

물체 A와 B를 도르래로 연결한 후 가만히 놓았다.

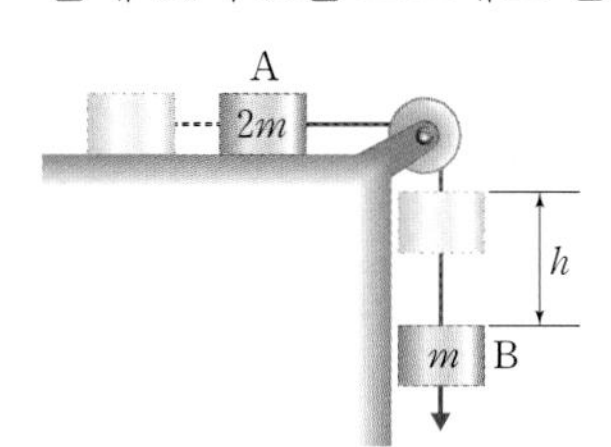

- 한 줄에 연결되어 A와 B가 움직이므로, 두 물체의 속력, 가속도는 같다.
- B에 작용하는 중력 = 두 물체에 작용하는 알짜힘
- 두 물체의 가속도를 a라 하면 $mg=(2m+m)a$ → 두 물체의 가속도를 구할 수 있다.

- B의 퍼텐셜 에너지 감소량 $= mgh$ (B는 h만큼 위치가 감소했으므로 퍼텐셜 에너지가 줄어든다.)
- A, B의 속력을 v라고 하면, A, B의 운동 에너지 증가량은 각각 $\frac{1}{2}(2m)v^2$, $\frac{1}{2}mv^2$이다. (A, B는 정지 상태에서 v로 운동하는 상태가 되므로 운동 에너지가 증가한다.)
- 두 물체를 가만히 놓으면 B에 작용하는 중력에 의해 A, B가 움직인다. 즉, A는 정지 상태에서 운동하므로 운동 에너지가 증가하고, B는 높이가 h만큼 낮아지므로 퍼텐셜 에너지는 감소하고, 운동 에너지는 증가한다. 이때 A와 B의 역학적 에너지의 합은 일정하다.

➡ B의 퍼텐셜 에너지 감소량(중력이 B에 한 일) → A는 위치가 변하지 않았으므로 퍼텐셜 에너지는 변하지 않았다.
= A의 운동 에너지 증가량 + B의 운동 에너지 증가량

02 도르래로 연결된 물체를 잡아당길 때(모든 마찰 무시)

물체 A와 B를 도르래로 연결한 후 A를 F의 힘으로 잡아당겼다.

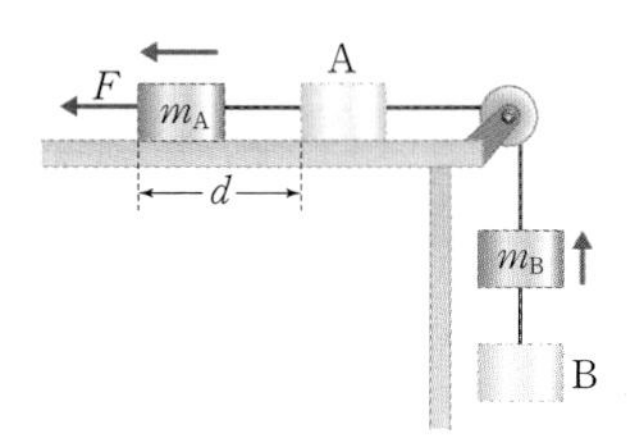

- 물체 A: 정지 상태에서 움직였으므로 운동 에너지 증가
- 물체 B: 위치가 d 만큼 증가하였으므로 퍼텐셜 에너지 증가, 정지 상태에서 움직였으므로 운동 에너지 증가

- F가 한 일만큼 A의 운동 에너지와 B의 역학적 에너지가 증가한다. 즉, 힘을 주어 일을 하면 A와 B의 역학적 에너지가 증가한다.
- F가 한 일 $W=Fd=\frac{1}{2}m_{A}v^2+\frac{1}{2}m_{B}v^2+m_{B}gd$ → A와 B의 속력은 같다.

03 빗면에서 역학적 에너지 보존(모든 마찰 무시)

A 지점에 정지해 있던 질량 6 kg인 물체에 수평 방향으로 30 N의 일정한 힘을 계속 작용시키다가 물체가 B 지점을 지나는 순간 힘을 제거하였더니 물체가 높이 h까지 올라갔다.

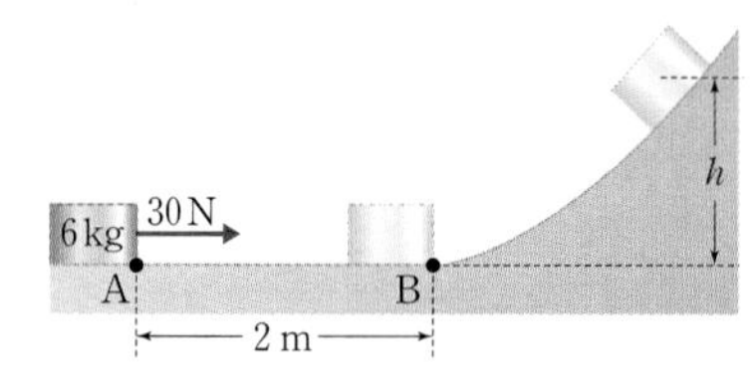

- 평면에서 물체에 작용한 일 $=Fs=30\text{ N}\times 2\text{ m}=60\text{ J}$
- 일 · 운동 에너지 정리에서 한 일 = 운동 에너지 변화량

- B에서 운동 에너지 = h 높이에서 퍼텐셜 에너지
  $60\text{ J}=6\text{ kg}\times 10\text{ m/s}^2\times h$ → 중력 가속도를 10 m/s²이라 하자.
  ➡ 물체가 올라간 높이 $h=1\text{ m}$

+ Plus 문제

Q. 그림과 같이 연결한 후 가만히 놓았다. A가 5 m 만큼 이동하였을 때, A와 B의 운동 에너지는? (단, 중력 가속도는 10 m/s^2이고, 모든 마찰은 무시한다.)

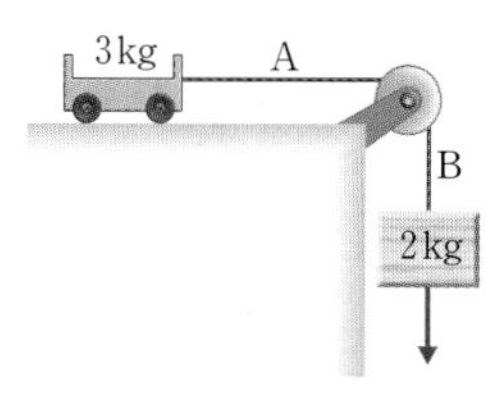

A. A가 5 m 이동하였으며, B도 5 m 이동하였다. 따라서 B의 퍼텐셜 에너지 감소량은 $2\times10\times5=100$ J이고, 이것은 A와 B의 운동 에너지 증가량과 같다. A와 B의 속력을 v라 하면

$100=\frac{1}{2}\times3\times v^2+\frac{1}{2}\times2\times v^2$

$=\frac{5}{2}v^2$ ➡ $v^2=40$

따라서 A, B의 운동 에너지는 다음과 같다.

$E_{A}=\frac{1}{2}\times3\times40=60\text{ J}$

$E_{B}=\frac{1}{2}\times2\times40=40\text{ J}$

A의 운동 에너지는 60 J, B의 운동 에너지는 40 J이다.

+ Plus 문제

Q. 그림과 같이 연결한 후 12 N의 힘으로 전동기가 줄을 당기고 있다. (단, 모든 마찰은 무시한다.)

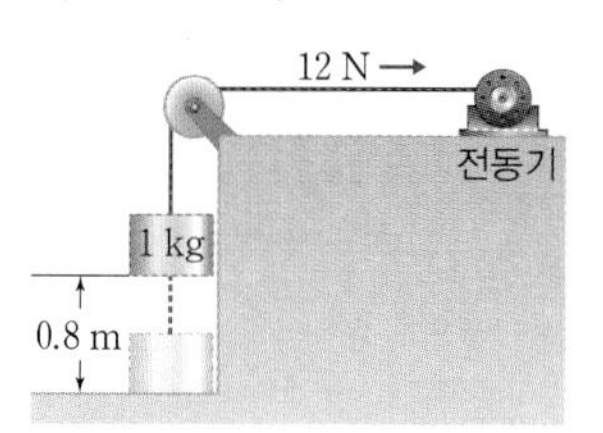

물체의 역학적 에너지의 증가량은?

A. 전동기가 한 일
= 물체의 역학적 에너지 증가량
물체가 0.8 m 이동하였으므로 전동기가 한 일은 다음과 같다.
$W=12\text{ N}\times0.8\text{ m}$
$=9.6\text{ J}$

기초 탄탄 문제

정답과 해설 17쪽

핵심용어_ 이 단원에서 내가 아는 것과 아직 모르는 것을 정리하며 나의 공부를 돌아보자.

- □ 일
- □ 운동 에너지
- □ 중력 퍼텐셜 에너지
- □ 탄성 퍼텐셜 에너지
- □ 역학적 에너지
- □ 역학적 에너지 보존

01 그림과 같이 수평면에 정지해 있던 물체에 15 N의 힘을 수평 방향으로 작용하였더니 물체가 직선 운동하였다. 운동하는 동안 물체에 작용하는 마찰력의 크기는 10 N이다.

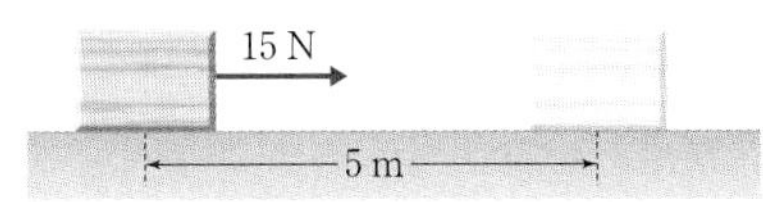

15 N인 힘을 수평 방향으로 계속 작용하여 정지 상태로부터 5 m를 이동한 순간 물체의 운동 에너지는?

① 25 J ② 30 J ③ 35 J ④ 40 J ⑤ 45 J

02 그림 (가)는 종원이 수평면 위에 정지해 있던 질량 10 kg인 물체를 15 m 떨어진 지점까지 미는 것을, 그림 (나)는 물체를 미는 힘을 이동 거리에 따라 나타낸 것이다.

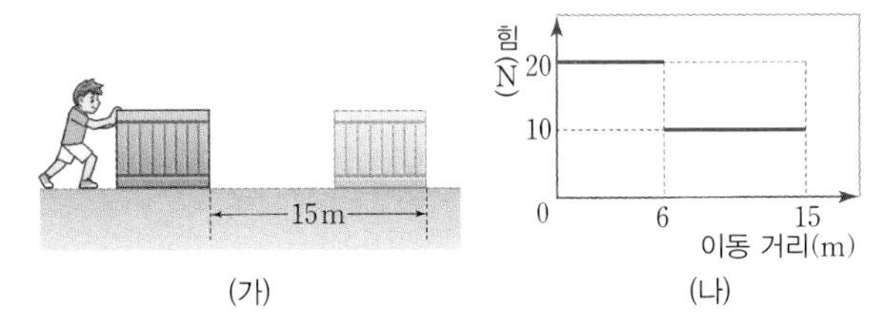

(가) (나)

0~15 m까지 종원이 물체에 한 일은 몇 J인가?

03 그림과 같이 전동기로 질량이 3 kg인 물체에 F의 힘을 가하여 등속으로 2 m 높이로 끌어올렸다.

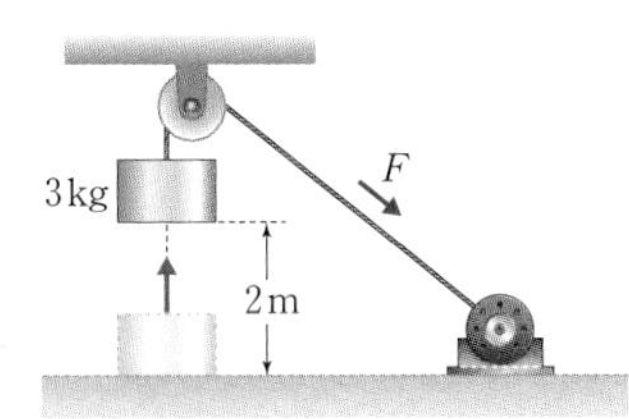

물체를 이동시키는 동안 전동기가 물체를 당기는 힘 F가 한 일은? (단, 중력 가속도는 10 m/s^{2}이며, 모든 저항과 마찰은 무시한다.)

① 20 J ② 40 J ③ 60 J ④ 80 J ⑤ 100 J

04 그림과 같이 마찰이 없는 수평면에서 용수철에 매달린 공이 왕복 운동을 하고 있다. 용수철 상수는 k, 진폭은 A이다.

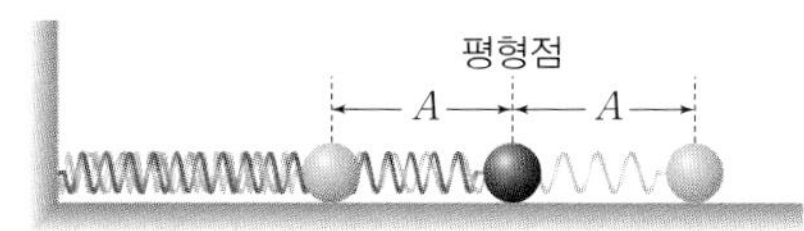

공이 평형점으로부터 $\frac{1}{2}A$만큼 떨어진 지점을 지날 때 공의 운동 에너지는?

① $\frac{1}{8}kA^2$ ② $\frac{1}{4}kA^2$ ③ $\frac{3}{8}kA^2$ ④ $\frac{1}{2}kA^2$ ⑤ $\frac{3}{4}kA^2$

05 그림은 지면으로부터 높이 30 m 지점에서 공을 가만히 놓았을 때, 공이 높이 10 m인 지점을 속력 v로 통과하는 것을 나타낸 것이다. v는? (단, 중력 가속도는 10 m/s^{2}이고, 공기 저항은 무시한다.)

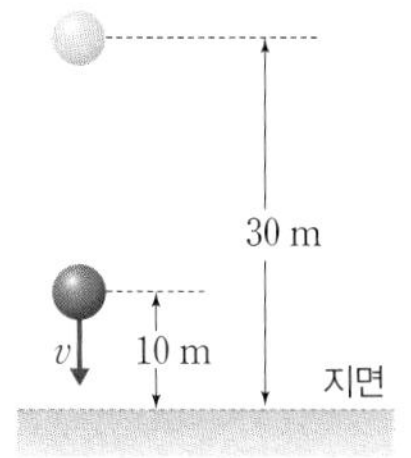

① 10 m/s ② 20 m/s ③ 30 m/s ④ 40 m/s ⑤ 50 m/s

06 그림과 같이 빗면에 레일을 설치하고 레일 위의 점 A에 쇠구슬을 가만히 놓았더니 쇠구슬이 점 B를 지나 수평면 위의 점 C에서 나무 도막과 충돌한 후, 나무 도막과 함께 S만큼 이동하여 정지하였다.

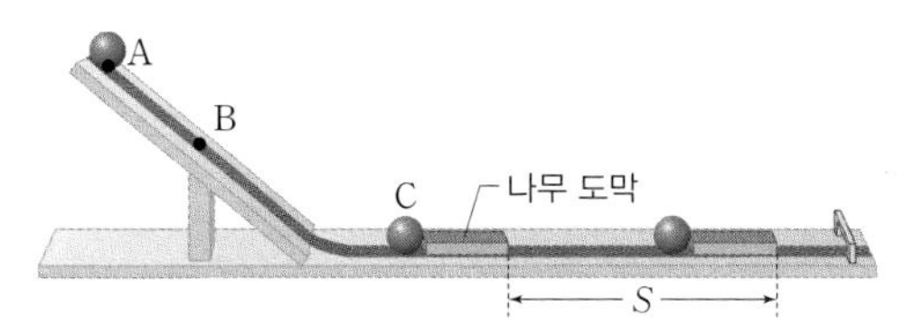

이에 대한 설명으로 옳지 않은 것은? (단, 레일과 쇠구슬 사이의 마찰과 공기 저항은 무시한다.)

① 쇠구슬의 운동 에너지는 B에서가 A에서보다 크다.
② 쇠구슬의 중력 퍼텐셜 에너지는 B에서가 C에서보다 크다.
③ 쇠구슬의 역학적 에너지는 B에서가 A에서보다 크다.
④ 쇠구슬의 속력은 C에서가 B에서보다 크다.
⑤ 쇠구슬을 B에 놓으면 나무 도막의 이동 거리는 S보다 줄어든다.

내신 만점 문제

정답과 해설 17쪽 ▮▮▮ 난이도를 나타냅니다.

01 그림과 같이 마찰이 없는 수평면 위의 A 지점에 정지해 있던 질량 1 kg인 물체에 수평 방향으로 일정한 힘 F를 작용하였더니 10 m 떨어진 B 지점을 속력 4 m/s로 통과하였다.

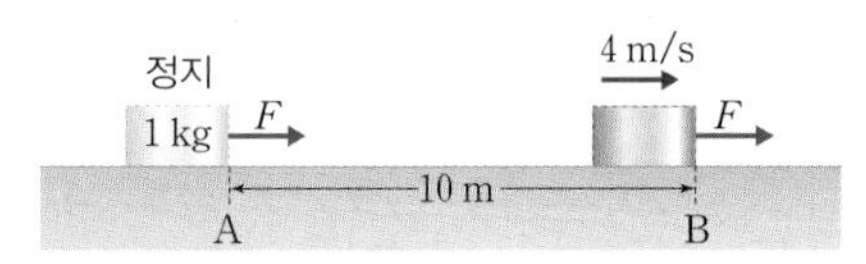

옳은 설명만을 〈보기〉에서 있는 대로 고른 것은?

보기
ㄱ. B에서 운동 에너지는 8 J이다.
ㄴ. 물체에 작용한 힘의 크기는 0.8 N이다.
ㄷ. A에서 B까지 가는 데 걸린 시간은 5초이다.

① ㄱ ② ㄷ ③ ㄱ, ㄴ
④ ㄴ, ㄷ ⑤ ㄱ, ㄴ, ㄷ

02 그림은 마찰이 없는 수평면 위에서 물체에 작용한 힘을 이동 거리에 따라 나타낸 것이다.

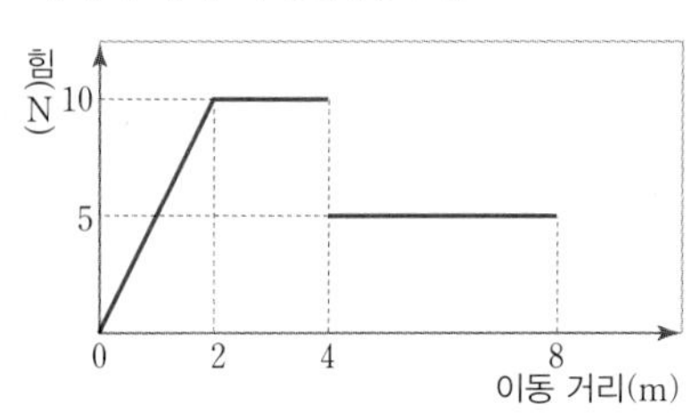

힘이 작용한 방향으로 물체가 이동할 때, 물체의 운동에 대한 설명으로 옳은 것만을 〈보기〉에서 있는 대로 고른 것은?

보기
ㄱ. 0 m~2 m 동안 힘이 물체에 한 일은 10 J이다.
ㄴ. 4 m 지점에서 물체의 에너지는 0 m 지점에 비해 30 J 증가한다.
ㄷ. 힘이 물체에 한 일은 2 m~4 m에서가 4 m~8 m에서의 2배이다.

① ㄱ ② ㄷ ③ ㄱ, ㄴ
④ ㄴ, ㄷ ⑤ ㄱ, ㄴ, ㄷ

[03~04] 그림 (가)는 수평면 위에 놓인 질량이 2 kg인 물체를 힘 F로 들어 올리는 것을, 그림 (나)는 힘 F의 크기를 수평면으로부터의 높이에 따라 나타낸 것이다. (단, 중력 가속도는 10 m/s^{2}이고, 공기 저항은 무시한다.)

(가)

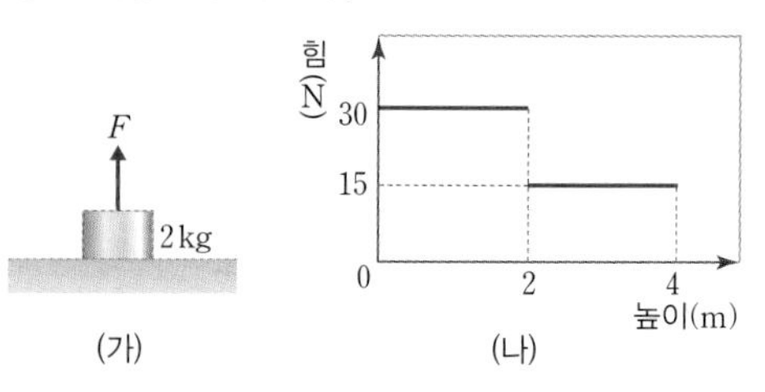

(나)

03 이에 대한 설명으로 옳은 것만을 〈보기〉에서 있는 대로 고른 것은?

보기
ㄱ. 수평면으로부터 2 m 높이에서 물체의 운동 에너지는 60 J이다.
ㄴ. 2 m~4 m 구간에서 물체에 작용하는 알짜힘의 크기는 5 N이다.
ㄷ. 2 m~4 m 구간에서 물체의 퍼텐셜 에너지는 점점 감소한다.

① ㄴ ② ㄷ ③ ㄱ, ㄴ
④ ㄱ, ㄷ ⑤ ㄴ, ㄷ

04 수평면으로부터 2 m 높이에 있을 때 물체의 속력은?

① 2 m/s ② $\sqrt{10}$ m/s ③ $2\sqrt{5}$ m/s
④ 5 m/s ⑤ $2\sqrt{10}$ m/s

05 그림 (가)는 마찰이 없는 수평면 위에서 질량 m인 물체 A가 정지해 있는 질량 $2m$인 물체 B를 향해 운동하는 것을 나타낸 것이다. 그림 (나)는 A, B가 충돌 후 한 덩어리가 되어 운동하는 것을 나타낸 것이다.

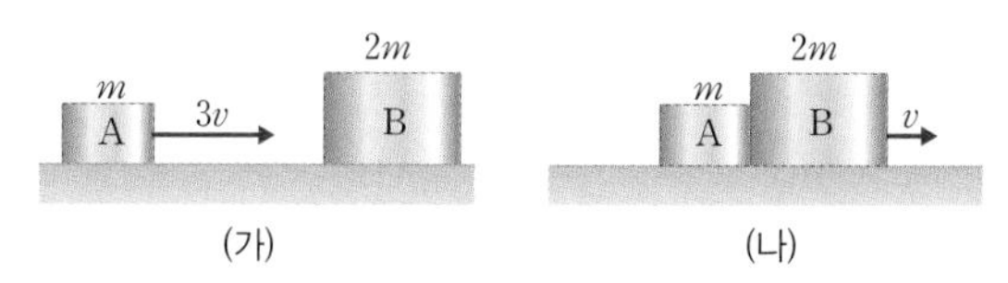

(가)에서 A의 운동 에너지가 E_0일 때 (나)에서 한 덩어리가 된 A, B의 전체 운동 에너지는?

① $\frac{1}{3}E_0$ ② $\frac{1}{2}E_0$ ③ E_0
④ $2E_0$ ⑤ $3E_0$

06 그림과 같이 질량이 $2\ \mathrm{kg}$인 물체를 일정한 속력으로 h만큼 들어 올렸다. 이에 대한 설명으로 옳은 것만을 〈보기〉에서 있는 대로 고른 것은?

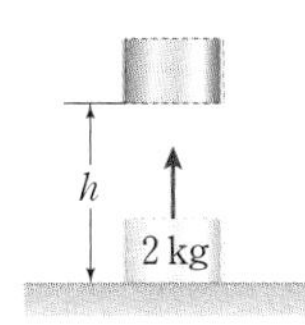

보기

ㄱ. 물체의 중력 퍼텐셜 에너지는 증가하였다.
ㄴ. 높이 h에서 물체의 중력 퍼텐셜 에너지는 물체를 높이 h만큼 올리는 데 한 일의 양과 같다.
ㄷ. 물체가 가진 중력 퍼텐셜 에너지는 물체가 h 높이에서 자유 낙하 하면서 할 수 있는 일의 양과 같다.

① ㄱ ② ㄷ ③ ㄱ, ㄴ
④ ㄴ, ㄷ ⑤ ㄱ, ㄴ, ㄷ

07 그림과 같이 바닥에 놓여 있던 물체 A를 도르래를 이용하여 일정한 힘 F로 당겼더니 A가 일정한 가속도로 올라갔다. A가 올라가는 동안에 대한 옳은 설명만을 〈보기〉에서 있는 대로 고른 것은?

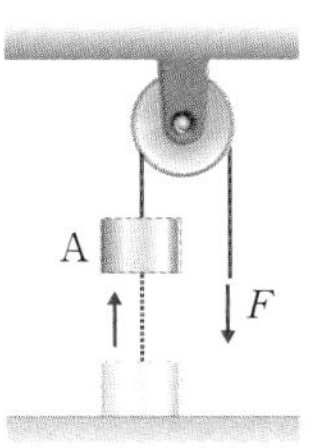

보기

ㄱ. F의 크기는 A의 무게와 같다.
ㄴ. A의 운동 에너지가 점점 증가한다.
ㄷ. F가 한 일만큼 A의 퍼텐셜 에너지가 증가한다.

① ㄱ ② ㄴ ③ ㄱ, ㄴ
④ ㄱ, ㄷ ⑤ ㄴ, ㄷ

08 그림과 같이 마찰이 없는 수평면에 용수철을 고정시키고 추를 매달아 평형점 O에서 B만큼 잡아당겼다 놓았더니 추가 A, B 사이를 진동하였다.

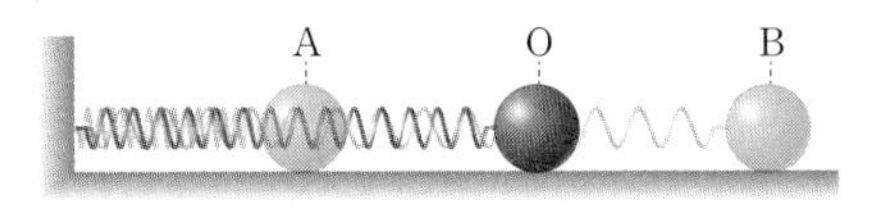

이에 대한 설명으로 옳은 것만을 〈보기〉에서 있는 대로 고른 것은? (단, 모든 마찰과 공기 저항은 무시한다.)

보기

ㄱ. 탄성 퍼텐셜 에너지는 A에서와 B에서가 같다.
ㄴ. 역학적 에너지는 A, O, B 세 지점에서 모두 같다.
ㄷ. 추가 O점을 지나 A로 향할 때 추의 운동 에너지는 증가한다.

① ㄱ ② ㄴ ③ ㄱ, ㄴ
④ ㄱ, ㄷ ⑤ ㄱ, ㄴ, ㄷ

09 그림과 같이 질량 $1\ \mathrm{kg}$인 물체가 높이 $5\ \mathrm{m}$인 빗면에서 정지해 있다가 미끄러져 내려와 용수철 상수가 $100\ \mathrm{N/m}$인 용수철과 충돌하였다.

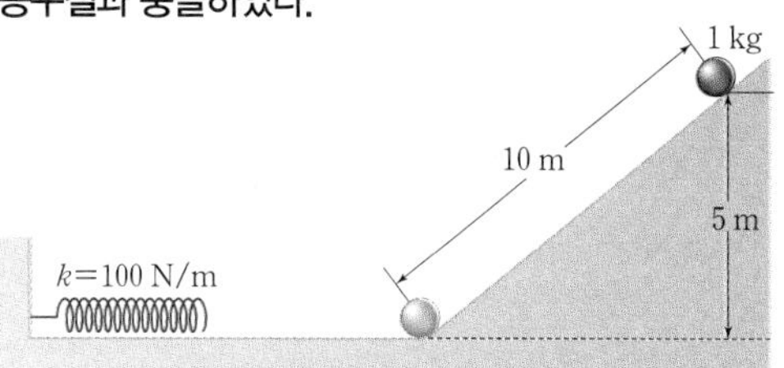

이에 대한 설명으로 옳은 것만을 〈보기〉에서 있는 대로 고른 것은? (단, 물체의 크기와 모든 마찰은 무시하고, 중력 가속도는 $10\ \mathrm{m/s^2}$이며, 용수철은 탄성 한계 내에서 압축된다.)

보기

ㄱ. 물체가 수평면에서 등속도 운동하는 동안 물체의 운동 에너지는 $50\ \mathrm{J}$이다.
ㄴ. 물체가 빗면을 내려오는 동안 중력이 물체에 한 일은 $50\ \mathrm{J}$이다.
ㄷ. 용수철이 최대로 압축되었을 때, 압축된 길이는 $1\ \mathrm{m}$이다.

① ㄱ ② ㄷ ③ ㄱ, ㄴ
④ ㄴ, ㄷ ⑤ ㄱ, ㄴ, ㄷ

10 그림은 정지해 있던 은경이가 높이 h인 미끄럼틀 위에서 출발하여 미끄럼틀의 빗면을 따라 내려와 수평면에서 일정한 속력 v로 운동하고 있는 것을 나타낸 것이다.

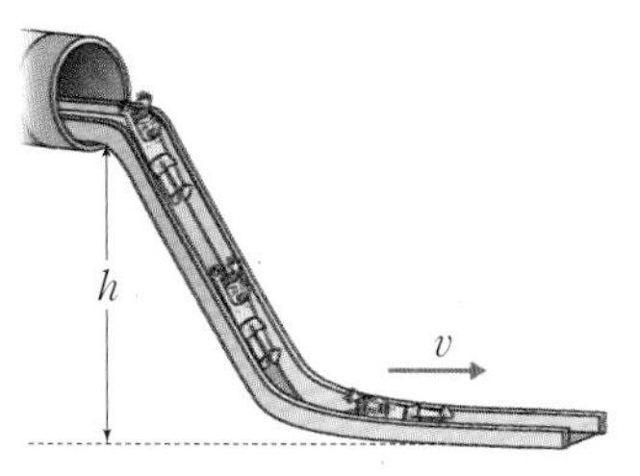

은경이의 운동에 대한 설명으로 옳은 것만을 〈보기〉에서 있는 대로 고른 것은? (단, 중력 가속도는 g이며, 공기의 저항, 은경이의 몸 크기, 모든 마찰은 무시한다.)

보기

ㄱ. 빗면으로 내려오는 동안 역학적 에너지는 일정하다.
ㄴ. 최고점에서의 퍼텐셜 에너지는 수평면에서의 운동 에너지와 같다.
ㄷ. 수평면에서의 속력은 $\sqrt{2gh}$이다.

① ㄱ ② ㄴ ③ ㄱ, ㄴ
④ ㄴ, ㄷ ⑤ ㄱ, ㄴ, ㄷ

11 그림과 같이 질량 2 kg인 물체를 경사각 30°인 빗면 위에서 정지 상태에서 출발하여 미끄러져 내려가게 하였다. 출발점의 높이는 5 m이다.

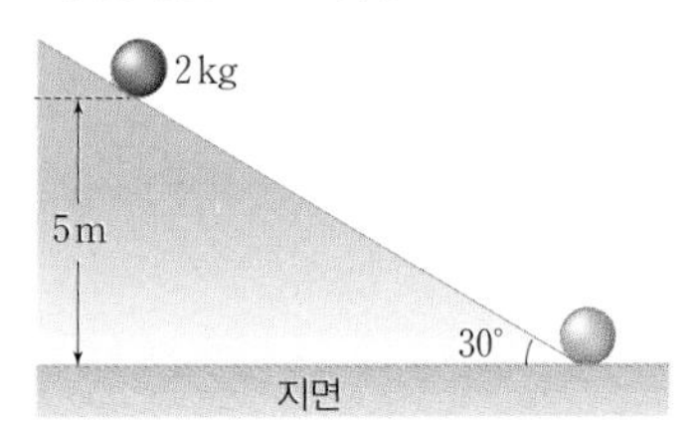

물체가 출발하여 지면에 도달할 때까지 물체의 운동에 대한 설명으로 옳은 것만을 〈보기〉에서 있는 대로 고른 것은? (단, 모든 마찰은 무시하며, 중력 가속도는 10 m/s^{2}이다.)

보기
ㄱ. 지면에서 물체의 운동 에너지는 100 J이다.
ㄴ. 중력이 물체에 한 일은 100 J이다.
ㄷ. 지면에서 물체의 속력은 5 m/s이다.

① ㄱ ② ㄷ ③ ㄱ, ㄴ
④ ㄴ, ㄷ ⑤ ㄱ, ㄴ, ㄷ

12 그림과 같이 수평면으로부터 높이 3 m인 마찰이 없는 경사면에 질량 2 kg인 물체를 가만히 놓았더니, 물체가 경사면을 따라 내려와 마찰이 있는 면을 지난 후 6 m/s의 속력으로 운동하였다.

마찰이 있는 면에서 물체의 역학적 에너지 감소량은 몇 J인가? (단, 중력 가속도는 10 m/s^{2}이고, 공기 저항과 물체의 크기는 무시한다.)

① 20 J ② 24 J ③ 38 J
④ 42 J ⑤ 45 J

13 그림과 같이 A 지점을 v_0의 속력으로 통과한 물체가 등가속도 직선 운동을 하여 B 지점을 $2v_0$의 속력으로 통과한다. A, B 사이의 높이 차는 2.4 m이다. 이때 속력 v_0은? (단, 중력 가속도는 10 m/s^{2}이고, 공기 저항은 무시한다.)

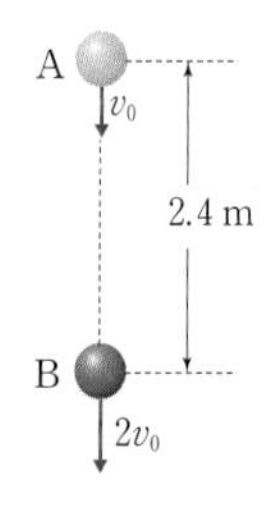

① 3 m/s ② 3.5 m/s ③ 4 m/s
④ 4.5 m/s ⑤ 5 m/s

14 그림은 물체 A, B를 실로 연결한 후, A를 마찰이 없는 수평면 위의 점 p에 정지시켜 놓고 B를 손으로 잡고 있는 것을 나타낸 것이다. 손을 놓았더니 A가 p로부터 1 m 떨어진 점 q를 2 m/s의 속력으로 통과하였다.

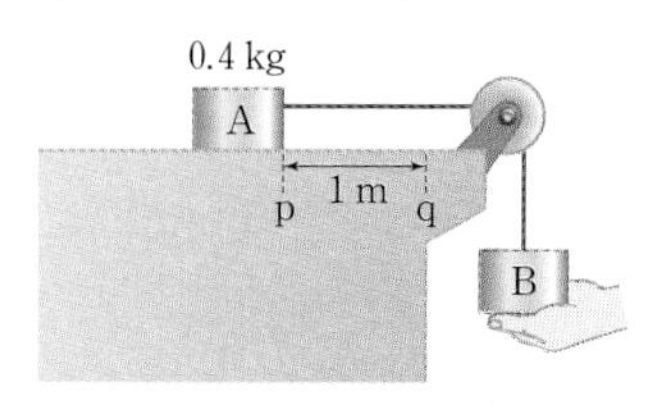

이에 대한 설명으로 옳은 것만을 〈보기〉에서 있는 대로 고른 것은? (단, 중력 가속도는 10 m/s^{2}이다.)

보기
ㄱ. q에서 A의 운동 에너지는 0.8 J이다.
ㄴ. 실이 A를 당기는 힘이 한 일은 0.8 J이다.
ㄷ. B의 질량은 0.2 kg이다.

① ㄱ ② ㄴ ③ ㄱ, ㄴ
④ ㄱ, ㄷ ⑤ ㄴ, ㄷ

15 그림 (가)는 물체 B와 연결되어 있는 수평면 위의 물체 A를 전동기가 힘 F로 당기는 것을 나타낸 것이다. A, B의 질량은 각각 3 kg, 1 kg이다. 그림 (나)는 F를 A의 이동 거리에 따라 나타낸 것이다.

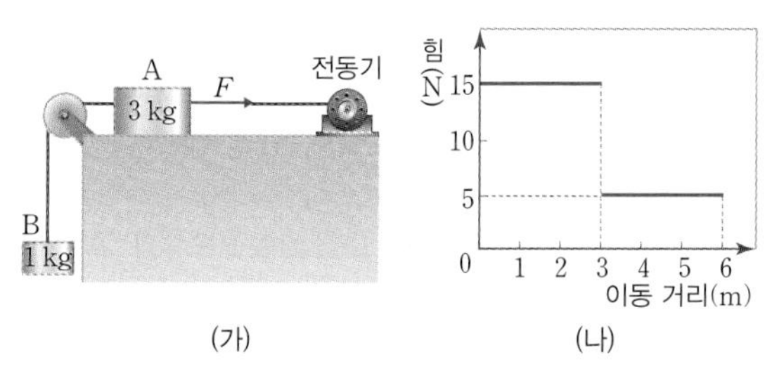

이에 대한 설명으로 옳은 것만을 〈보기〉에서 있는 대로 고른 것은? (단, 중력 가속도는 10 m/s^{2}이고, 0 m에서 A의 속력은 0이며, 모든 마찰은 무시한다.)

보기
ㄱ. 0 m~3 m까지 전동기가 A를 당기는 힘이 한 일은 45 J이다.
ㄴ. 0 m~3 m까지 증가한 A의 운동 에너지는 증가한 B의 퍼텐셜 에너지보다 크다.
ㄷ. 3 m~6 m까지 A, B의 역학적 에너지의 합은 감소한다.

① ㄱ ② ㄴ ③ ㄱ, ㄴ
④ ㄱ, ㄷ ⑤ ㄴ, ㄷ

16 그림은 지면으로부터 높이가 3 m인 점 A에서 물체를 가만히 놓았을 때 물체가 B를 통과하여 C를 지나는 순간의 모습을 나타낸 것이다. B, C는 지면으로부터 높이가 각각 2 m, 1 m인 점이다. B에서 물체의 운동 에너지를 E라고 할 때, C에서 물체의 운동 에너지는? (단, 공기 저항과 물체의 크기는 무시한다.)

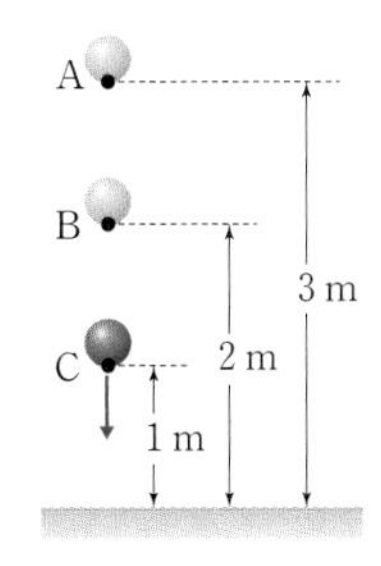

① $\frac{1}{4}E$ ② $\frac{1}{2}E$ ③ E ④ $2E$ ⑤ $4E$

17 그림과 같이 수평면 위 A 지점에 정지해 있던 질량 3 kg인 물체에 수평 방향으로 30 N의 일정한 힘을 계속 작용시켜 B 지점을 지나는 순간 힘을 제거하였더니 물체가 최대 높이 h까지 올라갔다. A와 B 사이는 수평면이다.

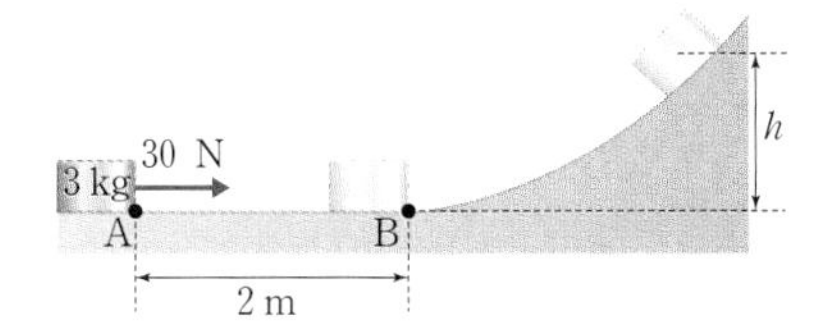

h는? (단, 중력 가속도는 $10\ m/s^2$이며, 물체의 크기와 모든 마찰은 무시한다.)

① 0.5 m ② 1 m ③ 1.5 m ④ 2 m ⑤ 2.5 m

18 그림과 같이 마찰이 없는 고정된 레일의 A에 물체를 가만히 놓았더니, B를 통과한 후 C를 10 m/s의 속력으로 통과하였다. 수평면에서 A, C까지의 높이는 각각 h, 5 m이다.

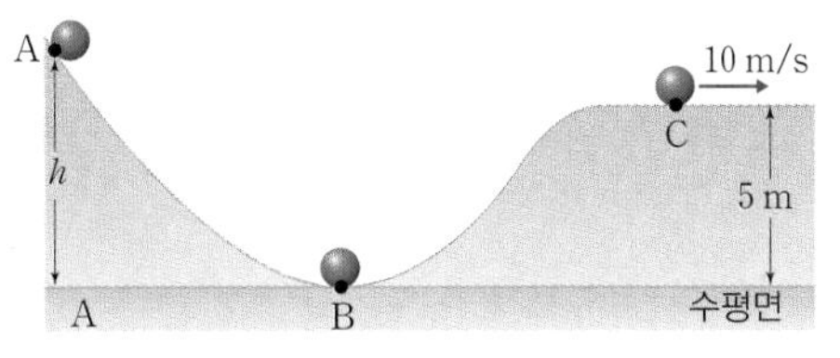

이에 대한 설명으로 옳은 것만을 〈보기〉에서 있는 대로 고른 것은? (단, 중력 가속도는 $10\ m/s^2$이고, 공기 저항은 무시한다.)

보기

ㄱ. 물체의 역학적 에너지는 점점 감소한다.

ㄴ. A에서 C까지 감소한 중력 퍼텐셜 에너지는 C에서의 운동 에너지와 같다.

ㄷ. h는 8 m이다.

① ㄱ ② ㄴ ③ ㄷ
④ ㄱ, ㄴ ⑤ ㄴ, ㄷ

서술형 문제

19 그림과 같이 수평면에서 질량이 각각 m_A, m_B인 두 물체 A, B를 용수철의 양 끝에 접촉하여 압축시킨 후 가만히 놓았더니 A, B가 각각 경사면을 따라 높이 h_A, h_B까지 올라갔다. (단, 모든 마찰은 무시한다.)

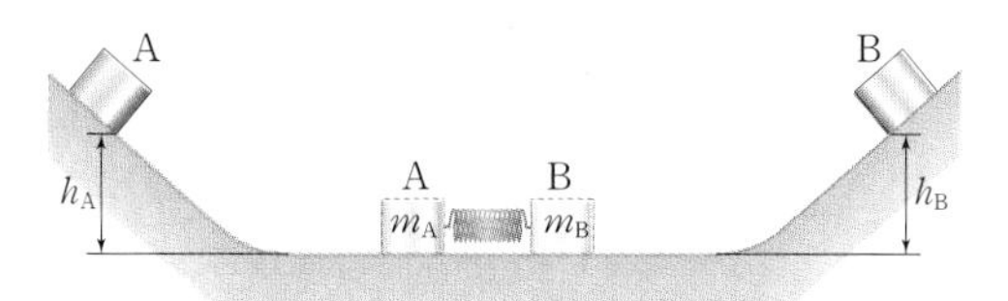

(1) $m_A : m_B = 1 : 2$이고 A, B가 용수철에서 분리된 직후 속력을 v_A, v_B라고 할 때, $v_A : v_B$를 구하시오.

(2) 이때 $h_A : h_B$를 풀이 과정과 함께 구하시오.

20 정지해 있던 질량이 80 kg인 다이빙 선수가 수면을 기준으로 높이 20 m인 곳에서 수면으로 뛰어 내렸다. (단, 중력 가속도는 $10\ m/s^2$이고, 마찰과 공기 저항은 무시한다.)

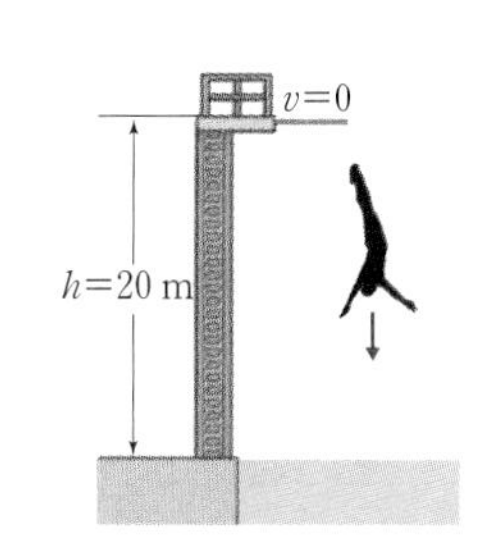

(1) 다이빙 선수의 역학적 에너지와 수면에 닿기 직전의 속력을 풀이 과정과 함께 서술하시오.

(2) 다이빙 선수의 운동 에너지가 중력 퍼텐셜 에너지의 3배가 되는 지점은 수면으로부터 몇 m인 곳인지 풀이 과정과 함께 구하시오.

02 내부 에너지와 열역학 제1법칙

내 교과서는 어디에?
천재 p.51~59 금성 p.46~53 동아 p.51~55
미래엔 p.56~63 비상 p.52~57 YBM p.56~61

핵심 Point
- 기체가 외부와 **열**과 **일**을 주고 받아 기체의 **내부 에너지**가 변화됨을 이해한다.
- **열역학 제1법칙**을 이해하고, 열기관에서 일어나는 열역학 과정을 설명할 수 있다.

1 내부 에너지

1. 온도와 열의 관계

① 온도❶: 물체의 차고 뜨거운 정도를 숫자로 나타낸 것. 온도는 물체를 이루는 분자의 운동이 활발한 정도를 나타내며, 온도가 높을수록 분자 운동❷이 활발하다.

② 열: 온도가 다른 두 물체가 접촉할 때, 온도가 높은 물체에서 낮은 물체로 이동하는 에너지. 이때 이동하는 에너지의 양을 열량이라고 한다.

③ 열평형 상태: 온도가 다른 두 물체가 접촉했을 때 열이 이동하여 두 물체의 온도가 같아진 상태

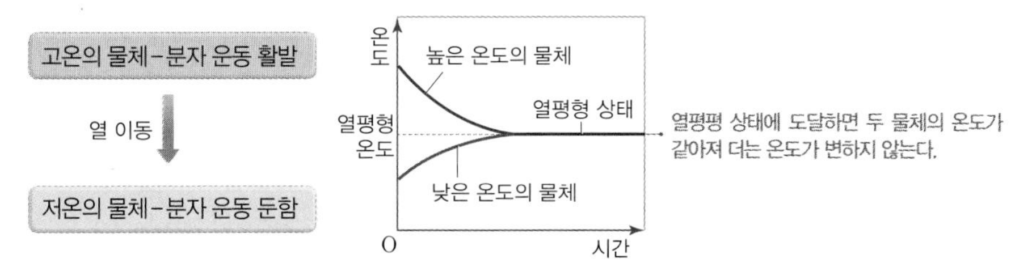

④ 열역학 제0법칙: 어떤 물체 A와 B가 열평형을 이루고, A와 C가 열평형을 이룬다면 물체 B와 C도 열평형을 이룬다.→ 열역학의 기본이 되는 법칙으로, 온도의 기준이 되는 물체가 존재할 수 있어 온도계로 온도를 측정할 수 있는 기반이 된다.

2. 절대 온도와 기체의 내부 에너지

① 내부 에너지 U: 물질을 구성하는 분자들이 가지고 있는 퍼텐셜 에너지❸와 운동 에너지의 총합. ▸이상 기체는 분자들 사이에 작용하는 힘이 매우 작아 무시할 수 있어 퍼텐셜 에너지는 0이며, 내부 에너지는 기체 분자들의 운동 에너지 총합과 같다.

② 기체 분자들의 평균 운동 에너지 $\overline{E_k}$는 온도에 비례하므로 내부 에너지도 온도(→ 절대 온도)에 비례한다.
➡ 기체 분자들의 평균 운동 에너지가 증가하면 내부 에너지도 증가하고, 온도가 상승한다.

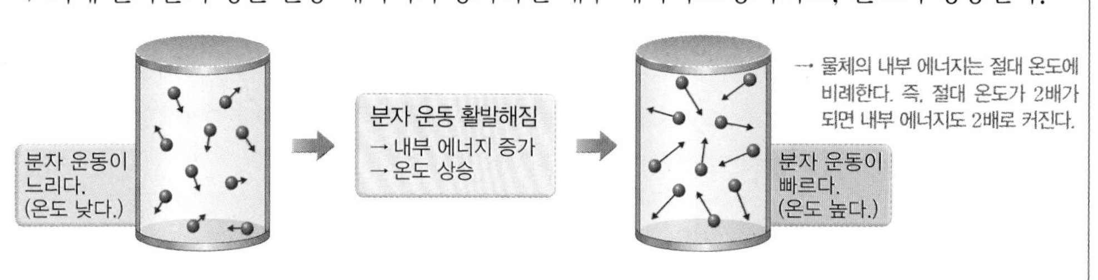

이상 기체의 내부 에너지 $U \propto N \times \overline{E_k}$ ➡ $U \propto N \times T$
(N: 기체 분자의 수, $\overline{E_k}$: 기체 분자의 평균 운동 에너지, T: 절대 온도)

❶ 온도
온도를 표시하는 방법에는 섭씨온도(℃)와 절대 온도(K)가 있다.
절대 온도 0 K(켈빈)은 분자 운동이 완전히 멈춘 상태를 말하며, 섭씨온도 −273.15 ℃에 해당한다. 섭씨온도와 절대 온도의 관계는 다음과 같다.
절대 온도(K)
= 섭씨온도(℃)+273.15

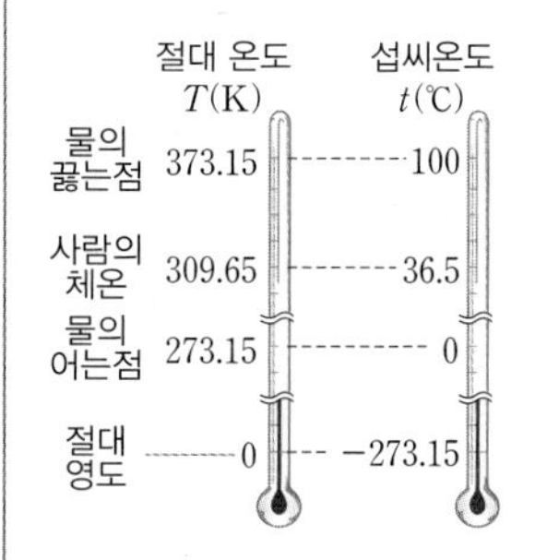

❷ 분자 운동
물질은 매우 작은 분자들로 이루어져 있으며, 분자들은 끊임없이 불규칙한 운동을 한다. 이를 분자 운동이라고 한다.

❸ 기체 분자 사이의 퍼텐셜 에너지
기체 분자 사이에는 전기력에 의한 퍼텐셜 에너지가 있다. 그러나 이 퍼텐셜 에너지는 운동 에너지에 비해 매우 작기 때문에 무시할 수 있다.

용어
▸ **이상 기체**: 분자의 크기가 매우 작고, 분자 사이의 인력도 무시할 수 있을 정도로 작은 기체를 이상 기체라고 한다.

1 온도가 다른 두 물체를 접촉할 때 열은 온도가 (   ) 물체에서 온도가 (   ) 물체로 이동한다.
2 물질을 구성하는 분자들이 가지는 에너지의 총합을 (   )라고 한다.
3 기체 A의 온도는 300 K이고 기체 B의 온도는 500 K일 때 내부 에너지의 비는? (단, A, B의 총 분자 수는 같다.)

답 1. 높은, 낮은 2. 내부 에너지 3. 3 : 5

2 기체가 하는 일

기체의 부피가 팽창하면서 물체를 밀고 나가기 때문에 외부로 일을 하게 된다.

1. **기체가 하는 일** 기체가 일정한 압력 P를 유지하면서 부피 ΔV만큼 팽창하면 기체는 외부에 W만큼의 일을 한다.

단면적 A, 압력 P, ΔV, ΔL

F는 기체가 피스톤에 작용한 힘, ΔL은 피스톤이 움직인 거리이다.

$$W = F \times \Delta L = P \times A \times \Delta L$$
$$= P \times \Delta V = P \times (V_2 - V_1)$$

기체가 하는 일 계산하기

기체의 압력은 단위 면적에 작용한 힘, 즉 $\frac{\text{힘}}{\text{단면적}}$이므로, 작용한 힘은 '기체의 압력 × 단면적'이다.

- 기체가 피스톤에 작용한 힘 = 기체의 압력❹ × 피스톤의 단면적
- 기체가 늘어난 부피 = 피스톤이 이동한 거리 ΔL × 피스톤의 단면적 A

기체가 늘어난 부피는 원기둥이므로, 원기둥의 부피를 구하는 공식인 '원기둥의 높이 × 밑면의 넓이'이다.

➡ 기체가 한 일 = 피스톤에 작용한 힘 × 이동 거리 = (기체의 압력 × 단면적) × 이동 거리
= 기체의 압력 × 부피 변화량

늘어난 부피

2. **기체의 부피 변화와 외부에 한 일의 관계**

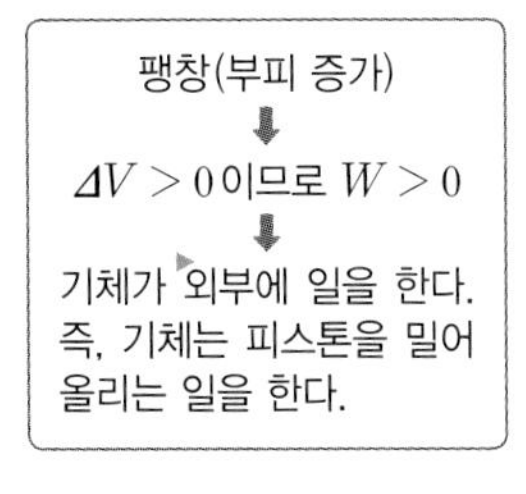

팽창(부피 증가)
$\Delta V > 0$이므로 $W > 0$
기체가 외부에 일을 한다. 즉, 기체는 피스톤을 밀어 올리는 일을 한다.

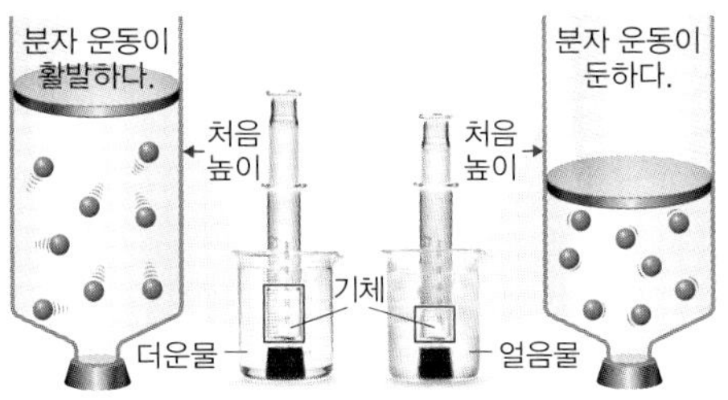

수축(부피 감소)
↓
$\Delta V < 0$이므로 $W < 0$
↓
기체가 외부에서 일을 받아 피스톤이 아래로 내려오고 부피가 줄어든다.

▲ 기체가 든 주사기를 각각 더운물과 얼음물에 넣었을 때 부피 변화

3. **기체의 압력-부피 그래프와 일** 기체가 한 일은 압력-부피 그래프에서 그래프 아랫부분의 넓이와 같다.

그래프에서 부피 변화가 오른쪽(→)이면 부피 증가, 기체는 일을 한 것이고, 부피 변화가 왼쪽(←)이면 부피 감소, 기체는 일을 받은 것이다.

압력, 부피 증가, 일을 함, $W = P\Delta V$, O, V_1, ΔV, V_2, 부피

▲ 압력이 일정할 때

압력, 부피 감소, 일을 받음, P_2, P_1, O, V_2, ΔV, V_1, 부피

▲ 압력이 변할 때

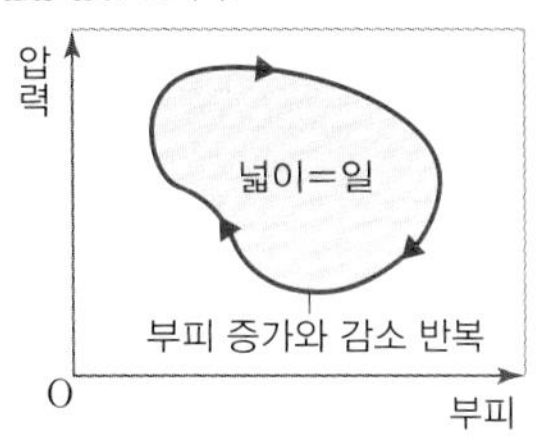

▲ 순환 과정에서의 일

① 부피가 늘어나면 기체가 한 일은 (+), 부피가 줄어들면 기체가 한 일은 (−)값을 가진다.

② 기체가 압축과 팽창을 거듭하는 순환 과정에서는 그래프로 둘러쌓인 부분의 넓이가 기체가 한 일이다.

4. **열기관❺** 열에너지를 역학적 일로 바꾸는 장치. 열을 가해 피스톤을 움직여 일을 한다.

예 증기 기관, 자동차의 가솔린 엔진, 디젤 기관, 스털링 엔진

❹ 기체의 압력

기체가 풍선 속에 갇혀 있을 때 기체 분자들은 풍선의 안쪽 벽에 충돌하고, 풍선의 벽은 바깥쪽으로 힘을 받는다. 기체가 F의 힘으로 풍선 벽에 충돌할 때, 풍선의 표면적 A에 작용하는 압력 P는 다음과 같다.

$$P = \frac{F}{A} \text{ (단위: N/m}^2\text{)}$$

암기 콕

기체가 일을 했는지, 일을 받았는지의 여부는 기체의 부피 변화로 판단한다. 즉, 부피가 늘어나거나 줄어들어 다른 물체를 움직이게 해야 일을 하거나 받은 것임을 기억하자.

❺ 열기관

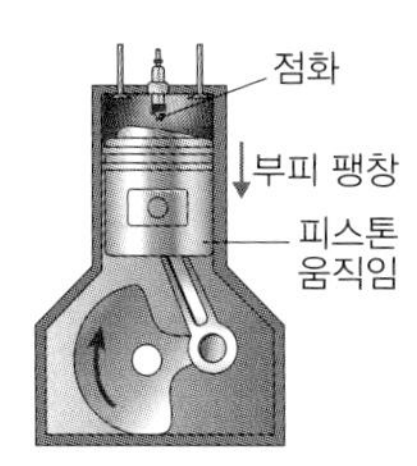

열기관은 연료를 태워 열을 발생시켜 기체의 온도를 높이고, 이 기체가 팽창하면서 일을 하는 장치이다.

용어

▸ **외부로 한 일**: 기체가 팽창하면서 물체를 밀어낼 때 외부로 일을 하였다고 한다.

▸ **외부로부터 받은 일**: 기체가 수축될 때는 외부로부터 일을 받았다고 한다.

개념 확인하기

1 기체가 외부에 하는 일은 기체의 압력과 (　　　　)의 곱과 같다.

2 어떤 기체 덩어리가 10^5 N/m^{2}의 일정한 압력에서 부피가 10^{-2} m^3 증가하였다. 기체가 한 일은?

3 기체가 외부로 일을 할 때에는 기체의 부피가 (증가 / 감소)한 것이고, 기체가 외부로부터 일을 받을 때에는 기체의 부피는 (증가 / 감소)한 것이다.

답 1. 부피 변화량 2. 10^3 J 3. 증가, 감소

3 열역학 제1법칙과 에너지 보존

1. **기체와 열** 기체에 열을 가하거나 열을 뺏으면 기체의 온도나 부피가 변한다.
(온도: 내부 에너지 변화 / 부피: 외부에 일을 하거나 외부에서 일을 받음)

내부 에너지 감소 ⬅ 온도 하강 · 외부에서 일을 받음 ⬅ 부피 수축
온도 상승 ➡ 내부 에너지 증가 · 부피 팽창 ➡ 외부에 일을 함

2. **열역학 제1법칙** 기체를 가열하였을 때, 기체가 흡수한 열량 Q는 내부 에너지의 변화량 ΔU와 기체가 외부로 한 일 W의 합과 같다.

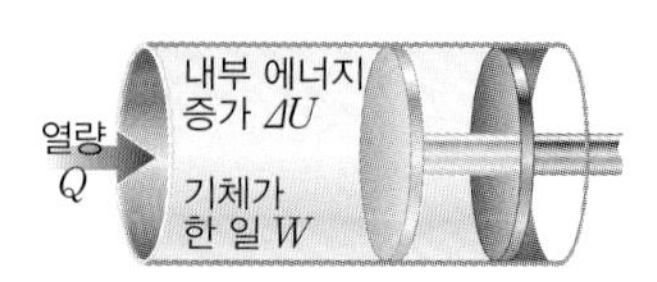

가한 열량 = 내부 에너지 변화량 + 기체가 외부에 한 일
(내부 에너지 변화량 → 온도 변화, 기체가 외부에 한 일 → 부피 변화)

$$Q = \Delta U + W$$
(W → $P\Delta V$)

① 기체가 열을 흡수한 경우 $Q > 0$이고, 기체가 열을 방출한 경우 $Q < 0$이다.

② 열역학 제1법칙은 열이 일과 내부 에너지로 전환되어 그 양이 보존된다는 것으로, 에너지의 형태가 바뀌더라도 에너지의 총량은 변하지 않는다는 에너지 보존 법칙이다.

4 열역학 과정

(열역학 과정 → 기체가 외부 환경의 영향을 받으면서 상태가 바뀌는 과정. 즉, 기체의 열출입, 온도, 압력, 부피 등이 변하는 과정이다.)

1. **압력이 일정한 과정(등압 과정)** 기체의 압력이 일정하게 유지되면서 부피와 온도가 변하는 과정이다. 따라서 기체가 흡수한 열량 Q는 내부 에너지 변화량 ΔU와 기체가 외부로 한 일 W의 합과 같다.❻❼

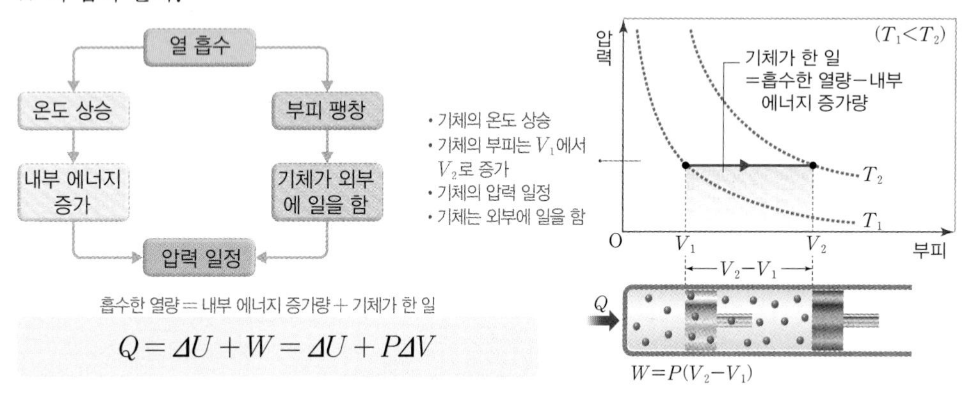

2. **부피가 일정한 과정(등적 과정)** 압력솥❽과 같이 일정한 부피를 유지하는 경우에는 열을 가하여도 기체의 부피는 변하지 않는다. 따라서 기체가 외부에 한 일이 0이 되므로 가한 열은 내부 에너지 변화량과 같다. ➡가한 열이 모두 내부 에너지 증가, 즉 기체의 온도를 높이는 데 사용된다.

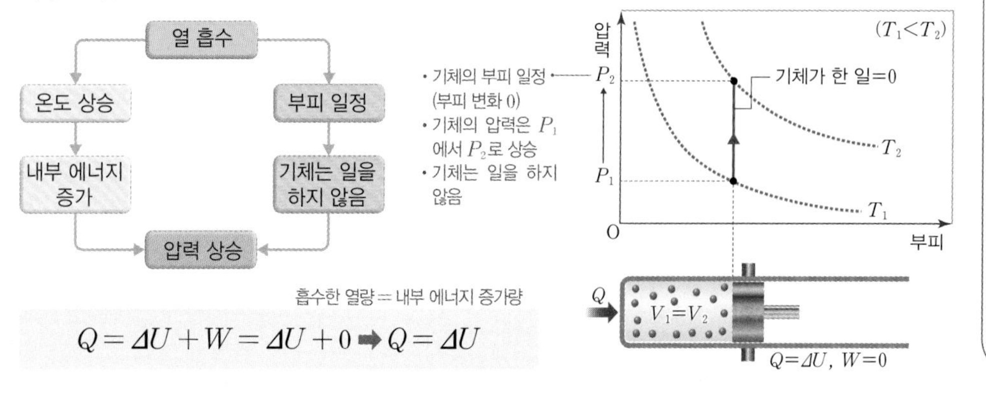

---

❻ 기체의 압력−부피 그래프

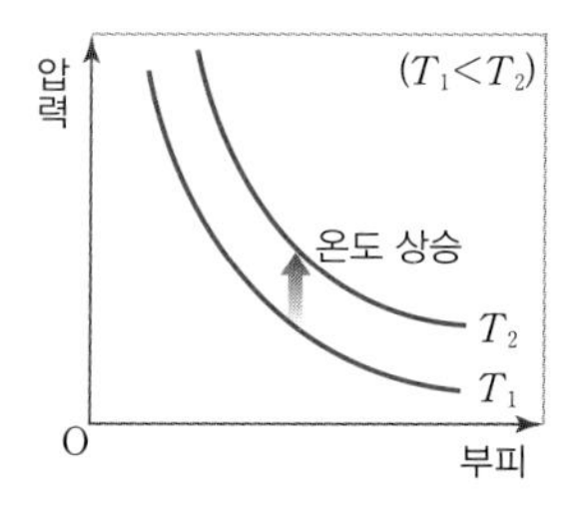

• 일정한 온도에서 기체의 압력과 부피의 곱은 일정하다. 즉, 온도가 일정하면 위의 그래프와 같이 압력과 부피는 서로 반비례 관계이다.
• 압력과 부피의 곱은 기체의 온도가 높아질수록 커지는데, 기체의 온도가 올라가면 그래프는 위쪽으로 이동한다. 즉, 기체의 압력−부피 그래프에서 그래프가 위쪽에 있을수록 온도가 높다.

❼ 등압 과정의 예

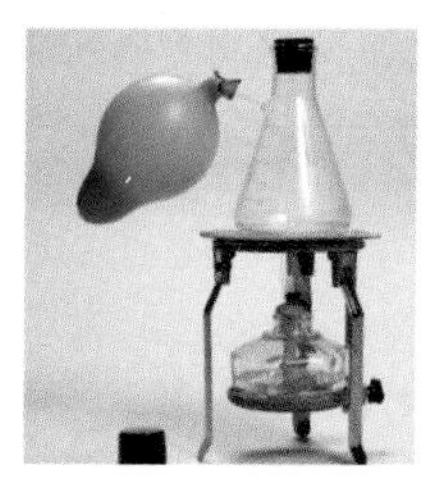

플라스크에 고무풍선을 씌운 후 플라스크를 가열하면 풍선이 부풀어 오른다. 이는 플라스크 내부의 기체가 열을 받아 기체 분자의 내부 에너지가 증가하여 더 빨리 움직이면서 풍선을 미는 일을 하여 풍선의 부피가 커지기 때문이다. 이때 플라스크 내부의 압력은 일정하다.

❽ 압력솥에서의 열역학 과정

압력솥은 밀폐되어 있어 기체가 빠져나가지 못한다. 즉, 부피가 일정하므로 가해진 열이 모두 기체의 내부 에너지 증가에 사용되어 일반솥보다 온도가 빨리 올라가고 압력 역시 높아진다.

용어

▸ **열역학**: 열과 역학적 일의 관계를 다루는 학문 분야

3. 온도가 일정한 과정(등온 과정) 기체의 온도는 일정하게 유지되면서 압력과 부피가 변하는 과정. 온도가 일정하므로 내부 에너지는 변하지 않고($\Delta U=0$), 가해 준 열에너지는 모두 기체가 외부로 일을 하는 데 쓰인다($Q=W$). ➡ 외부에서 열을 받으면 기체는 부피가 증가해 외부로 일을 하며, 열을 방출하면 기체는 부피가 감소해 외부에서 일을 받는다.

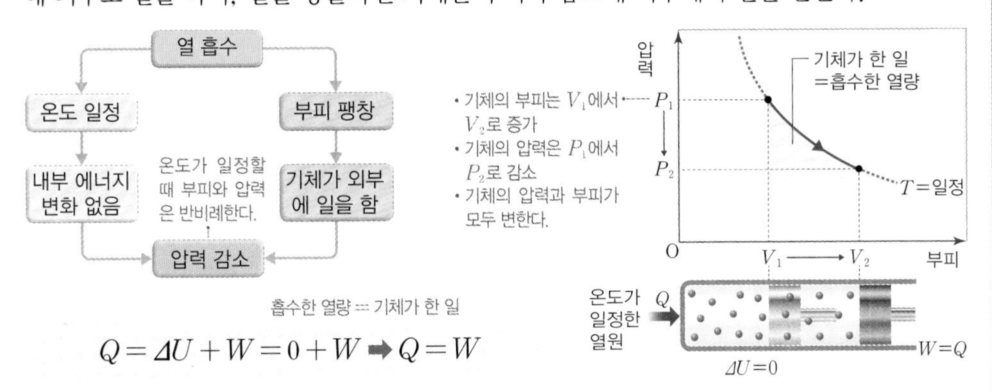

4. 열의 출입이 없는 과정(단열 과정) 외부와 열 출입이 없는 상태에서 기체의 부피 변화에 따라 기체의 온도가 변하는 과정 ➡ 열의 출입이 없으므로 Q는 0이고, 기체가 외부에 한 일 W는 내부 에너지 감소량 $-\Delta U$와 같다.[9]

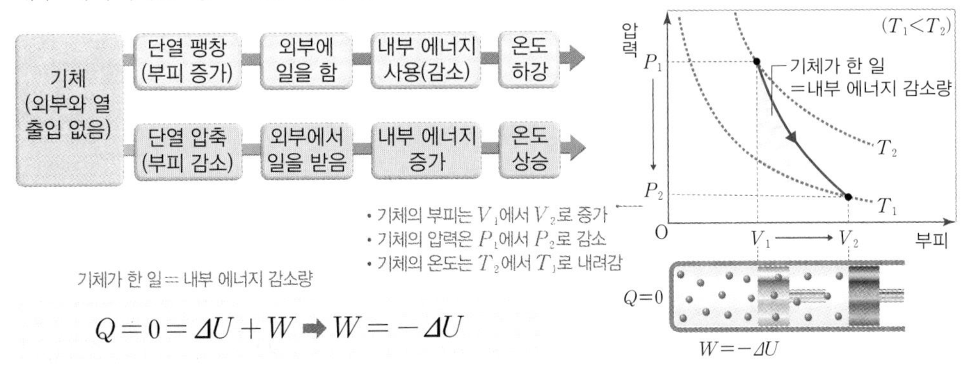

① 구름의 생성: 공기가 상승하여 공기 덩어리에 가해지는 대기압이 줄어들면 공기의 부피가 팽창하며(단열 팽창) 온도가 내려간다. 이때 공기 중의 수증기가 응결하여 구름이 생긴다.

② 높새바람: 동해에서 이동한 공기가 태백산맥을 타고 올라갈 때는 단열 팽창하여 구름과 비를 만들고, 서쪽 사면으로 내려올 때는 단열 압축하여 고온 건조한 바람(높새바람)이 분다.

주의 콕

기체가 일을 한 경우는 부피가 증가했을 때이다. 기체의 내부 에너지가 증가하거나 감소하여도 부피 변화가 없을 때는 일을 하지 않은 것임을 잊지 말자.

즉, '기체가 한 일 $W>0$'이면 기체의 팽창(부피 증가), '$W<0$'이면 기체의 압축(부피 감소)을 나타낸다.

[9] 단열 과정의 예

• 자전거 바퀴에 공기를 매우 빠르게 넣으면 공기는 단열 압축되어 타이어가 따뜻해진다.

• 입을 오므리고 입김을 불면 단열 팽창하여 입김이 차가워진다.

• 사이다병 뚜껑을 열면 단열 팽창에 의해 온도가 급격히 내려가 입구 주변의 수증기가 응결해 김이 생긴다.

셀파 콕콕

단열 과정은 열의 출입은 없지만 온도가 변하고, 등온 과정은 열은 출입하지만 온도는 변하지 않는다.

용어

▸ **단열**: 열이 출입하지 못하도록 막는 것. 일반적인 경우 온도가 다른 두 물체가 접해 있으면 온도가 높은 곳에서 낮은 곳으로 열이 이동하는데, 단열은 이렇게 이동하는 열을 막는다.

개념 확인하기

1 열역학 제1법칙에서 (　　　)은 기체의 내부 에너지 변화량과 기체가 외부로 해 준 일의 합이다.

2 이상 기체에 1000 J의 열을 가했더니 내부 에너지가 400 J 증가하였다. 이 기체가 외부에 한 일은 몇 J인가?

3 등적 과정에서 흡수한 열량은 (　　　)과 같고, 등온 과정에서 흡수한 열량은 (　　　)과 같다.

답 1. 기체가 흡수한 열량 2. 600 J 3. 내부 에너지 증가량, 기체가 한 일

셀파 세미나 S·H·E·R·P·A

열역학 과정

▶ 기체의 압력-부피 그래프를 해석하여 기체가 한 일과 내부 에너지 변화를 찾아 봅시다.

01 기체의 압력-부피 그래프 읽기

- 온도 변화: 기체의 '압력 × 부피' 값이 클수록, 그래프 선의 위치가 위쪽으로 갈수록 온도가 높다. 즉, 기체의 압력-부피 그래프가 처음보다 위로 올라갔으면 '온도 상승, 내부 에너지 증가'이고, 아래로 내려갔으면 '온도 하강, 내부 에너지 감소'이다.
- 부피 변화: 그래프의 x축에 나타나 있다. 부피가 증가하면 일을 한 것이고, 부피가 감소하면 일을 받은 것이다. 부피가 변하지 않았으면 일을 하거나 받지 않았다.
- 기체로 출입한 열량: 온도와 부피 변화에서 유추한다. 이때 열이 출입해도 온도가 변하지 않는 등온 과정과 열이 출입하지 않아도 온도가 변하는 단열 과정에 주의하자.

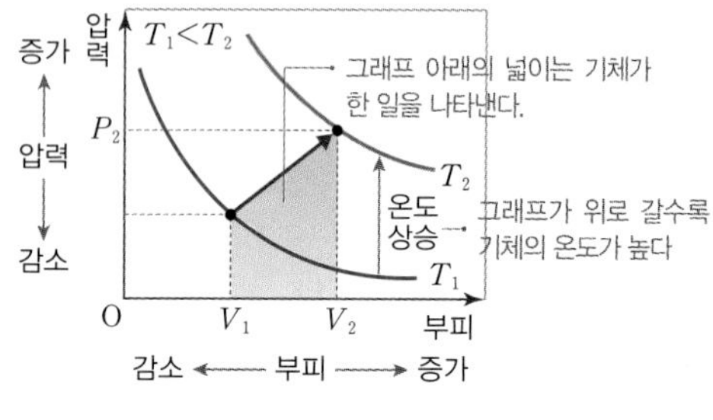

02 열역학 과정 그래프 해석하기

등압 과정: 압력 일정(열 출입)

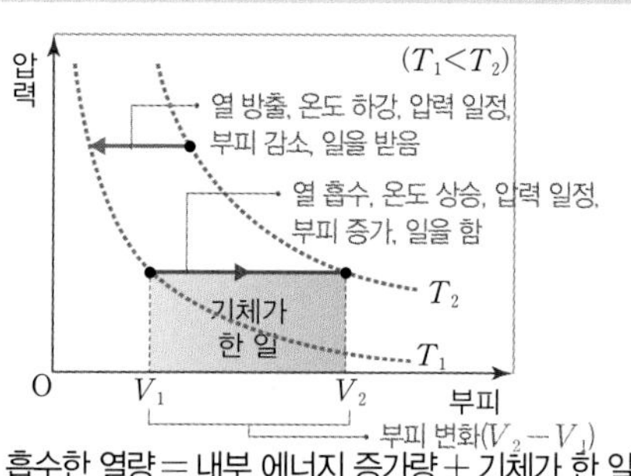

흡수한 열량 = 내부 에너지 증가량 + 기체가 한 일

등적 과정: 부피 일정(열 출입)

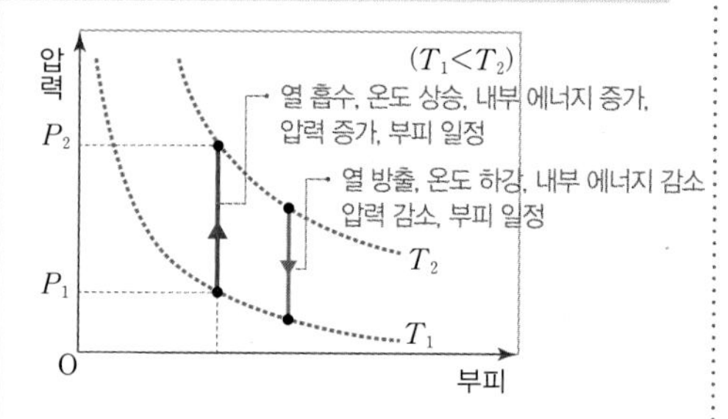

흡수한 열량 = 내부 에너지 증가량 ➡ 한 일 = 0

등온 과정: 온도 일정(열 출입)

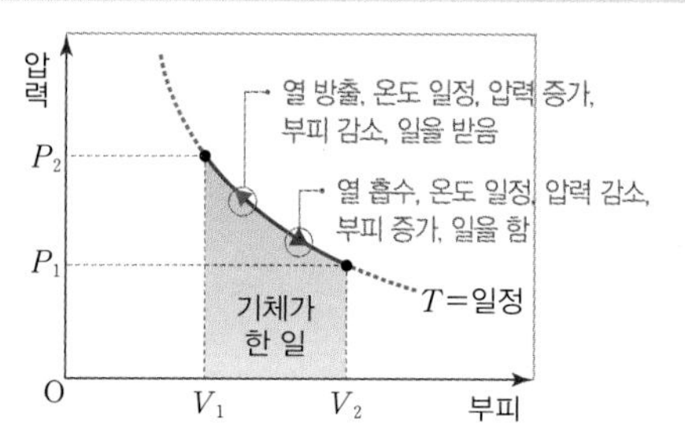

- 흡수한 열량 = 기체가 한 일
- 내부 에너지 변화 없음

단열 과정: 열 출입 없음

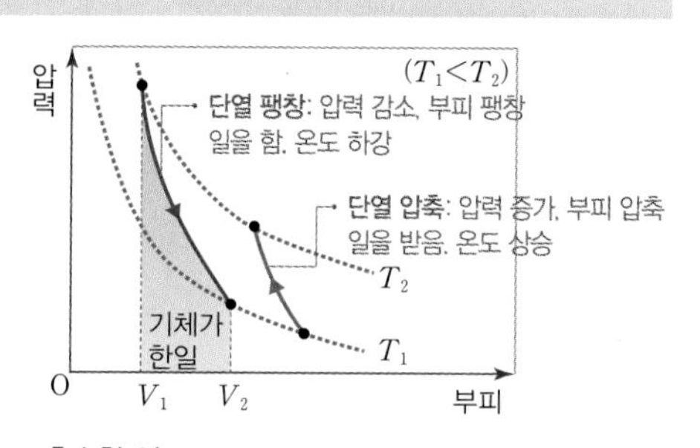

- 흡수한 열 = 0
- 기체가 한 일 = 내부 에너지 감소량

Plus 문제

Q. 그림은 일정 양의 이상 기체가 A → B → C → A로 상태가 변할 때 부피와 압력을 나타낸 것이다.

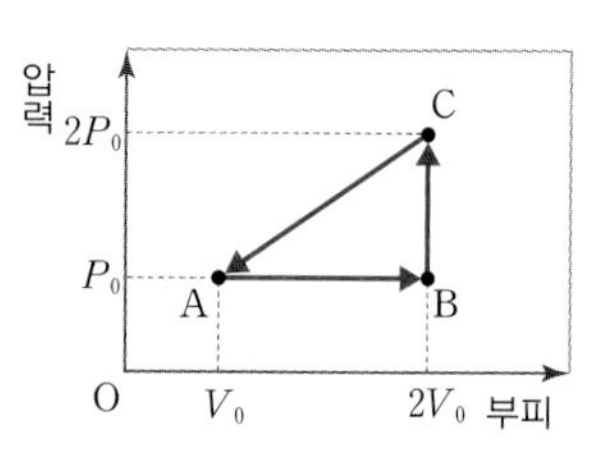

각 과정에서 기체가 흡수한 열, 내부 에너지의 변화량, 기체가 외부로 한 일에 대한 설명으로 옳은 것은 ○, 옳지 않은 것은 ×로 표시하시오.

① A → B 과정에서 기체는 열을 흡수하였다. (○ , ×)
② A → B 과정에서 기체의 부피는 증가하고 온도는 올라간다. (○ , ×)
③ B → C 과정에서 기체가 한 일은 0이다. (○ , ×)
④ B → C 과정에서 기체의 온도는 내려간다. (○ , ×)
⑤ C → A 과정에서 기체는 외부에 일을 하였다. (○ , ×)
⑥ C → A 과정에서 내부 에너지는 감소한다. (○ , ×)

A. ① ○ ② ○ ③ ○ ④ × ⑤ × ⑥ ○
A → B 과정은 열을 흡수한 등압 과정이므로 '온도 상승, 압력 일정, 부피 증가, 외부로 일을 함'이고 B → C 과정은 열을 흡수한 등적 과정이므로 '온도 상승, 압력 증가, 부피 일정, 한 일 = 0'이다. C → A 과정에서 부피와 압력, 온도가 모두 감소하였다. 즉, 내부 에너지 감소, 일을 받음(−)이므로 열을 방출하였다.

셀파 비법 

기체가 열을 흡수하거나 방출할 때 기체의 온도나 부피가 변한다. 기체의 온도는 내부 에너지와 관련이 있고, 부피 변화는 기체가 하는 일과 관련이 있다. 열역학 과정을 판단할 때는 ①부피 변화를 살펴 기체가 일을 했는지, 받았는지 판단하고, ②그래프 위치나 '압력 × 부피'로 온도 변화를 살펴 내부 에너지 증감을 따진다.

기초 탄탄 문제

정답과 해설 20쪽

핵심용어_ 이 단원에서 내가 아는 것과 아직 모르는 것을 정리하며 나의 공부를 돌아보자.

- □ 온도와 열평형
- □ 열과 내부 에너지
- □ 기체의 압력과 부피
- □ 기체가 하는 일
- □ 열역학 제1법칙
- □ 열역학 과정
- □ 등온, 등압, 등적, 단열 과정

01 기체에 대한 설명으로 옳은 것은?

① 이상 기체의 퍼텐셜 에너지는 0이다.
② 이상 기체의 운동 에너지는 0이다.
③ 단열 팽창하면 기체의 온도는 올라간다.
④ 기체의 내부 에너지는 온도에 반비례한다.
⑤ 온도가 증가하면 외부로 항상 일을 할 수 있다.

02 그림과 같이 실린더 안에 어떤 이상 기체가 있다. 이 실린더에 열이 들어오거나 나갔더니 피스톤이 움직여 기체의 부피가 ΔV만큼 증가하였다. 대기압은 P로 일정하며, 피스톤의 단면적은 A이다.

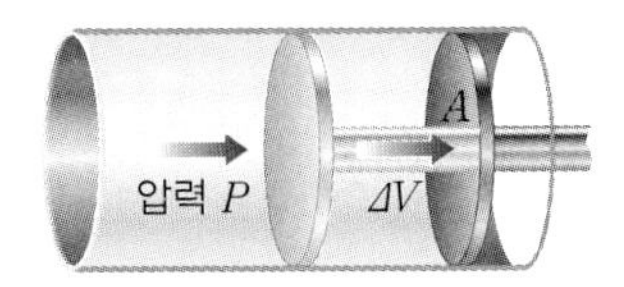

이에 대한 설명으로 옳지 않은 것은? (단, 실린더와 피스톤 사이의 마찰은 무시한다.)

① 기체는 외부로부터 열을 흡수하였다.
② 기체가 피스톤을 미는 힘은 PA이다.
③ 기체가 피스톤에 한 일은 $P\Delta V$이다.
④ 기체의 온도는 내려간다.
⑤ 기체 분자의 평균 운동 에너지는 증가하였다.

03 어떤 이상 기체가 1기압을 유지하면서 열에너지를 흡수하고 주위에 2×10^3 J의 일을 하였다. 이 이상 기체의 부피는 얼마나 변하겠는가? (단, 1 기압은 10^5 N/m^{2}이다.)

① 0.01 m^3 ② 0.02 m^3 ③ 0.1 m^3
④ 0.2 m^3 ⑤ 0.4 m^3

04 부피가 0.03 m^{3}인 어떤 이상 기체를 가열하였다. 이때 기체의 압력은 2×10^5 N/m^{2}으로 일정하게 유지하였고, 가열 후 부피는 0.08 m^{3}로 되었다. 기체가 외부에 한 일의 양은 몇 J인가?

① 6×10^3 ② 8×10^3 ③ 1×10^4
④ 1.6×10^4 ⑤ 2.2×10^5

05 어떤 이상 기체의 온도를 일정하게 유지한 상태에서 압력을 2배로 높였더니 부피는 $\frac{1}{2}$배로 줄어들었다. 이때 기체의 내부 에너지는 처음의 몇 배로 변하겠는가?

① $\frac{1}{4}$배 ② $\frac{1}{2}$배 ③ 1배
④ 2배 ⑤ 4배

06 그림과 같이 이상 기체가 들어 있는 밀폐된 실린더의 피스톤 위에 모래를 천천히 부으면 등온 압축을 할 수 있다. 부피가 감소하는 동안 실린더 내부의 기체에 대한 설명으로 옳은 것은?

① 압력은 일정하다.
② 온도는 낮아진다.
③ 외부로 열을 방출한다.
④ 기체 분자의 평균 속력은 감소한다.
⑤ 기체가 받은 일은 모두 내부 에너지 증가로 쓰였다.

07 건조한 공기는 지표면에서 높이 1 km씩 올라갈 때마다 부피가 증가하고 온도는 10 ℃씩 낮아진다. 이 공기가 단열 팽창할 때, 이에 대한 설명으로 옳지 않은 것은?

① 공기는 외부에 일을 한다.
② 내부 에너지는 증가한다.
③ 공기에 작용하는 압력은 점점 감소한다.
④ 외부에 한 일과 내부 에너지 감소량은 같다.
⑤ 이 공기는 외부와 열 교환을 하지 않는다.

내신 만점 문제

정답과 해설 20쪽 (■■■) 난이도를 나타냅니다.

01 온도와 열에 대한 설명으로 옳은 것만을 〈보기〉에서 있는 대로 고른 것은?

보기
ㄱ. 온도는 물체의 차고 뜨거운 정도를 숫자로 나타낸 것이다.
ㄴ. 온도가 낮아지면 분자 운동이 활발해진다.
ㄷ. 열은 항상 온도가 낮은 곳에서 높은 곳으로 이동한다.

① ㄱ ② ㄷ ③ ㄱ, ㄴ
④ ㄱ, ㄷ ⑤ ㄴ, ㄷ

02 그림은 온도가 다른 이상 기체 A와 B를 접촉시켰을 때 시간에 따른 A, B의 온도 변화를 나타낸 것이다. 이에 대한 설명으로 옳은 것만을 〈보기〉에서 있는 대로 고른 것은? (단, A, B는 같은 물질이다.)

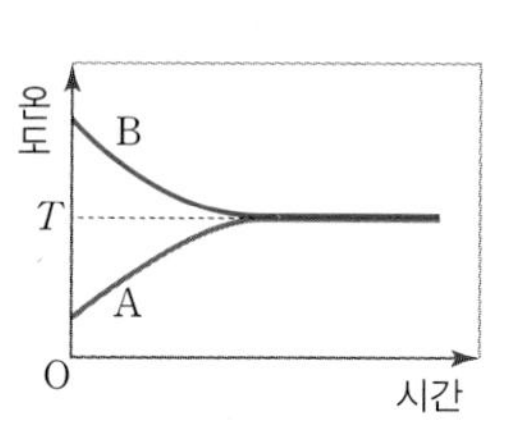

보기
ㄱ. 열은 A에서 B로 이동한다.
ㄴ. T에서 두 물체는 열평형 상태에 도달한다.
ㄷ. T에서 A, B 분자의 평균 운동 에너지는 같다.

① ㄱ ② ㄴ ③ ㄷ
④ ㄱ, ㄴ ⑤ ㄴ, ㄷ

03 그림은 일정량의 이상 기체의 상태가 화살표 방향으로 변화된 것을 나타낸 것이다. 이 기체가 A→B→C→D→A로 2회 순환하는 동안 기체가 외부로 한 일의 크기는 몇 J인가?

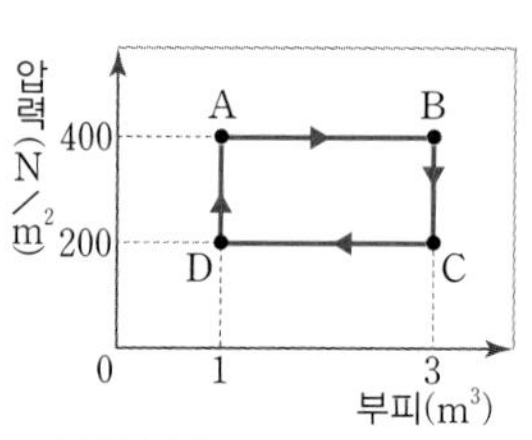

① 400 J ② 600 J ③ 800 J
④ 1000 J ⑤ 1200 J

04 단면적이 2×10^{-3} m²인 실린더 속에 기체를 넣어 1기압 상태에서 450 J의 열을 가하였더니 피스톤이 0.2 m 밀려났다. 기체가 외부에 한 일의 양과 내부 에너지의 증가량을 옳게 짝지은 것은? (단, 1기압은 10^5 N/m²이다.)

	외부에 한 일의 양	내부 에너지 증가량
①	10 J	440 J
②	20 J	430 J
③	30 J	420 J
④	40 J	410 J
⑤	50 J	400 J

05 그림은 풍선을 액체 질소가 담긴 용기에 넣은 직후와 어느 정도 시간이 지난 후의 모습이다.

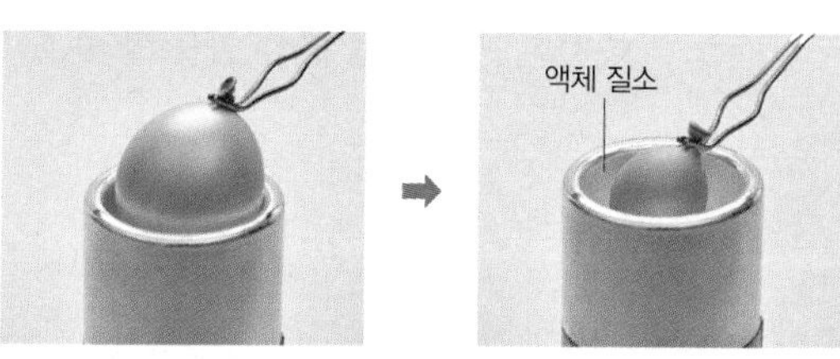

이에 대한 설명으로 옳은 것만을 〈보기〉에서 있는 대로 고른 것은?

보기
ㄱ. 풍선 속 기체에서 액체 질소로 열이 이동한다.
ㄴ. 풍선 속 기체의 내부 에너지는 감소한다.
ㄷ. 풍선 속의 기체는 외부에 일을 하였다.

① ㄱ ② ㄴ ③ ㄷ
④ ㄱ, ㄴ ⑤ ㄴ, ㄷ

06 열역학 제1법칙에 관한 설명으로 옳은 것만을 〈보기〉에서 있는 대로 고른 것은?

보기
ㄱ. 기체에 열을 가하면 기체의 내부 에너지는 항상 증가한다.
ㄴ. 기체에서 열이 빠져나가면 기체의 부피는 항상 줄어든다.
ㄷ. 열이 일과 내부 에너지로 전환되어 보존된다는 에너지 보존 법칙이다.

① ㄱ ② ㄴ ③ ㄷ
④ ㄱ, ㄴ ⑤ ㄴ, ㄷ

07 그림과 같이 어떤 이상 기체의 상태가 A에서 B로 변하였다. 이에 대한 설명으로 옳은 것만을 〈보기〉에서 있는 대로 고른 것은?

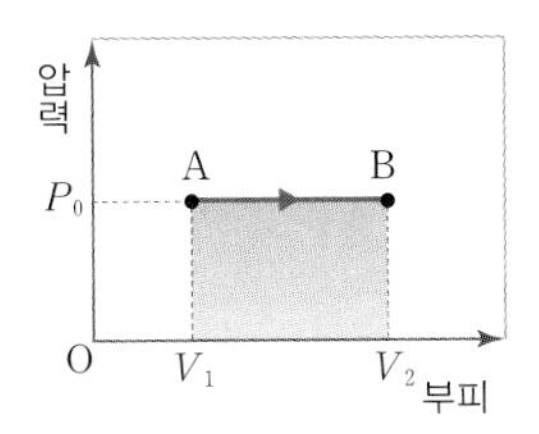

보기

ㄱ. 기체의 온도는 증가한다.
ㄴ. 기체가 외부에 한 일은 색칠한 부분의 넓이와 같다.
ㄷ. 기체가 흡수한 열은 색칠한 부분의 넓이보다 크다.

① ㄱ ② ㄴ ③ ㄷ
④ ㄱ, ㄴ ⑤ ㄱ, ㄴ, ㄷ

08 그림과 같이 실린더에 들어 있는 이상 기체에 열량 Q를 가하였다. 피스톤은 고정되어 있다. 이에 대한 설명으로 옳은 것만을 〈보기〉에서 있는 대로 고른 것은? (단, 외부와 열 출입은 없고, 피스톤과 실린더 사이의 마찰은 무시한다.)

보기

ㄱ. 기체의 압력은 증가한다.
ㄴ. 기체의 내부 에너지 증가량은 Q보다 작다.
ㄷ. 기체 분자의 평균 운동 에너지는 증가한다.

① ㄱ ② ㄴ ③ ㄱ, ㄷ
④ ㄴ, ㄷ ⑤ ㄱ, ㄴ, ㄷ

09 그림은 일정량의 이상 기체에 열을 가할 때 압력과 부피 변화를 나타낸 것이다. 기체의 상태가 A→B로 변할 때, 이에 대한 설명으로 옳은 것만을 〈보기〉에서 있는 대로 고른 것은?

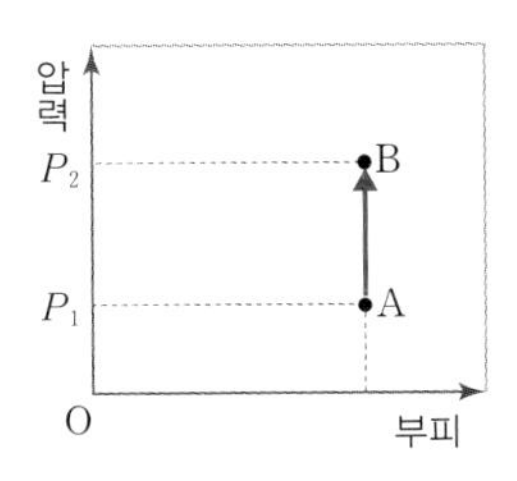

보기

ㄱ. 기체의 온도는 일정하다.
ㄴ. 기체가 외부에 한 일의 양은 0이다.
ㄷ. 기체의 내부 에너지 증가량은 기체에 가한 열량과 같다.

① ㄱ ② ㄴ ③ ㄷ
④ ㄴ, ㄷ ⑤ ㄱ, ㄴ, ㄷ

10 그림은 A 상태에 있는 같은 종류의 이상 기체가 든 두 실린더에 같은 양의 열을 가하여 각각 상태가 B와 C로 변하는 것을 나타낸 것이다.

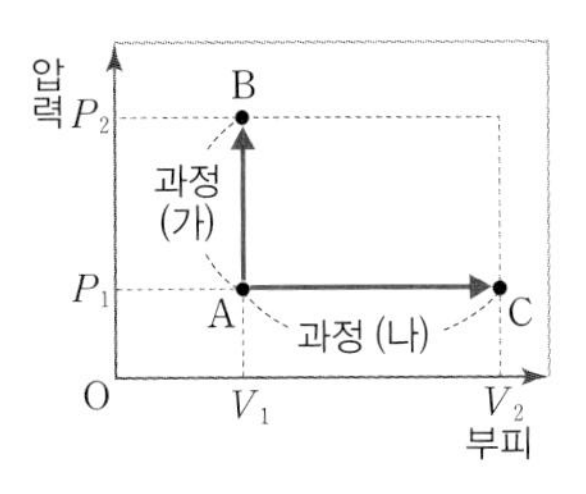

이에 대한 설명으로 옳은 것만을 〈보기〉에서 있는 대로 고른 것은? (단, 피스톤과 실린더 사이의 마찰은 무시한다.)

보기

ㄱ. (가)와 (나)에서 기체는 모두 외부에 일을 한다.
ㄴ. 내부 에너지는 B가 A보다 크다.
ㄷ. (가)와 (나)에서 기체의 온도는 증가한다.

① ㄱ ② ㄷ ③ ㄱ, ㄴ
④ ㄴ, ㄷ ⑤ ㄱ, ㄴ, ㄷ

11 그림 (가)는 평형 상태에 있는 이상 기체의 모습을 나타낸 것이다. (가)의 기체에 일정 시간 동안 열량 Q를 가했더니 그림 (나)와 같이 피스톤이 서서히 이동하여 정지하였다.

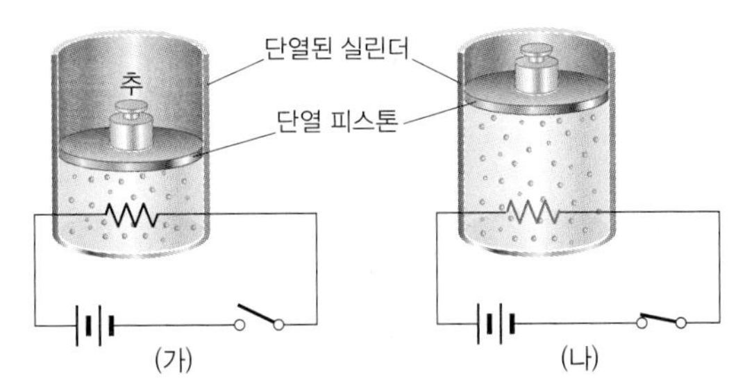

이에 대한 설명으로 옳은 것만을 〈보기〉에서 있는 대로 고른 것은? (단, 피스톤과 실린더는 단열되어 외부와 열 출입이 없고 실린더와 피스톤 사이의 마찰은 무시한다.)

보기

ㄱ. 기체의 압력은 (가)가 (나)보다 크다.
ㄴ. (가)보다 (나)에서 기체의 내부 에너지가 더 크다.
ㄷ. 전원 장치로 가한 열은 모두 기체가 외부로 한 일로 사용되었다.

① ㄱ ② ㄴ ③ ㄱ, ㄴ
④ ㄴ, ㄷ ⑤ ㄱ, ㄴ, ㄷ

12 그림과 같이 A에 있던 공기 덩어리가 산을 타고 넘어 높새바람이 불고 있다. 이때 일어나는 열역학 과정에 대한 설명으로 옳은 것만을 〈보기〉에서 있는 대로 고른 것은?

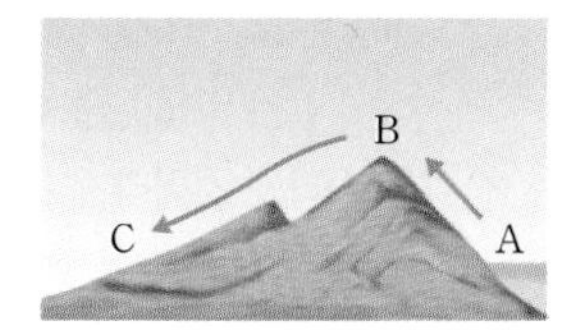

보기
ㄱ. A → B에서 공기 덩어리는 외부에 일을 한다.
ㄴ. 공기 덩어리는 A → B에서 열을 방출하고, B → C에서는 열을 흡수한다.
ㄷ. B → C에서 공기 덩어리의 온도가 낮아진다.

① ㄱ ② ㄴ ③ ㄷ
④ ㄱ, ㄴ ⑤ ㄱ, ㄴ, ㄷ

13 그림은 이상 기체가 들어 있는 실린더의 피스톤 위에 추를 올려놓았을 때 피스톤이 정지해 있는 모습을 나타낸 것이다. 추를 제거한 후 피스톤이 정지할 때까지 감소하는 이상 기체의 물리량만을 〈보기〉에서 있는 대로 고른 것은? (단, 열의 출입과 모든 마찰은 무시한다.)

보기
ㄱ. 기체의 압력 ㄴ. 기체 분자의 평균 속력
ㄷ. 기체의 내부 에너지 ㄹ. 기체의 부피

① ㄱ, ㄴ, ㄷ ② ㄱ, ㄴ, ㄹ ③ ㄱ, ㄷ, ㄹ
④ ㄴ, ㄷ, ㄹ ⑤ ㄱ, ㄴ, ㄷ, ㄹ

14 그림은 이상 기체의 상태가 A→B→C→A로 압력과 부피가 변하는 것을 나타낸 것이다. 이에 대한 설명으로 옳은 것만을 〈보기〉에서 있는 대로 고른 것은?

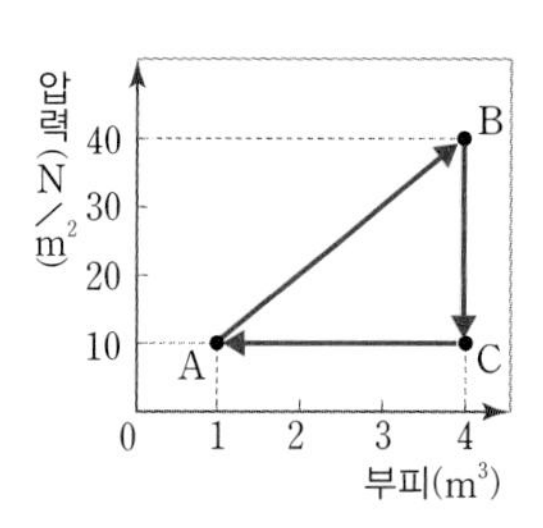

보기
ㄱ. A → B 과정에서 기체의 온도가 올라간다.
ㄴ. C → A 과정에서 기체의 내부 에너지는 증가한다.
ㄷ. A → B → C → A 과정에서 기체는 외부로 45 J의 일을 한다.

① ㄱ ② ㄴ ③ ㄷ
④ ㄱ, ㄷ ⑤ ㄴ, ㄷ

15 그림은 어떤 이상 기체의 상태가 A→B→C→D로 압력과 부피가 변하는 것을 나타낸 것이다.

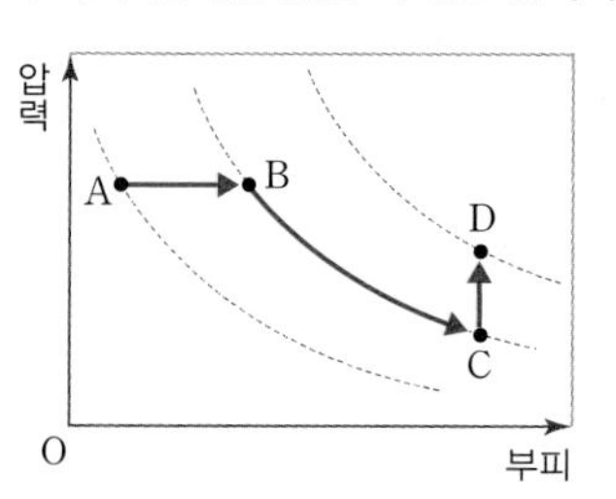

기체가 받은 열이 쓰인 곳에 대한 설명으로 옳은 것만을 〈보기〉에서 있는 대로 고른 것은? (단, 점선은 등온선이다.)

보기
ㄱ. A → B 과정: 외부에 한 일과 내부 에너지 증가로 사용되었다.
ㄴ. B → C 과정: 모두 외부에 한 일로 사용되었다.
ㄷ. C → D 과정: 모두 내부 에너지 증가로 사용되었다.

① ㄱ ② ㄷ ③ ㄱ, ㄴ
④ ㄴ, ㄷ ⑤ ㄱ, ㄴ, ㄷ

16 그림은 이상 기체의 상태가 A→B→C→D로 압력과 부피가 변하는 것을 나타낸 것이다.

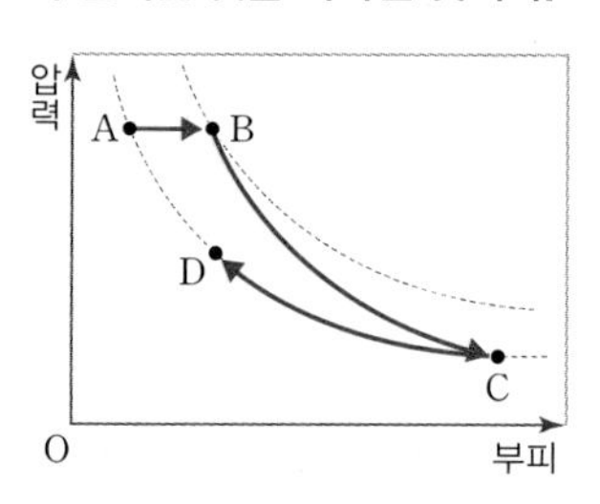

이에 대한 설명으로 옳은 것만을 〈보기〉에서 있는 대로 고른 것은? (단, 점선은 등온선이다.)

보기
ㄱ. A → B 과정에서 기체는 외부에 일을 하였다.
ㄴ. B → C 과정에서 내부 에너지는 감소하였다.
ㄷ. C → D 과정에서 외부와의 열 출입은 없다.

① ㄱ ② ㄴ ③ ㄷ
④ ㄱ, ㄴ ⑤ ㄴ, ㄷ

17 그림과 같이 단열 피스톤에 의하여 A, B로 칸이 나뉘어진 실린더에 이상 기체가 들어 있다. 이때 A와 B에 들어 있는 이상 기체의 종류는 같고, 기체의 부피, 온도, 압력도 모두 같으며, 피스톤과 실린더를 통한 열 출입은 없다.

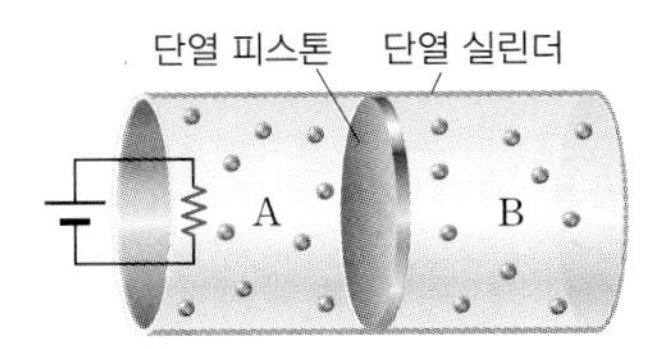

A의 기체를 가열하는 동안 피스톤이 서서히 움직일 때, 이에 대한 설명으로 옳은 것만을 〈보기〉에서 있는 대로 고른 것은? (단, 피스톤과 실린더 사이의 마찰은 무시한다.)

보기

ㄱ. 기체 A의 압력은 증가한다.
ㄴ. 기체 B의 온도는 상승한다.
ㄷ. 기체 A가 기체 B에 한 일의 양은 기체 B의 내부 에너지 증가량과 같다.

① ㄱ ② ㄴ ③ ㄷ
④ ㄱ, ㄴ ⑤ ㄱ, ㄴ, ㄷ

18 그림 (가)는 이상 기체 A가 들어 있는 실린더에 열량 Q를 가하여 피스톤이 이동해 정지한 모습을, (나)는 (가)에서 열 공급을 중단하고 기체에 W의 일을 하여 피스톤을 원래 위치로 이동시킨 후 고정한 모습을 나타낸 것이다.

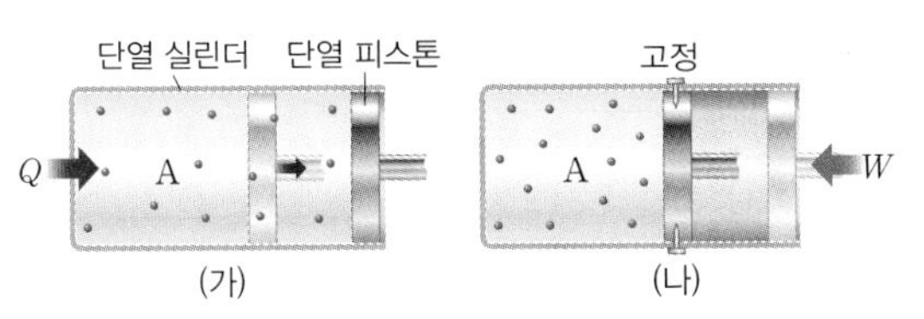

이에 대한 설명으로 옳은 것만을 〈보기〉에서 있는 대로 고른 것은? (단, 피스톤과 실린더 사이의 마찰은 무시한다.)

보기

ㄱ. (가)에서 기체의 부피가 증가하는 동안 기체의 압력은 감소한다.
ㄴ. 기체 A의 온도는 (나)에서가 (가)에서보다 높다.
ㄷ. (가)에서 A가 한 일의 양은 (나)에서 기체가 받은 일의 양과 같다.

① ㄱ ② ㄴ ③ ㄷ
④ ㄴ, ㄷ ⑤ ㄱ, ㄴ, ㄷ

서술형 문제

19 그림은 일정량의 이상 기체를 A→B→C로 변화시키는 과정을 압력−부피 그래프로 나타낸 것이다. A→B는 등압 과정이고, B→C는 단열 과정이다.

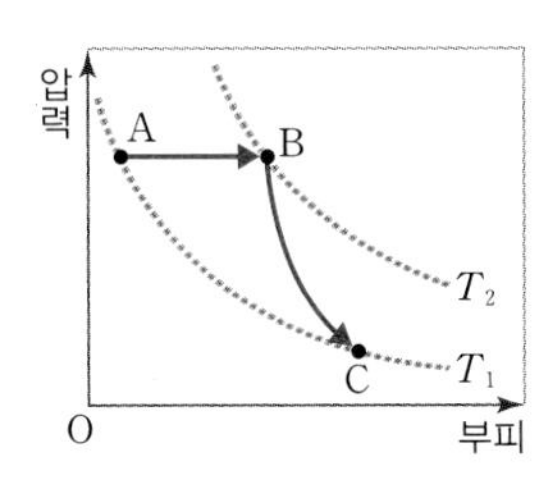

(1) A, B, C점에서 기체의 내부 에너지 크기를 비교하고, 그 이유를 서술하시오.

(2) B → C과정에서 감소한 내부 에너지양과 그 값이 같은 것을 찾고, 그 까닭을 서술하시오.

20 그림과 같이 실린더 속에 기체를 넣고 6000 J의 열에너지를 기체에 가하였다. 실린더 속의 기체가 팽창하여 단면적이 $0.1\ m^2$인 피스톤이 0.2 m 밀려났다. 이 과정에서 기체의 압력은 대기압인 $10^5\ N/m^2$로 일정하게 유지되었다.

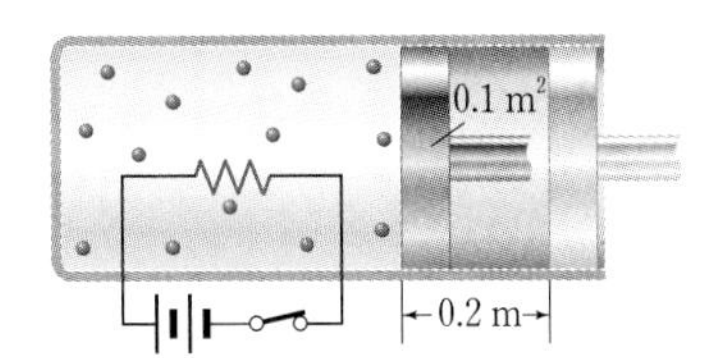

(1) 기체의 내부 에너지 증가량은 얼마인지 풀이 과정과 함께 서술하시오.

(2) 피스톤을 고정한 후 기체에 같은 열량을 가하면 기체의 온도가 더 많이 증가한다. 그 까닭을 서술하시오.

03 열기관과 열역학 제2법칙

내 교과서는 어디에?
천재 p.60~63 금성 p.54~55 동아 p.56~60
미래엔 p.64~67 비상 p.58~63 YBM p.62~68

핵심 Point
- 가역 과정과 비가역 과정을 이해하고, **열역학 제2법칙**을 설명할 수 있다.
- **열효율**의 정의를 이용하여 열기관의 열효율을 계산하고, 열효율의 한계를 열역학 제2법칙을 이용하여 설명할 수 있다.

1 열역학 제2법칙

1. 가역 과정과 비가역 과정

① 가역 과정: 외부에 아무런 변화를 남기지 않고 스스로 원래의 상태로 되돌아갈 수 있는 과정
➡ 마찰이나 공기 저항이 없는 매우 이상적인 상황에서만 가능하다.❶
예 공기 저항이 없는 진공에서 운동하는 진자

② 비가역 과정: 외부에 변화를 남기지 않고는 원래 상태로 돌아가지 못하는 과정 ➡ 스스로 처음 상태로 돌아갈 수 없고, 한쪽 방향으로만 일어난다.❷
자연계에서 일어나는 대부분의 현상은 비가역 과정이다.

❶ 진자가 진공에서 움직일 때 -가역 과정

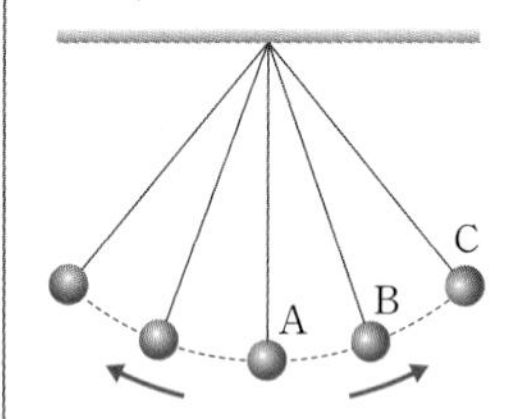

마찰이나 공기 저항이 없으므로 한 번 움직인 진자는 계속 움직인다. 즉, 진자의 위치는 A → B → C를 반복하며, 처음 높이까지 계속 되돌아갈 수 있다. ➡ 외부의 도움 없이도 원래 상태로 갈 수 있다.

❷ 진자가 외부와 단열된 밀폐 상자에서 움직일 때 -비가역 과정

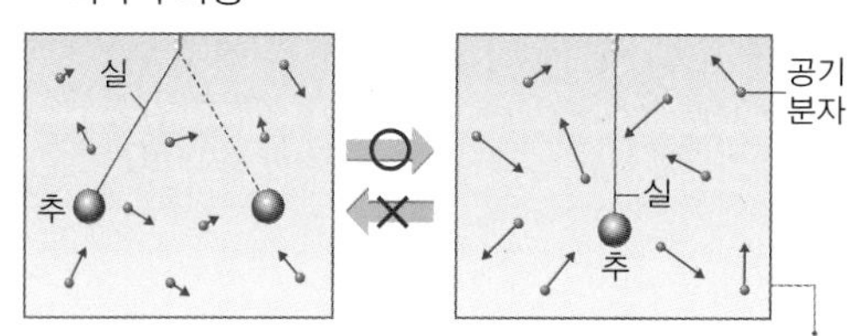

멈춘 진자가 다시 운동하려면 공기 입자가 모두 동시에 진자에 충돌하여 에너지를 전달해야 한다. 그러나 무질서한 운동을 하는 공기 입자가 동시에 진자에 충돌할 확률은 매우 낮고, 따라서 자연계에서 이런 일은 일어나지 않는다.

- 진자는 운동하며 공기 분자와 충돌하고, 이때 진자가 가진 에너지는 공기로 전달된다. 시간이 지나 진자의 에너지가 모두 공기 분자로 전달되면 진자는 운동을 멈춘다.
- 공기 분자에서 진자로 에너지가 전달되면 진자는 다시 운동할 수 있다. 그러나 이런 현상은 일어나지 않는다.

2. **열역학 제2법칙** 자발적으로 일어나는 비가역 현상에는 방향성이 있음을 나타낸 법칙이다. 즉, 열역학 제1법칙에 위배되지는 않지만 자연계에서 절대 스스로 일어나지 않는 현상을 설명하는 법칙이다.

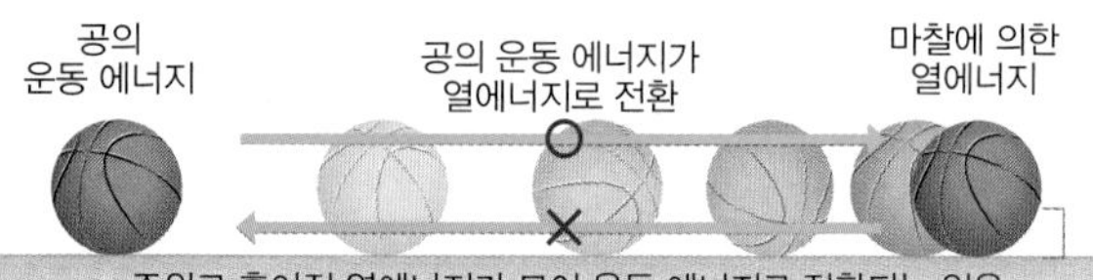

멈춘 공이 스스로 움직이는 일은 자연 현상이 한쪽 방향으로만 일어난다는 열역학 제2법칙에 위배되므로 일어나지 않는다.

주위로 흩어진 열에너지가 모여 운동 에너지로 전환되는 일은 열역학 제1법칙에 위배되지는 않지만 실제 일어나지 않는다.

❶ 가역 과정

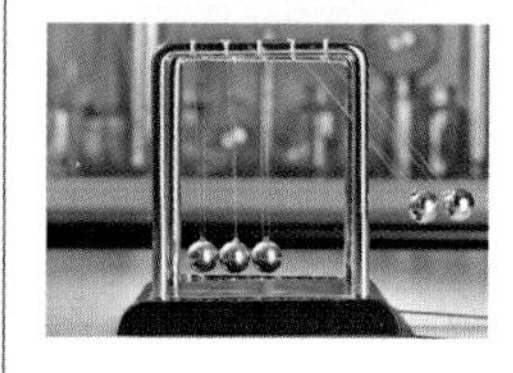

마찰이 없을 때 충돌 진자는 가역 과정을 보인다.

❷ 비가역 현상의 예
- 바위가 풍화 작용으로 부서져서 모래나 흙으로 변한다.
- 물체의 운동 에너지가 마찰에 의해 열에너지로 변한다.
- 연기가 퍼져 흩어진다.

셀파 콕콕
열역학 제1법칙은 에너지 보존 법칙이며, 열역학 제2법칙은 물질의 변화가 방향성을 가지고 일어남을 의미한다.

용어
- **가역**: 상태가 한 번 바뀐 다음 원래 상태로 돌아갈 수 있다.
- **비가역**: 변화를 일으킨 물질이 원래 상태로 돌아가지 못한다.
- **진자**: 줄 또는 막대에 추를 매달고 추가 자유롭게 흔들릴 수 있도록 한 장치

개념 확인하기

1 스스로 원래 상태로 되돌아갈 수 있는 과정을 (   ) 과정, 한쪽 방향으로만 일어나는 과정을 (   ) 과정이라고 한다.

2 열역학 제2법칙은 자발적인 비가역 과정에 (   )이 있다는 것이다.

답 1. 가역, 비가역 2. 방향성

3. 열역학 제2법칙의 의미

① 열은 항상 고온에서 저온으로 이동한다: 온도가 다른 두 물체가 접촉해 있을 때, 열은 온도가 높은 물체에서 온도가 낮은 물체로 자발적으로 이동한다.

② 모든 자연 현상은 무질서도가 증가하는 방향으로 일어난다

기체 분자의 확산

칸막이로 구분된 진공 용기의 한쪽 칸에 기체를 넣고 칸막이에 작은 구멍을 뚫으면 기체 분자들은 저절로 퍼져 나가 두 칸에 골고루 퍼진다. 그러나 아무리 시간이 지나도 한쪽 칸으로 다시 모이지는 않는다.

기체가 한 칸에 모인 상태 (질서 있는 상태) → 무질서도 증가 → 골고루 섞인 상태 (무질서한 상태)

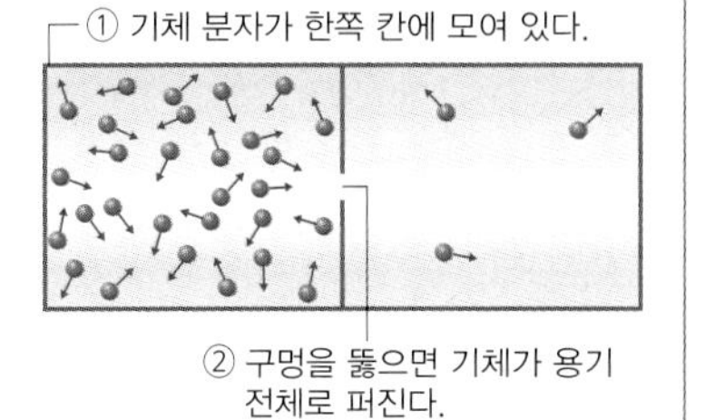

③ 자발적으로 일어나는 자연 현상은 엔트로피가 증가하는 방향으로 일어난다.[3]

④ 역학적인 일은 전부 열로 바꿀 수 있지만, 열은 전부 일로 바꿀 수 없다.

⑤ 열효율이 100 %인 열기관은 존재하지 않는다: 열기관이 일을 하는 과정에서 열이 온도가 낮은 쪽으로 저절로 이동하기 때문이다. → 공급된 열이 모두 일로 전환되지는 않는다.

2 열기관의 열효율

1. 열기관 몇 단계의 열역학 과정을 거쳐서 원래 상태로 돌아오는 순환 과정을 통하여 열에너지를 유용한 일로 바꾸는 장치

① 구조: 고열원으로부터 Q_1의 열을 받아 외부에 W의 일을 하고 저열원으로 Q_2의 열을 방출한다.

고열원 → Q_1 → 열기관 → W / Q_2 → 저열원

② 열기관의 순환 과정: 열역학 과정을 거친 후 다시 처음 상태로 되돌아오는 과정을 순환 과정이라고 한다. 이상적인 순환 과정에서는 처음 상태로 되돌아오므로 열기관의 내부 에너지 변화는 없다. 그러나 실제 열기관은 일을 하면 내부 에너지가 증가하여 열효율이 낮아지는 경우가 많다.

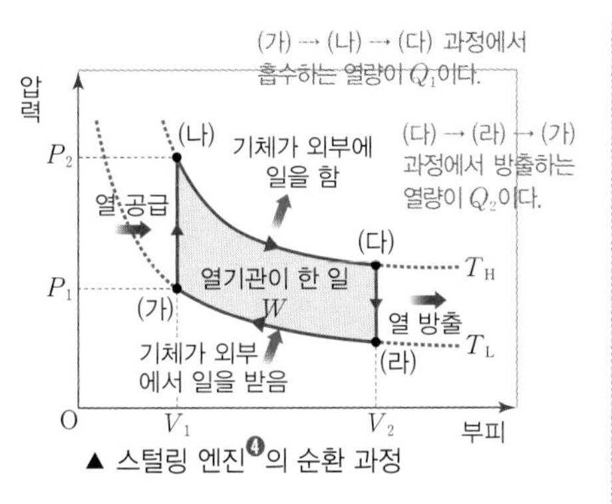

▲ 스털링 엔진[4]의 순환 과정

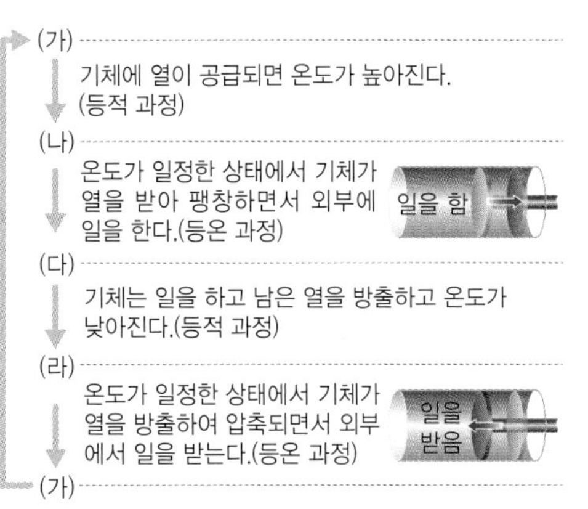

(가)
기체에 열이 공급되면 온도가 높아진다. (등적 과정)
(나)
온도가 일정한 상태에서 기체가 열을 받아 팽창하면서 외부에 일을 한다.(등온 과정)
일을 함
(다)
기체는 일을 하고 남은 열을 방출하고 온도가 낮아진다.(등적 과정)
(라)
온도가 일정한 상태에서 기체가 열을 방출하여 압축되면서 외부에서 일을 받는다.(등온 과정)
일을 받음
(가)

❸ 열역학 제2법칙과 확률

잉크를 물에 떨어뜨릴 때 잉크 분자와 물 분자가 서로 퍼져 있는 경우도 있고, 잉크 분자는 잉크 분자끼리, 물 분자는 물 분자끼리 모이는 경우도 있다. 그러나 자유롭게 움직이는 물 분자와 잉크 분자가 따로 모여 있을 확률은 매우 낮다. 즉, 물과 잉크가 분리되는 확률은 매우 낮고, 물과 잉크가 섞이는 확률은 매우 높으며, 자연계에서는 물과 잉크가 섞이는 과정만 발생한다.

이처럼 어떤 일이 일어날 확률을 생각하여, 자발적으로 일어나는 자연 현상은 일어날 확률이 높은 방향으로 진행된다고 해석할 수 있다.

암기 콕

열역학 제2법칙의 또다른 표현인 무질서도 증가, 엔트로피 증가를 꼭 기억하자.

❹ 스털링 엔진

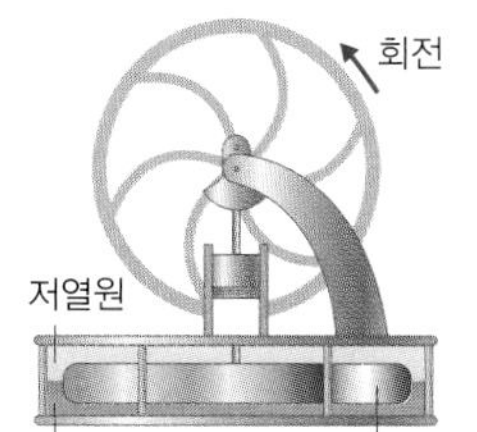

고열원과 저열원의 온도 차이로 작동하는 열기관이다. 실린더에 수소나 헬륨 등을 채워 밀봉하고, 외부에서 열을 얻거나 잃으면서 내부 기체의 부피 변화로 피스톤이 움직여 외부에 일을 하는 장치이다.

용어

▸ **엔트로피**: 열량을 온도로 나눈 값으로, 무질서한 정도를 나타낸다.

1 열은 항상 온도가 ( ) 곳에서 ( ) 곳으로 이동한다.

2 열역학 제2법칙에 의하면 열효율이 ( )인 열기관은 존재하지 않는다.

3 열기관은 몇 단계의 열역학 과정을 거쳐 원래 상태로 돌아오는 순환 과정을 통해 ( )를 ( )로 바꾸는 장치이다.

답 1. 높은, 낮은 2. 100 % 3. 열에너지, 일

2. **열기관의 열효율**(e) 열기관에 공급된 열량 Q_1에 대해 열기관이 한 일 W의 비율 ➡ 한 일 W는 공급된 열량 Q_1과 방출된 열량 Q_2의 차이와 같다.

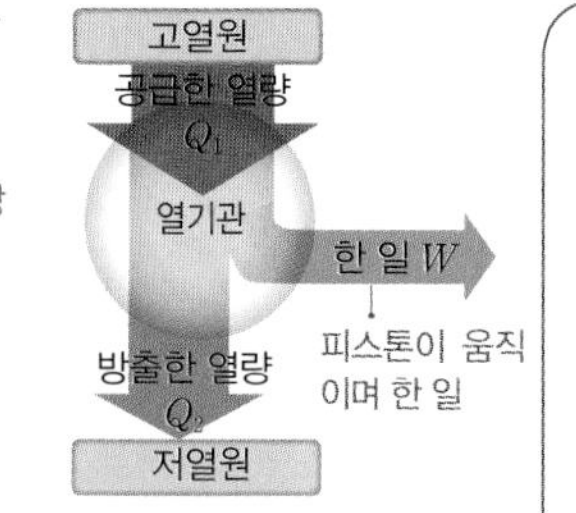

$$e=\frac{W}{Q_1}=\frac{Q_1-Q_2}{Q_1}=1-\frac{Q_2}{Q_1}$$

→ $Q_1>Q_2$이며, 열효율은 항상 1보다 작다.

① 숫자가 높을수록 열효율이 높다. ➡ 열효율이 높은 것은 공급된 열이 일로 더 많이 전환된 것을 의미한다. → 열효율이 높아질수록 방출되는 열량이 줄어든다.

② 열효율이 1(= 100 %)이 되려면 흡수한 열이 모두 일로 전환되어야 한다.❺
➡ 열역학 제2법칙 위배, 따라서 열효율이 1(= 100 %)인 열기관은 존재하지 않는다.

3. **카르노 기관** 온도가 다른 두 열원 사이에서 가장 높은 열효율을 낼 수 있는 이상적인 열기관

① '등온 팽창 → 단열 팽창 → 등온 압축 → 단열 압축' 과정을 거치며 열기관 속 기체가 처음 상태로 돌아온다.

② 카르노 기관에서 $\frac{\text{방출된 열량 } Q_2}{\text{공급된 열량 } Q_1}=\frac{\text{저열원의 온도 } T_2}{\text{고열원의 온도 } T_1}$이다. 따라서 열효율 $e_{카}$는 다음과 같다. (절대 온도)

$$e_{카}=1-\frac{Q_2}{Q_1}=1-\frac{T_2}{T_1}$$

외부로 열손실이 없고 처음 상태로 되돌아올 수 있는 이상적인 과정이다.

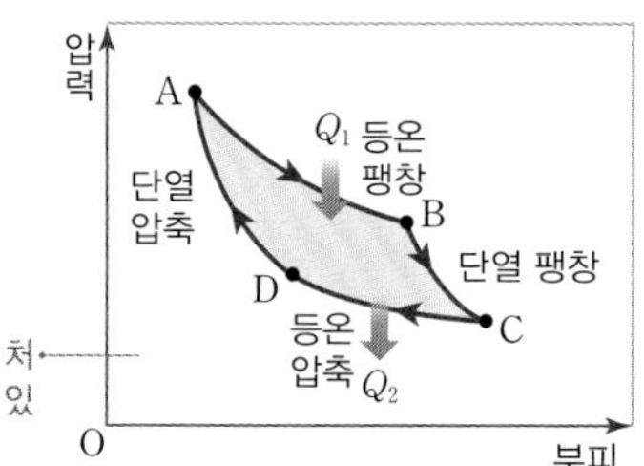

A→B/C→D: 등온 과정
B→C/D→A: 단열 과정

③ 카르노 기관은 고열원과 저열원의 온도 차이를 크게 하여 열효율을 높일 수 있지만 열효율이 1(= 100 %)이 되게 할 수는 없다.

열효율 100 %가 되려면? → 고열원의 온도(T_1)가 무한대로 높아야 한다. / 저열원의 온도(T_2)가 0 K이어야 한다. → 실제로 불가능하므로 열효율이 100 %인 열기관은 존재하지 않는다.

3 실제 열기관

이상적인 열기관인 카르노 기관은 실제로는 거의 없으며, 대부분의 열기관은 열효율이 매우 낮은 편이다. 일을 하는 과정에서 마찰이나 공기 저항으로 에너지가 손실되거나 전도, 대류, 복사 등으로 열량이 손실된다.

① 증기 기관: 증기 기관차의 증기 기관은 개발 초기에 열효율이 약 8 % 정도로 매우 낮았다.

② 자동차의 가솔린 기관: 온도가 약 3300 K인 고열원에서 열을 흡수하여 일을 한 후 온도가 약 1440 K인 저열원으로 남은 열을 방출한다. 카르노 기관으로 가정했을 때 열효율은 약 58 %이지만, 마찰이나 기타 열손실에 의해 실제 열효율은 20 %~30 % 정도이다.

③ 자동차의 디젤 기관: 가솔린 기관보다 열효율이 조금 높은 25 %~35 % 정도이다. 그러나 매연에 의한 대기 오염을 더 많이 일으킨다.

셀파 콕콕
열효율은 흡수한 열량에 대하여 한 일이 얼마나 되는지의 비율이다. 이때 한 일은 흡수한 열량과 방출된 열량의 차이와 같다.

❺ 열효율이 1인 열기관

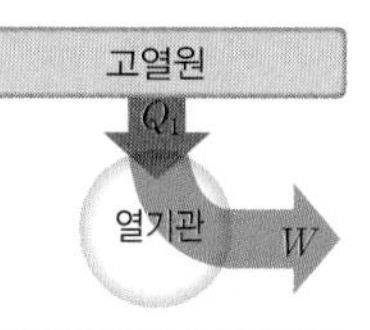

이 열기관은 열이 모두 일로 전환될 수 없다는 열역학 제2법칙에 어긋나므로 존재할 수 없다.

주의 콕
열기관의 열효율은 열량으로 구한다. 절대 온도의 비로 구하는 카르노 열기관은 실제 상황에서는 거의 존재하지 않는다. 일반적인 열기관의 열효율과 이상적인 카르노 기관의 열효율을 구하는 식을 구별하여 알고 있어야 한다.

용어
- **증기 기관**: 석탄과 같은 연료를 연소시켜 물을 고온 고압의 수증기로 만든 후, 이 수증기의 힘으로 피스톤을 움직인다.
- **가솔린 기관**: 공기와 연료를 흡입하여 압축한 후 폭발시켜 열에너지를 얻는다. 이 과정에서 피스톤이 압축과 팽창을 하며 외부에 일을 한다.
- **디젤 기관**: 공기를 흡입하여 압축한 후 연료를 분사하고 연소시켜 열에너지를 얻는다. 이 과정에서 피스톤이 움직여 외부에 일을 한다.

개념 확인하기

1 (　　　)은 열기관에서 공급되는 에너지에 대하여 열기관이 하는 일의 비율이다.
2 열효율이 0.2인 열기관에 100 J의 열을 가했을 때, 이 열기관이 한 일은 몇 J인가?
3 이상적인 열기관으로, 열효율이 가장 높은 열기관은 (　　　) 기관이다.

답 1. 열효율 2. 20 J 3. 카르노

셀파 세미나 S·H·E·R·P·A

▶ 열기관의 순환 과정을 기체의 압력-부피 그래프와 연결하여 해석해 봅시다.

카르노 기관의 열역학 과정

01 카르노 기관의 열역학 과정 그래프와 열효율

카르노 기관은 열효율이 가장 높은 열기관으로, 열기관 내부의 기체가 단열 과정과 등온 과정을 거치면서 처음 상태로 돌아오므로 순환 후 내부 에너지는 변하지 않는다.

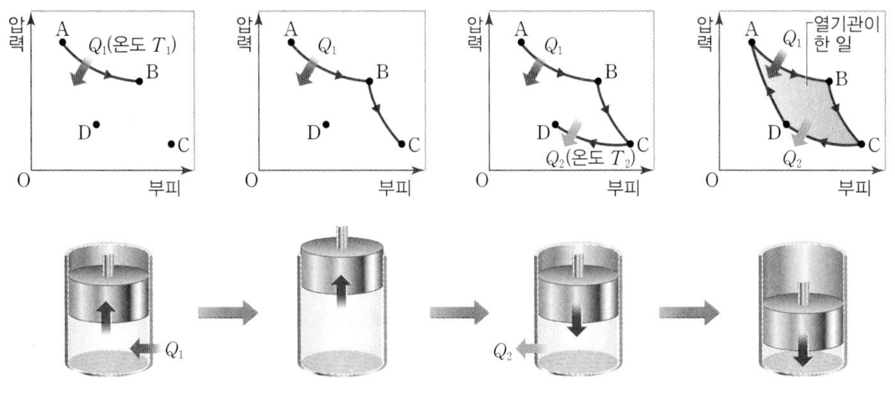

과정	열에너지	부피 변화	일	온도	내부 에너지
A → B(등온 팽창)	흡수(Q_1)	증가	일을 함	일정(T_1)	변화 없음
B → C(단열 팽창)	출입 없음	증가	일을 함	하강($T_1 \rightarrow T_2$)	감소
C → D(등온 압축)	방출(Q_2)	감소	일을 받음	일정(T_2)	변화 없음
D → A(단열 압축)	출입 없음	감소	일을 받음	상승($T_2 \rightarrow T_1$)	증가

- 열기관은 A→B→C 과정에서 부피가 팽창하면서 외부에 일을 하고, C→D→A 과정에서 부피가 줄어들면서 외부에서 일을 받는다.
- 열기관이 외부에서 열을 흡수하는 구간은 A→B이며, 이때 흡수한 열량이 Q_1이다.
- 열기관이 외부에 열을 방출하는 구간은 C→D이며, 이때 방출한 열량이 Q_2이다.
- 카르노 기관에서 고열원의 온도가 T_1, 저열원의 온도가 T_2일 때 열효율은 다음과 같다.

$$e = 1 - \frac{Q_2}{Q_1} = \frac{T_1 - T_2}{T_1} = 1 - \frac{T_2}{T_1}$$

Plus 문제

Q. 다음과 같은 순환 과정을 거치는 카르노 기관에서 열효율은? (단, 절대 온도 = 섭씨온도 + 273이다.)

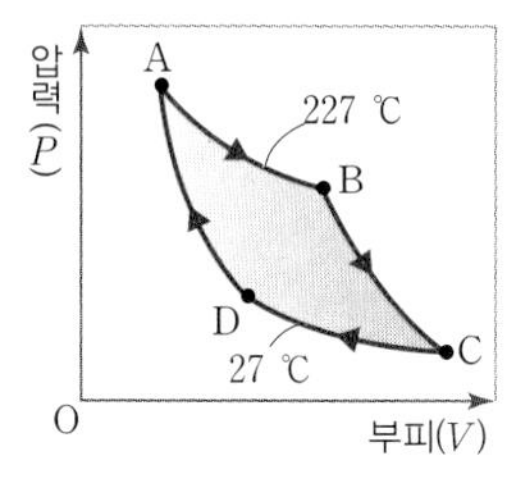

A. 카르노 기관의 열효율은 고열원의 절대 온도와 저열원의 절대 온도를 이용하여 구할 수 있다.

$$e = 1 - \frac{\text{저열원의 절대 온도}}{\text{고열원의 절대 온도}} = 1 - \frac{300\text{ K}}{500\text{ K}} = 0.4$$

02 순환 과정 그래프와 열효율

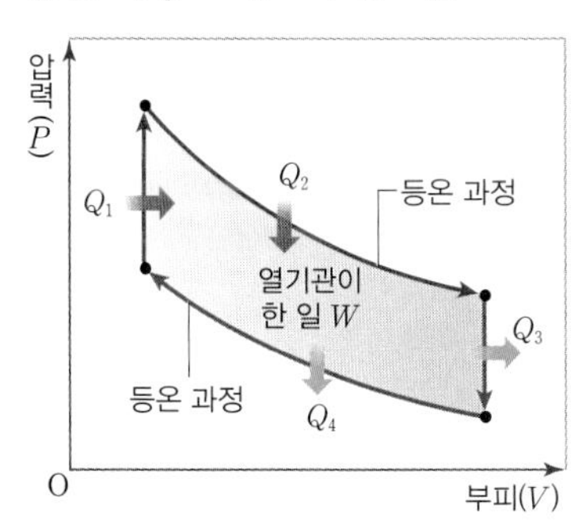

- 열기관이 순환 과정 후 원래 상태로 돌아오므로 온도와 내부 에너지는 변화가 없다.
- 열기관으로 공급된 열량은 $Q_1 + Q_2$이고, 열기관에서 방출된 열량은 $Q_3 + Q_4$이다.
- 열효율 $e = \frac{W}{Q_1 + Q_2} = 1 - \frac{Q_3 + Q_4}{Q_1 + Q_2}$

Plus 문제

Q. 어떤 열기관이 500 J의 열에너지를 공급받아 그림과 같이 A→B→C→D→A의 순환 과정을 거쳤다. 이 열기관이 한 일과 열효율은?

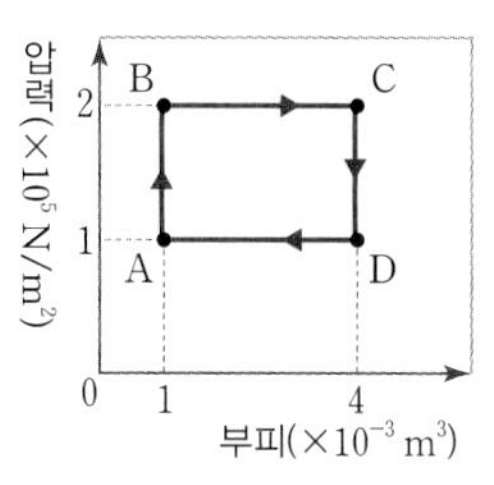

A. 열기관이 한 일은 그래프로 둘러싸인 부분의 면적이므로 $1 \times 10^5 \times 3 \times 10^{-3} = 300$ J이고, 열효율은 $\frac{\text{한 일}}{\text{공급된 열량}}$이므로 $\frac{300}{500} = 0.6$이다.

기초 탄탄 문제

정답과 해설 22쪽

핵심용어_ 이 단원에서 내가 아는 것과 아직 모르는 것을 정리하며 나의 공부를 돌아보자.

- □ 가역 과정
- □ 비가역 과정
- □ 무질서도
- □ 열역학 제2법칙
- □ 열기관
- □ 열효율
- □ 순환 과정
- □ 카르노 기관

01 그림과 같이 진자를 매달아 하나는 진공에서(가), 다른 하나는 공기 중에서(나) 각각 진동시켰다. 이에 대한 설명으로 옳지 않은 것은?

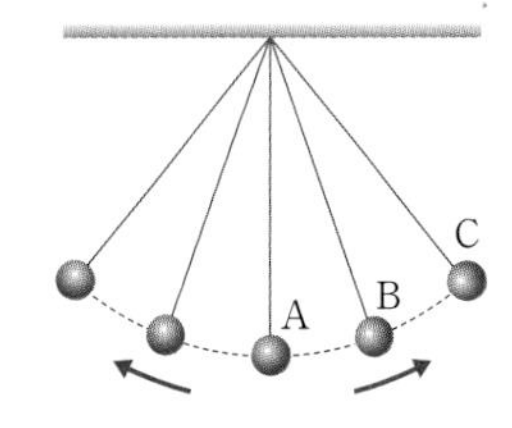

① (가)의 진자는 처음 진자를 움직인 C 높이까지 계속 올라간다.
② (나)의 진자는 진동이 점점 약해지다가 멈춘다.
③ (가)는 가역 과정이다.
④ (나) 과정은 한쪽 방향으로만 진행하며, 그 반대로는 저절로 일어나지 않는다.
⑤ (나)는 열역학 제1법칙을 만족하지 않는다.

02 열역학 제2법칙을 나타내는 설명으로 가장 거리가 먼 것은?

① 열을 전부 일로 바꿀 수는 없다.
② 열효율이 100 %인 열기관은 존재할 수 없다.
③ 자연 현상은 질서가 있는 방향으로 일어난다.
④ 물에 떨어진 잉크 방울은 한곳에 모여 있지 않고 퍼진다.
⑤ 열은 온도가 높은 물체에서 온도가 낮은 물체로 스스로 이동한다.

03 어떤 열기관이 $4Q$의 열을 흡수하여 일을 하고 $3Q$의 열을 방출하였다. 이 열기관이 한 일과 열효율을 옳게 나타낸 것은?

	한 일	열효율
①	Q	0.2
②	$3Q$	0.2
③	Q	0.25
④	$3Q$	0.75
⑤	Q	0.75

04 표는 두 열기관 A와 B에서 흡수하는 열량 Q_1과 방출하는 열량 Q_2를 나타낸 것이다.

구분	열기관 A	열기관 B
Q_1	200 J	250 J
Q_2	160 J	125 J

두 열기관의 열효율은 각각 얼마인가?

	열기관 A	열기관 B
①	0.2	0.5
②	0.4	0.6
③	0.5	0.6
④	0.8	0.5
⑤	0.6	0.8

05 그림은 A→B→C→D→A 과정으로 순환하는 스털링 엔진의 압력-부피 그래프이다.

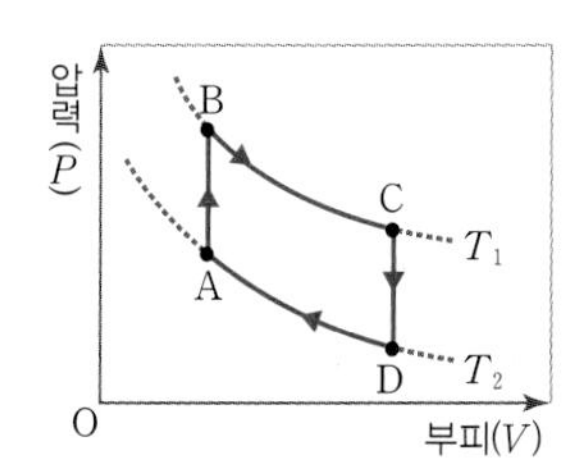

이에 대한 설명으로 옳지 않은 것은?

① A→B에서 기체의 온도는 상승한다.
② B→C에서 기체는 외부에 일을 한다.
③ C→D에서 기체는 열을 방출한다.
④ D→A에서 기체의 부피는 감소한다.
⑤ 열기관 속 기체가 1회 순환하는 동안 내부 에너지가 증가한다.

06 그림은 열기관이 고열원으로부터 Q_1의 열량을 흡수하여 W의 일을 하고 저열원으로 Q_2의 열량을 방출하는 과정을 나타낸 것이다. 이에 대한 설명으로 옳지 않은 것은?

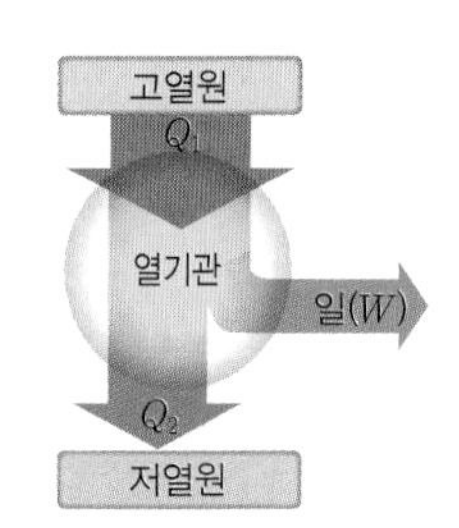

① 열기관이 외부에 한 일 W는 $Q_1 - Q_2$이다.
② $\frac{W}{Q_1}$가 작을수록 열기관의 열효율은 낮아진다.
③ $Q_2 = 0$이면 열효율은 100 %이다.
④ 카르노 기관은 Q_2가 0이다.
⑤ 열효율이 100 %인 열기관은 존재하지 않는다.

내신 만점 문제

정답과 해설 23쪽 난이도를 나타냅니다.

01 그림과 같이 더운물과 찬물을 섞으면 미지근한 물이 된다. 그러나 미지근한 물이 뜨거운 물과 찬물로 분리되는 일은 일어나지 않는다.

이와 같은 원리로 설명할 수 있는 현상만을 〈보기〉에서 있는 대로 고른 것은?

보기
ㄱ. 진공에서 진자의 역학적 에너지가 보존된다.
ㄴ. 공기와 바닥과의 마찰이 없는 곳에서 자유 낙하 한 고무공의 역학적 에너지가 보존된다.
ㄷ. 잉크를 물에 떨어뜨리면 모여 있지 않고 물 전체로 퍼진다.

① ㄱ ② ㄷ ③ ㄱ, ㄴ
④ ㄴ, ㄷ ⑤ ㄱ, ㄴ, ㄷ

02 열역학 제2법칙으로 설명할 수 있는 현상만을 〈보기〉에서 있는 대로 고른 것은?

보기
ㄱ. 열은 스스로 저온에서 고온으로 이동하지 않는다.
ㄴ. 열은 전부 일로 전환시킬 수 없다.
ㄷ. 진자가 공기 중에서 운동할 때 열에너지를 포함한 모든 에너지의 총합은 보존된다.
ㄹ. 외부에서 에너지를 공급받지 않고 작동하는 장치는 불가능하다.

① ㄱ, ㄴ ② ㄴ, ㄷ ③ ㄷ, ㄹ
④ ㄱ, ㄴ, ㄷ ⑤ ㄴ, ㄷ, ㄹ

03 그림과 같이 외부와 단열된 상자에 칸막이를 설치하여 반으로 나누고, A에는 이상 기체를 채우고 B는 진공 상태로 한 후 칸막이에 구멍을 뚫었다.

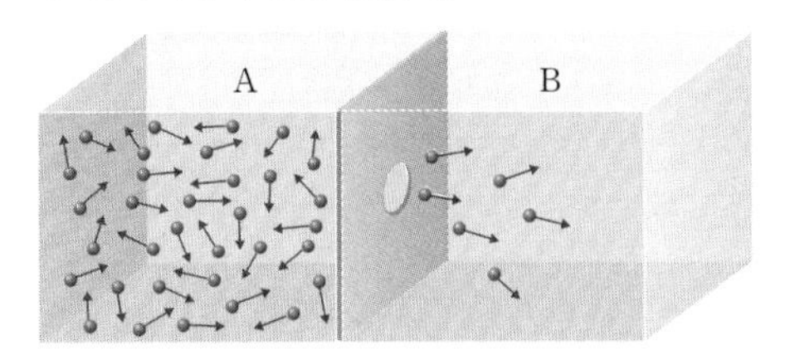

시간이 지난 후 이 상자에 대한 설명으로 옳은 것만을 〈보기〉에서 있는 대로 고른 것은?

보기
ㄱ. 상자의 엔트로피는 구멍을 뚫은 후가 뚫기 전보다 크다.
ㄴ. 기체의 내부 에너지와 압력은 감소한다.
ㄷ. 기체는 외부에 일을 해 준다.
ㄹ. 칸막이에 구멍을 낸 후 기체가 퍼지는 현상은 비가역 과정이다.

① ㄱ, ㄴ ② ㄱ, ㄹ ③ ㄱ, ㄴ, ㄷ
④ ㄱ, ㄴ, ㄹ ⑤ ㄱ, ㄴ, ㄷ, ㄹ

04 그림과 같이 물에 잉크를 떨어뜨리면 잉크가 확산되어 물 전체로 퍼진다.

이에 대한 설명으로 옳은 것만을 〈보기〉에서 있는 대로 고른 것은?

보기
ㄱ. 잉크가 퍼지는 것은 비가역 과정이다.
ㄴ. 퍼진 잉크가 다시 물과 잉크로 나눠지지 않는 것은 열역학 제2법칙으로 설명할 수 있다.
ㄷ. 잉크가 퍼지면 비커 전체의 무질서도는 감소한다.
ㄹ. 잉크가 한군데에 모여 있을 확률은 잉크가 물에 골고루 퍼질 확률보다 높다.

① ㄱ, ㄴ ② ㄱ, ㄷ ③ ㄴ, ㄷ
④ ㄴ, ㄹ ⑤ ㄱ, ㄴ, ㄹ

05 열효율이 25 %인 어느 열기관에 2000 J의 열량이 고열원에서 공급되었다. 이 열기관이 한 일과 저열원으로 방출되는 열량을 옳게 나타낸 것은?

	한 일	방출되는 열량
①	500 J	0 J
②	500 J	500 J
③	500 J	1500 J
④	1500 J	500 J
⑤	1500 J	2000 J

06 그림은 고열원에서 $10Q$의 열량을 흡수하여 W의 일을 하고 저열원으로 $8Q$의 열량을 방출하는 열기관을 모식적으로 나타낸 것이다.
이에 대한 설명으로 옳은 것만을 〈보기〉에서 있는 대로 고른 것은?

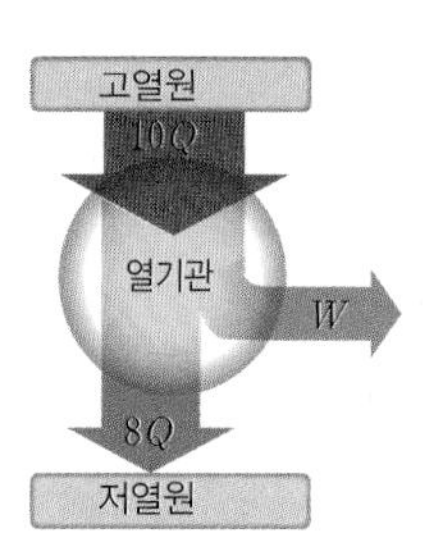

보기
ㄱ. $W=2Q$이다.
ㄴ. 열기관의 열효율은 20 %이다.
ㄷ. 이 열기관보다 열효율이 2배인 열기관이 $10Q$의 열을 흡수하면 저열원으로 $4Q$의 열량을 방출한다.

① ㄱ ② ㄴ ③ ㄱ, ㄴ
④ ㄱ, ㄷ ⑤ ㄱ, ㄴ, ㄷ

07 어떤 열기관이 3000 J의 열에너지를 공급받아 그림과 같이 A→B→C→D→A의 순환 과정을 거친다.
순환 과정을 한 번 거치는 동안 열기관에 대한 설명으로 옳은 것만을 〈보기〉에서 있는 대로 고른 것은?

압력($\times10^5$ N/m²)
부피($\times10^{-3}$ m³)

보기
ㄱ. 열효율은 20 %이다.
ㄴ. 외부에 한 일은 600 J이다.
ㄷ. 내부 에너지의 증가량은 100 J이다.

① ㄱ ② ㄴ ③ ㄷ
④ ㄱ, ㄴ ⑤ ㄴ, ㄷ

08 그림은 고열원에서 Q_1의 열량을 흡수하여 W의 일을 하고 저열원으로 Q_2의 열량을 방출하는 카르노 기관의 순환 과정을 나타낸 것이다.
이에 대한 설명으로 옳은 것만을 〈보기〉에서 있는 대로 고른 것은?

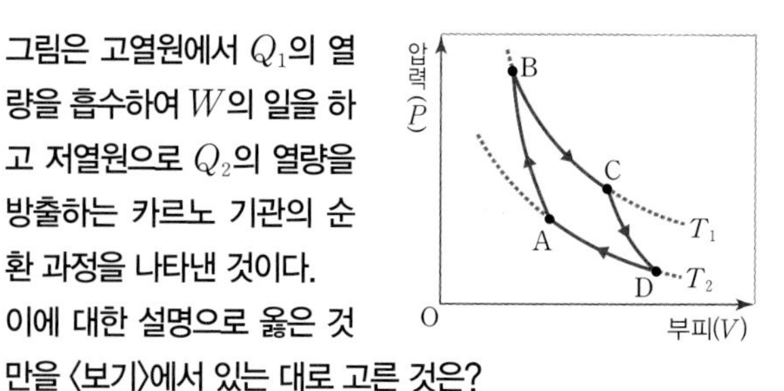

보기
ㄱ. 열을 흡수하는 과정은 B → C이며, 열을 방출하는 과정은 D → A이다.
ㄴ. 한 번 순환할 때 열기관이 받은 열량은 ABCD로 둘러싸인 부분의 면적이다.
ㄷ. 이 열기관의 열효율을 높이려면 T_1의 온도를 높이거나 T_2의 온도를 낮추어야 한다.
ㄹ. 한 번 순환한 후 열기관의 내부 에너지는 커진다.

① ㄱ, ㄴ ② ㄱ, ㄷ ③ ㄷ, ㄹ
④ ㄱ, ㄴ, ㄷ ⑤ ㄴ, ㄷ, ㄹ

09 어떤 열기관이 800 K인 고열원으로부터 1000 kJ의 열량을 흡수하여 400 K의 저열원으로 700 kJ의 열량을 방출하였다. 이 열기관의 실제 열효율과 이상적인 최대 열효율을 옳게 짝 지은 것은?

	열기관의 열효율	이상적인 열효율
①	0.2	0.3
②	0.3	0.5
③	0.4	0.5
④	0.5	0.3
⑤	0.5	0.4

10 열기관과 열효율에 대한 설명으로 옳은 것만을 〈보기〉에서 있는 대로 고른 것은?

보기
ㄱ. 기술이 발달하면 공급된 열을 모두 일로 바꾸는 열기관을 만들 수 있다.
ㄴ. 고열원과 저열원 사이에서 작동하는 열기관의 최대 열효율은 두 열원의 절대 온도로 구할 수 있다.
ㄷ. 열기관이 고열원에서 흡수한 열량은 저열원으로 방출한 열량보다 작다.

① ㄱ ② ㄴ ③ ㄷ
④ ㄱ, ㄴ ⑤ ㄴ, ㄷ

11 그림 (가)는 1회 순환 과정에서 고열원에서 Q_1의 열량을 흡수하여 외부에 W의 일을 하고 저열원으로 Q_2의 열량을 방출하는 카르노 기관을, (나)는 이 열기관의 순환 과정을 압력-부피 그래프로 나타낸 것이다.

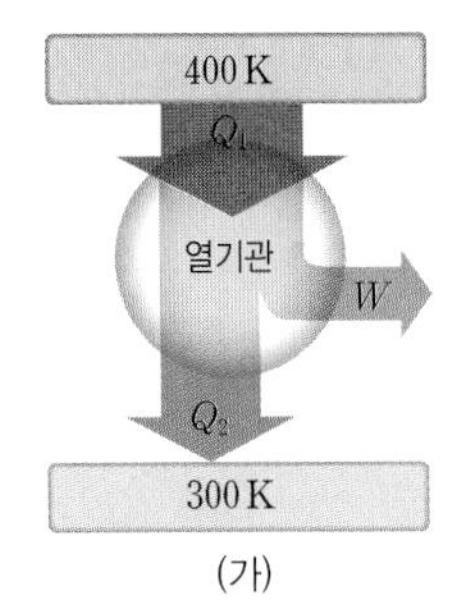

(가)

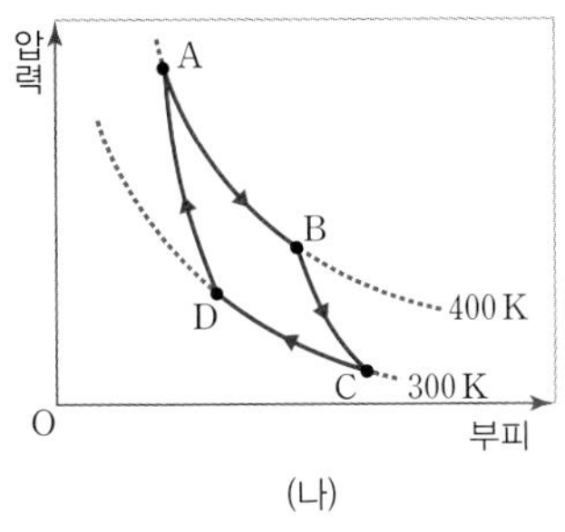

(나)

이에 대한 설명으로 옳은 것만을 〈보기〉에서 있는 대로 고른 것은?

보기

ㄱ. 열기관의 열효율은 0.25이다.
ㄴ. 열기관이 A → B → C 과정에서 한 일은 W이다.
ㄷ. 열기관이 D → A 과정에서 방출한 열량은 Q_2이다.

① ㄱ ② ㄴ ③ ㄷ
④ ㄱ, ㄷ ⑤ ㄴ, ㄷ

12 그림은 어떤 열기관에서 일정량의 이상 기체의 상태가 과정 Ⅰ → Ⅱ → Ⅲ → Ⅳ를 따라 변할 때 압력과 부피를 나타낸 것이다. 표는 과정 Ⅰ~Ⅳ에서 기체가 외부에 한 일(W), 기체가 흡수한 열량(Q), 기체의 내부 에너지 변화량(ΔU)을 일부만 나타낸 것이다. 이때 과정 Ⅰ, Ⅲ은 등온 과정, 과정 Ⅱ, Ⅳ는 단열 과정이다.

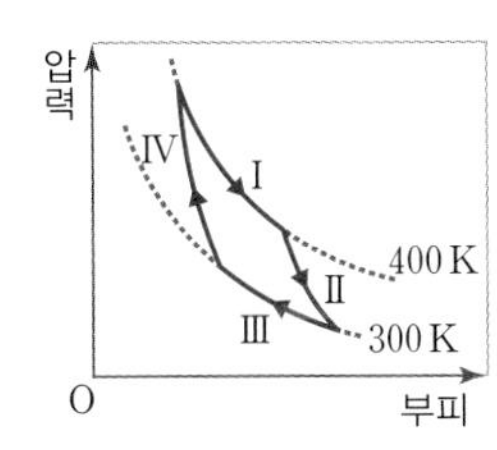

구분	Ⅰ	Ⅱ	Ⅲ	Ⅳ
W		c		
Q	a		$-b$	0
ΔU	0	$-c$	0	

이 열기관의 열효율은? (단, $b \neq c$이다.)

① $\dfrac{a-2b}{a}$ ② $\dfrac{a-b}{a}$ ③ $\dfrac{a-c}{a}$
④ $\dfrac{a-b}{a+b}$ ⑤ $\dfrac{a-c}{a+b}$

서술형 문제

13 스털링 엔진은 A→B→C→D→A를 따라 순환하며 일을 하는 열기관이다. 이때 A→B와 C→D는 등적 과정, B→C와 D→A는 등온 과정이다.

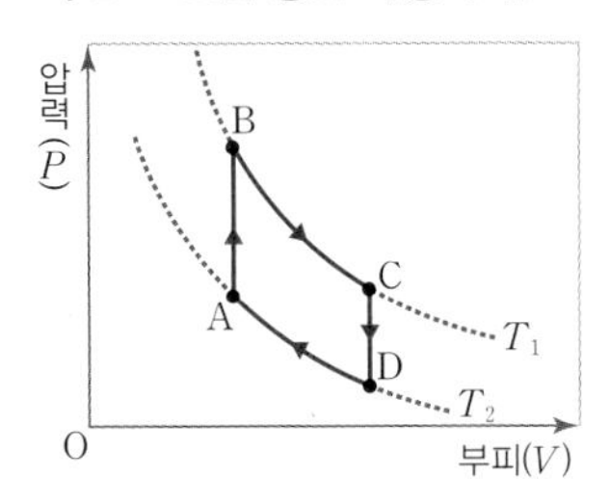

(1) A→B→C→D→A에서 스털링 엔진이 외부로 일을 하는 과정을 쓰고, 이때 내부 에너지는 어떻게 변하는지 서술하시오.

(2) 스털링 엔진에서 외부로 열이 빠져나가는 과정을 쓰고, 그렇게 생각한 까닭을 서술하시오.

14 그림은 고열원으로부터 10 kJ의 열량을 흡수하여 W의 일을 하고 저열원으로 6 kJ의 열량을 방출하는 열기관을 나타낸 것이다.

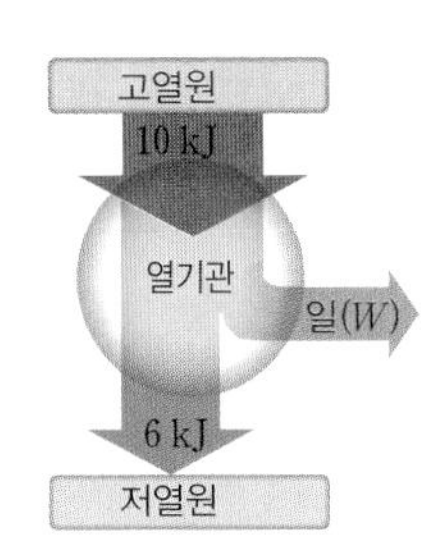

(1) 이 열기관의 열효율을 구하시오.

(2) 열기관의 열효율이 1이 될 수 없는 까닭을 서술하시오.

단원 정리하기

핵심 Point 1~9

1. 일과 에너지

① 일의 양: 물체에 작용한 힘(F)의 크기와 힘의 방향으로 물체가 이동한 거리(s)를 곱한 것

$$일(W) = 힘 \times 힘의\ 방향으로\ 이동한\ 거리 = F \times s$$

② 일의 단위: J(줄), N·m

2. 운동 에너지

① 운동하는 물체가 가진 에너지
➡ 운동하는 물체가 정지할 때까지 일을 할 수 있는 능력

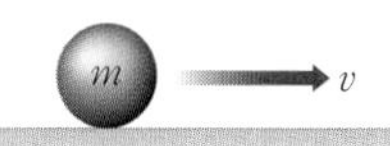

$$E_k = \frac{1}{2} \times 질량 \times (속력)^2 = \frac{1}{2}mv^2\ (단위:\ J)$$

② 일·운동 에너지 정리: 물체에 작용한 알짜힘이 한 일(W)은 운동 에너지의 변화량(ΔE_k)과 같다.

$$W = Fs = \frac{1}{2}mv^2 - \frac{1}{2}mv_0^2 = \Delta E_k$$

3. 퍼텐셜 에너지

물체가 기준 위치와 다른 위치에 있을 때 가지는 에너지 ➡ 물체에 일을 해 주어 기준면으로부터 위치 변화가 있을 때 생김

① 중력 퍼텐셜 에너지(E_p): 중력이 작용하는 공간에서 기준면에서 다른 위치에 있을 때 가지는 에너지

$$E_p = mgh\ (단위:\ J)$$

② 물체를 등속으로 들어 올릴 때 → 퍼텐셜 에너지 증가

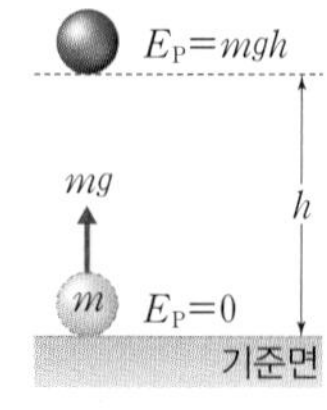

- 물체를 끌어올리는 힘: mg
- 힘이 물체에 한 일: 힘 × 이동 거리 = mgh
- 물체에 해 준 일의 양만큼 물체의 중력 퍼텐셜 에너지 증가 → 증가한 퍼텐셜 에너지 = mgh

③ 물체를 자유 낙하시킬 때 → 퍼텐셜 에너지 감소

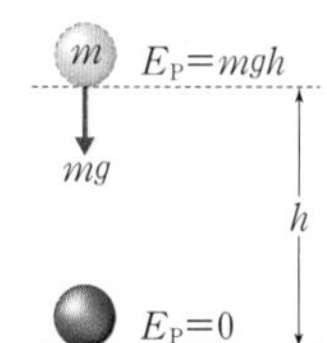

- 물체에 작용하는 중력: mg
- 힘이 물체에 한 일: 힘 × 이동 거리 = mgh
- 물체가 낙하하면서 물체가 가진 중력 퍼텐셜 에너지가 일로 전환 → 감소한 퍼텐셜 에너지 = mgh

④ 탄성 퍼텐셜 에너지(E_p): 탄성을 가진 물체의 길이를 변화시킬 때, 변형된 물체가 가진 에너지

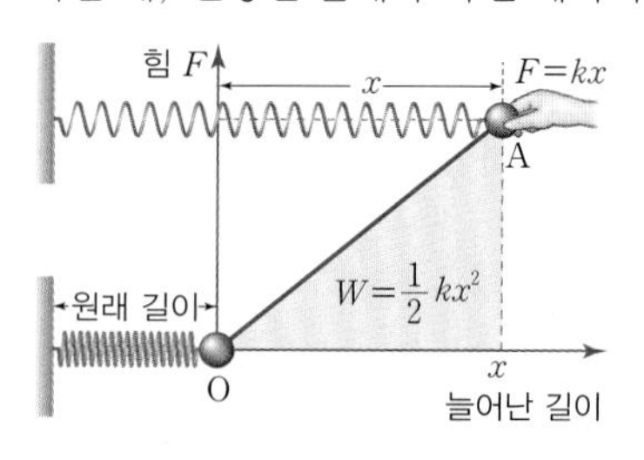

$$E_p = \frac{1}{2} \times 용수철\ 상수 \times (변형된\ 길이)^2$$
$$= \frac{1}{2}kx^2\ (단위:\ J)$$

4. 역학적 에너지 보존

① 역학적 에너지(E): 운동 에너지와 퍼텐셜 에너지의 합

② 역학적 에너지 보존 법칙: 마찰이나 공기 저항이 없으면 물체의 역학적 에너지는 항상 일정하게 보존된다.

③ 중력에 의한 역학적 에너지 보존: 중력이 작용하여 운동하는 물체에서 각 지점의 운동 에너지와 중력 퍼텐셜 에너지의 합은 항상 같다.

$$E = E_k + E_p = \frac{1}{2}mv_1^2 + mgh_1 = \frac{1}{2}mv^2 = mgh$$
$$= 모든\ 위치에서\ 항상\ 일정$$

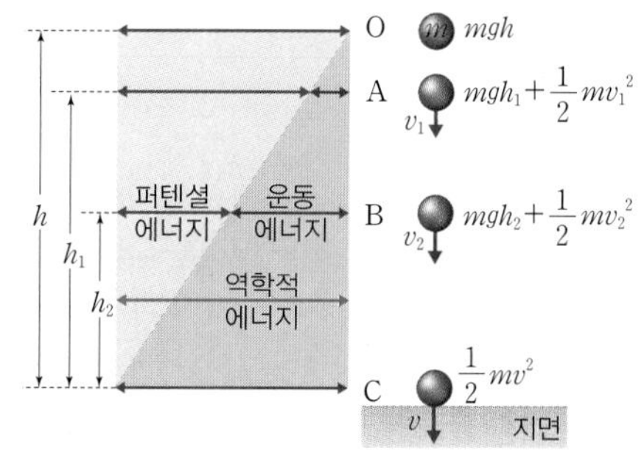

④ 탄성력에 의한 역학적 에너지 보존: 용수철에 물체가 매달려 운동하는 동안, 각 지점에서 물체의 운동 에너지와 탄성 퍼텐셜 에너지의 합은 항상 같다.

$$E = E_k + E_p = \frac{1}{2}mv_1^2 + \frac{1}{2}kx_1^2$$
$$= \frac{1}{2}mv^2 = \frac{1}{2}kA^2 = 모든\ 위치에서\ 항상\ 일정$$

⑤ 물체가 마찰이나 공기 저항을 받으면 역학적 에너지는 보존되지 않는다. ➡ 감소된 역학적 에너지는 열에너지 등으로 전환되며, 열에너지를 포함하면 전체 에너지는 보존된다.

5. 기체의 내부 에너지와 기체가 하는 일

① 이상 기체의 내부 에너지는 기체 분자들의 운동 에너지 총합과 같으며, 기체의 절대 온도가 높을수록 크다.

② 기체가 일정한 압력 P를 유지하면서 부피가 ΔV만큼 팽창하면 기체는 외부에 W만큼의 일을 한다.

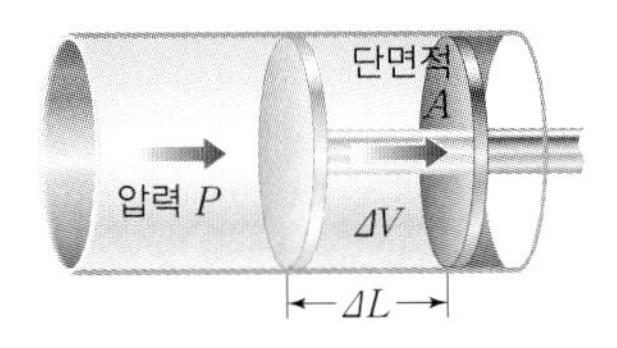

$$W = F \times \Delta L = P \times A \times \Delta L$$
$$= P \times \Delta V = P \times (V_2 - V_1)$$

③ 기체의 부피가 증가하면 기체는 외부에 일을 한 것이고, 부피가 감소하면 외부에서 일을 받은 것이다.

6. 열역학 제1법칙과 에너지 보존

① 열역학 제1법칙: 기체가 흡수한 열량을 Q는 내부 에너지의 변화량 ΔU와 기체가 외부로 한 일 W의 합과 같다.

$$\text{가한 열량} = \text{내부 에너지 증가량} + \text{한 일}$$
$$Q = \Delta U + W$$

② 열역학 제1법칙은 열이 일과 내부 에너지로 전환되어 그 양이 보존된다는 것으로, 에너지가 전환되어도 총량은 변하지 않는다는 에너지 보존 법칙이다.

7. 열역학 과정

등압 과정: 압력 일정 (열 출입)

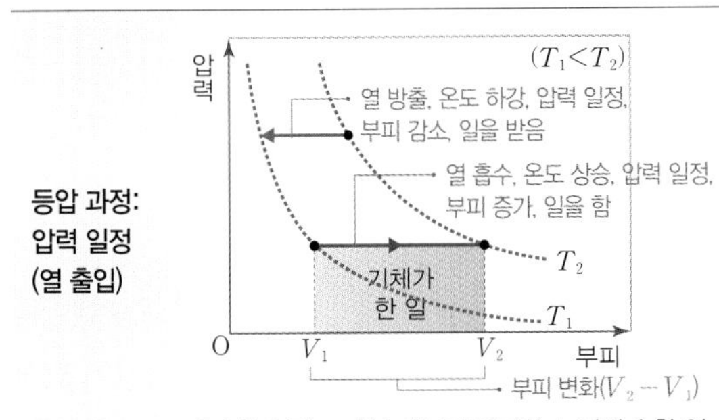

흡수한 열량 = 내부 에너지 증가량 + 기체가 한 일

등적 과정: 부피 일정 (열 출입)

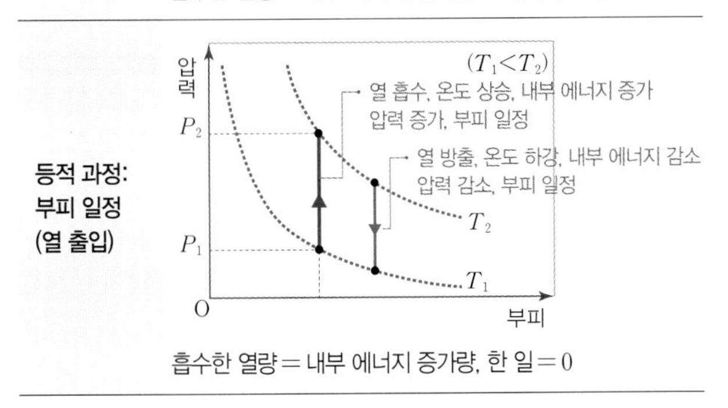

흡수한 열량 = 내부 에너지 증가량, 한 일 = 0

등온 과정: 온도 일정 (열 출입)

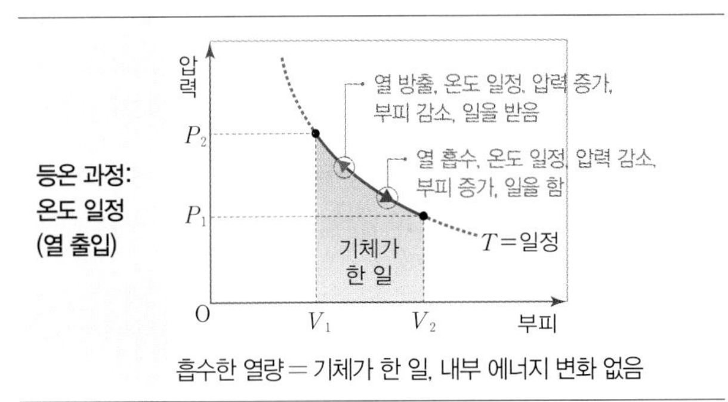

흡수한 열량 = 기체가 한 일, 내부 에너지 변화 없음

단열 과정: 열 출입 없음

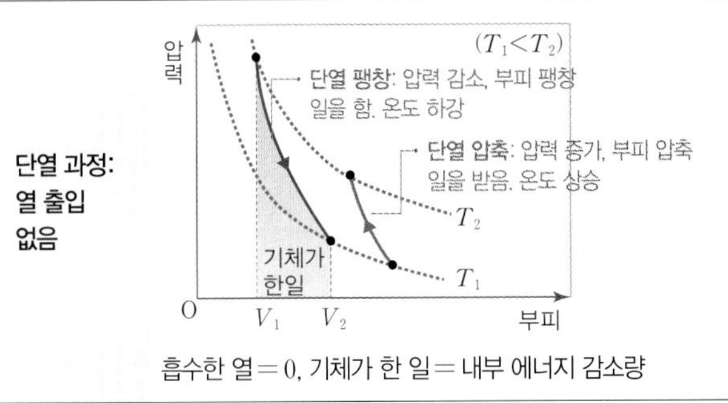

흡수한 열 = 0, 기체가 한 일 = 내부 에너지 감소량

8. 열역학 제2법칙

자발적으로 일어나는 비가역 현상에는 방향성이 있음을 나타낸 법칙이다. 즉, 열역학 제1법칙에 위배되지는 않지만 자연계에서 절대 스스로 일어나지 않는 현상을 설명하는 법칙이다.

① 일은 전부 열로 바꿀 수 있지만 열은 전부 일로 바꿀 수 없다.

② 열효율이 1(100 %)인 열기관은 존재하지 않는다.

③ 열은 항상 고온에서 저온의 물체로 이동한다.

④ 자연 현상은 무질서도가 증가하는 방향으로 일어난다.

9. 열효율

열효율은 열기관에 공급된 열 Q_1과 열기관이 한 일 W의 비율이다.

① 열효율: 열기관으로 공급된 열량을 Q_1, 열기관에서 한 일을 W, 방출된 열량을 Q_2라고 하면, $W = Q_1 - Q_2$이다.

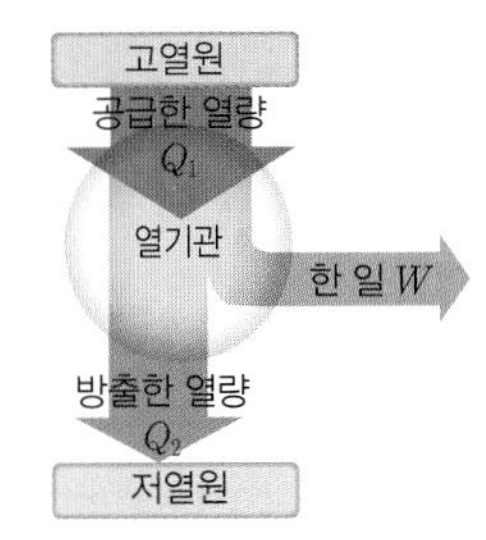

$$e = \frac{W}{Q_1} = \frac{Q_1 - Q_2}{Q_1} = 1 - \frac{Q_2}{Q_1}$$

② 카르노 기관: 가장 높은 열효율을 낼 수 있는 이상적인 열기관

$$e_{\text{카}} = 1 - \frac{Q_2}{Q_1} = 1 - \frac{T_2}{T_1}$$

단원 마무리하기

학교 시험에 꼭 나오는 문제를 모았어요. 꼼꼼하게 풀어봐요~

[01~02] 그림 (가)는 마찰이 없는 수평면 위에 정지해 있는 질량이 1 kg인 물체에 힘을 작용하는 것을, (나)는 물체에 작용한 힘을 이동 거리에 따라 나타낸 것이다.

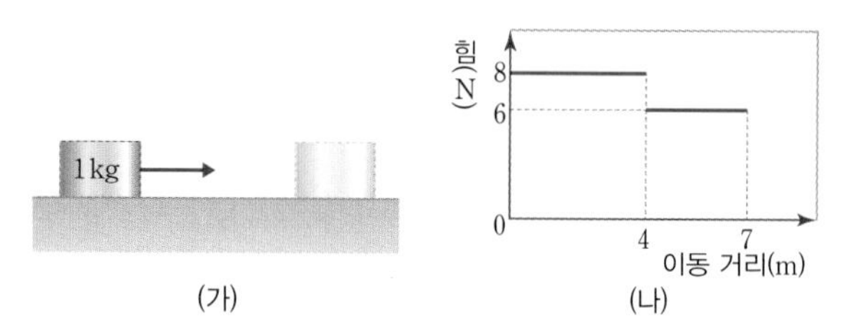

(가) (나)

01 이 물체의 운동에 대한 설명으로 옳은 것만을 <보기>에서 있는 대로 고른 것은?

보기
ㄱ. 7 m를 이동하는 동안 힘이 한 일은 50 J이다.
ㄴ. 7 m를 이동한 후 물체의 운동 에너지는 40 J이다.
ㄷ. 7 m를 이동한 후 물체의 속력은 10 m/s이다.

① ㄱ ② ㄱ, ㄴ ③ ㄱ, ㄷ
④ ㄴ, ㄷ ⑤ ㄱ, ㄴ, ㄷ

02 물체가 4 m 지점을 지날 때의 속력을 v_1, 7 m를 지날 때의 속력을 v_2라고 할 때, $v_1 : v_2$는?

① 1 : 2 ② 1 : 3 ③ 2 : 3
④ 4 : 5 ⑤ 4 : 7

03 그림과 같이 지면에 놓여 있는 물체에 20 N의 힘을 작용하여 물체를 10 m 이동시켰다. (단, 물체와 지면 사이의 마찰력은 10 N이다.)

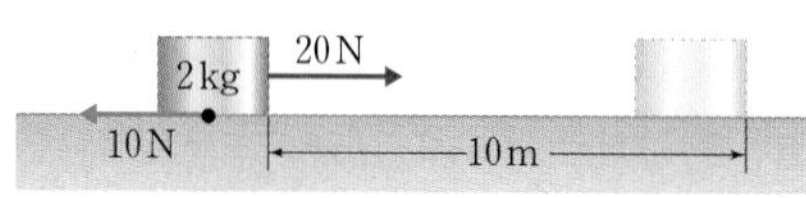

10 m 이동 후 이 물체의 가속도 크기와 알짜힘이 한 일을 옳게 짝지은 것은?

① 5 m/s^2, 50 J ② 5 m/s^2, 100 J
③ 10 m/s^2, 50 J ④ 10 m/s^2, 100 J
⑤ 10 m/s^2, 200 J

04 그림 (가)는 전동기로 지면에 놓여 있던 질량이 10 kg인 물체를 1 m 높이까지 들어 올리는 것을 나타낸 것이다. 그림 (나)는 전동기가 물체를 당기는 힘을 물체의 이동 거리에 따라 나타낸 것이다.

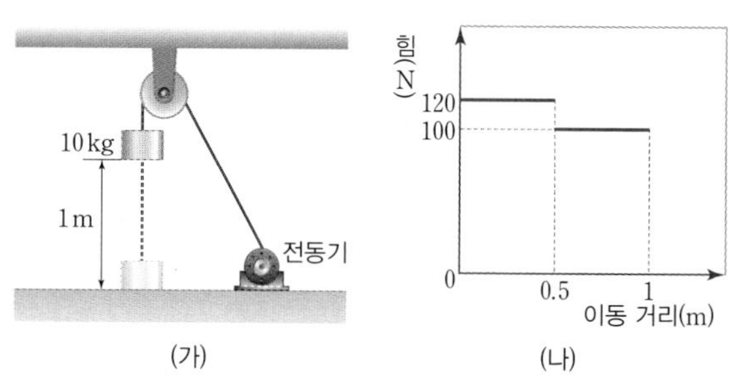

(가) (나)

이에 대한 설명으로 옳은 것만을 <보기>에서 있는 대로 고른 것은? (단, 중력 가속도는 10 m/s^{2}이고, 모든 마찰을 무시한다.)

보기
ㄱ. 전동기가 한 일은 110 J이다.
ㄴ. 0.5 m 높이에서 물체의 운동 에너지는 10 J이다.
ㄷ. 0.5 m에서 1 m가지 물체는 등속도 운동을 한다.

① ㄱ ② ㄴ ③ ㄷ
④ ㄱ, ㄴ ⑤ ㄱ, ㄴ, ㄷ

05 그림은 전동기로 지면에 놓여 있던 질량이 1 kg인 물체를 0.8 m 끌어올리는 것을 나타낸 것이고, 이때 전동기가 줄을 당기는 힘의 크기는 12 N으로 일정하다.

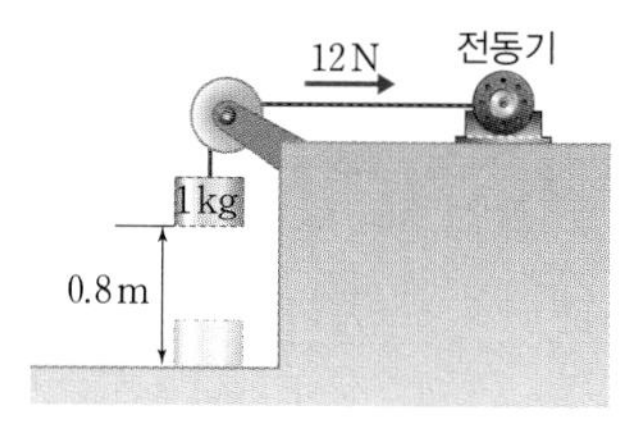

이에 대한 설명으로 옳은 것만을 <보기>에서 있는 대로 고른 것은? (단, 도르래와 줄의 질량 및 모든 마찰은 무시하고, 중력 가속도는 10 m/s^{2}이다.)

보기
ㄱ. 전동기가 줄을 당기는 힘이 한 일은 9.6 J이다.
ㄴ. 중력이 물체에 한 일의 크기는 8 J이다.
ㄷ. 물체의 역학적 에너지 증가량은 1.6 J이다.

① ㄱ ② ㄷ ③ ㄱ, ㄴ
④ ㄴ, ㄷ ⑤ ㄱ, ㄴ, ㄷ

06 그림은 질량이 2 kg인 물체가 마찰이 없는 빗면을 따라 직선 운동하는 것을 나타낸 것이다. 수평면에서 높이 6 m인 A점에서 물체의 속력은 5 m/s이다.

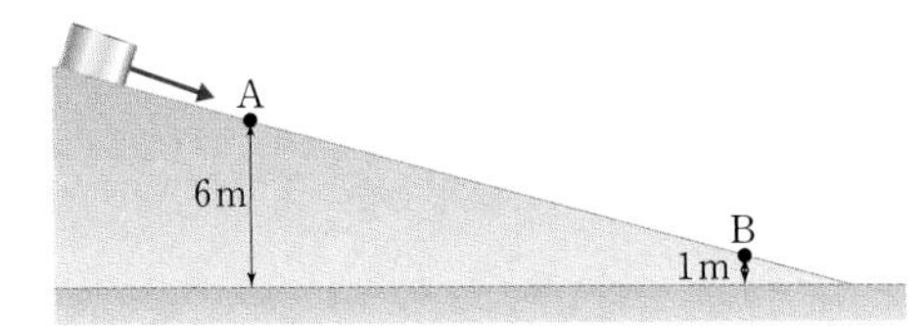

이에 대한 설명으로 옳은 것만을 〈보기〉에서 있는 대로 고른 것은? (단, 중력 가속도는 10 m/s^2 이다.)

보기
ㄱ. A에서는 물체의 운동 에너지는 중력 퍼텐셜 에너지보다 크다.
ㄴ. A에서 B까지 물체에 작용하는 중력이 한 일은 100 J이다.
ㄷ. 물체가 B 지점을 통과할 때 운동 에너지는 125 J이다.

① ㄱ ② ㄷ ③ ㄱ, ㄴ
④ ㄱ, ㄷ ⑤ ㄴ, ㄷ

07 그림은 빗면의 p점에 가만히 놓인 수레가 빗면을 따라 이동하여, 수평면에 정지해 있는 나무 도막과 부딪혀 나무 도막과 함께 L만큼 이동한 후 멈춘 것을 나타낸 것이다.

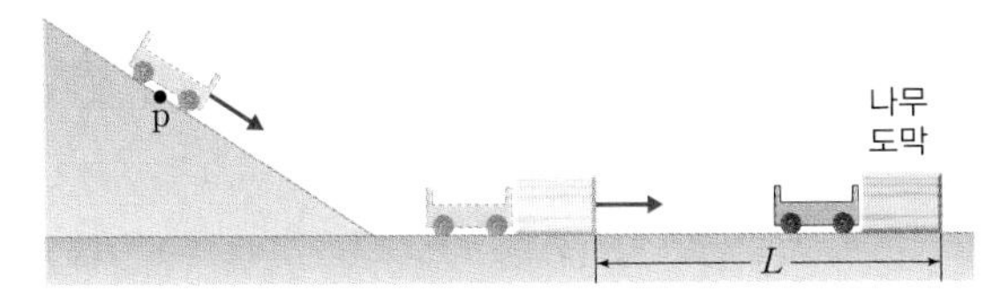

이에 대한 설명으로 옳은 것만을 〈보기〉에서 있는 대로 고른 것은? (단, 수레의 마찰과 공기 저항은 무시한다.)

보기
ㄱ. 빗면을 내려오는 동안 수레의 중력 퍼텐셜 에너지가 운동 에너지로 전환된다.
ㄴ. 수레가 나무 도막에 부딪힌 후에도 수레의 역학적 에너지는 보존된다.
ㄷ. 빗면에 놓인 수레의 위치가 높아질수록 L이 커진다.

① ㄱ ② ㄴ ③ ㄱ, ㄷ
④ ㄴ, ㄷ ⑤ ㄱ, ㄴ, ㄷ

08 그림과 같이 용수철 상수가 200 N/m인 용수철에 질량 2 kg인 물체가 연결되어 있다.

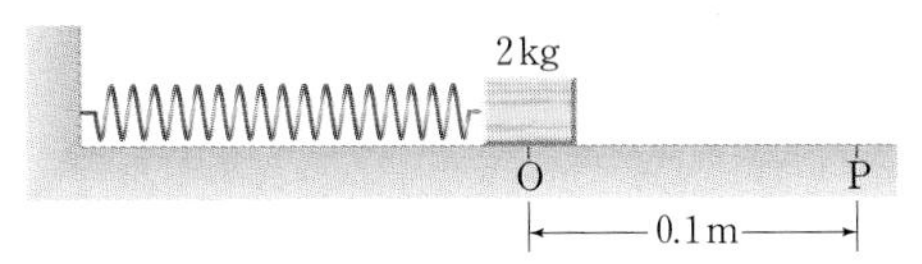

이 물체를 O점으로부터 0.1 m 떨어진 P점까지 잡아당긴 후 놓았을 때, 이 물체의 속력의 최댓값은? (단, 용수철의 질량과 모든 마찰은 무시한다.)

① 1 m/s ② $\sqrt{2}$ m/s ③ 2 m/s
④ 3 m/s ⑤ 4 m/s

09 그림은 빗면 위의 높이 h인 P점에서 물체를 가만히 놓았더니 Q점을 통과한 후 수평면 위의 R점을 통과하는 모습을 나타낸 것이다.

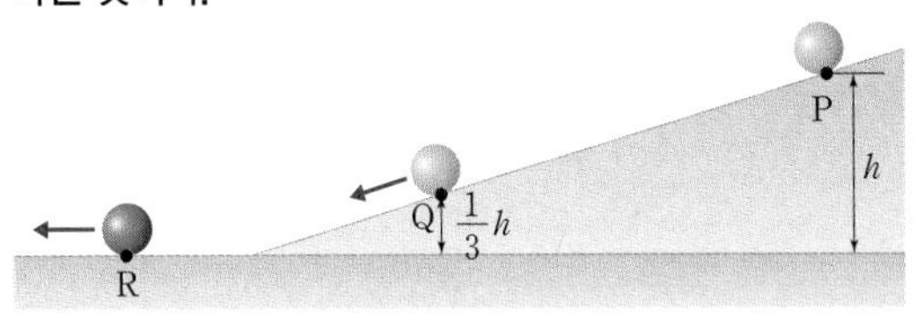

Q와 R에서 운동 에너지를 각각 E_Q와 E_R이라 할 때 E_Q : E_R은? (단, 모든 마찰은 무시한다.)

① 1 : 1 ② 1 : 3 ③ 2 : 3
④ 3 : 1 ⑤ 3 : 2

10 그림은 부피 V인 단열 실린더에 들어 있는 이상 기체를 A→B→C→D→A로 변화시킬 때 기체의 압력과 부피 관계를 나타낸 것이다. 이에 대한 설명으로 옳은 것만을 〈보기〉에서 있는 대로 고른 것은?

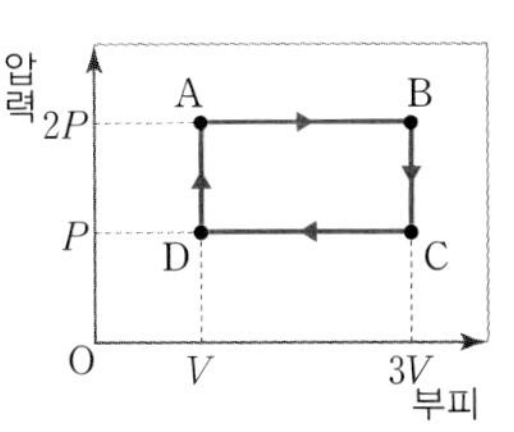

보기
ㄱ. 기체의 내부 에너지는 B에서 가장 크다.
ㄴ. A→B 과정에서 기체에 가한 열은 기체의 내부 에너지 증가량보다 크다.
ㄷ. A→B→C→D→A로 한 번 순환할 때, 기체가 외부에 한 일의 크기는 $4PV$이다.

① ㄱ ② ㄷ ③ ㄱ, ㄴ
④ ㄴ, ㄷ ⑤ ㄱ, ㄴ, ㄷ

11 다음은 다양한 열역학 과정에 대한 설명이다.

> (가) 등적 과정: 부피를 일정하게 유지하고 압력과 온도를 변화시키는 과정이다.
> (나) 등압 과정: 압력을 일정하게 유지하고 부피와 온도를 변화시키는 과정이다.
> (다) 등온 과정: 온도를 일정하게 유지하고 압력과 부피를 변화시키는 과정이다.

이상 기체에 열을 가하여 (가), (나), (다)의 세 가지 과정으로 각각 변화시켰다. 처음에 가해 준 열량은 Q로 같고, 외부로의 열손실은 없다고 할 때, 이에 대한 설명으로 옳은 것만을 〈보기〉에서 있는 대로 고른 것은?

보기

ㄱ. 기체가 한 일이 가장 큰 것은 (다)이다.
ㄴ. (다)에서는 기체가 한 일의 양이 Q와 같다.
ㄷ. 내부 에너지의 변화량이 가장 큰 것은 (가)이다.

① ㄱ ② ㄷ ③ ㄱ, ㄴ
④ ㄴ, ㄷ ⑤ ㄱ, ㄴ, ㄷ

12 그림은 이상 기체의 상태가 A→B→C로 변할 때 압력과 부피의 관계를 나타낸 것이다. 이때 A→B는 등압 과정이고, B→C는 단열 과정이며, A와 C에서 온도는 같다. 이에 대한 설명으로 옳은 것만을 〈보기〉에서 있는 대로 고른 것은?

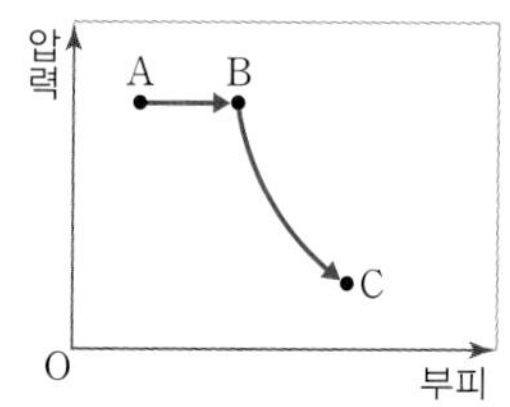

보기

ㄱ. A→B와 B→C 과정은 외부에 일을 한다.
ㄴ. A→B와 B→C 과정은 내부 에너지 변화량이 같다.
ㄷ. B→C 과정은 내부 에너지 변화량과 외부에 한 일의 양이 같다.

① ㄱ ② ㄷ ③ ㄱ, ㄴ
④ ㄴ, ㄷ ⑤ ㄱ, ㄴ, ㄷ

13 그림과 같이 단열된 실린더 A, B에 같은 양, 같은 온도의 동일한 이상 기체가 들어 있고 A의 피스톤은 고정시키고, B의 피스톤은 움직일 수 있다.

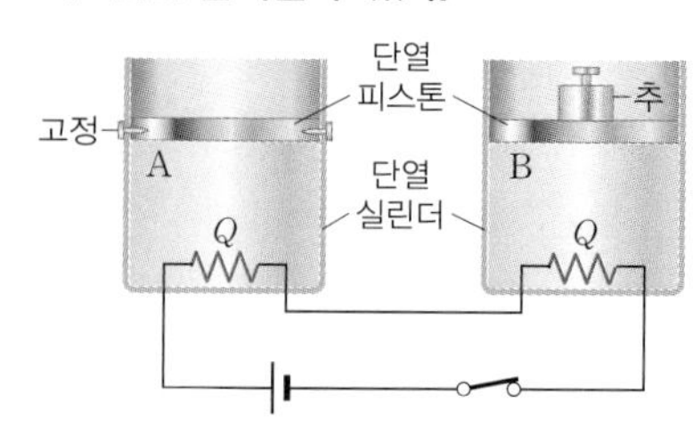

두 기체에 같은 열량 Q를 가했을 때에 대한 설명으로 옳은 것만을 〈보기〉에서 있는 대로 고른 것은? (단, 외부로 손실되는 열은 없고, 피스톤과 실린더 사이의 마찰은 무시한다.)

보기

ㄱ. 기체 B의 온도가 더 높다.
ㄴ. 내부 에너지 증가량은 같다.
ㄷ. 기체 A의 내부 에너지 증가량은 Q이다.

① ㄱ ② ㄷ ③ ㄱ, ㄴ
④ ㄴ, ㄷ ⑤ ㄱ, ㄴ, ㄷ

14 그림은 공기가 산을 타고 넘어 높새바람이 부는 것을 나타낸 것이다.

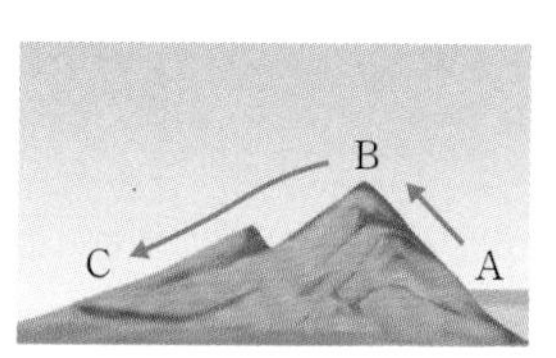

이에 대한 설명으로 옳은 것만을 〈보기〉에서 있는 대로 고른 것은?

보기

ㄱ. 외부에 일을 하는 과정은 A→B이다.
ㄴ. 내부 에너지의 크기는 A < B < C이다.
ㄷ. B→C 과정에서 기체는 열을 흡수한다.

① ㄱ ② ㄷ ③ ㄱ, ㄴ
④ ㄴ, ㄷ ⑤ ㄱ, ㄴ, ㄷ

15 그림과 같이 가운데 구멍이 뚫린 칸막이가 있는 상자의 한쪽 칸에 100개의 구슬을 넣고 좌우로 흔들었다 놓았을 때, 100개의 구슬이 한쪽 칸에 모두 모이는 경우는 일어나지 않는다.

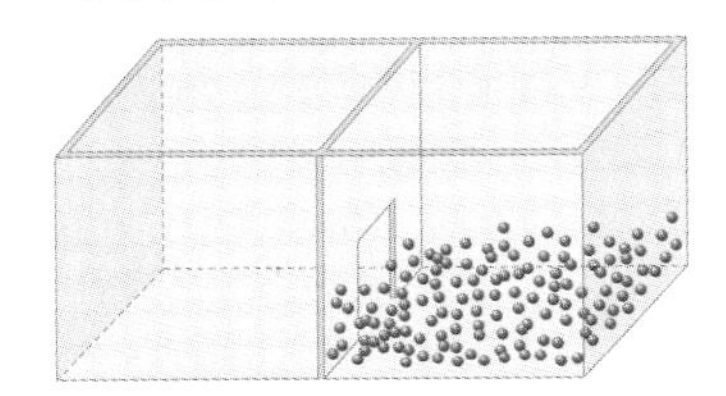

이와 같은 원리로 설명할 수 있는 사실이나 현상만을 〈보기〉에서 있는 대로 고른 것은?

보기

ㄱ. 기체가 확산된 후 다시 한 점에 모인다.
ㄴ. 마찰이 없을 때 자유 낙하하는 물체의 역학적 에너지가 보존된다.
ㄷ. 일은 모두 열로 바뀌지만 열은 모두 일로 바뀌지 않는다.

① ㄴ ② ㄷ ③ ㄱ, ㄴ
④ ㄱ, ㄷ ⑤ ㄴ, ㄷ

16 열기관의 열효율에 대한 설명으로 옳은 것만을 〈보기〉에서 있는 대로 고른 것은?

보기

ㄱ. 과학 기술이 발전하면 열기관의 열효율을 100 %까지 높일 수 있다.
ㄴ. 높은 온도와 낮은 온도 사이에서 작동하는 열기관의 최대 효율은 두 온도의 비율에 의해 결정된다.
ㄷ. 열기관이 한 일은 고열원에서 흡수한 열량과 같다.

① ㄱ ② ㄴ ③ ㄷ
④ ㄱ, ㄴ ⑤ ㄱ, ㄷ

17 그림은 고열원에서 Q_1의 열을 흡수하여 W의 일을 하고 저열원으로 Q_2의 열을 방출하는 열기관을 모식적으로 나타낸 것이다. 이 때 Q_2는 W의 4배이다.

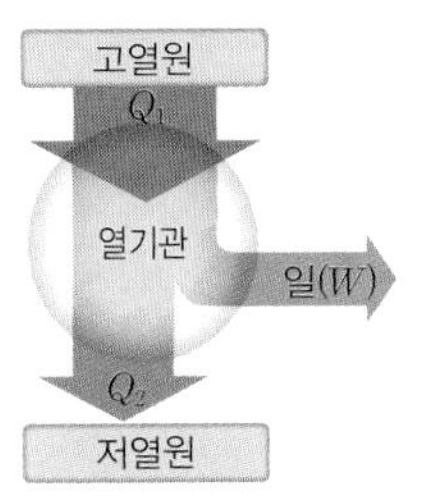

이에 대한 설명으로 옳은 것만을 〈보기〉에서 있는 대로 고른 것은? (단, 열기관 외부로의 열 출입은 없다.)

보기

ㄱ. 이 열기관은 에너지 보존 법칙을 따른다.
ㄴ. W는 Q_1의 0.2배이다.
ㄷ. 이 열기관의 열효율은 25 %이다.

① ㄱ ② ㄷ ③ ㄱ, ㄴ
④ ㄴ, ㄷ ⑤ ㄱ, ㄴ, ㄷ

18 그림은 고열원에서 Q_1의 열을 흡수하여 W의 일을 하고 저열원으로 Q_2의 열을 방출하는 열기관을 나타낸 것이다. 표는 두 종류의 열기관 A, B에 대하여 Q_1, W, Q_2를 상대적인 값으로 나타낸 것이다.

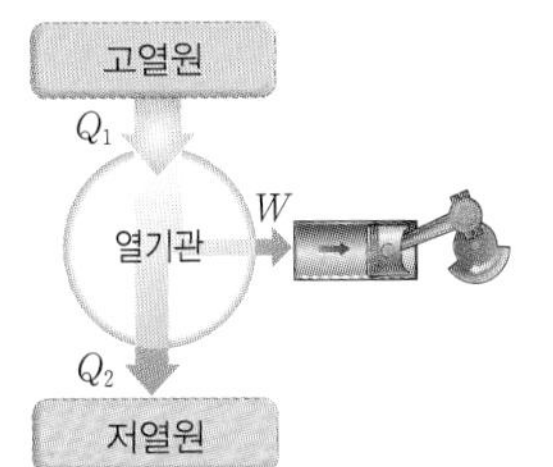

구분	A	B
Q_1	$4Q$	$6Q$
W	Q	(나)
Q_2	(가)	$3Q$

이에 대한 설명으로 옳은 것만을 〈보기〉에서 있는 대로 고른 것은? (단, 열기관 외부로의 열 출입은 없다.)

보기

ㄱ. (가)와 (나)는 $3Q$로 같다.
ㄴ. B의 열효율은 A의 열효율보다 1.5배 크다.
ㄷ. A, B가 흡수하는 열량 Q_1이 같으면 방출하는 열량은 A가 B의 1.5배이다.

① ㄱ ② ㄷ ③ ㄱ, ㄴ
④ ㄴ, ㄷ ⑤ ㄱ, ㄷ

I. 역학과 에너지 | 3. 특수 상대성 이론

01 특수 상대성 이론

내 교과서는 어디에?
천재 p.67~75 금성 p.58~67 동아 p.62~72
미래엔 p.72~81 비상 p.66~73 YBM p.74~86

핵심 Point
- 모든 관성계에서 빛의 속력은 동일함을 알 수 있다.
- 동시성의 상대성, 시간 지연, 길이 수축과 관련된 현상을 설명할 수 있다.

1 특수 상대성 이론의 배경

1. 상대 속도 관찰자(A)의 운동 상태에 대한 물체(B)의 속도 ➡ $v_{AB}=v_B-v_A$ (A에 대한 B의 상대 속도, A가 관측한 B의 속도)

상대 속도의 적용

민호는 자동차를, 은수는 자전거를 타고 각각 100 km/h, 20 km/h의 속도로 달리고 있다.

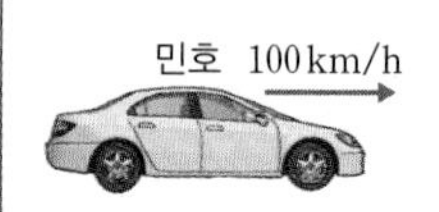

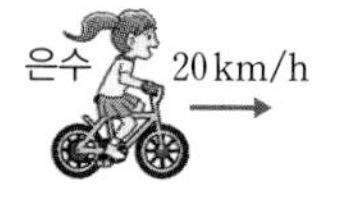

❶ 은수(자전거)가 본 민호(자동차)의 상대 속도: 자동차가 은수와 같은 방향으로 달리고 있으므로, 은수(관찰자)가 볼 때 자신은 정지해 있고 민호(자동차)가 오른쪽(앞)으로 $v_{AB}=80$ km/h로 달리는 것으로 보인다.

➡ $v_{은수 \cdot 자동차}=v_{자동차}-v_{은수}=100$ km/h $-$ 20 km/h $=80$ km/h

❷ 민호(자동차)가 본 은수(자전거)의 상대 속도: 자동차와 은수는 같은 방향으로 운동하고 있지만, 민호(관찰자)가 볼 때 자신은 정지해 있고 자전거가 왼쪽(뒤)으로 $v_{BA}=-80$ km/h로 달리는 것처럼 보인다.

➡ $v_{민호 \cdot 자전거}=20$ km/h $-$ 100 km/h $=-80$ km/h

2. 마이컬슨 · 몰리 실험

① 빛의 매질이라고 생각되는 ▸에테르의 존재❶를 확인하기 위하여 마이컬슨과 몰리는 빛의 속력을 측정할 수 있는 실험 장치를 만들었다.

자료 파헤치기

마이컬슨 · 몰리 실험

❶ 에테르 속에서 빛이 이동할 때, 에테르 흐름과 빛이 같은 방향이거나 다른 방향일 때 속력이 다를 것이다.❷

❷ 가정: 에테르의 흐름이 있다면, ▸반투명 거울 M_0에 의해 분리된 두 빛이 두 거울 M_1과 M_2에서 반사되어 탐지기에 도달하는 데 걸린 시간이 다를 것이다.

➡ M_1에 반사 후 오는 시간 > M_2에 반사 후 오는 시간

❸ 실험 결과: 빛이 두 거울 M_1과 M_2에서 반사되어 탐지기에 도달하는 데 걸리는 시간이 같았다. ➡ 빛의 속력 동일

❹ 결론: 에테르는 존재하지 않는다.

에테르 흐름 / 탐지기 / 광원 / 거울(M_1) / 반투명 거울(M_0) / 거울(M_2)

빛이 광원에서 나와 반투명 거울(M_0)에 의해 분리된다.

▲ 빛의 이동 경로

② 마이컬슨 · 몰리 실험 결과에 대한 아인슈타인의 해석

- 에테르는 존재하지 않는다. ➡ 빛은 파동이지만 매질없이 전파될 수 있다.❸
- 빛이 탐지기에 도달하는 데 걸리는 시간이 같았다. ➡ 빛의 속력은 항상 일정하다.

❶ 지구의 공전과 에테르의 흐름

우주에 에테르가 있고 지구가 공전한다면, 지구를 기준으로 에테르가 흐르는 것과 같다고 생각하였다.

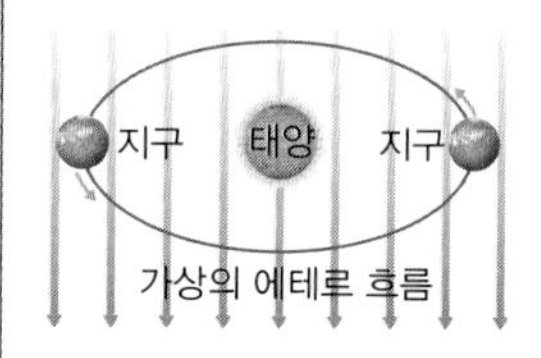

❷ 흐르는 강물 위 배의 운동

그림과 같이 강물이 흐를 때 강물의 흐름을 따라 내려갔다가 반대 방향으로 돌아온 배 A의 왕복 시간 t_A와 강물의 흐름에 수직으로 왕복한 배 B의 왕복 시간 t_B가 다르다. 즉, 빛이 에테르 속을 움직인다면 이처럼 속도 차이가 생길 것이다.

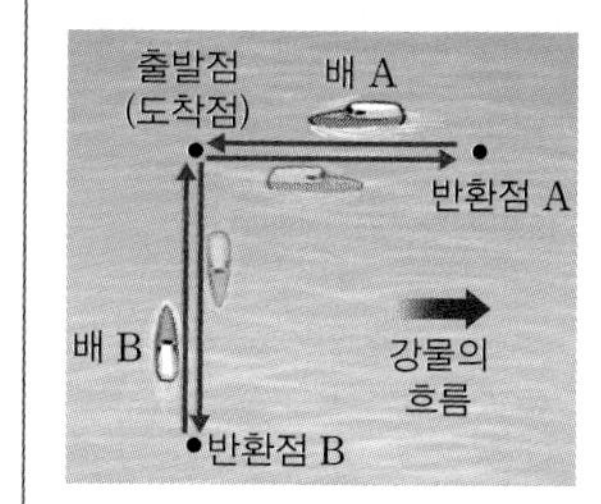

❸ 빛의 매질

소리를 매개하는 매질은 공기, 파도를 매개하는 매질은 물, 지진파를 매개하는 매질은 땅이다. 그러나 빛을 매개하는 물질은 없다. 빛, 전자기파는 매질이 없어도 전파될 수 있다.

용어

▸ **에테르**: 빛을 전파하는 매개 물질로 우주 공간에 퍼져 있다고 생각했던 가상의 물질

▸ **반투명 거울**: 빛의 일부는 통과시키고, 일부는 반사시키는 거울

개념 확인하기

1 흐르는 강에서 배가 강물의 흐름과 같은 방향으로 운동하면 반대 방향으로 운동하는 것보다 배의 속력이 (빠르다 / 느리다).

2 마이컬슨·몰리 실험을 통해 빛은 매질없이 전파되고, 빛의 속력은 항상 (　　)하다는 것을 알게 되었다.

답 1. 빠르다 2. 일정

3. 특수 상대성 이론의 두 가지 가정

① 상대성 원리: 모든 관성 ▸좌표계❹에서 물리 법칙은 동일하게 성립한다.

상대성 원리의 적용

등속도로 달리는 트럭에서 공을 연직 위로 던졌다가 받는 것을 트럭 위와 지면에서 관찰하였다.

트럭 위 관찰자	지면에 정지한 관찰자
	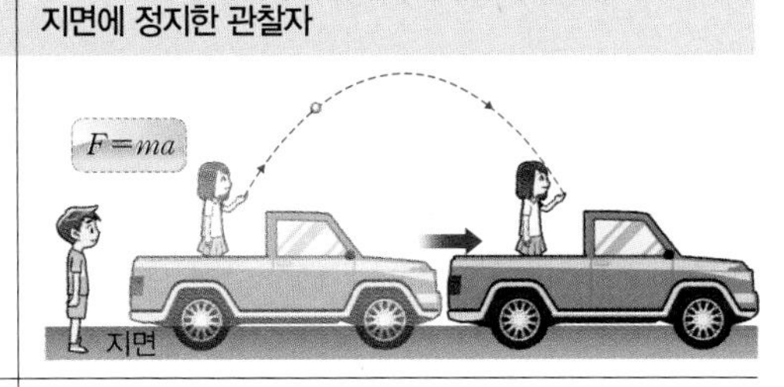
공이 연직 위로 올라갔다가 떨어지는 것으로 보인다.	공이 포물선 운동을 하는 것으로 보인다.

- 공의 운동: 두 관찰자 모두 동일한 뉴턴 운동 법칙 $F=ma$를 사용하여 설명한다.
  ➡ 상대성 원리: 공의 운동 경로는 직선과 포물선으로 다르지만, 그 ▸물리량 사이의 관계를 뉴턴 운동 법칙으로 설명한다는 것이 동일하다는 뜻이다.
- 트럭 위의 관찰자와 지면의 관찰자는 서로 다른 관성 좌표계에 있지만 공의 운동을 설명하는 물리 법칙은 동일하다.

② 광속 불변의 원리: 모든 관성 좌표계에서 보았을 때, 진공 중에서 진행하는 빛의 속력은 관찰자나 광원의 속력에 관계없이 일정하다. ➡ 빛의 속력 $c=3\times10^8$ m/s

└ 빛은 직진성이 있기 때문에 빛의 속도라고도 한다.

광속 불변의 원리 적용

달리는 열차 안에서 화살과 레이저를 쏘는 것을 지면의 정지한 관찰자가 관측하였다.

화살의 속력	빛의 속력
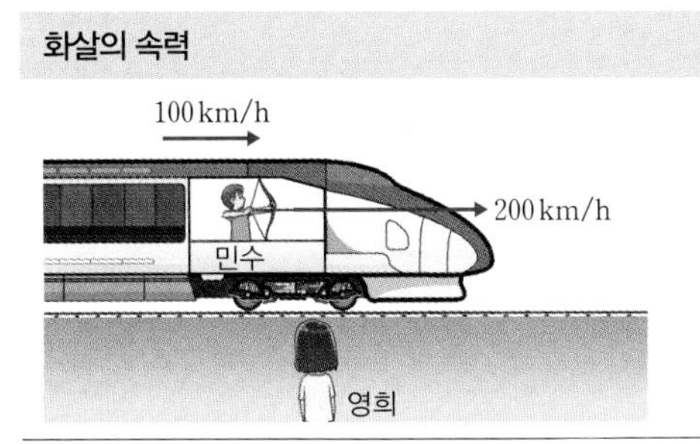	
100 km/h의 속력으로 달리는 열차 안에 있는 민수가 열차가 달리는 방향으로 200 km/h의 속력으로 화살을 쏘았다. 지면에 서 있는 영희는 화살의 속력을 300 km/h로 관측한다.	100 km/h의 속력으로 달리는 열차 안에 있는 민수가 열차가 달리는 방향으로 속력이 c인 레이저 빛을 쏘았다. 지면에 서 있는 영희는 빛의 속력을 $(c+100)$이 아니라 c로 관측한다.

4. 특수 상대성 이론
상대성 원리와 광속 불변 원리를 바탕으로 관측자의 상대 속도에 따라 시간, 길이, 질량 등의 물리량이 어떻게 달라지는지를 설명하는 이론

특수 상대성 이론은 관성 좌표계에서만 성립하며(상대성 원리), 빛의 속력이 일정하다(광속 불변 원리)는 가정 하에 세워진 이론이다. 왜 빛의 속력이 일정한지는 모르지만 이 가정 하에 이론을 전개하고 측정하였더니 자연 현상을 잘 설명하고 예측할 수 있었다는 것이다.

❹ 좌표계

- 관성 좌표계: 힘이 작용하지 않을 때 물체가 계속 정지해 있거나 등속 직선 운동을 하는 좌표계로, 관성 법칙이 성립한다. 특수 상대성 이론은 관성 좌표계를 다룬다.

- 가속 좌표계: 가속도 운동하는 좌표계. 가속도 운동하는 버스 안에 있는 사람은 몸이 젖혀지거나 매달린 손잡이가 기울어지는 것을 보고 힘을 받는 방향, 움직이는 방향을 알 수 있다. 일반 상대성 이론은 가속 좌표계를 다룬다.

주의 콕

모든 관성계의 관찰자는 자신은 정지해 있고 상대방이 움직인다고 본다.

용어

▸ **좌표계**: 관찰이나 측정을 위해 특정한 위치를 원점으로 하여 특정 방향의 축을 정하고, 좌표로 물체의 위치를 나타내는 기준틀

▸ **물리량**: 성질이나 상태를 나타내는 양. 길이, 질량, 시간, 에너지, 힘 등

개념 확인하기

1 (　　　　)는 모든 관성 좌표계에서 물리 법칙은 동일하게 성립한다는 것이다.

2 속도 c인 태양 빛을 향해 $0.5c$의 속도로 날아가는 우주선에서 측정한 태양 빛의 속도는 (　　)이다.

3 (　　　　)은 상대성 원리와 광속 불변 원리를 바탕으로 전개한 이론이다.

답 1. 상대성 원리 2. c 3. 특수 상대성 이론

2 특수 상대성 이론에 의한 현상

1. **동시성의 상대성** 관찰자가 상대 운동을 할 때 동시에 발생하였다고 보는 사건이, 상대 운동을 하는 다른 관찰자에게는 동시에 발생한 것으로 보이지 않을 수도 있다는 것이다.

① 은수가 탄 우주선이 민호가 탄 우주선에 대해 광속에 가까운 속도 v로 등속 운동하고 있다. 민호가 탄 우주선의 양쪽 끝에서 쏜 두 빛을 두 관찰자가 관찰하였다.

같은 관성계에서 관찰할 때	다른 관성계에서 관찰할 때
은수 v / 민호 — 빛이 민호가 탄 우주선에서 나오므로 민호와 빛은 같은 관성계에 있다.	은수 v — 은수는 민호에 대해 v의 속도로 운동하고 있으므로 민호의 우주선에서 쏜 빛과 다른 관성계에 있다. / 민호
민호는 가운데 지점에서 두 빛을 동시에 관측한다.	앞쪽으로 운동하고 있는 은수는 파란 빛과 더 가까워지기 때문에 파란 빛을 빨간 빛보다 먼저 관측한다.

② 동시성의 상대성: 민호에게는 동시에 일어나는 두 사건이지만, 은수에게는 동시가 아닌 두 사건으로 관측된다.❺

2. **시간 지연(시간 팽창)** 한 관찰자가 빠르게 운동하는 다른 관찰자를 보면 상대방의 시간이 느리게 가는 것으로 관측된다.

① 고유 시간❻: 어떤 사건이 발생한 시간을 측정할 때 그 사건과 같은 관성 좌표계의 관찰자가 측정한 시간 ➡ 어떤 사건이 발생한 시간을 측정할 때 고유 시간이 가장 짧다.

(같은 관성 좌표계: 사건과 관측자가 함께 운동한다.)
(가장 짧다: 사건과 다른 좌표계에서 측정하면 시간 지연이 일어나므로)

② 광속에 가까운 속도 v로 등속 운동하는 우주선 안에서 빛이 아래쪽 거울을 떠나 위쪽 거울에 반사되어 다시 아래쪽 거울로 되돌아오는 시간을 우주선 안과 밖에서 측정하였다.

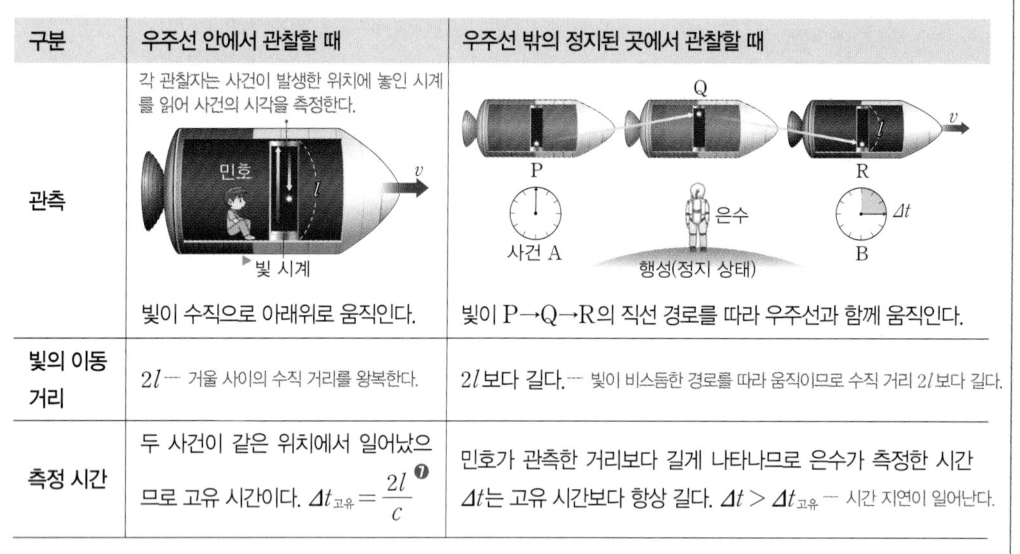

구분	우주선 안에서 관찰할 때	우주선 밖의 정지된 곳에서 관찰할 때
관측	각 관찰자는 사건이 발생한 위치에 놓인 시계를 읽어 사건의 시각을 측정한다. 민호, v, l, 빛 시계 빛이 수직으로 아래위로 움직인다.	P, Q, R, v, l, 사건 A, 은수, Δt, B, 행성(정지 상태) 빛이 P→Q→R의 직선 경로를 따라 우주선과 함께 움직인다.
빛의 이동 거리	$2l$ — 거울 사이의 수직 거리를 왕복한다.	$2l$보다 길다. — 빛이 비스듬한 경로를 따라 움직이므로 수직 거리 $2l$보다 길다.
측정 시간	두 사건이 같은 위치에서 일어났으므로 고유 시간이다. $\Delta t_{고유}=\frac{2l}{c}$❼	민호가 관측한 거리보다 길게 나타나므로 은수가 측정한 시간 Δt는 고유 시간보다 항상 길다. $\Delta t>\Delta t_{고유}$ — 시간 지연이 일어난다.

③ 시간 지연: 정지한 관찰자가 속도 v로 날아가는 우주선의 시간 Δt를 측정하면 고유 시간 $\Delta t_{고유}$보다 길다. ➡ $\Delta t>\Delta t_{고유}$ — 우주선 안의 관측자가 정지한 관찰자의 시간을 측정할 때도 시간 지연이 일어난다. 즉, 속도 차이가 큰 두 관찰자는 상대의 시간이 느리게 가는 것으로 관측한다.

❺ 동시성의 상대성
관찰자의 운동 상태에 따라 사건의 동시성이 달라질 수 있다. 한 관찰자에게 동시에 일어난 두 사건이 다른 관찰자에게는 동시에 일어난 것이 아닐 수 있다는 상대적 개념이다. 동시성 불일치라고도 한다.

셀파 콕콕
동시성의 상대성이 생기는 까닭은 빛의 속력이 항상 일정하기 때문이다. 동시성의 상대성은 서로 다른 관성 좌표계에서 관측할 때 발생한다.

❻ 고유 시간($\Delta t_{고유}$)
여러 좌표계 중에서 물체와 함께 움직이는 관찰자가 측정한 시간이다.

❼ 시간$(t)=\frac{이동\ 거리(s)}{속력(v)}$

용어
▸ **사건**: 특정 시각에 어떤 위치에서 발생한 물리적 상황
▸ **동시성**: 사건이 동시에 일어난 것
▸ **빛 시계**: 양쪽에 거울을 두고 빛이 왕복하도록 만든 시계

개념 확인하기

1 한 관성 좌표계에서 동시에 발생한 두 사건을 다른 관성 좌표계에서는 동시가 아닌 것으로 관측하는 것을 (   )이라고 한다.

2 정지한 관찰자가 빠르게 운동하는 우주선의 시계를 보면 이 시계는 (빠르게 / 느리게) 간다.

답 1. 동시성의 상대성 2. 느리게

셀파 세미나

S · H · E · R · P · A

▶ 동시성에 대해 고전적으로 해석한 것을 동시성과 상대성과 비교해 봅시다.

01 동시성의 상대성

정지해 있는 행성에 대해 $0.6c$의 속도로 등속 운동하는 우주선이 있다. 우주선이 정지한 행성에 있는 은수를 통과하는 순간 우주선 안에 있던 민호가 전구를 켰다. 빛이 전구로부터 같은 거리에 놓인 두 검출기에 도달하는 사건을 각각 A와 B라고 하자.

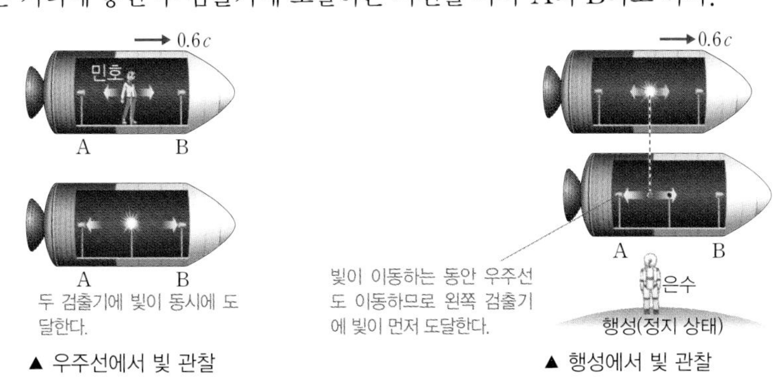

▲ 우주선에서 빛 관찰　　▲ 행성에서 빛 관찰

- 우주선 안에서 빛을 관찰할 때 두 사건 A, B는 동시에 일어난다. 두 빛은 속력이 같고, 이동한 거리도 같으므로 검출기에 동시에 도착한다.
- 우주선 밖의 정지해 있는 행성에서 빛을 관찰할 때 두 사건 A, B는 동시에 일어나지 않는다. 빛의 속력은 같지만, 우주선이 오른쪽으로 이동하고 있으므로 빛이 이동한 거리는 왼쪽이 더 짧다. 따라서 사건 A가 B보다 먼저 일어난다.

Plus 문제

Q. 두 사건 사이의 시간은 관찰자(좌표계)에 따라 다르게 측정될 수 있다. 어떤 관성계에서 동시에 발생한 두 사건을 다른 관성계에서 동시가 아닌 것으로 관측하는 것을 무엇이라고 하는가?

A. 동시성의 상대성

Plus 자료

빛의 속력은 상대 속도 개념이 없다. 빛의 속력은 항상 일정하다.

02 동시성에 대한 고전적 해석

동시성의 상대성은 특수 상대성 이론이 적용된 현상 중 하나이다. 빛의 속력보다 느린 일상생활과 비교해 보자.

오른쪽(앞)으로 1 m/s의 속도로 달리는 길이 200 m인 기차 안에서 야구공을 양쪽 방향으로 10 m/s의 속도로 던졌다.

→ 기차 안에서 관찰하면 야구공은 양쪽 벽에 동시에 부딪힌다.
→ 기차 밖에서 관찰하면 야구공이 기차와의 상대 속도에 의해 A쪽으로는 90 m를 9 m/s로, B쪽으로는 110 m를 11 m/s로 이동하게 되어 기차 안과 똑같이 야구공이 양쪽 벽에 동시에 부딪히는 것으로 보인다.

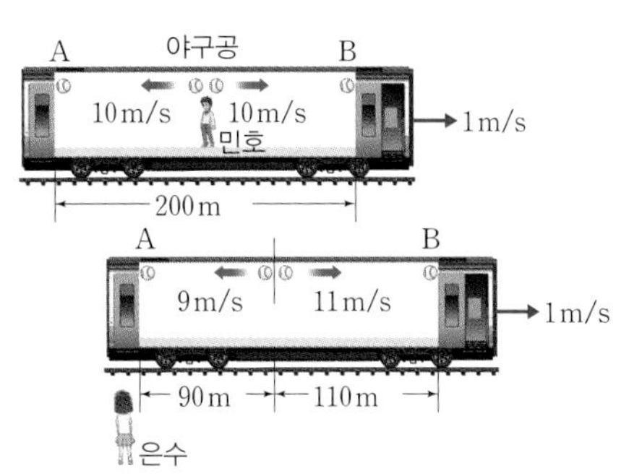

- 동시성을 뉴턴 운동 방식으로 해석하면, 달리는 기차의 운동 방향으로 야구공을 발사하면 기차의 속력과 야구공의 속력을 더해야 한다. 따라서 상대 속도가 적용되어 두 관찰자 모두 사건을 동시에 관찰할 수 있다.
- 특수 상대성 이론은 물체가 빛의 속력에 가깝게 움직여야 적용할 수 있으며, 빛의 속력은 어느 곳에서나 항상 일정하기 때문에 빛의 이동 거리가 짧은 곳에서 사건이 먼저 일어날 수 있다. 따라서 관찰 물체가 같은 관성계에 있으면 동시에 관찰할 수 있으나, 다른 관성계에서 관찰할 때 동시에 일어나지 않을 수도 있다.

└ 야구공이 아니라 빛을 쏘면 은수는 빛이 A에 먼저 도달한 것으로 관측한다.

Plus 문제

Q. 우주선이 $0.5c$의 속력으로 오른쪽으로 날아가고 있다. 우주선 안의 민호가 왼쪽으로 c의 속력으로 빛을 발사하여 4 m 왼쪽에 있는 우주선 안의 표적을 맞추었다.

민호는 표적에 닿을 때까지 빛이 몇 m 이동하는 것으로 보이는가? 또, 우주선 밖의 정지한 은수가 관측했을 때 빛이 이동한 거리를 민호의 측정값과 비교해 보자.

A. 민호는 빛이 4 m 이동한 것으로 보이고, 은수는 민호보다 짧게 이동한 것으로 보인다.

3. 길이 수축(거리 수축) 한 관찰자가 매우 빠르게 움직이는 물체를 볼 때, 물체의 길이가 수축되는 것으로 관찰된다.

① 고유 길이[8]: 관찰자가 관측했을 때 정지 상태에 있는 물체의 길이 ➡ 물체에 대해 정지한 관찰자가 측정한 물체의 길이

② 민호는 v의 속도로 빠르게 날아가는 우주선 안에서 우주선이 행성 P, Q를 지나는 데 걸린 시간을 측정하고, 은수는 정지해 있는 행성에서 이를 관찰한다.

구분	우주선 안에서 관찰할 때	우주선 밖의 정지된 곳에서 관찰할 때
P, Q 사이에 걸린 시간	민호의 관점에서는 자신이 정지해 있고 행성이 자신의 위치를 지나쳐 가므로 고유 시간이다. ➡ $\Delta t_{고유}$	정지한 은수가 운동하고 있는 민호의 시계를 보면 시간은 느리게 간다(시간 지연). ➡ $\Delta t > \Delta t_{고유}$
P, Q 사이의 거리	민호가 측정한 거리 $L = v\Delta t_{고유}$ ··· 민호는 움직이고, 행성은 정지	은수가 정지한 채 행성 P, Q의 거리를 측정하므로 고유 거리이다. $L_{고유} = v\Delta t$
길이 수축	$\Delta t > \Delta t_{고유}$이므로 $L < L_{고유}$이다. 즉, 빠르게 움직이는 민호가 관측할 때 길이 수축이 일어난다.	

③ 길이 수축: 운동하는 관찰자가 자신의 운동 방향과 나란한 방향의 길이 L을 측정하면 고유 길이보다 짧게 된다. ➡ $L < L_{고유}$ ··· 운동 방향에 수직인 방향으로는 길이 수축이 일어나지 않는다.

3 특수 상대성 이론의 증거

1. **뮤온** $0.99c$의 속력으로 운동하며 수명은 $\Delta t_{고유} = 2.2 \times 10^{-6}$s이다. ➡ 수명이 매우 짧은 뮤온은 지표면에 도달할 수 없지만, 지표면에서 발견된다. ··· 뮤온의 수명 동안 대기권을 통과할 수 없다.

2. **뮤온의 비행 시간과 이동 거리**

지상에서 관찰할 때: 시간 지연	뮤온과 함께 움직일 때: 길이 수축
뮤온 $0.99c$	
지상에서 정지한 관찰자가 볼 때 빠르게 움직이는 뮤온의 수명(시간)이 늘어나기 때문에 뮤온이 지표면에 도달할 수 있다.	뮤온과 함께 움직이는 관찰자에게는 뮤온과 지표면 사이의 길이가 수축되기 때문에 짧은 고유 수명 동안에도 지표면에 도달할 수 있다.

❽ 고유 길이($L_{고유}$)
한 관성계에 대해 정지한 두 물체 사이의 간격

주의 콕
은수와 민호의 우주선은 서로 다른 관성계이다. 따라서 정지한 관찰자(은수)가 측정한 시간(우주선이 P, Q를 지나는데 걸린 시간)은 고유 시간이 아니다.

셀파 콕콕
정지한 관찰자가 운동하는 우주선을 볼 때 우주선의 시간이 길어진다. 한편, 운동하는 관찰자가 우주선이 운동하는 방향의 길이를 재면 길이가 수축된다. 길이 수축은 물체가 빠르게 움직일수록 크게 일어나고, 물체의 운동 방향으로만 일어난다. 운동 방향과 수직으로는 일어나지 않는다.

용어
▸ **뮤온**: 우주에서 온 입자가 대기권에서 공기와 충돌하여 생긴다. 전자와 성질이 유사하고, 질량은 전자의 약 207배로 불안정한 입자이다.
▸ **수명**: 입자가 생성되어 붕괴될 때까지 입자와 함께 움직이는 좌표계에서 측정한 고유 시간

1 빠르게 날아가는 우주선에서 우주선 밖의 물체의 길이를 측정하면 정지한 관찰자가 측정한 물체의 길이보다 (　　　　)진다.

2 뮤온과 함께 운동하는 관찰자에게는 (시간 지연 / 길이 수축)이 일어나 뮤온이 지상에 도달할 수 있다고 본다.

답 1. 짧아 2. 길이 수축

셀파 세미나

S · H · E · R · P · A

▶ 시험에 자주 나오는 보기 문항을 모았습니다. 중요 내용을 반복적으로 학습하여 시험에 대비하세요.

| 시간 지연 |

그림은 광속에 가깝게 등속 운동하는 우주선 안의 빛 시계에서 나온 빛이 길이 l인 두 거울에 반사되어 광원으로 되돌아오는 것을 우주선 안의 민호와 우주선 밖에 정지해 있는 은수가 관찰한 것을 나타낸 것이다.

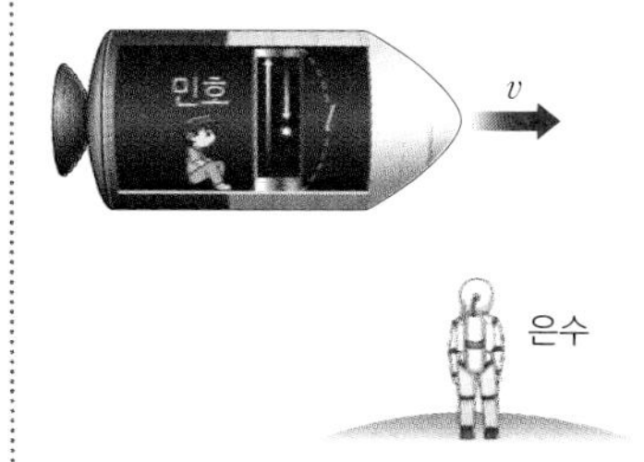

이에 대한 설명으로 옳은 것은 ○, 옳지 않은 것은 ×를 하시오.

1. 민호와 은수는 서로 다른 관성 좌표계이다. ( )
2. 민호와 은수가 보는 빛의 속력은 c이다. ( )
3. 민호가 우주선 안에서 빛 시계를 관찰할 때 빛이 빛 시계의 아래쪽 거울을 떠나는 사건과 빛이 위쪽 거울에 반사되어 다시 아래쪽 거울로 되돌아오는 사건은 같은 지점에서 측정된다. ( )
4. 민호가 우주선 안의 빛 시계로 측정한 시간이 고유 시간이다. ( )
5. 민호가 측정한 시간을 계산하면 $t=\frac{2l}{c}$이고, 은수가 빛을 볼 때 측정한 시간은 민호가 측정한 시간보다 길다. ( )
6. 빛 시계가 우주선 밖에도 있다면, 민호는 우주선 안의 빛 시계보다 우주선 밖에 있는 빛 시계가 더 빠르게 간다고 생각한다. ( )
7. 우주선의 속도가 더 빠르면 은수와 민호가 보는 시간의 차이가 작아진다. ( )

| 해설 |

고유 시간은 관찰자와 사건이 발생하는 좌표 사이의 거리가 변하지 않을 때 같은 위치에서 발생한 두 사건의 간격이다. 관찰자의 상대 속도가 클수록 상대방의 시간은 더 지연된다.

| 정답 |

1. ○ 2. ○ 3. ○ 4. ○ 5. ○ 6. × 7. ×

| 길이 수축 |

철수가 우주선을 타고 행성 A에서 B까지 빠른 속도로 운동하며 행성 A, B를 지나는데 걸린 시간을 측정하고 영희는 우주선 밖에서 정지한 상태로 우주선의 운동을 관찰하고 있다.

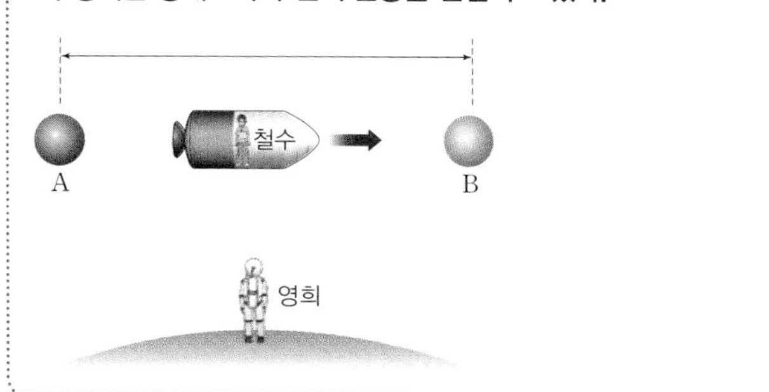

이에 대한 설명으로 옳은 것은 ○, 옳지 않은 것은 ×를 하시오.

1. 철수는 본인이 정지해 있고 행성 B가 다가오고 영희가 뒤로 지나가고 있는 것처럼 보인다. ( )
2. 철수가 측정한 시간이 고유 시간이다. ( )
3. 영희가 관측한 두 행성 사이의 거리가 고유 거리이다. ( )
4. 영희가 측정한 두 행성 사이의 거리는 우주선의 속도와 자신이 측정한 시간을 곱하면 된다. ( )
5. 영희가 관측한 우주선의 길이는 우주선의 속도가 빠를수록 길어진다. ( )
6. 영희가 관측할 때 우주선의 높이도 줄어든다. ( )
7. 철수가 측정한 두 행성 사이의 거리는 우주선의 속도가 빠를수록 짧아진다. ( )
8. 철수가 측정한 거리는 영희가 측정한 거리보다 길다. ( )

| 해설 |

정지한 관찰자가 운동하는 우주선을 볼 때 우주선의 시간은 느리게 간다. 운동하는 우주선에서 운동하는 방향으로 길이가 수축된다.

| 정답 |

1. ○ 2. ○ 3. ○ 4. ○ 5. × 6. × 7. ○ 8. ×

기초 탄탄 문제

정답과 해설 26쪽

핵심용어_ 이 단원에서 내가 아는 것과 아직 모르는 것을 정리하며 나의 공부를 돌아보자.

- □ 빛의 속력
- □ 관성 좌표계
- □ 광속 불변
- □ 상대성 원리
- □ 동시성의 상대성
- □ 시간 지연
- □ 길이 수축
- □ 뮤온

01 강물 위에 배 A, B가 오른쪽 방향으로 각각 5 m/s, 8 m/s의 속도로 이동하고 있다. 배 A에서 본 배 B의 상대 속도는? (강물의 흐름과 바람의 속도는 무시한다.)

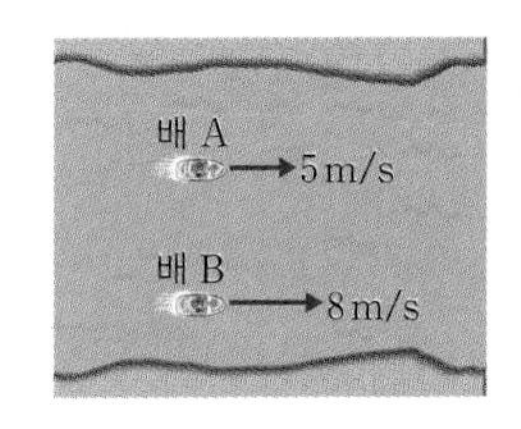

① 3 m/s ② 5 m/s ③ 8 m/s
④ 13 m/s ⑤ 15 m/s

02 마이컬슨 · 몰리 실험에 대한 설명으로 옳지 않은 것은?

① 당시 과학자들은 빛도 매질이 필요할 것이라고 생각하였다.
② 이 실험에서 에테르는 가상의 매질이다.
③ 에테르의 흐름과 빛의 이동 방향에 따라 빛의 속력이 다를 것이라고 생각하였다.
④ 아인슈타인은 이 실험에 대한 해석으로 빛의 속력은 관찰자의 운동에 따라 달라진다고 하였다.
⑤ 실험 결과 에테르는 존재하지 않는다고 결론 내렸다.

03 특수 상대성 이론의 가정으로 옳지 않은 것은?

① 모든 관성 좌표계의 관찰자에게 시간의 흐름은 일정하다.
② 모든 관성 좌표계에서 물리 법칙은 동일하게 성립한다.
③ 진공에서 빛의 속력은 모든 방향에서 같다.
④ 정지해 있거나 등속도 운동을 하는 좌표계를 관성 좌표계라고 한다.
⑤ 지구에서 측정한 태양 빛의 속력과 우주선이 $0.1c$의 속력으로 태양과 멀어지면서 측정한 태양 빛의 속력은 같다.

04 고유 시간과 시간 지연에 대한 설명으로 옳지 않은 것은?

① 고유 시간은 두 사건이 같은 위치에서 일어난 것으로 보는 관찰자가 측정한 시간이다.
② 한 장소에서 발생한 두 사건 사이의 시간 간격을 고유 시간이라고 한다.
③ 정지한 관성 좌표계에서 등속도 운동하는 관성 좌표계의 시계를 보면 자신의 시계보다 느리게 흐른다.
④ 정지한 관성계에서 등속도 운동하는 관성계를 관찰할 때 정지한 관찰자가 측정한 시간이 고유 시간이다.
⑤ 입자의 수명은 입자가 생성되어 붕괴될 때까지 입자와 함께 움직이는 좌표계에서 측정한 시간이다.

05 특수 상대성 이론에 대한 설명으로 옳지 않은 것은?

① 한 관찰자에게 동시에 발생한 두 사건은 다른 관찰자에게는 동시에 발생한 것이 아닐 수 있다.
② 정지한 행성에서 빠르게 날아가는 시계를 보면 시간이 자신의 시계보다 느리게 흐른다.
③ 우주선을 타고 빠르게 날아가면서 우주선 밖의 물체의 길이를 재면 날아가는 방향의 길이는 길이 수축이 일어나 짧게 측정된다.
④ 빛의 속력은 빛을 발사하는 발사체의 속력에 따라 달라진다.
⑤ 특수 상대성 이론에 의하면, 뮤온은 시간 지연과 길이 수축 때문에 지표면에 도달할 수 있다.

06 뮤온이 지상에 도달하고 있다. 이러한 뮤온에 대한 설명으로 옳은 것은?

① 공기와의 충돌로 열에너지가 발생하여 수명이 길어진다.
② 지상의 관찰자가 보면 뮤온의 수명이 고유 수명보다 길어진다.
③ 지상의 관찰자가 보면 뮤온의 이동 거리가 실제보다 줄어든다.
④ 중력에 의한 뮤온의 가속도 운동으로 전자기파가 발생하여 뮤온의 수명이 길어진다.
⑤ 지면에 가까울수록 공기의 밀도가 증가하기 때문에 뮤온이 더 많이 이동할 수 있다.

내신 만점 문제

정답과 해설 27쪽

01 아인슈타인은 모든 관성 좌표계에서 물리 법칙이 동일하게 성립한다고 가정하고 특수 상대성 이론을 세웠다. 관성 좌표계에 해당하는 것만을 〈보기〉에서 있는 대로 고른 것은?

보기
ㄱ. 정지해 있는 우주 공간의 실험실
ㄴ. 지구 주위를 등속 원운동하는 우주선 안의 실험실
ㄷ. 매우 빠른 등속도로 움직이는 기차 안의 실험실

① ㄱ ② ㄷ ③ ㄱ, ㄴ
④ ㄱ, ㄷ ⑤ ㄱ, ㄴ, ㄷ

02 그림은 회전 원판을 회전시키면서 광속을 측정하여 비교할 수 있도록 만든 마이컬슨 · 몰리 실험 장치를 나타낸 것이다.

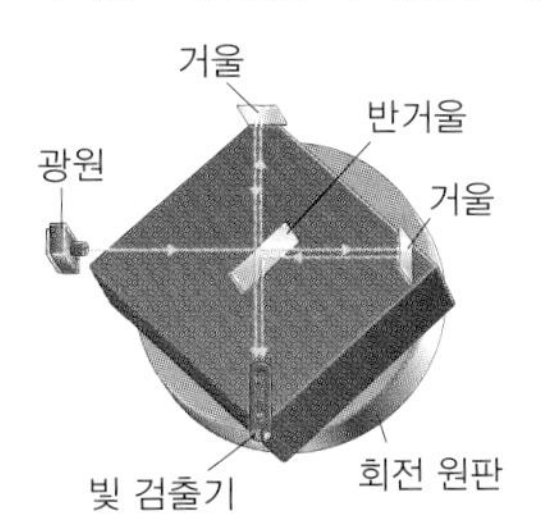

이 실험의 가정으로 옳은 것만을 〈보기〉에서 있는 대로 고른 것은?

보기
ㄱ. 빛은 매질인 에테르를 통해 전파한다.
ㄴ. 지구에 설치한 실험 장치에서 볼 때 에테르는 빠른 속력으로 흐르고 있다.
ㄷ. 에테르의 흐름과 나란한 방향과 수직인 방향으로 진행한 빛의 평균 속력은 다를 것이다.

① ㄱ ② ㄴ ③ ㄱ, ㄴ
④ ㄱ, ㄷ ⑤ ㄱ, ㄴ, ㄷ

03 마이컬슨과 몰리는 그림과 같이 빛이 광원에서 나와 반투명 거울 M_0에 의해 분리되게 하였다. 에테르의 흐름이 있다면 분리된 두 빛이 두 거울 M_1과 M_2에서 반사되어 탐지기에 도달하는 데 걸리는 시간이 다를 것이라고 생각하였다.

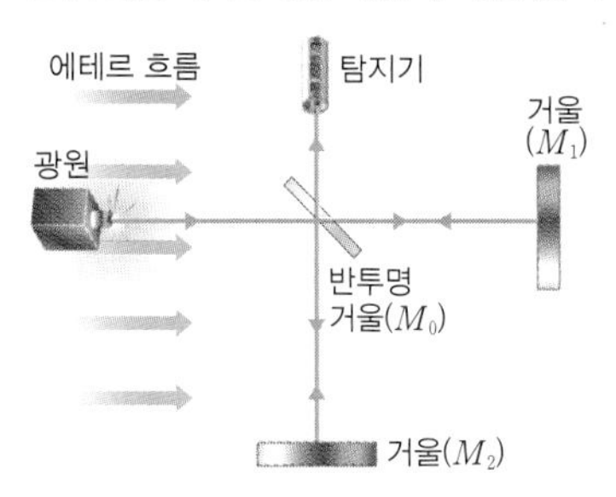

이 실험으로부터 알아낸 사실로 옳은 것만을 〈보기〉에서 있는 대로 고른 것은?

보기
ㄱ. 빛은 파동의 일종이다.
ㄴ. 우주에는 에테르가 퍼져 있다.
ㄷ. 빛의 속력은 방향에 관계없이 일정하다.

① ㄱ ② ㄷ ③ ㄱ, ㄴ
④ ㄴ, ㄷ ⑤ ㄱ, ㄴ, ㄷ

04 그림은 $0.9c$의 속력으로 오른쪽으로 날아가는 우주선에서 운동 방향으로 행성의 기지국을 향해 레이저를 발사하는 것을 나타낸 것이다.

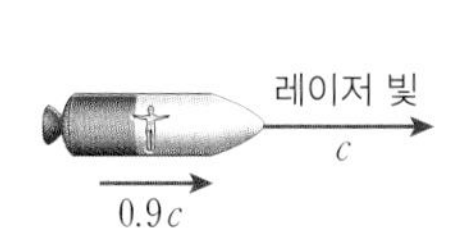

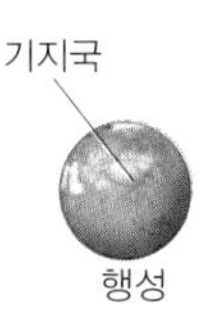

이때 행성이 오른쪽으로 $0.01c$의 속력으로 운동하고 있었다면, 이에 대한 설명으로 옳은 것만을 〈보기〉에서 있는 대로 고른 것은?

보기
ㄱ. 행성에서 볼 때 레이저의 속력은 c이다.
ㄴ. 우주선에서 볼 때 레이저의 속력은 $0.1c$이다.
ㄷ. 우주선에서 볼 때 행성은 우주선을 향해 $0.89c$의 속력으로 다가온다.

① ㄱ ② ㄴ ③ ㄱ, ㄴ
④ ㄱ, ㄷ ⑤ ㄱ, ㄴ, ㄷ

05 그림은 철수가 탄 우주선 A를 영희가 탄 우주선 B가 추월하는 순간을 나타낸 것으로, A와 B는 $+x$ 방향으로 등속도 운동을 한다. 철수가 볼 때 그림과 같은 순간 A 우주선의 맨 앞과 맨 뒤에서 각각 빨간 빛과 파란 빛이 동시에 반짝였으며, A에 대한 B의 속도는 v이다.

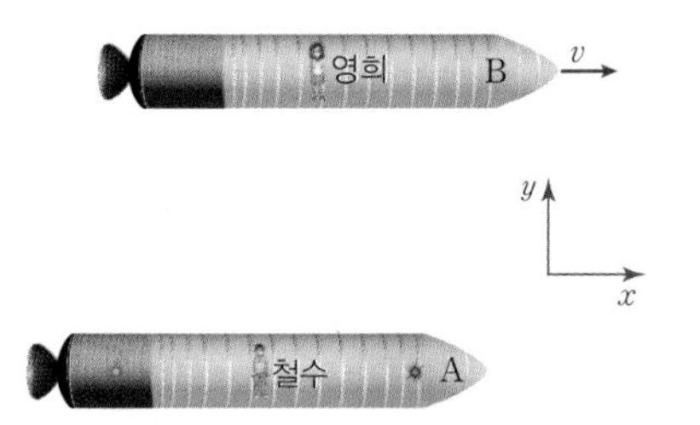

이에 대한 설명으로 옳은 것만을 〈보기〉에서 있는 대로 고른 것은?

보기

ㄱ. 영희에게 빨간 빛과 파란 빛의 속력은 같다.
ㄴ. 영희가 볼 때 빨간 빛을 파란 빛보다 먼저 본다.
ㄷ. 동시에 일어난 사건은 모든 관성계에서 동시에 관찰된다.

① ㄱ ② ㄷ ③ ㄱ, ㄴ ④ ㄴ, ㄷ ⑤ ㄱ, ㄴ, ㄷ

06 그림과 같이 우주선이 매우 빠른 속도 v로 두 별 A와 B의 중간 지점을 지날 때 우주선 안의 관찰자는 두 별에서 동시에 빛이 반짝이는 것을 관찰하고, 두 별에서 동시에 폭발이 일어났다고 지구에 보고하였다.

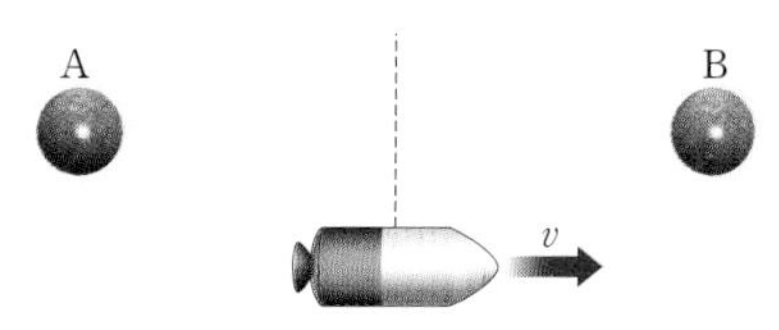

이에 대한 설명으로 옳은 것만을 〈보기〉에서 있는 대로 고른 것은? (단, 지구는 두 별 A, B에 대해 정지 상태이다.)

보기

ㄱ. 지구에서 관찰할 때, A, B에서 발생한 빛이 우주선까지 진행한 시간은 같다.
ㄴ. 우주선에서 볼 때, A, B에서 발생한 빛의 속력은 같다.
ㄷ. 지구에서 볼 때, 빛은 A에서 먼저 발생하였다.

① ㄱ ② ㄷ ③ ㄱ, ㄴ ④ ㄴ, ㄷ ⑤ ㄱ, ㄴ, ㄷ

07 그림과 같이 철수가 우주선을 타고 행성 P에서 Q까지 빠른 속도로 운동을 한다.

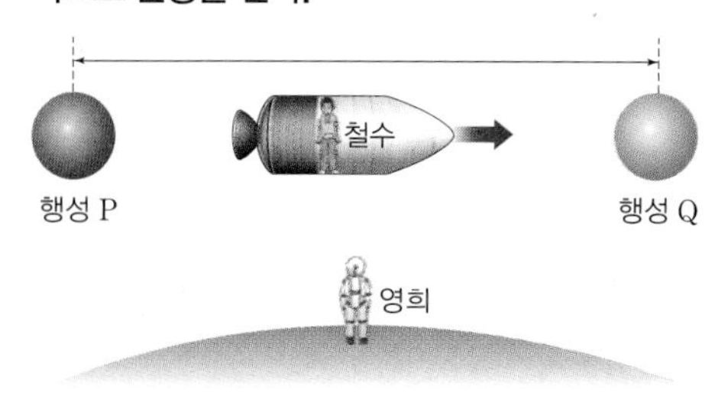

이에 대한 설명으로 옳은 것만을 〈보기〉에서 있는 대로 고른 것은? (단, P, Q는 영희에 대해 정지해 있다.)

보기

ㄱ. 철수가 측정할 때 영희의 시간이 철수의 시간보다 느리게 간다.
ㄴ. 영희가 측정할 때 철수의 시간이 영희의 시간보다 느리게 간다.
ㄷ. P와 Q 사이의 거리는 철수의 측정값이 영희의 측정값보다 크다.

① ㄱ ② ㄴ ③ ㄱ, ㄴ ④ ㄴ, ㄷ ⑤ ㄱ, ㄴ, ㄷ

08 그림은 우주선이 매우 빠른 속도 v로 x축 방향으로 등속도 운동하고 있는 것을 나타낸 것이다.

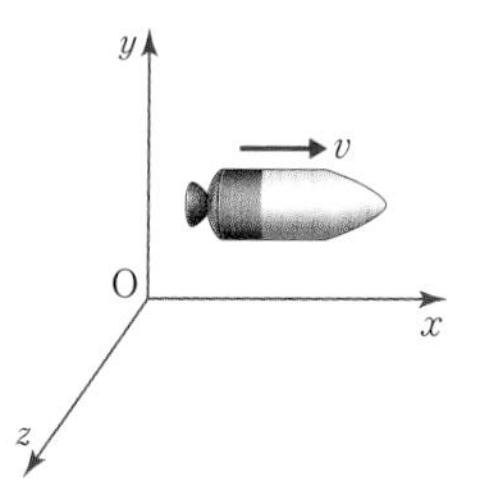

우주선의 길이가 줄어드는 경우만을 〈보기〉에서 있는 대로 고른 것은?

보기

ㄱ. O점에 정지한 관찰자가 본 x축 방향 길이
ㄴ. O점에 정지한 관찰자가 본 y축 방향 길이
ㄷ. O점에 정지한 관찰자가 본 z축 방향 길이
ㄹ. 우주선에 타고 있는 관찰자가 본 x축 방향 길이

① ㄱ ② ㄱ, ㄴ ③ ㄱ, ㄷ ④ ㄱ, ㄴ, ㄷ ⑤ ㄱ, ㄹ

09 그림과 같이 일정한 속력 $0.3c$로 등속 직선 운동하는 우주선 A와 A와 같은 방향으로 $0.9c$로 등속 직선 운동하는 우주선 B, 지표면에 정지한 C가 있다. 우주선 A 속에는 앞쪽의 벽 a와 뒤쪽의 벽 b 사이에 광원이 있으며 빛이 양쪽의 벽을 향해 발사된다. C가 관측할 때 우주선 A와 B의 길이는 같고, B에서 A의 광원을 관측할 때 광원에서 발사된 빛이 a와 b에 동시에 도달한다. 우주선 A와 B의 고유 길이는 각각 L_A와 L_B이다. 이에 대한 설명으로 옳은 것만을 〈보기〉에서 있는 대로 고른 것은? (단, 모든 물체의 운동은 직선상에서만 일어난다.)

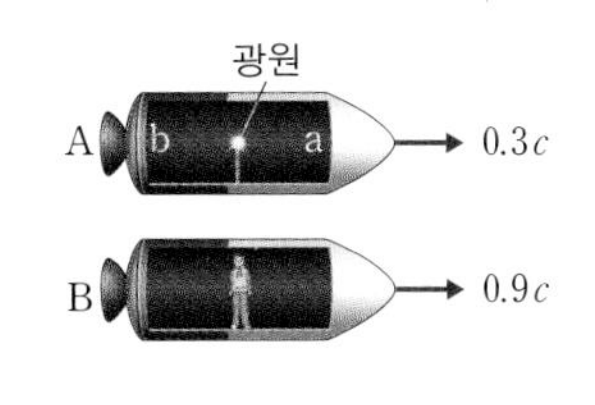

보기

ㄱ. $L_A < L_B$이다.

ㄴ. B에서 본 빛의 속력이 C에서 본 빛의 속력보다 빠르다.

ㄷ. 광원에서 a까지의 거리는 광원에서 b까지의 거리보다 가깝다.

① ㄱ ② ㄴ ③ ㄱ, ㄴ
④ ㄱ, ㄷ ⑤ ㄴ, ㄷ

10 지구 대기권에 도달한 우주 소립자가 공기와 충돌하여 지표면으로부터 약 10 km 상공에서 뮤온이라는 입자가 만들어진다. 뮤온은 약 $0.99c$인 3×10^8 m/s의 속력으로 운동하며 수명은 2.2×10^{-6}s이다. 고전 역학에서는 수명이 짧은 뮤온이 지표면에 도달할 수 없다. 그러나 실제로는 뮤온이 지면에 도달하고 있다. 이에 대한 설명으로 옳은 것만을 〈보기〉에서 있는 대로 고른 것은?

보기

ㄱ. 지상에서 정지한 관찰자가 볼 때 뮤온은 생성에서 소멸할 때까지 뮤온의 시간이 더 빨리 흘러야 지표면에 도달한다.

ㄴ. 뮤온과 함께 움직이는 좌표계에서 볼 때 뮤온의 수명이 더 늘어나기 때문에 지표면에 도달한다.

ㄷ. 뮤온과 함께 움직이는 좌표계에서 볼 때는 지표면까지의 거리가 줄어들어 2.2×10^{-6} s 동안 뮤온이 지표면에 도달한다.

① ㄱ ② ㄴ ③ ㄷ
④ ㄴ, ㄷ ⑤ ㄱ, ㄴ, ㄷ

서술형 문제

11 그림은 속도 v로 날아가는 우주선 내부에서 빛 시계를 이용하여 시간을 측정하는 것을 나타낸 것이다.

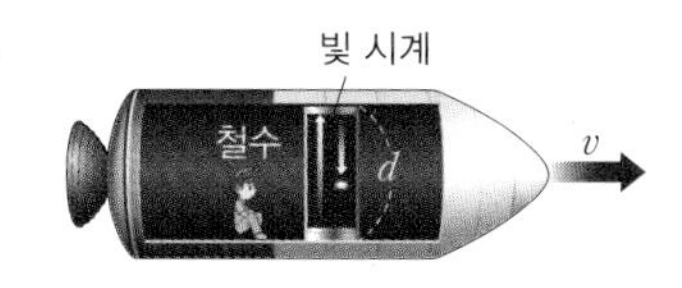

철수가 관측할 때 빛이 아래쪽 거울과 위쪽 거울 사이를 왕복하는 데 걸린 시간이 t_0이고, 두 거울 사이의 거리는 d이다.

(1) 빛이 두 거울 사이를 왕복하는 데 걸리는 고유 시간 t_1을 구하고, 우주선 밖의 정지한 관찰자가 본 시간 t_2를 t_1과 비교하시오.

(2) 우주선 밖의 정지한 관찰자가 볼 때 빛이 이동하는 모습을 대략적으로 서술하시오.

12 그림은 영희가 우주선을 타고 지구에서 외계 행성 A로 운동하는 것을 나타낸 것이다. 지구에 있는 철수를 기준으로 할 때, 우주선의 속도는 $0.6c$로 일정하고 지구와 A 사이의 거리는 L이다.

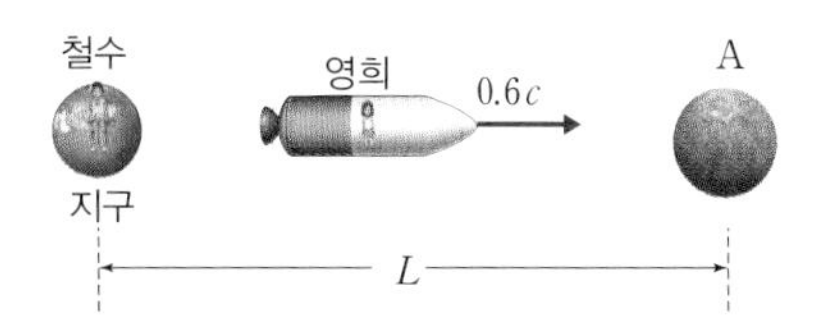

(1) 영희가 보는 지구와 A 사이의 거리를 L과 비교하시오.

(2) 철수가 볼 때는 영희는 시간 t_1 동안 날아가야 A에 도달할 수 있다. 영희가 볼 때 지구에서 A까지 이동하는 데 걸리는 시간 t_2를 t_1과 비교하고, 그렇게 비교한 까닭을 서술하시오.

02 질량-에너지 등가성

내 교과서는 어디에?
천재 p.76~79 금성 p.68~70 동아 p.73~76
미래엔 p.82~85 비상 p.74~77 YBM p.87~91

핵심 Point
- 질량이 에너지로 변환됨을 알 수 있다.
- 질량이 에너지로 변환됨을 사례를 들어 설명할 수 있다.

1 질량-에너지 등가성

1. 질량

① 뉴턴 역학에서의 질량: 물체가 가지고 있는 고유의 양으로 변하지 않는다. 물체에 힘을 가하면 질량은 증가하지 않고 속력만 증가한다.

② 상대론적 질량: 질량은 변하지 않는 고유의 양이 아니라 상대적인 물리량으로, 속력에 따라 질량이 변한다.❶

2. 질량-에너지 등가성

① 질량 증가: 물체에 일을 해 주어 물체의 운동 에너지가 증가하면 물체의 속력뿐 아니라 질량도 증가한다. 즉, 물체에 가해 준 에너지의 일부는 물체의 속력을 증가시키는 데 사용되고, 일부는 질량을 증가시키는 데 사용된다. ➡ 질량은 에너지의 또 다른 형태로 볼 수 있다.❷

물체의 속력이 증가할수록 물체의 질량이 증가하며, 속력이 빛의 속력 c에 가까워질수록 질량은 급격하게 증가한다.

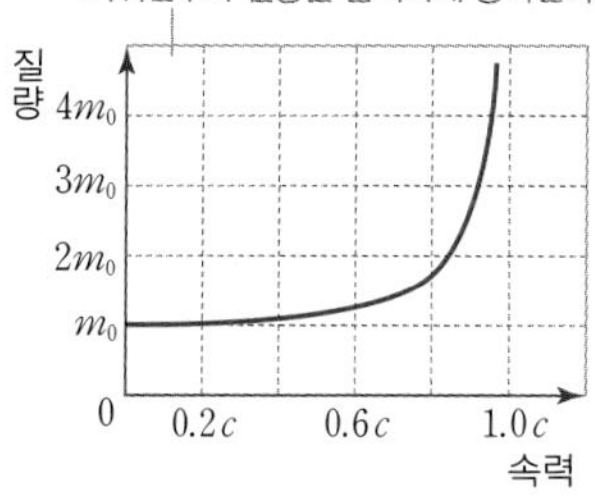

(그래프: 세로축 질량 — m_0, $2m_0$, $3m_0$, $4m_0$ / 가로축 속력 — 0, $0.2c$, $0.6c$, $1.0c$)

② 질량-에너지 등가성: 질량과 에너지가 서로 별개의 양이 아니라 서로 변환될 수 있다. 이때 질량 m에 해당하는 에너지 E는 다음과 같다.

$$E = mc^2 \ (c\text{: 빛의 속력})$$

③ 정지 에너지❸: 정지해 있는 물체가 가지는 에너지로, 정지 상태인 물체의 질량이 m_0일 때 정지 에너지 $E = m_0c^2$이다. — 물체가 움직이면 질량이 늘어난다. 따라서 물체가 가지는 에너지도 증가한다.

3. 질량 결손
핵이 분열되거나 융합될 때 핵반응 후 핵반응 전보다 줄어든 질량

질량 결손

❶ 핵분열 시 질량 결손: 우라늄 1개가 중성자 1개와 충돌하여 바륨 1개와 크립톤 1개, 중성자 3개로 변할 때 질량이 감소한다.

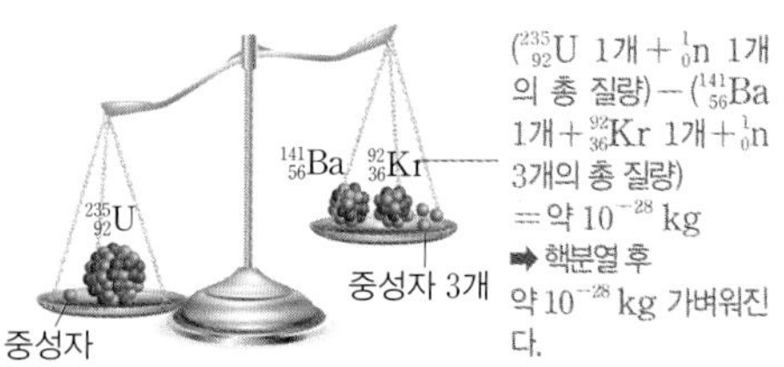

$^{141}_{56}$Ba
$^{92}_{36}$Kr
$^{235}_{92}$U
중성자
중성자 3개
($^{235}_{92}$U 1개 + $^{1}_{0}$n 1개의 총 질량) − ($^{141}_{56}$Ba 1개 + $^{92}_{36}$Kr 1개 + $^{1}_{0}$n 3개의 총 질량) ≒ 약 10^{-28} kg
➡ 핵분열 후 약 10^{-28} kg 가벼워진다.

❷ 핵융합 시 질량 결손: 양성자 2개와 중성자 2개가 융합하여 1개의 헬륨으로 변할 때 질량이 감소한다.

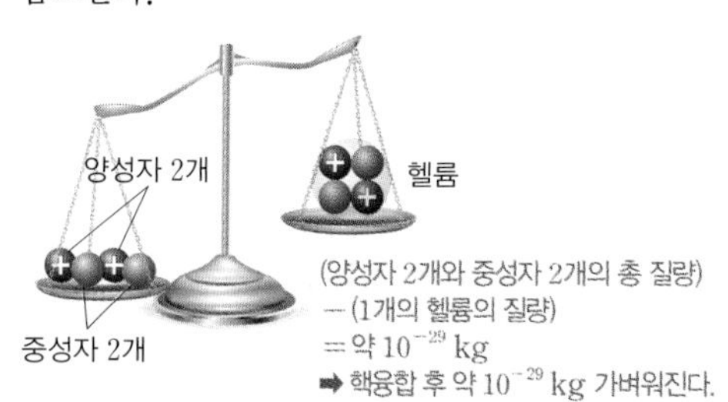

❶ 상대론적 질량

$$m = \frac{m_0}{\sqrt{1 - v^2/c^2}}$$

(m_0: 속력이 0일 때의 질량, c: 빛의 속력, v: 물체의 속력, m: 속력이 v일 때 물체의 질량)

❷ 질량 에너지 보존 법칙

특수 상대성 이론에 의하여 질량과 에너지를 합친 양이 반응 전후에 같다는 법칙

❸ 정지 에너지

정지 에너지는 물체의 종류에 관계없이 질량이 같으면 같다.
예 구리 1 g과 소금 1 g의 정지 에너지는 같다.

❹ 원자 질량 단위

단위: u
1u = 1.66×10^{-27} kg
예 양성자 1개의 질량 = 1.0078 u = 1.6729×10^{-27} kg
중성자 1개의 질량 = 1.0087 u = 1.6749×10^{-27} kg

용어
- 정지 질량: 정지한 물체의 질량
- 핵분열: 원자핵이 중성자와 같은 입자와 충돌하여 2개 이상의 다른 원자핵으로 나누어지는 반응
- 핵융합: 원자핵들이 융합하여 다른 원자핵으로 변하는 반응

개념 확인하기

1 질량과 ( )는 서로 변환된다.
2 물체의 속력이 빛의 속력에 가까워지면 물체의 질량이 급격히 ( )한다.
3 정지한 물체가 가지고 있는 에너지를 ( )라고 한다.

답 1. 에너지 2. 증가 3. 정지 에너지

① 질량-에너지 등가성에 의하면 물체의 질량이 변하면(Δm) 그에 해당하는 만큼의 에너지 (ΔE)를 흡수하거나 방출한다.

└ 질량 증가 ➡ 에너지 흡수
질량 감소 ➡ 에너지 방출

$$\Delta E = \Delta mc^2$$

② 핵반응에서 질량 결손이 일어나는 까닭은 핵반응 과정에서 에너지를 방출하기 때문이다.

2 핵반응

1. 핵반응

① 핵분열이나 핵융합 반응 ➡ 핵반응이 일어날 때 질량 결손이 일어나 에너지가 방출된다.

② 핵반응 전후에 양성자수와 중성자수는 보존되지만 입자들의 질량의 합은 변한다.

2. 핵분열 반응

① 무거운 원자핵이 원래 원자핵보다 가벼운 두 개의 원자핵으로 쪼개지거나 분열하는 반응 ➡ 핵분열 반응이 일어날 때 질량 결손으로 에너지가 발생하며, 이 에너지를 이용한 것이 핵분열 발전이다. — 대부분의 핵발전소는 핵분열 반응을 일으켜 에너지를 얻고, 이 에너지를 이용하여 전기를 생산한다.

② 우라늄의 핵분열 반응: 우라늄($^{235}_{92}U$) 원자핵이 중성자($^{1}_{0}n$)를 흡수하여 질량수가 작은 2개의 원자핵으로 분열 ➡ 핵발전소에서는 우라늄이나 ▸플루토늄을 핵분열시켜 에너지를 얻는다.

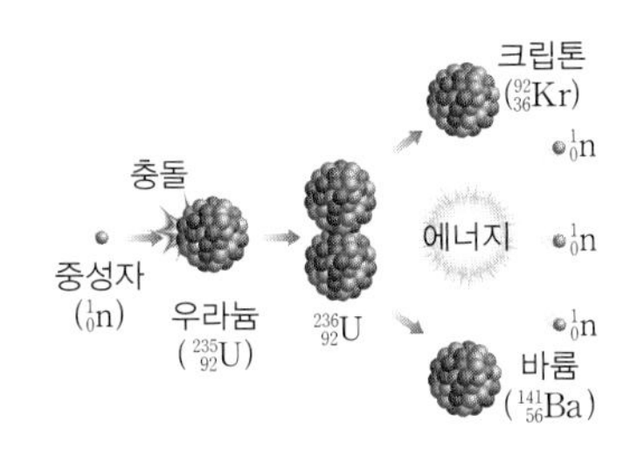

$$^{235}_{92}U + ^{1}_{0}n \longrightarrow ^{236}_{92}U \longrightarrow$$
$$^{92}_{36}Kr + ^{141}_{56}Ba + 3^{1}_{0}n + 200 \text{ MeV}$$

— 반응 전 양성자수는 92, 반응 후 양성자수는 36+56=92로 반응 전후에 양성자수, 질량수(양성자수+중성자수)는 같다. 즉, 반응 전후에 핵을 이루는 입자의 개수는 변하지 않았지만 질량은 감소한다.

| 자료 파헤치기 |

우라늄 핵분열의 ▸연쇄 반응

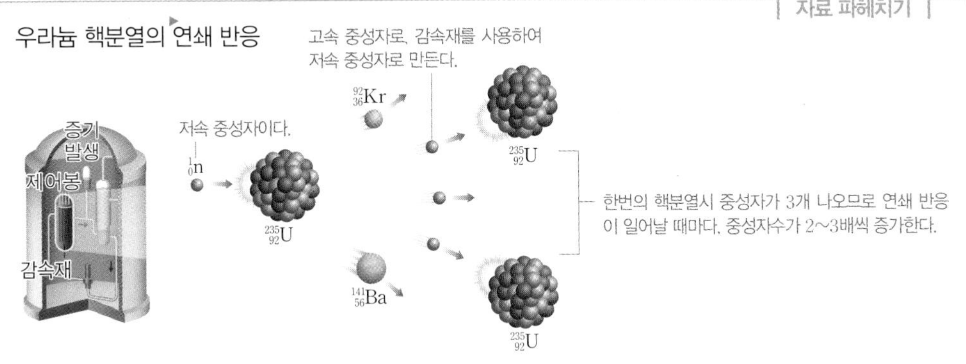

- 우라늄 $^{235}_{92}U$에 중성자를 충돌시키면 핵분열을 하고 약 200 MeV의 에너지가 발생한다.
- 1개의 $^{235}_{92}U$가 분열하면 3개의 고속 중성자가 발생하여 2차로 3개의 $^{235}_{92}U$와 충돌한다(연쇄 반응).
  ➡ 감속재❼를 넣어 고속 중성자의 속도를 감소시켜 준다.

❺ 원소의 표시

원소 기호의 왼쪽에 원자 번호와 질량수를 붙인다.

- 원자 번호 = 양성자수
- 질량수 = 양성자수 + 중성자수

질량수 → A
원자 번호 → Z X
↑ 원소 기호

- 동위 원소: 원자 번호는 같지만 질량수가 다른 원소. 양성자수가 같다.
  예 $^{3}_{1}H$, $^{2}_{1}H$

❻ 원자핵

원자 질량의 대부분을 차지하며, 양성자와 중성자로 이루어져 있다.

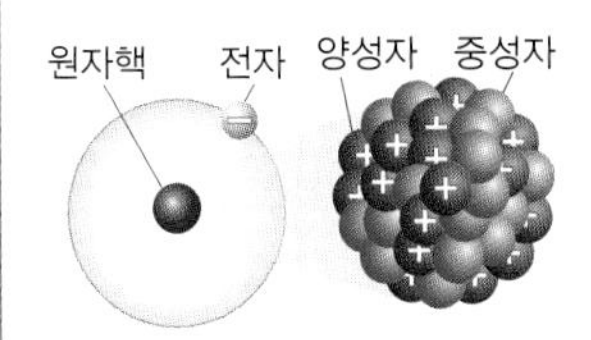

원자핵의 크기는 지름 10^{-15} m 정도이다. 가장 가벼운 수소 원자핵은 1.67×10^{-27} kg이고 가장 무거운 원자핵은 수소 원자핵의 200배 정도이다.

❼ 감속재

원자력 발전소에는 감속재가 꼭 있어야 한다. 감속재로 중성자의 속도를 낮추어 주어야 중성자가 우라늄 $^{235}_{92}U$와 충돌하여 연쇄적인 핵분열 반응으로 큰 에너지를 얻을 수 있다.

용어

▸ **플루토늄**: 우라늄이 핵변환하여 만들어지는 초우라늄 원소로, 반응성이 크고 반감기가 매우 길어 원자로, 원자 폭탄 등을 만드는 데 사용된다.

▸ **연쇄 반응**: 생성 물질의 하나가 다시 반응물로 작용하여 생성과 소멸을 계속하는 반응

개념 확인하기

1 무거운 원자핵이 가벼운 원자핵으로 될 때 (   )만큼 에너지가 발생한다.

2 우라늄 238($^{238}_{92}U$)에서 양성자수와 중성자수는 각각 얼마인가?

3 큰 원자핵이 두 개 이상의 원자핵으로 나누어지는 반응을 (   ) 반응이라고 한다.

답 1. 질량 결손 2. 양성자수 92, 중성자수 146 3. 핵분열

3. 핵융합 반응

① 두 개 이상의 원자핵이 결합하여 무거운 원자핵이 되는 반응 ➡ 핵융합 반응이 일어날 때 질량 결손으로 에너지가 발생하며, 이 에너지를 이용한 것이 핵융합 발전이다.

우라늄 1개와 수소 1개의 질량 결손은 각각 10^{-28} kg, 10^{-29} kg으로 우라늄이 수소보다 10배 더 크다. 그러나 같은 질량의 우라늄과 수소가 핵반응으로 발생하는 에너지양은 원자량이 작은 수소가 더 많다. 따라서 핵반응으로 발생하는 에너지는 핵융합할 때가 핵분열할 때보다 크다.

② 수소 핵융합 반응: 초고온, 초고압 상태에서 중수소 원자핵(^2_1H)과 삼중수소 원자핵(^3_1H)을 융합하여 안정한 헬륨 원자핵을 생성한다.

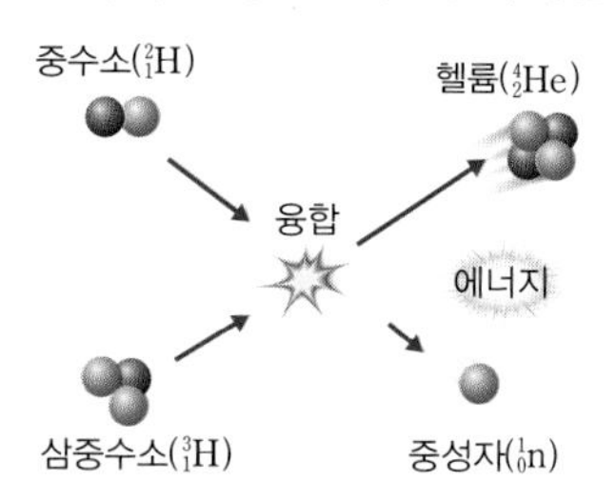

$$^2_1H + ^3_1H \longrightarrow ^4_2He + ^1_0n + 17.6\ MeV$$

반응 전후에 양성자수, 질량수는 보존된다. 즉, 반응 전후에 핵을 이루는 입자의 개수는 변하지 않았지만 질량은 감소한다. 핵분열 반응과 비교할 때 핵자당 방출하는 에너지양이 더 크다.

③ 수소 핵융합 발전(토카막): 초고온, 초고압 상태를 견디는 토카막이라는 가둠 장치 안에서 중수소 원자핵과 삼중수소 원자핵을 충돌시켜 헬륨을 만들어 에너지가 발생한다.

토카막: 도넛 모양의 공간에 자기장을 걸어 그 안에 높은 온도의 플라스마를 가둘 수 있는 장치

한국형 초전도 핵융합 연구 장치: 우리나라는 세계 여러 나라들과 함께 핵융합 실험로를 공동으로 건설하고 운영하는 국제 협력 프로젝트(ITER)를 추진하고 있고, 별도로 한국형 초전도 핵융합 연구 장치(KSTAR)를 독자적으로 개발하였다.

◀ KSTAR

④ 태양 중심부의 핵융합: 태양 중심부에서는 초고온 상태에서 가벼운 수소 원자핵들이 융합하여 무거운 헬륨 원자핵으로 변환하는 핵융합 반응이 일어난다.

$$4^1_1H \longrightarrow ^4_2He + 2e^+ + 26\ MeV$$

$2e^+$: 양전자

26 MeV: 태양은 핵융합 과정에서 질량 결손으로 발생하는 에너지를 빛과 열의 형태로 방출한다.

태양 중심부의 핵융합

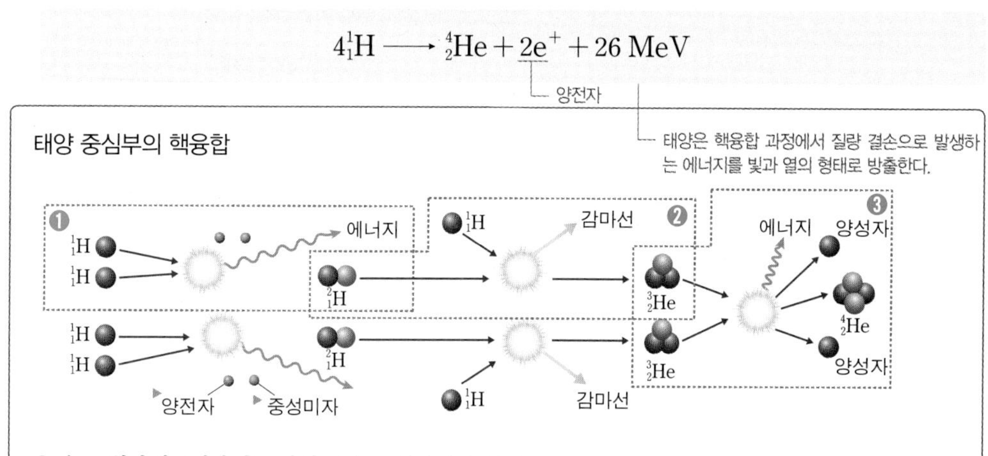

❶ 수소 원자핵 2개가 충돌하여 중수소 원자핵이 된다.

❷ 중수소 원자핵(^2_1H)이 수소 원자핵 (^1_1H)와 핵융합하면 헬륨 3 원자핵(^3_2He)이 된다.

❸ 헬륨 3 원자핵 2개가 융합하여 헬륨 원자핵이 된다.

❽ 여러 가지 입자의 표기

입자	표기
전자	$^0_{-1}e$
중성자	^1_0n
양성자	^1_1p 또는 ^1_1H
수소	^1_1H
중수소	^2_1H
삼중수소	^3_1H

• 중수소: 원자핵이 양성자 1개와 중성자 1개로 구성된다(^2_1H). 보통의 수소 원자핵은 양성자 1개만 있다.

셀파 콕콕

반응 전후 전하량(원자 번호)과 질량수는 보존되지만 질량은 보존되지 않는다. 질량 결손은 결합 에너지의 차이에서 생기기 때문이다.

❾ 질량-에너지 등가성의 예

• 쌍생성: 큰 에너지의 빛이 전자와 양전자로 변하는 현상. 에너지가 질량으로 변한 것이다.

• 핵반응: 핵분열이나 핵융합 시 질량 결손이 생기고, 이 질량 결손에 해당하는 핵에너지가 발생한다.

❿ 에너지 단위

$1\ J = 1\ N \times m$
$\quad = 1\ kg \times m^2/s^2$
$1\ J = 6.242 \times 10^{18}\ eV$

$1\ eV = 1.6 \times 10^{-19}\ J$
$1\ MeV = 10^6\ eV$

전자 1개가 1 V의 전압에서 가속될 때 얻는 에너지

$1\ W = 1\ J/s$
$1\ kW = 10^3\ W$

용어

▸ **양전자**: 전자와 본성이 같지만, 양의 전하를 가지는 입자

▸ **중성미자**: 전기적으로 중성이며 질량이 0에 가까운 소립자

개념 확인하기

1 핵융합 반응은 두 개 이상의 원자핵이 결합하여 무거운 원자핵이 된다. (○ , ×)

2 태양 에너지는 수소 원자핵이 헬륨 원자핵으로 변하는 ( ) 반응에 의한 에너지이다.

3 토카막에서 수소 핵융합 발전은 중수소(^1_1H / ^2_1H) 원자핵과 삼중수소(^3_1H / ^3_2He) 원자핵이 융합한다.

답 1. ○ 2. 핵융합 3. ^2_1H, ^3_1H

셀파 탐구

질량 결손 계산하기

같은 주제 다른 탐구

헬륨 원자핵의 질량 결손

[과정]

다음은 서로 분리되어 정지해 있는 양성자와 중성자 2개씩이 헬륨 원자핵이 되는 핵융합 반응과 각 입자의 질량이다.

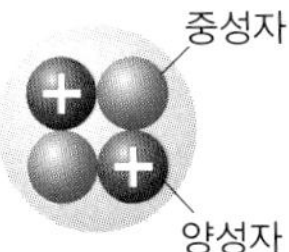

입자	질량(u)
양성자	1.0078
중성자	1.0087
헬륨 원자핵	4.0026

[결과 및 정리]

1. 핵반응 전 총 질량은 $1.0078\ u \times 2 + 1.0087\ u \times 2 = 4.033\ u$이다. 핵반응 후 총 질량은 $4.0026\ u$이므로 양성자와 중성자가 결합하여 헬륨 원자핵이 될 때 $0.0304\ u$의 질량이 줄어든다. 이를 질량 결손이라고 한다.
2. 질량 결손에 의한 핵에너지는 $\Delta mc^2 = 0.0304\ u \times (1.66 \times 10^{-27}\ kg) \times (3 \times 10^8\ m/s)^2 = 4.5412 \times 10^{-12}\ J$로, 헬륨 1개가 핵융합으로 생성될 때 방출되는 에너지양이다.

시험 유형은?

❶ 물체의 질량이 변하면(Δm) 그에 해당하는 만큼의 에너지(ΔE)로 전환된다. 질량 결손에 의한 에너지에 대한 식은?

▶ $\Delta E = \Delta mc^2$

❷ 수소 원자핵($1.0078\ u$) 4개가 융합하여 헬륨 원자핵($4.0026\ u$) 1개가 생성될 때 질량 결손은 얼마인가?

▶ $\Delta m = 4 \times 1.0078\ u - 4.0026\ u = 0.0286\ u$

목표 실험 자료를 분석하여 질량-에너지 등가성을 확인할 수 있다.

과정

리튬 원자핵(^7_3Li)과 양성자를 충돌시켜 두 개의 헬륨 원자핵(^4_2He)을 만드는 핵반응 실험을 하였다. 표는 충돌 전과 후의 각 정지 질량과 운동 에너지를 나타낸 것이다.

구분	충돌 전		충돌 후	
	리튬 원자핵	양성자	헬륨 원자핵	헬륨 원자핵
정지 질량(u)	7.0160	1.0078	4.0026	4.0026
운동 에너지(MeV)	0	0.60	8.95	8.95

• $1\ u = 1.66 \times 10^{-27}\ kg$, $1\ MeV = 1.6 \times 10^{-13}\ J$

└ 핵의 질량

└ $1\ eV$는 1개의 전자가 $1\ V$의 전압에서 가속될 때 얻는 에너지로, $1\ eV = 1.6 \times 10^{-19}\ J$이다. 이때 $1\ MeV = 10^6\ eV$이다.

결과 및 정리

1. 실험 자료에서 충돌 전과 충돌 후 전체 질량은?

➡ 충돌 전 전체 질량 $= 7.0160\ u + 1.0078\ u = 8.0238\ u$

➡ 충돌 후 전체 질량 $= 4.0026\ u + 4.0026\ u = 8.0052\ u$

2. 충돌 전과 충돌 후 입자들의 운동 에너지의 합은?

➡ 충돌 전 에너지의 합 $= 0.60\ MeV$, 충돌 후 에너지의 합 $= 17.9\ MeV$,
전후 에너지 차: $17.9\ MeV - 0.60\ MeV = 17.3\ MeV$

3. 아인슈타인의 질량-에너지 등가 원리 이론을 실험값과 비교해 보자.

➡ 핵반응 전후의 질량 결손 $\Delta m = 0.0186\ u$,
질량 결손에 의한 에너지 $\Delta E = \Delta mc^2 = 0.0186 \times 1.66 \times 10^{-27} \times (3 \times 10^8)^2\ J = 17.3\ MeV$

따라서 실험값과 이론값이 같음을 알 수 있다.

탐구 대표 문제

정답과 해설 29쪽

01 위 탐구에서 정지하고 있는 ^7_3Li 원자핵에 양성자가 충돌하면 두 개의 ^4_2He 원자핵으로 변환된다. 이에 대한 설명으로 옳지 않은 것은?

① 반응 전과 후의 질량의 차이는 $0.0186\ u$이다.
② 반응 전과 후의 운동 에너지의 차이는 $17.3\ MeV$이다.
③ 반응 후 감소한 질량은 에너지로 변환되었다.
④ 반응 전과 후의 질량수가 보존된다.
⑤ 이 반응은 작은 원자핵이 큰 원자핵으로 핵융합하는 반응이다.

02 원자핵이 분열되거나 융합하는 반응에서 반응 전과 후의 전체 질량은 어떻게 변하는가? 또 질량은 무엇으로 전환되는지 서술하시오.

기초 탄탄 문제

정답과 해설 29쪽

핵심용어_ 이 단원에서 내가 아는 것과 아직 모르는 것을 정리하며 나의 공부를 돌아보자.

- ▫ 질량 ▫ 상대론적 질량 ▫ 질량 결손
- ▫ 질량 결손과 에너지 ▫ 핵분열 ▫ 연쇄 반응
- ▫ 핵융합 ▫ 태양 에너지의 원천

01 어떤 핵반응에 의해 질량이 $1\ g$ 감소하였다. 이 핵반응에 의해 방출되는 에너지는 몇 J인가? (단, 빛의 속력은 $3 \times 10^8\ m/s$이다.)

① $6 \times 10^{12}\ J$ ② $8 \times 10^{12}\ J$
③ $9 \times 10^{12}\ J$ ④ $6 \times 10^{15}\ J$
⑤ $9 \times 10^{13}\ J$

02 어떤 원자핵 반응이 다음과 같이 일어났다.

$$^{18}_{9}F \longrightarrow {}^{17}_{8}O + X$$

이때 X는 무엇인가?

① 전자 ② 양성자 ③ 중성자
④ 광자 ⑤ 양전자

03 중수소(^2_1H) 원자핵과 헬륨(^4_2He) 원자핵의 질량은 원자 질량 단위로 각각 2.0141 u, 4.0026 u이다. 중수소 원자핵 2개가 결합하여 헬륨 원자핵 1개가 되는 핵융합 반응이 일어날 때 반응 전과 반응 후 총 질량의 차이는?

① 0.0256 u ② 0.0378 u
③ 0.0401 u ④ 0.0428 u
⑤ 0.0512 u

04 다음은 핵융합 과정에 대한 설명이다.

> 중수소(^2_1H), 헬륨(^4_2He), 산소($^{16}_{8}O$) 원자핵의 질량은 각각 2.0141 u, 4.0026 u, 15.9949 u이다.
> 중수 0.20 kg에 포함되어 있는 중수소가 모두 핵융합 과정에서 헬륨으로 변했다면 2.6×10^{-4} kg의 질량이 감소한다. 이 질량 결손에 해당하는 에너지는 약 (   ) J이다.

(   ) 안에 알맞은 수는? (단, 중수는 중수소와 산소가 결합하여 물분자를 이룬 것이며, 빛의 속력은 $3 \times 10^8\ m/s$이다.)

① 1.54×10^{12} ② 2.34×10^{13}
③ 1.54×10^{15} ④ 2.34×10^{15}
⑤ 2.34×10^{16}

05 다음은 우라늄($^{235}_{92}U$)이 중성자를 흡수하여 바륨과 크립톤으로 분열할 때 에너지가 발생하는 것을 나타낸 것이다.

$$^{235}_{92}U + {}^1_0n \longrightarrow {}^{141}_{56}Ba + {}^{92}_{36}Kr + 3{}^1_0n + \text{에너지}$$

이러한 우라늄의 핵반응 과정에서 반응 전에 비해 반응 후에 감소하는 것은?

① 양성자수 ② 중성자수
③ 질량수 ④ 총 질량
⑤ 총 에너지

06 다음은 자연 상태에서 두 개의 헬륨 3 원자핵(^3_2He)이 결합하여 세 개의 원자핵이 원소가 만들어지면서 핵에너지를 방출하는 과정을 나타낸 것이다.

$$2{}^3_2He \longrightarrow 2{}^1_1H + {}^4_2He + \text{에너지}$$

이에 대한 설명으로 옳지 않은 것은?

① 반응 전후의 양성자수는 같다.
② 반응 전후의 질량수는 같다.
③ ^4_2He이 ^3_2He보다 더 안정된 원소이다.
④ 원자력 발전소에서 에너지를 얻는 방법이다.
⑤ 질량 결손에 의해 에너지가 발생된다.

내신 만점 문제

정답과 해설 29쪽

▮▮▮ 난이도를 나타냅니다.

01 특수 상대성 이론에 의하면 속력이 v일 때 물질의 질량 m은 다음과 같다.

$m = \frac{m_0}{\sqrt{1-v^2/c^2}}$ (m_0: 속력이 0일 때의 질량, c: 빛의 속력, v: 물체의 속력, m: 속력이 v일 때 물체의 질량)

이에 대한 설명으로 옳은 것만을 〈보기〉에서 있는 대로 고른 것은? (단, c는 빛의 속력이다.)

보기
ㄱ. 질량은 물질 고유의 양이 아니다.
ㄴ. 속력이 0일 때 물체의 질량이 가장 크다.
ㄷ. 물체의 속력이 빛의 속력에 도달하면 질량은 0이 된다.

① ㄱ ② ㄷ ③ ㄱ, ㄴ
④ ㄴ, ㄷ ⑤ ㄱ, ㄴ, ㄷ

02 정지해 있을 때 질량이 m_0인 물체에 힘을 가하여 물체의 속력이 증가하면 질량이 증가한다. 그래프는 물체의 속력에 따른 질량을 나타낸 것이다. 이에 대한 설명으로 옳은 것만을 〈보기〉에서 있는 대로 고른 것은? (단, c는 빛의 속력이다.)

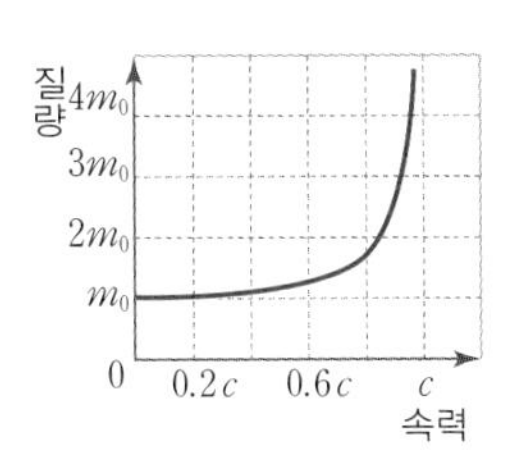

보기
ㄱ. 속력이 작을 때는 질량이 일정하다.
ㄴ. 속력이 증가하면 질량도 증가한다.
ㄷ. 속력이 빛의 속력에 가까울수록 질량 증가율이 커진다.

① ㄱ ② ㄷ ③ ㄱ, ㄴ
④ ㄴ, ㄷ ⑤ ㄱ, ㄴ, ㄷ

03 특수 상대성 이론에 의하면 질량과 에너지는 서로 전환될 수 있다. 질량과 에너지가 서로 전환되는 예만을 〈보기〉에서 있는 대로 고른 것은?

보기
ㄱ. 빛이 전자와 양전자로 변하는 현상
ㄴ. 원자력 발전소에서 사용하는 핵에너지
ㄷ. 탄소가 연소하여 에너지가 발생하는 현상
ㄹ. 수소와 수소가 반응하여 헬륨이 될 때 에너지가 발생하는 현상

① ㄱ ② ㄷ ③ ㄱ, ㄴ
④ ㄴ, ㄹ ⑤ ㄱ, ㄴ, ㄹ

04 우라늄 1 kg이 완전히 핵분열할 때에는 0.2 g의 질량이 에너지로 변한다. 어떤 원자력 발전소에서 9×10^4 kW의 열에너지를 이용하여 발전하려고 한다. 이를 위해 매 초 필요한 우라늄의 질량은? (단, 빛의 속력은 $c = 3 \times 10^8$ m/s이고, 1 kW = 1000 J/s이다.)

① 1×10^{-6} kg ② 2×10^{-6} kg
③ 3×10^{-6} kg ④ 4×10^{-6} kg
⑤ 5×10^{-6} kg

05 다음은 핵반응 과정에 대한 설명이다.

헬륨 원자핵($^4_2$He)은 양성자 2개와 중성자 2개로 구성되어 있고, 질량은 4.0026 u이다. 그런데 양성자 2개의 질량은 2.0156 u이고, 중성자 2개의 질량은 2.0174 u이므로 이들의 합은 4.033 u가 된다. 이때의 질량 결손에 의해 에너지가 발생한다.

이에 대한 설명으로 옳은 것만을 〈보기〉에서 있는 대로 고른 것은?

보기
ㄱ. 반응 후 질량이 0.0304 u만큼 감소하였다.
ㄴ. 질량 결손으로 인해 질량수도 감소하였다.
ㄷ. 발생한 에너지는 '반응 전 전체 질량 × (광속)^2'이다.

① ㄱ ② ㄷ ③ ㄱ, ㄴ
④ ㄴ, ㄷ ⑤ ㄱ, ㄴ, ㄷ

06 다음은 원자로에서 우라늄이 핵분열하는 과정을 간단히 나타낸 것이다.

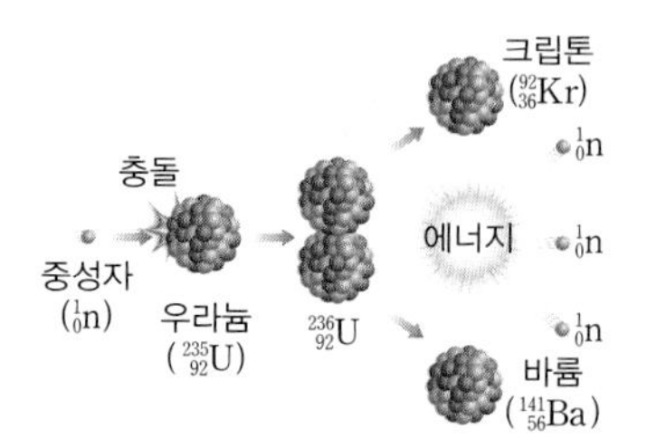

이에 대한 설명으로 옳은 것만을 〈보기〉에서 있는 대로 고른 것은?

보기
ㄱ. 핵분열은 큰 원자핵이 작은 원자핵으로 쪼개지는 반응이다.
ㄴ. 핵분열 과정에서 질량이 증가하였다.
ㄷ. 우라늄 핵분열의 연쇄 반응에서 고속 중성자를 저속 중성자로 바꾸기 위해 감속재를 사용한다.

① ㄱ ② ㄷ ③ ㄱ, ㄷ
④ ㄴ, ㄷ ⑤ ㄱ, ㄴ, ㄷ

07 정지하고 있는 리튬 $^{7}_{3}$Li 핵에 어떤 입자를 충돌시키면 2개의 헬륨 $^{4}_{2}$He 핵으로 분열한다. 이때 충돌 전 운동 에너지의 합과 충돌 후 운동 에너지의 합은 다음과 같았다.

• 충돌 전 운동 에너지의 합 = 0.60 MeV
• 충돌 후 운동 에너지의 합 = 17.9 MeV

이에 대한 설명으로 옳은 것만을 〈보기〉에서 있는 대로 고른 것은?

보기
ㄱ. 리튬 $^{7}_{3}$Li에 충돌시킨 입자는 중성자이다.
ㄴ. 충돌 전 질량의 합은 충돌 후 질량의 합보다 크다.
ㄷ. 충돌에 의한 마찰로 17.3 MeV의 열에너지가 발생한 것이다.

① ㄱ ② ㄴ ③ ㄱ, ㄴ
④ ㄱ, ㄷ ⑤ ㄱ, ㄴ, ㄷ

08 다음 그림은 양성자 2개와 중성자 2개가 결합하여 헬륨이 될 때의 질량을 나타낸 것이다. (단, u는 핵의 질량을 나타내는 단위이며, $1\ u = 1.66 \times 10^{-27}\ kg$)

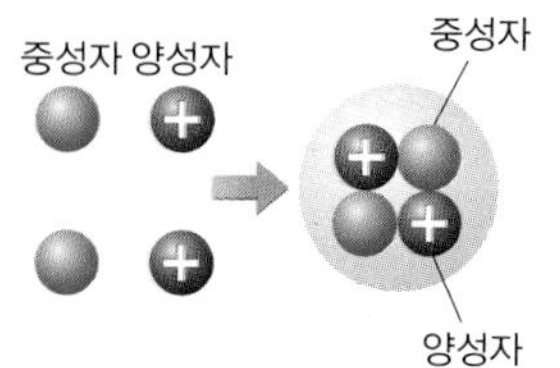

입자	질량
양성자	1.0078 u
중성자	1.0087 u
헬륨 원자핵	4.0026 u

이에 대한 설명으로 옳은 것만을 〈보기〉에서 있는 대로 고른 것은?

보기
ㄱ. 핵반응으로 질량수가 증가하였다.
ㄴ. 핵반응 전과 후에도 양성자수와 중성자수는 같다.
ㄷ. 핵반응 전과 후에 에너지는 보존된다.

① ㄱ ② ㄴ ③ ㄱ, ㄴ
④ ㄴ, ㄷ ⑤ ㄱ, ㄴ, ㄷ

09 그림은 태양에서 일어나는 핵반응에서 두 개의 헬륨($^{3}_{2}$He) 원자핵이 결합하여 세 개의 원자핵이 만들어지면서 핵에너지를 방출하는 과정을 나타낸 것이다.

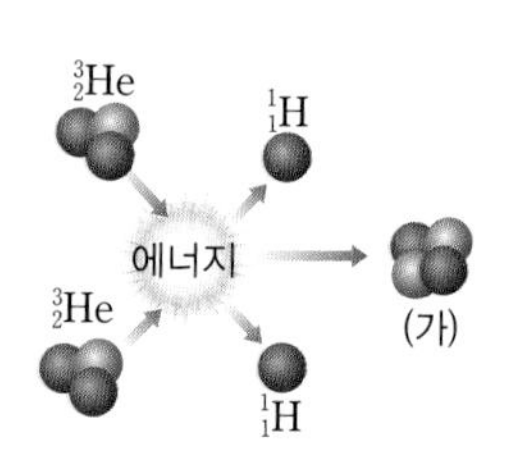

$$2^{3}_{2}\mathrm{He} \longrightarrow 2^{1}_{1}\mathrm{H} + (\quad 가 \quad)$$

이에 대한 설명으로 옳은 것만을 〈보기〉에서 있는 대로 고른 것은?

보기
ㄱ. 핵반응 전후의 질량은 보존된다.
ㄴ. (가)에 들어갈 원소는 $^{4}_{2}$He이다.
ㄷ. $^{3}_{2}$He는 (가)의 원소보다 안정적이다.

① ㄱ ② ㄴ ③ ㄱ, ㄴ
④ ㄴ, ㄷ ⑤ ㄱ, ㄴ, ㄷ

10 우라늄 $^{235}_{92}\mathrm{U}$에 중성자를 충돌시키면 다음과 같이 핵분열을 하고 약 200 MeV의 핵에너지가 발생한다.

$$^{235}_{92}\mathrm{U} + ^{1}_{0}\mathrm{n} \longrightarrow ^{141}_{56}\mathrm{Ba} + ^{92}_{36}\mathrm{Kr} + 3^{1}_{0}\mathrm{n} + \Delta E$$

그러나 자연 상태에서 총 우라늄의 99.3 %인 $^{238}_{92}\mathrm{U}$에 중성자가 흡수되면 핵분열 반응이 일어나지 않는다. 이에 대한 설명으로 옳은 것만을 〈보기〉에서 있는 대로 고른 것은?

보기

ㄱ. $^{235}_{92}\mathrm{U}$의 원자핵보다 $^{238}_{92}\mathrm{U}$의 원자핵에 중성자가 3개 더 많다.
ㄴ. $^{235}_{92}\mathrm{U}$의 원자핵보다 $^{238}_{92}\mathrm{U}$의 원자핵이 더 안정적이다.
ㄷ. $^{235}_{92}\mathrm{U}$의 핵분열 반응을 이용하여 원자력 발전소에서 에너지를 얻는다.

① ㄱ ② ㄴ ③ ㄱ, ㄴ
④ ㄱ, ㄷ ⑤ ㄱ, ㄴ, ㄷ

11 다음 (가), (나)는 핵융합 반응식을 나타낸 것이다. A의 중성자수와 B의 양성자수, 중성자수는 모두 동일하다.

(가): $4^{1}_{1}\mathrm{H} \longrightarrow \boxed{\mathrm{B}} + 2\mathrm{e}^{+} + 26\ \mathrm{MeV}$
(나): $\boxed{\mathrm{A}} + \boxed{\mathrm{C}} \longrightarrow \boxed{\mathrm{B}} + ^{1}_{0}\mathrm{n} + 17.6\ \mathrm{MeV}$

이에 대한 설명으로 옳은 것만을 〈보기〉에서 있는 대로 고른 것은? (단, A는 $^{3}_{1}\mathrm{H}$이다.)

보기

ㄱ. A는 C의 동위 원소이다.
ㄴ. B는 헬륨 3 원자핵($^{3}_{2}\mathrm{He}$)이다.
ㄷ. 태양 중심부같은 초고온 상태에서 일어나는 반응이다.

① ㄱ ② ㄱ, ㄴ ③ ㄱ, ㄷ
④ ㄴ, ㄷ ⑤ ㄱ, ㄴ, ㄷ

서술형 문제

12 다음 핵반응식과 같이 수소 원자핵과 (가)의 원자핵이 충돌하여 헬륨 원자핵과 중성자가 생성되면서 에너지가 방출되었다.

$$^{2}_{1}\mathrm{H} + \boxed{(가)} \longrightarrow ^{4}_{2}\mathrm{He} + ^{1}_{0}\mathrm{n} + 17.6\ \mathrm{MeV}$$

(1) (가)에 들어갈 알맞은 원소는 무엇인지 쓰고, 그렇게 생각한 까닭을 서술하시오.

(2) 핵반응이 일어날 때 질량의 변화와 에너지의 변화를 서술하시오.

13 어떤 원자력 발전소에서 우라늄의 핵분열에 의한 핵에너지가 3000 MW 발생하였고, 이것을 이용하여 900 MW의 전기 에너지를 생산하였다. 이 발전소에서는 86000 kg의 천연 우라늄 덩어리를 사용하며, 이 중에는 핵발전에 사용되는 $^{235}_{92}\mathrm{U}$이 3 % 들어 있다. (단, 빛의 속력은 c이고, $1\ \mathrm{MW} = 10^{6}\ \mathrm{J/s}$이다.)

(1) 핵분열로 발생하는 핵에너지에서 전기 에너지로 전환되는 비율은 몇 %인지 풀이 과정과 함께 서술하시오.

(2) 우라늄이 핵분열하여 에너지로 변환된 질량은 1초당 몇 g인지 풀이 과정과 함께 서술하시오. (단, 빛의 속력은 $3 \times 10^{8}\ \mathrm{m/s}$이다.)

단원 정리하기

I. 역학과 에너지 | 3. 특수 상대성 이론

핵심 Point 1~12

1. 마이컬슨 · 몰리의 실험

우주 공간에 에테르의 존재를 확인하기 위한 실험이다.

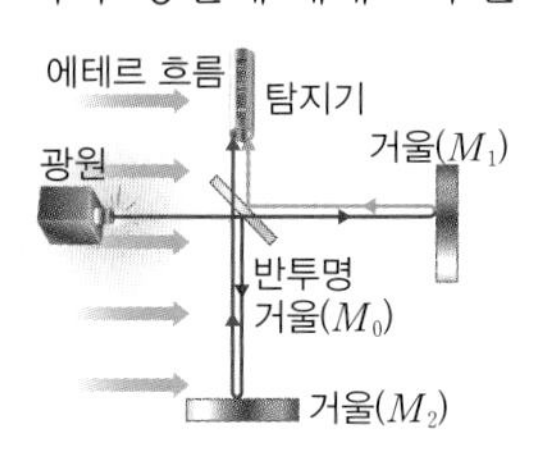

빛이 광원에서 나와 반투명 거울 M_0에 의해 분리되어 거울 M_1과 M_2에서 반사되어 탐지기에 도달하게 한다.

가설	• 우주 공간에 에테르가 있다면 에테르의 흐름 방향을 거슬러 올라와야 하는 M_1까지 왕복하는 시간이 더 길어야 한다.
결과	• 왕복하는 시간은 같았다.
해석	• 빛은 매질없이 전파한다. • 빛의 속력은 관찰자의 속력에 상관없이 일정하다.

2. 특수 상대성 이론의 가정－상대성 원리

① 모든 관성 좌표계에서 물리 법칙은 동일하게 성립한다.

예 트럭 위에서 공을 연직 위로 던질 때

등속도 운동하는 관찰자	공은 운동 법칙($F=ma$)으로 등가속도 운동한다.
지면에 정지한 관찰자	연직 방향과 수평 방향의 등속도 운동이 합성된 포물선 운동을 한다. ➡ $F=ma$

② 상대성 원리: 운동 경로는 직선과 포물선으로 다르지만, 공에 작용하는 힘과 가속도는 같다.

3. 특수 상대성 이론의 가정－광속 불변 원리

모든 관성 좌표계에서 보았을 때, 진공 중에서 진행하는 빛의 속력은 관찰자나 광원의 속력에 관계없이 일정하다.

예 100 km/h의 속력으로 달리는 열차 안에 있는 열차가 달리는 방향으로 속력이 c인 레이저를 쏠 때

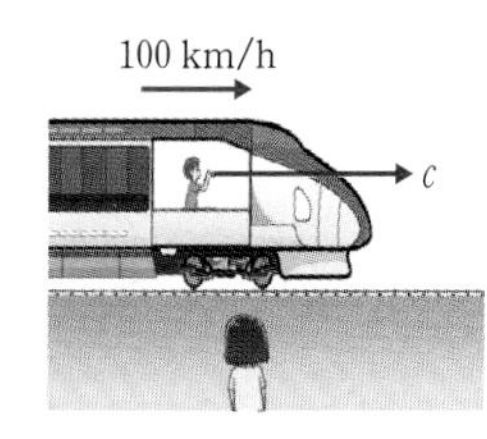

• 열차 안 관찰자: 레이저의 속력을 c로 관찰
• 열차 밖의 정지한 관찰자: 레이저의 속력을 c로 관찰

4. 동시성의 상대성

관찰자가 상대 운동을 할 때, 동시에 발생했다고 보는 사건이 상대 운동을 하는 다른 관찰자에게는 동시에 발생한 것으로 보이지 않는 현상

예 빠르게 날아가는 우주선 안의 중간에서 빛이 반짝일 때

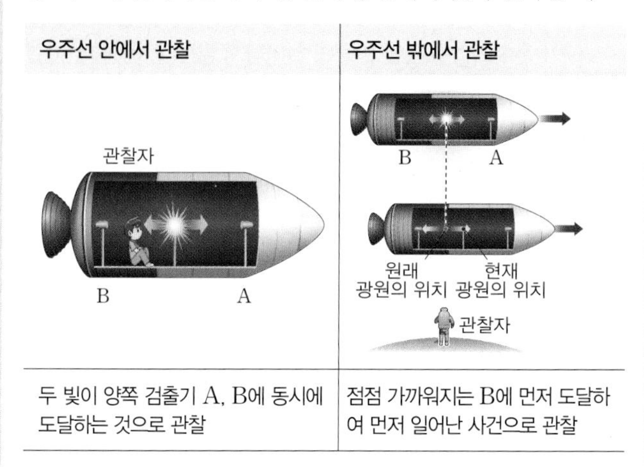

우주선 안에서 관찰	우주선 밖에서 관찰
두 빛이 양쪽 검출기 A, B에 동시에 도달하는 것으로 관찰	점점 가까워지는 B에 먼저 도달하여 먼저 일어난 사건으로 관찰

5. 시간 지연

정지한 관찰자가 운동하는 관찰자를 보면 상대방의 시간이 느리게 가는 현상

① 고유 시간: 어떤 물체의 시간을 측정할 때 그 물체와 함께 운동하는 관찰자가 측정한 시간으로, 어떤 사건이 발생한 시간을 측정할 때 고유 시간이 가장 짧다.

② 시간 지연: 정지한 행성에서 속도 v로 날아가는 우주선의 시간을 측정한 것을 t라고 하고 우주선에서 직접 측정한 시간을 $t_{고유}$라고 하면, $t > t_{고유}$로 시간 지연이 일어난다.

6. 길이 수축

매우 빠르게 움직이는 물체에서 시간 지연과 함께 길이가 수축되는 현상

① 고유 길이($L_{고유}$): 물체가 정지한 상태에서 동시에 물체의 앞과 뒤를 측정한 거리

② 길이 수축: 운동하는 관찰자(속도 v)가 운동 방향과 나란한 방향의 거리 L을 측정하면 고유 길이보다 짧다.

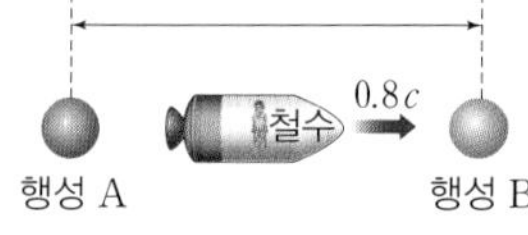

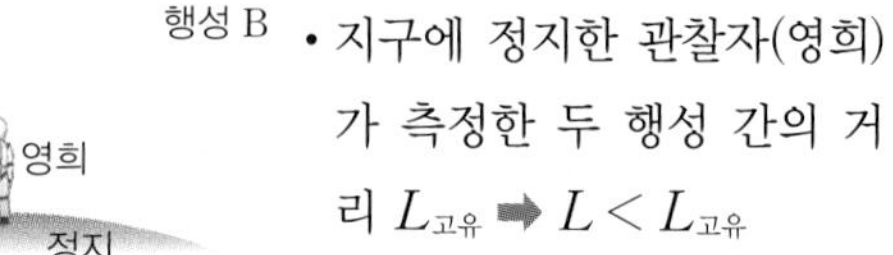

• 운동하는 관찰자(철수)가 측정한 두 행성 간의 거리 L
• 지구에 정지한 관찰자(영희)가 측정한 두 행성 간의 거리 $L_{고유}$ ➡ $L < L_{고유}$

7. 특수 상대성 이론의 증거－뮤온

뮤온은 $0.99c$의 속력으로 운동하며, 뮤온의 수명(고유 시간)은 $t_{고유} = 2.2 \times 10^{-6}$s로, 우주에서 날아온 입자가 지구 대기권에서 공기와 충돌할 때 발생한다.

① 시간 지연: 지표면에 정지한 관찰자는 뮤온의 수명이 늘어나기 때문에 뮤온이 지표면에 도달한다고 해석한다.

② 길이 수축: 뮤온과 함께 움직이는 좌표계에서는 뮤온이 발생한 지점에서 지표면까지의 거리가 줄어들기 때문에 뮤온이 지표면에 도달한다고 해석한다.

8. 질량－에너지 등가성

① 상대론적 질량: 질량은 변하지 않는 고유의 양이 아니라 상대적인 물리량. 속력에 따라 질량이 변한다.

② 질량과 속력의 관계식:

$$m = \frac{m_0}{\sqrt{1 - v^2/c^2}}$$

(m_0: 속력이 0일 때의 질량, c: 빛의 속력, v: 물체의 속력, m: 속력이 v일 때 물체의 질량)

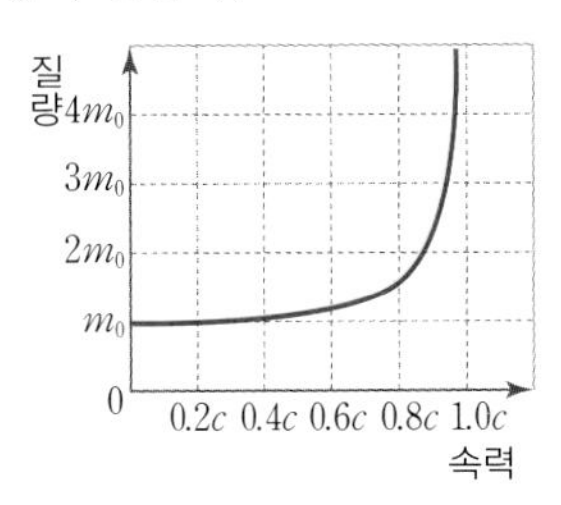

③ 질량 증가: 특수 상대성 이론에 의하면, 물체의 속력이 빛의 속력에 가까워지면 질량이 급격하게 증가하게 된다.

➡ $E = mc^2$

9. 질량 결손과 에너지

① 질량 결손: 핵이 분열되거나 융합될 때 반응 전후의 질량 차이

② 질량 결손에 의한 에너지: 핵변환 시 생기는 질량 결손량을 Δm이라고 할 때 생기는 에너지 $\Delta E = \Delta mc^2$이다.

핵분열 시 질량 결손	핵융합 시 질량 결손
우라늄 1개가 중성자 1개와 충돌하여 바륨 1개와 크립톤 1개, 중성자 3개로 변할 때 질량 결손이 생긴다. (우라늄 1개 + 중성자 1개의 총 질량) − (바륨 1개 + 크립톤 1개 + 중성자 3개의 총 질량) = 질량 결손 Δm	양성자 2개와 중성자 2개가 융합되어 1개의 헬륨으로 변할 때 질량 결손이 생긴다. (양성자 2개 + 중성자 2개의 총 질량) − (헬륨 1개의 질량) = 질량 결손 Δm
질량 결손 Δm에 의한 핵에너지 $\Delta E = \Delta m \times c^2$	질량 결손 Δm에 의한 핵에너지 $\Delta E = \Delta m \times c^2$

10. 핵분열

무거운 원자핵이 분열하여 가벼운 원자핵으로 변할 때 생기는 질량 결손에 의해 열에너지 등이 발생한다.

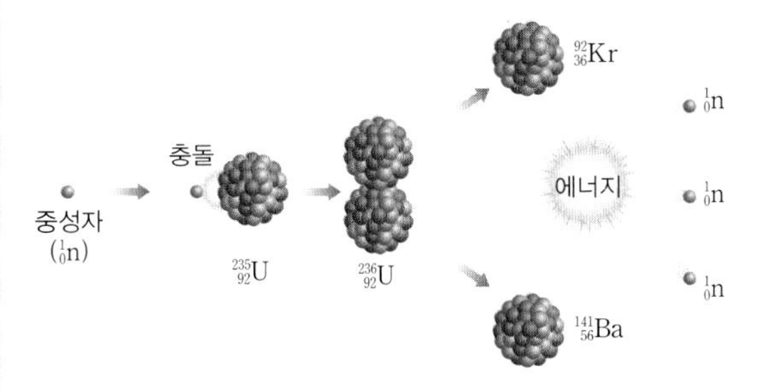

① 우라늄의 핵분열: 우라늄에 중성자가 충돌하여 바륨, 크립톤, 중성자 3개로 분열할 때 많은 에너지가 발생한다.

$$^{235}_{92}\text{U} + ^{1}_{0}\text{n} \longrightarrow ^{141}_{56}\text{Ba} + ^{92}_{36}\text{Kr} + 3^{1}_{0}\text{n} + \Delta E$$

② 연쇄 반응: 우라늄 $^{235}_{92}$U가 핵분열할 때 방출된 고속 중성자들을 감속재를 사용하여 느리게 하면 다른 우라늄 $^{235}_{92}$U들과 계속 충돌하여 핵분열이 연속적으로 일어나 확대되는 반응이다.

11. 핵융합

질량이 작은 원자핵들이 융합하여 질량이 큰 원자핵으로 될 때 질량 결손에 의해 열에너지 등이 발생한다.

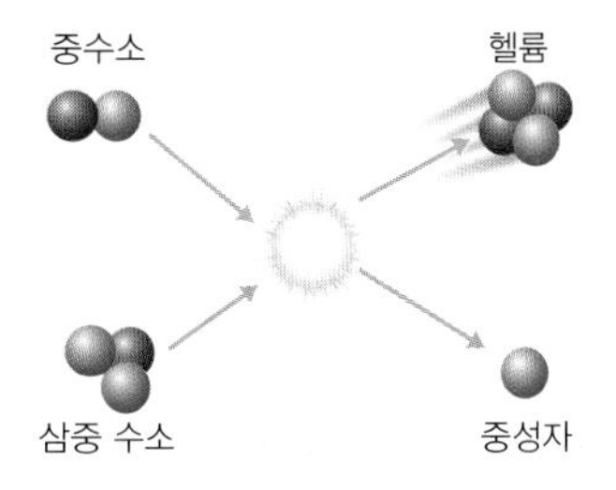

① 수소의 핵융합: 중수소 원자핵과 삼중수소 원자핵이 융합하여 헬륨과 중성자가 생성된다.

$$^{2}_{1}\text{H} + ^{3}_{1}\text{H} \longrightarrow ^{4}_{2}\text{He} + ^{1}_{0}\text{n} + \Delta E$$

② 핵융합의 원인: 원자핵이 융합하여 보다 안정된 원소로 변하기 때문이다.

12. 태양 에너지의 원천

태양에 있는 수소 원자핵들이 충돌해서 헬륨 원자핵으로 바뀌는 핵융합 반응이 일어나고, 이때 줄어든 질량만큼 에너지로 바뀌게 된다.

학교 시험에 꼭 나오는 문제를 모았어요. 꼼꼼하게 풀어봐요~

01 1887년 마이컬슨과 몰리는 그림과 같은 실험 장치를 이용하여 진행 방향이 다른 두 빛의 속력 차이를 측정하는 실험을 하였다. 이 실험을 통해 얻은 결론은 다음과 같다.

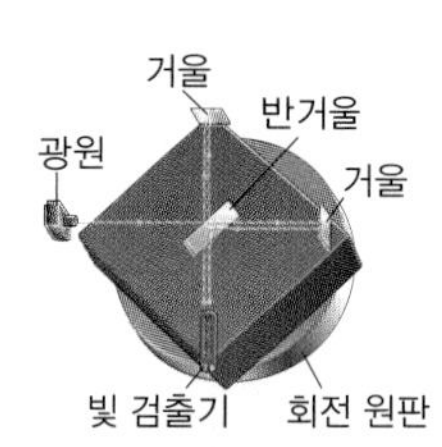

> 빛을 전달하는 매질이 (가)(이)라는 가정을 세우고 실험하였으며, 실험 결과 빛을 전달하는 매질은 (나)라고 생각하게 되었다.

(가)와 (나)에 들어갈 말로 옳게 짝 지은 것은?

	(가)	(나)
①	에테르	에테르
②	에테르	없다
③	에테르	공기
④	물	에테르
⑤	공기	에테르

02 그림 (가)와 (나)는 120 km/h의 일정한 속력으로 달리는 기차에서 각각 화살과 빛을 기차가 가는 방향으로 쏘는 것을 나타낸 것이다. 각각의 기차에 타고 있는 사람이 보았을 때 화살의 속력은 150 km/h이고, 빛의 속력은 c이다. 이 화살과 빛을 지상에 정지해 있는 관찰자가 관측하고 있다.

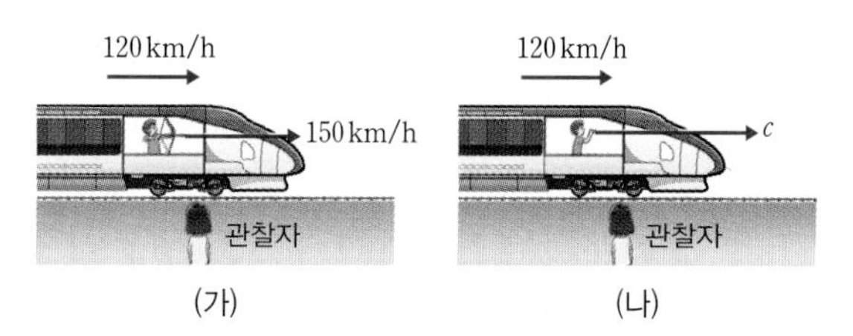

(가) (나)

이에 대한 설명으로 옳은 것만을 〈보기〉에서 있는 대로 고른 것은?

보기

ㄱ. 그림 (가)에서 지상의 관찰자가 측정한 화살의 속력은 270 km/h이다.

ㄴ. 그림 (나)에서 지상의 관찰자가 측정한 빛의 속력은 120 km/h + c이다.

ㄷ. 관성 좌표계에서는 빛의 속력은 항상 c로 일정하다.

① ㄱ ② ㄷ ③ ㄱ, ㄴ ④ ㄱ, ㄷ ⑤ ㄱ, ㄴ, ㄷ

03 그림 (가)는 일정한 속도로 운동하는 트럭 위에서 공을 던졌다가 받는 경우를 나타낸 것이고, 그림 (나)는 (가)의 모습을 지면에서 정지해 있는 사람이 관측한 경우를 나타낸 것이다.

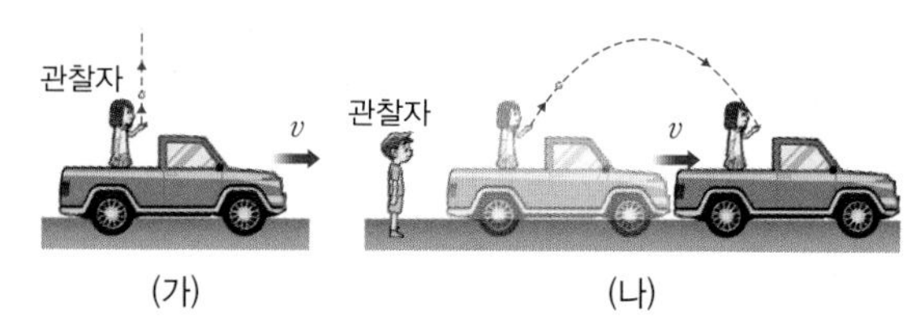

(가) (나)

이에 대한 설명으로 옳은 것만을 〈보기〉에서 있는 대로 고른 것은? (단, 공기의 저항은 무시한다.)

보기

ㄱ. (가)와 (나) 모두 공에 작용하는 힘은 중력이다.

ㄴ. (가)와 (나)의 비교로 상대성 원리가 적용된다.

ㄷ. 관측하는 관성 좌표계가 달라도 물체의 운동을 설명하는 물리 법칙은 같다.

① ㄱ ② ㄷ ③ ㄱ, ㄴ ④ ㄴ, ㄷ ⑤ ㄱ, ㄴ, ㄷ

04 그림은 철수가 탄 우주선이 지표면에 서 있는 영희에 대해 $0.6c$로 등속도 운동하는 모습을 나타낸 것이고, 표는 철수가 우주선 천장의 광원에서 발생한 빛이 점 P, Q, R에 도달하는 시간을 측정한 것을 나타낸 것이다.

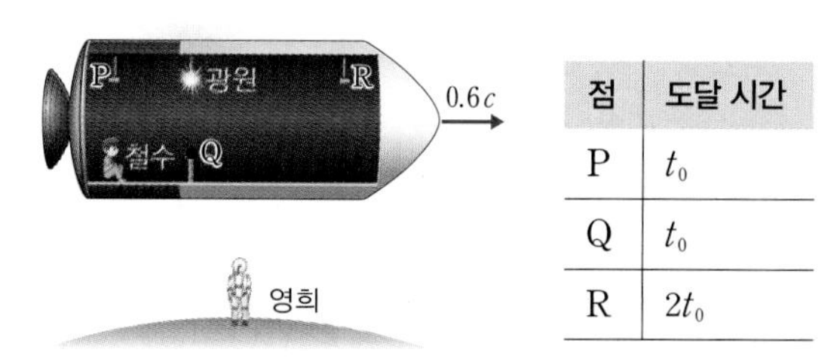

점	도달 시간
P	t_0
Q	t_0
R	$2t_0$

영희가 측정할 때 나타나는 현상에 대한 설명으로 옳은 것만을 〈보기〉에서 있는 대로 고른 것은?

보기

ㄱ. 광원에서 발생한 빛은 P에 가장 먼저 도달한다.

ㄴ. P에서 R까지의 거리는 철수가 측정할 때보다 짧다.

ㄷ. 광원에서 발생한 빛이 Q에 도달하는 시간은 t_0보다 길다.

① ㄱ ② ㄷ ③ ㄱ, ㄴ ④ ㄴ, ㄷ ⑤ ㄱ, ㄴ, ㄷ

05 그림과 같이 영희에 대해 v의 속력으로 운동하는 열차의 왼쪽 끝에 서 있는 철수가 오른쪽 끝에 설치된 거울을 향해 레이저 빛을 쏘았다. 철수는 레이저를 떠난 빛이 다시 처음 위치로 돌아올 때까지의 왕복 시간 t_0를 측정하였다. 이에 대한 설명으로 옳은 것만을 〈보기〉에서 있는 대로 고른 것은?

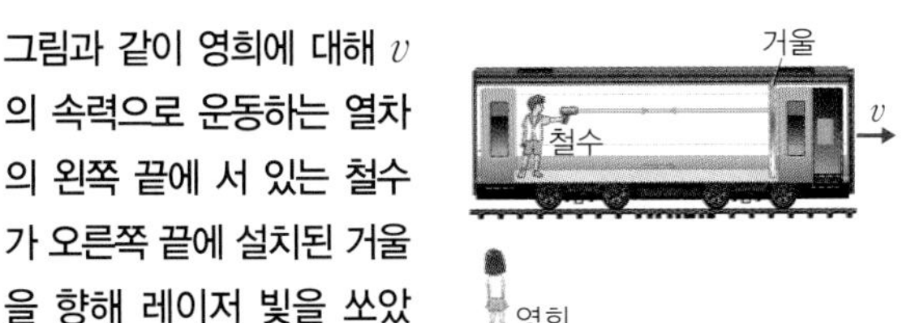

보기

ㄱ. 영희가 빛이 왕복하는 시간을 측정하면 t_0보다 짧다.

ㄴ. 영희가 측정한 빛의 속력은 철수가 측정한 빛의 속력보다 빠르다.

ㄷ. 영희가 측정한 기차의 길이는 철수가 측정한 기차의 길이보다 짧다.

① ㄱ ② ㄴ ③ ㄷ
④ ㄴ, ㄷ ⑤ ㄱ, ㄴ, ㄷ

06 그림은 철수가 광속에 가까운 속력 v로 이동하는 우주선 내부의 바닥에 있는 광원에서 빛을 쏘아 천장에 있는 거울에 반사되어 돌아오는 시간을 측정하고 있는 모습이다. 이 빛의 경로를 정지한 행성에서 영희가 보고 있다. 이에 대한 설명으로 옳은 것만을 〈보기〉에서 있는 대로 고른 것은? (단, 빛의 속력은 c이고, 광원과 거울 사이의 거리는 l이다.)

보기

ㄱ. 철수가 측정한 빛의 왕복 시간은 $\frac{2l}{c}$이다.

ㄴ. 영희는 우주선 안의 시계가 빠르게 가는 것으로 관측한다.

ㄷ. 우주선의 속력이 빛의 속력에 비해 매우 느리면 철수와 영희가 측정한 빛의 왕복 시간은 비슷하다.

① ㄱ ② ㄷ ③ ㄱ, ㄴ
④ ㄱ, ㄷ ⑤ ㄱ, ㄴ, ㄷ

07 그림과 같이 철수가 탄 우주선이 정지한 영희에 대해 일정한 속력 $0.8c$로 행성 A에서 행성 B를 향해 운동하고 있다. 철수가 측정한 A와 B 사이의 거리는 L이고, 철수가 측정한 A에서 B까지 이동하는 데 걸린 시간은 t이다. A, B는 영희에 대해 정지해 있다. 이에 대한 설명으로 옳은 것만을 〈보기〉에서 있는 대로 고른 것은? (단, c는 빛의 속력이다.)

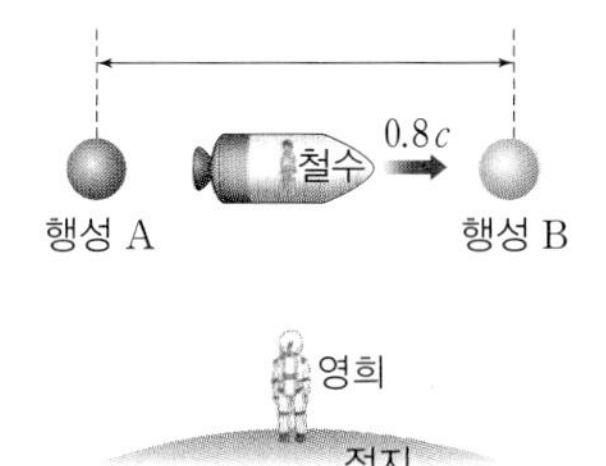

보기

ㄱ. 철수가 관측할 때 행성 B는 $0.8c$의 속력으로 다가온다.

ㄴ. 영희가 측정한 A와 B 사이의 거리는 L보다 작다.

ㄷ. 우주선이 A에서 B까지 이동하는 데 걸린 시간을 영희가 측정하면 t보다 크다.

① ㄱ ② ㄷ ③ ㄱ, ㄴ
④ ㄱ, ㄷ ⑤ ㄴ, ㄷ

08 그림과 같이 철수가 탄 우주선이 영희에 대해 일정한 속력 $0.8c$로 운동하고 있다. 철수가 천장의 P점을 향해 쏜 레이저 빛이 P점에 도달할 때까지 철수가 측정한 거리는 $L_{철수}$이고, 영희가 측정한 거리는 $L_{영희}$이다. 이 때 철수에게서 P점까지 레이저 빛이 도달하는 데 걸린 시간을 철수가 측정한 시간은 $t_{철수}$이고, 영희가 측정한 시간은 $t_{영희}$이라고 할 때 옳은 설명만을 〈보기〉에서 있는 대로 고른 것은? (단, c는 빛의 속력이다.)

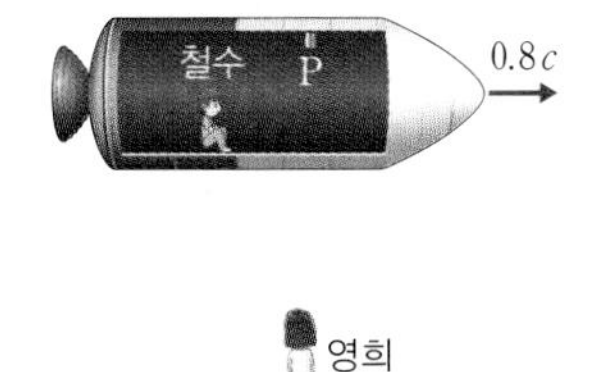

보기

ㄱ. $L_{영희}$가 $L_{철수}$보다 길다.

ㄴ. $t_{영희}$가 $t_{철수}$보다 길다.

ㄷ. 철수와 영희가 측정한 빛의 속력은 $0.8c$이다.

① ㄴ ② ㄱ, ㄴ ③ ㄴ, ㄷ
④ ㄱ, ㄷ ⑤ ㄱ, ㄴ, ㄷ

09 그림은 빛의 속력과 물체의 속력의 비율($\frac{v}{c}$)에 따른 물체의 길이 수축의 비율($\frac{L}{L_0}$)을 나타낸 것이다.

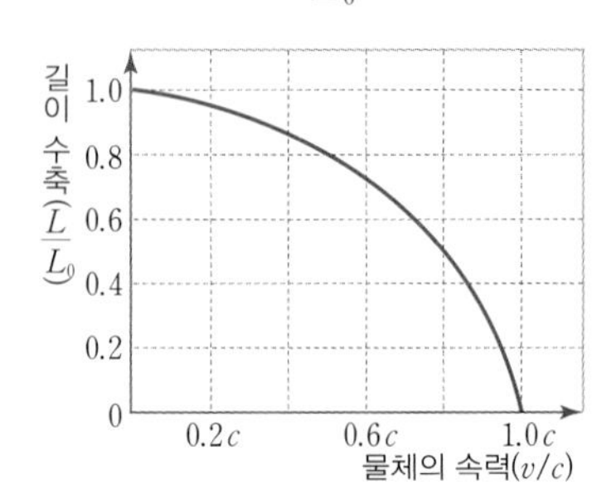

이에 대한 설명으로 옳은 것만을 〈보기〉에서 있는 대로 고른 것은?

보기
ㄱ. 물체의 속력이 느릴 때는 수축 정도가 작다.
ㄴ. 물체의 속력이 $0.5c$일 때 $\frac{L}{L_0}$은 0.5보다 크다.
ㄷ. 길이 수축은 특수 상대성 이론에서 예견하였다.

① ㄱ ② ㄷ ③ ㄱ, ㄴ
④ ㄴ, ㄷ ⑤ ㄱ, ㄴ, ㄷ

10 그림은 우주 정거장에 있는 민수가 y축 방향으로 $0.6c$로 날아가는 철수와 x축 방향으로 $0.6c$로 날아가는 영희를 관측하고 있는 것을 나타낸 것이다. 민수가 우주 정거장의 y축 방향 길이를 측정하였더니 L_0이었다. 이에 대한 설명으로 옳은 것만을 〈보기〉에서 있는 대로 고른 것은?

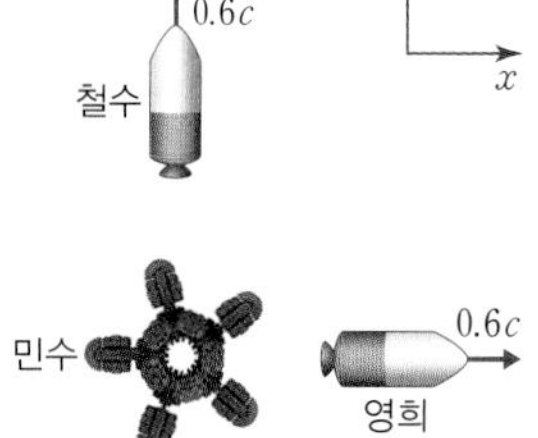

보기
ㄱ. 영희가 우주 정거장의 y축 길이를 측정하면 L_0와 같다.
ㄴ. 철수가 측정하였을 때 영희의 시계는 자신의 시계보다 느리게 간다.
ㄷ. 민수가 측정하였을 때 철수의 우주선 길이는 우주선이 정지하였을 때 측정한 길이보다 짧게 보인다.

① ㄱ ② ㄷ ③ ㄱ, ㄴ
④ ㄴ, ㄷ ⑤ ㄱ, ㄴ, ㄷ

11 그림과 같이 지표면에 정지해 있는 관찰자가 측정할 때, 지표면으로부터 높이 h인 곳에서 뮤온 A, B가 생성되어 각각 연직 방향의 일정한 속력 $0.8c$, $0.9c$로 지표면을 향해 움직인다. A, B 중 하나는 지표면에 도달하는 순간 붕괴하고, 다른 하나는 지표면에 도달하기 전에 붕괴한다.

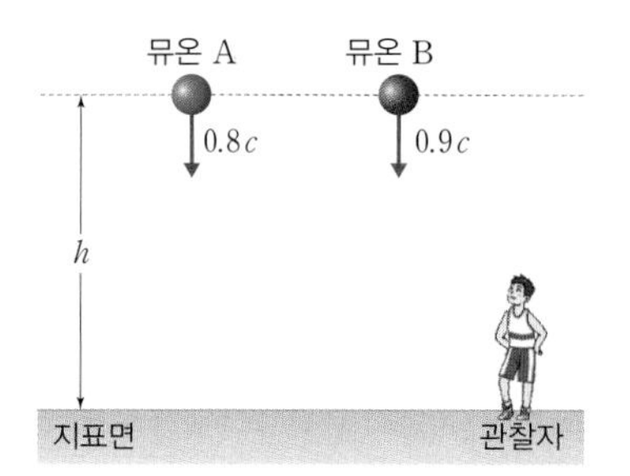

이에 대한 설명으로 옳은 것만을 〈보기〉에서 있는 대로 고른 것은? (단, c는 빛의 속력이며, 정지 상태의 뮤온이 생성된 순간부터 붕괴하는 순간까지 걸리는 시간은 t_0이다.)

보기
ㄱ. 지면에 도달하는 뮤온은 A이다.
ㄴ. 관찰자가 측정한 B의 수명은 t_0보다 길다.
ㄷ. 관찰자가 측정할 때 $0.9ct_0$는 h와 같다.

① ㄱ ② ㄴ ③ ㄱ, ㄴ
④ ㄴ, ㄷ ⑤ ㄱ, ㄴ, ㄷ

12 정지해 있을 때 질량이 3000 kg인 우주선의 속력을 증가시켜 속력이 v일 때 우주선의 질량 m은 다음과 같이 변한다.

$$m = \frac{3000}{\sqrt{1-v^2/c^2}}\ (\text{kg})$$

이에 대한 설명으로 옳은 것만을 〈보기〉에서 있는 대로 고른 것은? (단, c는 빛의 속력이다.)

보기
ㄱ. 우주선의 속력이 2배 증가하면 질량 m은 $\sqrt{2}$배 증가한다.
ㄴ. 우주선의 속력이 빛의 속력에 가까워지면 우주선의 질량은 크게 증가한다.
ㄷ. 질량과 에너지는 서로 전환되는 것을 질량-에너지 등가성이라고 한다.

① ㄱ ② ㄷ ③ ㄱ, ㄴ
④ ㄴ, ㄷ ⑤ ㄱ, ㄴ, ㄷ

13 속력이 0일 때의 질량이 m_0인 물체가 속력이 v가 되었을 때 질량이 m이 되었다. 이 물체의 질량과 에너지에 대한 설명으로 옳은 것만을 〈보기〉에서 있는 대로 고른 것은? (단, c는 빛의 속력이다.)

보기
ㄱ. 정지해 있을 때 물체의 에너지는 m_0c^2이다.
ㄴ. 속력 v가 클수록 물체의 에너지는 커진다.
ㄷ. 속력이 0에서 v로 될 때, 물체의 질량 m은 m_0보다 크다.

① ㄱ ② ㄷ ③ ㄱ, ㄴ
④ ㄴ, ㄷ ⑤ ㄱ, ㄴ, ㄷ

14 다음은 라듐($^{226}_{88}Ra$)이 라돈($^{222}_{86}Rn$)과 원자 X로 핵분열할 때의 핵반응식을 나타낸 것이다.

$$^{226}_{88}Ra \longrightarrow {}^{222}_{86}Rn + X$$

이에 대한 설명으로 옳은 것만을 〈보기〉에서 있는 대로 고른 것은?

보기
ㄱ. X의 질량수는 4이다.
ㄴ. 핵분열 전후 전하량의 합은 같다.
ㄷ. X의 양성자수와 중성자수는 같다.

① ㄱ ② ㄴ ③ ㄱ, ㄷ
④ ㄴ, ㄷ ⑤ ㄱ, ㄴ, ㄷ

15 다음은 $^{235}_{92}U$가 핵분열할 때의 반응식이다.

$$^{235}_{92}U + {}^{1}_{0}n \longrightarrow {}^{141}_{56}Ba + {}^{92}_{36}Kr + 3{}^{1}_{0}n + \text{에너지}$$

$^{235}_{92}U$ 한 개가 핵분열하면 약 200 MeV의 에너지가 방출된다고 할 때, $^{235}_{92}U$ 한 개의 핵분열 반응식에서 질량 결손은? (단, 빛의 속력은 3×10^8 m/s이며, 1 MeV$=1.6\times10^{-13}$ J이다.)

① 1.8×10^{-26} kg ② 1.8×10^{-28} kg
③ 3.6×10^{-28} kg ④ 3.6×10^{-26} kg
⑤ 3.6×10^{-24} kg

16 두 개의 $^{2}_{1}H$ 원자핵이 정면 충돌하여 다음과 같이 핵변환을 하였다.

$$2{}^{2}_{1}H \longrightarrow {}^{3}_{2}He + {}^{1}_{0}n$$

이 핵반응에서 질량 결손과 질량 결손으로 발생된 에너지로 옳은 것은? (단, $^{2}_{1}H$의 질량은 2.0136 u, $^{3}_{2}He$의 질량은 3.0150 u, $^{1}_{0}n$의 질량은 1.0087 u이고, 1 u는 1.66×10^{-27} kg이다.)

	질량 결손	발생 에너지
①	0.0015 u	3.0×10^{-13} J
②	0.0035 u	5.0×10^{-13} J
③	0.0035 u	5.0×10^{-15} J
④	0.0055 u	5.0×10^{-15} J
⑤	0.0055 u	5.0×10^{-19} J

17 태양에서는 수소 원자핵 $^{1}_{1}H$ 4개가 복잡한 과정을 거쳐서 최후에 1개의 헬륨핵인 $^{4}_{2}He$ 1개가 만들어지면서 막대한 열과 빛에너지가 발생된다. 이 과정에서 질량이 매우 작은 입자들도 발생되지만 그 크기가 작으므로 무시한다. 4개의 $^{1}_{1}H$가 융합하여 1개의 $^{4}_{2}He$이 만들어질 때 방출되는 열과 빛에너지는? (단, $^{1}_{1}H$의 질량은 1.0078 u, $^{4}_{2}He$의 질량은 4.0026 u이며, 질량 1 u에 해당하는 정지 에너지는 1.5×10^{-10} J이다.)

① 4.3×10^{-12} J ② 4.3×10^{-15} J
③ 8.6×10^{-12} J ④ 8.6×10^{-15} J
⑤ 8.6×10^{-16} J

18 정지해 있던 중성자가 붕괴하여 양성자와 전자가 되어 멀리 튀어 나갔다. 이 경우 질량 결손에 의한 에너지는 운동 에너지로만 전환된다고 할 때, 양성자와 전자의 운동 에너지의 합에 가장 가까운 것은? (단, 중성자의 질량은 1.6749×10^{-27} kg, 양성자의 질량은 1.6729×10^{-27} kg, 전자의 질량은 0.0009×10^{-27} kg이고, 다른 작은 입자들의 질량은 무시한다.)

① 10^{-13} J ② 10^{-14} J ③ 10^{-15} J
④ 10^{-16} J ⑤ 10^{-17} J

자기장 자성 도핑 발광 다이오드
p형 반도체 띠 간격
불순물 반도체 들뜬상태 도핑 접합 다이오드 원자가 띠 양공
선 스펙트럼 자기장
상자성체 렌츠 법칙 도핑
도핑 양자수 원자가 전자 자성
순방향 바이어스 들뜬상태
n형 반도체 도핑 유도 전류 솔레노이드 강자성체
자기장 공유 결합 도핑
순수한 반도체 자기화 자기장 p형 반도체
도핑 불순물 반도체
보어 원자 모형 전도띠
유도 전류 바닥상태
역방향 바이어스 자기장 발광 다이오드 빛 에너지 전자기 유도
전기력 자성 상자성체 역방향 바이어스
발광 다이오드 유도 전류
띠 간격 p형 반도체 전자 궤도 광 다이오드
들뜬상태 에너지띠
패러데이 법칙 자기장
도핑
자성 전기 전도성 반자성체
에너지 준위 정류 회로 에너지띠 자기화 다이오드
역방향 바이어스

단원 짚어보기

배운 내용

- 원자핵, 전자
- 공유 결합
- 스펙트럼
- 반도체
- 자기
- 전자기 유도(패러데이 법칙)
- 유도 전류

학습내용 | 1. 전기

01. 전자의 에너지 준위

- 전자의 에너지 준위
- 스펙트럼
- 전자 전이와 빛의 흡수와 방출

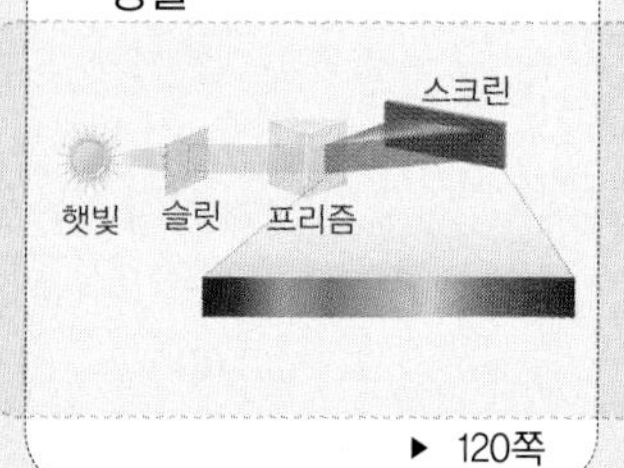

▸ 120쪽

02. 고체의 에너지띠와 전기 전도성

- 도체, 반도체, 절연체
- 전기 전도성과 고체 에너지띠

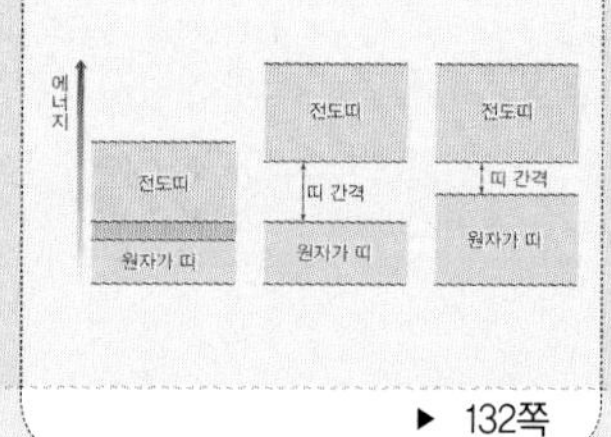

▸ 132쪽

03. 반도체 소자

- 불순물 반도체 (n형 반도체, p형 반도체)
- p–n 접합 다이오드
- 정류 회로

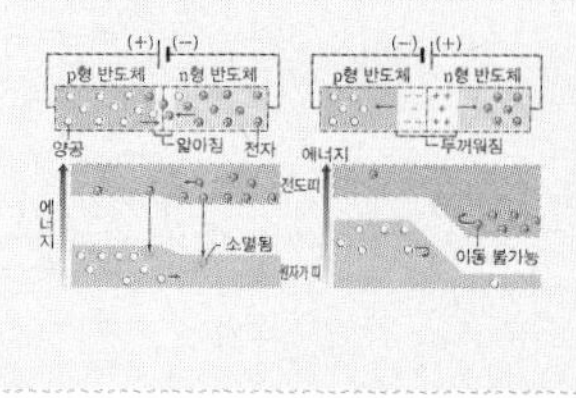

▸ 140쪽

물질과 전자기장

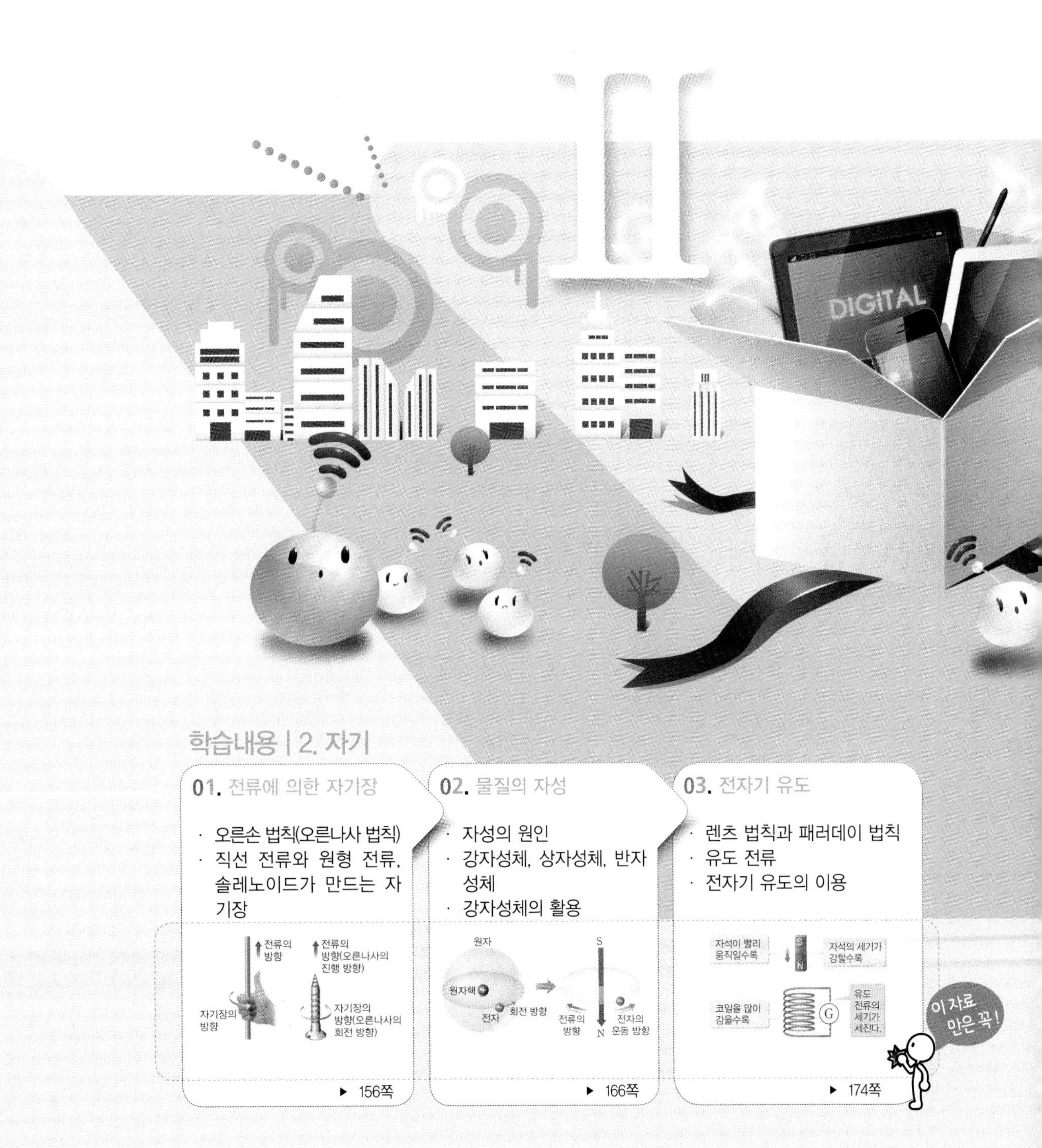

학습내용 | 2. 자기

01. 전류에 의한 자기장

- 오른손 법칙(오른나사 법칙)
- 직선 전류와 원형 전류, 솔레노이드가 만드는 자기장

▸ 156쪽

02. 물질의 자성

- 자성의 원인
- 강자성체, 상자성체, 반자성체
- 강자성체의 활용

▸ 166쪽

03. 전자기 유도

- 렌츠 법칙과 패러데이 법칙
- 유도 전류
- 전자기 유도의 이용

▸ 174쪽

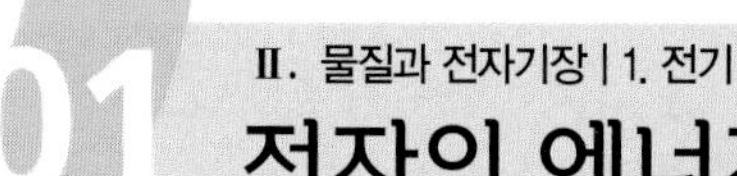

01 전자의 에너지 준위

내 교과서는 어디에?
천재 p.91~100 금성 p.82~95 동아 p.87~97
미래엔 p.98~107 비상 p.88~97 YBM p.104~114

핵심 Point
- **전자**가 전기력에 의해 원자에 속박되어 있음을 이해한다.
- 분광기를 이용해 가열된 기체 원자가 방출하는 빛의 **스펙트럼**을 알아본다.
- 선 스펙트럼으로부터 전자의 **에너지 준위**가 **양자화**되어 있음을 이해한다.

1 전기력

1. 전기력과 쿨롱 법칙

① 전기력: 전하❶를 띤 물체 사이에서 작용하는 힘

② 전기력의 방향: 같은 종류의 전하 사이에는 밀어 내는 힘(척력)이, 다른 종류의 전하 사이에는 당기는 힘(인력)이 작용한다.

③ 전기력의 크기: 전하량이 클수록, 거리가 가까울수록 크다.

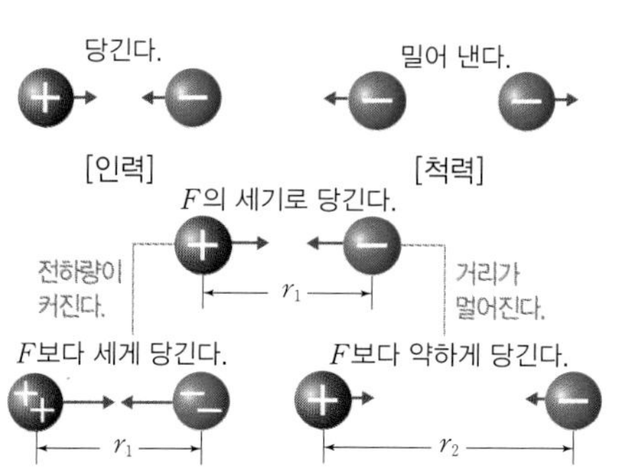

▲ 전기력의 크기

④ 쿨롱 법칙: 두 전하 사이에 작용하는 전기력의 크기는 두 전하의 전하량 q_1, q_2의 곱에 비례하고, 전하가 떨어진 거리 r의 제곱에 반비례한다.

$$F = k\frac{q_1q_2}{r^2} \text{ (쿨롱 상수 } k = 9 \times 10^9 \text{ N}\cdot\text{m}^2/\text{C}^2\text{)}$$

자료 파헤치기

쿨롱의 전기력의 크기 측정 실험

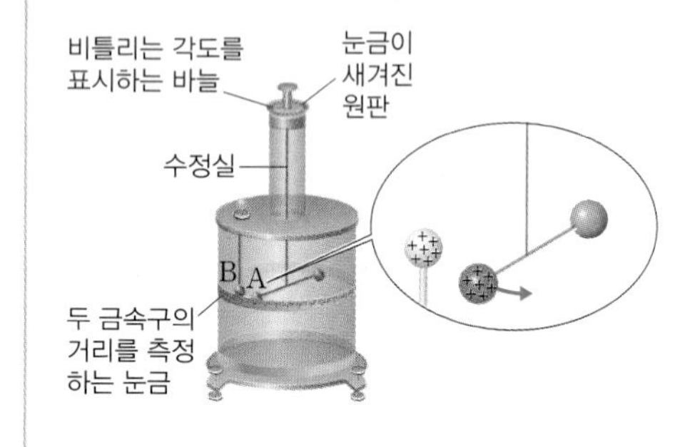

- 대전된 두 금속구를 매달아놓으면, 두 금속구가 갖는 전하 종류와 전하량에 따라 두 금속구 사이의 거리가 달라진다.
- 두 금속구가 같은 종류의 전하를 띠면 척력이 작용하여 밀려나고, 다른 종류의 전하를 띠면 인력이 작용하여 당겨진다. ➡ 밀리거나 당겨진 각도를 측정하여 전기력의 크기를 알아낸다.

2. 원자 구조와 전기력

① 원자 구조: 중심에 양(+)전하를 띠는 원자핵❷이 있고, 음(−)전하를 띠는 전자가 원자핵 주위를 돌고 있다.

② 전자는 원자핵으로부터 당기는 전기력을 받아 원자핵 주변을 원운동하며 원자에 속박되어 있다.

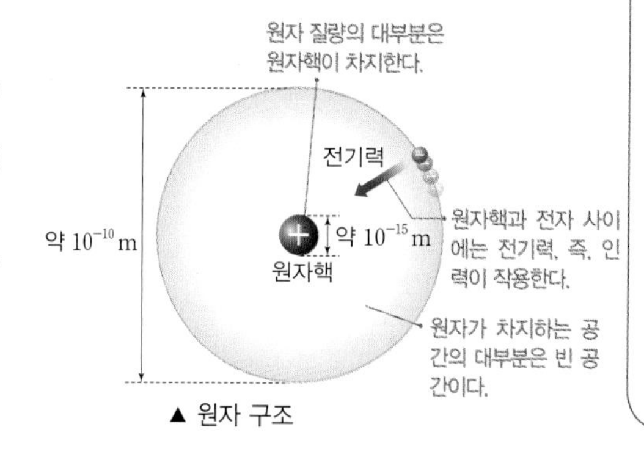

▲ 원자 구조

셀파 콕콕
전기장
전하 주위에 전기력이 작용하는 공간이다.
➡ 전하량이 q인 전하가 받는 전기력을 F라고 할 때, 전하가 놓인 위치에서의 전기장 세기 E는 다음과 같다.
$E = \frac{F}{q}$ (단위: N/C)

❶ 전하
전기적인 현상을 일으키는 원인이 되는 성질로, 양(+)전하와 음(−)전하가 있다. 보통의 물체는 양(+)전하의 양과 음(−)전하의 양이 같아서 전기적으로 중성을 띤다.

셀파 콕콕
두 전하 사이에 작용하는 전기력은 두 전하의 전하량 곱에 비례하고 거리 제곱에 반비례한다. 두 전하의 종류가 같으면 척력이, 다르면 인력이 작용한다.

❷ 원자핵
원자핵은 (+)전하를 띠는 양성자와 전하를 띠지 않는 중성자로 이루어져 있다. 보통의 원자는 양성자의 개수와 전자의 개수가 같아서 전기적으로 중성이다.

용어
▸ **속박**: 물체의 운동이 다른 물체나 힘에 제한을 받아 어떤 공간에 갇히는 현상

개념 확인하기

1 다른 종류의 전하 사이에는 당기는 방향으로 전기력이 작용한다. (○ , ×)
2 두 전하 사이에 작용하는 전기력의 크기는 전하 사이의 거리가 멀수록 크다. (○ , ×)
3 전자는 원자핵으로부터 (   )을 받아 원자에 속박되어 있다.

답 1. ○ 2. × 3. 전기력

③ 전자와 원자핵의 발견 과정

톰슨의 음극선 실험(전자의 발견)	α입자 산란 실험(원자핵의 발견)
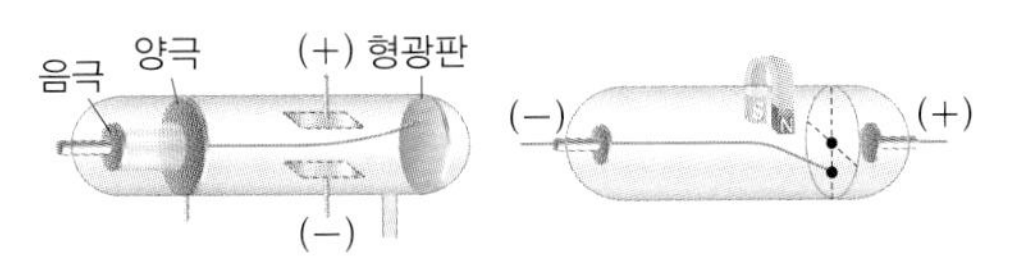 • 방전관에 높은 전압을 걸어주면 (−)극에서 (+)극으로 음극선이 방출되는데 음극선 진로에 전기장을 걸어 주면 (+)극 쪽으로 휜다. • 자기장을 걸어주면 음극선은 자기력을 받아 휜다. ➡ 음극선을 이루는 입자는 (−)전하를 띠며 이 입자가 전자이다.	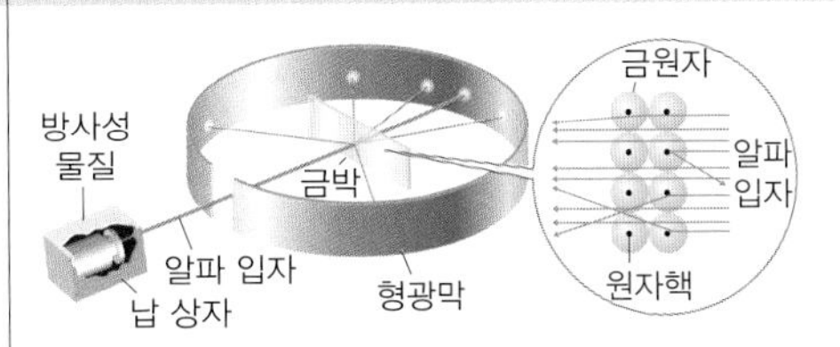 (+)전하를 띤 알파 입자를 금박에 충돌시키는 실험에서 대부분의 알파 입자들은 휘지 않고 통과하는 반면 소수의 입자들은 휘어지거나 정반대편으로 튕겨 나온다. ➡ 원자 내부는 대부분 빈 공간이고 원자 중심에는 (+)전하를 띠는 작은 입자가 있는데, 이것이 원자핵이다.

2 스펙트럼

1. 스펙트럼 빛이 파장에 따라 나누어져 나타나는 색의 띠

① 연속 스펙트럼: 햇빛이나 백열등의 빛을 프리즘에 통과시킬 때 나타남 ➡ 무지개처럼 연속적인 색의 띠

스크린
햇빛 슬릿 프리즘

② 선 스펙트럼

방출 스펙트럼	흡수 스펙트럼
기체를 가열했을 때 방출되는 빛을 프리즘에 통과시키면 특정한 색의 선이 띄엄띄엄 나타난다.	연속 스펙트럼 갖는 빛을 저온 기체에 통과시키면 연속 스펙트럼 위에 검정 색의 선이 띄엄띄엄 나타난다.

• 기체 원자에 따라 선의 위치와 색이 다르다.
➡ 기체 원자가 방출 또는 흡수하는 빛의 파장이 다르기 때문이다.
• 선 스펙트럼을 분석하면 기체의 종류를 알 수 있다.

2. 빛의 에너지

① 빛의 에너지는 빛의 진동수에 비례하고 빛의 파장에 반비례한다.

② 진동수가 f이고 파장❸이 λ인 빛의 에너지 E는 다음과 같다.

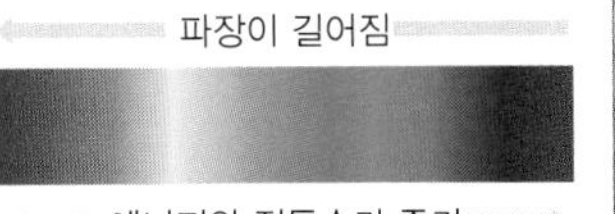

빨간색보다 파란색의 파장이 짧으므로 빛의 에너지는 빨간색보다 파란색이 크다.

$$E = hf = \frac{hc}{\lambda} \quad (h\text{: 플랑크 상수, } c\text{: 빛의 속도})$$

파장과 스펙트럼

빛의 파장에 따라 굴절되는 정도가 다르다. 햇빛이 프리즘을 통과할 때 파장이 짧은 보라색은 많이 굴절되고 파장이 긴 빨간색은 조금 굴절되어 무지개처럼 연속적인 빛의 띠가 생긴다.

주의 콕

동일한 기체에서 얻은 방출 스펙트럼과 흡수 스펙트럼의 선 위치는 동일하며 기체의 종류가 다른 경우 선의 위치와 색이 다른 선 스펙트럼을 얻게 된다.

방출 스펙트럼

흡수 스펙트럼

❸ 파장

파동에서 마루와 마루, 또는 골과 골 사이의 거리

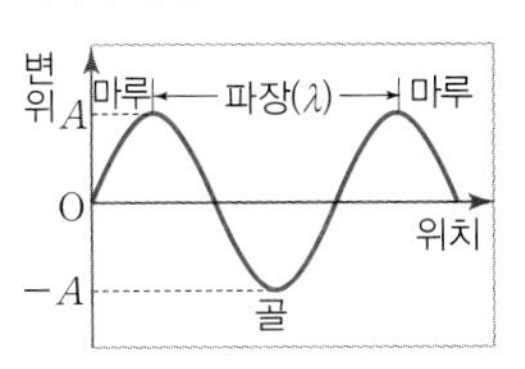

셀파 콕콕

기체의 선 스펙트럼에서 에너지와 진동수는 비례하고, 에너지와 파장은 반비례한다.

용어

▸ **진동수**: 파동에서 매질이 1초에 진동하는 횟수

개념 확인하기

1 햇빛을 프리즘에 통과시키면 선 스펙트럼을 관찰할 수 있다. (○ , ×)

2 가열된 기체 원자가 방출하는 빛을 분광기로 관찰하면 ( ) 스펙트럼을 볼 수 있다.

3 기체 원자에 따라 선 스펙트럼에서 선의 위치와 색이 다른 것은 기체 원자가 방출하는 빛의 ( )이 다르기 때문이다.

답 1. × 2. 선 3. 파장(진동수)

셀파 탐구

여러 가지 전등의 선 스펙트럼 비교 관찰

목표 여러 가지 기체의 선 스펙트럼을 관찰하고, 그 특징을 비교할 수 있다.

과정

❶ 형광등에서 나오는 빛을 간이 분광기로 관찰한다.

❷ 선 스펙트럼 광원 장치의 헬륨, 수은, 네온 전등에서 방출되는 빛을 간이 분광기로 관찰한다.

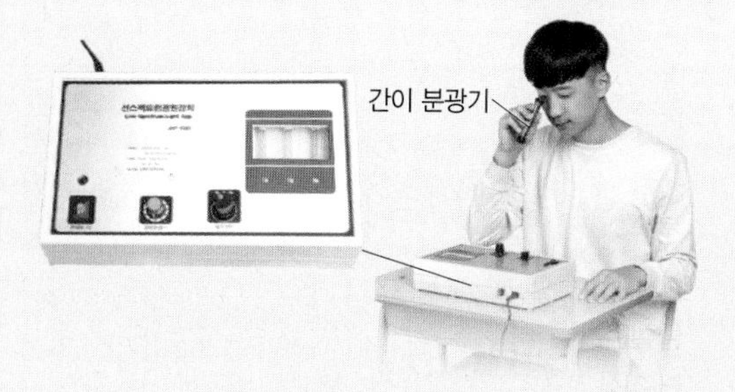

결과 및 정리

1. 형광등에서 나오는 빛의 스펙트럼은 햇빛의 스펙트럼과 어떤 차이가 있는가?

➡ 햇빛의 스펙트럼은 여러 가지 색의 빛이 연속적으로 나타나지만, 형광등에서 나오는 빛의 스펙트럼은 몇 가지 색의 띠가 불연속적으로 나타난다.

2. 헬륨, 수은, 네온 전등에서 나오는 빛의 선 스펙트럼은 어떤 차이가 있는가?

➡ 전등의 종류에 따라 나타나는 선의 위치와 색이 다르다.

3. 각 전등에서 나오는 빛의 선 스펙트럼이 서로 다른 까닭에 대한 가설을 세워 보자.

➡ 선 스펙트럼에서 선의 위치와 색에 따라 빛의 파장이 다르다. 즉 기체의 종류에 따라 방출하는 빛의 파장과 에너지가 다르다. 기체에서 방출하는 빛이 특정한 에너지만 갖는 것은 기체 원자가 갖는 에너지가 연속적이지 않고 특정한 값만 갖기 때문이다.

유의점

❶ 광원 장치가 뜨거우므로 맨손으로 직접 만지지 않도록 한다.

❷ 주위를 최대한 어둡게 하고 관찰한다.

➡ 주위에서 발생하는 빛과 광원 장치에서 발생하는 빛이 함께 관찰되어 정확한 스펙트럼을 얻지 못할 수도 있다.

탐구 돋보기

간이 분광기로 백열전등을 관찰하면 연속 스펙트럼을 관찰 할 수 있다. 햇빛도 연속 스펙트럼을 갖지만 대기 중 기체가 특정 빛을 흡수하여 흡수 스펙트럼이 관찰 될 수 있다. 또한 햇빛을 맨눈으로 쳐다보면 눈이 손상될 수 있으므로 주의해야 한다.

▲ 연속 스펙트럼

다양한 기체 원자들이 가열되어 방출되는 빛에서는 서로 다른 선 스펙트럼을 보일 것이다. 그 까닭은 각 원자들이 갖는 전자가 특정 에너지 준위에 존재하고 전자가 다른 궤도로 전이하는 과정에서 방출하는 에너지가 특정한 값을 갖기 때문이다. 이 내용은 '전자 전이와 선 스펙트럼'에서 자세히 알아보자.

시험 유형은?

❶ **분광기로 어떤 기체를 관찰했더니 검은 바탕에 몇 개의 밝은 선이 나타났다. 이 스펙트럼의 종류는?**
▶ 선 스펙트럼

❷ **기체의 선 스펙트럼으로부터 알 수 있는 사실은?**
▶ 기체 종류에 따라 다른 선 스펙트럼을 갖는다.

❸ **별빛의 스펙트럼을 비교하여 알 수 있는 사실은?**
▶ 별을 구성하는 원소

탐구 대표 문제 정답과 해설 33쪽

01 위 탐구에 대한 설명으로 옳은 것은?

① 선 스펙트럼으로 기체의 종류를 알 수 있다.
② 선 스펙트럼에서 나타난 선은 위치와 상관 없이 같은 파장 값을 갖는다.
③ 수은과 네온은 같은 선 스펙트럼을 갖는다.
④ 헬륨 기체에서 방출되는 빛은 연속 스펙트럼이다.
⑤ 네온 전등에서 방출되는 빛을 맨눈으로 보면 백색광이다.

02 그림 (가)와 (나)는 각각 광원 A, B에서 방출된 빛을 간이 분광기로 관찰한 모습을 나타낸 것이다. (가)와 (나)의 스펙트럼 종류를 각각 쓰시오.

3 원자 모형과 에너지 준위

1. 원자 모형

돌턴	톰슨	러더퍼드❹	보어
	(+)전하를 띤 구	전자, 원자핵	전자, 원자핵
물질은 원자라고 부르는 더 이상 쪼갤 수 없는 작은 입자로 구성되어 있다.	양(+)전하가 균일하게 분포되어 있는 구 속에 같은 양의 전자가 군데군데 박혀 있다.	원자 중심에는 원자핵이 놓여 있고 그 주위를 전자가 돌고 있다.	전자는 원자핵 주위의 특정한 에너지를 갖는 궤도에서만 돌고 있다.

2. 보어의 원자 모형

① 전자는 원자핵을 중심으로 특정한 궤도에서만 원운동한다. 이때 전자는 빛을 방출하지 않고 안정한 상태로 존재한다. ➡ 각 궤도 사이에는 전자가 존재할 수 없다.

② 원자핵에서 가까운 궤도부터 $n=1$, $n=2$, …인 궤도라고 하고, n을 양자수라고 한다.

③ 가장 낮은 에너지를 갖는 안정한 상태를 바닥상태라고 하고, 이보다 높은 에너지를 갖는 상태를 들뜬상태라고 한다.

각 궤도의 중간에는 전자가 존재할 수 없다.
$n=3$
$n=2$
원자핵 $n=1$
전자
전자가존재할 수 있는 궤도

3. 에너지 준위와 전자 전이

① 보어 모형에서 전자가 특정 궤도에서 운동할 때 갖는 에너지를 에너지 준위❺라고 한다.
- 양자수 n이 작아질수록 작은 에너지 준위를 갖는다.
- 에너지 준위는 음(−)의 값을 갖는데 이는 전자가 원자핵에 속박되어 있음을 말한다.
- 전자가 불연속적인 특정 에너지만 갖는 것을 에너지 양자화라고 한다.

② 전자가 특정한 궤도 사이를 전이할 때, 두 궤도의 에너지 차이에 해당하는 에너지를 갖는 빛을 방출하거나 흡수한다.

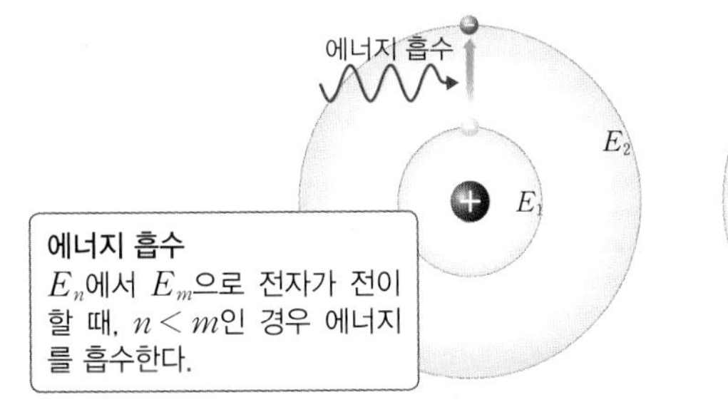

에너지 흡수
E_n에서 E_m으로 전자가 전이할 때, $n < m$인 경우 에너지를 흡수한다.

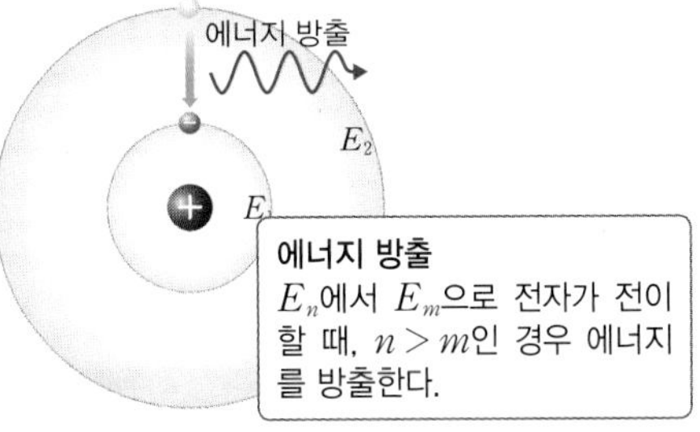

에너지 방출
E_n에서 E_m으로 전자가 전이할 때, $n > m$인 경우 에너지를 방출한다.

❹ 러더퍼드 원자 모형의 한계
원자가 일정한 크기를 유지하며 존재하는 원자의 안정성 문제와 원자로부터 나오는 선 스펙트럼을 설명할 수 없다.

강의 콕
수소 원자의 에너지 준위
수소 원자가 바닥상태일 때 에너지는 −13.6eV이고, 양자수가 커질수록 수소 원자의 에너지는 증가한다.

	E_n(eV)
$n=\infty$	0
$n=3$	−1.51
$n=2$	−3.40
$n=1$	−13.60

❺ 에너지 준위
수소 원자 내에서 n인 궤도에 존재하는 전자가 갖는 에너지는
$E_n = -\frac{13.6}{n^2}$eV이다.

셀파 콕콕
전자가 높은 궤도에서 낮은 궤도로 전이하는 경우 에너지를 방출하고 낮은 궤도에서 높은 궤도로 전이하는 경우 에너지를 흡수한다.

용어
▸ **양자화**: 어떤 물리량이 불연속적으로 이루어져 한 개, 두 개 등으로 셀 수 있다는 뜻
▸ **전이**: 입자가 어떤 에너지 상태에서 다른 에너지 상태로 옮겨 감.

개념 확인하기

1 수소 원자에서 전자는 특정한 궤도에만 존재할 수 있다. (○ , ×)
2 전자의 에너지 준위가 불연속적인 특정 에너지만 갖는 것을 에너지 (   )라고 한다.
3 전자가 에너지를 방출하면 양자수가 (   ) 궤도로 전이한다.

답 1. ○ 2. 양자화 3. 작은

4 전자 전이와 선 스펙트럼[6]

1. 전자 전이와 빛의 출입

① 빛에너지를 흡수하면 전자는 에너지 준위가 높은 궤도로 전이하고, 빛에너지를 방출하면 전자는 에너지 준위가 낮은 궤도로 전이한다.

② 전자가 전이하며 방출하거나 흡수하는 빛은 전자가 이동하는 두 에너지 준위 차이만큼의 에너지를 갖는다. 여기서 방출하거나 흡수되는 에너지는 빛의 진동수(f)에 비례하고 파장(λ)에 반비례한다.

$$E_{빛} = hf = \frac{hc}{\lambda} = |E_{처음} - E_{나중}| \quad (h\text{: 플랑크 상수})$$

(c: 빛의 속력, f: 진동수, λ: 파장)

2. 선 스펙트럼

① 전자의 에너지 준위가 양자화되어 있으므로 전자가 전이할 때 방출하거나 흡수하는 빛의 에너지도 에너지 준위 차이에 해당하는 값만 가능하다.

➡ 수소 원자에서 전자가 $n=3$인 상태에서 $n=2$인 상태로 전이할 때 방출하는 빛의 에너지는 $E = |(-1.51\text{ eV}) - (-3.40\text{ eV})| = 1.89\text{ eV}$이고, 이 빛은 파장이 656.3 nm에 해당하는 빨간색 빛이다.

② 서로 다른 기체 원자는 원자 내 전자의 에너지 준위가 다르므로 전자가 전이할 때 방출 또는 흡수하는 빛의 파장이 다르다.

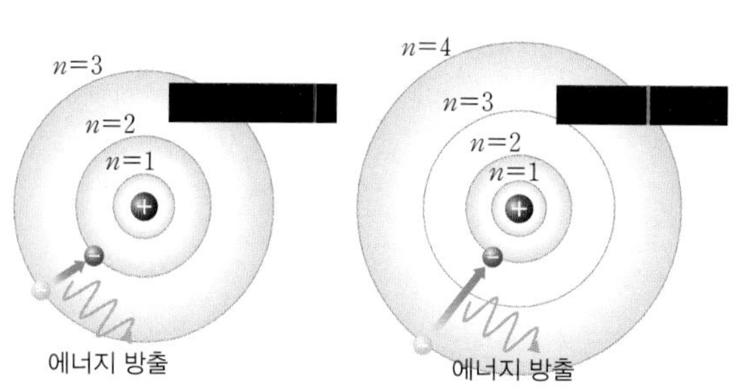

3. 수소 원자의 선 스펙트럼[7]

① 라이먼 계열: 전자가 $n=1$인 상태로 전이하며 방출하는 빛으로 자외선 영역이다.

② 발머 계열: 전자가 $n=2$인 상태로 전이하며 방출하는 빛으로 가장 작은 에너지를 갖는 4개의 빛은 가시광선 영역이고 나머지는 자외선 영역이다.

③ 파셴 계열: 전자가 $n=3$인 상태로 전이하며 방출하는 빛으로 적외선 영역이다.

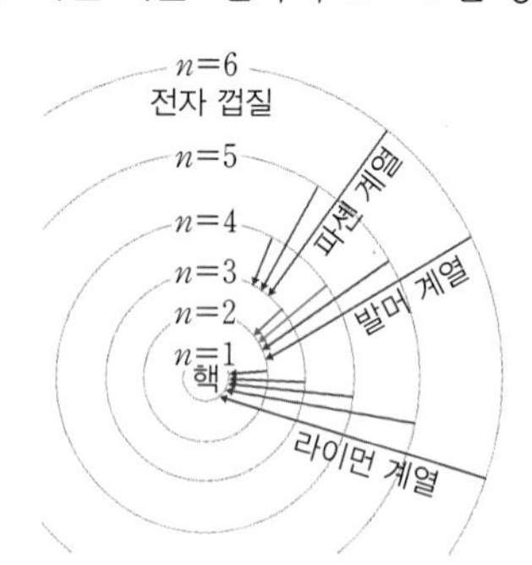

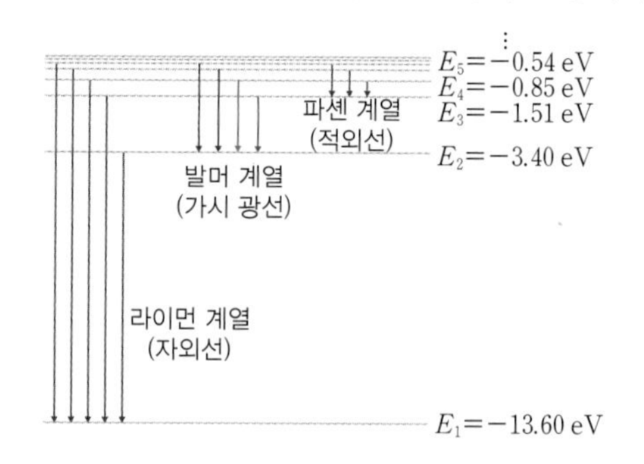

[6] 전자 전이와 선 스펙트럼
전자가 전이할 때 방출하는 빛의 에너지는 특정 값만 가질 수 있으므로 연속 스펙트럼이 아닌 선 스펙트럼으로 나타난다.

셀파 콕콕
전자가 전이할 때 방출하거나 흡수하는 에너지는 두 에너지 준위 차이만큼의 크기를 갖는다. 이때 빛이 갖는 파장은 에너지와 반비례한다.

[7] 수소 원자 선 스펙트럼
라이먼 계열에서 에너지가 가장 작은 빛($n=2 \rightarrow n=1$)의 에너지는 발머 계열에서 에너지가 가장 큰 빛의 에너지보다 크므로 라이먼 계열에서 파장이 가장 긴 빛의 파장은 발머 계열에서 파장이 가장 짧은 빛의 파장보다 짧다. 그래서 선 스펙트럼에서 라이먼 계열, 발머 계열이 구분된다.

용어

▸ **자외선**: 파장이 약 10 nm~380 nm인 전자기파로, 가시광선 영역의 보라색보다 파장이 짧고 에너지가 큰 빛

▸ **적외선**: 파장이 약 740 nm~1300 nm인 전자기파로, 가시광선 영역의 빨간색보다 파장이 길고 에너지가 작은 빛

개념 확인하기

1 전자가 양자수가 낮은 궤도로 전이할 때는 빛을 방출한다. (○ , ×)

2 전자가 전이하는 에너지 준위 차이가 클수록 흡수 또는 방출하는 빛의 파장이 크다. (○ , ×)

3 수소 원자에서 (　　) 계열은 전자가 양자수 $n=2$인 상태로 전이할 때 방출하는 빛이다.

1. ○ 2. × 3. 발머

셀파 세미나

S · H · E · R · P · A

▶ 수소 원자의 에너지 준위와 선 스펙트럼 사이의 관계를 연결지어 파악해 보세요.

01 전자 전이와 빛의 에너지

낮은 궤도에서 높은 궤도로 전이	높은 궤도에서 낮은 궤도로 전이
$E=hf$ 빛 흡수 $n=1$ $n=2$ $n=3$	$E=hf$ 빛 방출 $n=1$ $n=2$ $n=3$
에너지 준위 차이에 해당하는 에너지를 갖는 빛 흡수 ➡ $\lvert E_1-E_2 \rvert=hf$	에너지 준위 차이에 해당하는 에너지를 갖는 빛 방출 ➡ $\lvert E_2-E_1 \rvert=hf$

→ 전자가 전이하는 서로 다른 두 궤도의 에너지 준위 차가 같은 경우 빛의 에너지는 낮은 궤도에서 높은 궤도로 전이하는 경우(빛 흡수)와 높은 궤도에서 낮은 궤도로 전이하는 경우(빛 방출)가 같다.

→ 빛의 에너지가 에너지 준위 차이에 해당하지 않으면 전자가 빛을 흡수하여 전이할 수 없다.

02 수소 원자의 선 스펙트럼

- 전자가 양자수 n에서 m으로 전이할 때 방출하는 빛의 에너지는 $E=\lvert E_n-E_m \rvert=\lvert hf_n-hf_m \rvert=hf$이다.
- 빛의 에너지는 빛의 진동수에 비례하고 빛의 파장에 반비례하므로 이를 이용해 선 스펙트럼의 파장이나 진동수 크기를 비교할 수 있다.
- 세 에너지 준위 사이를 전이할 때 빛의 에너지 관계는 $E_a=E_d+E_c$이고, 진동수 관계와 파장 관계는 각각 $f_a=f_d+f_c$, $\frac{1}{\lambda_a}=\frac{1}{\lambda_d}+\frac{1}{\lambda_c}$이다.
- 수소 원자에서 전자의 전이로 발생하는 빛 중 발머 계열은 가시광선을 갖는다. 양자수 m이 7 이상인 에너지 궤도에서 전이하는 경우 자외선을 방출한다.
- 각 전이 과정에서 방출 또는 흡수되는 에너지 간 차이는 선 스펙트럼을 통해 알 수 있다.

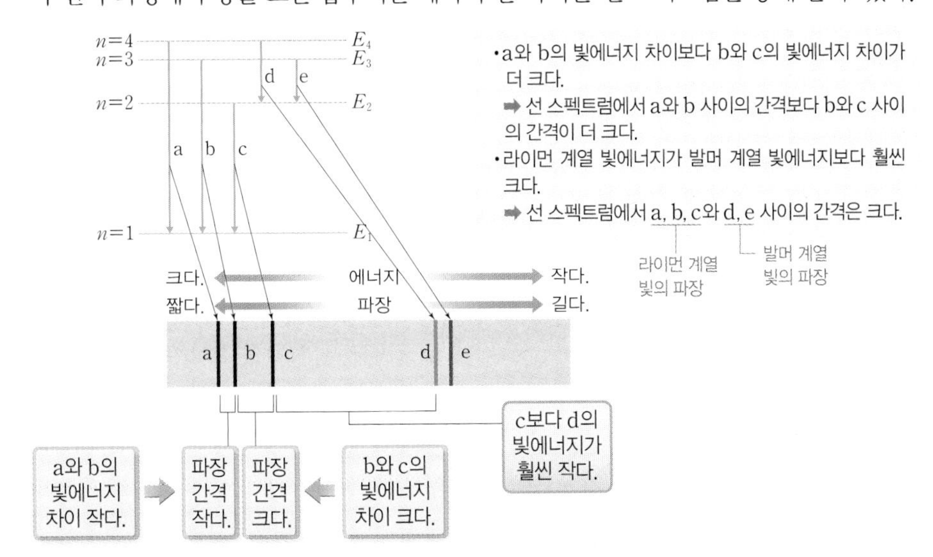

- a와 b의 빛에너지 차이보다 b와 c의 빛에너지 차이가 더 크다.
  ➡ 선 스펙트럼에서 a와 b 사이의 간격보다 b와 c 사이의 간격이 더 크다.
- 라이먼 계열 빛에너지가 발머 계열 빛에너지보다 훨씬 크다.
  ➡ 선 스펙트럼에서 a, b, c와 d, e 사이의 간격은 크다.

라이먼 계열 빛의 파장 / 발머 계열 빛의 파장

Plus 문제

Q. 수소 원자에서 전자가 전이할 때 가시광선을 방출하는 경우는?
① $n=1$에서 $n=2$로 전이할 때
② $n=2$에서 $n=4$로 전이할 때
③ $n=3$에서 $n=1$로 전이할 때
④ $n=4$에서 $n=2$로 전이할 때
⑤ $n=5$에서 $n=3$로 전이할 때

A. ④ | $n \geq 3$에서 $n=2$로 전이하는 발머 계열 중 파장이 긴 것 네 개가 가시광선이다.

전자의 전이	빛의 파장(nm)
$n=3 \rightarrow n=2$	656
$n=4 \rightarrow n=2$	486
$n=5 \rightarrow n=2$	434
$n=6 \rightarrow n=2$	410

▲ 양자수 $m>2$인 궤도에서 $n=2$인 궤도로 전이할 때 빛의 파장

Plus 자료

불꽃 놀이

불꽃 놀이는 금속 가루를 이용하는데 금속 내 전자들이 열로 인해 높은 궤도로 전이하였다가 낮은 궤도로 전이하는 과정에서 방출되는 빛을 이용한다. 또한 금속에 따라 다양한 색의 빛을 방출한다.

기초 탄탄 문제

정답과 해설 33쪽

핵심용어_ 이 단원에서 내가 아는 것과 아직 모르는 것을 정리하며 나의 공부를 돌아보자.

- □ 전기력
- □ 보어 모형
- □ 연속 스펙트럼
- □ 선 스펙트럼
- □ 에너지 준위
- □ 전자 전이
- □ 수소 원자
- □ 발머 계열

01 전기력에 대한 설명으로 옳은 것은?

① 거리가 멀수록 힘의 크기가 커진다.
② 전자를 원자핵에 구속시키는 힘이다.
③ 힘의 크기는 전하량의 곱에 반비례한다.
④ 두 물체가 접촉할 때만 작용하는 힘이다.
⑤ 같은 종류의 전하 사이에는 인력이 작용한다.

02 원자 구조에 대한 설명으로 옳은 것은?

① 전자는 원자핵 주위에 정지해 있다.
② 원자핵은 전자를 전기력으로 당긴다.
③ 원자핵은 전하를 띠지 않는다.
④ 원자 질량의 대부분은 전자가 차지한다.
⑤ 원자핵은 원자 크기의 대부분을 차지한다.

03 보어의 수소 원자 모형에 대한 설명으로 옳은 것은?

① 전자는 원자핵 주위를 원운동한다.
② 수소 원자의 에너지 준위는 연속적이다.
③ 바닥상태의 전자가 가장 큰 에너지를 갖는다.
④ 전자가 안정된 궤도를 돌 때 전자기파를 방출한다.
⑤ 전자가 $n=1$인 궤도에 있을 때를 들뜬상태라고 한다.

04 빛의 파장과 에너지에 대한 설명으로 옳은 것은?

① 에너지는 파장에 비례한다.
② 파장이 클수록 진동수도 크다.
③ 파장이 다르면 빛의 색이 다르다.
④ 파란색 빛이 빨간색 빛보다 파장이 크다.
⑤ 노란색 빛이 초록색 빛보다 에너지가 크다.

05 원자에 속박된 전자의 에너지에 대한 설명으로 옳은 것은?

① 전자는 특정한 에너지만 가질 수 있다.
② 원자핵에 가까울수록 더 큰 에너지를 갖는다.
③ 에너지를 흡수하면 양자수가 큰 에너지 준위에서 작은 에너지 준위로 전이한다.
④ 전자가 전이될 때 두 궤도의 에너지 차이보다 더 작은 에너지를 방출 혹은 흡수한다.
⑤ 전자가 전이하며 방출되는 모든 빛은 가시광선이다.

06 전자 전이와 선 스펙트럼에 대한 설명으로 옳은 것은?

① 전자가 빛을 방출하면 양자수가 작은 에너지 준위에서 큰 에너지 준위로 전이한다.
② 전이하며 방출된 빛은 두 에너지 준위 차이보다 작은 에너지를 갖는 경우도 있다.
③ 들뜬상태에서 바닥상태로 전이할 때는 빛을 방출한다.
④ 기체 종류와 상관없이 선 스펙트럼의 선 위치는 같다.
⑤ 전자가 전이하며 방출한 빛의 에너지는 알 수 있다.

07 발머 계열에 대한 설명으로 옳은 것은?

① 적외선 영역에 속한다.
② $n=2$인 상태로 전이할 때 방출하는 빛이다.
③ 라이먼 계열의 빛보다 파장이 짧다.
④ 전이하며 발생한 모든 빛은 눈으로 관찰할 수 없다.
⑤ 연속 스펙트럼을 갖는다.

08 스펙트럼에 대한 설명으로 옳은 것은?

① 백열등은 선 스펙트럼으로 나타난다.
② 가열된 기체가 방출하는 빛은 연속 스펙트럼으로 나타난다.
③ 기체 원자의 종류에 따라 방출하는 빛의 선 스펙트럼은 다르다.
④ 선 스펙트럼을 통해 전자의 에너지가 양자화되어 있음을 알 수 없다.
⑤ 태양의 흡수 스펙트럼으로 태양 대기 구성 원소를 알 수 없다.

내신 만점 문제

정답과 해설 34쪽

■■■ 난이도를 나타냅니다.

01 그림과 같이 전하량이 각각 $+2Q$, $+Q$, $-Q$인 세 물체 A, B, C가 일직선 상의 O, R, 2R의 위치에 놓여 있다.

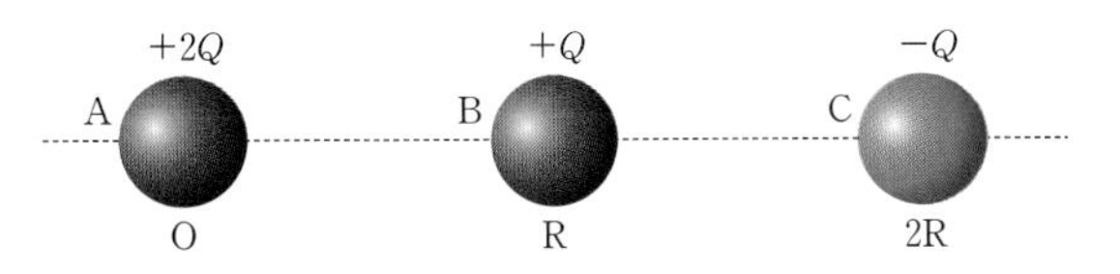

A, B, C에 작용하는 전기력의 방향으로 옳은 것은?

	A	B	C
①	→	→	→
②	→	←	←
③	→	←	→
④	←	→	←
⑤	←	←	→

02 그림은 톰슨의 음극선 실험 장치를 나타낸 것이다.

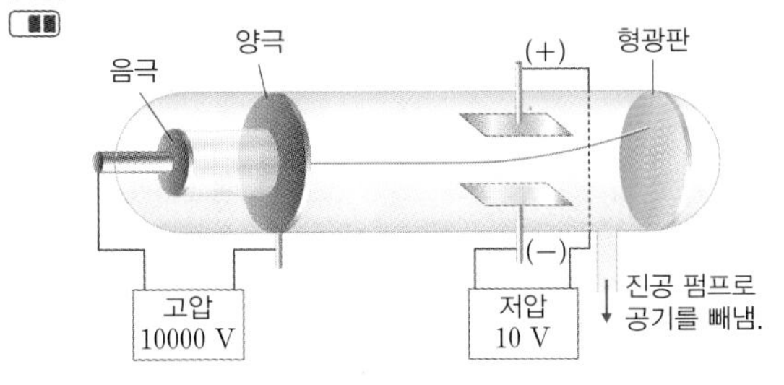

이 실험에 대한 설명으로 옳지 않은 것은?

① 음극선에 전기장을 걸어 주면 (+)극 쪽으로 휘어진다.
② 실험 결과 전자를 발견하였다.
③ 음극선이 (−)전하를 띠고 있음을 알 수 있다.
④ 음극선은 직진한다.
⑤ 자기장에 의해 음극선은 휘지 않는다.

03 그림 (가)는 백열등에서 나오는 빛의 스펙트럼을, (나)는 (가)의 빛이 저온의 수소 기체를 통과한 후 나타난 스펙트럼을, (다)는 태양에서 오는 빛의 스펙트럼을 나타낸 것이다.

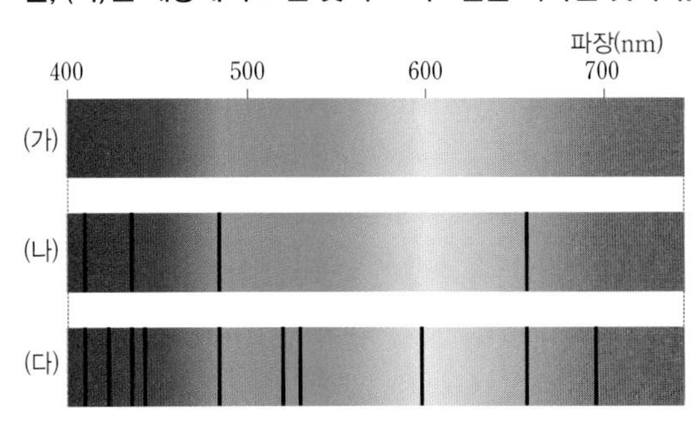

이에 대한 설명으로 옳은 것만을 〈보기〉에서 있는 대로 고른 것은?

보기
ㄱ. (나)와 (다)는 방출 스펙트럼이다.
ㄴ. (나)로부터 수소 원자의 에너지 준위가 양자화되어 있음을 알 수 있다.
ㄷ. 태양의 대기를 구성하는 원소들 중 수소 기체가 포함되어있다.

① ㄱ ② ㄷ ③ ㄱ, ㄴ
④ ㄴ, ㄷ ⑤ ㄱ, ㄴ, ㄷ

04 그림은 보어의 수소 원자 모형에서 양자수 $n=1, 2, 3$일 때 전자의 궤도와 전자 전이 a, b, c를 나타낸 것이다.

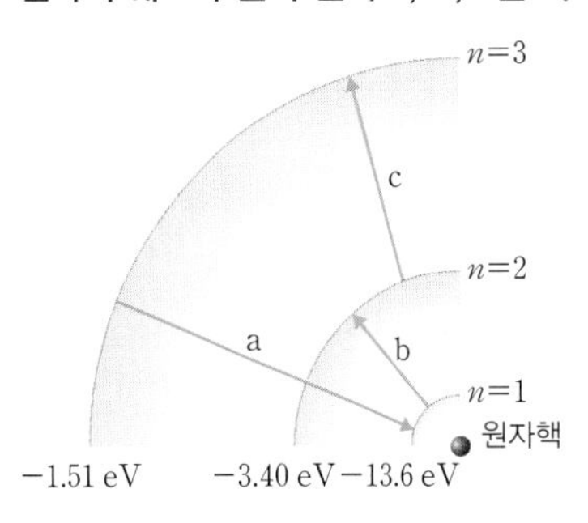

이에 대한 설명으로 옳은 것만을 〈보기〉에서 있는 대로 고른 것은?

보기
ㄱ. 수소 원자의 에너지 준위는 양자화되어 있다.
ㄴ. a에서 방출하는 광자 1개의 에너지는 12.09 eV이다.
ㄷ. 전자가 흡수하는 빛의 진동수는 b일 때가 c일 때보다 크다.

① ㄱ ② ㄷ ③ ㄱ, ㄴ
④ ㄴ, ㄷ ⑤ ㄱ, ㄴ, ㄷ

05 그림은 보어의 원자 모형을 나타낸 것이다. 이에 대한 설명으로 옳은 것만을 〈보기〉에서 있는 대로 고른 것은?

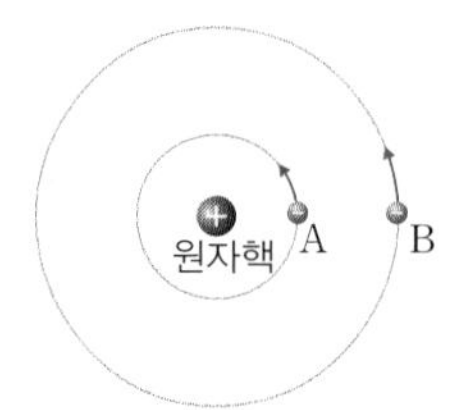

보기

ㄱ. 전자들이 운동하는 궤도는 정확하게 알 수 없다.
ㄴ. 원자핵에서 멀어질수록 전자의 에너지 준위가 높아진다.
ㄷ. 원자핵과 전자 사이에는 인력이 작용한다.

① ㄱ ② ㄷ ③ ㄱ, ㄷ
④ ㄴ, ㄷ ⑤ ㄱ, ㄴ, ㄷ

06 그림은 가열된 기체가 방출하는 빛을 분광기로 관찰한 결과 A, B를 나타낸 것이다.

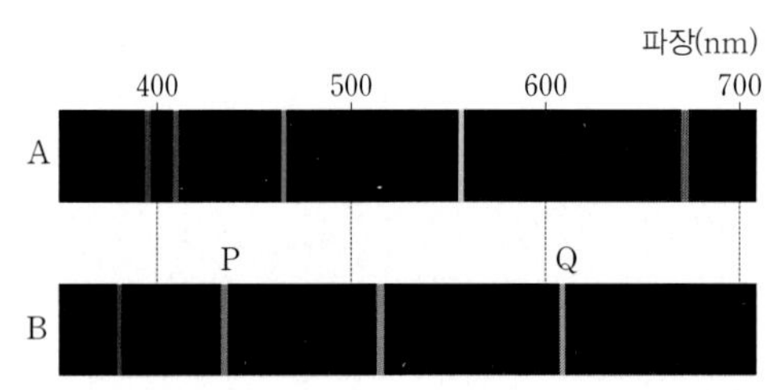

이에 대한 설명으로 옳은 것만을 〈보기〉에서 있는 대로 고른 것은?

보기

ㄱ. 기체의 에너지 준위가 불연속적임을 알 수 있다.
ㄴ. 진동수는 P가 Q보다 크다.
ㄷ. A, B는 같은 종류의 기체가 온도가 다를 때 방출하는 스펙트럼이다.

① ㄱ ② ㄷ ③ ㄱ, ㄴ
④ ㄴ, ㄷ ⑤ ㄱ, ㄴ, ㄷ

07 그림은 보어의 수소 원자 모형에서 양자수 n에 따른 궤도와 전자의 전이 a, b, c를, 표는 a, b, c가 일어날 때 방출하는 빛의 파장과 광자 1개의 에너지를 나타낸 것이다.

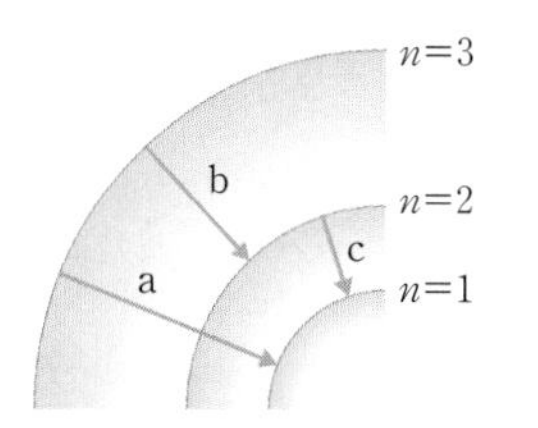

전이	파장	광자 1개의 에너지
a	λ_a	E_a
b	λ_b	E_b
c	λ_c	E_c

이에 대한 설명으로 옳은 것만을 〈보기〉에서 있는 대로 고른 것은?

보기

ㄱ. a에 의해 전자의 에너지는 감소한다.
ㄴ. $E_b > E_c$이다.
ㄷ. $\frac{1}{\lambda_a} = \frac{1}{\lambda_b} + \frac{1}{\lambda_c}$이다.

① ㄱ ② ㄷ ③ ㄱ, ㄴ
④ ㄱ, ㄷ ⑤ ㄴ, ㄷ

08 그림과 같이 수소 원자가 빛 a, b를 차례대로 흡수하여 전자가 $n=1$인 상태에서 $n=2$인 상태로, $n=2$인 상태에서 $n=3$인 상태로 전이한 후 빛 c를 방출하며 다시 $n=1$인 상태로 전이한다. a, b, c의 진동수는 각각 f_a, f_b, f_c이다.

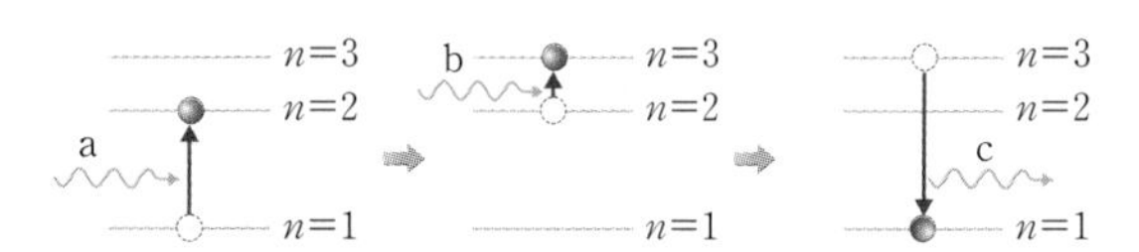

이에 대한 설명으로 옳은 것만을 〈보기〉에서 있는 대로 고른 것은?

보기

ㄱ. $f_c = f_a + f_b$이다.
ㄴ. 파장은 b가 c보다 작다.
ㄷ. c를 흡수하면 $n=1$인 상태에 있던 전자가 $n=2$인 상태로 전이하였다가 다시 $n=3$인 상태로 전이한다.

① ㄱ ② ㄷ ③ ㄱ, ㄴ
④ ㄴ, ㄷ ⑤ ㄱ, ㄴ, ㄷ

09 그림은 러더퍼드의 알파(α) 입자 산란 실험 장치를 나타낸 것이다.

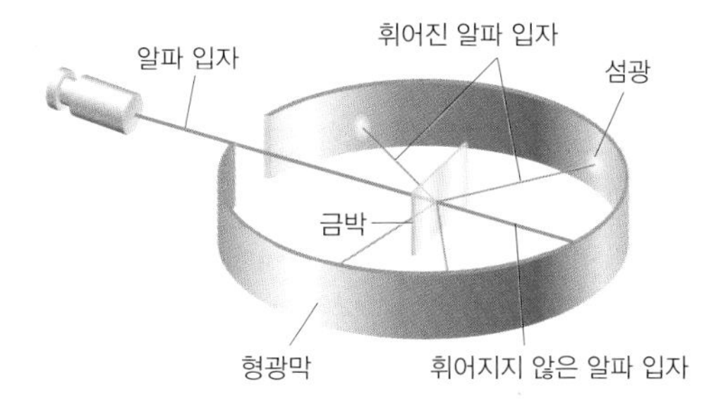

이 실험에 대한 설명으로 옳지 않은 것은?

① 매우 적은 수의 알파 입자가 휘어진다.
② 원자의 내부에는 (+)전하를 띤 입자가 있다.
③ 원자의 내부는 대부분 빈 공간임을 알 수 있다.
④ 원자핵의 부피와 질량은 원자에 비해 매우 작음을 알 수 있다.
⑤ 원자의 내부에 원자핵이 존재하고 있음을 알 수 있다.

10 그림은 수소 원자에서 전자가 $n=2$인 궤도로 전이할 때 방출하는 빛의 선 스펙트럼을 나타낸 것이다. f_A는 발머 계열 빛 중 가장 낮은 에너지를 가진 빛이다. 표는 보어의 수소 원자 모형에서 양자수 n에 따른 에너지를 나타낸 것이다.

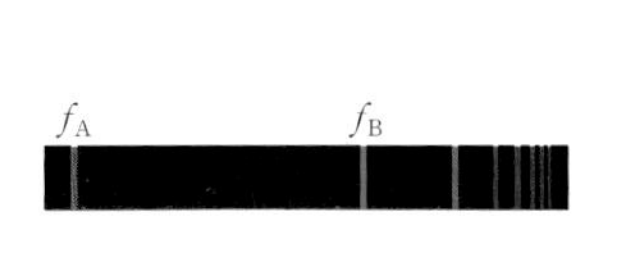

n	E_n
2	E_2
3	E_3
4	E_4

이에 대한 설명으로 옳은 것만을 〈보기〉에서 있는 대로 고른 것은? (단, h는 플랑크 상수이다.)

보기

ㄱ. 선 스펙트럼으로부터 수소 원자의 에너지 준위가 불연속적임을 알 수 있다.
ㄴ. $hf_A = E_4 - E_2$이다.
ㄷ. $f_B - f_A = \dfrac{E_4 - E_2}{h}$이다.

① ㄱ ② ㄷ ③ ㄱ, ㄴ
④ ㄴ, ㄷ ⑤ ㄱ, ㄴ, ㄷ

11 그림 (가)는 가열된 수소 기체에서 방출된 선 스펙트럼의 일부를 나타낸 것이다. 단색광의 파장은 각각 λ_1, λ_2, λ_3이다. 그림 (나)는 보어의 수소 원자 모형에서 양자수 n에 따른 에너지 준위의 일부를 나타낸 것으로 a, b, c는 (가)의 세 스펙트럼 선을 만드는 전자의 전이 과정이다.

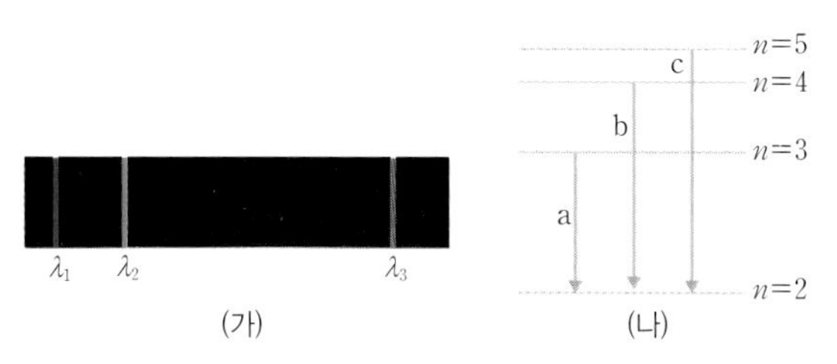

(가) (나)

이에 대한 설명으로 옳은 것만을 〈보기〉에서 있는 대로 고른 것은?

보기

ㄱ. $\lambda_1 > \lambda_2$이다.
ㄴ. a에 의해 방출되는 빛의 파장은 λ_1이다.
ㄷ. $n=2$인 궤도에 있는 전자가 파장 λ_1의 빛을 흡수하면 $n=5$의 궤도로 전이한다.

① ㄱ ② ㄷ ③ ㄱ, ㄴ
④ ㄴ, ㄷ ⑤ ㄱ, ㄴ, ㄷ

12 그림은 수소와 헬륨 기체에서 방출되는 가시광선 영역의 선 스펙트럼 일부를 나타낸 것이다. 빛의 파장은 a가 b보다 작다.

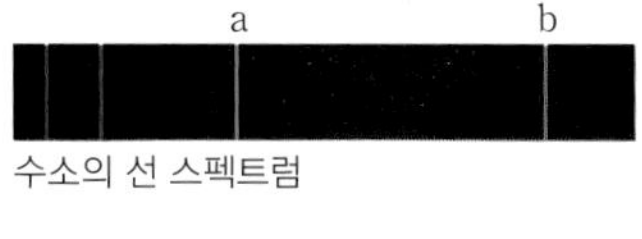

수소의 선 스펙트럼

헬륨의 선 스펙트럼

이에 대한 설명으로 옳은 것만을 〈보기〉에서 있는 대로 고른 것은?

보기

ㄱ. 광자 1개의 에너지는 a가 b보다 크다.
ㄴ. a는 전자가 들뜬상태에서 바닥상태로 전이할 때 방출된다.
ㄷ. 수소와 헬륨의 에너지 준위 사이의 간격은 같다.

① ㄱ ② ㄷ ③ ㄱ, ㄴ
④ ㄴ, ㄷ ⑤ ㄱ, ㄴ, ㄷ

13 그림과 같이 대전된 도체구 A를 수평면에 고정하고 대전된 도체구 B를 놓았다. 이때 B에 작용하는 전기력의 크기는 F이다.

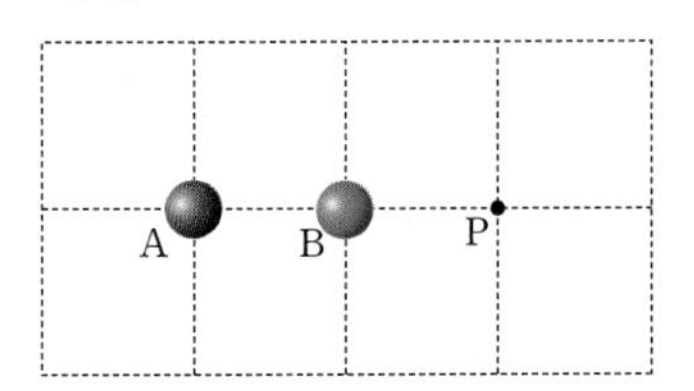

B를 P지점으로 옮겼을 때, B에 작용하는 전기력의 크기는? (단, 격자 눈금 사이의 간격은 모두 동일하며, 도체구의 크기는 무시한다.)

① $\frac{1}{4}F$ ② $\frac{1}{2}F$ ③ F
④ $2F$ ⑤ $4F$

14 그림 (가)는 수소 원자의 에너지 준위를, (나)는 수소 원자가 방출하는 발머 계열의 선 스펙트럼을 나타낸 것이다. b는 발머 계열 중 파장이 가장 크다.

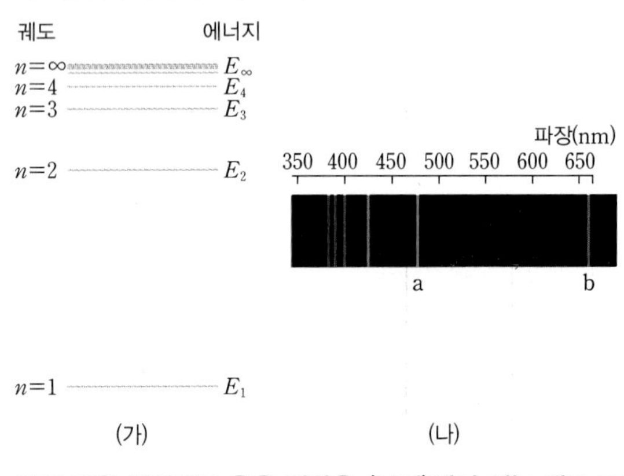

(가) (나)

이에 대한 설명으로 옳은 것만을 〈보기〉에서 있는 대로 고른 것은?

보기
ㄱ. $E_3 > E_2$이다.
ㄴ. a의 광자 1개의 에너지는 $E_3 - E_1$이다.
ㄷ. b는 전자가 $n=\infty$인 상태에서 $n=2$인 상태로 전이할 때 방출하는 빛이다.

① ㄱ ② ㄷ ③ ㄱ, ㄴ
④ ㄴ, ㄷ ⑤ ㄱ, ㄴ, ㄷ

15 그림은 보어의 원자 모형에서 전자 궤도 a, b, c와 전자 전이 과정 p, q를 나타낸 것이다.

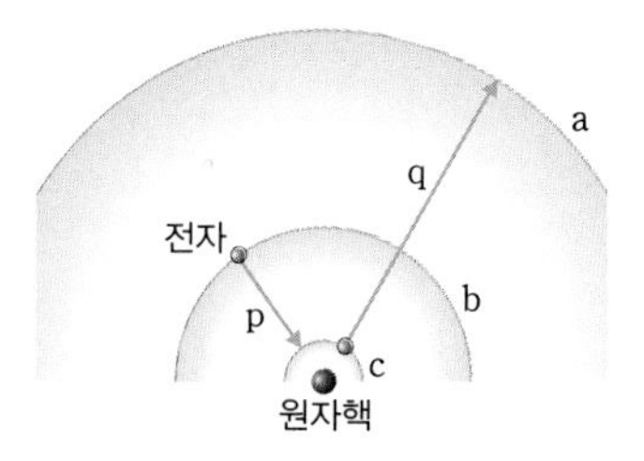

이에 대한 설명으로 옳은 것만을 〈보기〉에서 있는 대로 고른 것은?

보기
ㄱ. p에서 빛을 방출한다.
ㄴ. 에너지 준위는 a가 b보다 크다.
ㄷ. 흡수 또는 방출하는 빛의 파장은 p가 q보다 크다.

① ㄱ ② ㄷ ③ ㄱ, ㄴ
④ ㄴ, ㄷ ⑤ ㄱ, ㄴ, ㄷ

16 그림은 보어의 수소 원자 모형에서 $n=1$인 상태에 있던 전자가 빛 a, b를 차례대로 흡수하며 전이하는 것을 나타낸 것이다. 표는 양자수 n에 따른 에너지 준위 E_n을 나타낸 것이다.

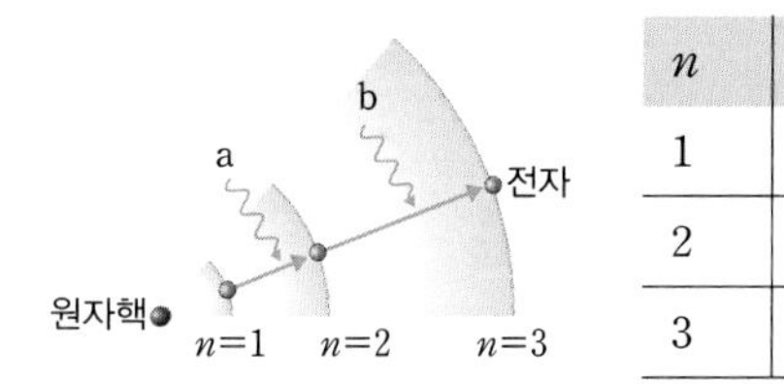

n	E_n(eV)
1	−13.6
2	−3.4
3	−1.5

이에 대한 설명으로 옳은 것만을 〈보기〉에서 있는 대로 고른 것은?

보기
ㄱ. a의 에너지는 10.2 eV이다.
ㄴ. 진동수는 a가 b보다 크다.
ㄷ. 전자가 $n=3$인 상태에서 바닥상태로 전이할 때는 에너지가 10.2 eV인 빛을 방출한 후 1.9 eV인 빛을 방출한다.

① ㄱ ② ㄷ ③ ㄱ, ㄴ
④ ㄴ, ㄷ ⑤ ㄱ, ㄴ, ㄷ

17 그림은 바닥상태의 수소 원자가 진동수 f_0인 빛을 흡수한 후 진동수 f_1, f_2인 빛을 순서대로 방출하며 다시 바닥상태가 되는 과정을 나타낸 것이다.

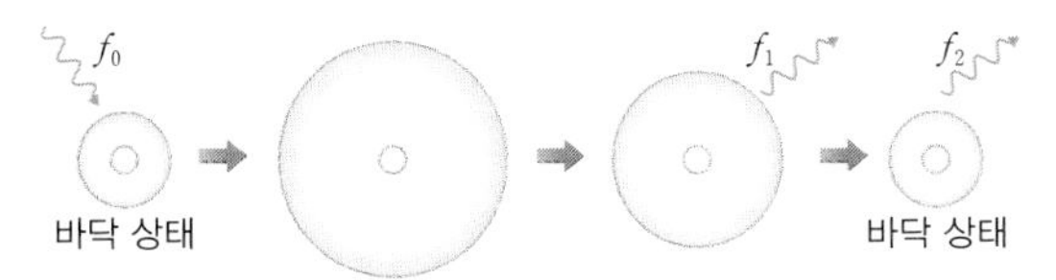

이에 대한 설명으로 옳은 것만을 〈보기〉에서 있는 대로 고른 것은? (단, h는 플랑크 상수이다.)

보기
ㄱ. $f_0 > f_1$이다.
ㄴ. f_0인 빛을 흡수했을 때 전자의 에너지는 hf_0이다.
ㄷ. 바닥상태의 전자가 진동수 f_1, f_2인 빛을 순서대로 흡수하여 진동수 f_0인 빛을 흡수했을 때와 같은 상태로 전이할 수 있다.

① ㄱ ② ㄷ ③ ㄱ, ㄴ
④ ㄴ, ㄷ ⑤ ㄱ, ㄴ, ㄷ

18 그림은 보어의 수소 원자 모형에서 에너지 준위와 전자 전이 A, B, C를 나타낸 것이다. 표는 A, B, C에서 방출하는 빛의 진동수와 광자 1개의 에너지를 나타낸 것이다.

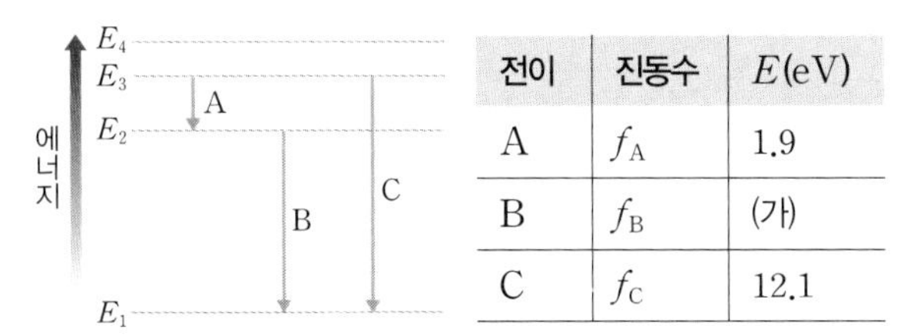

전이	진동수	E(eV)
A	f_A	1.9
B	f_B	(가)
C	f_C	12.1

이에 대한 설명으로 옳은 것만을 〈보기〉에서 있는 대로 고른 것은?

보기
ㄱ. 수소 원자에서 방출되는 빛은 연속 스펙트럼으로 나타난다.
ㄴ. (가)는 10.2이다.
ㄷ. $E_C > E_B$이다.

① ㄱ ② ㄷ ③ ㄱ, ㄴ
④ ㄴ, ㄷ ⑤ ㄱ, ㄴ, ㄷ

서술형 문제

19 그림 (가)는 수소 원자에서 전자가 전이하는 과정을 나타낸 것이고, (나)는 (가)에서 수소 원자가 방출 또는 흡수하는 빛의 스펙트럼을 나타낸 것이다.

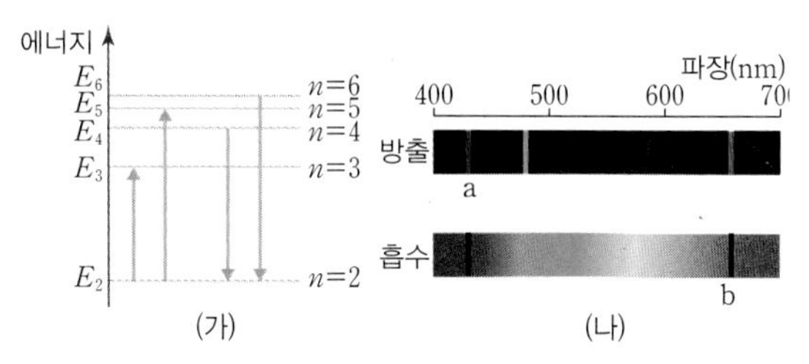

(1) (가)에서 a와 b에 해당하는 전자 전이 과정을 찾으시오.

(2) 수소 원자의 스펙트럼이 (나)와 같이 선 스펙트럼으로 나타난다는 것으로부터 알 수 있는 것을 서술하시오.

20 다음은 수소 원자의 스펙트럼에 대한 설명이다.

- 양자수 n에 따른 에너지 준위 $E_n = -\frac{E_0}{n^2}$이다.
- 발머 계열은 전자가 $n \geq 3$인 상태에서 $n=2$로 전이할 때 방출하는 빛이다.
- 발머 계열 중 에너지가 가장 작은 4개가 가시광선 영역에 속한다.
- 빛의 속력은 c, 플랑크 상수는 h이다.

(1) 수소 원자 내 전자가 전이하며 방출하는 가시광선이 갖는 파장의 최솟값과 최댓값을 각각 λ_{min}, λ_{max}이라고 할 때, $\frac{\lambda_{max}}{\lambda_{min}}$을 구하시오.

(2) 수소의 선 스펙트럼 중 발머 계열이 가장 먼저 발견된 까닭을 서술하시오.

02 고체의 에너지띠와 전기 전도성

내 교과서는 어디에?
천재 p.101~106 금성 p.96~99 동아 p.98~103
미래엔 p.108~113 비상 p.98~103 YBM p.115~120

핵심 Point
- 고체의 **에너지띠**를 이해한다.
- 도체, 절연체, 반도체의 **전기 전도성**을 이해한다.

1 원자의 에너지 준위와 고체의 에너지띠

1. 에너지 준위와 에너지띠

① 기체 원자의 에너지 준위❶: 기체 원자들은 서로 떨어져 있어 다른 원자의 영향을 받지 않는다.
➡ 같은 종류의 기체는 동일한 에너지 준위를 갖는다.

② 고체 내 원자의 에너지 준위: 수많은 원자가 매우 가까이 있어 인접한 원자끼리 전자의 궤도에 영향을 준다.

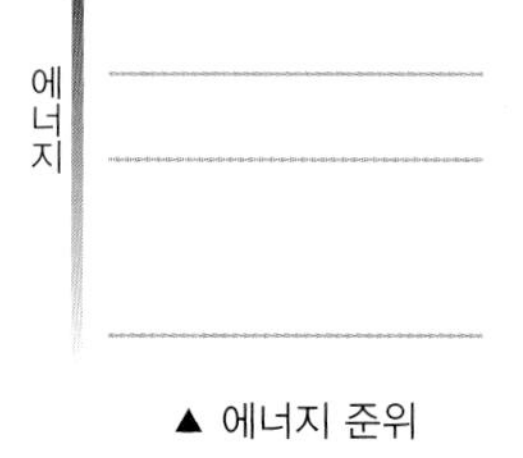

▲ 원자 구조

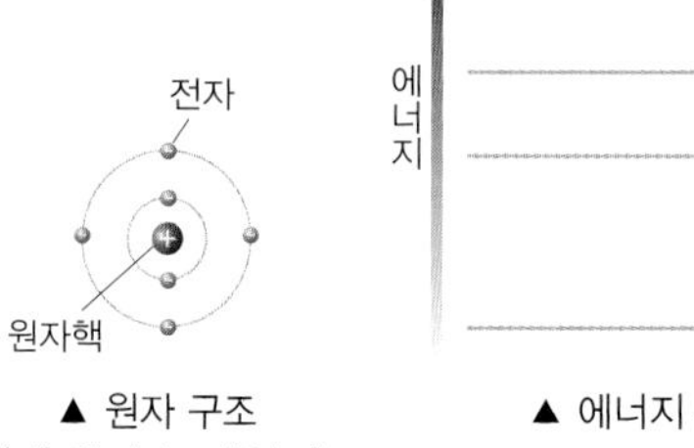

▲ 에너지 준위

(가) 원자가 1개일 때

③ 밀집된 원자의 에너지 준위: 그림 (가)와 같은 에너지 준위를 가진 단일 원자 두 개가 가까이 위치하면, 파울리 배타 원리❷에 따라 그림 (나)와 같이 각각의 에너지 준위들이 미세한 차이를 두고 존재한다. 수많은 원자들이 모여있는 고체의 경우에는 그림 (다)처럼 각각의 에너지 준위가 연속적인 띠로 나타난다. 이를 에너지띠라고 한다.

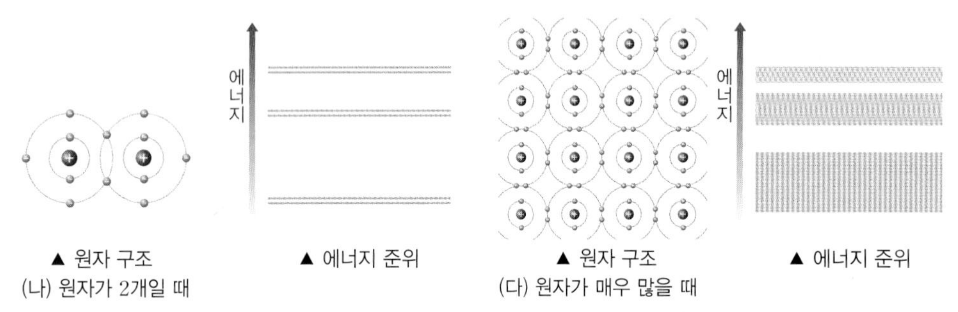

▲ 원자 구조 ▲ 에너지 준위
(나) 원자가 2개일 때

▲ 원자 구조 ▲ 에너지 준위
(다) 원자가 매우 많을 때

2. 고체의 에너지띠 구조

① 허용된 띠: 고체에서 전자가 존재할 수 있는 영역이다.
- 원자가 띠: 절대 온도 0 K일 때 고체의 에너지띠에는 제일 아래부터 전자가 채워진다. 이때 전자가 채워지는 가장 위쪽 띠를 원자가 띠라고 한다.
- 전도띠: 전자가 채워진 원자가 띠 위에 있는 에너지띠로 전도띠에 있는 전자는 외부 전기장에 의해 쉽게 이동할 수 있는 자유 전자이다.

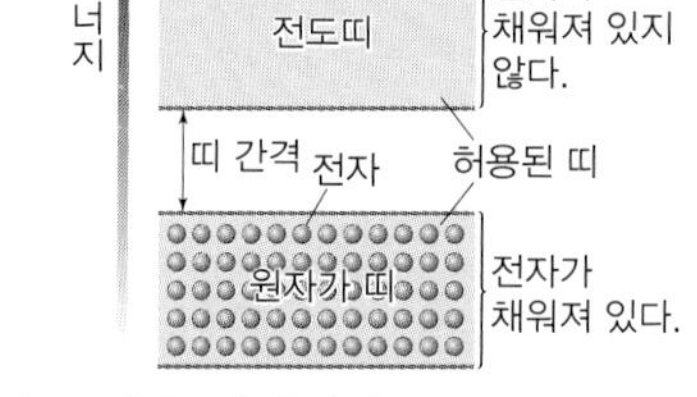

② 띠 간격: 원자가 띠와 전도띠 사이의 에너지 차이를 띠 간격이라 하고 띠 간격에는 전자가 존재할 수 없다. ➡ 원자가 띠에 있던 전자가 띠 간격보다 큰 에너지를 흡수하면 전도띠로 전이한다.

❶ 기체 원자의 에너지 준위
기체 원자에서 전자는 특정 궤도의 에너지만 가지므로 기체 원자의 에너지 준위는 불연속적인 선으로 나타난다.

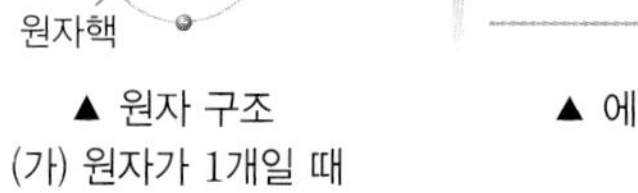

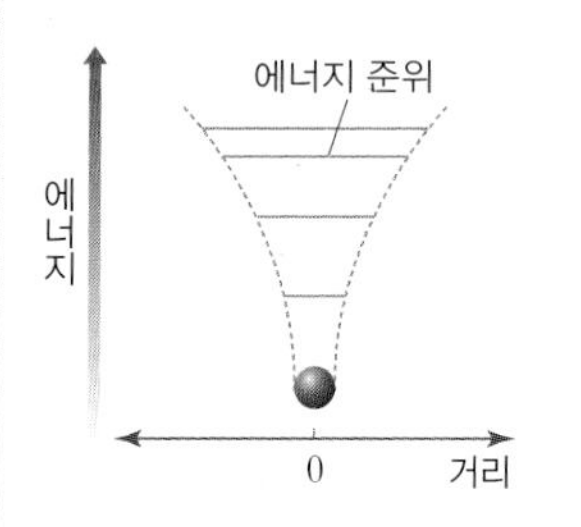

❷ 파울리 배타 원리
한 원자에서 같은 양자 상태에 두 개 이상의 전자들이 함께 존재할 수 없다. 각각의 전자들은 모두 다른 양자 상태, 즉 에너지 준위를 가져야 한다.

셀파 콕콕
고체의 에너지 준위가 띠 모양이 되는 까닭은 원자들이 매우 가까이 있어 수많은 에너지 준위가 겹쳐지기 때문이다.

용어

▸ **띠 간격**: 원자가 띠와 전도띠 사이의 에너지 차이를 말하며, 공간적인 개념은 아니다.

개념 확인하기

1 고체에서 전자는 띠 간격에 해당하는 에너지를 가질 수 없다. (○, ×)
2 절대 온도 0 K에서 전자가 채워진 가장 높은 띠 위에 있는 띠를 (   )라고 한다.
3 고체는 인접한 원자의 영향으로 에너지 준위가 미세하게 나뉘어 연속으로 겹쳐진 (   )를 이룬다.

답 1. ○ 2. 전도띠 3. 에너지띠

3. 에너지띠와 전기 전도성

① 그림 (가)와 같이 원자가 띠가 전자로 모두 채워져 있으면 전자가 이동할 수 있는 빈 자리가 없어 전류가 흐를 수 없다. 또 전도띠에는 자유 전자가 없어 전류가 흐를 수 없다.

② 그림 (나)와 같이 원자가 띠에 있던 전자 중 일부가 전도띠로 전이하면 전도띠의 자유 전자와 원자가 띠의 양공이 전류를 흐르게 할 수 있다.

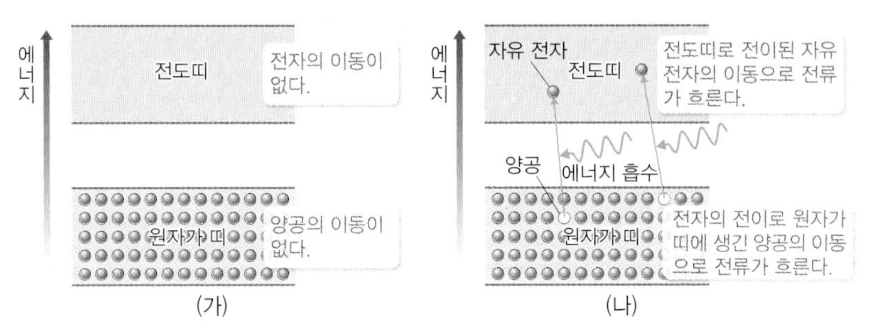

③ 양공: 원자가 띠의 전자가 전도띠로 전이하면서 생긴 빈 자리를 양공이라고 한다.
➡ 음(−)전하를 띠는 전자의 빈 자리이므로 양(+)전하를 띠는 것과 같은 효과를 갖는다.

④ 전도띠의 자유 전자나 원자가 띠의 양공이 많을수록 전기 전도성이 좋다.

2 고체의 전기 전도성과 에너지띠

1. 전기 전도성

① 전기 전도성: 고체에서 외부 전기장의 작용으로 전자가 자유롭게 이동할 수 있는 정도 ➡ 전류가 잘 흐르는 물질일수록 전기 전도성이 높다.

② ▸전기 저항(R)과 비저항(ρ): 물체의 전기 저항 R는 길이 L에 비례하고 단면적 S에 반비례한다. 이때 비례 상수 ρ를 비저항이라고 한다.

③ 전기 전도도(σ): 단위 길이, 단위 면적에서 전류가 흐르는 정도. 비저항(ρ)의 역수이므로 비저항이 작을수록 전기 전도성이 좋다.

$$R=\rho\frac{L}{S}\left(\rho\text{: 단위, }\Omega\cdot\text{m}\right) \qquad \sigma=\frac{1}{\rho}=\frac{L}{RS}\left(\text{단위: }\Omega^{-1}\cdot\text{m}^{-1}\right)$$

④ 고체는 전기 전도성에 따라 도체, 절연체, 반도체로 구분한다.

2. 고체의 종류

① 도체: 금속과 같이 비저항❸이 작아 전류가 잘 흐르는 물질을 도체라고 한다. 도체에는 자유 전자가 많아서 외부 전기장에 따라 쉽게 전류가 흐른다. 온도가 높아지면 도체의 비저항은 증가한다.

② 절연체: 절연체는 비저항이 커서 전류가 잘 흐르지 않는다.

③ 반도체: 규소(Si)나 저마늄(Ge) 같은 반도체는 비저항이 도체와 절연체의 중간 정도이다. 절대 온도가 높아지면 반도체의 비저항은 감소한다. 이는 온도가 높을수록 열에너지로 인해 원자가 띠에서 전도띠로 전이하는 자유 전자가 많아지기 때문이다.

셀파 콕콕
고체에 전류가 흐를 때 전도띠의 전자와 원자가 띠의 양공의 이동 방향은 반대이다.

주의 콕
양공에 의한 전류
양공으로 전자가 이동하면, 또 빈 자리가 생긴다. 여기로 다른 전자가 이동할 수 있다. 결국 양공으로 전자가 이동하면서 양공은 반대 방향으로 이동하게 된다. 이처럼 양공도 전류의 흐름에 기여한다.

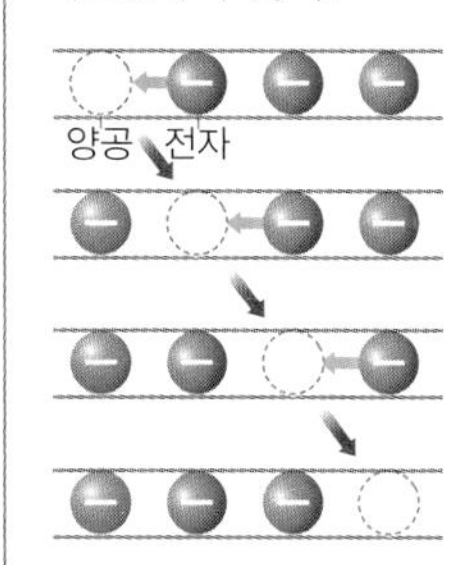

❸ 반도체와 도체의 온도와 비저항의 관계
고체의 비저항은 온도에 따라 변하는 특성이 있다. 도체는 온도가 높아질수록 비저항이 커지고, 반도체는 온도가 높아질수록 비저항이 낮아진다.

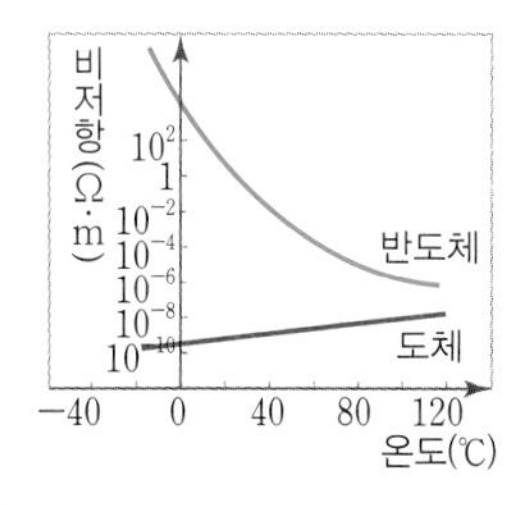

용어
▸ **전기 저항**: 도체에서 전류의 흐름을 방해하는 정도이다. 줄여서 저항이라고도 한다.

1 도체에 걸리는 전압이 일정할 때 전류의 세기가 클수록 도체의 전기 저항이 크다. (○ , ×)

2 규소(Si), 저마늄(Ge)과 같이 비저항이 절연체보다 작으며 온도가 높아질수록 비저항이 감소하는 물질을 (   )라고 한다.

3 원자가 띠의 (   )과 전도띠의 (   )는 전류의 흐름에 기여한다.

답 1. × 2. 반도체 3. 양공, 자유 전자

3. 고체의 전기 전도성과 에너지띠

분류	정의	
도체	에너지띠	도체는 일반적으로 원자가 띠와 전도띠가 일부 겹쳐 있어 띠 간격이 없다. → 원자가 띠의 전자가 쉽게 전도띠로 이동하여 자유 전자가 될 수 있다.
(전선, 도체, 전도띠, 원자가 띠, 쉽게 이동)	전기 전도성	• 외부 전기장에 의해 자유 전자가 쉽게 이동할 수 있어 전기 전도성이 좋다. • 온도가 높아지면 원자핵의 열적 진동이 커져 전자의 이동이 방해받는다. → 도체는 온도가 높아지면 전기 전도성이 감소하고 비저항이 증가한다.
	전류	전기 전도도가 크다. → 전기 저항이 매우 작다. → 전류가 잘 흐른다.
	예	은, 구리, 알루미늄 등의 금속
절연체	에너지띠	절연체는 원자가 띠와 전도띠 사이의 띠 간격이 크다. → 원자가 띠의 전자가 전도띠로 이동하는 것이 거의 불가능하다.
(전선, 절연체, 전도띠, 띠 간격, 원자가 띠, 이동 불가능)	전기 전도성	• 원자가 띠의 전자가 전도띠로 전이하기가 어려워 외부 전기장을 걸어도 전자가 이동하지 못해 전기 전도성이 나쁘다. → 띠 간격 이상의 에너지를 가하면 전도띠로 전자가 이동하며 절연 파괴가 일어난다. • 온도가 높아지면 전도띠로 전이하는 자유 전자가 생겨 전기 전도성이 좋아지고 비저항이 감소한다.
	전류	전기 전도도가 매우 작다. → 전기 저항이 매우 크다. → 전류가 거의 흐르지 않는다.
	예	나무, 고무, 유리, 다이아몬드, 석영 등
반도체	에너지띠	• 반도체는 절대 온도 0 K에서 원자가 띠에는 전자가 채워져 있고 전도띠에는 전자가 없어 절연체로 취급된다. • 상온에서 반도체는 열에너지를 흡수하여 전도띠로 전이한 자유 전자와 원자가 띠의 양공이 전류를 흐르게 할 수 있다.
(전선, 반도체, 전도띠, 띠 간격, 원자가 띠, 이동 가능)	전기 전도성	• 반도체는 원자가 띠와 전도띠 사이의 띠 간격이 작아 적당한 에너지를 흡수하면 원자가 띠의 전자가 전도띠로 전이할 수 있다. • 온도가 높아지면 전도띠로 전이하는 자유 전자가 더 많이 생겨 전기 전도성이 좋아지고 비저항이 감소한다.
	전류	도체와 절연체 중간 정도의 전기 전도도를 갖는다.
	예	규소(Si), 저마늄(Ge) 등

암기 콕

도체, 절연체, 반도체의 에너지띠 구조와 전기 전도성의 관계를 서로 비교하여 학습해 두자.

주의 콕

반도체와 절연체의 띠 간격

일반적으로 띠 간격이 3eV 이상이면 절연체, 0.5eV~3eV 사이이면 반도체, 0.5eV 이하이면 도체라고 한다. 그러나 이는 일반적인 기준일 뿐, 물질이 어떻게 쓰이느냐에 따라 반도체와 절연체를 구분한다.

종류	물질	띠 간격 (eV)
반도체	규소(0 K)	1.17
	규소(300 K)	1.11
	저마늄(0 K)	0.744
	저마늄(300 K)	0.66
절연체	다이아몬드 (300 K)	5.4

용어

▸ **절연 파괴**: 절연체에 띠 간격 이상의 에너지를 주어 원자가 띠의 전자가 전도띠로 이동하면 절연체에도 전류가 흐르게 된다. 이를 절연 파괴라고 한다.

개념 확인하기

1 고체의 비저항이 클수록 전기 전도성도 좋다. (○ , ×)

2 도체, 절연체, 반도체 중 띠 간격이 가장 큰 것은 (   )이다.

3 온도가 높아질수록 도체의 전기 전도성은 좋아진다. (○ , ×)

답 1. × 2. 절연체 3. ×

셀파 탐구

여러 가지 고체의 전기 전도성 비교하기

목표 고체에 전류가 흐르는 정도를 이용하여 여러 가지 고체의 전기 전도성을 정성적으로 비교할 수 있다.

과정

❶ 연필심의 양 끝에 전지, 전류계, 전압계를 연결한다.

❷ 연필심에 흐르는 전류와 연필심 양단의 전압을 측정하여 옴의 법칙($V=IR$)으로 저항값을 구한다.

❸ 연필심의 길이와 단면적을 측정하여 비저항과 전기 전도도를 계산한다.

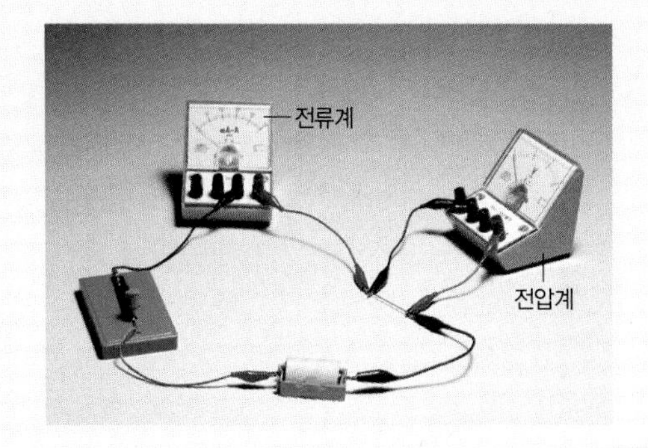

❹ 연필심 대신에 철선, 구리선, 플라스틱 막대 등으로 바꿔가며 비저항과 전기 전도도를 구한다.

결과 및 정리

1. 실험에서 측정한 각 물질의 비저항과 전기 전도도는 얼마인가?

물질	저항(Ω)	비저항(Ω·m)	전기 전도도($\Omega^{-1}\cdot m^{-1}$)
연필심	5.7	3.0×10^{-4}	3.4×10^{3}
철	0.0637	1.00×10^{-7}	1.00×10^{7}
구리	0.0107	1.68×10^{-8}	5.95×10^{7}
플라스틱	측정 불가	측정 불가	측정 불가

2. 각 물질의 전기 전도성을 비교해 보자.

➡ 전기 전도성은 구리 > 철 > 연필심 > 플라스틱 순이다.

➡ 연필심을 기준으로 할 때 구리, 철은 도체, 플라스틱은 절연체이다.

유의점

❶ 전류가 흐르는 연필심은 뜨거우므로 맨손으로 만지지 않는다.

❷ 물체를 교체할 때는 전원을 차단하고 방열 장갑을 끼도록 한다.

탐구 돋보기

전기 전도도와 비저항

전기 전도도는 물질 내에서 전자가 외부 자기장에 반응하여 전류가 흐르는 정도를 말하고, 비저항은 물질이 갖는 저항률을 말하므로 서로 역수 관계이다. (전기 전도도(단위: $\Omega^{-1}\cdot m^{-1}$)와 비저항(단위: Ω·m)의 단위도 서로 역수이다.)

→ 비저항이 작을수록 전기 전도도가 좋아 전류가 잘 흐른다.

→ 비저항이 클수록 전기 전도도가 나빠 전류가 잘 흐르지 않는다.

시험 유형은?

❶ 〈보기〉에서 외부 전압에 따라 전류가 흐르거나 흐르지 않을 수도 있는 물질을 모두 고르시오.

보기

ㄱ. 은 ㄴ. 규소 ㄷ. 알루미늄

ㄹ. 나무 ㅁ. 저마늄 ㅂ. 유리

▶ 규소, 저마늄

❷ 그 까닭을 설명하시오.

▶ 규소와 저마늄과 같은 반도체 종류에서 전류가 흐르기 위해서는 원자가 띠의 전자가 충분한 에너지를 받아 전도띠로 전이하여 자유 전자가 만들어져야 한다. 하지만 띠 간격 이내의 에너지를 받는 경우 전도띠로 전자가 전이할 수 없기 때문에 전류가 거의 흐르지 않는다.

탐구 대표 문제 정답과 해설 37쪽

01 이 실험에 대한 설명으로 옳은 것은?

① 전기 전도도는 저항의 역수이다.

② 전압계는 물체에 직렬로 연결한다.

③ 전기 전도도는 도체가 절연체보다 작다.

④ 비저항이 연필심보다 작은 물질은 절연체이다.

⑤ 전압이 같을 때 전류가 많이 흐를수록 전기 전도성이 좋다.

02 그림과 같이 플라스틱을 이용하여 구성한 회로에서는 스위치를 닫기 전후 전구에서 빛이 방출되지 않는다. 그 까닭을 서술하시오.

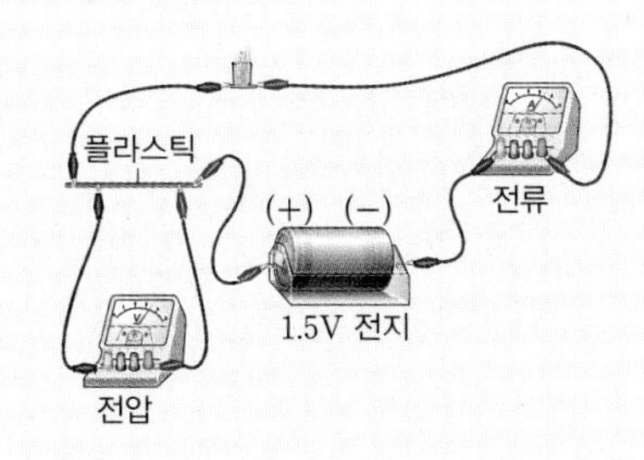

기초 탄탄 문제

정답과 해설 37쪽

핵심용어_ 이 단원에서 내가 아는 것과 아직 모르는 것을 정리하며 나의 공부를 돌아보자.

- □ 에너지 준위
- □ 에너지띠
- □ 원자가 띠
- □ 전도띠
- □ 전자
- □ 양공
- □ 도체
- □ 절연체
- □ 반도체

01 고체의 에너지띠에 대한 설명으로 옳은 것은?

① 자유 전자는 원자가 띠에 존재한다.
② 전자가 갖는 에너지는 모두 연속적이다.
③ 전도띠 바로 위의 에너지띠를 원자가 띠라고 한다.
④ 전자가 존재할 수 있는 영역을 띠 간격이라고 한다.
⑤ 인접한 원자의 영향으로 에너지 준위가 미세하게 나뉜다.

02 다음은 고체의 에너지 준위에 대한 설명이다.

> 기체 원자들은 서로 멀리 떨어져 있어서 다른 원자의 전자 궤도에 영향을 주지 않기 때문에 에너지 준위가 (가) 적이다. 그러나 고체 원자는 수많은 원자가 가까이 위치하기 때문에 인접한 원자들이 전자의 궤도에 영향을 주어 에너지 준위가 (나) 적인 에너지띠를 이루게 된다.

(가)와 (나)에 들어갈 말로 옳은 것은?

	(가)	(나)
①	연속	연속
②	연속	불연속
③	연속	불연속
④	불연속	연속
⑤	불연속	불연속

03 고체의 에너지띠에서 양공과 전자에 대한 설명으로 옳은 것은?

① 전자는 양공으로 이동할 수 없다.
② 양공은 전류의 흐름에 기여하지 않는다.
③ 전자가 채워진 원자가 띠에는 양공이 없다.
④ 전류가 흐를 때 전자와 양공의 이동 방향은 같다.
⑤ 전도띠의 전자가 원자가 띠로 전이하면 양공이 생긴다.

04 그림은 고체의 에너지띠를 나타낸 것이다.

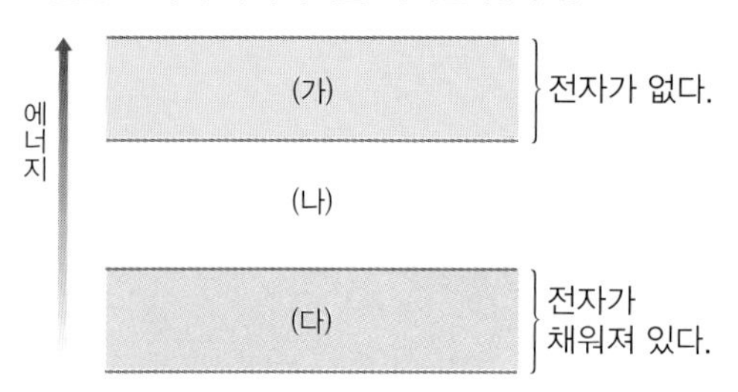

(가)~(다)의 이름으로 옳은 것은?

	(가)	(나)	(다)
①	원자가 띠	띠 간격	전도띠
②	원자가 띠	전도띠	띠 간격
③	띠 간격	원자가 띠	전도띠
④	전도띠	띠 간격	원자가 띠
⑤	전도띠	원자가 띠	띠 간격

05 반도체에 대한 설명으로 옳은 것은?

① 띠 간격이 절연체보다 크다.
② 온도가 낮을수록 전기 전도성이 좋다.
③ 절대 온도 0 K에서는 전도띠에 전자가 없다.
④ 원자가 띠에 존재하는 전자의 에너지는 모두 같다.
⑤ 띠 간격 이하의 에너지에도 전자가 전이한다.

06 그림은 고체의 에너지띠 구조를 나타낸 것이다.

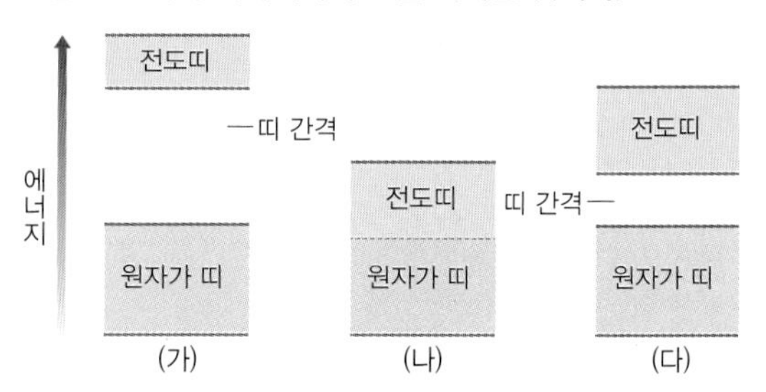

(가)~(다)에 해당하는 고체의 종류로 옳은 것은?

	(가)	(나)	(다)
①	도체	반도체	절연체
②	도체	반도체	절연체
③	절연체	도체	반도체
④	절연체	반도체	도체
⑤	반도체	도체	절연체

내신 만점 문제

정답과 해설 38쪽

▮▮▮ 난이도를 나타냅니다.

01 그림은 각각 고체, 기체 중 한 물질인 A, B의 에너지 준위 구조를 나타낸 것이다.

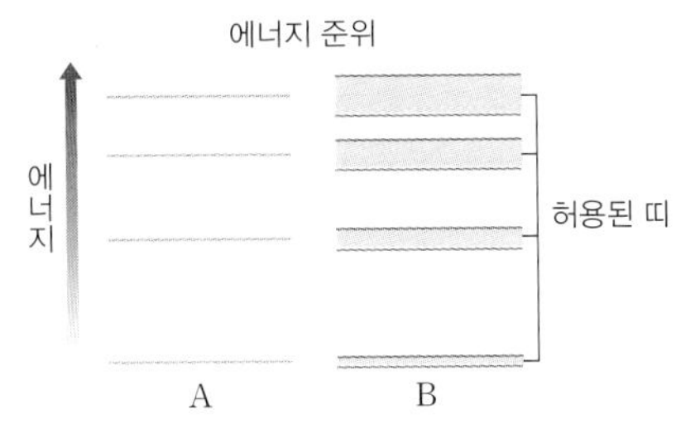

이에 대한 설명으로 옳은 것만을 〈보기〉에서 있는 대로 고른 것은?

보기
ㄱ. A는 고체이다.
ㄴ. 수많은 원자가 인접할 때 B와 같은 에너지 준위를 갖게 된다.
ㄷ. B에서 전자는 허용된 띠에만 존재할 수 있다.

① ㄴ ② ㄷ ③ ㄱ, ㄴ
④ ㄱ, ㄷ ⑤ ㄴ, ㄷ

02 그림은 어떤 고체의 에너지띠 구조를 나타낸 것이다. A는 원자가 띠와 (가) 사이의 에너지 간격이고, (나)는 원자가 띠보다 아래에 위치하는 에너지띠이다.
이에 대한 설명으로 옳은 것은?

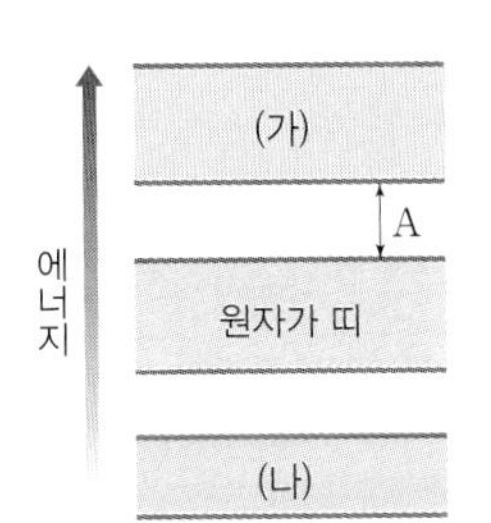

① 도체의 에너지띠 구조이다.
② (가)는 전도띠이다.
③ (나)에는 전자가 없다.
④ A가 클수록 전기 전도성이 좋다.
⑤ 온도가 낮아질수록 (가)에 자유 전자 수가 증가한다.

03 그림 (가)와 같이 물체 A, B를 이용하여 회로를 구성하였더니 스위치를 닫았을 때에만 전구가 켜졌다. 그림 (나)의 X, Y는 각각 A, B 중 하나의 에너지띠 구조를 순서에 관계없이 나타낸 것이다.

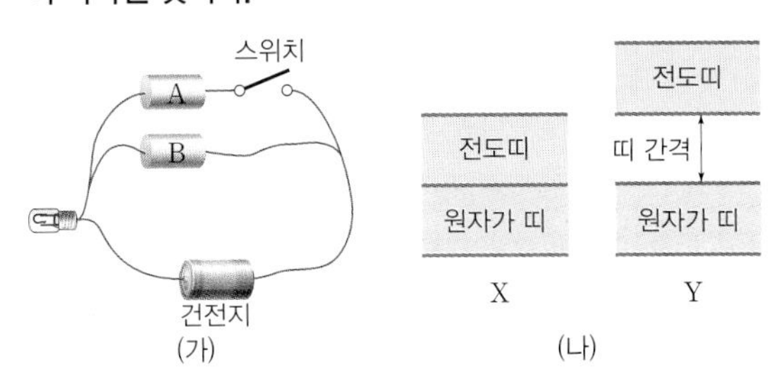

이에 대한 설명으로 옳은 것만을 〈보기〉에서 있는 대로 고른 것은?

보기
ㄱ. A는 도체이다.
ㄴ. B의 에너지띠 구조는 Y이다.
ㄷ. 스위치를 닫았을 때 전도띠에 있는 자유 전자의 수는 A가 B보다 많다.

① ㄱ ② ㄷ ③ ㄱ, ㄴ
④ ㄴ, ㄷ ⑤ ㄱ, ㄴ, ㄷ

04 그림 (가)는 고체 원자의 에너지띠를 모형으로 나타낸 것이고, (나)는 고체 A, B의 에너지띠를 간단하게 나타낸 것이다.

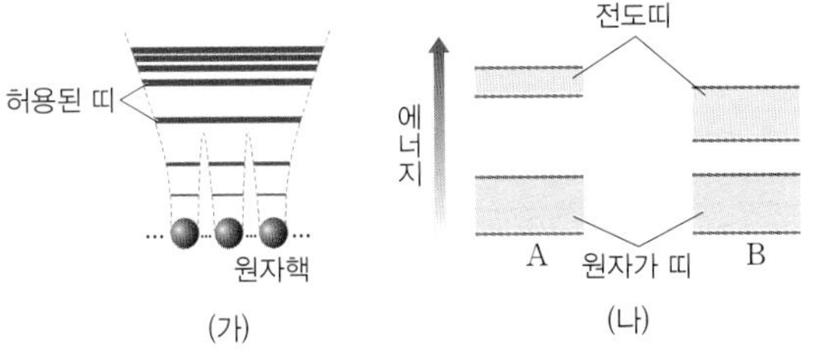

이에 대한 설명으로 옳은 것만을 〈보기〉에서 있는 대로 고른 것은?

보기
ㄱ. (가)에서 인접한 원자들의 영향으로 에너지 준위가 겹쳐 연속적인 에너지띠를 형성한다.
ㄴ. (가)에서 허용된 띠 중 전자가 채워진 가장 높은 띠를 전도띠라고 한다.
ㄷ. 전기 전도성은 A가 B보다 좋다.

① ㄱ ② ㄷ ③ ㄱ, ㄴ
④ ㄱ, ㄷ ⑤ ㄴ, ㄷ

05 그림은 전자의 에너지 준위를 나타낸 것이다.

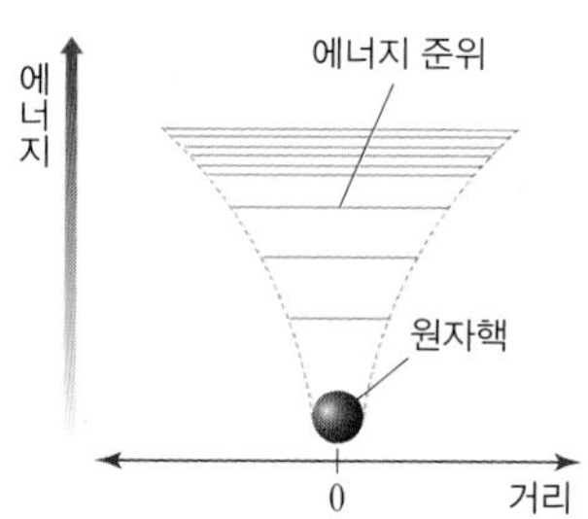

이에 대한 설명으로 옳지 않은 것은?

① 전자가 갖는 에너지는 불연속적이다.
② 속박된 전자의 에너지 준위를 나타낸다.
③ 에너지 준위는 전자가 가질 수 있는 에너지 값이다.
④ 원자핵에서 멀어질수록 전자가 갖는 에너지의 크기가 커진다.
⑤ 원자핵에 가까워질수록 에너지 준위 사이의 간격이 좁아진다.

06 그림은 규소와 다이아몬드의 에너지띠 구조를 나타낸 것이다.

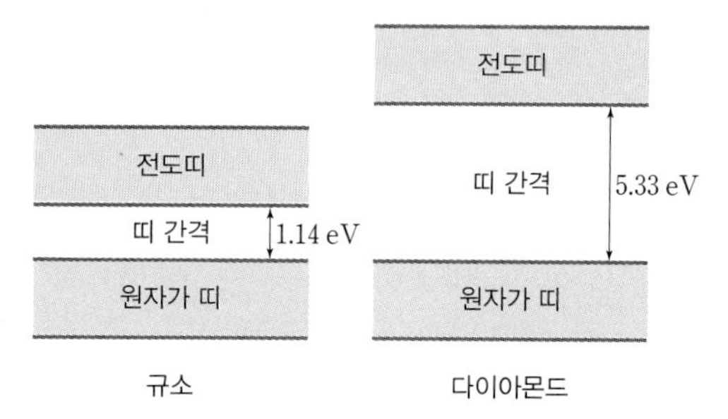

이에 대한 설명으로 옳은 것만을 <보기>에서 있는 대로 고른 것은?

보기
ㄱ. 규소에서 전도띠에 있던 전자가 원자가 띠로 전이할 때 방출하는 빛 중 파장이 가장 짧은 빛의 에너지는 1.14 eV이다.
ㄴ. 다이아몬드에서 원자가 띠에 있던 전자가 5.33 eV보다 큰 에너지를 흡수하면 전도띠로 전이한다.
ㄷ. 전기 전도성은 규소가 다이아몬드보다 좋다.

① ㄴ ② ㄷ ③ ㄱ, ㄴ
④ ㄱ, ㄷ ⑤ ㄴ, ㄷ

07 그림 (가)~(다)는 도체, 반도체, 절연체의 에너지띠 구조를 순서 없이 나타낸 것이다.

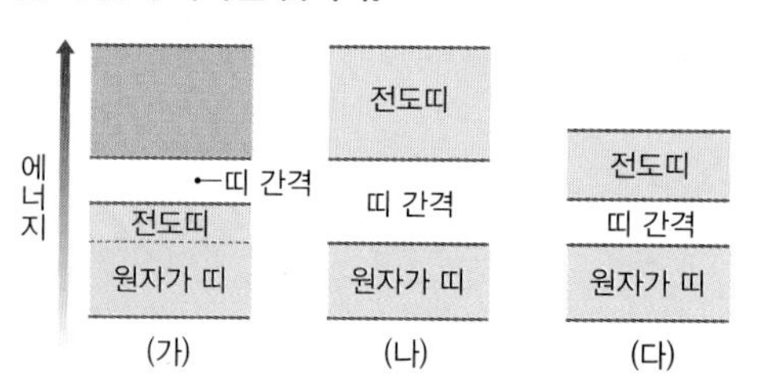

이에 대한 설명으로 옳은 것만을 <보기>에서 있는 대로 고른 것은?

보기
ㄱ. (가)는 (나)보다 전기 전도성이 좋다.
ㄴ. (나)는 (다)에 비해 원자가 띠의 전자가 전도띠로 이동하기 어렵다.
ㄷ. 규소(Si)는 (다)에 속한다.

① ㄱ ② ㄷ ③ ㄱ, ㄴ
④ ㄴ, ㄷ ⑤ ㄱ, ㄴ, ㄷ

08 그림 (가)는 고체 A, B의 에너지띠 구조를 나타낸 것이고, (나)는 A, B의 전기 저항을 온도에 따라 나타낸 것이다. A, B는 각각 도체, 반도체 중의 하나이다.

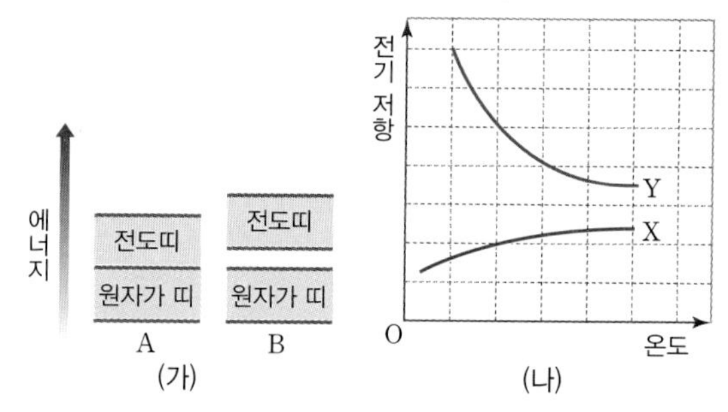

이에 대한 설명으로 옳은 것만을 <보기>에서 있는 대로 고른 것은?

보기
ㄱ. A는 반도체이다.
ㄴ. (나)에서 B의 그래프는 Y이다.
ㄷ. B는 원자가 띠의 전자가 열에너지를 받아 전도띠로 전이할 수 있다.

① ㄱ ② ㄷ ③ ㄱ, ㄴ
④ ㄴ, ㄷ ⑤ ㄱ, ㄴ, ㄷ

09 그림 (가), (나)는 절대 온도 T_1, T_2일 때 반도체의 에너지띠 모습을 나타낸 것이다. (나)에서 원자가 띠에 있던 입자 p가 A로 전이하고 원자가 띠에는 빈 자리가 생겼다.

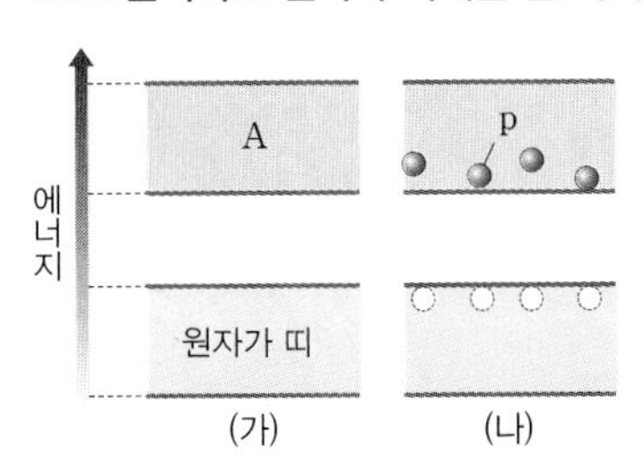

이에 대한 설명으로 옳은 것만을 〈보기〉에서 있는 대로 고른 것은?

보기
ㄱ. p는 전자이다.
ㄴ. A에 있는 p는 외부 전기장 방향으로 쉽게 이동할 수 있다.
ㄷ. $T_1 > T_2$이다.

① ㄱ ② ㄷ ③ ㄱ, ㄴ
④ ㄴ, ㄷ ⑤ ㄱ, ㄴ, ㄷ

10 그림 (가)는 고체 물질 X, Y의 에너지띠 구조를 나타낸 것이고, (나)는 X 또는 Y로 이루어진 물체 A, B를 이용하여 구성한 회로를 나타낸 것이다. (나)에서 스위치 S를 닫기 전과 후에 저항에 흐르는 전류의 세기는 같다.

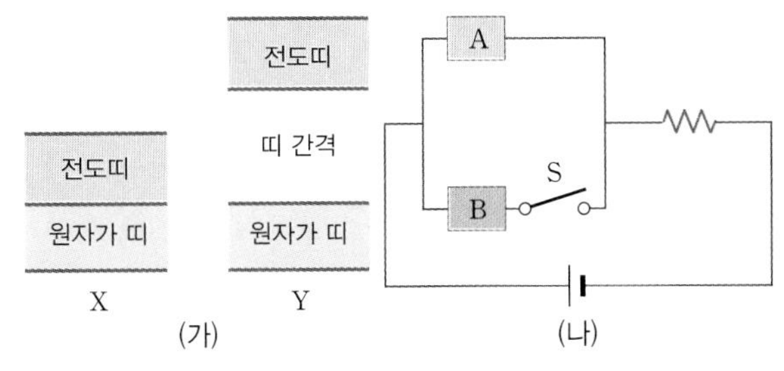

이에 대한 설명으로 옳은 것만을 〈보기〉에서 있는 대로 고른 것은?

보기
ㄱ. A는 X로 만들어졌다.
ㄴ. Y의 띠 간격에는 전자가 존재하지 않는다.
ㄷ. 스위치를 닫았다가 열면 B의 원자가 띠에 있던 전자가 전도띠로 전이하였다가 다시 원자가 띠로 전이한다.

① ㄱ ② ㄷ ③ ㄱ, ㄴ
④ ㄴ, ㄷ ⑤ ㄱ, ㄴ, ㄷ

서술형 문제

11 그림은 원자 내부에 속박된 전자의 에너지 준위와 인접한 2개의 원자에 의한 에너지 준위를 나타낸 것이다.

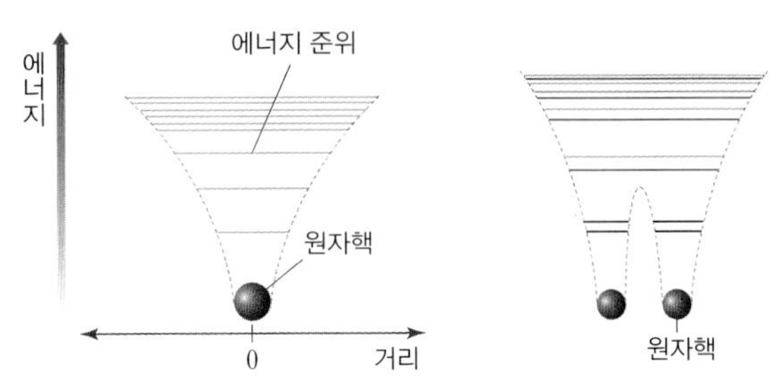

(1) 2개의 원자가 서로 가까워질 때 원자의 전자가 가질 수 있는 각각의 에너지 준위는 몇 개로 나누어지는지 쓰시오.

(2) 3개 이상의 원자가 서로 가까워지면 원자의 전자가 가지는 에너지 상태가 원자의 수에 따라 나누어진다. 그 이유를 설명하시오.

12 그림은 절대 온도 0 K일 때와 상온일 때 반도체의 에너지띠를 나타낸 것이다.

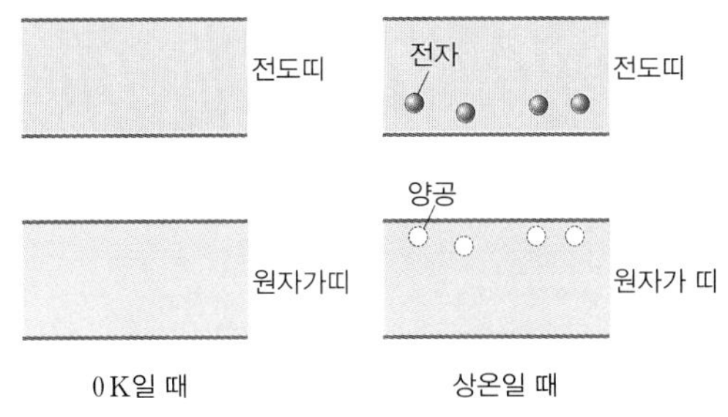

(1) 상온에서 원자가 띠에 양공이 생긴 까닭을 서술하시오.

(2) 온도가 상승할 때 반도체의 전기 전도성이 어떻게 변할지 예측하시오.

반도체 소자

내 교과서는 어디에?
천재 p.107~113 금성 p.102~107 동아 p.104~109
미래엔 p.114~121 비상 p.104~109 YBM p.121~127

핵심 Point
- **반도체**의 특성과 종류를 이해한다.
- p-n **접합 다이오드**의 구조와 원리를 이해한다.
- 다이오드의 **활용 분야**를 알아본다.

1 반도체 소자

1. 순수(고유) 반도체

① 순수(고유) 반도체: 불순물이 없는 규소(Si)❶나 저마늄(Ge) ➡ 4개의 원자가 전자를 가지고 있어 이웃한 원자와 공유 결합한다.

② 모든 원자가 전자가 공유 결합에 참여하므로 전기 전도성이 낮다.

③ 도핑: 순수 반도체에 불순물을 첨가하는 과정. ➡ 불순물을 첨가하면 남는 전자나 양공이 생겨 전기 전도성이 좋아진다.

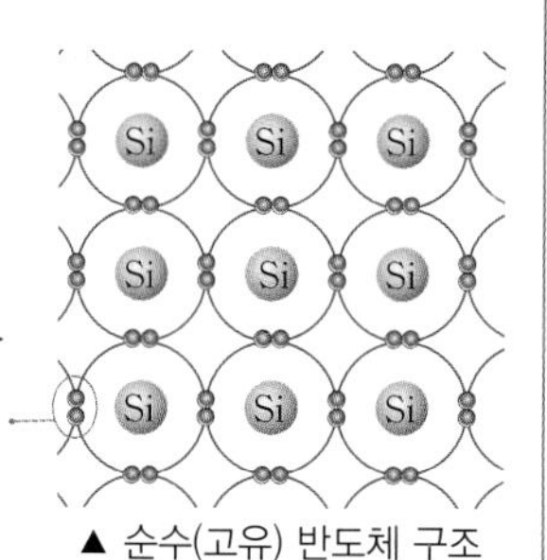

▲ 순수(고유) 반도체 구조

❶ **규소 원자의 전자 배치**
규소(Si)에는 전자가 14개 있으며, 원자가 전자는 4개이다.

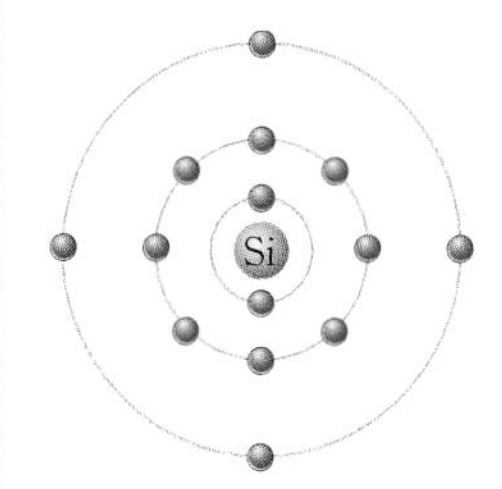

2. 불순물 반도체

	n형 반도체	p형 반도체
불순물 종류	순수 반도체에 인(P), 비소(As), 안티모니(Sb)와 같이 원자가 전자가 5개인 원소를 도핑한 반도체 ➡ 전하가 주요 전하 운반체	순수 반도체에 붕소(B), 알루미늄(Al), 갈륨(Ga), 인듐(In)과 같이 원자가 전자가 3개인 원소를 도핑한 반도체 ➡ 양공이 주요 전하 운반체
구조	(Si, As 원자 배열 그림) 전자: 규소 원자와 공유 결합 후 남은 전자로 전도띠로 전이가 쉽다. ➡ 전자 1개가 공유 결합에 참여하지 못하고 남는다.	(Si, B 원자 배열 그림) 양공의 이동 방향: 규소와 공유 결합 후 남은 전자의 빈 자리에 전자가 이동하여 전류가 흐른다. ➡ 전자 1개가 부족하여 전자가 들어갈 수 있는 빈 자리(양공)가 생긴다.
에너지띠	(전도띠 / 원자가 띠 그림) 불순물이 만드는 에너지 준위: 전도띠도 전자가 쉽게 전이하여 자유 전자가 생긴다. ➡ n형 반도체에는 새로운 에너지 준위에서 전도띠로 전이한 자유 전자와 원자가 띠에서 전도띠로 전이한 자유 전자가 있다.	(전도띠 / 원자가 띠 그림) 불순물이 만드는 에너지 준위: 원자가 띠 전자가 쉽게 전이하여 양공이 생긴다. ➡ p형 반도체에는 원자가 띠의 전자가 새로운 에너지 준위로 전이하여 발생한 양공과 원자가 띠에서 전도띠로 전이하여 발생한 양공이 있다.

셀파 콕콕
반도체 내부에서 양공은 실제로 이동하지 않고 전자가 이동한다. 전자의 이동에 의해 양공이 전자와 반대 방향으로 이동하는 것처럼 보인다. 마치 도선에서 전류가 전자의 이동 방향과 반대 방향으로 흐르는 것과 같다.

용어
▸ **공유 결합**: 두 원자가 서로 같은 수의 전자를 내놓아 서로 공유하여 화학 결합이 이루어지는 것이다. 예를 들면, 수소 원자 하나는 전자 한 개를 가지지만, 분자를 이루는 상태에서는 두 개의 전자를 서로 공유하여 안정한 수소 분자를 이룬다.

1 순수 반도체에 불순물을 도핑하면 전기 전도성이 좋아진다. (○ , ×)
2 순수 반도체에 원자가 전자가 (   )개인 원소를 도핑하면 p형 반도체가 된다.
3 (   ) 반도체에서는 전도띠의 전자가 원자가 띠의 양공보다 많아 전자가 주요 전하 운반체이다.

답 1. ○ 2. 3 3. n형

2 p–n 접합 다이오드

1. 다이오드❷ 구조

① p형 반도체와 n형 반도체를 접합한 후 양 끝에 전극을 붙여 만든다.

② p형 반도체와 n형 반도체를 접합하면 접합면에서 전자와 양공의 상대적인 농도 차이로 인해 p형 반도체의 양공은 n형 반도체로, n형 반도체의 전자는 p형 반도체로 확산된다. 이때 접합면 주위에는 전자와 양공의 재결합으로 전자와 양공이 부족한 영역이 생긴다. 이를 공핍층 또는 결핍층이라 하고 공핍층에는 전위차로 인한 전위 장벽❸이 생긴다.

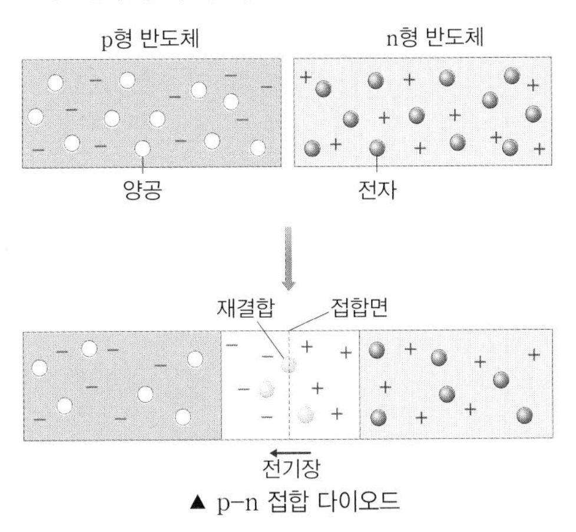

▲ p–n 접합 다이오드

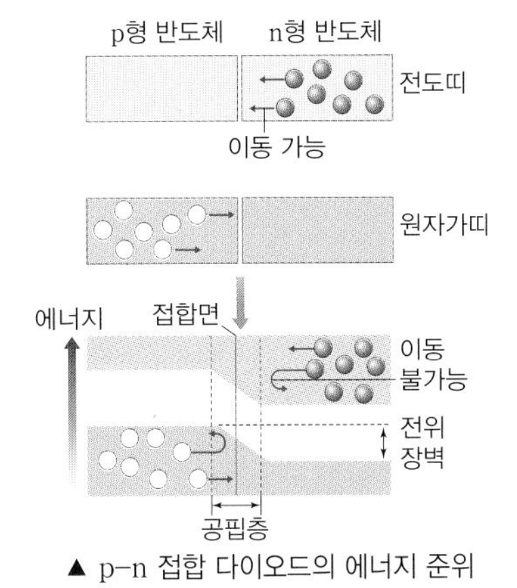

▲ p–n 접합 다이오드의 에너지 준위

2. 바이어스

	순방향 바이어스	역방향 바이어스
전류 연결	p형 반도체에 (+)극을, n형 반도체에 (−)극을 연결 ➡ 공핍층이 얇아지고 전위 장벽이 약화됨	p형 반도체에 (−)극을, n형 반도체에 (+)극을 연결 ➡ 공핍층이 두꺼워지고 전위 장벽이 강화됨
원리	(+) (−) p형 반도체 n형 반도체 양공 얇아짐 전자 전도띠 에너지 소멸됨 원자가 띠 (가) 순방향 바이어스 ➡ p형 반도체의 양공이 접합면쪽으로 이동하고, n형 반도체의 전자가 접합면쪽으로 이동하여 접합면에서 전자와 양공이 재결합되며 극과 연결된 면에서는 새로운 양공 혹은 전자가 계속 제공된다.	(−) (+) p형 반도체 n형 반도체 두꺼워짐 에너지 전도띠 이동 불가능 원자가 띠 (나) 역방향 바이어스 ➡ p형 반도체의 양공이 (−)극 쪽으로 이동하고, n형 반도체의 전자가 (+)극 쪽으로 이동하여 p형 반도체와 n형 반도체에서 양공과 자유 전자가 없어진다.
전류	전위 장벽 이상의 순방향 바이어스가 걸리면 다이오드에 지속적으로 전류가 흐름	다이오드에 전류가 흐르지 않음

❷ 다이오드 모습과 기호

다이오드는 한 쪽 방향으로만 전류가 흐르므로 회색 띠 등으로 외부에 방향을 표시해 두었다. 기호로 표현하면 화살표 방향으로 전류가 흐른다.

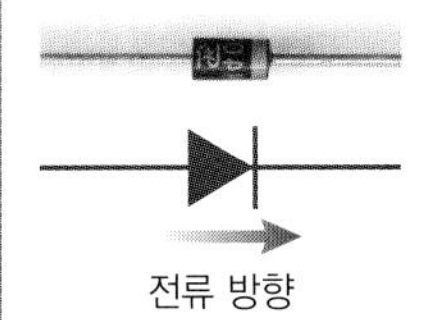

❸ 전위 장벽

전자를 받은 p형 반도체와 양공을 받은 n형 반도체 사이에는 n형 반도체에서 p형 반도체 방향으로 전기장이 생긴다. 즉, p형 반도체와 n형 반도체 사이에 에너지 준위 차이가 생기는데 이를 전위 장벽이라고 한다. 전류가 p형 반도체에서 n형 반도체로 흐르려면 다이오드에 전위 장벽보다 큰 에너지를 가해야 한다.

셀파 콕콕

p–n 접합 다이오드는 p형 반도체에서는 (+)극, n형 반도체에서는 (−)극을 연결한 순방향 바이어스일 때만 전류가 흐른다. 이를 정류 작용이라고 한다.

용어

▸ **재결합**: 전도띠의 자유 전자와 원자가 띠의 양공이 만나서 함께 소멸하는 것을 말한다. 자유 전자가 양공을 채우면 더 이상 전자가 이동할 수 없다.

▸ **바이어스**: 전자 소자에 전기 전자적으로 의도한 기능을 발휘할 수 있도록 걸어주는 전압

개념 확인하기

1 p형 반도체에 (+)극, n형 반도체에 (−)극을 연결하면 양공과 전자가 접합면에서 재결합한다. (○ , ×)

2 다이오드에 ( ) 바이어스가 걸리면 전류가 흐른다.

답 1. ○ 2. 순방향

3 다이오드 회로와 활용

1. 정류 회로❹

① 다이오드는 순방향 바이어스일 때만 전류가 흐르므로 전류 방향을 제어할 수 있다.

② 정류 회로: 다이오드를 이용해 전류를 한 방향으로 흐르게 하는 회로

➡ 대부분의 가정용 전자 제품에서 교류❺를 직류로 바꾸는 데 이용된다.

③ 반파 정류: 다이오드 1개를 사용하여 입력 신호의 절반만 통과시키는 회로

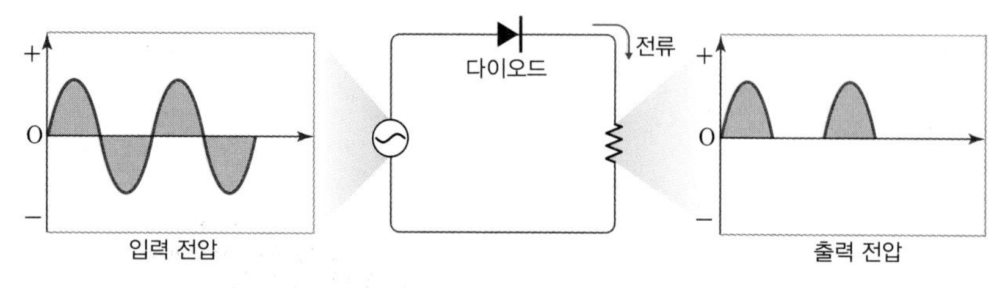

④ 전파 정류 회로: 다이오드 4개를 사용하여 입력 신호 전체를 통과시키는 회로

- 전류가 A 방향으로 흐를 때는 D_2, D_4에 순방향 바이어스가 걸려 전류가 흐르고, 전류가 B 방향으로 흐를 때는 D_3, D_1에 순방향 바이어스가 걸려 전류가 흐른다.
- 어느 경우든 저항에는 같은 방향으로 전류가 흐른다.

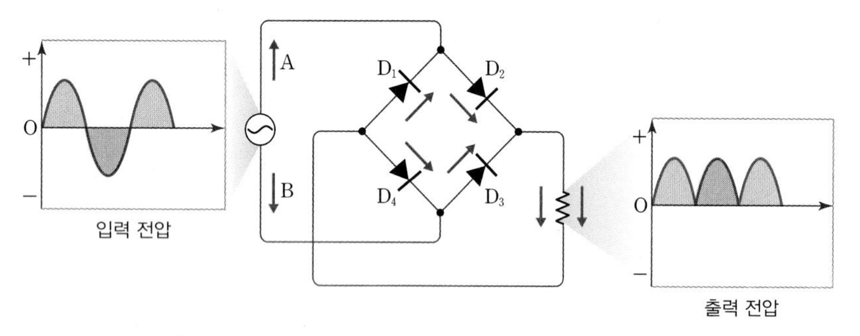

2. 발광 다이오드(LED)❻

① 화합물 반도체를 이용하여 만든 다이오드에 전류가 흐를 때 빛을 방출하는 다이오드

② 접합면에서 전도띠의 전자가 원자가 띠로 전이하며 잃는 에너지가 빛으로 방출

③ 띠 간격의 크기에 따라 다양한 색의 빛을 방출

④ 소모 전력이 작고 수명이 길며 소형으로 제작할 수 있어 영상 표시 장치, 리모컨, 조명 장치로 활용된다.

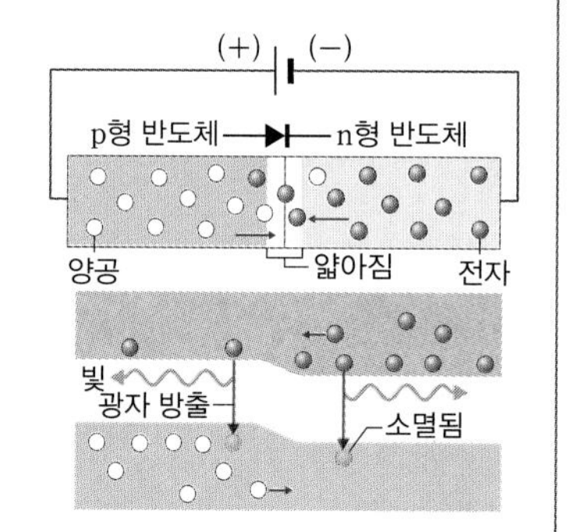

3. 반도체 레이저 다이오드

① 화합물 반도체를 이용하여 만든 다이오드에 전류가 흐를 때 파장과 위상이 동일한 레이저를 방출한다.

② 레이저 포인터, 광통신, CD나 DVD, 레이저 거리 측정기 등 다양한 전자 기기의 광원으로 활용

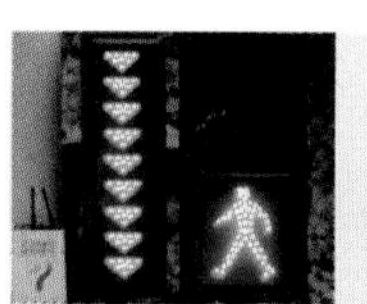
▲ LED 신호등

▲ 레이저 포인터

❹ 정류 회로는 교류를 직류로 전환하는 전기 회로로, 직류를 사용하는 전자 제품에 사용된다.

❺ 교류와 직류

교류는 시간에 따라 전류의 방향과 크기가 주기적으로 변하는 전류이고, 직류는 한쪽 방향으로만 흐르는 전류이다. 가정으로 공급되는 전류는 교류이다. 스마트폰을 충전하려면 직류가 흘러야 하는데, 충전기에 있는 어댑터가 교류를 직류로 바꿔준다. 어댑터는 다이오드의 정류 작용을 이용한 것이다.

셀파 콕콕

광 다이오드는 발광 다이오드와 반대로 빛을 흡수하여 얻은 빛에너지를 전기 에너지로 전환한다.

❻ 발광 다이오드

발광 다이오드는 가시광선에 해당하는 에너지를 갖는 빛을 얻기 위해 규소나 저마늄이 아닌 비소화 갈륨(GaAs)나 인화 갈륨(GaP) 같은 화합물 반도체에 불순물을 첨가하여 만든다.

용어

▸LED: Light Emitting Diode. 빛을 방출하는 다이오드

개념 확인하기

1 정류 회로는 입력 신호를 한 방향으로만 흐르게 한다. (○ , ×)

2 발광 다이오드는 p–n 접합의 (　　　)의 크기에 따라 다양한 색의 빛을 방출할 수 있다.

3 (　　　) 다이오드는 레이저 포인터, 광통신, 레이저 거리 측정기 등에 활용된다.

답 1. ○ 2. 띠 간격 3. 반도체 레이저

셀파 탐구

다이오드의 모습과 특성 살펴보기

목표 다이오드의 겉모습을 살펴보고 특성을 파악할 수 있다.

과정

❶ 다이오드의 겉모습을 살펴보자.

❷ 그림 (나)와 같이 브레드보드에 2개의 다이오드의 방향을 다르게 하여 끼우고, 저항과 발광 다이오드를 연결한다. 이때 발광 다이오드는 긴 리드선이 (+)극 쪽으로, 짧은 리드선이 (−)극 쪽으로 연결되도록 끼운다.

❸ 전원을 연결하고 발광 다이오드가 켜지는지 관찰한다. 켜진 발광 다이오드를 포함한 회로에서 전류가 흘러가는 경로를 찾아보자.

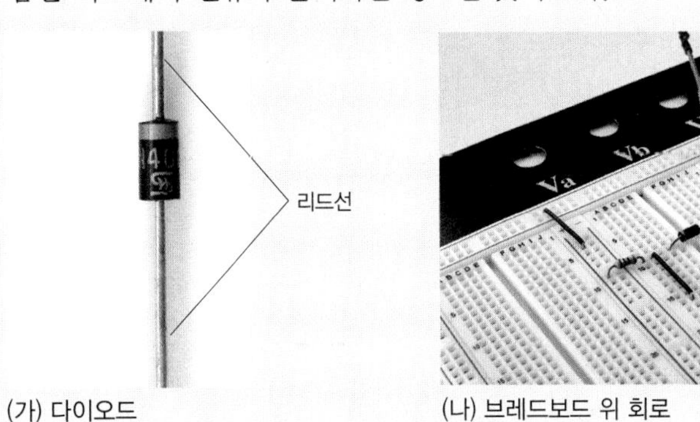

(가) 다이오드 (나) 브레드보드 위 회로

결과 및 정리

1. 다이오드에서 리드선이 연결된 두 부분은 같은 모습인가, 다른 모습인가?

➡ 다이오드는 전류의 방향성이 있으므로 표시가 되어 있다. 소형 원통형 다이오드는 한쪽에 회색 띠가 있다. 이쪽이 n형 반도체이다.

2. 다이오드는 전류의 방향과 관련하여 어떤 특성이 있다고 할 수 있는가?

➡ 다이오드는 한쪽 방향으로만 전류가 흐르는 특성이 있다.

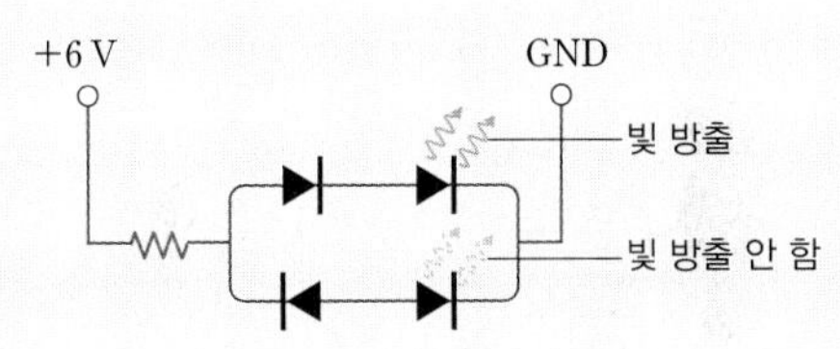

유의점

❶ 다이오드와 발광 다이오드를 연결할 때는 꼭 저항을 사용하도록 한다.

❷ 부품의 뾰족한 리드에 손이 찔리지 않도록 주의한다.

탐구 돋보기

• 다이오드는 순방향 전압이 걸릴 때만 전류가 흐르고 이러한 다이오드의 특성은 교류를 직류로 바꾸는 정류 회로에 사용된다.

• 간단한 다이오드 소자는 회색 띠가 있는 쪽이 n형 반도체이고 반대편이 p형 반도체라는 것을 알고 회로를 구성할 때 헷갈리지 말자.

시험 유형은?

❶ 다이오드에 전원과 전구를 연결하였더니 전구가 켜졌다. 이때 바이어스는?
▶ 순방향 바이어스

❷ 다이오드를 이용해 교류를 직류로 바꾸는 회로는?
▶ 정류 회로

탐구 대표 문제 정답과 해설 39쪽

01 위 실험에 대한 설명으로 옳은 것은?

① 다이오드에 전원을 연결할 때 저항은 필요 없다.
② 다이오드는 p형 반도체와 n형 반도체 3개를 접합하여 만든다.
③ 다이오드와 LED의 n형 반도체에 (+)극을 연결하면 전류가 흐른다.
④ 다이오드와 LED에 모두 순방향 바이어스가 걸려야 전류가 흐른다.
⑤ 다이오드와 LED를 서로 반대 방향으로 연결하면 LED에서 빛이 방출된다.

02 그림은 다이오드와 리드선 A, B를 나타낸 것이다. A, B에 연결된 반도체 종류를 쓰고, 다이오드에 전류가 흐르게 하려면 각각 어떤 전극을 연결해야 하는지 쓰시오.

A ——▮—— B

▶ 다이오드에 연결되는 바이어스에 따라 전류의 흐름이 어떻게 바뀌는지 이해하자.

반도체 소자 다이오드

그림과 같이 전압이 같은 두 전원 장치에 저항값이 같은 R_1, R_2와 p-n 접합 다이오드를 연결하여 회로를 구성하였다. X와 Y는 p형 반도체와 n형 반도체를 순서 없이 나타낸 것이다. 점 c에 흐르는 전류의 세기는 스위치 S를 a에 연결했을 때가 b에 연결했을 때보다 크다고 했을 때 X, Y의 종류는 무엇일까?

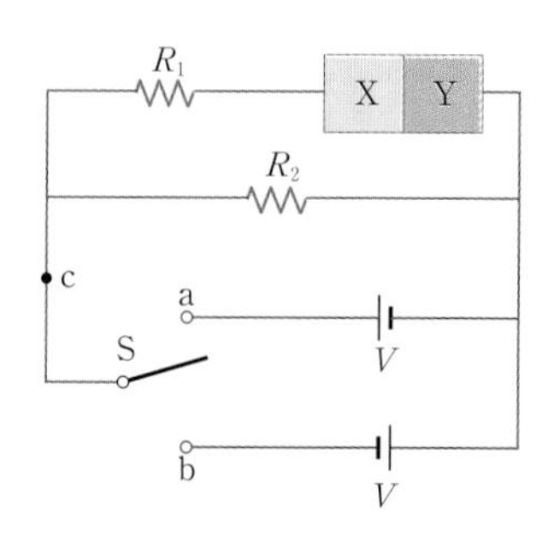

출제 의도
p-n 접합 다이오드에 바이어스를 연결하였을 때 전류의 흐름을 이해하고 다이오드 접합면에서 발생하는 현상을 이해하자.

해결 전략
다이오드와 연결된 회로에서 전류가 흐를 수 있는 방향을 파악한다.

01 a에 연결했을 때

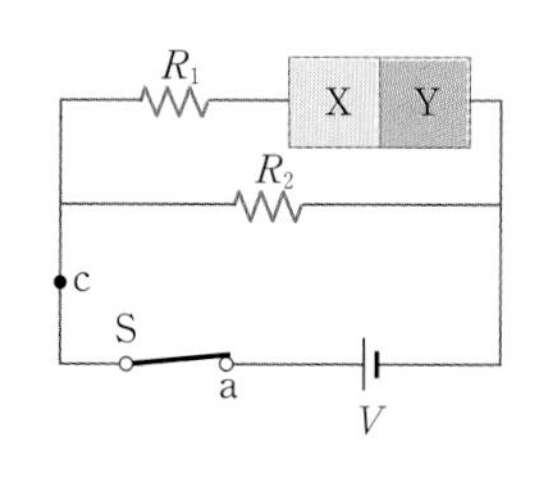

- R_1에 전류가 흐른다.
  ➡ 다이오드에는 순방향 바이어스가 걸려 전류가 흐르므로 X는 p형 반도체이고, Y는 n형 반도체이다.

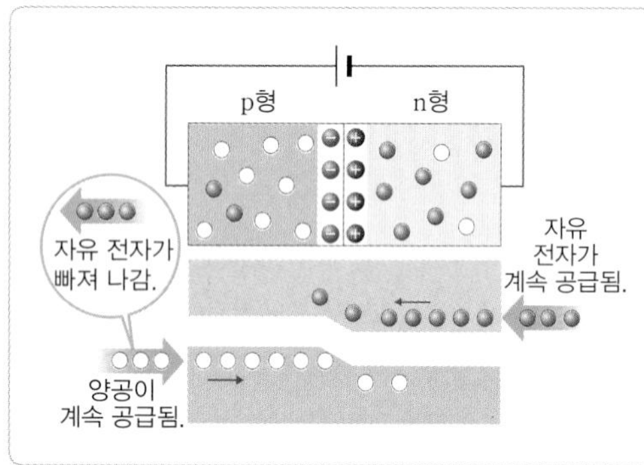

- p형 반도체의 양공과 n형 반도체의 전자가 접합면으로 이동하여 재결합한다.
- 극과 연결된 면에서는 양공과 전자가 계속 공급되어 전류가 흐른다.
- 전위 장벽이 약화되고 전류가 잘 흐른다. 전위 장벽 이상의 순방향 바이어스가 걸리면

02 b에 연결했을 때

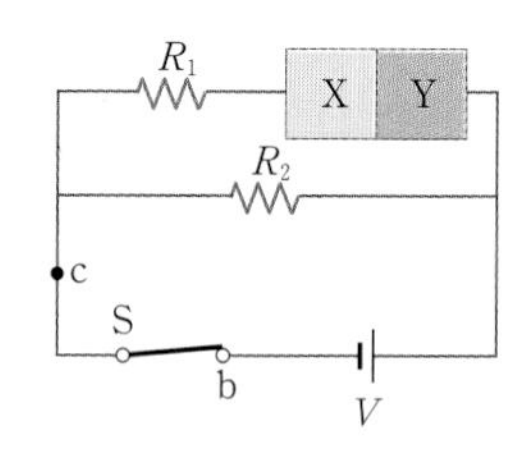

- R_1에는 전류가 흐르지 않는다.
  ➡ 다이오드에는 역방향 바이어스가 걸려 전류가 흐르지 않으므로 X는 p형 반도체이고, Y는 n형 반도체이다.

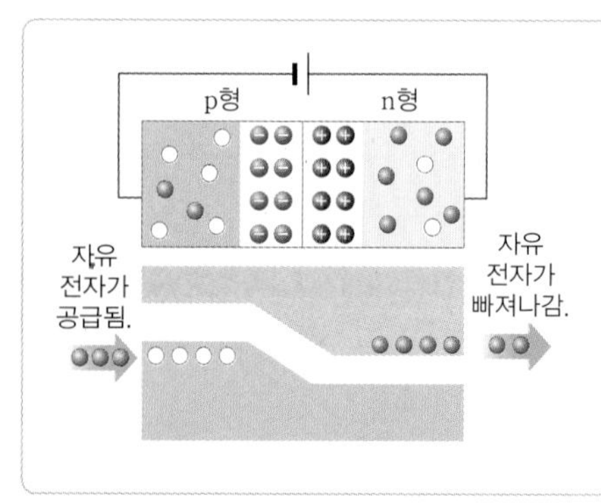

- p형 반도체의 양공과 n형 반도체의 전자가 접합면의 반대 방향으로 이동하여 공핍층이 넓어진다.
- 극과 연결된 면으로 양공과 전자가 계속 이동한다.
- 전위 장벽과 강화되며 전류는 흐르지 않는다.

Plus 문제

Q. 그림은 스위치, p-n 접합 다이오드, 저항을 이용하여 구성한 회로이다.

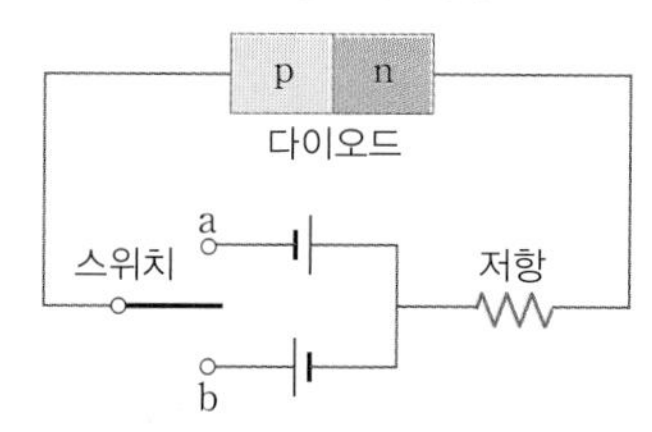

이에 대한 설명으로 옳지 않은 것은?
① 스위치를 a에 연결하면 p형 반도체에 있는 양공이 p-n 접합면에서 멀어진다.
② 스위치를 b에 연결하면 다이오드에 순방향 바이어스가 걸린다.
③ 다이오드에 순방향 바이어스가 걸렸을 때 n형 반도체에서는 주로 양공이 전류를 흐르게 한다.
④ 순방향 바이어스가 걸렸을 때 접합면에서는 전자와 양공이 재결합한다.
⑤ 스위치를 b에 연결하면 (-)극에 연결되어 있는 n형 반도체에는 전자가 계속 공급된다.

A. 답 ③ | 다이오드에 순방향 바이어스가 걸렸을 때 n형 반도체에서는 주로 전자가 이동하고, p형 반도체에서는 주로 양공이 이동하여 전류를 흐르게 한다.

기초 탄탄 문제

정답과 해설 40쪽

핵심용어_ 이 단원에서 내가 아는 것과 아직 모르는 것을 정리하며 나의 공부를 돌아보자.

□ 도핑 □ p형 반도체 □ n형 반도체
□ p-n 접합 다이오드 □ 순방향 바이어스 □ 역방향 바이어스
□ 정류 회로 □ 발광 다이오드

01 반도체에 대한 설명으로 옳지 않은 것은?

① 규소(Si)와 저마늄(Ge)은 반도체이다.
② 순수한 반도체의 원자들은 공유 결합을 한다.
③ 불순물 반도체는 순수한 반도체보다 전기 전도성이 좋다.
④ n형 반도체는 전자가 양공보다 많다.
⑤ p형 반도체는 양공만 전류 흐름에 기여한다.

02 순수 반도체에 대한 설명으로 옳은 것은?

① 불순물이 섞여 있는 반도체이다.
② 이웃한 원자들 사이에 이온 결합을 한다.
③ 규소(Si)와 저마늄(Ge) 등이 있다.
④ 약한 외부 전기장에 의해 전류가 흐른다.
⑤ 불순물을 적게 첨가할수록 전류가 잘 흐른다.

03 그림은 고유 반도체에 인(P)을 도핑하여 만든 불순물 반도체의 원자 주변 전자의 배열을 나타낸 것이다. 이에 대한 설명으로 옳은 것은?

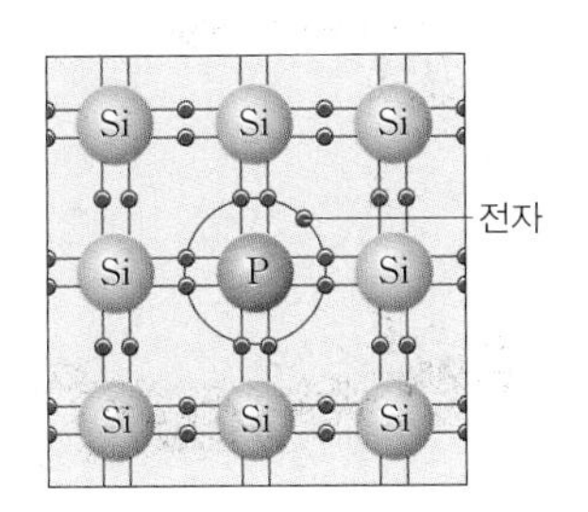

① p형 반도체이다.
② 인(P)의 원자가 전자는 5개이다.
③ 양공이 전자보다 많다.
④ 위 반도체로 p-n 접합 다이오드를 만들었을 때 순방향 바이어스를 걸어 주기 위해서는 (+)극과 연결해야한다.
⑤ 바이어스를 연결하였을 때 양공만 전류 흐름에 기여한다.

04 다이오드에 관한 설명으로 옳지 않은 것은?

① p형 반도체와 n형 반도체를 접합하여 만든다.
② 접합면에 공핍층이 생긴다.
③ 접합면에서 전자와 양공의 확산이 일어난다.
④ 한쪽 방향으로만 전류가 흐르게 한다.
⑤ 신호를 증폭할 때 이용된다.

05 그림은 불순물 반도체 A와 B를 접합하여 만든 다이오드를 나타낸 것이다. A와 B의 주요 전하 운반체는 각각 양공과 전자이다.

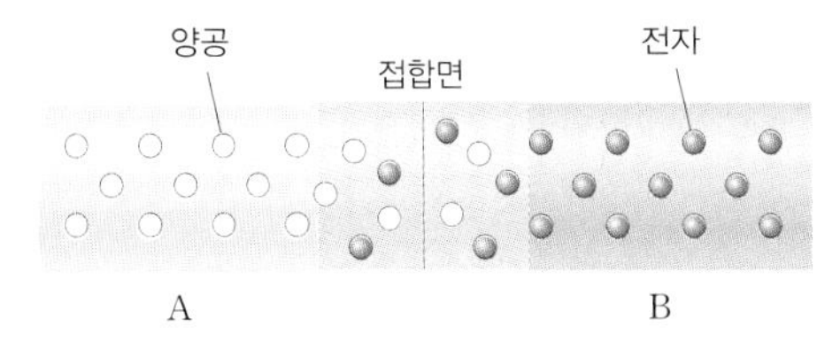

이에 대한 설명으로 옳은 것은?

① A는 n형 반도체이다.
② 상온에서 B에는 양공이 존재하지 않는다.
③ 접합면에는 전자와 양공의 확산으로 공핍층이 생긴다.
④ 순방향 바이어스가 걸렸을 때 A에서는 양공만 움직인다.
⑤ 역방향 바이어스가 걸렸을 때 A에서 양공은 접합면 쪽으로 이동한다.

06 발광 다이오드에 대한 설명으로 옳은 것은?

① 접합면에서 전자가 양공과 재결합하며 빛을 흡수한다.
② 띠 간격의 크기에 따라 다양한 색의 빛을 방출할 수 있다.
③ 전류 흐름에 방향성이 없다.
④ p-n 접합 다이오드와 다른 구조를 가지고 있다.
⑤ 순수 반도체로 발광 다이오드를 만들 수 있다.

내신 만점 문제

정답과 해설 40쪽

▮▮▮ 난이도를 나타냅니다.

01 그림은 저마늄(Ge)에 불순물 A를 첨가하여 만든 반도체의 원자가 전자의 배열을 나타낸 것이다. 이에 대한 설명으로 옳은 것만을 〈보기〉에서 있는 대로 고른 것은?

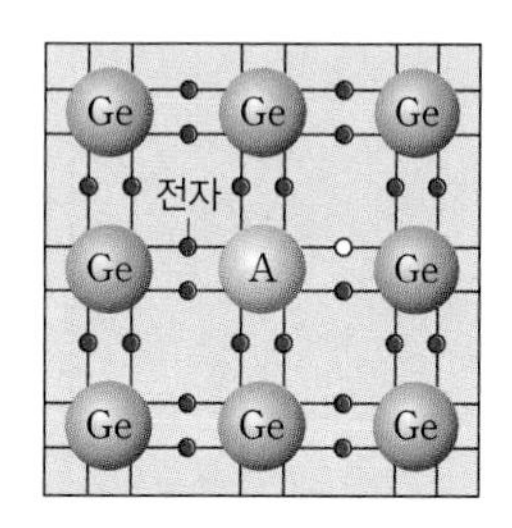

보기
ㄱ. A는 원자가 전자가 5개이다.
ㄴ. 이 반도체는 양공이 전자보다 많다.
ㄷ. 이 반도체의 주요 전하 운반체는 전도띠에 존재한다.

① ㄱ ② ㄴ ③ ㄷ
④ ㄴ, ㄷ ⑤ ㄱ, ㄴ, ㄷ

02 그림과 같이 p-n 접합 다이오드와 전류계를 전지에 연결하였더니 전류계에 전류가 흘렀다.

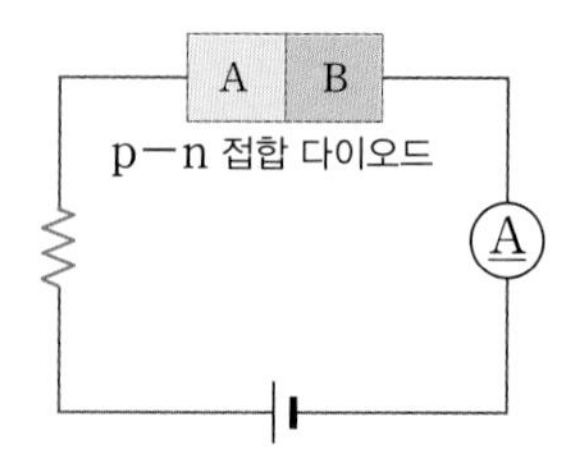

이에 대한 설명으로 옳은 것만을 〈보기〉에서 있는 대로 고른 것은?

보기
ㄱ. A는 양공이 주요 전하 운반체이다.
ㄴ. 접합면에서 전자와 양공이 재결합한다.
ㄷ. 전지의 극을 반대로 연결하면 전류가 흐르지 않는다.

① ㄱ ② ㄷ ③ ㄱ, ㄴ
④ ㄴ, ㄷ ⑤ ㄱ, ㄴ, ㄷ

03 그림 (가)와 (나)는 저마늄(Ge)에 각각 원자가 전자가 5개인 비소(As)와 3개인 인듐(In)을 첨가했을 때 원자가 전자의 배열을 간단하게 나타낸 것이다.

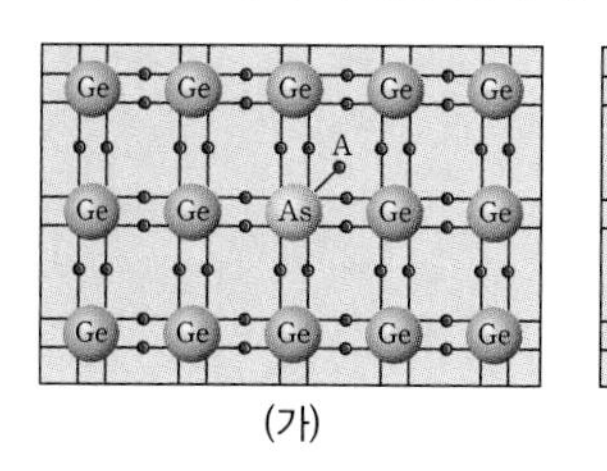

(가)

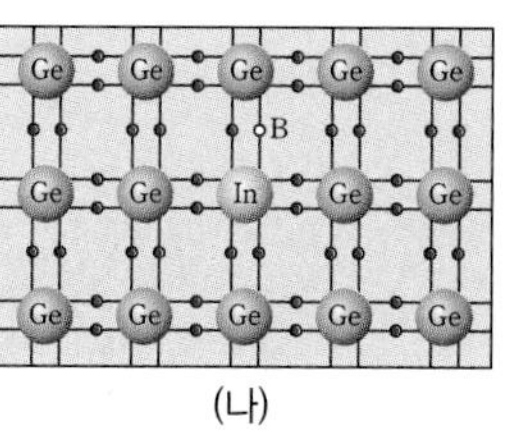

(나)

이에 대한 설명으로 옳은 것만을 〈보기〉에서 있는 대로 고른 것은?

보기
ㄱ. (가)에서 A는 전도띠로 전이하여 주요 전하 운반체 역할을 한다.
ㄴ. B는 양공이다.
ㄷ. (가)는 n형 반도체이다.

① ㄱ ② ㄷ ③ ㄱ, ㄴ
④ ㄴ, ㄷ ⑤ ㄱ, ㄴ, ㄷ

04 그림은 불순물 반도체 P, Q를 접합하여 만든 다이오드를 이용하여 구성한 회로와, P의 원자가 전자의 배열을 나타낸 것이다. A는 P에 첨가된 불순물이다.

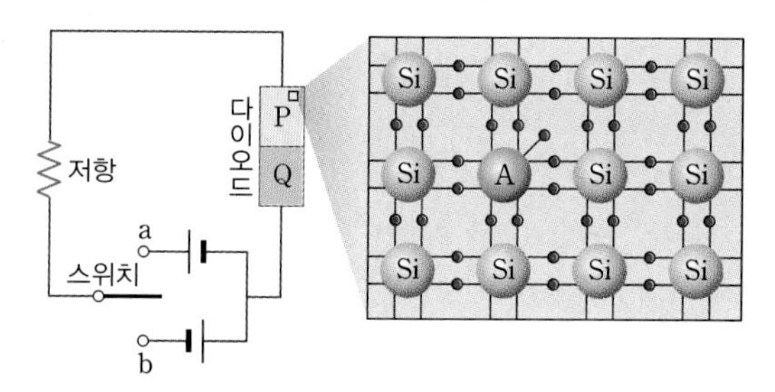

이에 대한 설명으로 옳은 것만을 〈보기〉에서 있는 대로 고른 것은?

보기
ㄱ. A의 원자가 전자는 5개이다.
ㄴ. 스위치를 a에 연결했을 때 저항에 전류가 흐른다.
ㄷ. 스위치를 b에 연결했을 때 다이오드에 순방향 바이어스가 걸린다.

① ㄱ ② ㄴ ③ ㄱ, ㄷ
④ ㄴ, ㄷ ⑤ ㄱ, ㄴ, ㄷ

05 그림은 각각 인듐(In)과 비소(As)를 도핑한 반도체 A와 B를 접합하여 만든 p–n 접합 다이오드의 원자가 전자의 배열을 나타낸 것이다.

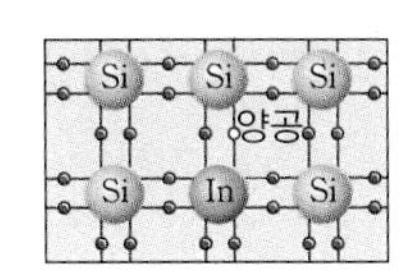

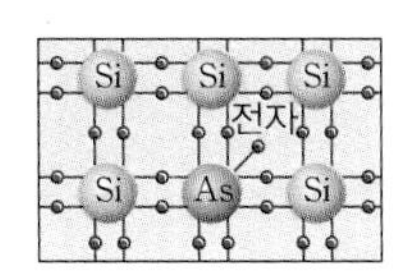

이에 대한 설명으로 옳은 것만을 〈보기〉에서 있는 대로 고른 것은?

보기

ㄱ. A는 전자가 양공보다 많다.
ㄴ. 비소(As)는 원자가 전자가 5개이다.
ㄷ. A에 (+)극을, B에 (−)극을 연결하면 전류가 흐른다.

① ㄱ ② ㄷ ③ ㄱ, ㄴ
④ ㄴ, ㄷ ⑤ ㄱ, ㄴ, ㄷ

06 그림 (가)는 p–n 접합 다이오드 A, B와 연결된 전구에 불이 켜진 모습이고 그림 (나)는 A, B의 전압–전류 특성 그래프를 나타낸 것이다.

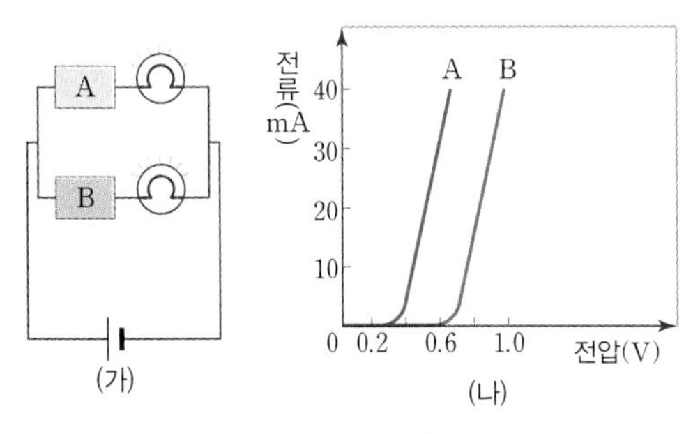

이에 대한 설명으로 옳은 것만을 〈보기〉에서 있는 대로 고른 것은?

보기

ㄱ. A는 B보다 전기 전도성이 좋다.
ㄴ. A와 B에는 순방향 바이어스가 걸린다.
ㄷ. 전도띠와 원자가 띠 사이의 띠 간격은 A가 B보다 크다.

① ㄱ ② ㄷ ③ ㄱ, ㄴ
④ ㄴ, ㄷ ⑤ ㄱ, ㄴ, ㄷ

07 다음은 다이오드를 이용하는 사례에 대한 설명이다.

(가) 소모 전력이 작고 소형으로 제작할 수 있어 각종 영상 표시 장치나 리모컨, 조명 장치로 활용된다.
(나) 진동수와 위상이 같은 빛을 방출하며, 광통신, 레이저 거리 측정기, 다양한 전자 기기의 광원으로 활용된다.

(가)와 (나)에 해당하는 다이오드로 옳은 것은?

	(가)	(나)
①	광 다이오드	발광 다이오드
②	광 다이오드	레이저 다이오드
③	발광 다이오드	광 다이오드
④	발광 다이오드	레이저 다이오드
⑤	레이저 다이오드	발광 다이오드

08 그림은 저마늄(Ge)에 각각 불순물 원소 ㉠과 ㉡을 첨가하여 만든 반도체를 접합한 다이오드로 구성한 회로와 다이오드 각 부분의 원자가 전자의 배열을 나타낸 것이다.

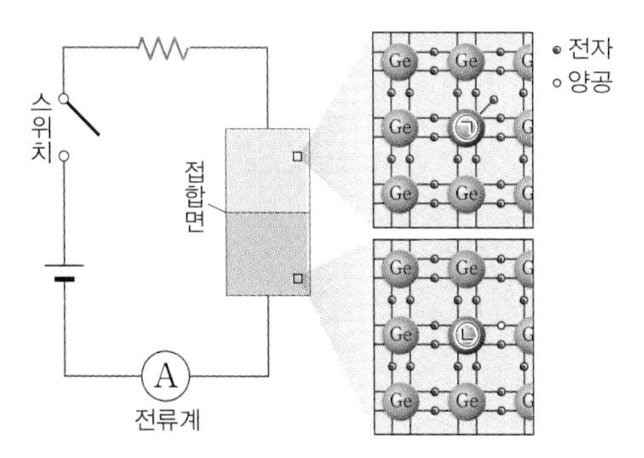

이에 대한 설명으로 옳은 것만을 〈보기〉에서 있는 대로 고른 것은?

보기

ㄱ. ㉠을 첨가한 반도체에는 전자가 주요 전하 운반체이다.
ㄴ. 스위치를 닫으면 다이오드에 역방향 바이어스가 걸린다.
ㄷ. 스위치를 닫으면 ㉡의 양공은 접합면으로 이동한다.

① ㄱ ② ㄷ ③ ㄱ, ㄴ
④ ㄴ, ㄷ ⑤ ㄱ, ㄴ, ㄷ

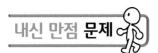

09 그림 (가)는 반도체 A, B의 에너지띠 구조를 나타낸 것이고, (나)는 A, B를 접합하여 만든 p−n 접합 다이오드를 전원 장치에 연결하였을 때 전구가 켜진 것을 나타낸 것이다.

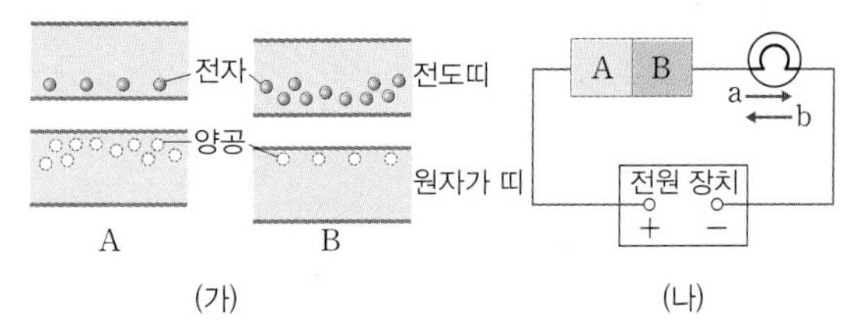

(나)에 대한 설명으로 옳은 것만을 〈보기〉에서 있는 대로 고른 것은?

보기
ㄱ. 다이오드에는 순방향 바이어스가 걸려 있다.
ㄴ. 전구에는 b 방향으로 전류가 흐른다.
ㄷ. A의 원자가 띠의 양공과 B의 전도띠의 자유 전자가 접합면에서 재결합한다.

① ㄱ ② ㄷ ③ ㄱ, ㄴ
④ ㄱ, ㄷ ⑤ ㄴ, ㄷ

10 그림 (가), (나)는 종류가 다른 반도체를 접합하여 만든 p−n 접합 발광 다이오드(LED)를 전원 장치에 연결하였을 때 빛이 방출되는 것을 나타낸 것이다. (가), (나)에서 방출되는 빛은 각각 빨간색, 파란색이다.

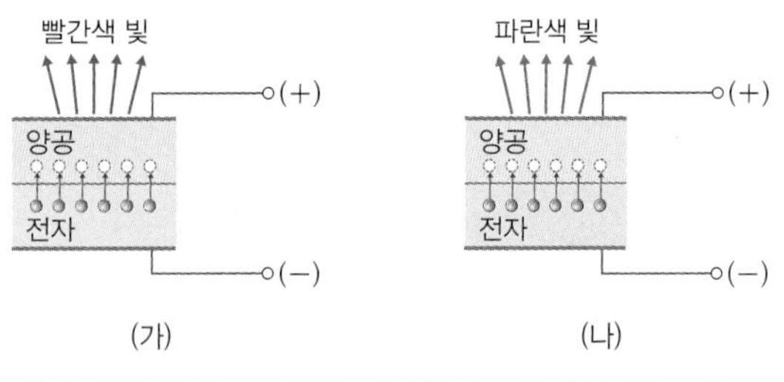

이에 대한 설명으로 옳은 것만을 〈보기〉에서 있는 대로 고른 것은?

보기
ㄱ. (가)에서 LED에는 순방향 바이어스가 걸려 있다.
ㄴ. (나)에서 전도띠의 전자가 원자가 띠로 전이한다.
ㄷ. 전이 과정에서 전자가 잃는 에너지는 (가)에서가 (나)에서보다 크다.

① ㄴ ② ㄷ ③ ㄱ, ㄴ
④ ㄱ, ㄷ ⑤ ㄱ, ㄴ, ㄷ

11 그림 (가)는 p−n 접합 다이오드를 교류 전원에 연결한 회로를 나타낸 것이고, (나)와 (다)는 교류 전원의 전압과 전류계에 측정된 전류를 시간에 따라 나타낸 것이다.

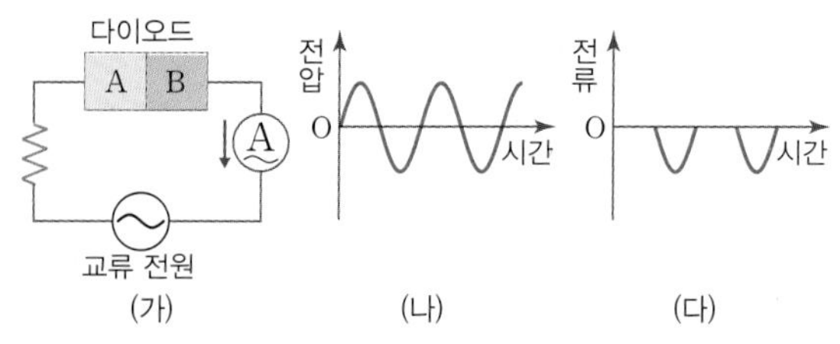

이에 대한 설명으로 옳은 것만을 〈보기〉에서 있는 대로 고른 것은? (단, 화살표 방향으로 흐르는 전류의 방향을 (+)로 한다.)

보기
ㄱ. A는 p형 반도체이다.
ㄴ. B는 양공이 주요 전하 운반체이다.
ㄷ. 다이오드는 한 방향으로만 전류가 흐른다.

① ㄱ ② ㄷ ③ ㄱ, ㄴ
④ ㄴ, ㄷ ⑤ ㄱ, ㄴ, ㄷ

12 그림은 p−n 접합 발광 다이오드(LED)를 전원과 저항에 연결했을 때 LED에서 빛이 방출되는 것을 나타낸 것이다.

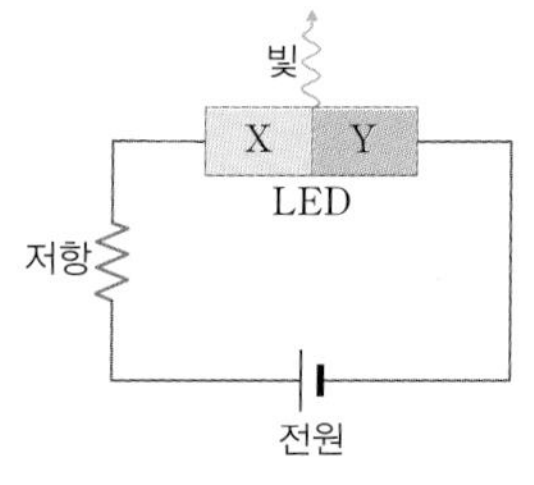

이에 대한 설명으로 옳은 것만을 〈보기〉에서 있는 대로 고른 것은?

보기
ㄱ. LED에는 순방향 바이어스가 걸려 있다.
ㄴ. X에 있던 전자들이 전원으로 이동하며 양공이 생성된다.
ㄷ. Y에는 양공이 전자보다 많다.

① ㄱ ② ㄷ ③ ㄱ, ㄴ
④ ㄴ, ㄷ ⑤ ㄱ, ㄴ, ㄷ

13 그림은 빨간색 또는 파란색 중 하나를 방출하는 발광 다이오드(LED) X, Y를 저항과 전원에 연결한 회로를 나타낸 것이다. X, Y는 반도체 A, B, C로 구성되었으며, 스위치를 닫았을 때 X는 빛을 방출하였고 Y는 빛을 방출하지 않았다.

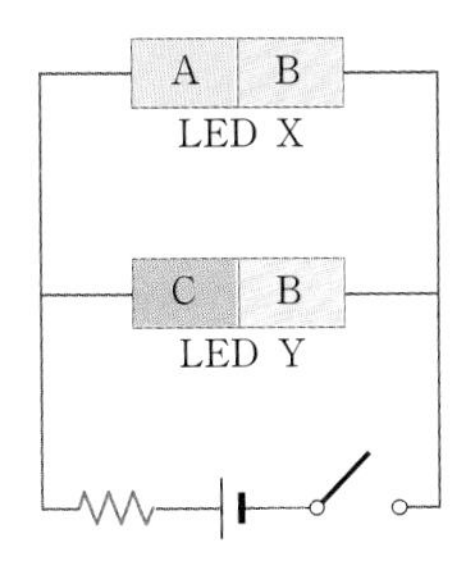

이에 대한 설명으로 옳은 것만을 〈보기〉에서 있는 대로 고른 것은?

보기
ㄱ. X에서 방출되는 빛은 빨간색이다.
ㄴ. B는 n형 반도체이다.
ㄷ. Y에는 역방향 바이어스가 걸려 있다.

① ㄱ ② ㄷ ③ ㄱ, ㄴ
④ ㄴ, ㄷ ⑤ ㄱ, ㄴ, ㄷ

14 그림 (가)는 상온(300 K)에서 순수한 저마늄(Ge)의 에너지띠 구조를 나타낸 것이고, (나)는 저마늄에 원소 a를 도핑하였을 때 원자가 전자의 배열을 나타낸 것이다.

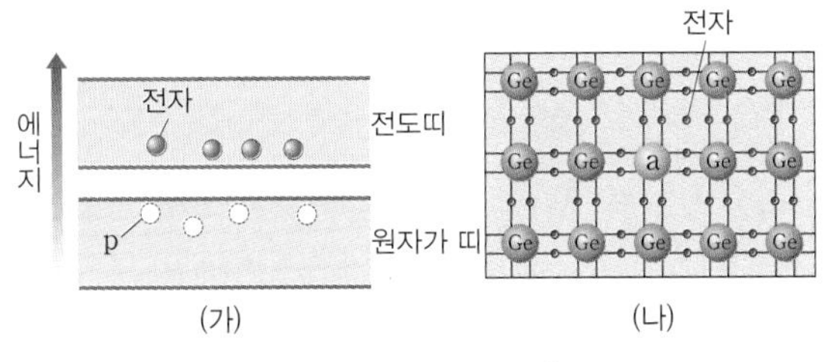

이에 대한 설명으로 옳은 것만을 〈보기〉에서 있는 대로 고른 것은?

보기
ㄱ. p는 양공이다.
ㄴ. a의 원자가 전자는 5개이다.
ㄷ. (나)에서 공유 결합에 참여하지 못하는 전자는 전도띠로 전이하여 주요 전하 운반체 역할을 한다.

① ㄱ ② ㄷ ③ ㄱ, ㄴ
④ ㄴ, ㄷ ⑤ ㄱ, ㄴ, ㄷ

서술형 문제

15 그림은 p-n 접합 다이오드에 전원 장치를 연결하였을 때 에너지띠 구조를 나타낸 것이다.

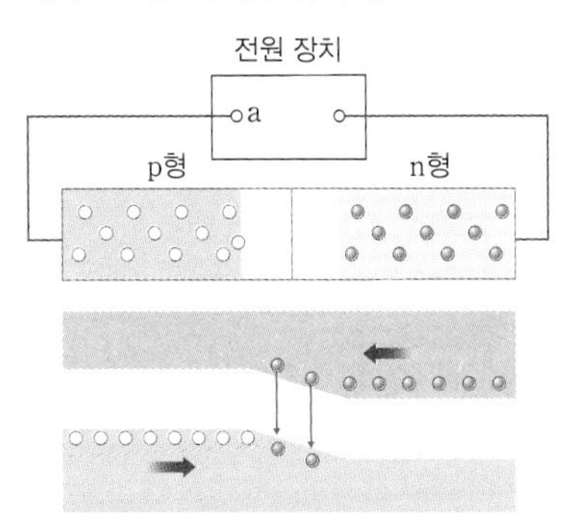

(1) a의 극성을 판별하고, 그렇게 생각한 까닭을 서술하시오.

(2) p형 반도체의 양공과 n형 반도체의 전자의 이동 방향을 서술하시오.

16 그림과 같이 두 다이오드 D_1, D_2와 발광 다이오드 P, Q를 교류 전원과 저항에 연결하였다.

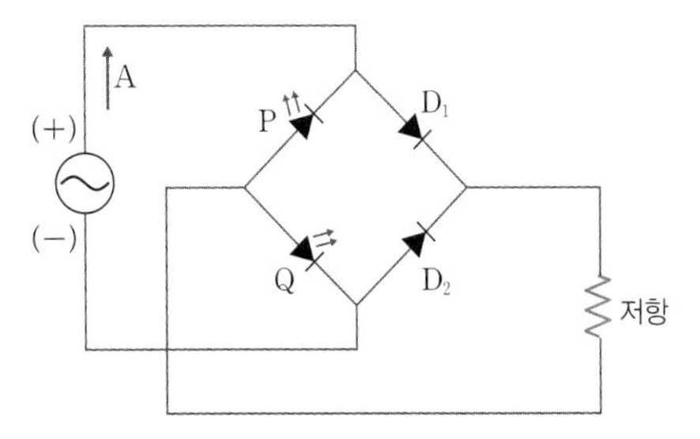

(1) A 방향으로 전류가 흐를 때 빛을 방출하는 발광 다이오드는 어느 것인가?

(2) 이 회로에서 저항에 흐르는 전류의 특징을 서술하시오.

단원 정리하기

Ⅱ. 물질과 전자기장 | 1. 전기

핵심 Point 1~13

1. 전기력과 쿨롱 법칙

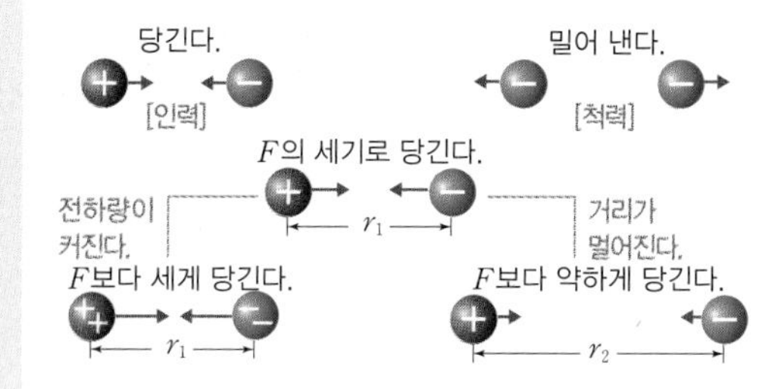

전기력의 크기	• 두 전하의 전하량의 곱에 비례 • 두 전하 사이의 거리 제곱에 반비례 • $F=k\frac{q_1q_2}{r^2}$ ($k=9\times10^9$ N·m²/C², 쿨롱 상수)
전기력의 방향	• 같은 종류의 전하: 밀어낸다. • 다른 종류의 전하: 당긴다.

2. 스펙트럼과 빛의 에너지

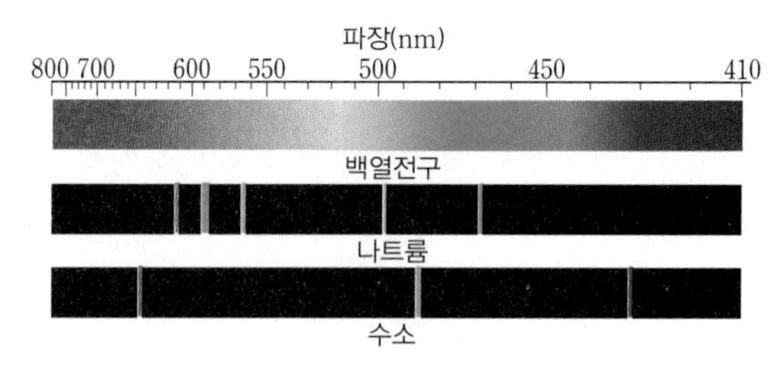

① 햇빛과 백열등은 연속 스펙트럼

② 가열된 기체가 방출하는 빛은 선 스펙트럼

③ 기체 원자에 따라 선의 위치가 다름 → 빛의 파장이 다름

④ 빛의 에너지 E는 진동수 f에 비례, 파장 λ에 반비례

$E=hf=\frac{hc}{\lambda}$ (h: 플랑크 상수, c: 빛의 속도)

3. 보어 모형과 에너지 준위

① 원자 속의 전자는 특정 궤도에서만 운동

② 에너지 준위: 특정 궤도에서 전자가 갖는 에너지

(전자가 갖는 에너지는 양자화 되어 있다.)

③ 바닥상태: 전자의 에너지가 가장 낮은 상태로 가장 안정적이다.

④ 들뜬상태: 전자가 바닥상태보다 높은 에너지를 가진 상태이다.

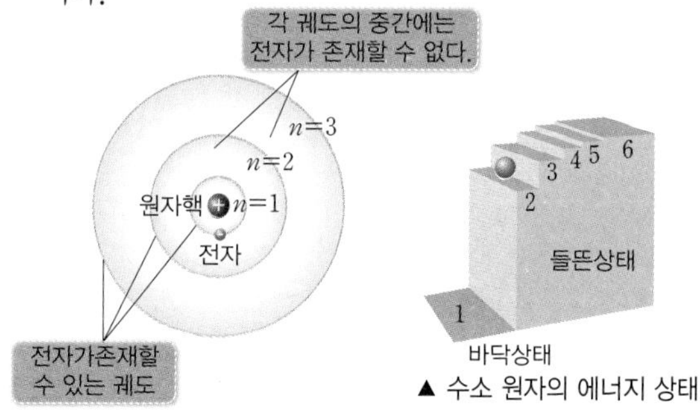

▲ 수소 원자의 에너지 상태

4. 전자 전이와 선 스펙트럼

① 빛에너지 흡수: 전자가 높은 에너지 준위로 전이

② 빛에너지 방출: 전자가 낮은 에너지 준위로 전이

$$E_{빛}=hf=\frac{hc}{\lambda}=|E_{처음}-E_{나중}|$$

③ 원자에 따라 에너지 준위가 다르므로 방출하는 빛의 에너지와 파장이 다름

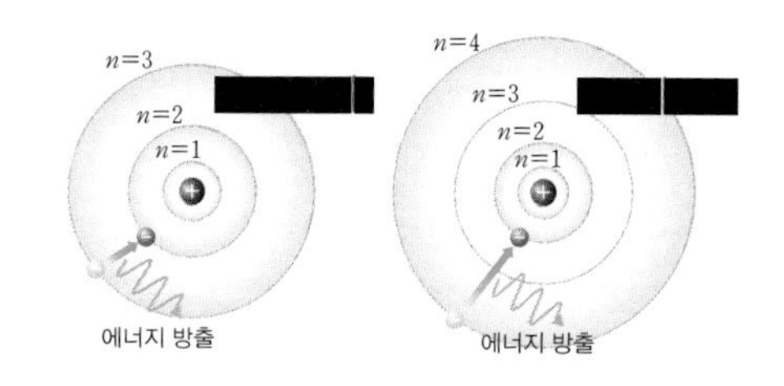

5. 수소 원자의 선 스펙트럼

① 라이먼 계열: 전자가 $n=1$인 상태로 전이하며 방출하는 빛

➡ 자외선 영역

② 발머 계열: 전자가 $n=2$인 상태로 전이하며 방출하는 빛

➡ 가시광선 영역(4개)과 자외선 영역

③ 파셴 계열: 전자가 $n=3$인 상태로 전이하며 방출하는 빛

➡ 적외선 영역

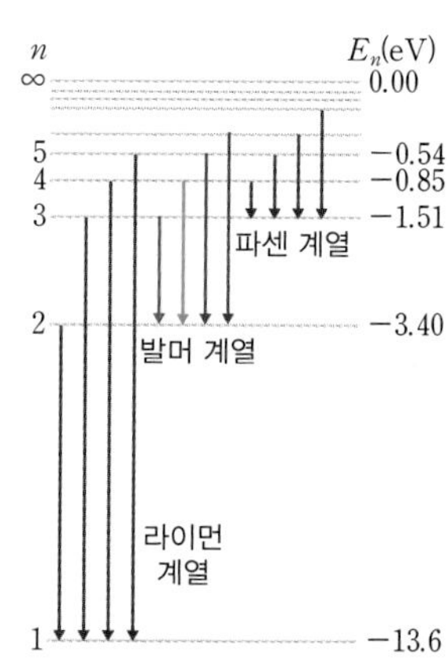

6. 고체의 에너지띠

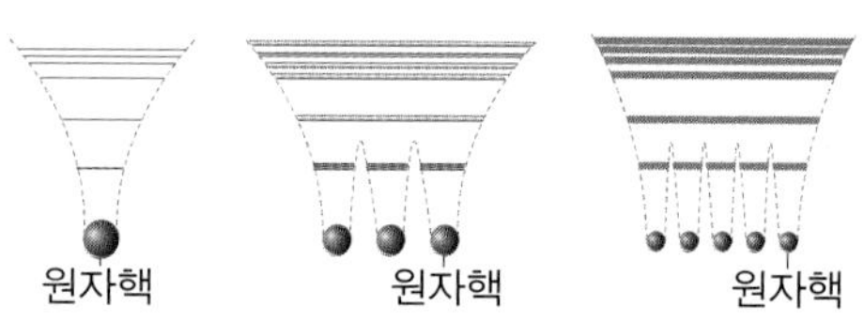

① 가까이 있는 원자의 영향으로 에너지 준위가 미세하게 나뉨

② 수많은 원자의 영향으로 부분적으로 연속적인 에너지띠 형성

③ 원자가 띠: 0 K에서 전자가 채워진 가장 바깥쪽 에너지띠

④ 전도띠: 원자가 띠 위의 에너지띠. 자유 전자가 있으면 전류가 흐름

⑤ 띠 간격: 원자가 띠와 전도띠 사이의 에너지 차이. 전기 전도성을 결정하는 중요한 요인

➡ 원자가 띠의 전자가 띠 간격보다 큰 에너지를 흡수하면 전도띠로 전이

7. 에너지띠와 전기 전도성

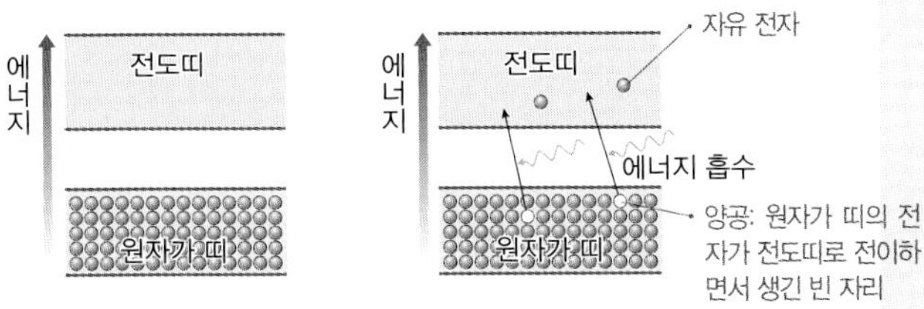

① 원자가 띠가 전자로 모두 채워져 있으면 전류가 거의 흐르지 않는다.

② 전자가 전도띠로 전이하면 원자가 띠에는 양공이 생기고 전도띠에도 자유 전자가 있어 전류가 흐를 수 있다.

③ 전도띠의 자유 전자나 원자가 띠의 양공이 많을수록 전기 전도성이 좋다.

8. 도체, 절연체, 반도체의 에너지띠

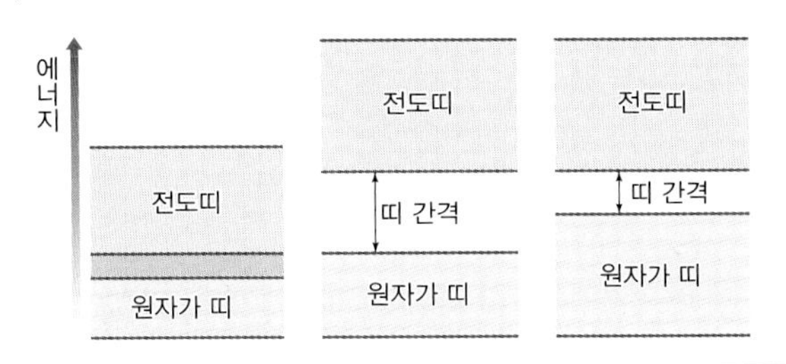

도체	• 원자가 띠와 전도띠가 일부 겹침 • 전기 전도성이 좋으며 온도가 높아지면 전기 전도성 감소
절연체	• 띠 간격이 커 전자 전이가 어려움 • 전기 전도성이 나쁨
반도체	• 띠 간격이 작아 전자 전이가 쉬움 → 열에너지로 인한 전자 전이로 상온에서 전도띠에 자유 전자 존재 • 온도가 높아지면 자유 전자와 양공이 많아져 전기 전도성이 좋아짐

9. 반도체 도핑

① 순수 반도체: 규소(Si), 저마늄(Ge)은 모든 원자가 전자가 공유 결합하여 전기 전도성이 낮음

② 도핑: 순수 반도체에 불순물을 첨가 ➡ 전기 전도성 개선

구분	p형 반도체	n형 반도체
원자가 전자 배열	Si Si Si / Si B Si / Si Si Si	Si Si Si / Si As Si / Si Si Si
도핑	• 붕소(B), 알루미늄(Al), 갈륨(Ga), 인듐(In) 도핑 • 원자가 전자가 3개인 원소	• 인(P), 비소(As), 안티모니(Sb) 도핑 • 원자가 전자가 5개인 원소
주요 전하 운반체	• 양공: 빈 공간으로 전자가 자유롭게 이동 • 양공 > 자유 전자	• 전자: 공유 결합에 참여하지 않는 전자 존재 • 자유 전자 > 양공

10. p-n 접합 다이오드

① p-n 접합: p형 반도체와 n형 반도체를 접합

② 접합면에 공핍층과 전위 장벽 형성

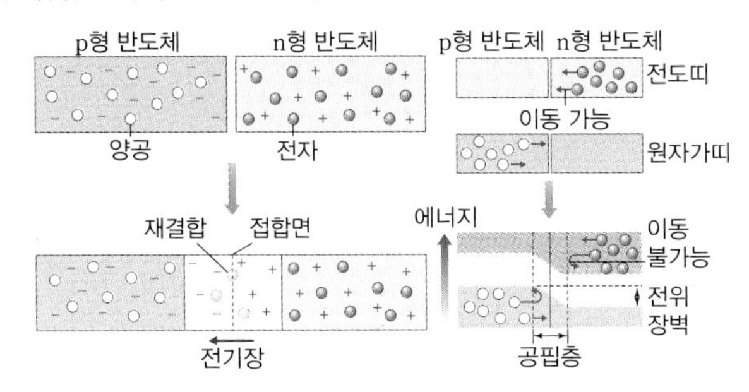

11. 바이어스

① 순방향 바이어스: p형 반도체에 (+)극, n형 반도체에 (−)극을 연결

➡ p형 반도체의 양공과 n형 반도체의 전자가 접합면으로 이동하여 재결합, 전류 흐름

② 역방향 바이어스: p형 반도체에 (−)극, n형 반도체에 (+)극을 연결

➡ p형 반도체의 양공과 n형 반도체의 전자가 접합면에서 멀어짐, 전류 흐르지 않음

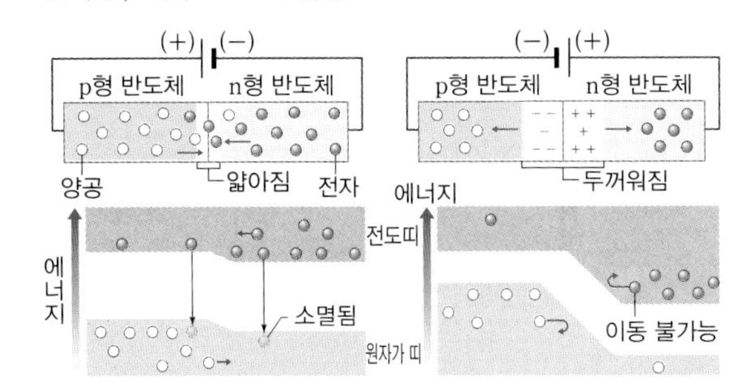

12. 정류 회로

① 다이오드: 순방향 바이어스일 때만 전류가 흐름

② 정류 회로: 교류를 직류로 바꿈

13. 다이오드 활용

발광 다이오드 (LED)	• 전류가 흐를 때 빛을 방출 • 접합면에서 전자가 에너지를 잃고 양공과 재결합 • 띠 간격에 따라 다양한 색의 빛 방출 • 영상 장치, 조명, 내시경 광원, 신호등 등
반도체 레이저 다이오드	• 전류가 흐를 때 파장과 위상이 동일한 빛 방출 • 레이저 포인트, CD나 DVD 시스템, 레이저 거리 측정기 등
광 다이오드	• 빛을 비추면 전자와 양공이 분리되어 전류가 흐름 • 빛 신호를 전기 신호로 변환 • 리모컨 수신부, 화재경보기, CT 검출기 등

단원 마무리하기

학교 시험에 꼭 나오는 문제를 모았어요. 꼼꼼하게 풀어봐요~

01 그림과 같이 양(+)전하와 음(−)전하로 대전된 입자가 각각 점 A, B에 고정되어 있다.

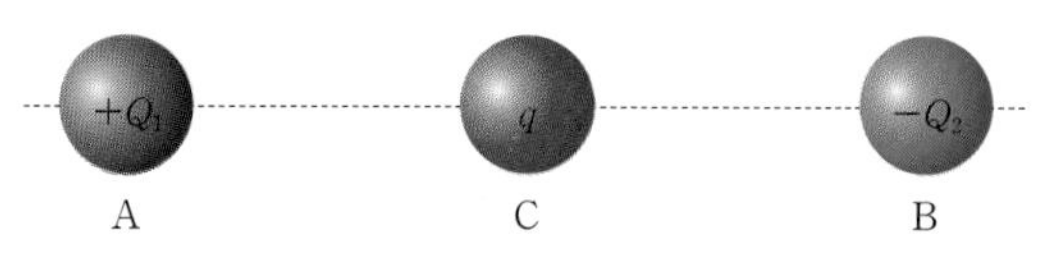

점 A와 B 사이 임의의 점 C에 전하 q로 대전된 입자를 놓았을 때, 이 입자가 받는 전기력에 대한 설명으로 옳은 것만을 〈보기〉에서 있는 대로 고른 것은? (단, 점 A, B, C는 동일 직선상에 있고 입자 사이 간격은 같다.)

보기
ㄱ. q가 음(−)전하이면 왼쪽으로 전기력을 받는다.
ㄴ. q의 전하량이 커지면 전기력이 커진다.
ㄷ. q가 양(+)전하이면 전기력이 0이 되는 위치는 A, B의 중간 지점이다.

① ㄱ ② ㄴ ③ ㄷ
④ ㄱ, ㄴ ⑤ ㄱ, ㄴ, ㄷ

02 그림 (가), (나)는 들뜬상태에 있던 수소 원자의 전자가 각각 에너지가 E_1, E_2인 빛을 방출하며 바닥상태로 전이하는 것을 나타낸 것이다. (단, $E_2 > E_1$이다.)

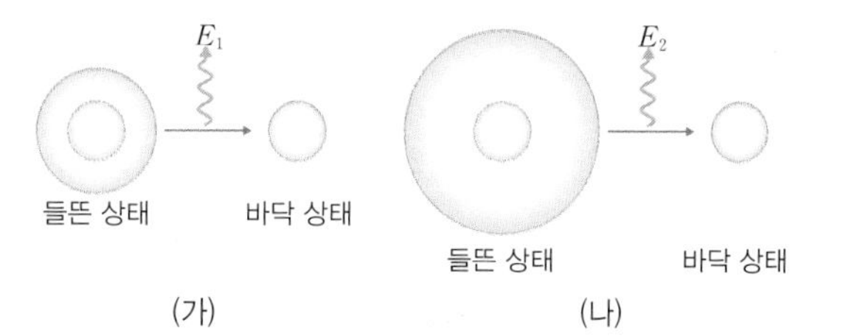

이에 대한 설명으로 옳은 것만을 〈보기〉에서 있는 대로 고른 것은?

보기
ㄱ. 빛의 파장은 (가)에서가 (나)에서보다 크다.
ㄴ. 들뜬상태의 양자수는 (가)에서가 (나)에서보다 크다.
ㄷ. 바닥상태의 전자는 에너지가 E_2인 빛을 흡수할 수 있다.

① ㄴ ② ㄷ ③ ㄱ, ㄴ
④ ㄱ, ㄷ ⑤ ㄱ, ㄴ, ㄷ

03 표 (가)는 상온에서 도체, 반도체, 절연체의 띠 간격을, (나)는 상온에서 규소(Si), 저마늄(Ge), 다이아몬드의 띠 간격을 나타낸 것이다.

물질	띠 간격(eV)
도체	0
반도체	0.5~3.0
절연체	5~8

(가)

물질	띠 간격(eV)
규소	1.14
저마늄	0.67
다이아몬드	5.4

(나)

이에 대한 설명으로 옳은 것만을 〈보기〉에서 있는 대로 고른 것은?

보기
ㄱ. 규소의 원자가 띠와 전도띠는 일부가 겹쳐 있다.
ㄴ. 다이아몬드는 절연체이다.
ㄷ. 상온에서 저마늄의 원자가 띠에 있던 전자가 1 eV의 에너지를 흡수하면 전도띠로 전이할 수 있다.

① ㄴ ② ㄷ ③ ㄱ, ㄴ
④ ㄱ, ㄷ ⑤ ㄴ, ㄷ

04 그림 (가)는 보어의 원자 모형에서 전자가 전이하며 빛 a, b, c를 방출하는 것을 나타낸 것이고, (나)는 이때 방출하는 빛의 스펙트럼을 나타낸 것이다. (단, f_2는 b의 진동수이다.)

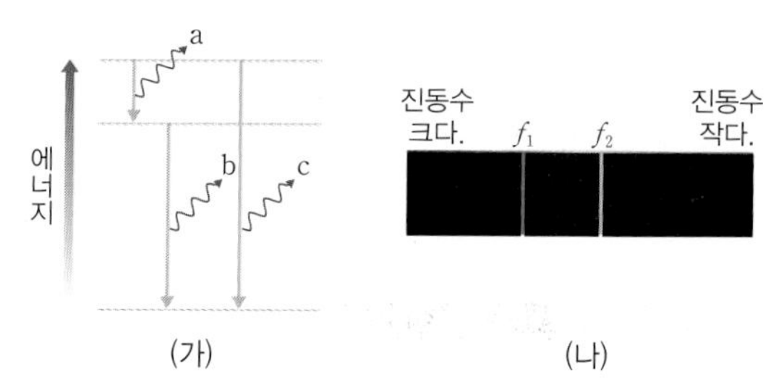

이에 대한 설명으로 옳은 것만을 〈보기〉에서 있는 대로 고른 것은?

보기
ㄱ. f_1은 a의 진동수이다.
ㄴ. a, b의 광자 1개의 에너지의 합은 c의 광자 1개의 에너지와 같다.
ㄷ. b의 파장은 진동수가 f_1인 빛의 파장보다 크다.

① ㄱ ② ㄷ ③ ㄱ, ㄴ
④ ㄴ, ㄷ ⑤ ㄱ, ㄴ, ㄷ

05 그림은 가열된 수소 기체가 방출하는 빛 중 가시광선 영역의 선 스펙트럼을 나타낸 것으로, A는 가시광선 중 에너지가 가장 작은 빛이다.

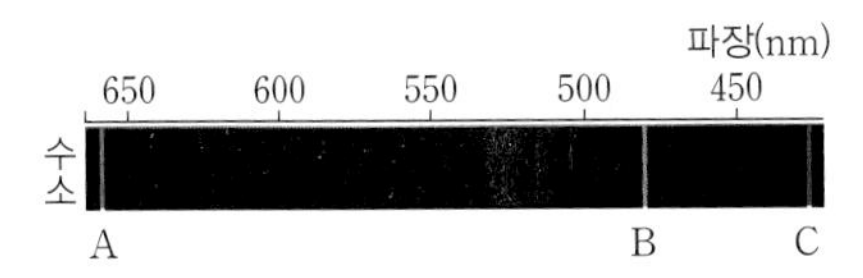

이에 대한 설명으로 옳은 것만을 <보기>에서 있는 대로 고른 것은?

보기

ㄱ. A는 전자가 $n=3$인 상태에서 $n=2$인 상태로 전이할 때 방출하는 빛이다.
ㄴ. $n=1$인 상태에 있던 전자는 C를 흡수하여 더 높은 에너지 준위로 전이할 수 있다.
ㄷ. 빛의 에너지는 B가 C보다 크다.

① ㄱ ② ㄴ ③ ㄷ
④ ㄱ, ㄴ ⑤ ㄴ, ㄷ

06 그림 (가)는 수소 원자에서 전자가 전이할 때 방출 또는 흡수하는 빛의 스펙트럼을 관찰한 결과를 나타낸 것이고, (나)는 보어의 수소 원자 모형에서 양자수에 따른 에너지 준위와 (가)의 스펙트럼 선에 해당하는 전자 전이 과정을 나타낸 것이다.

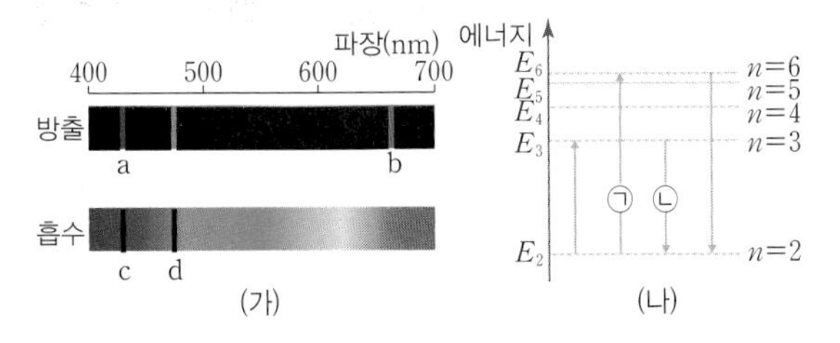

㉠과 ㉡에 해당하는 스펙트럼 선으로 옳은 것은?

	㉠	㉡
①	a	c
②	c	a
③	c	b
④	d	a
⑤	d	b

07 다음은 고체의 전기 전도성에 관한 실험이다.

<실험 과정>
(가) 고체 A를 전류계와 건전지에 연결한다.
(나) 스위치를 닫고 회로에 전류가 흐르도록 한 다음 전류계에 흐르는 전류의 세기를 관찰한다.

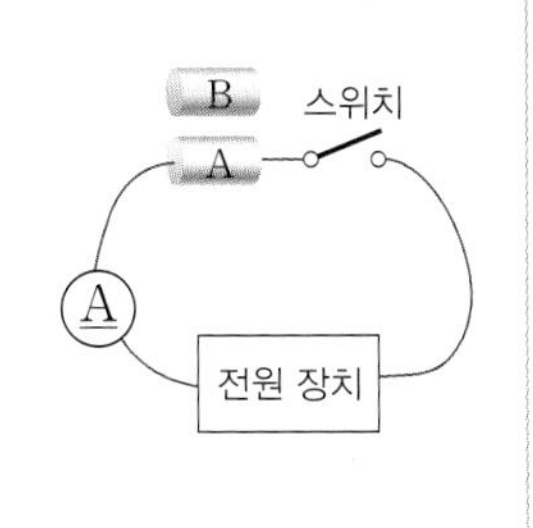

(다) 고체를 B로 바꾸어 (나) 과정을 반복한다.

<실험 결과>
- 상온에서 회로에 흐르는 전류의 세기는 A가 B보다 크다.
- 시간이 지나면서 A가 뜨거워지며 전류의 세기가 감소하였다.
- 시간이 지나면서 B가 뜨거워지며 전류의 세기가 증가하였다.

이에 대한 설명으로 옳은 것만을 <보기>에서 있는 대로 고른 것은?

보기

ㄱ. A는 원자가 띠와 전도띠가 겹쳐 있다.
ㄴ. B는 반도체이다.
ㄷ. 상온에서 전기 전도성은 A가 B보다 좋다.

① ㄱ ② ㄷ ③ ㄱ, ㄴ
④ ㄴ, ㄷ ⑤ ㄱ, ㄴ, ㄷ

08 그림은 백열전구에서 방출된 빛이 저온 기체 A를 통과한 후의 스펙트럼을 나타낸 것이다. a, b는 기체에 흡수된 빛이다.

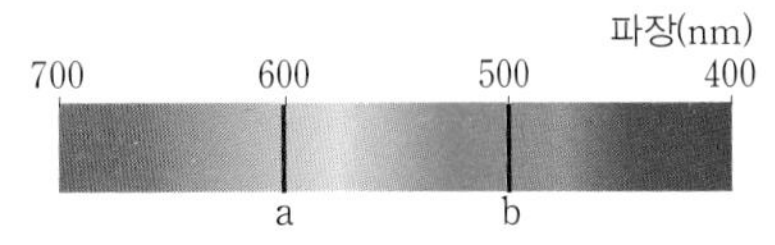

이에 대한 설명으로 옳은 것만을 <보기>에서 있는 대로 고른 것은?

보기

ㄱ. 빛의 에너지는 a가 b보다 크다.
ㄴ. A를 가열하면 파장이 550 nm인 빛을 방출한다.
ㄷ. 기체의 종류에 따라 흡수선의 위치가 다르다.

① ㄱ ② ㄷ ③ ㄱ, ㄴ
④ ㄱ, ㄷ ⑤ ㄴ, ㄷ

09 그림은 규소(Si)에 원자가 전자가 3개인 물질을 첨가한 반도체 X가 사용된 p-n 접합 다이오드 A와 발광 다이오드 B로 구성된 회로를 나타낸 것이다. 스위치를 S_1에 연결하였을 때 B에서 빛이 방출되었다.

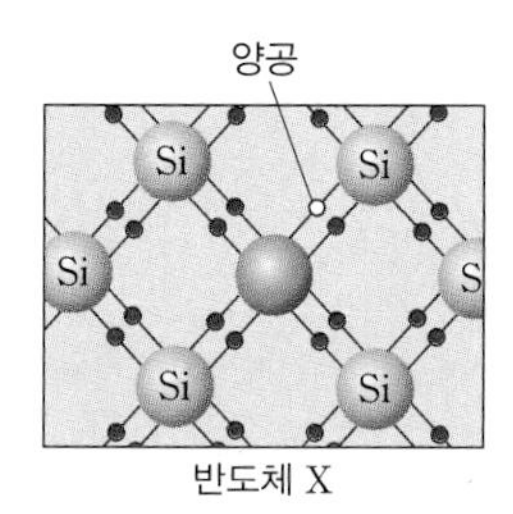

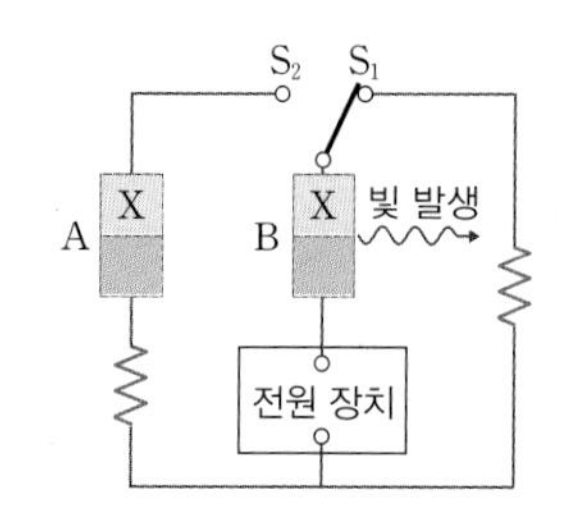

스위치를 S_2에 연결했을 때에 대한 설명으로 옳은 것만을 〈보기〉에서 있는 대로 고른 것은?

보기
ㄱ. A에 순방향 바이어스가 걸린다.
ㄴ. B에서 빛이 방출되지 않는다.
ㄷ. B의 접합면에서 전자와 양공이 재결합한다.

① ㄴ ② ㄷ ③ ㄱ, ㄴ
④ ㄱ, ㄷ ⑤ ㄱ, ㄴ, ㄷ

10 그림은 p-n 접합 다이오드와 발광 다이오드(LED)를 전원 장치에 연결했을 때 LED에서 빛이 방출되는 모습을 나타낸 것이다. A, B, C, D는 각각 p형 반도체 또는 n형 반도체이다. 이에 대한 설명으로 옳은 것만을 〈보기〉에서 있는 대로 고른 것은?

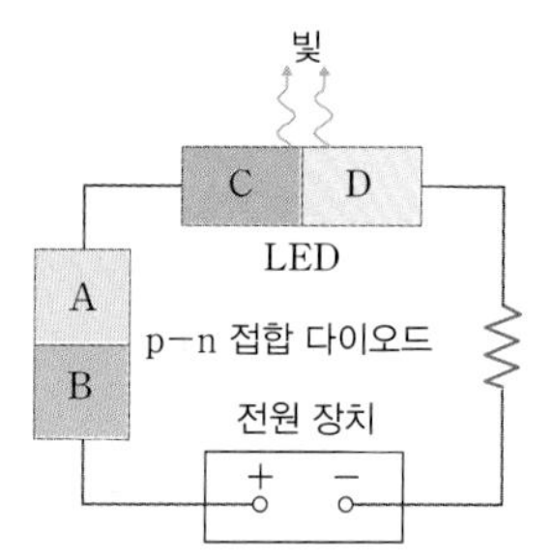

보기
ㄱ. A는 p형 반도체이다.
ㄴ. B와 C의 주요 전하 운반체는 같다.
ㄷ. D의 전도띠에 있는 전자는 접합면에서 양공과 재결합한다.

① ㄱ ② ㄷ ③ ㄱ, ㄴ
④ ㄴ, ㄷ ⑤ ㄱ, ㄴ, ㄷ

11 그림 (가)와 (나)는 각각 순수한 저마늄(Ge)과 저마늄에 불순물 A를 도핑한 반도체의 원자가 전자의 배열을 간단하게 나타낸 것이다.

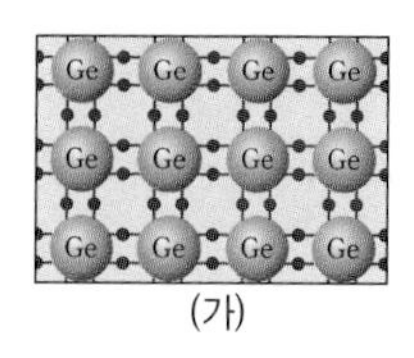

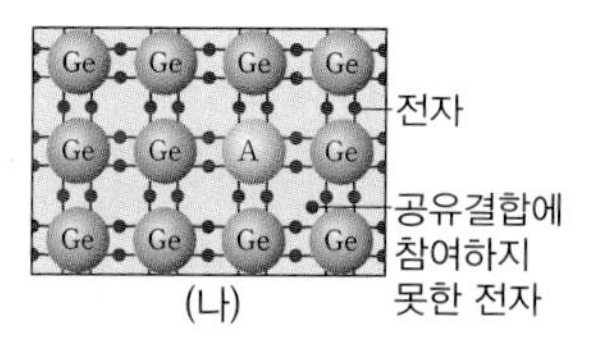

이에 대한 설명으로 옳은 것만을 〈보기〉에서 있는 대로 고른 것은?

보기
ㄱ. 상온에서 (가)에는 양공이 자유 전자보다 많다.
ㄴ. (나)는 n형 반도체이다.
ㄷ. 전기 전도성은 (가)가 (나)보다 좋다.

① ㄱ ② ㄴ ③ ㄱ, ㄴ
④ ㄴ, ㄷ ⑤ ㄱ, ㄴ, ㄷ

12 다음은 어떤 고체 A의 온도에 따른 전자 분포에 대한 설명이다.

(가) 절대 온도 0 K일 때는 전도띠에 전자가 없다.
(나) 온도가 T_1일 때 원자가 띠의 전자 일부가 전도띠로 전이해 있다.
(다) 온도가 T_2일 때 전도띠로 전이한 전자는 T_1일 때보다 많다.

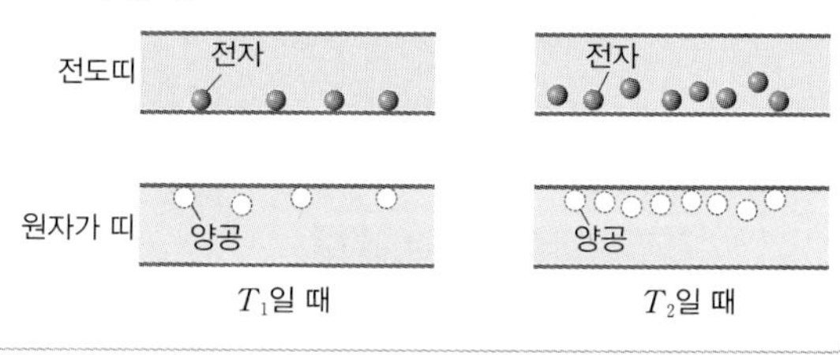

이에 대한 설명으로 옳은 것만을 〈보기〉에서 있는 대로 고른 것은?

보기
ㄱ. A는 반도체이다.
ㄴ. $T_2 > T_1$이다.
ㄷ. 비저항은 T_2일 때가 T_1일 때보다 크다.

① ㄱ ② ㄷ ③ ㄱ, ㄴ
④ ㄴ, ㄷ ⑤ ㄱ, ㄴ, ㄷ

13 그림 (가)는 p-n 접합 다이오드 4개를 교류 전원에 연결한 회로를 나타낸 것이고, (나)는 교류 전원의 전압을 시간에 따라 나타낸 것이다.

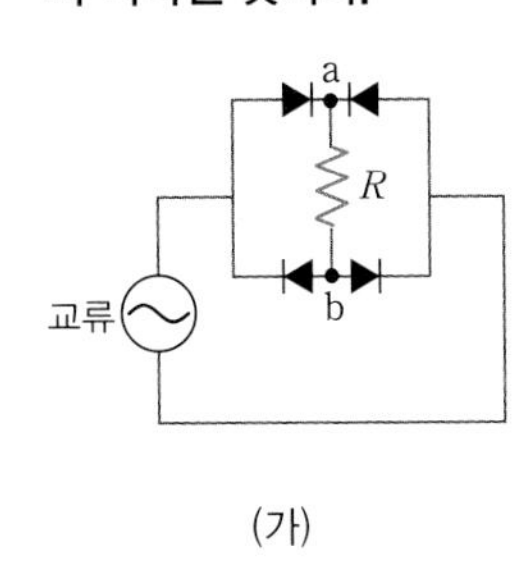

(가)

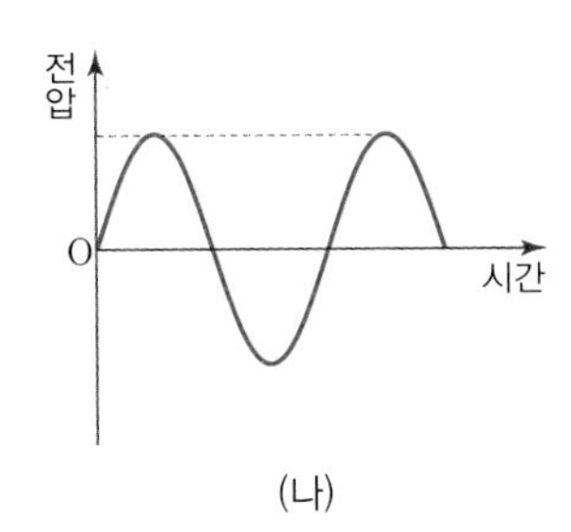

(나)

저항에 걸리는 전압을 시간에 따라 나타낸 것으로 가장 적절한 것은?

①
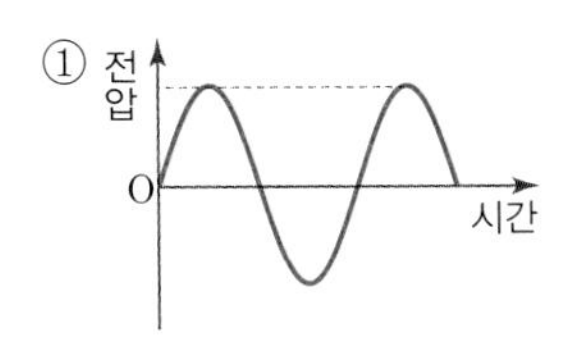

②
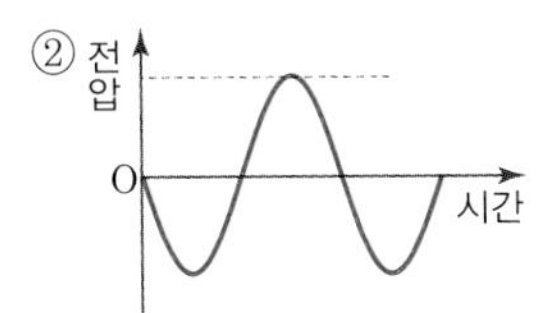

③
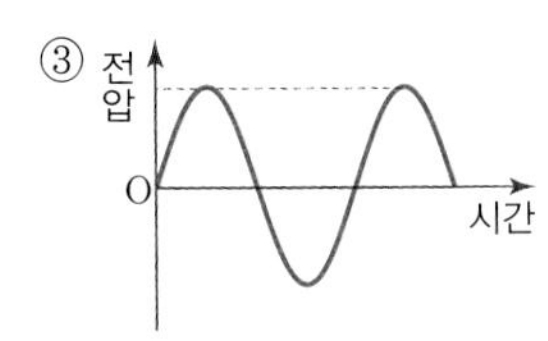

④
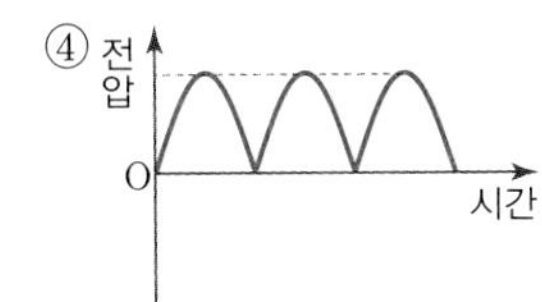

⑤
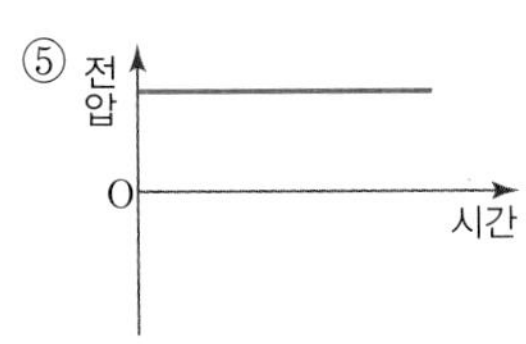

14 그림 (가)~(다)는 각각 도체, 반도체, 절연체의 에너지띠 구조를 순서 없이 나타낸 것이다.

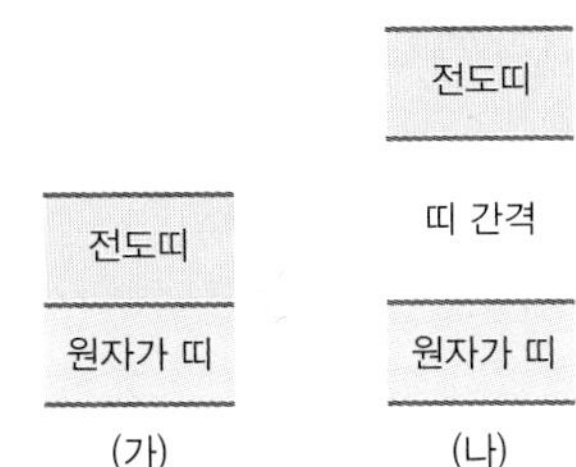

(가) (나)

(다)

이에 대한 설명으로 옳은 것만을 <보기>에서 있는 대로 고른 것은?

보기

ㄱ. 반도체의 에너지띠 구조는 (가)이다.
ㄴ. 온도가 높을수록 (다)의 원자가 띠에 양공이 많아진다.
ㄷ. 상온에서 전기 전도성은 (가)가 (나)보다 좋다.

① ㄱ ② ㄷ ③ ㄱ, ㄴ
④ ㄴ, ㄷ ⑤ ㄱ, ㄴ, ㄷ

15 그림은 전원 장치와 저항에 연결된 p-n 접합 발광 다이오드에서 빛이 방출되는 것을 나타낸 것이다.

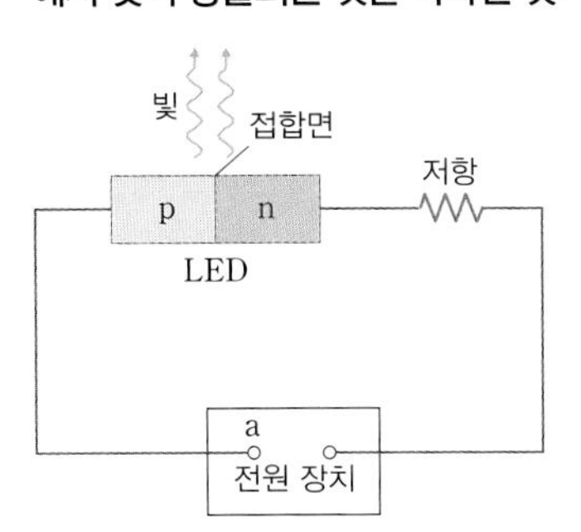

이에 대한 설명으로 옳은 것만을 <보기>에서 있는 대로 고른 것은?

보기

ㄱ. a는 (+)극이다.
ㄴ. LED에는 순방향 바이어스가 걸려 있다.
ㄷ. p형 반도체의 양공은 접합면으로 이동한다.

① ㄱ ② ㄷ ③ ㄱ, ㄴ
④ ㄴ, ㄷ ⑤ ㄱ, ㄴ, ㄷ

16 그림은 p-n 접합 다이오드 A, B, C, D를 교류 전원에 연결한 것을 나타낸 것이다.

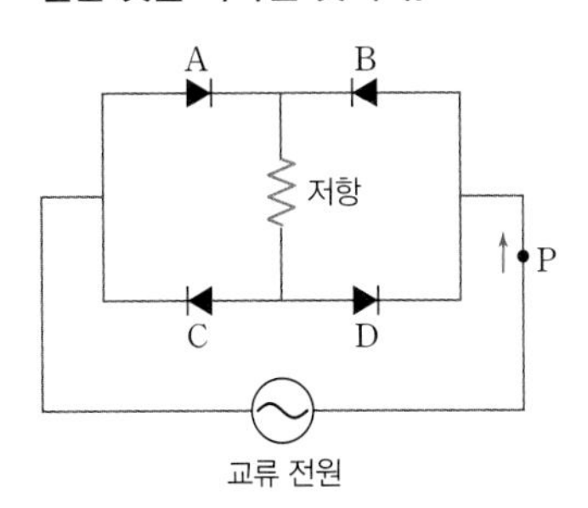

이에 대한 설명으로 옳은 것만을 <보기>에서 있는 대로 고른 것은?

보기

ㄱ. A에 순방향 바이어스가 걸릴 때와 역방향 바이어스가 걸릴 때 저항에 흐르는 전류의 방향은 같다.
ㄴ. P에 화살표 방향으로 전류가 흐를 때 전류가 흐르는 다이오드는 B, C이다.
ㄷ. C에 전류가 흐를 때는 D에도 전류가 흐른다.

① ㄱ ② ㄷ ③ ㄱ, ㄴ
④ ㄴ, ㄷ ⑤ ㄱ, ㄴ, ㄷ

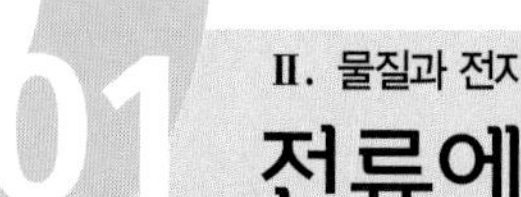

전류에 의한 자기장

내 교과서는 어디에?
천재 p.117~123 금성 p.110~117 동아 p.115~119
미래엔 p.126~133 비상 p.114~119 YBM p.132~138

핵심 Point
- **직선** 도선, **원형** 도선, **솔레노이드**가 만드는 **자기장**의 세기와 방향을 알아본다.
- **전류**에 의한 **자기장의 활용**을 알아보고 작동 원리를 이해한다.

1 자기장

1. **자기장** 자기력[1]이 작용하는 공간 ➡ 자기력이 미치는 자석 주변이나 전류가 흐르는 전선 주위에서 생긴다.

① 자기장의 방향: 나침반의 N극이 향하는 방향

② 자기력선[2]: 자기장의 모습을 선으로 나타낸 것 ➡ 나침반의 N극이 가리키는 방향을 연속적으로 이어 그린다.

③ 자기장의 세기: 자기력선이 촘촘할수록 세다.

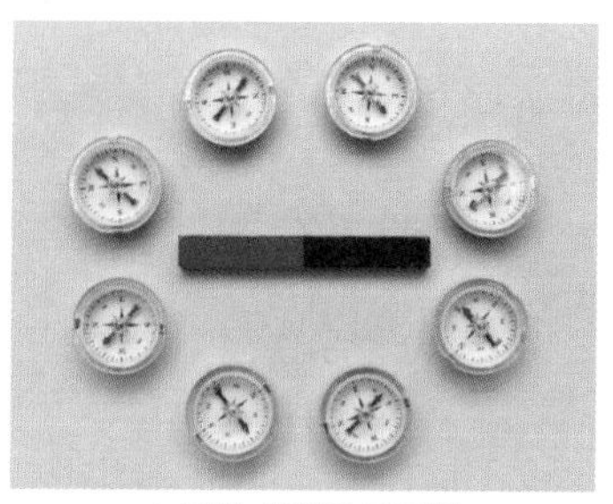

▲ 자석 주위의 자기장

2. **지구 자기장**

① 지구는 북극 부근에 S극, 남극 부근에 N극이 있는 하나의 거대한 자석이다.

② 나침반의 N극이 북극을, S극이 남극을 가리키는 것은 지구 자기장의 영향을 받기 때문이다.

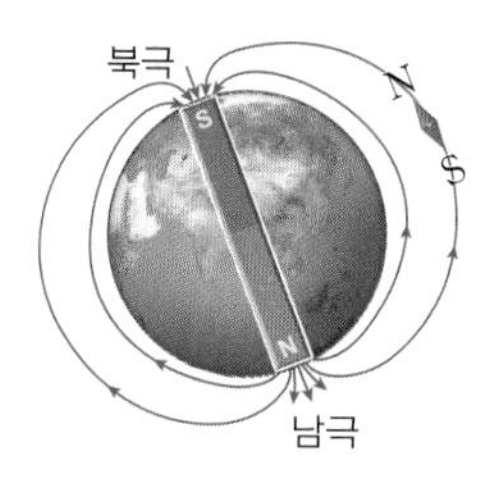

2 직선 전류가 만드는 자기장[3]

1. **자기장의 모양** 직선 도선 주위의 자기장은 도선을 중심으로 하는 ▸동심원 모양으로 생긴다.

2. **자기장의 세기** 직선 전류에 의한 자기장의 세기(B)는 도선에 흐르는 전류의 세기(I)에 비례하고, 도선으로부터의 거리(r)에 반비례한다.

$$B \propto \frac{I}{r}$$

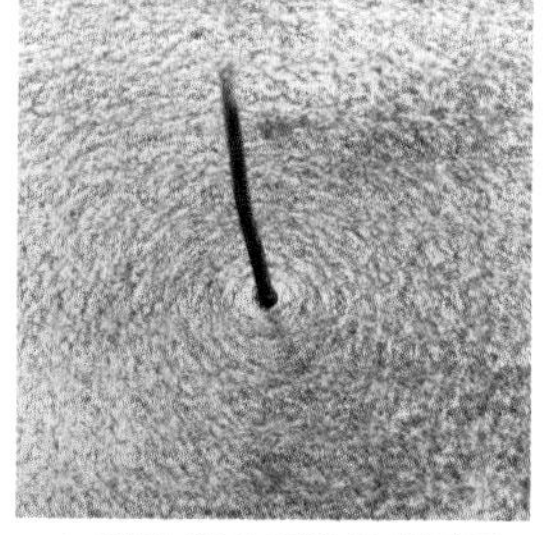

▲ 직선 전류 주위의 철가루

3. **자기장의 방향** 오른손의 엄지손가락이 전류의 방향을 향하게 할 때, 나머지 네 손가락이 도선을 감아쥐는 방향이 자기장의 방향이다. ➡ 앙페르 법칙

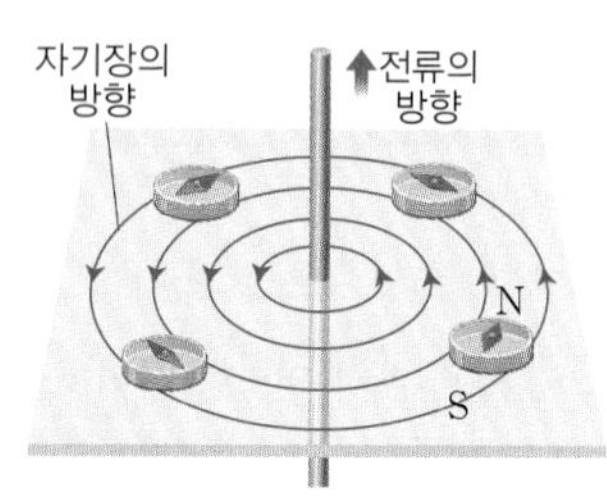

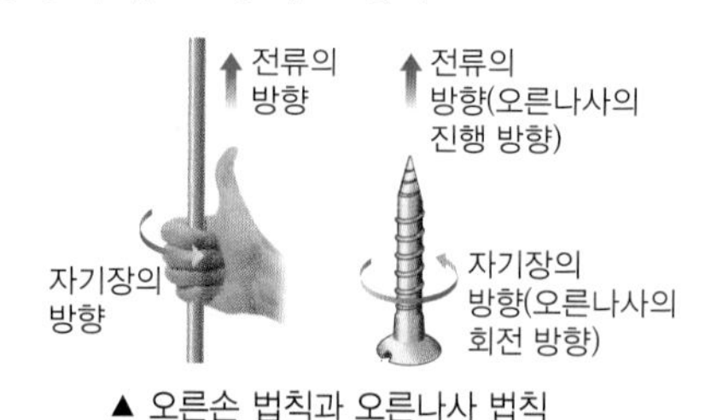

▲ 오른손 법칙과 오른나사 법칙

전류의 방향이 반대가 되면 엄지손가락이 아래 방향을 향하고, 자기장의 방향도 반대가 되어 시계 방향이 된다.

---

[1] 자기력
자극(N극, S극) 사이에 작용하는 힘. 같은 극 사이에서는 서로 밀어내는 힘이 작용하고, 다른 극 사이에서는 당기는 힘이 작용한다.

[2] 자기력선
자석의 N극에서 나와 S극으로 들어가며, 도중에 끊어지거나 교차하지 않는다.

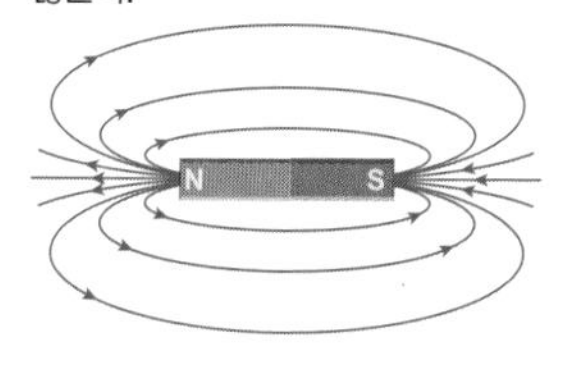

[3] 직선 도선 주위의 자기장
- 도선 아래에 나침반을 놓으면 자기장의 방향이 왼쪽이므로 나침반의 N극이 시계 반대 방향으로 회전한다.

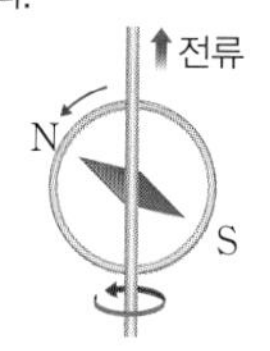

- 도선 위에 나침반을 놓으면 자기장의 방향이 오른쪽이므로 나침반의 N극이 시계 방향으로 회전한다.

용어
▸ **동심원**: 같은 중심을 가지며 반지름이 다른 두 개 이상의 원

개념 확인하기

1 자기장의 방향은 나침반의 N극이 가리키는 방향이다. (○ , ×)

2 직선 전류에 의한 자기장의 세기는 전류의 세기에 (비례 / 반비례)하고, 도선으로부터 떨어진 거리에 (비례 / 반비례)한다.

답 1. ○ 2. 비례, 반비례

자료 파헤치기

두 직선 전류에 의한 합성 자기장

두 도선에 동일한 전류가 흐르고, 한 도선에서 거리 r인 곳에서 자기장의 세기가 B일 때, 각 도선에 의한 자기장의 방향과 세기를 찾아서 두 자기장을 합성한다.

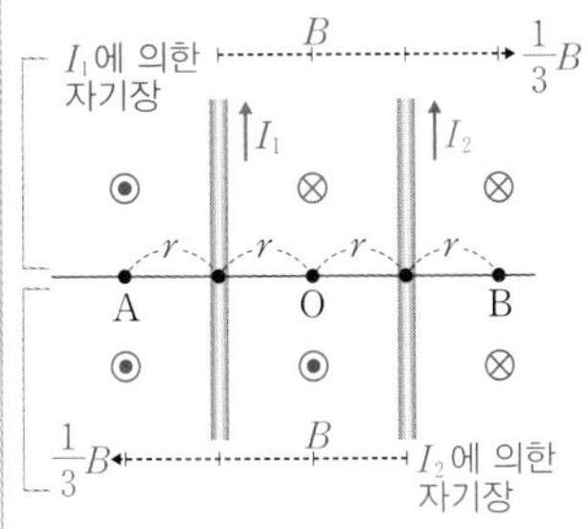

	A점	O점	B점
자기장의 방향	두 도선의 자기장 방향이 같다. → ⊙	자기장 방향이 서로 반대 방향 → 상쇄	두 도선의 자기장 방향이 같다. → ⊗
자기장의 세기	$B+\frac{1}{3}B$	0 $(-B+B)$	$\frac{1}{3}B+B$

⊙: 종이면을 뚫고 나오는 방향, ⊗: 종이면에 들어가는 방향

❶ 두 전류에 의한 자기장의 방향이 같을 때: 합성 자기장의 세기는 두 전류에 의한 자기장의 합과 같고, 방향은 두 전류에 의한 자기장 방향이다.

❷ 두 전류에 의한 자기장의 방향이 반대일 때: 합성 자기장의 세기는 두 전류에 의한 자기장의 차와 같고, 방향은 자기장의 세기가 센 쪽의 방향이다.

주의 콕

전류에 의한 자기장의 방향을 찾을 때는 반드시 오른손을 사용해야 한다. 왼손을 이용하면 방향이 틀려지니 주의하자.

❹ 지구 자기장과 직선 전류가 만드는 자기장 합성

- 지구 자기장($B_{지구}$)과 전류가 만드는 자기장($B_{전류}$)이 동시에 작용하면 두 자기장의 합성으로 자기장(B)이 형성된다.

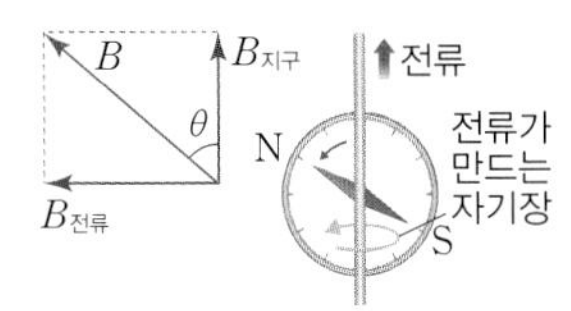

- 지구 자기장의 세기는 정해져 있으므로, 전류의 세기가 셀수록 나침반의 회전 각도(θ)가 커진다.

3 원형 전류가 만드는 자기장

1. **자기장의 모양** 원형 도선의 각 부분을 작은 직선 도선으로 생각하고 자기장의 모양을 그리면, 원형 도선의 중심에서는 직선 모양이고, 도선에 가까울수록 원 모양이다.

2. **자기장의 세기**

직선 전류에 의한 자기장은 도선으로부터 떨어진 거리에 반비례하고, 원형 전류에 의한 자기장은 도선이 만드는 원의 반지름에 반비례한다(원형 도선 중심).

① 원형 도선의 중심에서 자기장의 세기(B)는 전류의 세기(I)에 비례하고, 도선이 만드는 원의 반지름(r)에 반비례한다.

$$B \propto \frac{I}{r}$$

② 원형 도선 내부의 자기장의 세기는 원형 도선 외부보다 세다.

원형 도선의 중심에서는 중심 양쪽에 있는 도선에 의한 자기장이 합성되어 자기장의 세기가 세진다.

3. **자기장의 방향**

① 오른손의 엄지손가락을 전류의 방향으로 향하게 하고 나머지 네 손가락으로 도선을 감아쥘 때 네 손가락이 가리키는 방향이 자기장의 방향이다.

짧은 직선 도선의 연결로 보고 직선 전류의 자기장을 찾듯이 오른손 법칙을 이용한다.

② 원형 도선 중심에서 자기장은 원형 도선이 만드는 평면에 수직이다.❺

❺ 원형 도선 중심에서의 자기장

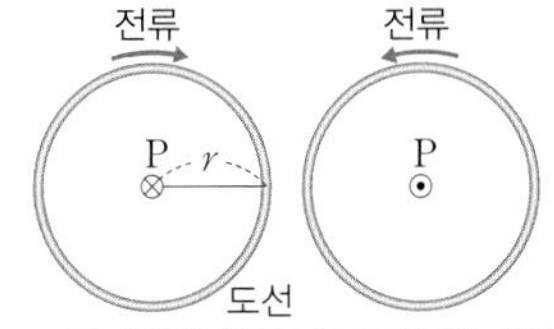

⊗ 종이면에 수직으로 들어가는 방향
⊙ 종이면에서 수직으로 나오는 방향

원형 도선에 시계 방향으로 전류가 흐르면 P점에는 수직으로 들어가는 방향의 자기장, 반시계 방향으로 전류가 흐르면 P점에는 수직으로 나오는 방향의 자기장이 형성된다.

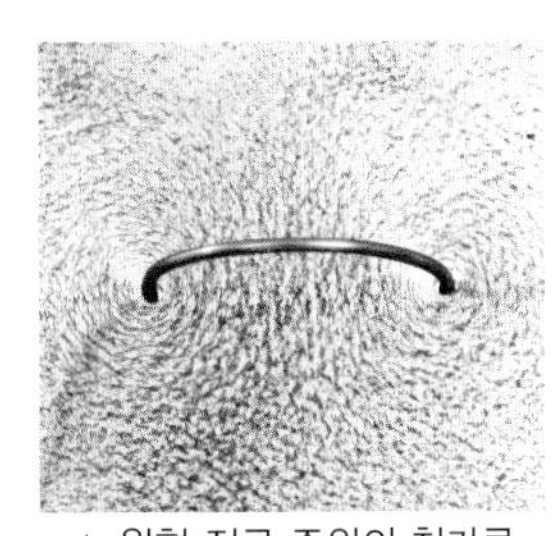

▲ 원형 전류 주위의 철가루

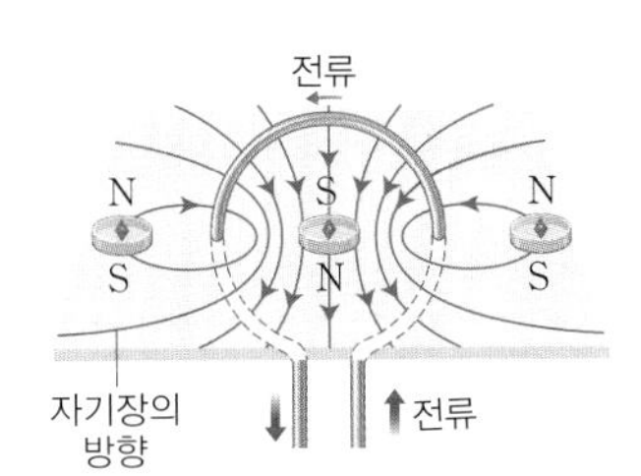

▲ 원형 전류 주위의 자기장

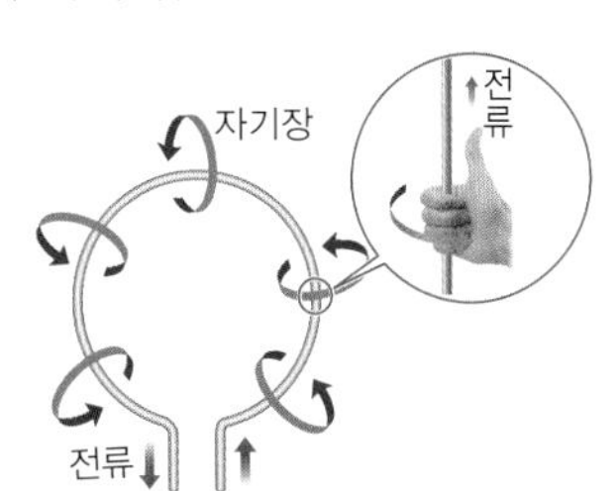

▲ 원형 전류의 자기장 방향 찾기

용어

▸ **합성**: 방향성이 있는 두 개 이상의 물리량을 하나로 합하는 것

개념 확인하기

1 원형 도선 내부의 자기장의 세기는 원형 도선 외부의 자기장의 세기보다 (세다 / 약하다).

2 원형 전류의 중심에서 자기장의 세기는 전류의 세기에 (비례 / 반비례)하고, 도선이 만드는 원의 반지름에 (비례 / 반비례)한다.

답 1. 세다 2. 비례, 반비례

셀파 탐구

전류가 흐르는 도선 주위의 자기장

목표 직선 전류가 흐르는 도선 주위의 자기장의 방향과 세기를 알 수 있다.

과정

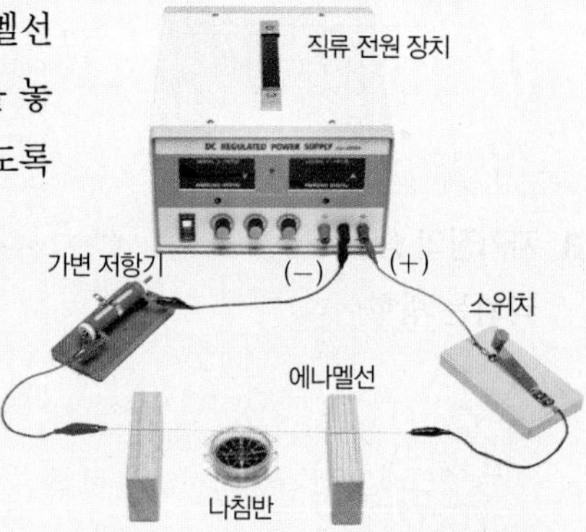

❶ 그림과 같이 나무 도막 위에 굵은 에나멜선을 남북 방향으로 얹고, 그 아래 나침반을 놓아 도선과 나침반 바늘의 방향이 일치하도록 한다.

❷ 스위치를 닫아 전류가 흐를 때 나침반의 바늘이 어느 방향으로 회전하는지 관찰한다.

❸ 가변 저항기를 조절하여 전류의 세기를 세게 하고 나침반 바늘이 돌아가는 정도를 관찰한다.

직류 전원 장치
가변 저항기
(−)
(+)
스위치
에나멜선
나침반

❹ 나침반을 도선 위에 가져가 나침반 바늘의 회전 방향을 관찰한다.

❺ 전원 장치의 극을 반대로 연결하여 나침반 바늘의 회전 방향을 관찰한다.

결과 및 정리

1. 과정 ❷~❺에서 나침반 바늘이 회전하는 정도와 방향을 나타내어 보자.

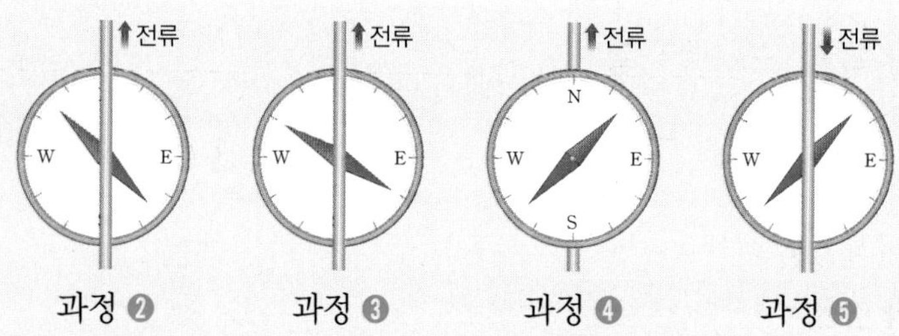

과정 ❷ 과정 ❸ 과정 ❹ 과정 ❺

➡ 나침반의 바늘은 직선 전류가 만드는 자기장의 영향을 받아 자기장의 방향으로 움직인다.

2. 전류의 방향과 나침반 바늘이 회전하는 방향은 어떤 관계가 있는가?

➡ 전류의 방향이 반대가 되면 나침반 바늘의 회전 방향도 반대 방향이 된다.

3. 전류의 세기와 나침반 바늘이 회전하는 정도는 어떤 관계가 있는가?

➡ 전류의 세기가 세지면 나침반 바늘이 회전하는 정도가 커진다.

같은 주제 다른 탐구

[과정]
도선 주위에 나침반을 여러 개 놓고, 전류를 흘려 주었을 때, 바늘의 움직임을 관찰한다.

[결과 및 정리]
1. 직선 도선을 중심으로 동심원 모양의 자기장이 생긴다.
2. 전류의 방향이 위쪽이면 나침반의 N극이 가리키는 방향이 반시계 방향이고, 전류의 방향이 아래쪽이면 나침반의 N극은 시계 방향을 향한다.
3. 오른손의 엄지손가락이 전류의 방향을 향하게 할 때, 나머지 네 손가락이 도선을 감아쥐는 방향이 자기장의 방향이다.

탐구 돋보기

전류가 흐르는 방향이 바뀌면 도선 주위에 생기는 자기장의 방향이 반대가 된다. 나침반의 바늘은 자기장의 방향에 따라 움직인다.

시험 유형은?

❶ 도선에 흐르는 전류의 세기가 증가할 때 나침반 바늘의 회전 각도는?
▶ 증가한다.

❷ 전류가 흐르는 도선과 나침반의 거리가 가까울수록 나침반 바늘의 회전 각도는?
▶ 증가한다.

❸ 도선에 흐르는 전류의 방향이 반대가 되면 나침반 바늘의 회전 방향은?
▶ 반대 방향이 된다.

탐구 대표 문제

정답과 해설 44쪽

01 위의 실험 과정에 대한 설명으로 옳은 것은?

① 저항값을 크게 하면 전류에 의한 자기장의 세기는 세진다.
② 전류의 세기를 세게 하면 전류에 의한 자기장의 세기는 약해진다.
③ 나침반을 도선에서 멀리 하면 나침반 바늘의 회전 각도는 감소한다.
④ 전류의 방향을 반대 방향으로 바꾸어도 나침반의 N극이 가리키는 방향은 변하지 않는다.
⑤ 전류의 세기를 증가시킬 때 나침반 바늘의 회전 각도는 변하지 않는다.

4 솔레노이드가 만드는 자기장

1. **자기장의 모양** 솔레노이드 내부에는 중심축과 나란한 방향으로 균일한 자기장이 형성되고, 외부에는 막대자석이 만드는 자기장과 비슷한 자기장❻이 형성된다.
2. **자기장의 세기(내부)** 솔레노이드 내부에서 자기장의 세기(B)는 도선에 흐르는 전류의 세기(I)에 비례하고, 단위길이당 도선의 감은 수(n)에 비례한다.

$$B \propto nI$$

솔레노이드 내부에는 균일한 자기장이 형성된다. 따라서 자기장의 세기는 도선과의 거리에는 영향을 받지 않는다. 솔레노이드 외부에는 막대자석 주변과 같은 모양의 자기장이 형성되므로 솔레노이드에서 멀어지면 자기장의 세기는 약해진다.

3. **자기장의 방향(내부)** 오른손 네 손가락을 전류의 방향으로 도선을 감아쥘 때 엄지손가락이 가리키는 방향이다.

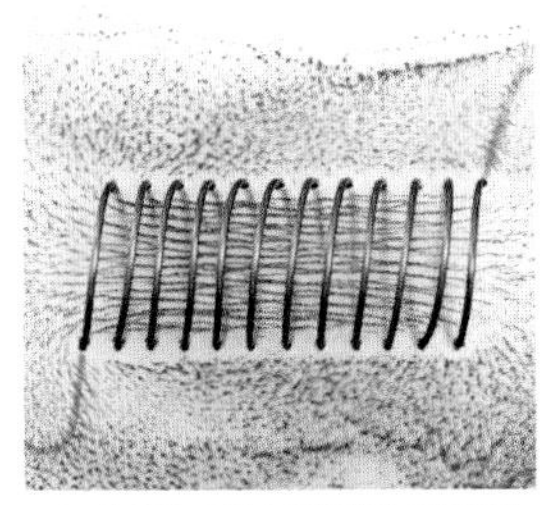
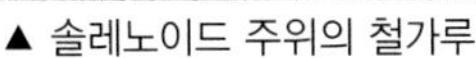
▲ 솔레노이드 주위의 철가루

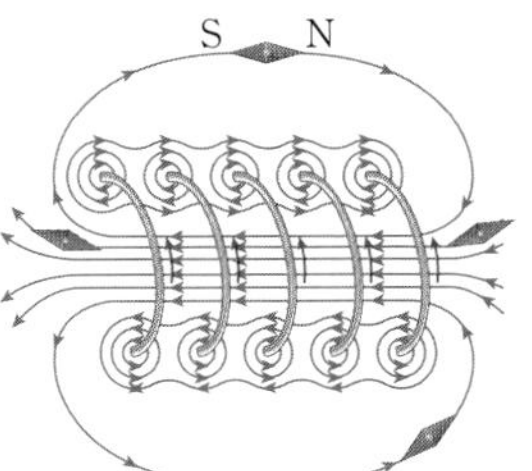

▲ 솔레노이드 주위의 자기장

솔레노이드는 원형 도선을 여러 번 겹쳐 놓은 것과 같은 모습이므로 솔레노이드 내부에 형성되는 자기장의 방향은 원형 전류 중심에 형성되는 자기장을 이어 놓은 방향이다.

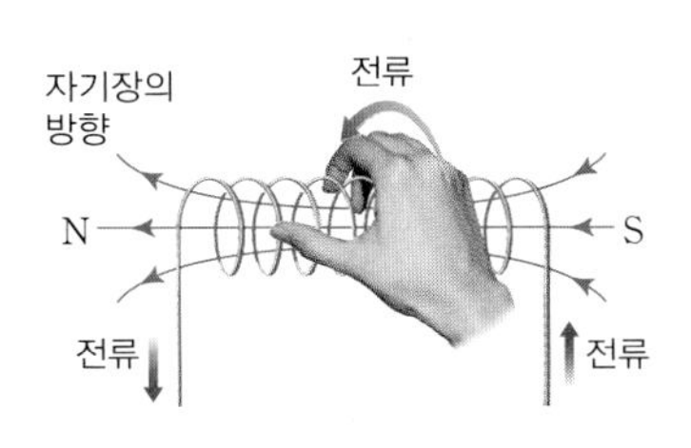

▲ 솔레노이드 내부의 자기장 방향 찾기

5 전류에 의한 자기장의 이용

1. **전자석** 솔레노이드 내부에 철심을 넣어 만든 자석
   ➡ 전류가 흐르면 철심이 자화되어 솔레노이드보다 더 강한 자기장이 형성된다.

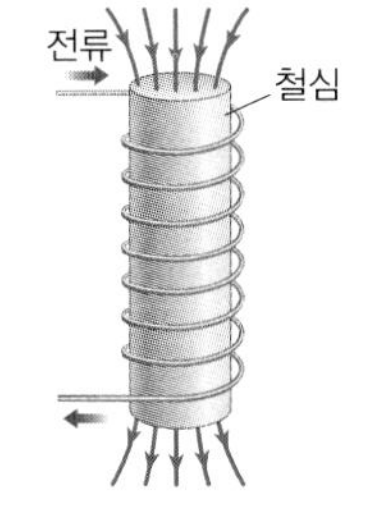

① 솔레노이드의 감은 수가 많을수록, 코일에 흐르는 전류가 셀수록 전자석의 세기가 세진다.

② 전자석의 활용

자기 부상 열차❼	자기 공명 영상 장치(MRI)
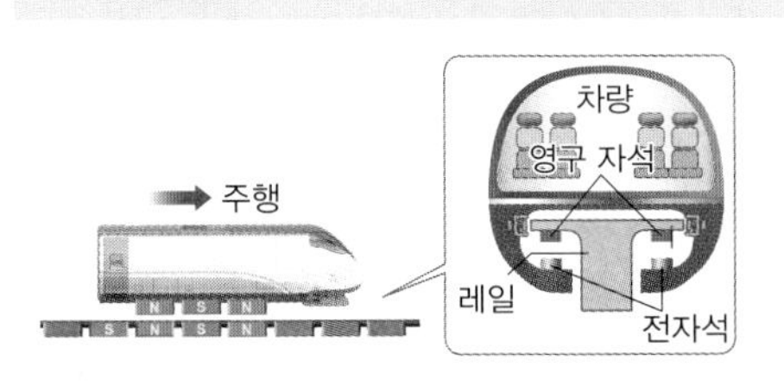	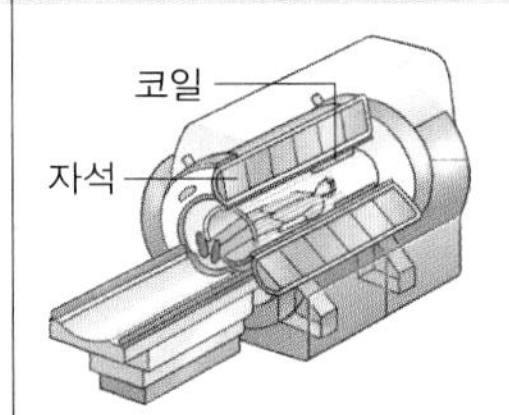
열차 바닥에 부착된 전자석과 레일에 부착된 영구 자석 사이의 반발력으로 열차가 레일 위에 살짝 뜬 상태에서 움직인다.	의료 장비 중 하나로, 솔레노이드에서 강한 자기장을 발생시키면 이 자기장이 인체 속 물 분자의 수소 원자핵을 공명시켜 신호를 얻어 영상으로 나타낸다.

- 하드 디스크의 헤드: 전자석을 이용하여 정보를 저장한다.

❻ 막대자석과 솔레노이드의 자기장

솔레노이드는 막대자석과 같이 한쪽은 N극, 반대쪽은 S극을 형성한다.

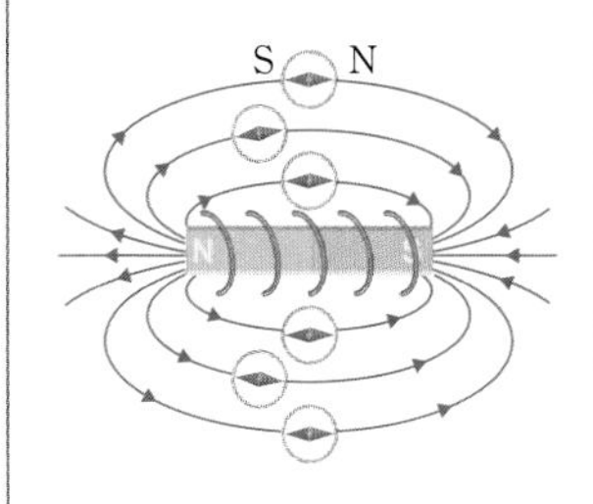

셀파 콕콕

원형 전류 중심, 솔레노이드 내부에서 자기장의 세기에 영향을 주는 요소와 자기장의 방향을 찾는 방법은 반드시 학습해 두자.

❼ 자기 부상 열차

자기 부상 열차 안에는 초전도 전자석이 여러 개 들어 있다.

셀파 콕콕

전자석은 막대자석과 비슷한 형태의 자기장을 형성하므로 전자석의 N극, S극의 위치와 자기장의 방향 찾기를 반드시 학습해 두자.

용어

- **솔레노이드**: 도선을 촘촘하게 원통형으로 말아 놓은 기구
- **자화**: 자석이 아닌 물체가 자석의 성질을 가지게 되는 것
- **공명**: 외부에서 주기적으로 가해지는 힘에 의해 진동하는 계의 진폭이 급격히 커지는 것

개념 확인하기

1 솔레노이드 내부에서 자기장의 세기는 전류의 세기에 (비례 / 반비례)하고, 단위길이당 감은 수에 (비례 / 반비례)한다.

2 전자석은 한쪽은 N극, 반대쪽은 S극이 형성되어 막대자석과 같은 역할을 할 수 있다. (○ , ×)

답 1. 비례, 비례 2. ○

2. 자기력의 이용

① 자기력: 자기장 속에서 전류가 흐르는 도선이 받는 힘 ➡ 자석의 자기장이 다른 자석에 힘을 미치는 것과 같이 전류에 의한 자기장이 주변의 자석과 서로 힘을 주고받는다.[8]

② 자기력의 방향: 오른손의 네 손가락을 자기장의 방향으로 편 다음, 엄지손가락이 전류의 방향을 가리키게 할 때 손바닥이 향하는 방향이다.

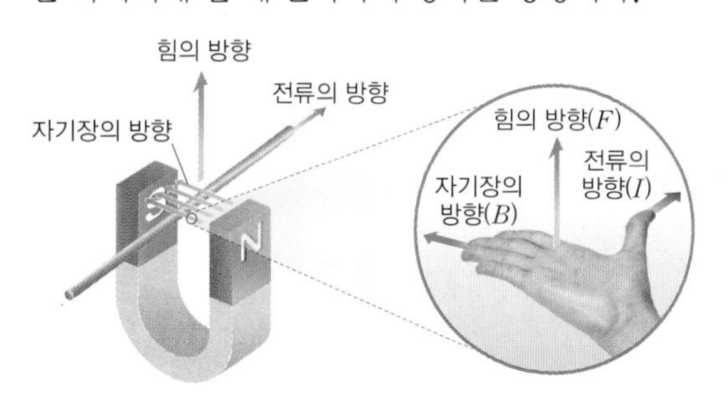

• 전류가 흐르는 도선에 생기는 자기장과 자석에 의한 자기장이 상호 작용하여 자기력이 생긴다.
• 도선은 자기력을 받아 움직인다.

③ 자기력의 크기: 도선에 작용하는 자기력의 크기(F)는 자기장의 세기(B)와 전류의 세기(I)가 셀수록, 자기장 속에 들어 있는 도선의 길이(l)가 길수록 크다. ➡ $F \propto BIl$

④ 자기력의 활용

스피커	• 코일에 전류가 흐르면 자기장이 형성되어 전자석이 되는 원리이다. • 코일이 형성하는 자기장과 영구 자석의 자기장이 상호 작용하여 밀거나 당기는 힘이 작용한다. • 코일에 흐르는 전류의 방향이 바뀌면 영구 자석과 밀고 당기는 힘이 바뀌어 진동판을 진동시켜 소리를 발생시킨다.	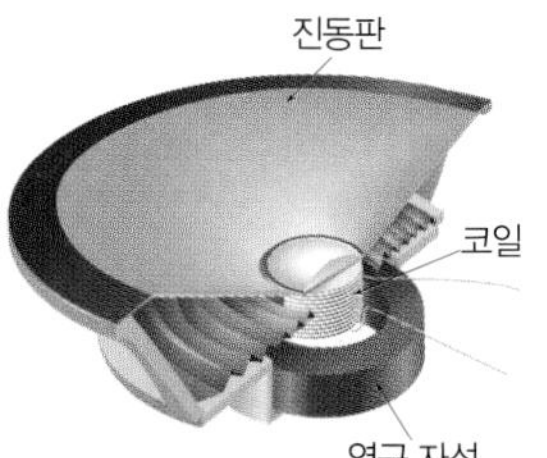
전동기	• 전류에 의한 자기장과 영구 자석의 자기장이 상호 작용하는 것을 이용한 장치이다. • 영구 자석 사이에 있는 사각 도선에 전류가 흐르면 사각 도선에 자기력이 작용하여 회전하는 원리를 이용한다.[9] • 도선의 전기 에너지가 운동 에너지로 전환된다.	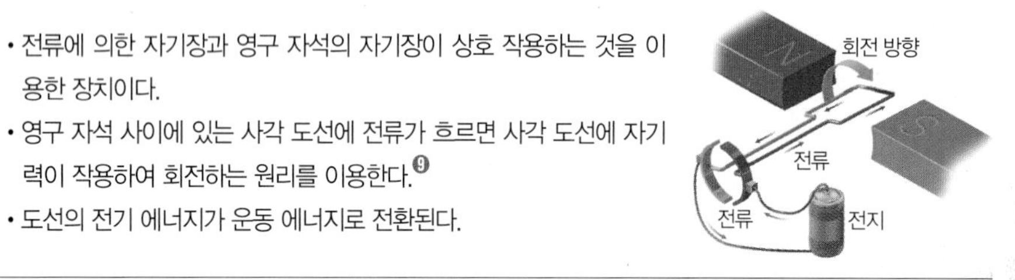

3. 핵융합 발전 장치의 토카막

핵융합 발전 시설에서 강한 자기장을 만들기 위해 솔레노이드를 도넛 모양으로 감은 형태의 토카막이라는 장치를 사용한다. 코일에 흐르는 전류 주위로 원형 자기장이 생긴다.

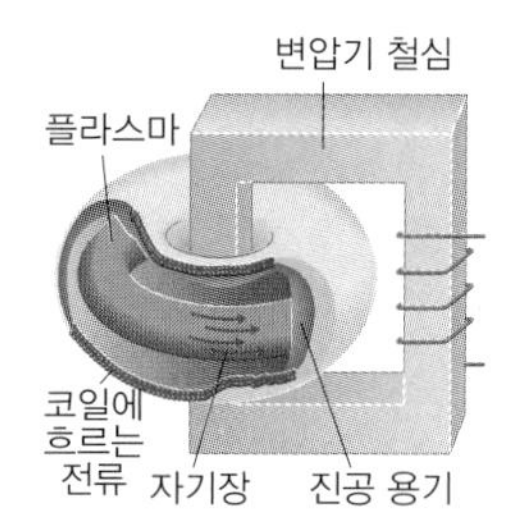

▲ 토카막

4. 뇌자도(MEG)

두뇌가 활동할 때 뇌세포에서 발생하는 미세한 전류에 의한 자기장을 측정하여 영상 신호로 바꿔 주는 장치

암기 쿡 자기력의 방향은 전류의 방향과 자기장의 방향에 각각 수직이다. 오른손을 펴서 자석의 자기장 방향을 먼저 찾고 나머지를 찾으면 쉽다.

[8] 자석의 자기장과 전류에 의한 자기장이 서로 밀어내거나 당기는 힘뿐만 아니라 자성을 띠는 물체 간의 밀어내거나 당기는 힘도 자기력이다.

[9] **전동기의 원리**

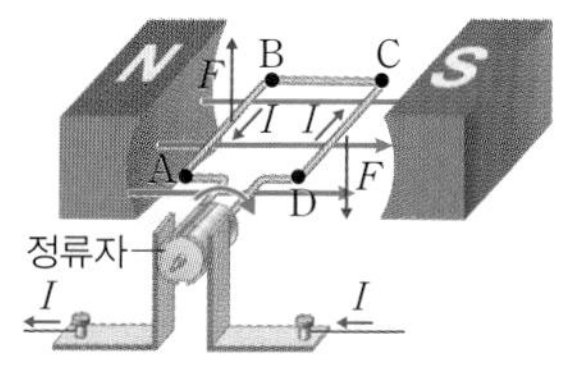

• 전동기 내부의 자석이 자기장을 형성하고, 자석 사이에 있는 사각 도선에는 전류가 흐른다.
• 자석의 자기장 방향은 일정하고, 도선에 흐르는 전류의 방향에 따라 자기력의 방향이 달라진다. 전류가 B → A로 흐르면 자기력이 위 방향이고, 전류가 D → C로 흐르면 자기력이 아래 방향이다.
• 사각 도선이 자기장과 수직인 방향이 될 때마다 정류자를 이용해 도선에 흐르는 전류의 방향을 바꾸면 도선은 계속 회전하게 된다.

용어

▸ **코일**: 도선을 감은 것(솔레노이드를 원통 코일이라고도 부른다.)

▸ **영구 자석**: N극, S극의 성질이 바뀌지 않고 자기장의 세기도 바뀌지 않는 자석

▸ **토카막**: 고온의 플라스마를 가두기 위해 자기장 코일로 만든 도넛형 가둠 장치

개념 확인하기

1 자기력은 도선에 흐르는 전류의 세기에 (비례 / 반비례)하고, 자기장의 세기에 (비례 / 반비례)한다.

2 전동기는 운동 에너지를 전기 에너지로 전환시켜 주는 장치이다. (○ , ×)

답 1. 비례, 비례 2. ×

셀파 세미나 S · H · E · R · P · A

합성 자기장

▶ 각 도선이 만드는 자기장을 합성하여 세기와 방향을 찾아봅시다.

01 두 직선 전류에 의한 자기장 합성

두 직선 도선 A, B에는 각각 $+x$ 방향, $+y$ 방향으로 같은 세기의 전류가 흐르고 있다. a~e 지점에서 두 직선 전류가 만드는 자기장의 세기와 방향을 알아보자. (단, 도선으로부터 l만큼 떨어진 곳에서 자기장의 세기는 B라고 가정한다.)

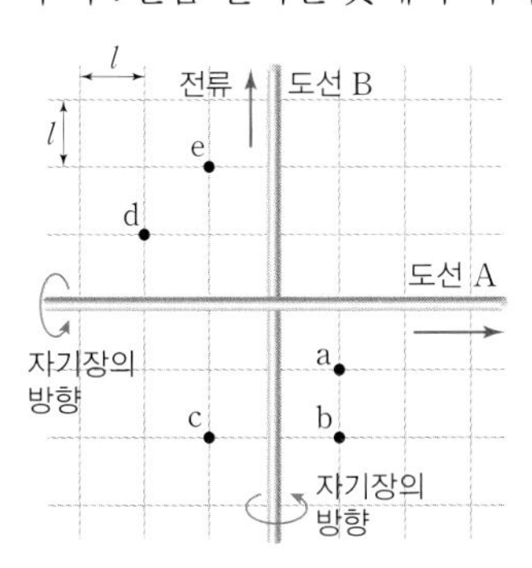

	a	b	c	d	e
도선 A의 자기장	⊗, B	⊗, $\frac{B}{2}$	⊗, $\frac{B}{2}$	⊙, B	⊙, $\frac{B}{2}$
도선 B의 자기장	⊗, B	⊗, B	⊙, B	⊙, $\frac{B}{2}$	⊙, B
합성 자기장	⊗, $2B$	⊗, $\frac{3B}{2}$	⊙, $\frac{B}{2}$	⊙, $\frac{3B}{2}$	⊙, $\frac{3B}{2}$

Plus 자료

직선 전류에 의한 자기장의 세기는 전류의 세기에 비례하고, 도선으로부터 거리에 반비례한다.
오른손 법칙으로 직선 전류에 의한 자기장의 방향을 찾을 때, 엄지손가락이 전류의 방향을 향하고 나머지 네 손가락이 자기장의 방향을 향한다.

02 두 원형 전류에 의한 자기장 합성

세기가 I인 전류가 서로 반대 방향으로 흐르는 두 원형 도선이 있다. 점 P는 두 원형 도선의 중심이며, 점 P에서 도선 A에 의한 자기장의 세기는 B이다. 도선 A와 B에 의한 P점에서의 자기장의 세기와 방향을 알아보자.

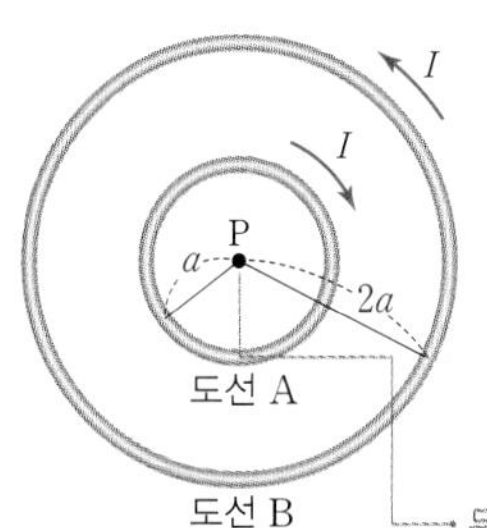

	도선 A	도선 B
P점에서의 자기장	⊗, B	⊙, $\frac{B}{2}$
합성 자기장	⊗, $B-\frac{B}{2}=\frac{B}{2}$	

두 도선에 의한 자기장의 방향은 반대 방향이고, 자기장의 세기는 P점과 더 가까운 도선 A에 의한 자기장의 세기가 세다.

Plus 자료

원형 전류에 의한 자기장의 세기는 전류의 세기에 비례하고, 도선이 만드는 원의 반지름에 반비례한다.
오른손 법칙으로 전류에 의한 자기장의 방향을 찾을 때, 엄지손가락이 전류의 방향을 향하고 나머지 네 손가락이 자기장의 방향을 향한다.

03 원형 전류와 직선 전류에 의한 자기장 합성

반지름이 r인 원형 도선 A를 따라 전류 I_1이 반시계 방향으로 흐르고, 원형 도선의 중심 P로부터 거리 $2r$만큼 떨어진 곳에서 아래 방향으로 전류 I_2가 흐르는 직선 도선 B가 있다. 중심 P에서 원형 전류에 의한 자기장의 세기는 B이고, 두 도선에 의한 합성 자기장의 세기는 0이다.

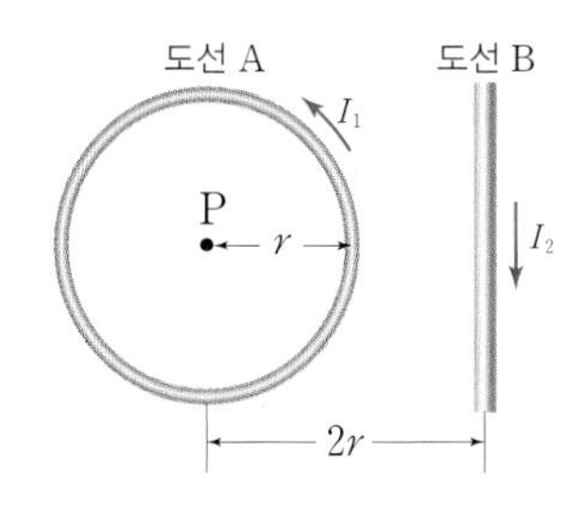

	원형 도선 A	직선 도선 B
P점에서의 자기장	⊙, B	⊗, B
합성 자기장	0	

P에서 도선 A가 만드는 자기장의 세기가 B이고, A와 B에 의한 합성 자기장이 0이므로, P에서 도선 B에 의한 자기장은 세기가 B이고 방향은 도선 A에 의한 자기장과 반대이다.

Plus 문제

Q. 왼쪽 그림에서 다른 조건은 동일하고, 직선 도선에 전류가 위 방향으로 흐를 때 P점에서 자기장의 세기를 구하시오.

A. $B+B=2B$

기초 탄탄 문제

정답과 해설 44쪽

핵심용어_ 이 단원에서 내가 아는 것과 아직 모르는 것을 정리하며 나의 공부를 돌아보자.

- ◻ 자기장
- ◻ 직선 전류에 의한 자기장
- ◻ 원형 전류에 의한 자기장
- ◻ 솔레노이드에 의한 자기장
- ◻ 전자석, 스피커의 구조와 작동 원리

01 자기장에 대한 설명으로 옳지 않은 것은?

① 자기장의 방향은 나침반의 N극이 향하는 방향이다.
② 자석의 N극 주변에서 자기력선은 N극으로 모여 들어가는 모양이다.
③ 전류가 흐르는 도선 주변에는 자기장이 형성된다.
④ 지구 자기장의 방향은 북쪽 방향이다.
⑤ 나침반의 N극에는 북극을 향하는 자기력이 작용한다.

02 직선 도선에 흐르는 전류가 형성하는 자기장에 대한 설명으로 옳은 것은?

① 전류의 방향과 자기장의 방향은 나란한 방향이다.
② 도선에 흐르는 전류의 세기를 증가시키면 자기장의 세기도 증가한다.
③ 도선으로부터의 거리가 멀수록 자기장의 세기가 세진다.
④ 도선 주변에 나침반 여러 개를 놓으면 나침반의 N극은 모두 도선이 있는 중심을 향한다.
⑤ 일정한 전류가 흐르는 도선은 시간이 흐를수록 주변에 형성되는 자기장의 세기가 세진다.

03 화살표 방향으로 전류가 흐르는 직선 도선 주위에 놓인 나침반 바늘의 방향을 옳게 나타낸 것은?

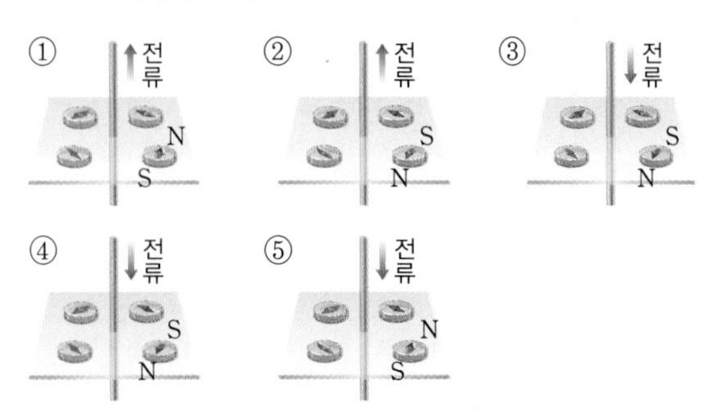

04 원형 도선에 흐르는 전류가 형성하는 자기장에 대한 설명으로 옳지 않은 것은?

① 원형 도선 중심에서 자기장의 방향은 원형 도선이 만드는 평면에 수직인 방향이다.
② 전류의 세기가 감소하면 원형 도선 중심에 형성되는 자기장의 세기가 감소한다.
③ 원형 도선 중심에 형성되는 자기장의 세기는 도선이 만드는 원의 반지름에 비례한다.
④ 원형 도선에 흐르는 전류의 방향이 반대가 되면 자기장의 방향이 반대가 된다.
⑤ 원형 전류 주위의 자기장의 세기와 방향은 일정하지 않다.

05 그림과 같이 솔레노이드에 직류 전원 장치와 스위치를 연결하였다. 스위치를 닫았을 때 솔레노이드 내부에 형성되는 자기장에 대한 설명으로 옳지 않은 것은?

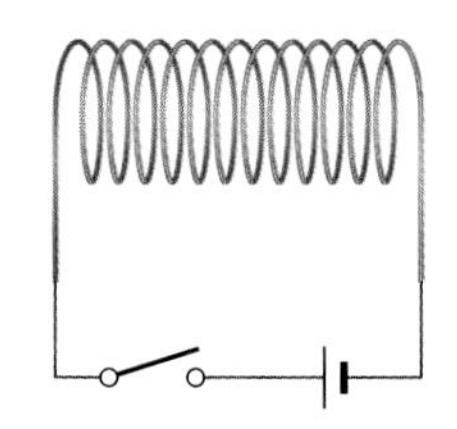

① 솔레노이드 내부에서 자기장의 방향은 왼쪽 방향이다.
② 직류 전원 장치의 전압을 증가시키면 자기장의 세기가 증가한다.
③ 솔레노이드의 단위길이당 감은 수를 증가시키면 자기장의 세기가 감소한다.
④ 솔레노이드 내부에는 균일한 자기장이 생긴다.
⑤ 전원 장치의 극을 반대로 하면 자기장의 방향이 반대이다.

06 전류의 자기 작용을 응용한 장치가 아닌 것은?

① 전자석
② 전동기
③ 스피커
④ 자기 부상 열차
⑤ 발광 다이오드

내신 만점 문제

정답과 해설 45쪽

▮▮▮ 난이도를 나타냅니다.

01 ▮▮ 그림과 같이 나침반 위에 남북 방향으로 도선을 올려 둔 채 전류를 흘렸더니 나침반의 N극이 시계 방향으로 회전하여 북동쪽을 가리키고 있다. 이에 대한 설명으로 옳은 것만을 〈보기〉에서 있는 대로 고른 것은?

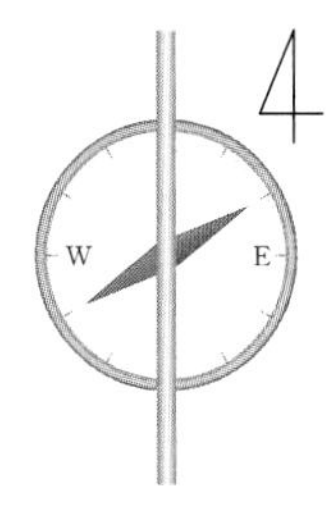

보기

ㄱ. 나침반에 작용하는 전류에 의한 자기장의 방향은 동쪽이다.

ㄴ. 전류의 방향은 북쪽 방향이다.

ㄷ. 전류의 방향을 반대로 하면 나침반의 N극이 가리키는 방향이 남서쪽이 된다.

① ㄱ　② ㄷ　③ ㄱ, ㄴ　④ ㄱ, ㄷ　⑤ ㄴ, ㄷ

02 ▮▮ 그림과 같이 일정한 세기의 전류가 흐르는 무한히 긴 두 직선 도선 A, B가 xy 평면상에 고정되어 있고, 점 P, Q, R는 x축상에 있다. 점 Q에서 A와 B에 의한 자기장의 세기가 0이고, 점 R에서 A와 B에 의한 자기장의 방향은 xy 평면에서 수직으로 들어가는 방향이다. 이에 대한 설명으로 옳은 것만을 〈보기〉에서 있는 대로 고른 것은? (단, 지구 자기장은 무시한다.)

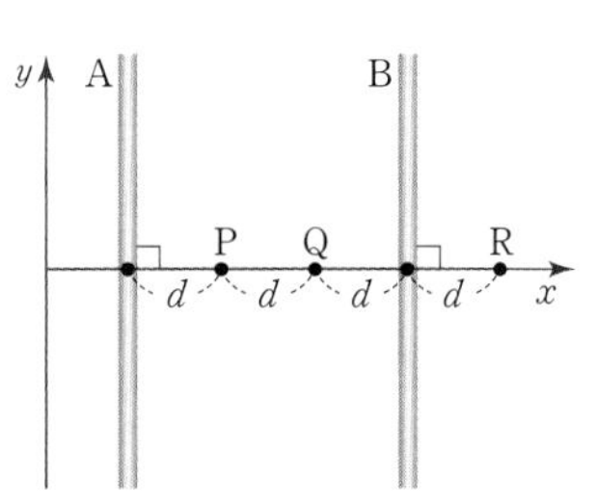

보기

ㄱ. A와 B에는 같은 방향으로 전류가 흐른다.

ㄴ. 전류의 세기는 A에서가 B에서보다 세다.

ㄷ. P점에서 A와 B에 의한 자기장의 방향은 xy 평면에서 수직으로 나오는 방향이다.

① ㄱ　② ㄷ　③ ㄱ, ㄴ　④ ㄴ, ㄷ　⑤ ㄱ, ㄴ, ㄷ

[03~04] 그림과 같이 전류 I가 흐르는 무한히 긴 직선 도선이 종이면에 놓여 있다. (단, 지구 자기장은 무시한다.)

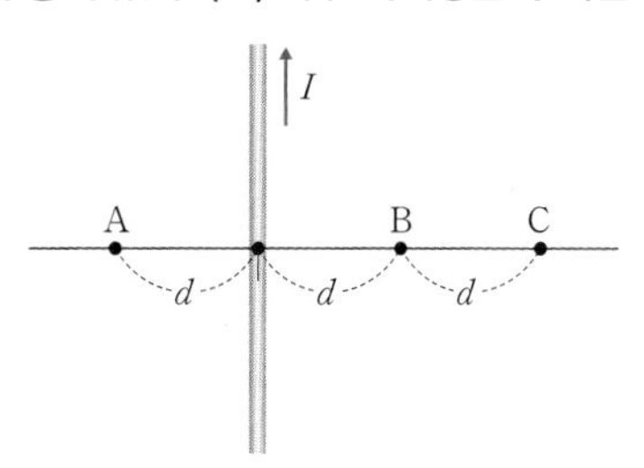

03 ▮▮ 도선과 점 A, B, C는 같은 종이면에 같은 간격 d 만큼 떨어져 있을 때, 점 A, B, C에서의 자기장의 세기의 비를 $B_A : B_B : B_C$로 나타내면?

① 1 : 1 : 1　② 1 : 2 : 2　③ 2 : 1 : 1　④ 2 : 2 : 1　⑤ 2 : 1 : 2

04 ▮▮ 점 A, B, C에 형성되는 자기장의 방향을 순서대로 옳게 나열한 것은? (단, 종이면에서 수직하게 나오는 방향은 ⊙, 수직으로 들어가는 방향은 ⊗로 표시한다.)

① ⊙, ⊙, ⊙　② ⊙, ⊙, ⊗　③ ⊙, ⊗, ⊗　④ ⊙, ⊗, ⊙　⑤ ⊗, ⊗, ⊗

05 ▮▮ 그림과 같이 무한히 긴 직선 도선이 xy 평면의 원점에 수직으로 고정되어 있다. 직선 도선에는 xy 평면에서 수직으로 나오는 방향으로 일정한 전류가 흐르고 a, b, c 점은 xy 평면 위의 지점이다. 이에 대한 설명으로 옳은 것만을 〈보기〉에서 있는 대로 고른 것은? (단, 지구 자기장은 무시한다.)

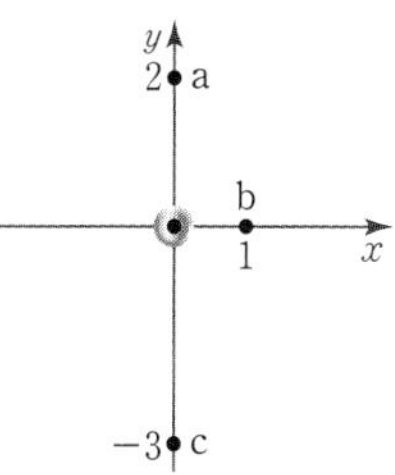

보기

ㄱ. a 지점에 형성되는 자기장의 방향은 $-x$ 방향이다.

ㄴ. a, b, c 중에서 자기장의 세기가 가장 강한 지점은 c이다.

ㄷ. a와 c에서는 같은 방향의 자기장이 형성된다.

① ㄱ　② ㄷ　③ ㄱ, ㄴ　④ ㄴ, ㄷ　⑤ ㄱ, ㄴ, ㄷ

06 그림과 같이 반지름이 a인 원형 도선에 시계 방향으로 전류 I가 흐르고 있다. 원형도선의 중심인 O점에서의 자기장의 세기가 B_0일 때, 이에 대한 설명으로 옳은 것만을 〈보기〉에서 있는 대로 고른 것은? (단, 지구 자기장은 무시한다.)

보기

ㄱ. 자기장의 방향은 지면에서 수직으로 나오는 방향이다.

ㄴ. 전류의 세기를 $2I$로 증가시키면 O점에서 자기장의 세기는 $2B_0$이 된다.

ㄷ. 원형 도선의 반지름을 $2a$로 증가시키면 O점에서의 자기장의 세기는 $\frac{B_0}{4}$이 된다.

① ㄱ ② ㄴ ③ ㄱ, ㄴ
④ ㄱ, ㄷ ⑤ ㄴ, ㄷ

07 그림은 무한히 긴 직선 도선 P가 y축에 고정되어 있고, 시계 방향으로 일정한 전류 I가 흐르는 원형 도선 Q가 xy 평면에 고정되어 있는 것을 나타낸 것이다. 점 A는 Q의 중심이다. 표는 P에 흐르는 전류에 따른 A에서의 P와 Q에 의한 자기장을 나타낸 것이다.

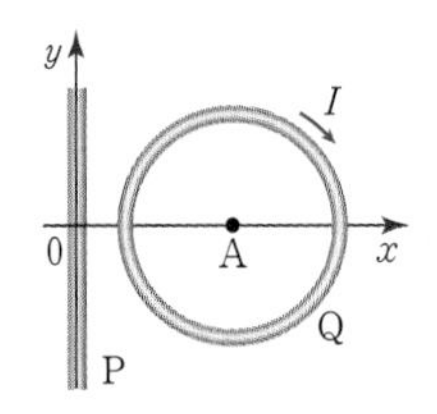

P에 흐르는 전류		A에서의 P와 Q에 의한 자기장	
세기	방향	세기	방향
0	없음	B_0	(a)
I_0	(b)	0	없음
$2I_0$	$+y$	(c)	(d)

이에 대한 설명으로 옳은 것만을 〈보기〉에서 있는 대로 고른 것은? (단, 지구 자기장은 무시한다.)

보기

ㄱ. b에 들어갈 전류의 방향은 $-y$이다.

ㄴ. a와 d에 들어갈 자기장의 방향은 같다.

ㄷ. c에 들어갈 자기장의 세기는 $3B_0$이다.

① ㄱ ② ㄴ ③ ㄷ
④ ㄱ, ㄴ ⑤ ㄱ, ㄴ, ㄷ

08 그림과 같이 두 원형 도선에 전원 장치를 연결하여 세기가 일정한 전류를 흐르게 하였더니 중심 O에서 자기장의 세기가 B이었다. 이에 대한 설명으로 옳은 것만을 〈보기〉에서 있는 대로 고른 것은? (단, 두 원형 도선의 중심은 같고, 지구 자기장은 무시한다.)

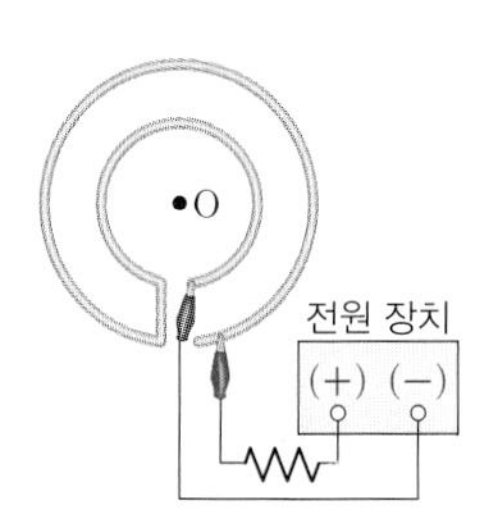

보기

ㄱ. 중심에서 자기장의 방향은 종이면에서 수직으로 나오는 방향이다.

ㄴ. 전류의 세기를 증가시켜도 중심에서 자기장의 세기는 B이다.

ㄷ. 전원 장치의 극을 반대로 연결하여 전류를 흐르게 하면 중심에서 자기장의 방향은 반대 방향이 된다.

① ㄱ ② ㄷ ③ ㄱ, ㄴ
④ ㄱ, ㄷ ⑤ ㄴ, ㄷ

09 그림과 같이 길이가 같은 동일한 원통에 감은 수가 각각 n, $2n$인 두 솔레노이드 A, B를 가까이 놓고, 각각 같은 세기의 전류가 화살표 방향으로 흐르게 하였다. P, Q는 A와 B의 중심축을 잇는 직선상의 점이다.

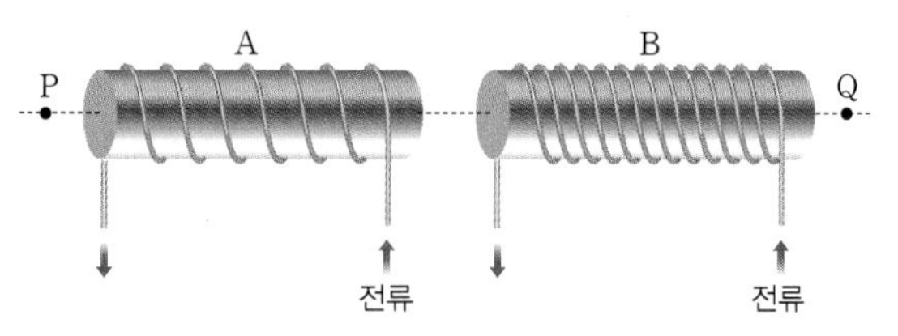

이에 대한 설명으로 옳은 것만을 〈보기〉에서 있는 대로 고른 것은? (단, 지구 자기장은 무시한다.)

보기

ㄱ. P점에 나침반을 놓으면 나침반의 N극은 왼쪽 방향을 향한다.

ㄴ. A와 B 사이에는 인력이 작용한다.

ㄷ. 자기장의 세기는 Q가 P보다 크다.

① ㄱ ② ㄷ ③ ㄱ, ㄴ
④ ㄴ, ㄷ ⑤ ㄱ, ㄴ, ㄷ

10 다음은 세 학생이 스피커의 구조와 작동 원리에 대해 대화하는 내용이다.

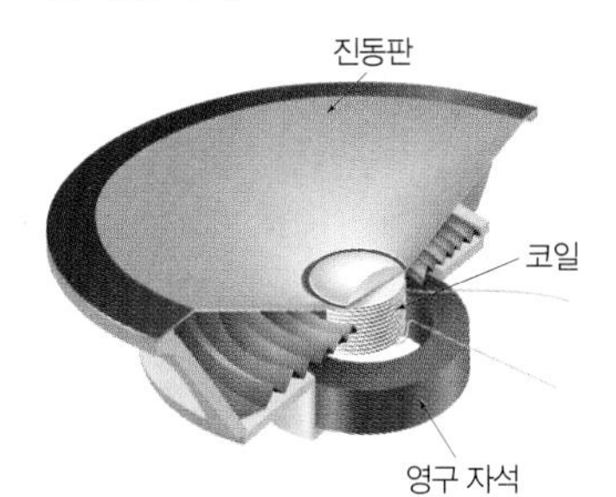

철수 : 코일에 전류가 흐르면 코일에 자기장이 형성돼.
영희 : 영구 자석과 전류가 흐르는 코일은 서로 밀거나 당기는 상호 작용을 하지.
민수 : 코일에 흐르는 전류의 방향이 변하면서 진동판이 진동해.

제시된 내용이 옳은 학생만을 있는 대로 고른 것은?

① 철수 ② 영희
③ 철수, 민수 ④ 영희, 민수
⑤ 철수, 영희, 민수

11 그림은 전지에 연결된 전동기의 구조를 모식적으로 나타낸 것이다.

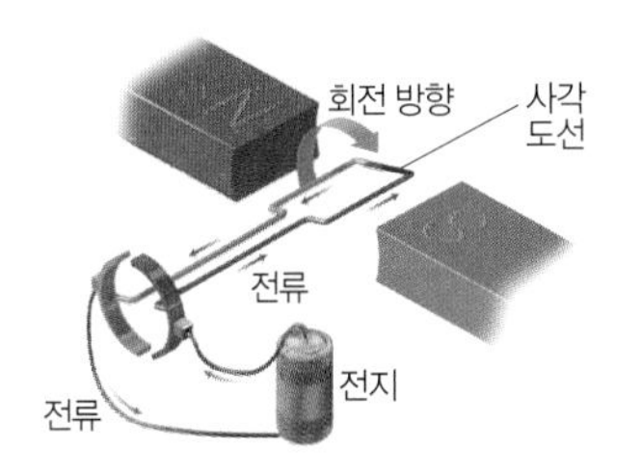

이에 대한 설명으로 옳은 것만을 〈보기〉에서 있는 대로 고른 것은?

보기

ㄱ. 전류가 흐르는 사각 도선은 자석 사이에서 자기력을 받는다.
ㄴ. 전동기는 전기 에너지를 운동 에너지로 전환시킨다.
ㄷ. 전지의 (+)극, (−)극을 반대로 연결해도 사각 도선의 회전 방향은 바뀌지 않는다.

① ㄱ ② ㄴ ③ ㄷ
④ ㄱ, ㄴ ⑤ ㄱ, ㄴ, ㄷ

서술형 문제

12 그림과 같이 직선 도선 주위에 나침반을 놓고 도선에 전류를 흘려 주었더니 나침반 자침의 N극이 동쪽으로 θ만큼 회전하였다.

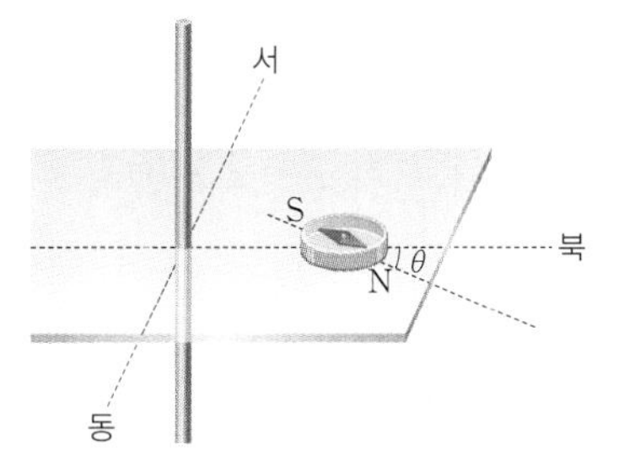

(1) 직선 도선에 흐르는 전류의 방향을 쓰고, 그 까닭을 서술하시오.

(2) 나침반의 N극이 회전하는 각도 θ를 증가시키기 위한 방법을 2가지 서술하시오.

13 그림과 같이 자석을 천장에 매달아 놓은 후 직류 전원 장치에 연결된 코일을 자석 앞에 고정시켰다.

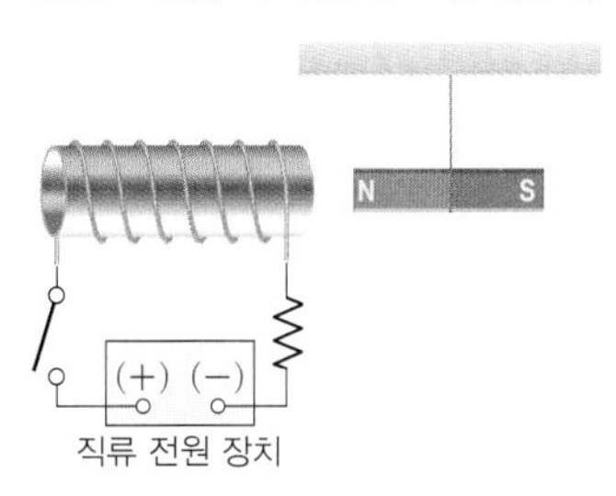

(1) 직류 전원 장치가 연결된 회로의 스위치를 닫았을 때, 코일 내부에 형성되는 자기장의 방향은 어느 방향인가? 또한 코일과 자석 사이에 작용하는 힘을 서술하시오.

(2) 코일과 자석 사이에 작용하는 힘을 크게 할 수 있는 방법을 두 가지 서술하시오.

02 물질의 자성

내 교과서는 어디에?
천재 p.124~128 금성 p.118~123 동아 p.120~124
미래엔 p.134~139 비상 p.120~125 YBM p.139~143

핵심 Point
- 물체가 가지는 **자성의 원인**을 이해하고, **자성체의 종류**와 특징을 알아본다.
- 자성체가 **활용**되는 예를 알아본다.

1 자성의 원인

1. **자성** 물질이 자석 또는 외부 자기장에 반응하는 성질
2. **자성의 원인** 물질을 구성하는 원자가 자석과 같은 역할을 하기 때문이다. ➡ 핵 주위를 도는 전자에 의해 자기장이 발생하므로 하나의 원자를 작은 자석으로 생각할 수 있다.

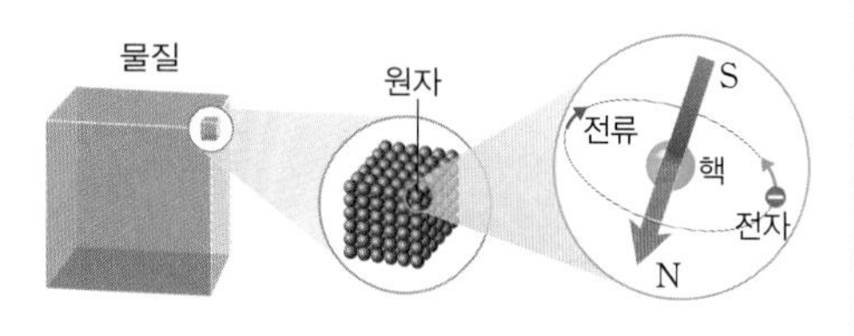

물질을 구성하는 원자 내 전자의 운동(자성의 원인)

❶ 원자 속 전자의 궤도 운동(공전)

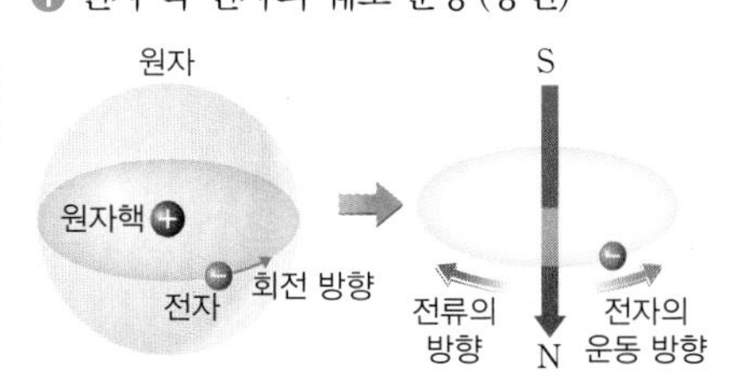

전자가 원자핵 둘레를 반시계 방향으로 회전하면, 전류는 시계 방향으로 흐르는 것과 같으므로 원형 전류에 의한 자기장❶과 같이 자기장의 방향은 전자의 궤도면에 수직인 아래 방향이 된다.

❷ 원자 속 전자의 스핀(자전)

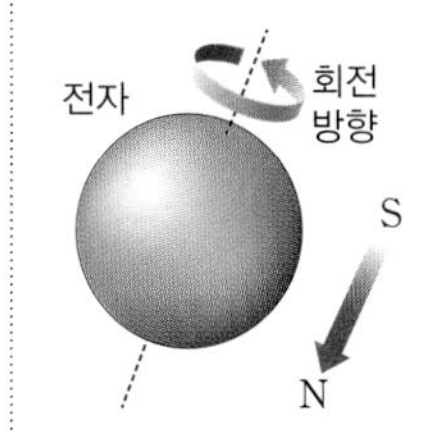

전류는 전자의 흐름이며, 전류의 방향과 전자의 운동 방향은 반대이다.

전자는 원자핵 주변을 돌면서 스스로 회전하는데, 이 스핀 방향이 반시계 방향일 때 전류는 시계 방향으로 흐르는 것과 같으므로, 자기장의 방향은 아래 방향이 된다.

- 대부분의 물질은 각 원자의 자기장 방향이 무질서하게 섞여 있어서 자성을 띠지 않는다.

3. **자기화(자화)** 어떤 물체에 자석을 가까이 하였을 때 그 물체가 자성을 띠게 되는 현상

① 자기화가 되는 까닭: 무질서하게 흩어져 있던 원자 자석들이 외부 자기장에 의해 일정한 방향으로 정렬되기 때문이다.❷

② 자성체: 자성을 띠는 물질 ➡ 외부 자기장에 반응하여 자기화되는 성질에 따라 강자성체, 상자성체, 반자성체로 나눈다.

2 자성체의 종류와 특징

1. **강자성체** 철과 같이 자석에 강하게 달라붙는 성질을 가진 물체

① 외부 자기장을 가할 때 외부 자기장의 방향으로 강하게 자기화된다.

② 외부 자기장을 제거해도 자성을 오래 유지한다. → 카세트 테이프나 하드 디스크와 같이 자기 정보 장치를 만드는 데 사용된다.

③ 철, 니켈, 코발트 등이 강자성체이다.

---

❶ 원형 전류에 의한 자기장

원형 고리에 시계 방향으로 전류가 흐르면 원형 고리 중심에서는 아래 방향으로 자기장이 형성된다.

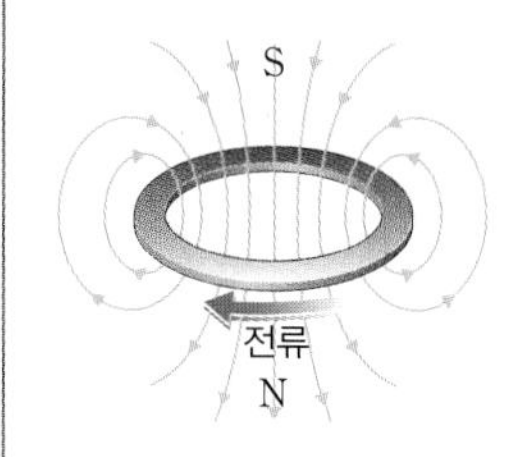

셀파 콕콕

전자의 이동 방향과 전류의 방향은 서로 반대이다. 자기장의 방향은 전류의 방향을 가지고 앞에서 배운대로 오른손을 이용하여 찾는다.

❷ 물질의 자성

대부분의 물체는 평소에는 원자 자석의 자기장 방향이 무질서하게 섞여 있어서 자성을 띠지 않지만, 외부에서 자기장을 가하면 원자 자석들이 자기장에 반응하여 배열이 달라지면서 자성을 갖게 된다.

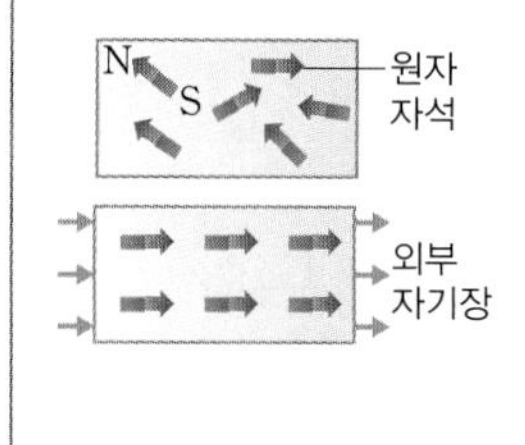

용어

▸ **원자 자석**: 원자 단위의 자석. 원자 하나하나가 자석의 역할을 한다.

1 자성이란 물질이 외부 자기장에 반응하는 성질을 의미한다. (○ , ×)

2 원자가 작은 자석 역할을 하는 까닭은 원자 속 전자의 (　　　)과 (　　　) 때문이다.

답 1. ○ 2. 궤도 운동(공전), 스핀(자전)

2. 상자성체 강한 자석에 약하게 끌려오는 성질을 가진 물체

① 외부 자기장을 가할 때 외부 자기장의 방향으로 약하게 자기화된다.

② 외부 자기장을 제거하면 자성의 효과가 바로 사라진다.

③ 종이, 알루미늄, 나트륨, 산소 등이 상자성체이다.

3. 반자성체 자석을 가까이 했을 때 약하게 밀려나는 성질을 가진 물체

① 외부 자기장을 가하면 외부 자기장의 반대 방향으로 약하게 자기화된다.

② 외부 자기장을 제거하면 자성의 효과가 바로 사라진다.

③ 구리, 유리, 금, 은, 물, 탄소 등이 반자성체이다. → 초전도체는 강한 반자성을 띤다.

| 자료 파헤치기 |

자성체의 자기화

	외부 자기장을 가하기 전	외부 자기장❸을 가할 때	외부 자기장을 제거할 때
강자성체	자기 구역❹이 있으며, 각 자기 구역의 자기장이 불규칙하게 배열되어 있어 자성을 띠지 않는다.	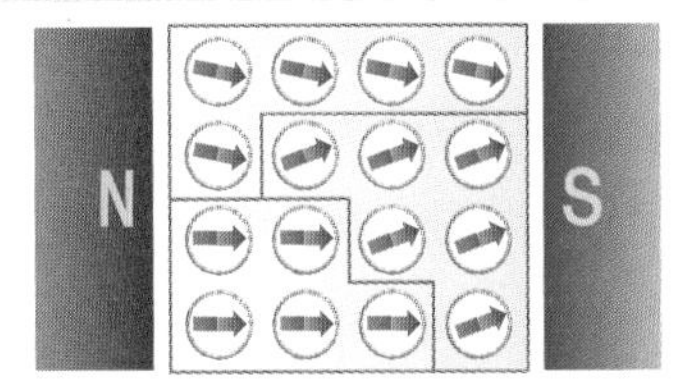 자기 구역이 넓어지고 흐트러져 있던 자기 구역이 외부 자기장의 방향으로 정렬되어 강하게 자화된다. ➡ 외부 자기장과 같은 방향으로 자화	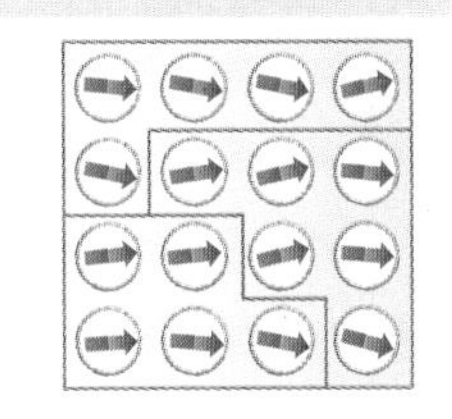 외부 자기장을 제거해도 자성체는 자화된 상태를 오래 유지한다. → 영원히 자기화된 상태를 유지하지는 않는다.
상자성체	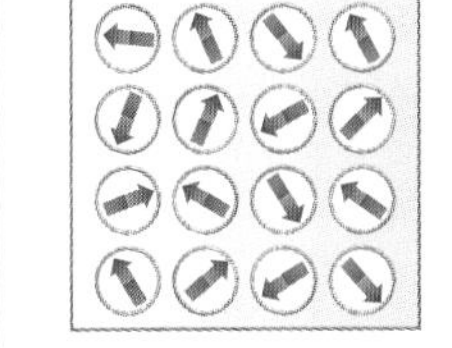 원자 자석들이 불규칙하게 배열되어 있어 자성을 띠지 않는다.	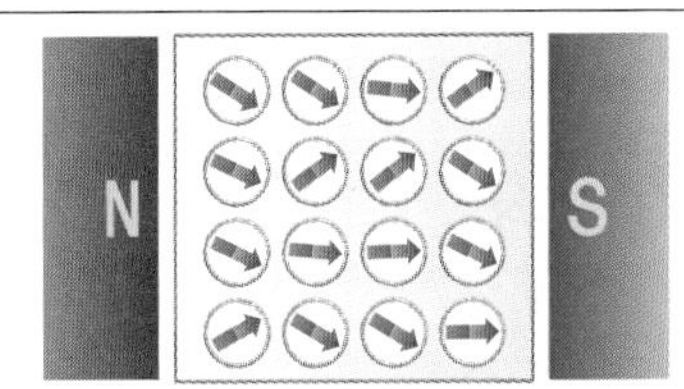 원자 자석들이 외부 자기장의 방향으로 약하게 자기화된다.	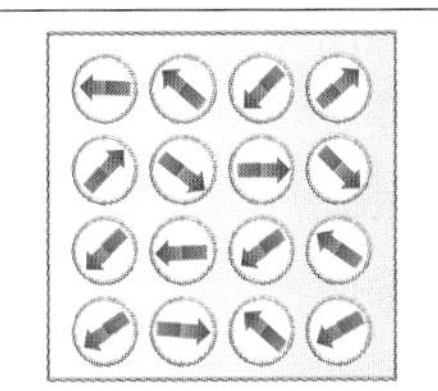 외부 자기장을 제거하면 자기화된 상태가 즉시 사라진다.
반자성체	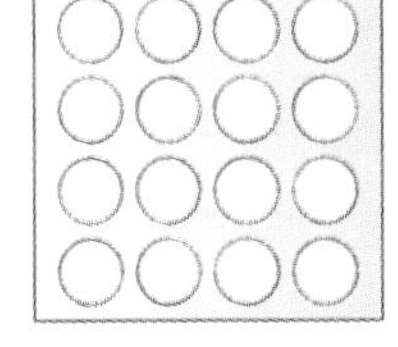 평소에는 원자 내부의 총 자기장❻이 0이 되어 자성이 없다. → 자기장을 갖는 원자가 없다.	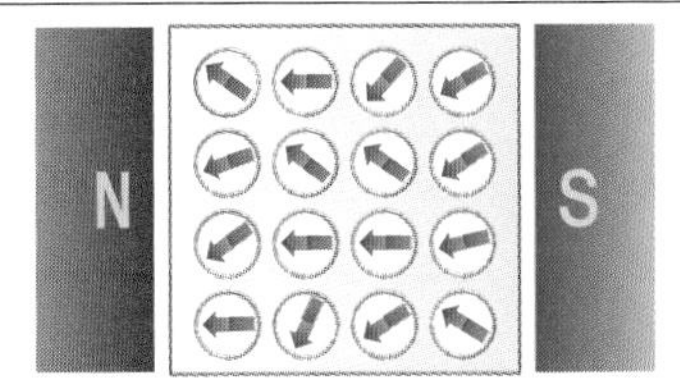 원자 자석들이 외부 자기장의 방향과 반대 방향으로 약하게 자기화된다.	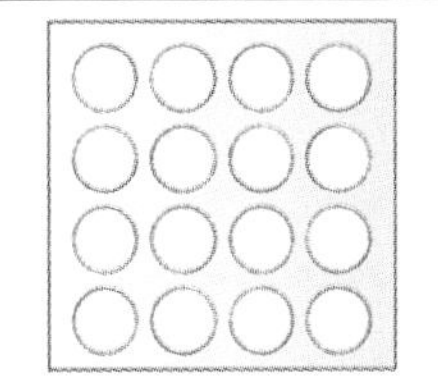 외부 자기장을 제거하면 반자성이 즉시 사라진다.

❶ 자기 구역은 강자성체에만 있으며, 외부 자기장을 가하면 자기 구역이 넓어지면서 외부 자기장 방향으로 정렬된다.

❷ 상자성체는 외부 자기장 방향으로, 반자성체는 외부 자기장과 반대 방향으로 약하게 자화된다.

❸ 외부 자기장

자석과 같이 자기장을 발생시키는 물체가 근처에 있을 때 자석이 만드는 자기장이 외부 자기장이다.

❹ 자기 구역

수많은 원자 자석들이 물체 내에서 동일한 방향으로 정렬되어 있는 구역으로, 모양과 크기가 다양하다.

❺ 물질에서의 자성

• 대부분의 물질에서 전자들은 서로 반대 방향으로 궤도 운동을 하거나 서로 반대 방향의 스핀을 갖는 전자들과 짝을 이루어 전자가 만드는 자기장이 서로 상쇄되기 때문에 자기장이 0이거나 매우 작다.

• 물질을 이루는 원자 내에 짝을 이루지 않은 전자들이 있으면 강자성이나 상자성이 나타난다. 반자성은 물질을 이루는 원자 내 전자들이 모두 짝을 이루어 전자의 궤도 운동과 스핀에 의한 자기장이 완전히 상쇄될 때 나타난다.

❻ 원자 내부의 총 자기장

원자 내부 전자들의 궤도 운동에 의한 자기장과 스핀에 의한 자기장의 총합을 총 자기장이라 한다.

용어

▸ **정렬**: 가지런히 줄지어 늘어선다.

개념 확인하기

1 강자성체는 외부 자기장을 제거해도 자성을 오랫동안 유지한다. (○ , ×)

2 외부 자기장을 가하면 반자성체는 외부 자기장의 (같은 / 반대) 방향으로 약하게 자기화된다.

답 1. ○ 2. 반대

3 강자성체의 활용

1. **전자석** 솔레노이드 안에 강자성체인 철심을 넣어 자기력의 세기를 세게 한다.

전자석의 원리

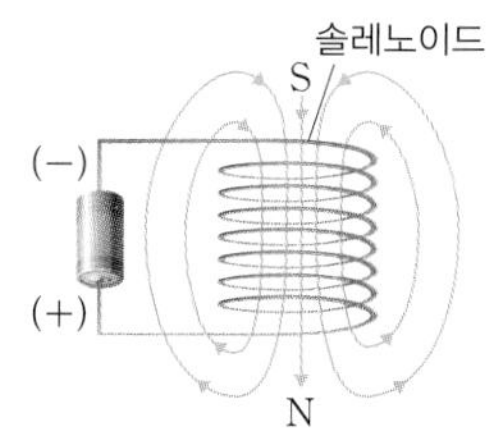

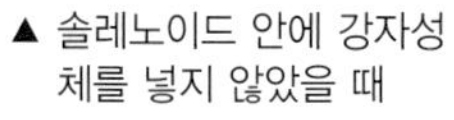
▲ 솔레노이드 안에 강자성체를 넣지 않았을 때

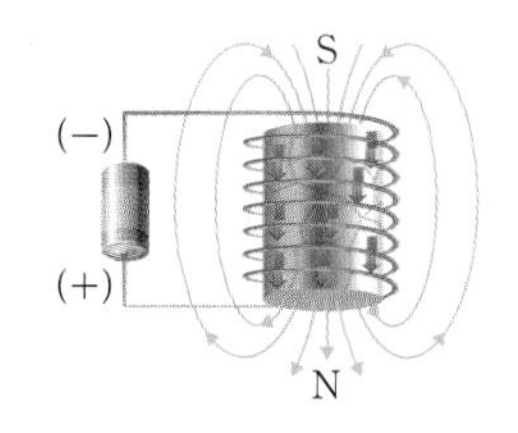

▲ 솔레노이드 안에 강자성체를 넣었을 때

솔레노이드 안에 강자성체를 넣으면 전류에 의한 자기장에 의해 강자성체가 전류에 의한 자기장 방향으로 자기화된다.

솔레노이드에 의한 자기장과 강자성체에 의한 자기장이 합쳐져서 매우 강한 자석이 된다.

2. **자기 테이프** 분말 형태의 강자성체를 다른 물질과 섞으면 다양한 형태를 가질 수 있다. 자기 테이프는 이를 이용하여 만든 장치로, 정보를 저장하고 기록한다. ➡ 강자성체 분말을 얇은 플라스틱 테이프에 코팅하여 신용카드나 통장의 정보 기록 장치로 사용된다.

3. **하드 디스크** 컴퓨터에서 정보를 저장하고 기록하는 장치

① 강자성체인 분말 형태의 산화 철로 코팅된 얇은 디스크(▸플래터) 위에 헤드❼가 놓여 있는 구조이다.

②▸헤드에 전류가 흐르면서 생기는 자기장에 의해 헤드 근처를 지나가는 디스크의 작은 부분들이 자기화되면서 신호를 저장한다.

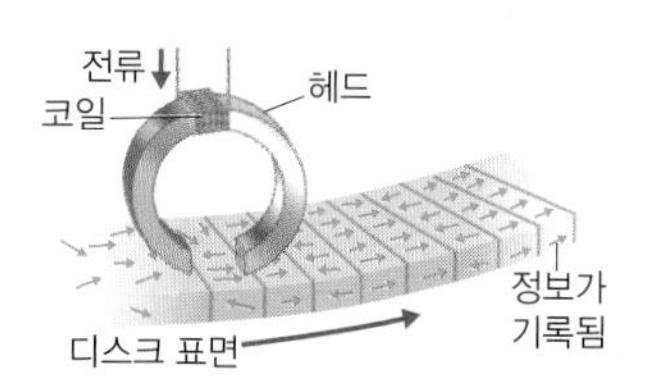

▲ 하드 디스크의 정보 저장

4. **액체 자석** 액체 상태에서 자성을 띠는 물체

① 강자성체 분말을 매우 작게 만들어 액체 속에 넣고 서로 뒤엉키지 않도록 처리한다.❽

② 자석을 액체 자석에 가까이 가져가면 자석의 자기장 때문에 입자들이 배열되어 기하학적인 모양을 만든다.

③ 지폐의 위조 방지를 위한 자석 잉크, 액체 자석을 치료약에 섞어 복용한 뒤 자기력을 이용해 약을 환부에 모으기, MRI의 조영제로 써서 장기 내부를 살펴보는 의료 기술, 스피커의 출력 조절 등에 이용된다.

→ 지폐의 숫자 부분에 자석 잉크가 사용되어 지폐가 자석에 끌린다.

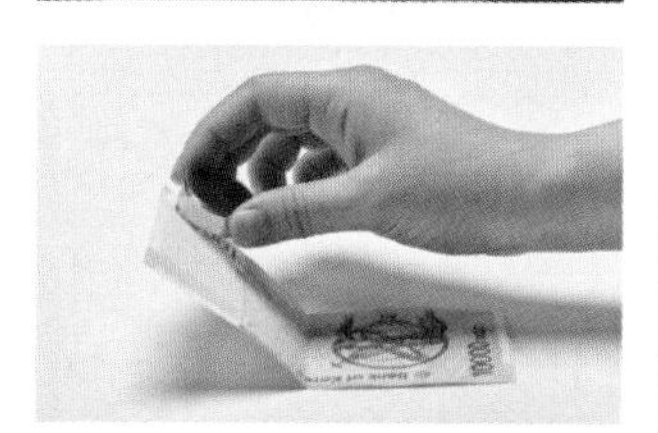
▲ 액체 자석 잉크를 사용한 지폐

4 반자성체의 활용

1. **초전도체** 초전도체를 자석 위에 올려 놓으면 초전도체가 공중에 뜬다. 외부 자기장을 가했을 때 초전도체에는 외부 자기장과 반대 방향의 자기장이 만들어져 자석을 밀어내는 강한 반발력이 생긴다. → 자기 부상 열차에 이용된다.

암기 콕 

자석을 자성체에 가까이 하였을 때, 강하게 붙으면 강자성체(철, 니켈 등), 약하게 끌려오면 상자성체(알루미늄, 종이 등), 약하게 밀려나면 반자성체(구리, 유리, 물 등)이다.

❼ 하드 디스크의 원리

강자성체로 만들어진 디스크 표면에 외부 자기장인 헤드가 지나가면서 디스크 표면이 자기화된다. 플래터 표면을 작은 구역으로 나누고 각 구역의 자기장 방향을 다르게 하여 디지털 정보를 저장한다. 디스크가 회전할 때 속도가 빠를수록 읽기와 쓰기 성능이 좋다.

❽ 액체 자석

강자성체 분말 입자의 크기가 크면 입자 사이의 자기력이 작용하여 서로 응집하여 침전이 일어나 액체 자석으로의 역할을 할 수 없다.

셀파 콕콕

일상생활에서는 상자성체나 반자성체보다 강자성체를 더 많이 이용한다. 강자성체가 활용되는 일상생활 속의 예시를 학습해 두자.

용어

▸ **플래터**: 정보를 기록할 수 있는 원형의 알루미늄 판으로 강자성체로 된 얇은 막으로 덮여 있다.

▸ **헤드**: 전류를 자기장으로 바꾸거나 자기장을 전류로 바꾸면서 하드 디스크에 정보를 기록하거나 읽어 들이는 장치

개념 확인하기

1 전자석은 솔레노이드에 (　　　　)인 철심을 넣어 자기력을 세게 한다.

2 하드 디스크는 디스크(플래터)의 자기화 방향을 이용하여 정보를 저장한다. (○ , ×)

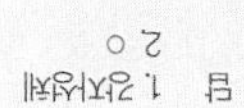

셀파 탐구

자석에 반응하는 물체

목표 자석에 끌려오는 정도를 통해 자성체의 종류를 구분할 수 있다.

과정

❶ 알루미늄 포일을 실로 스탠드에 매달고, 네오디뮴 자석을 가까이 하면서 알루미늄 포일이 자석에 어떻게 반응하는지 관찰한다.

❷ 오이를 실로 스탠드에 매달고, 과정 ❶을 반복한다.

❸ 유리 막대를 실로 스탠드에 매달고, 과정 ❶을 반복한다.

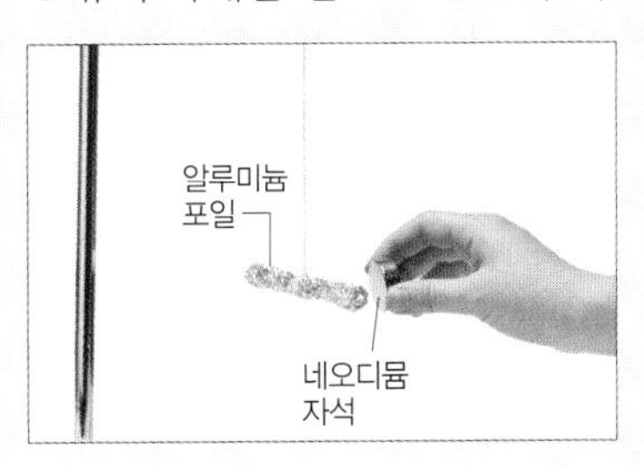

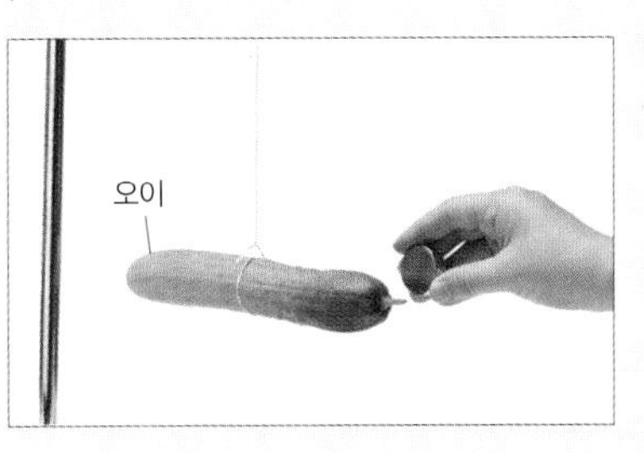

결과 및 정리

1. 알루미늄 포일은 네오디뮴 자석에 어떻게 반응하는가?
   ➡ 알루미늄 포일이 네오디뮴 자석에 약하게 끌려오는데, 이것을 통해 상자성체임을 알 수 있다.

2. 오이는 네오디뮴 자석에 어떻게 반응하는가?
   ➡ 오이는 네오디뮴 자석에 약하게 밀려나는데, 이것을 통해 반자성체를 포함하고 있음을 알 수 있다. 오이가 반자성체인 것이 아니라 오이에 많은 양이 포함되어 있는 물이 반자성체이고, 물이 강한 자기장에 반발하는 반자성 현상에 의해 오이가 함께 밀려난 것이다.

3. 유리 막대는 네오디뮴 자석에 어떻게 반응하는가?
   ➡ 유리 막대는 네오디뮴 자석에 약하게 밀려나는데, 이것을 통해 반자성체임을 알 수 있다.

같은 주제 다른 탐구

[과정]
금속 클립, 빨대, 동전, 구리 막대, 종이 등에 자석을 가까이 하면서 여러 가지 물질의 자성을 비교한다.

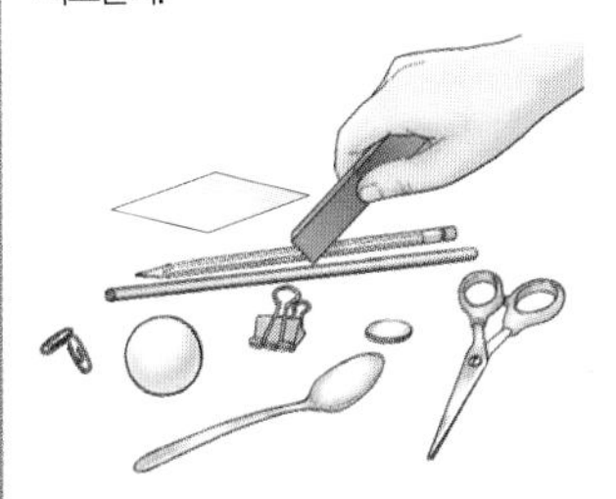

[결과 및 정리]
1. 물체에 자석을 가까이 하면 물체 내 자성에 따라 움직임 정도가 다르다.
2. 자석에 약하게 끌려온다. → 종이(상자성체)
3. 자석에 약하게 밀려난다. → 구리(반자성체)
4. 자석에 강하게 끌려온다. → 클립(강자성체)

시험 유형은?

❶ 수분이 많이 포함되어 있는 오이가 네오디뮴 자석에 약하게 밀려나는 까닭은 무엇인가?
▶ 오이에 포함된 물이 반자성체이기 때문에

❷ 알루미늄 포일의 자기화 방향은 외부 자기장 방향과 같은 방향인가, 반대 방향인가?
▶ 같은 방향

❸ 유리 막대의 자기화 방향은 외부 자기장 방향과 같은 방향인가, 반대 방향인가?
▶ 반대 방향

탐구 대표 문제 정답과 해설 47쪽

01 위 실험 과정에 대한 설명으로 옳은 것은?

① 알루미늄 포일의 자기화 방향은 네오디뮴 자석의 자기장 방향과 나란하다.
② 알루미늄 포일은 강자성체이다.
③ 오이에 포함된 상자성 물질에 의해 네오디뮴 자석에서 밀려난 것이다.
④ 유리 막대는 네오디뮴 자석의 자기장 방향으로 자기화된다.
⑤ 유리 막대는 네오디뮴 자석을 제거해도 자화된 상태를 유지한다.

02 그림 (가)는 쇠못, 알루미늄 포일, 유리 막대 중 어떤 물체에 네오디뮴 자석을 가까이 했을 때 물체 내 자기화된 모습을 나타낸 것이고, 그림 (나)는 (가)에서 자석을 제거했을 때 물체 내 자성이 사라진 모습을 나타낸 것이다. 이와 같은 상태를 가지는 물체는?

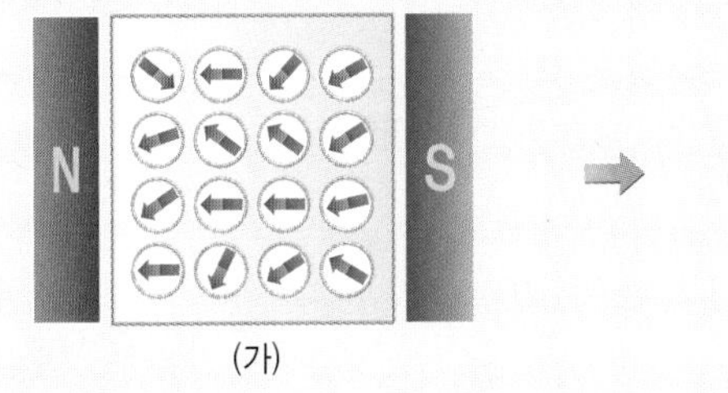

(가)

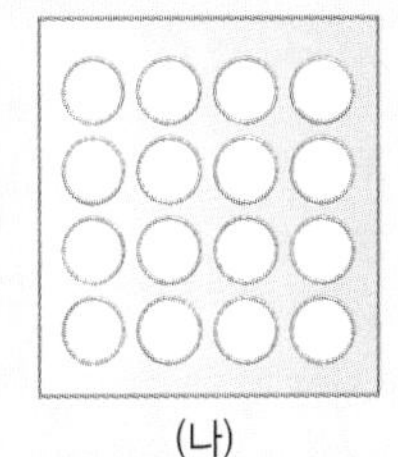
(나)

기초 탄탄 문제

정답과 해설 47쪽

핵심용어_ 이 단원에서 내가 아는 것과 아직 모르는 것을 정리하며 나의 공부를 돌아보자.

□ 자성의 원인	□ 자기화	□ 강자성체
□ 상자성체	□ 반자성체	□ 전자석
□ 하드 디스크의 정보 기록	□ 액체 자석	□ 초전도체

01 물질의 자성에 대한 설명으로 옳지 않은 것은?

① 자성이 나타나는 주된 까닭은 물질을 구성하는 원자 내의 원자핵 운동 때문이다.
② 원자핵 주위를 도는 전자에 의해 자기장이 형성된다.
③ 대부분의 물체는 평소에는 원자 자석의 자기장 방향이 무질서하게 섞여 있어서 자성을 나타내지 않는다.
④ 전자의 궤도 운동에서 전자의 운동 방향과 전류의 방향은 서로 반대이다.
⑤ 전자의 스핀에 의한 자기장의 방향은 회전축에 대해 나란한 방향이다.

02 강자성체에 대한 설명으로 옳지 않은 것은?

① 자석과 척력이 작용한다.
② 외부 자기장 방향으로 자기화된다.
③ 외부 자기장을 제거해도 자기화된 상태를 오랫동안 유지한다.
④ 자석에 잘 붙는 성질을 가진 물체이다.
⑤ 강자성체를 이용한 예로는 코일 속에 철심을 사용한 전자석, 정보가 담겨 있는 자기 테이프 등이 있다.

03 외부 자기장을 가했을 때 외부 자기장의 방향과 반대 방향의 자기장을 형성하는 물질은?

① 니켈 ② 알루미늄 ③ 종이
④ 코발트 ⑤ 구리

04 다음은 상자성체에 대한 설명이다.

> 상자성체는 강한 자석과 서로 (가) 힘이 작용하며, 외부 자기장 안에서 외부 자기장과 (나) 방향으로 약하게 자기화된다. 외부 자기장이 사라지면 즉시 자성을 잃어버린다.

( ) 안의 (가), (나)에 들어갈 말을 옳게 짝 지은 것은?

	(가)	(나)		(가)	(나)
①	당기는	같은	②	당기는	반대
③	미는	같은	④	미는	반대
⑤	수직	같은			

05 액체 자석에 대한 설명으로 옳지 않은 것은?

① 액체 상태에서 자성을 띠는 물체이다.
② 반자성체 분말을 매우 작게 만들어 액체 속에 넣고 서로 뒤엉키지 않도록 처리한 것이다.
③ 자석을 액체 자석에 가까이 하면 액체 자석의 분말 입자가 자석의 자기장 방향으로 자화된다.
④ 스피커 내에 들어 있는 액체 자석은 스피커 출력을 보다 미세하게 조절할 수 있다.
⑤ 지폐의 위조 방지, MRI의 조영제 등에 이용된다.

06 그림은 플래터와 헤드로 구성된 하드 디스크의 모습이다. 이에 대한 설명으로 옳은 것은?

① 플래터에는 상자성 물질이 들어 있다.
② 헤드에 흐르는 전류에 의해 플래터 속 물질이 자화된다.
③ 하드 디스크에 연결된 전원을 차단하면 플래터에 입력된 정보가 사라진다.
④ 디스크가 회전할 때 속도가 느릴수록 읽기와 쓰기 성능이 좋다.
⑤ 플래터 표면을 작은 구역으로 나누고 각 구역의 자기장 방향을 동일하게 하여 디지털 정보를 저장한다.

내신 만점 문제

정답과 해설 47쪽

■■■ 난이도를 나타냅니다.

01 그림은 실에 매달린 알루미늄 조각의 한쪽 끝에 강한 자석의 N극을 가까이 가져갔을 때 알루미늄 조각이 자석 쪽으로 끌려오는 모습을 나타낸 것이다. 이에 대한 설명으로 옳은 것만을 〈보기〉에서 있는 대로 고른 것은?

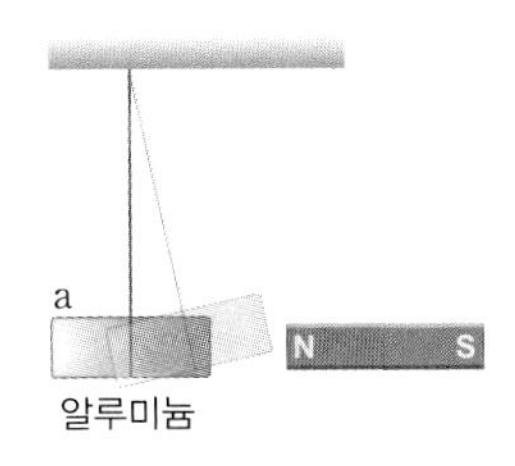

보기

ㄱ. 알루미늄 조각은 반자성체이다.
ㄴ. 알루미늄 조각의 a 부분은 N극으로 자화된 상태이다.
ㄷ. 자석의 S극을 알루미늄 조각에 가까이 하면 알루미늄 조각은 자석에서 밀려난다.

① ㄴ ② ㄷ ③ ㄱ, ㄴ
④ ㄱ, ㄷ ⑤ ㄱ, ㄴ, ㄷ

02 그림은 탄소로 구성된 샤프심에 강한 자석의 S극을 가까이 하였더니 샤프심이 강한 자석에서 밀려나는 모습이다. 이에 대한 설명으로 옳은 것만을 〈보기〉에서 있는 대로 고른 것은?

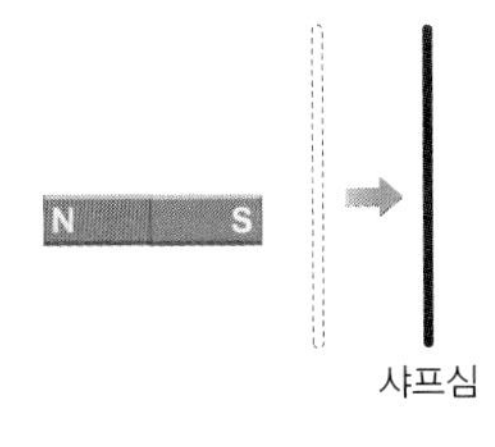

보기

ㄱ. 샤프심은 반자성체이다.
ㄴ. 샤프심의 자기화 방향은 자석의 자기장 방향과 같다.
ㄷ. 강한 자석의 N극을 샤프심에 가까이 하면 샤프심은 자석 쪽으로 끌려온다.

① ㄱ ② ㄷ ③ ㄱ, ㄴ
④ ㄴ, ㄷ ⑤ ㄱ, ㄴ, ㄷ

03 그림 (가)는 어떤 물질에 외부 자기장을 가하였을 때, 그림 (나)는 외부 자기장을 제거하였을 때 물질 내 원자 자석들의 모습을 모식적으로 나타낸 것이다.

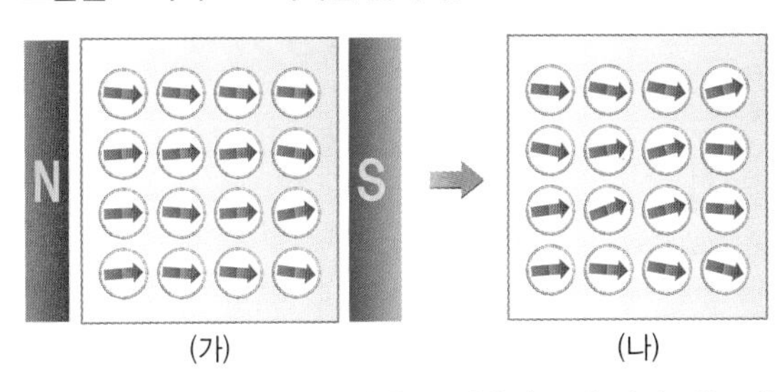

이 물질에 대한 설명으로 옳은 것만을 〈보기〉에서 있는 대로 고른 것은?

보기

ㄱ. 강자성체이다.
ㄴ. 그림 (가)에서 외부 자기장의 방향과 물질에 형성된 자기장의 방향은 같다.
ㄷ. 그림 (나)에서 물질의 자기장 방향은 오른쪽이다.

① ㄴ ② ㄷ ③ ㄱ, ㄴ
④ ㄱ, ㄷ ⑤ ㄱ, ㄴ, ㄷ

04 그림 (가)는 어떤 물질에 외부 자기장을 가했을 때, 그림 (나)는 외부 자기장을 제거했을 때 물질 내 원자 자석들의 모습을 모식적으로 나타낸 것이다.

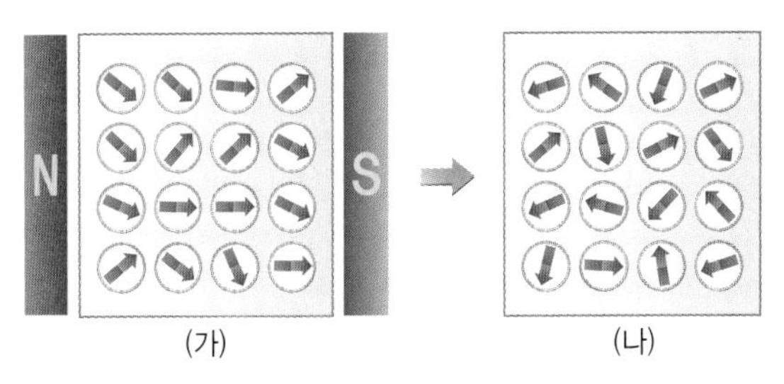

이 물질에 대한 설명으로 옳은 것만을 〈보기〉에서 있는 대로 고른 것은?

보기

ㄱ. 반자성체이다.
ㄴ. 그림 (가)에서 외부 자기장의 방향과 물질에 형성된 자기장의 방향은 반대 방향이다.
ㄷ. 그림 (나)에서 물질은 자성을 띠지 않는다.

① ㄴ ② ㄷ ③ ㄱ, ㄴ
④ ㄱ, ㄷ ⑤ ㄱ, ㄴ, ㄷ

05 다음은 물체의 자성에 대한 실험이다.

〈실험 과정〉

(가) 그림과 같이 강자성체 또는 반자성체인 물체 P, Q를 각각 수레에 고정시킨 후 전지와 스위치에 연결된 솔레노이드 양쪽의 수평면 위에 가만히 놓았다.

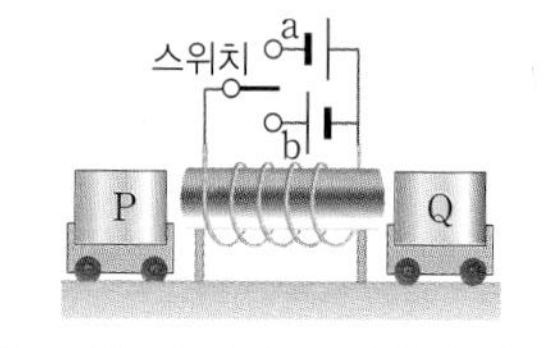

(나) (가)에서 스위치를 a 또는 b에 연결하고 P, Q의 운동 방향을 관찰한다.

〈실험 결과〉

스위치 연결	물체의 운동 방향	
	P	Q
a	왼쪽	왼쪽
b	(A)	(B)

이에 대한 설명으로 옳은 것만을 〈보기〉에서 있는 대로 고른 것은?

보기
ㄱ. P는 강자성체이다.
ㄴ. 스위치를 a에 연결하였을 때 P의 오른쪽 면은 S극이다.
ㄷ. A와 B는 같은 방향이다.

① ㄴ ② ㄷ ③ ㄱ, ㄴ
④ ㄱ, ㄷ ⑤ ㄴ, ㄷ

06 그림은 자기화되어 있지 않은 물체 A를 자석 위에 올려놓았더니 A가 자석 위에 떠서 정지해 있는 모습을 나타낸 것이다. A는 강자성체, 상자성체, 반자성체 중 하나이다. 이에 대한 설명으로 옳은 것만을 〈보기〉에서 있는 대로 고른 것은?

보기
ㄱ. A에 작용하는 자기력의 크기는 A의 중력과 같다.
ㄴ. A를 자석에서 멀리 해도 A는 자성을 그대로 유지한다.
ㄷ. A의 자기장의 방향은 자석의 자기장 방향과 같다.

① ㄱ ② ㄷ ③ ㄱ, ㄴ
④ ㄴ, ㄷ ⑤ ㄱ, ㄴ, ㄷ

07 그림과 같이 아크릴관에 자석을 고정하여 전자 저울 위에 놓고 무게를 측정한 후, 물체 A와 B를 각각 자석으로부터 같은 높이에 위치시켜 저울 측정값을 읽고 표로 나타내었다. A와 B는 상자성 물체와 반자성 물체 중 하나이다.

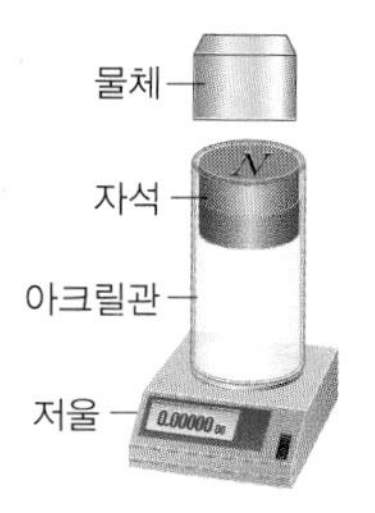

물체	저울 측정값(N)
없음	1.000
A	0.996
B	1.002

이에 대한 설명으로 옳은 것만을 〈보기〉에서 있는 대로 고른 것은?

보기
ㄱ. A는 자석의 자기장 방향으로 자화된다.
ㄴ. B는 자석에 가까운 아랫면이 S극으로 자기화된다.
ㄷ. 자석으로부터 받는 힘의 크기는 A가 B보다 크다.

① ㄴ ② ㄷ ③ ㄱ, ㄴ
④ ㄱ, ㄷ ⑤ ㄴ, ㄷ

08 그림은 상자성 막대와 자기화되어 있지 않은 강자성 막대에 도선을 감아 회로를 구성한 후, 스위치를 닫았을 때 일정한 세기의 전류 I가 흐르는 모습을 나타낸 것이다.

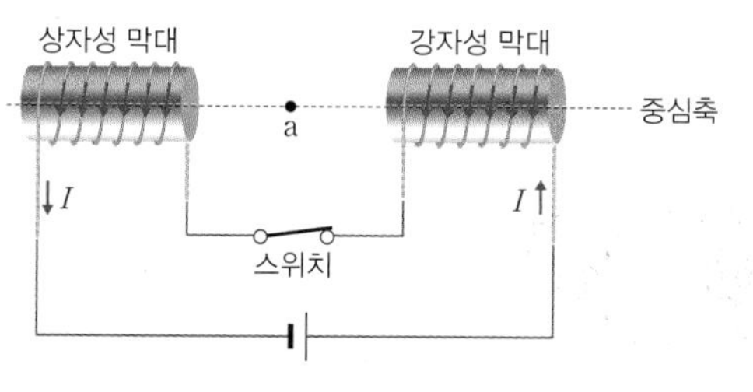

이에 대한 설명으로 옳은 것만을 〈보기〉에서 있는 대로 고른 것은? (단, a점은 중심축 위에 놓여 있고, 지구 자기장은 무시한다.)

보기
ㄱ. 상자성 막대의 왼쪽 면에는 S극이 형성된다.
ㄴ. a점에 나침반을 놓으면 나침반의 N극은 오른쪽 방향을 가리킨다.
ㄷ. 스위치를 열어 전류가 흐르지 않을 때 a점에서 자기장의 세기는 0이다.

① ㄴ ② ㄷ ③ ㄱ, ㄴ
④ ㄱ, ㄷ ⑤ ㄱ, ㄴ, ㄷ

9 그림은 물질의 자성을 조사하기 위한 장치의 일부를 모식적으로 나타낸 것이다. 이 장치에서 두 개의 상자성 막대에 코일을 감고 일정한 세기의 전류 I를 흘려 막대 사이에 균일한 자기장을 만들었다.

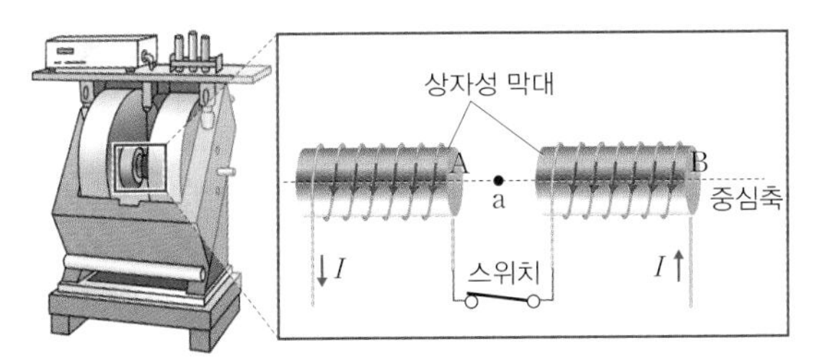

상자성 막대의 오른쪽 면을 각각 A, B라 할 때, 이에 대한 설명으로 옳은 것만을 <보기>에서 있는 대로 고른 것은? (단, a점과 두 상자성 막대의 중심축은 동일선상에 있다.)

보기

ㄱ. A와 B의 자극은 N극으로 같다.
ㄴ. a점에서 전류에 의한 자기장의 세기는 0이다.
ㄷ. 스위치를 열면 두 상자성 막대 사이에는 자기력에 의해 인력이 작용한다.

① ㄱ ② ㄷ ③ ㄱ, ㄴ
④ ㄴ, ㄷ ⑤ ㄱ, ㄴ, ㄷ

10 그림은 플래터의 정보 저장 물질에 디지털 정보가 저장되는 하드 디스크의 구조와 하드 디스크의 헤드가 정보 저장 물질에 정보를 기록하는 모습을 나타낸 것이다.

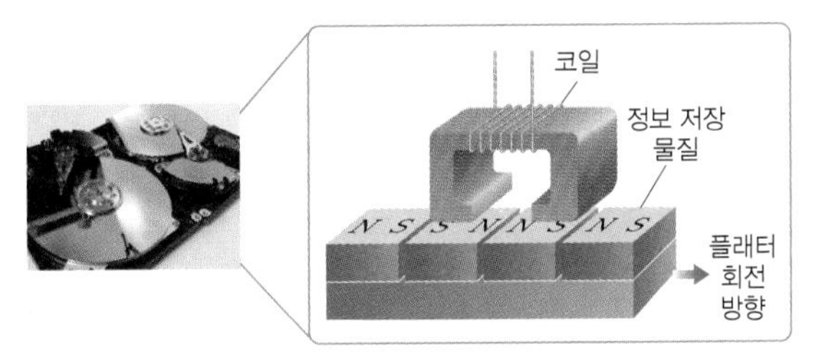

이에 대한 설명으로 옳은 것만을 <보기>에서 있는 대로 고른 것은?

보기

ㄱ. 정보 저장 물질의 자기화 방향을 이용하여 정보를 저장한다.
ㄴ. 헤드의 코일에 흐르는 전류의 방향을 바꾸면 정보 저장 물질의 자기화 방향이 바뀐다.
ㄷ. 플래터의 정보 저장 물질은 상자성체이다.

① ㄱ ② ㄷ ③ ㄱ, ㄴ
④ ㄴ, ㄷ ⑤ ㄱ, ㄴ, ㄷ

서술형 문제

11 그림 (가)와 같이 자기화되어 있지 않은 강자성체인 물체를 자석의 윗면에 올려놓았다. 그림 (나)와 같이 (가)의 물체를 P가 솔레노이드 A면을 향하도록 하고 스위치를 닫는 순간 물체가 막대로부터 밀려났다.

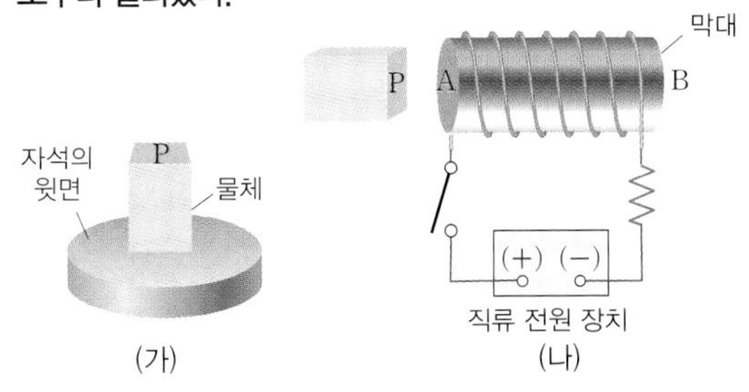

(1) (나)에서 솔레노이드의 A와 B의 자극을 쓰고, 솔레노이드의 내부에 형성되는 자기장의 방향을 서술하시오.

(2) (가)에서 자석의 윗면의 자극은 무엇인지 서술하시오.

12 그림과 같이 자기화되어 있지 않은 막대가 들어 있는 솔레노이드를 직류 전원 장치에 연결하였다.

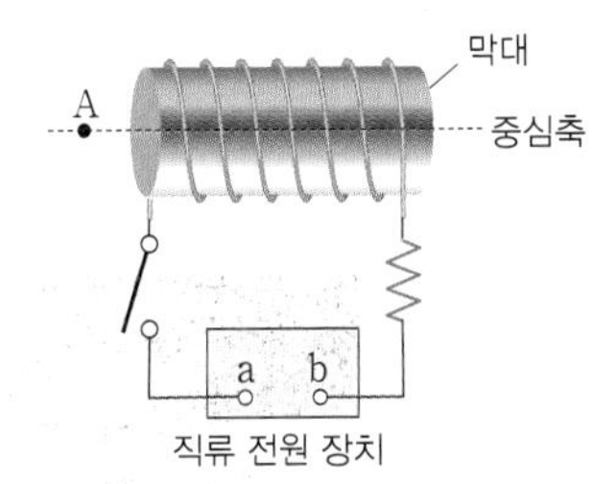

(1) 직류 전원 장치의 a가 (−)극, b가 (+)극일 때 A점에서의 자기장의 방향을 쓰시오.

(2) 강자성 막대, 상자성 막대, 반자성 막대를 사용할 때 솔레노이드의 중심축에 있는 A점에서의 자기장의 세기를 비교하고, 그 까닭을 서술하시오.

03 전자기 유도

내 교과서는 어디에?
천재 p.129~135 금성 p.124~129 동아 p.125~130
미래엔 p.140~146 비상 p.126~131 YBM p.144~149

핵심 Point
- 전자기 유도 현상을 이해한다.
- 전자기 유도 현상이 이용되는 일상생활의 예를 알아본다.

1 전자기 유도

1. 전자기 유도

→ 솔레노이드와 같은 도체의 내부에서 자석을 움직이거나, 자석 주위에서 코일을 움직이는 것과 같이 자석과 코일의 운동 속력이나 방향이 다른 경우

① 전자기 유도: 자석과 코일의 상대적 운동에 의해 코일을 통과하는 자기 선속❶이 변할 때 코일에 전류가 흐르는 현상

② 유도 전류: 전자기 유도에 의해 코일에 흐르는 전류

2. 렌츠 법칙

① 렌츠 법칙: 전자기 유도로 코일에 흐르는 유도 전류는 코일 내부를 통과하는 자기 선속의 변화를 방해하는 방향으로 흐른다.

② 유도 전류가 만드는 자기장의 방향은 코일을 통과하는 자석의 운동을 방해하는 방향이다.

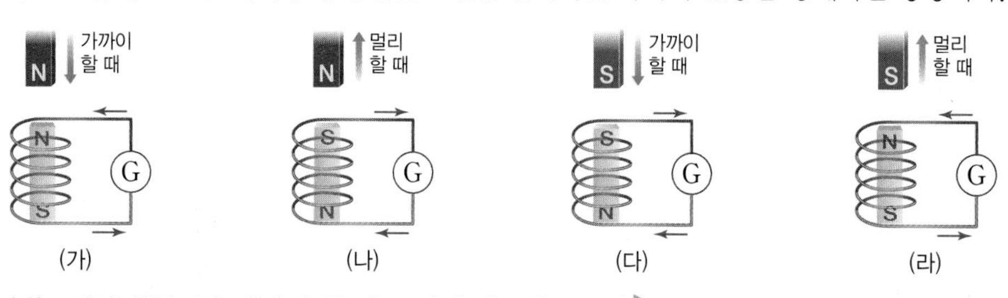

(가): 자석의 N극을 가까이 할 때 코일의 위쪽에 N극이 유도된다. → 가까이 오는 N극을 밀어내는 자극

(나): 자석의 N극을 멀리 할 때 코일의 위쪽에 S극이 유도된다. → 멀어지는 N극을 당기는 자극

(다): 자석의 S극을 가까이 할 때 코일의 위쪽에 S극이 유도된다. → 가까이 오는 S극을 밀어내는 자극

(라): 자석의 S극을 멀리 할 때 코일의 위쪽에 N극이 유도된다. → 멀어지는 S극을 당기는 자극

코일에 흐르는 유도 전류의 방향 찾기

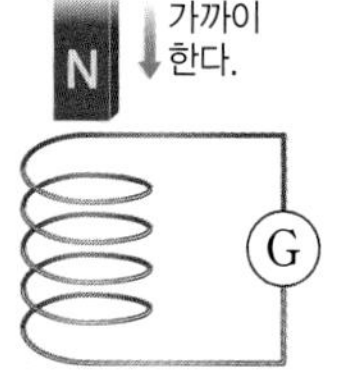

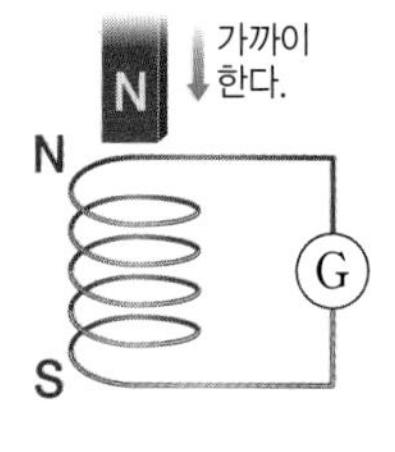

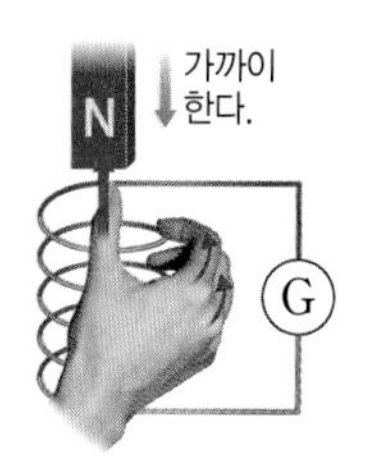

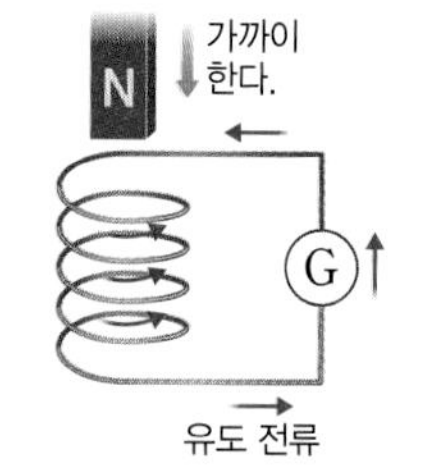

❶ 자석의 극이 코일에 대해 어떻게 움직이는지 확인한다. ➡ N극이 다가온다.

❷ 코일에 생기는 자극을 찾는다. ➡ N극의 접근을 방해하는 방향이므로 코일의 위쪽에 N극이 형성된다.

❸ 솔레노이드가 만드는 자기장 방향으로 오른손 엄지손가락을 향하고 코일을 감아쥔다.

❹ 코일을 감아쥔 방향으로 유도 전류가 흐른다.

❶ 자기 선속(Φ, 파이)

자기장에 수직인 단면을 지나가는 자기력선의 총 개수

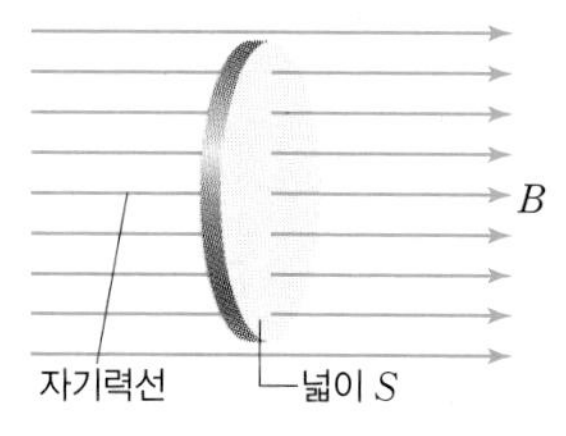

- 자기 선속(Φ)은 어떤 닫힌 면(S)을 수직으로 통과하는 자기장의 세기(B)이다. ➡ $\Phi \propto BS$
- 자기장의 세기가 변하거나 자기장이 통과하는 닫힌 면의 넓이가 변하면 자기 선속이 변한다.

셀파 콕콕

유도 전류는 자기 선속이 변할 때만 생긴다. 즉, 자석이나 코일이 움직일 때만 생기는 것을 잊지 말자.

용어

▸ **전자기**: 전기와 자기를 아울러 이르는 말

▸ **유도**: 전기나 자기가 전기장이나 자기장에 있는 물체에 어떤 현상이 일어나도록 하는 작용

개념 확인하기

1 코일과 자석의 상대적 운동에 의해 코일에 (　　　) 전류가 흐른다.

2 솔레노이드 속에 자석을 넣고 가만히 있으면 솔레노이드에 유도 전류가 흐른다. (○ , ×)

답 1. 유도 2. ×

③ 자석을 코일에 가까이 하거나 멀리 하여 코일을 통과하는 자기 선속이 변할 때에만 유도 전류가 흐른다.

④ 자석이 코일에 대해 정지해 있을 때에는 코일을 통과하는 자기 선속의 변화가 없으므로 유도 전류가 흐르지 않는다.
└→ 자석과 코일이 정지해 있거나 같은 속도로 움직일 때

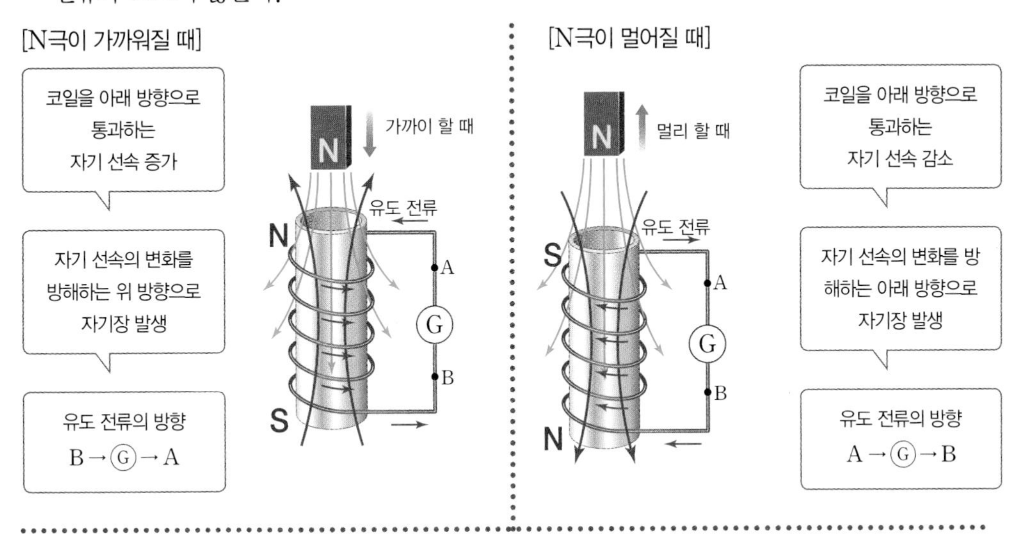

[S극이 가까워질 때]

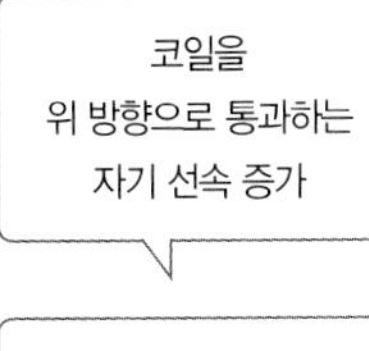

자기 선속의 변화를 방해하는 아래 방향으로 자기장 발생

유도 전류의 방향
A → Ⓖ → B

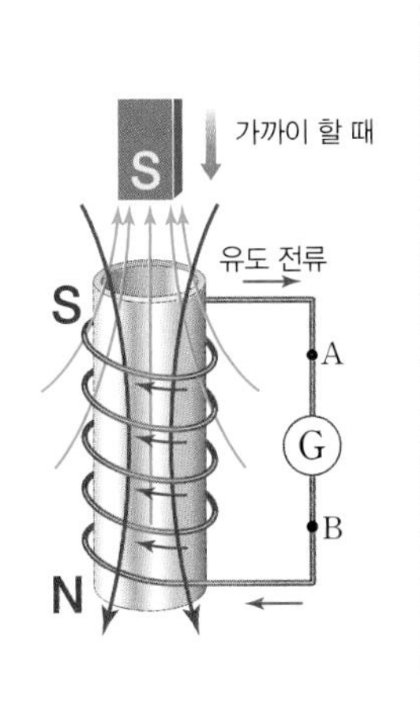

[S극이 멀어질 때]

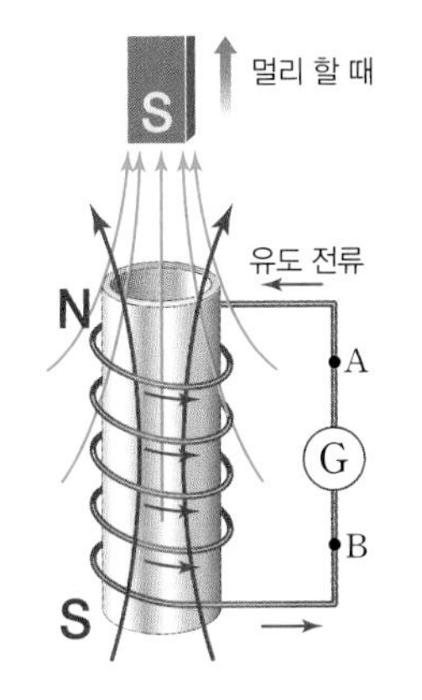

코일을 위 방향으로 통과하는 자기 선속 감소

자기 선속의 변화를 방해하는 위 방향으로 자기장 발생

유도 전류의 방향
B → Ⓖ → A

⑤ 구리관을 통과하는 자석의 운동

- 자석을 구리관 속으로 떨어뜨리면 공기 중에서 떨어질 때보다 천천히 내려온다. ➡ 자석이 구리관을 통과할 때 유도 전류가 발생하기 때문
- 구리관이 코일의 역할을 한다. 자석이 구리관을 통과하기 전에는 자석을 밀어내는 방향으로 유도 전류가 흐르고, 자석이 구리관을 통과한 후에는 자석을 잡아당기는 방향으로 유도 전류가 흘러 자석의 낙하 시간을 증가시킨다.

➡ 이 현상을 자유 낙하하는 놀이 기구 등의 제동 장치인 자기 브레이크[2]에 적용하고 있다.

자석
유도 전류
구리관

주의 콕

전자기 유도 현상에 의한 자기력은 자석의 운동을 방해하는 방향으로 일어난다.
자석을 코일에 가까이 할 때는 자석과 코일 사이에 척력이 작용하도록 유도 전류가 흐르고, 자석을 코일에서 멀리 할 때는 자석과 코일 사이에 인력이 작용하도록 유도 전류가 흐른다.

❷ 자기 브레이크의 이용

의자 뒤에 자석이 붙어 있고, 기둥 아래에 금속판이 있다. 놀이 기구가 내려오면 주행 방향의 반대 방향으로 자기력이 작용해 놀이 기구를 정지시킨다.

용어

▸ **자기력**: 자기장에 의해 물체들 사이에 작용하는 밀거나 당기는 힘

1 코일에 자석의 N극이 가까워질 때 유도되는 자기장의 방향은 (위 / 아래) 방향이다.

2 구리관 속에 자석의 S극을 아래 방향으로 놓고 낙하시키면 N극일 때보다 낙하 시간이 길다. (○ , ×)

답 1. 위 2. ×

3. 패러데이 법칙(전자기 유도 법칙)

① 유도 기전력: 전자기 유도에 의해 코일 양단에 생기는 기전력 ➡ 코일에 유도 전류가 흐르는 것은 자석이 코일을 통과할 때 유도 기전력이 생기기 때문이다. 즉, 유도 기전력은 유도 전류를 흐르게 하는 원인이다.

② 유도 전류의 세기: 유도 전류의 세기는 유도 기전력의 크기에 비례한다. ➡ $I \propto V$

③ 코일의 감은 수를 N, 시간 Δt 동안 코일을 통과하는 자기 선속의 변화량을 $\Delta\Phi$라고 하면 유도 기전력 V는 다음과 같다.

(−) 부호는 유도 기전력의 방향이 자기 선속의 변화를 방해하는 방향임을 의미한다.

$$V = -N\frac{\Delta\Phi}{\Delta t} \quad (\text{단위: V})$$

$\frac{\Delta\Phi}{\Delta t}$는 단위시간당 자기 선속의 변화, 즉, 자기 선속의 변화율을 나타낸다.

④ 유도 전류의 세기는 코일의 감은 수에 비례하고, 코일을 통과하는 자기 선속의 변화율❸에 비례한다.

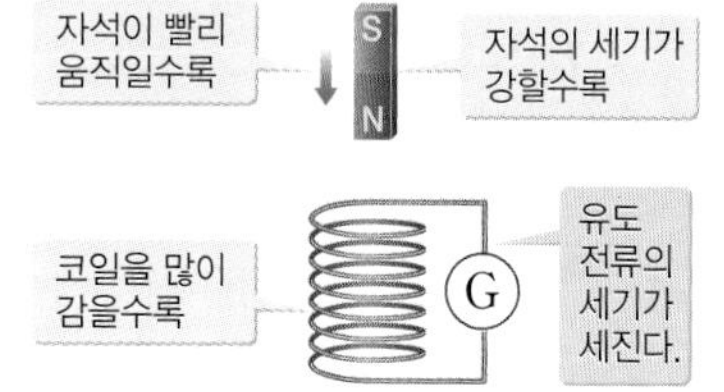

❸ **자기 선속의 변화율**

솔레노이드의 단면을 통과하는 시간당 자기장의 변화량과 같다.

암기 콕

솔레노이드 근처에서 움직이는 자석의 세기가 셀수록, 자석이 움직이는 속력이 빠를수록 시간당 자기 선속의 변화량이 증가하므로 유도 전류의 세기가 세진다.

3 전자기 유도의 이용

1. 발전기❹ → 자석과 코일 이용

① 발전기 속에는 매우 강한 자석이 있고 자석 사이에 코일을 넣어 회전시킨다. → 코일을 회전시키는 운동 에너지가 전기 에너지로 전환된다.

② 코일을 통과하는 자기 선속이 변하여 코일에 유도 전류가 흐른다.

③ 코일이 회전하는 동안 코일을 통과하는 자기 선속이 증가했다 감소했다가를 주기적으로 반복하므로 코일에 흐르는 전류의 방향도 주기적으로 바뀌어 교류가 흐른다.

④ 자전거 전조등용 발전기도 같은 원리이다.

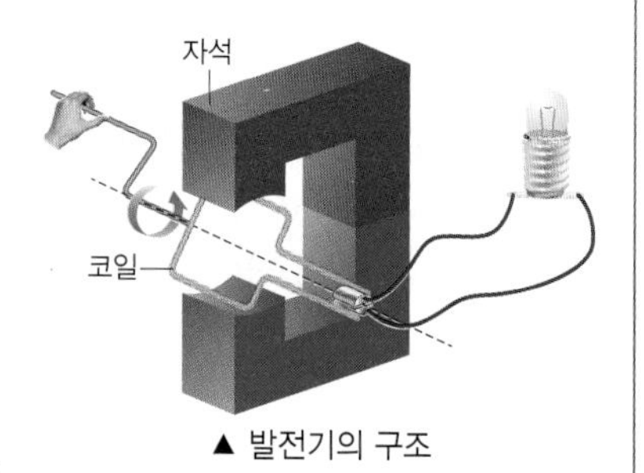

▲ 발전기의 구조

❹ **발전기와 전동기의 차이점**

발전기는 역학적 에너지를 전기 에너지로 변환시키는 장치이고, 전동기는 전기 에너지를 역학적 에너지로 변환시키는 장치이다.

발전기에서 유도 전류의 세기

❶ 코일의 회전 속력이 커지면 코일을 통과하는 자기 선속의 최대 변화율이 증가하여 코일에 흐르는 최대 유도 전류의 세기가 증가한다.

❷ 자석의 세기가 강할수록 코일에 흐르는 최대 유도 전류의 세기가 세다.

❸ 자기장 방향에 수직인 코일의 단면적이 넓을수록 코일에 흐르는 최대 유도 전류의 세기가 세다. 코일이 회전하여 자기장 방향에 수직인 면적이 변하므로 전류의 세기가 계속 변한다.

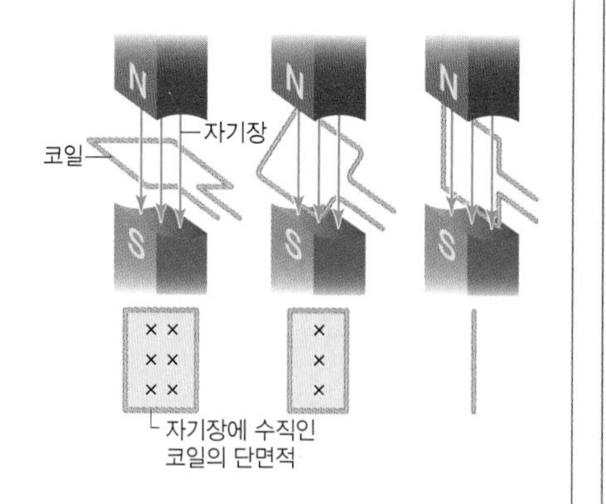

용어

▸ **기전력**: 회로에 전류를 흐르게 하는 원동력이 되는 전압

▸ **발전기**: 역학적 에너지를 전기 에너지로 변환시키는 장치로, 전자기 유도 현상을 이용하여 전기를 생산한다.

▸ **교류**: 전류의 세기와 방향이 계속 변하는 전류

개념 확인하기

1 유도 전류의 세기는 코일을 통과하는 (   )의 변화율에 비례한다.

2 발전기 속에서 코일을 통과하는 자기 선속의 변화가 없을 때 코일에 유도 전류가 흐른다. (○ , ×)

답 1. 자기 선속 2. ×

셀파 세미나 S·H·E·R·P·A

▶ 전자기 유도 현상을 이해하고, 그래프로 분석해 보아요.

유도 전류의 방향

01 사각 코일이 자기장 속으로 움직일 때 유도 전류의 방향

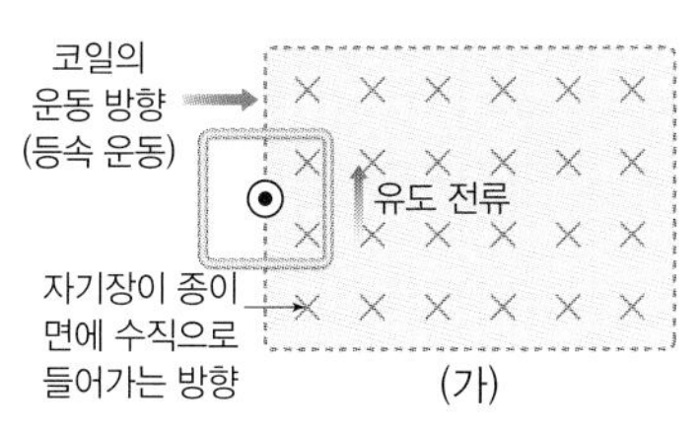

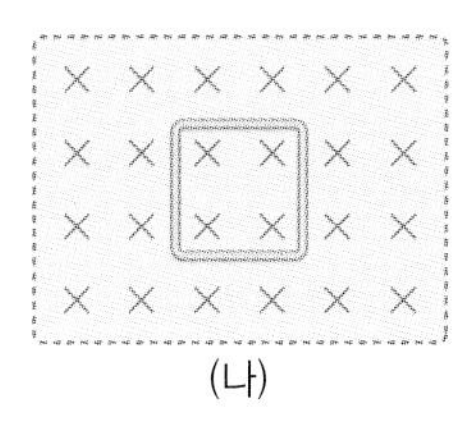

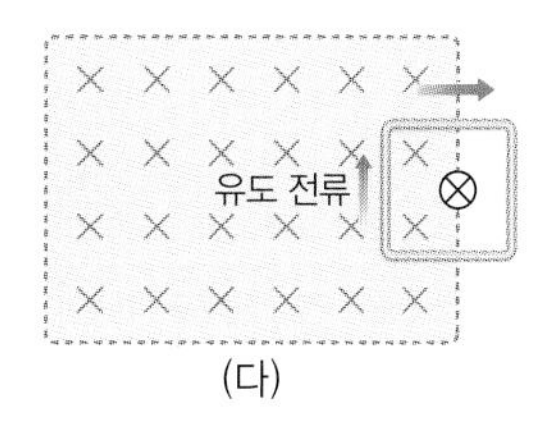

	(가)	(나)	(다)
사각 코일의 위치	코일이 자기장 속으로 들어갈 때	코일이 자기장 속을 일정한 속도로 움직일 때	코일이 자기장 속에서 나올 때
변화	코일을 통과하는 종이면에 수직(⊗)으로 들어가는 자기 선속이 증가	코일을 통과하는 자기 선속의 변화가 없음 (코일이 등속으로 움직이므로 코일 내부를 통과하는 자기 선속이 일정하다.)	코일을 통과하는 종이면에 수직(⊙)으로 들어가는 자기 선속이 감소
	자기 선속의 증가를 방해하는 방향으로 유도 자기장(⊙) 발생 (종이면에서 수직으로 나오는 방향)		자기 선속의 감소를 방해하는 방향으로 유도 자기장(⊗) 발생 (종이면에 수직으로 들어가는 방향)
유도 전류의 방향	시계 반대 방향	유도 전류 흐르지 않음	시계 방향

Plus 자료

자기장의 방향을 나타내는 기호

⊙: 자기장의 방향이 종이면에서 수직으로 나오는 것을 표시

⊗: 자기장의 방향이 종이면에 수직으로 들어가는 것을 표시

02 자기장의 세기 - 시간 그래프

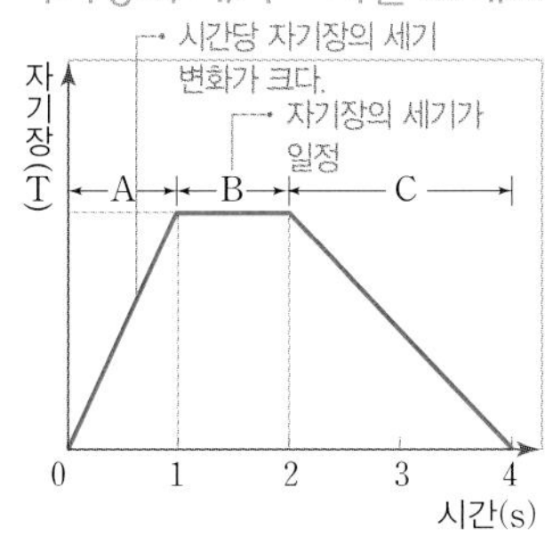

- 그래프에서 기울기는 자기장 세기의 변화율을 나타낸다. ➡ 자기 선속 변화율에 비례
- 기울기의 크기가 클수록 유도 기전력이 크고 유도 전류가 세진다.

➡ A 구간에서의 유도 기전력이 C 구간보다 크다.

➡ B 구간에서는 자기장이 일정하여 자기 선속의 변화가 없으므로 유도 전류가 흐르지 않는다.

➡ C 구간에 흐르는 유도 전류의 방향은 A 구간에 흐르는 유도 전류와 반대 방향이다. 기울기의 방향이 반대이므로

Plus 자료

자기장의 세기

자기장에 수직인 단위 면적을 통과하는 자기 선속(자기력선의 총 수)에 비례한다.

$B \propto \frac{\Phi}{S}$

03 유도 기전력 - 시간 그래프

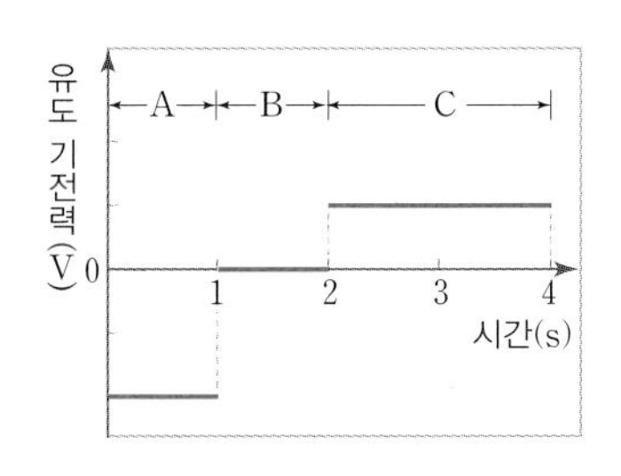

- 그래프에서 유도 기전력의 부호는 방향을 나타낸다. A구간(−)과 C구간(+)은 자기 선속의 변화를 방해하는 방향이 서로 반대 방향이다.
- B구간에서 0인 까닭은 단위시간 동안에 코일이 통과하는 자기 선속의 변화량이 없기 때문이다. 이때 자기장의 세기가 일정하다.

Plus 자료

패러데이 법칙

$V = -N\frac{\Delta\Phi}{\Delta t}$

(−) 부호의 의미는 유도 기전력의 방향이 자기 선속의 변화를 방해하는 방향으로 생긴다는 것이다(렌츠의 법칙).

유도 기전력과 유도 전류

유도 기전력은 자기 선속의 시간에 따른 변화에 의해 생기는 전압이고, 이 유도 기전력에 의해 유도 전류가 흐른다.

2. 교통 카드, 하이패스 → 자석은 없고 코일만 이용

① 구조: 교통 카드 둘레에는 코일이 감겨 있고 코일 양 끝은 IC칩[5]에 연결되어 있다.

② 원리: 카드 단말기에 교통 카드를 대면 전자기 유도 현상에 의해 카드 내부의 코일에 유도 전류가 흘러 IC칩에 전류가 흐르고 정보를 처리한다.

교통 카드의 작동 원리

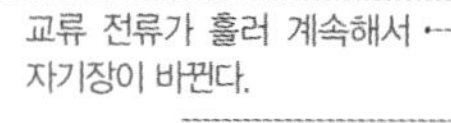

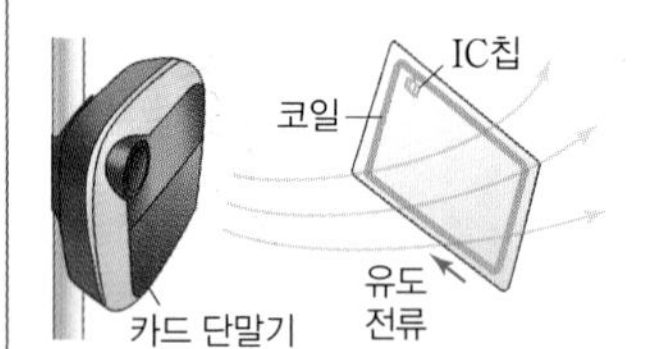

❶ 카드 단말기 속의 1차 코일에 전류가 흐르며 자기장이 발생한다.
❷ 카드를 단말기에 가져가면 자기 선속이 변하므로 전자기 유도로 카드의 코일에 전류가 발생한다.
❸ 카드의 코일에 흐르는 유도 전류로 IC칩에 내장된 정보를 읽는다.
❹ 전자기 유도 방식으로 단말기에 정보를 전달한다.

3. 무선 충전 → 자석은 없고 코일만 이용

① 원리: 전선 없이 전지를 충전시키는 방법으로, 전자기 유도 현상을 이용한다.

② 충전 패드의 코일에 교류 전류가 흐르면 전자 기기(휴대 전화, 전동 칫솔 등) 내부에 존재하는 코일에 전류가 유도되면서 배터리를 충전시킨다.

무선 충전의 원리

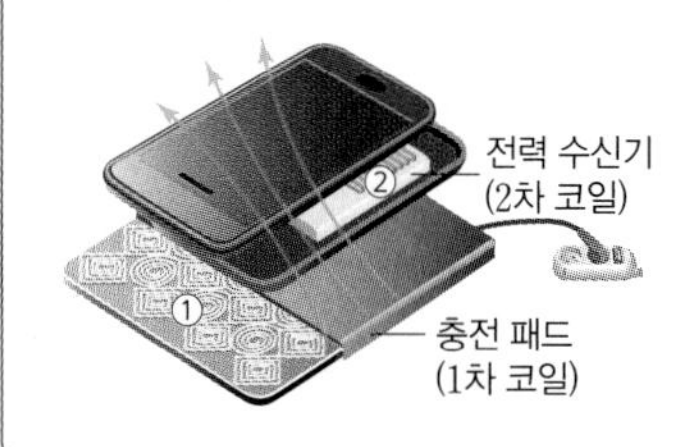

❶ 1차 코일에 교류가 흐르면 변화하는 자기장이 발생한다.
❷ 전자 기기 내부의 코일을 통과하는 자기 선속이 변하므로 2차 코일에 유도 전류가 발생한다.
❸ 코일에 흐르는 전류에 의해 배터리가 충전된다.

4. 하이브리드 자동차 → 기존 자동차에 비해 에너지 효율이 높다.

① 두 종류 이상의 동력원을 사용하는 자동차로, 일반적으로 화석 연료를 사용하는 내연 기관과 전기 에너지로 작동하는 모터를 모두 사용하는 자동차를 뜻한다.

② 전자기 유도 원리를 이용하여 제동할 때 버려지는 운동 에너지를 전기 에너지로 변환하여 배터리에 저장하여 모터를 작동시킨다.

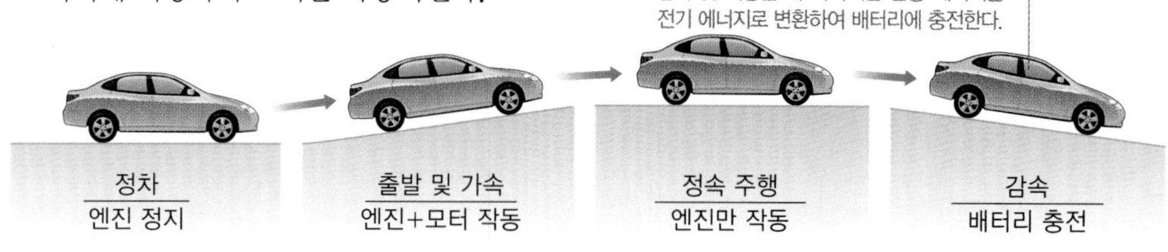

5. 마이크[6] 공기의 진동에 의해 진동판에 연결된 영구 자석이 코일 속에서 움직이면서 코일에 전류가 유도되어 소리 정보를 전기 신호로 전환한다.

6. 이 외에도 도난 방지 장치, 공항 검색대, 전기 기타[7], 금속 탐지기, 인덕션 레인지 등에 이용된다.

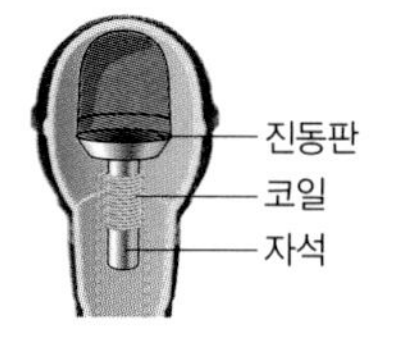

---

❺ IC칩

반도체로 만든 기판에 많은 전자 회로를 연결하여 만든다. 정보를 저장하거나 처리한다.

셀파 콕콕

코일을 통과하는 자기 선속이 변해야 전자기 유도 현상에 의해 유도 전류가 흐른다. 자기 선속의 변화는 교류와 같이 방향이 계속 바뀌는 전류가 흐를 때도 생긴다.

❻ 마이크와 스피커의 차이점

마이크와 스피커는 코일과 영구 자석이 들어 있는 구조이다. 마이크는 전자기 유도 현상을 이용하여 소리 신호를 전기 신호로 전환하고, 스피커는 전류의 자기 작용을 이용하여 전기 신호를 소리 신호로 전환한다.

❼ 전기 기타

기타줄 아래에 코일이 감겨 있는 자석이 있어 자화된 줄이 진동하면 유도 전류가 발생한다.

용어

▸ **하이패스**: 전자 카드가 삽입된 단말기로 고속 도로에서 자동으로 요금이 지불된다.

▸ **인덕션 레인지**: 조리용 가열 기구로 인덕션 레인지 내부의 코일에 흐르는 교류에 의해 냄비에 유도 전류가 발생하고, 유도 전류에 의해 냄비에 열이 발생한다.

개념 확인하기

1 교통 카드는 전자기 유도 현상에 의한 유도 전류를 이용하여 정보를 처리한다. (○ , ×)

2 무선 충전의 방식을 이용한 전자 기기의 충전 패드(단말기)에서는 일정한 세기의 자기장이 나온다. (○ , ×)

답 1. ○ 2. ×

셀파 탐구

전자기 유도

목표 솔레노이드에 유도되는 전류에 영향을 미치는 요인을 찾을 수 있다.

과정

❶ 솔레노이드와 검류계를 집게 달린 전선을 이용하여 연결한다.

❷ 막대자석의 N극을 솔레노이드 속으로 가까이 하거나 멀리 할 때, 검류계 바늘의 움직임을 관찰한다.

왜 검류계는 전류의 세기와 방향을 측정하는 도구로, 솔레노이드에 유도 전류가 흐르는지를 확인하기 위해 검류계를 연결한다.

❸ 자석의 속력을 바꿔가며 검류계 바늘의 움직임을 관찰한다.

❹ 막대자석 2개를 같은 극끼리 붙여 과정 ❷를 반복한다.

결과 및 정리

1. 어떤 경우에 솔레노이드에 전류가 흐르는가?
   ➡ 막대자석을 솔레노이드에 가까이 하거나 멀리 할 때 전류가 흐른다.
2. 자석의 속력과 솔레노이드에 흐르는 전류의 세기는 어떤 관계가 있는가?
   ➡ 자석의 속력이 빠를수록 흐르는 전류의 세기가 세진다.
3. 자석의 개수와 솔레노이드에 흐르는 전류의 세기는 어떤 관계가 있는가?
   ➡ 같은 극끼리 붙인 자석의 수가 많을수록 흐르는 전류의 세기가 세진다.
4. 자석과 솔레노이드가 서로 가까워질 때와 멀어질 때, 전류의 방향은 어떠한가?
   ➡ 가까워질 때 흐르는 전류의 방향과 멀어질 때 흐르는 전류의 방향은 서로 반대이다.

같은 주제 다른 탐구

전자기 유도 현상 관찰

[과정]

솔레노이드에 발광 다이오드(LED) 2개를 극성이 반대가 되도록 연결하고, 네오디뮴 자석을 솔레노이드 안에서 위아래로 움직인다.

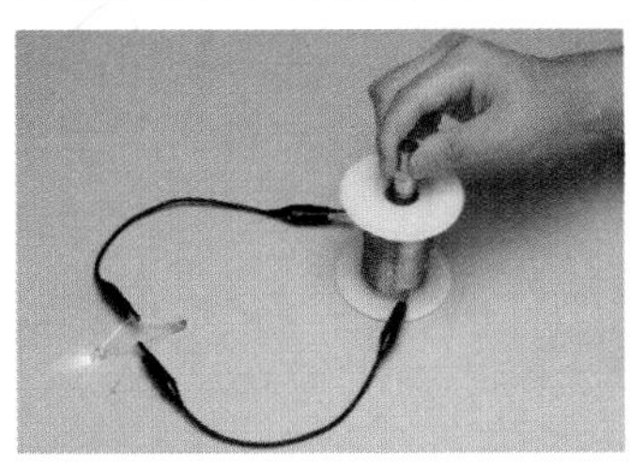

[결과 및 정리]

1. 자석이 움직일 때 유도 전류가 흘러 발광 다이오드의 불빛이 들어온다. 자석을 위아래로 더 빠르게 움직일수록 유도 전류의 세기가 세지기 때문에 발광 다이오드는 더 밝아진다. 만약 자석이 솔레노이드 속에 정지해 있으면 발광 다이오드에 불빛이 들어오지 않는다.
2. 자석이 움직이는 방향 (위 → 아래 / 아래 → 위)에 따라 서로 다른 발광 다이오드가 켜진다. → 유도 전류의 방향이 반대이기 때문이다.

시험 유형은?

❶ 유도 전류의 세기를 증가시킬 수 있는 방법은 무엇인가?
▶ 움직이는 자석의 속력을 증가시킨다. 강한 자석을 사용한다. 솔레노이드의 감은 수를 증가시킨다.

❷ 자석의 N극을 가까이 할 때와 자석의 S극을 가까이 할 때 유도 전류의 방향은 어떠한가?
▶ 반대 방향

탐구 대표 문제 정답과 해설 49쪽

01 위 실험 과정에 대한 설명으로 옳은 것은?

① 솔레노이드에 자석을 넣고 가만히 있으면 전류의 세기가 증가한다.
② 자석을 느리게 움직이면 전류의 세기가 증가한다.
③ 막대자석 2개를 같은 극끼리 붙여서 움직이면 전류의 세기가 감소한다.
④ N극을 멀리 할 때와 S극을 멀리 할 때 전류의 방향은 반대 방향이다.
⑤ 자석의 S극을 솔레노이드에 가까이 할 때와 멀리 할 때 전류의 방향은 같은 방향이다.

02 솔레노이드에 자석의 N극을 가까이 할 때 검류계의 바늘이 0점에서 왼쪽으로 움직였다. 솔레노이드에서 자석의 S극을 멀리 할 때 검류계 바늘은 0 점에서 어느 방향으로 움직이는가?

기초 탄탄 문제

정답과 해설 49쪽

핵심용어_ 이 단원에서 내가 아는 것과 아직 모르는 것을 정리하며 나의 공부를 돌아보자.

- □ 전자기 유도 현상 □ 유도 전류의 세기 □ 유도 전류의 방향
- □ 유도 기전력 □ 교통 카드의 원리 □ 발전기의 원리
- □ 무선 충전의 원리 □ 마이크의 원리

01 다음 설명의 (가), (나)에 들어갈 말을 옳게 짝 지은 것은?

> 솔레노이드를 통과하는 자기 선속이 변할 때 솔레노이드에 전류가 흐르는 현상을 (가)라 하고, 이때 흐르는 전류를 (나)라고 한다.

	(가)	(나)		(가)	(나)
①	전자기 유도	유도 전류	②	전자기 유도	자기 전류
③	정전기 유도	유도 전류	④	정전기 유도	자기 전류
⑤	전자기 유도	접지 전류			

02 전자기 유도 현상에 대한 설명으로 옳지 않은 것은?

① 코일과 자석이 상대적 운동을 할 때 코일에 전류가 흐르는 현상이다.
② 코일 속으로 자석을 빠르게 움직이면 천천히 움직일 때보다 유도 전류의 세기가 세진다.
③ 코일 속에 강한 자석을 넣고 정지해 있어도 코일에 유도 전류가 흐른다.
④ 코일을 통과하는 자기 선속의 변화가 클수록 큰 유도 기전력이 발생한다.
⑤ 자석 주위에서 코일을 움직이면 코일에는 유도 전류가 흐른다.

03 그림은 코일과 자석이 동일 선상에 놓여 있는 모습이다. 코일에 전류가 흐르게 되는 경우가 아닌 것은?

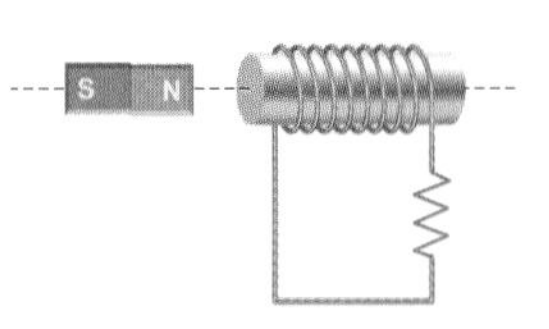

① 자석을 오른쪽 방향으로 이동시킨다.
② 코일을 오른쪽 방향으로 이동시킨다.
③ 자석의 자극을 반대로 하여 코일 쪽으로 이동시킨다.
④ 자석과 코일의 간격을 일정하게 유지한 상태로 함께 왼쪽 방향으로 이동시킨다.
⑤ 자석과 코일의 간격이 멀어지도록 자석은 왼쪽 방향으로 코일은 오른쪽 방향으로 이동시킨다.

[04~05] 그림은 솔레노이드와 검류계를 연결하고 막대자석의 N극을 솔레노이드에 가까이 가져갈 때 검류계 바늘이 a 방향으로 움직인 것을 나타낸 것이다.

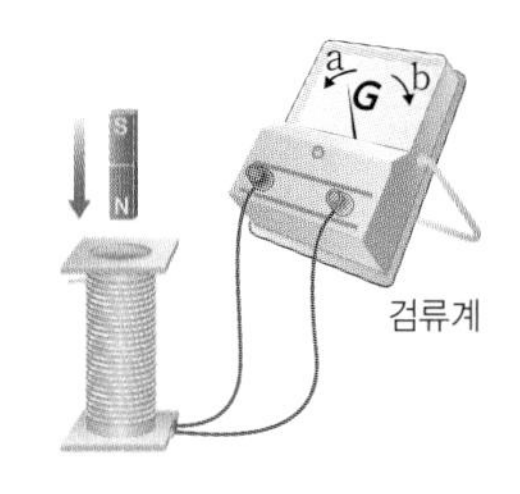

04 막대자석의 N극을 솔레노이드에 가까이 가져갈 때 일어나는 현상에 대한 설명으로 옳지 않은 것은?

① 솔레노이드 내부에는 막대자석에 의한 자기 선속이 증가한다.
② 솔레노이드에 흐르는 전류는 솔레노이드 내부에 위 방향의 자기장을 형성한다.
③ 자석과 솔레노이드 사이에는 서로 밀어내는 자기력이 작용한다.
④ 막대자석의 세기가 셀수록 검류계 바늘이 a 방향으로 크게 움직인다.
⑤ 막대자석을 더 빠르게 가져갈 때 검류계의 바늘은 b 방향으로 움직인다.

05 검류계의 바늘이 b 방향으로 움직이는 경우는?

① 자석의 N극을 솔레노이드에 넣고 가만히 있을 때
② 자석의 N극을 솔레노이드에서 멀리 할 때
③ 솔레노이드를 자석의 N극에 가까이 할 때
④ 자석의 N극만 잘라서 자른 자석을 솔레노이드에 가까이 할 때
⑤ 자석의 S극을 솔레노이드에 넣고 가만히 있을 때

06 전자기 유도를 응용한 장치가 아닌 것은?

① 발전기 ② 전동기
③ 무선 충전 ④ 하이패스 카드
⑤ 자기 브레이크

내신 만점 문제

정답과 해설 50쪽　　　▮▮▮ 난이도를 나타냅니다.

01 그림은 자석의 N극을 원형 코일의 중심축을 따라 일정한 속력으로 올리는 모습을 나타낸 것이다. 이에 대한 설명으로 옳은 것만을 〈보기〉에서 있는 대로 고른 것은?

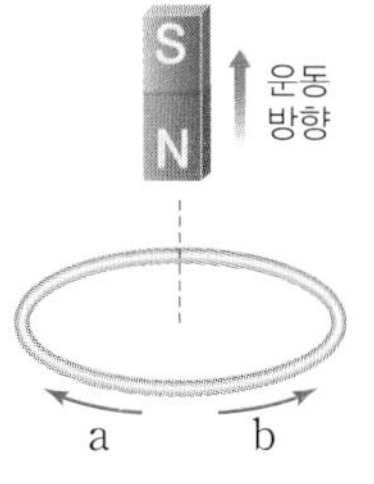

보기
ㄱ. 코일이 형성하는 자기장의 방향은 아래 방향이다.
ㄴ. 코일에 흐르는 유도 전류의 방향은 a방향이다.
ㄷ. 코일이 자석에 작용하는 자기력의 방향은 아래 방향이다.

① ㄱ　② ㄷ　③ ㄱ, ㄴ　④ ㄴ, ㄷ　⑤ ㄱ, ㄴ, ㄷ

02 그림은 고정되어 있는 코일 앞에 천장에 연결된 실에 매달린 자석을 수직 방향에서 θ만큼 들어 올렸다가 가만히 놓는 모습이다.

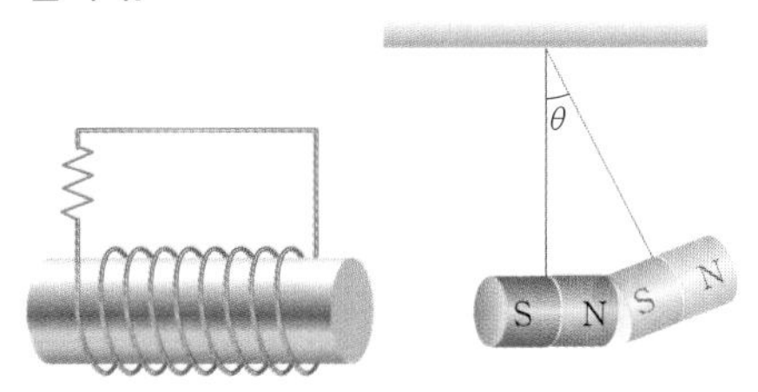

자석이 회전하지 않은 채 왕복 운동할 때, 이에 대한 설명으로 옳은 것만을 〈보기〉에서 있는 대로 고른 것은? (단, 공기 저항 및 마찰은 무시한다.)

보기
ㄱ. 왕복 운동이 거듭될수록 각도 θ는 감소한다.
ㄴ. 코일에는 일정한 방향으로 전류가 흐른다.
ㄷ. 자석이 코일로부터 받는 자기력의 방향은 일정하다.

① ㄱ　② ㄷ　③ ㄱ, ㄴ　④ ㄴ, ㄷ　⑤ ㄱ, ㄴ, ㄷ

03 그림과 같이 코일 A에 전원 장치를 연결하고 코일 B와 마주 보게 놓았다.

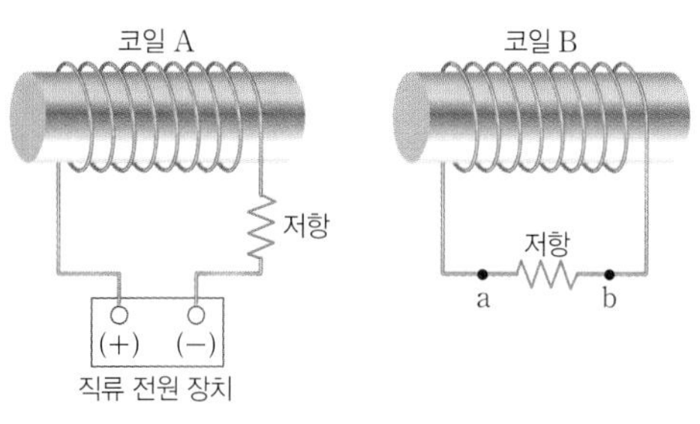

이에 대한 설명으로 옳은 것만을 〈보기〉에서 있는 대로 고른 것은?

보기
ㄱ. 코일 A의 내부 중심에서 자기장의 방향은 오른쪽이다.
ㄴ. 전원 장치의 전압을 증가시킬 때, 코일 B에는 'a → 저항 → b' 방향으로 전류가 흐른다.
ㄷ. 전원 장치의 전압을 감소시킬 때, 코일 A와 코일 B 사이에는 인력이 작용한다.

① ㄱ　② ㄷ　③ ㄱ, ㄴ　④ ㄴ, ㄷ　⑤ ㄱ, ㄴ, ㄷ

04 그림 (가)와 같이 고정된 원형 자석 위에서 자석의 중심축을 따라 원형 도선을 운동시킨다. 그림 (나)는 원형 도선 중심의 위치를 시간에 따라 나타낸 것이다.

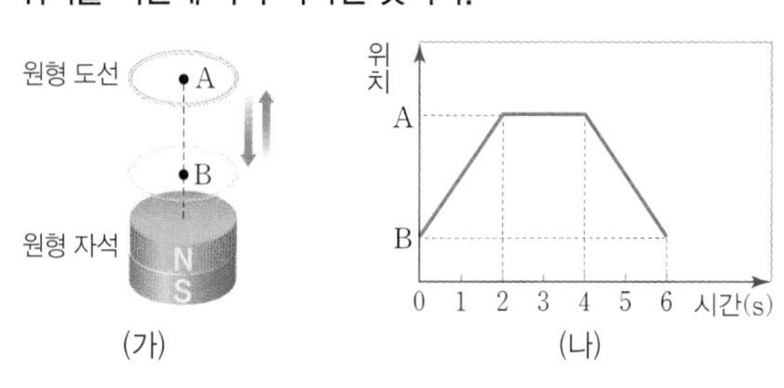

이에 대한 설명으로 옳은 것만을 〈보기〉에서 있는 대로 고른 것은? (단, 원형 도선이 이루는 면과 원형 자석의 윗면은 평행하다.)

보기
ㄱ. 1초일 때 원형 도선에 흐르는 유도 전류의 방향은 시계 반대 방향이다.
ㄴ. 3초일 때 원형 도선에는 전류가 흐르지 않는다.
ㄷ. 5초일 때 원형 도선과 자석 사이에 서로 밀어내는 방향의 자기력이 작용한다.

① ㄱ　② ㄷ　③ ㄱ, ㄴ　④ ㄴ, ㄷ　⑤ ㄱ, ㄴ, ㄷ

05 그림은 막대자석이 코일의 중심축을 따라 일정한 속력 v로 내려오는 것을 나타낸 것이다. 내려오던 막대자석이 P점을 지날 때 검류계 바늘이 오른쪽으로 움직인 각은 θ이다.

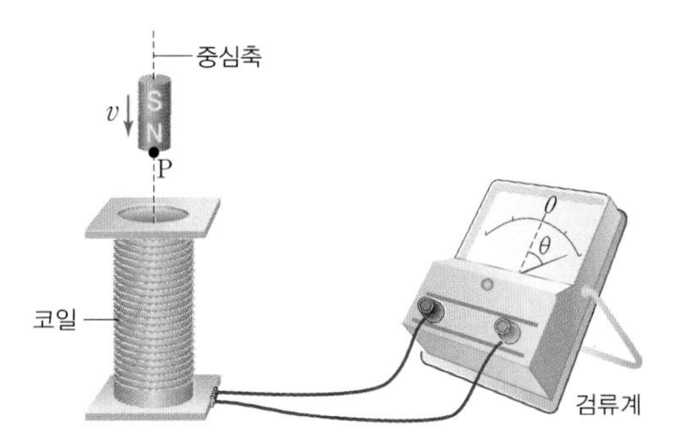

내려오는 막대자석이 P점을 지날 때, 이에 대한 설명으로 옳은 것만을 〈보기〉에서 있는 대로 고른 것은?

보기
ㄱ. 코일 내부에는 아래 방향의 자기장이 증가한다.
ㄴ. 다른 조건은 그대로 두고 막대자석의 속력을 $2v$로 바꾸면 검류계 바늘이 움직인 각은 θ보다 작다.
ㄷ. 다른 조건은 그대로 두고 자기장의 세기가 더 센 막대자석을 사용하면 검류계 바늘이 움직인 각은 θ보다 크다.

① ㄴ ② ㄷ ③ ㄱ, ㄴ
④ ㄱ, ㄷ ⑤ ㄱ, ㄴ, ㄷ

06 그림은 빗면을 따라 내려온 자석이 솔레노이드의 중심축에 놓인 마찰이 없는 수평 레일을 따라 운동하는 모습을 나타낸 것이다. 점 p, q는 레일 위에 있다.

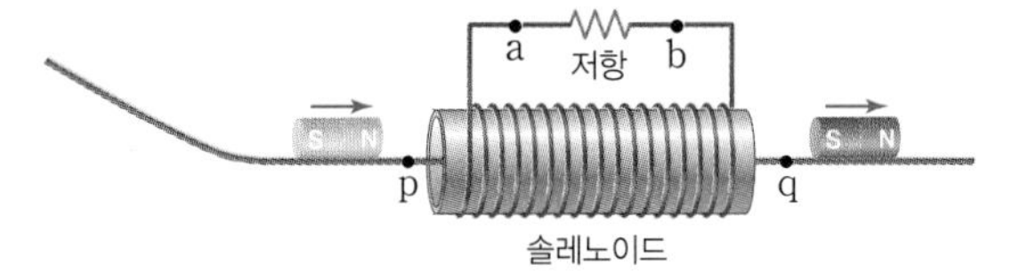

이에 대한 설명으로 옳은 것만을 〈보기〉에서 있는 대로 고른 것은? (단, 공기 저항은 무시한다.)

보기
ㄱ. 자석이 p를 지날 때, 솔레노이드에 의해 자석이 받는 자기력의 방향은 운동 방향과 같다.
ㄴ. 자석이 q를 지날 때, 솔레노이드는 'b → 저항 → a' 방향으로 전류가 흐른다.
ㄷ. 자석에 작용하는 알짜힘의 방향은 p와 q에서 같다.

① ㄱ ② ㄴ ③ ㄱ, ㄷ
④ ㄴ, ㄷ ⑤ ㄱ, ㄴ, ㄷ

[07~08] 그림은 동일한 자석 A, B, C를 같은 높이에서 동시에 놓은 모습이다. A는 공기 중에서, B와 C는 각각 길이가 같은 플라스틱관과 구리관을 연직으로 세우고 자석을 관 입구에서 가만히 낙하시킨다. (단, 공기 저항과 모든 마찰은 무시하고, 자석은 관 내부에서 충돌하지 않는다.)

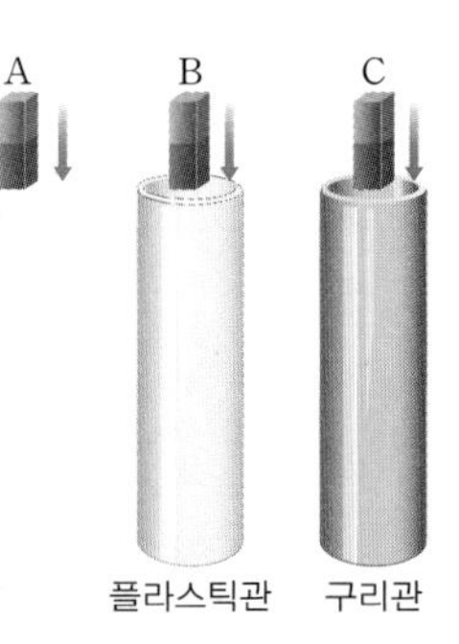

07 자석 A, B, C가 바닥에 닿을 때까지 걸리는 시간 t_A, t_B, t_C을 옳게 비교한 것은?

① $t_A > t_B > t_C$ ② $t_A = t_B > t_C$
③ $t_A = t_B = t_C$ ④ $t_A = t_B < t_C$
⑤ $t_A < t_B < t_C$

08 자석 A, B, C가 낙하하는 동안 일어난 현상에 대한 설명으로 옳은 것만을 〈보기〉에서 있는 대로 고른 것은?

보기
ㄱ. A와 B에 작용하는 알짜힘은 같다.
ㄴ. 플라스틱관에서는 전자기 유도 현상이 일어난다.
ㄷ. C에서 자석에 작용하는 자기력은 위로 작용한다.

① ㄱ ② ㄴ ③ ㄱ, ㄷ
④ ㄴ, ㄷ ⑤ ㄱ, ㄴ, ㄷ

09 그림은 코일과 IC칩이 내장된 교통 카드를 단말기에 가까이 정지시켜 정보를 처리하는 모습이다. 이에 대한 설명으로 옳은 것만을 〈보기〉에서 있는 대로 고른 것은?

보기
ㄱ. 단말기에서는 일정한 세기의 자기장이 발생한다.
ㄴ. 교통 카드에는 전자기 유도에 의해 유도 전류가 흐른다.
ㄷ. 교통 카드는 정보를 처리할 수 있는 내장된 전원 장치에 전기 에너지를 저장한다.

① ㄴ ② ㄷ ③ ㄱ, ㄴ
④ ㄱ, ㄷ ⑤ ㄱ, ㄴ, ㄷ

10 그림은 도선 고리가 자석 사이에서 회전하도록 되어 있는 발전기의 구조를 나타낸 것으로, 도선 고리에는 전구가 연결되어 있다.

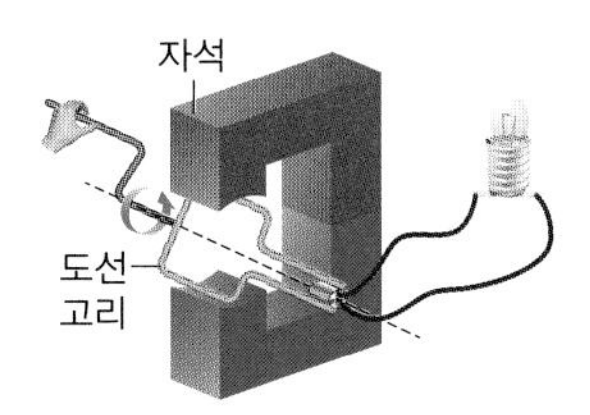

이에 대한 설명으로 옳은 것만을 〈보기〉에서 있는 대로 고른 것은?

보기
ㄱ. 고리를 회전시키면 고리를 통과하는 자기 선속이 변한다.
ㄴ. 고리를 회전시키지 않고 정지시켜 놓으면 전구에 불이 들어오지 않는다.
ㄷ. 고리를 빨리 회전시킬수록 전구의 불빛은 밝아진다.

① ㄴ ② ㄷ ③ ㄱ, ㄴ
④ ㄱ, ㄷ ⑤ ㄱ, ㄴ, ㄷ

11 그림은 휴대 전화를 무선 충전하는 모습이다. 무선 충전기에서 발생한 위 방향의 자기장이 휴대 전화 내부 코일을 통과하고 있다.

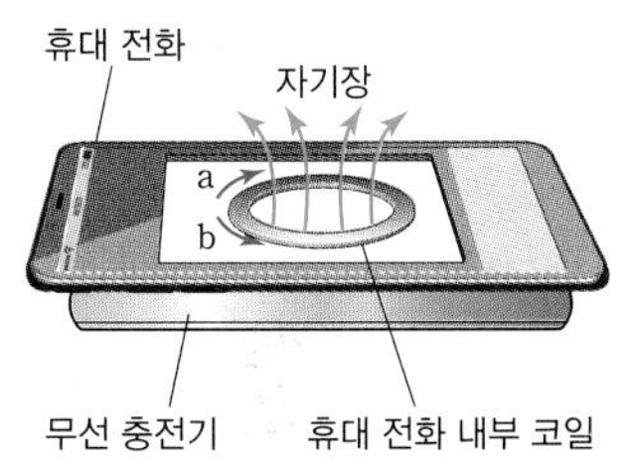

이에 대한 설명으로 옳은 것만을 〈보기〉에서 있는 대로 고른 것은?

보기
ㄱ. 자기장이 감소하면 코일에는 a방향으로 전류가 흐른다.
ㄴ. 자기장이 일정할 때 휴대 전화에 전기 에너지가 저장된다.
ㄷ. 전자기 유도 현상을 이용하여 무선 충전을 한다.

① ㄱ ② ㄷ ③ ㄱ, ㄴ
④ ㄴ, ㄷ ⑤ ㄱ, ㄴ, ㄷ

서술형 문제

12 그림은 코일에 검류계를 연결하고 막대자석의 운동에 의한 검류계 바늘의 움직임을 관찰하는 모습이다.

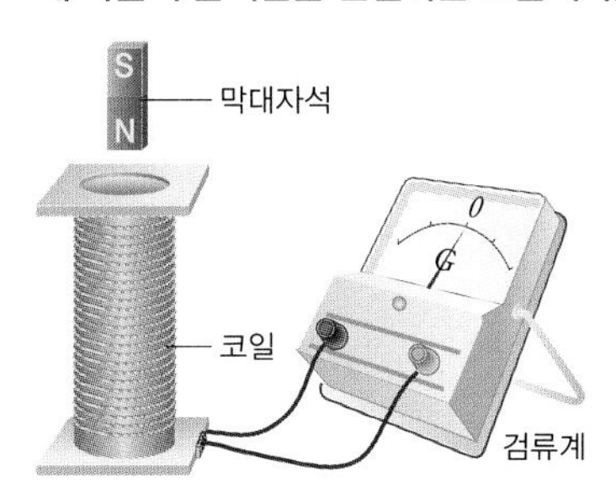

(1) 자석의 N극을 코일에 가까이 할 때와 멀리 할 때 검류계 바늘의 움직임을 비교하여 서술하시오.

(2) 검류계 바늘의 움직이는 폭을 증가시킬 수 있는 방법을 두 가지 서술하시오.

13 그림은 진동판에 부착된 코일과 고정된 자석으로 구성된 마이크의 구조를 모식적으로 나타낸 것이다.

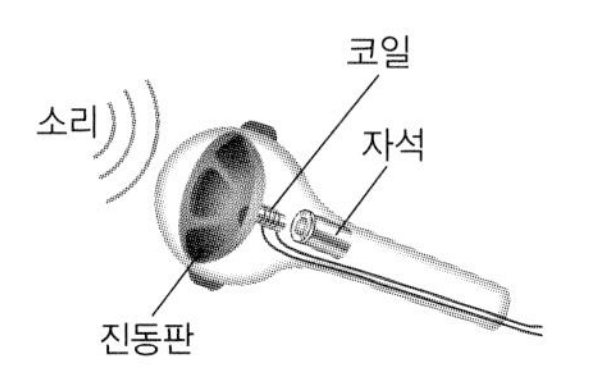

(1) 마이크에서 소리 신호가 전기 신호로 전환되는 과정을 서술하시오.

(2) 마이크의 신호 전환 과정과 같은 원리가 적용된 예를 두 가지만 서술하시오.

1. 자기장의 방향

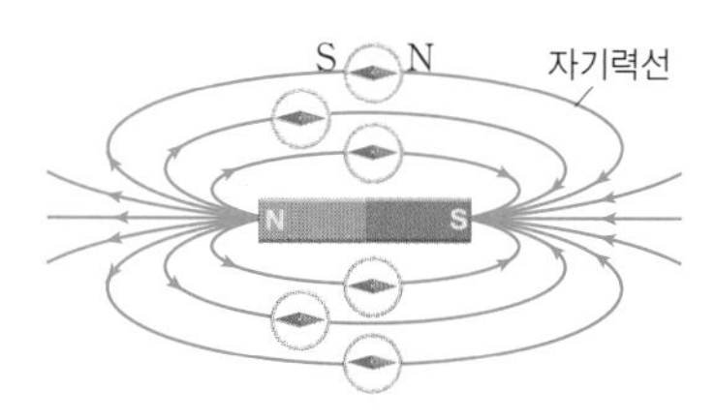

① 나침반의 N극이 향하는 방향
② 자기력선은 자석의 N극에서 나와 S극으로 들어간다.

2. 직선 전류에 의한 자기장

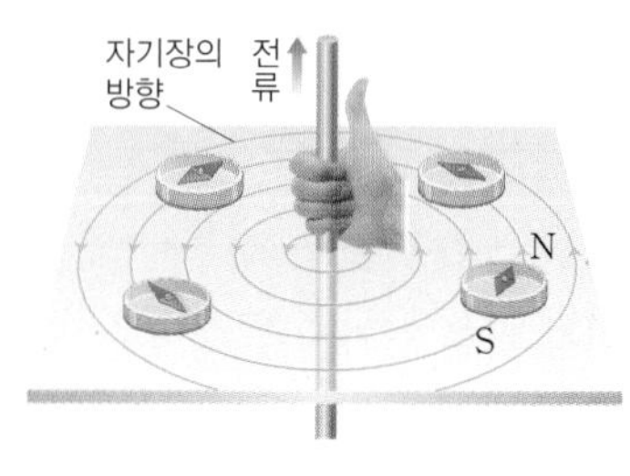

① 직선 도선 주위의 자기장은 도선을 중심으로 하는 동심원 모양이다.
② 직선 전류에 의한 자기장의 세기(B)는 도선에 흐르는 전류의 세기(I)에 비례하고, 도선으로부터 떨어진 거리(r)에 반비례한다. ➡ $B \propto \frac{I}{r}$
③ 오른손의 엄지손가락이 전류의 방향을 향하게 할 때, 나머지 네 손가락이 도선을 감아쥐는 방향으로 자기장이 형성된다.

3. 원형 전류에 의한 자기장

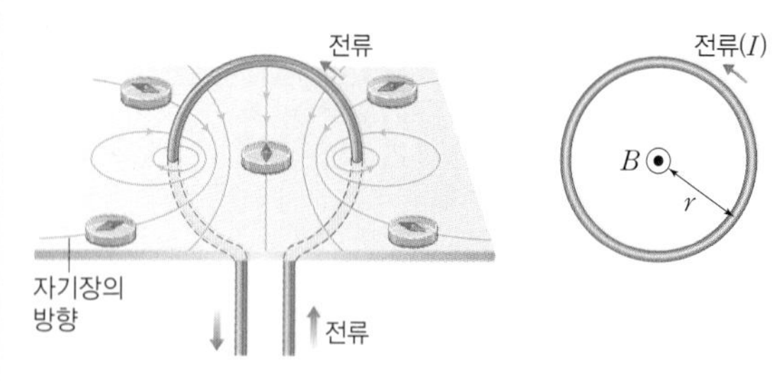

① 원형 도선 중심에서의 자기장은 전류의 방향에 따라 원형 도선이 만드는 평면에 수직으로 들어가거나 나온다.
② 원형 전류의 중심에서 자기장의 세기(B)는 전류의 세기(I)에 비례하고 도선이 만드는 원의 반지름(r)에 반비례한다. ➡ $B \propto \frac{I}{r}$
③ 직선 전류에 의한 자기장을 원 모양으로 한 바퀴 감은 듯한 모양이다.

4. 솔레노이드에 의한 자기장

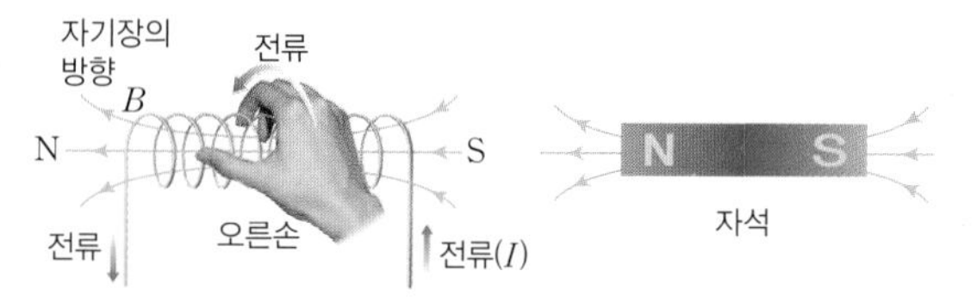

① 솔레노이드 내부에는 축과 나란하고 균일한 자기장이 형성되며, 외부에는 막대자석이 만드는 자기장과 같은 모양의 자기장이 형성된다.
② 솔레노이드 내부에 형성되는 자기장의 방향은 오른손 네 손가락을 전류의 방향으로 감아쥘 때 엄지손가락이 가리키는 방향이다. (엄지손가락 → N극을 찾을 수 있다.)
③ 솔레노이드 내부에서 자기장의 세기(B)는 도선에 흐르는 전류의 세기(I)에 비례하고, 단위길이당 도선의 감은 수(n)에 비례한다. ➡ $B \propto nI$

5. 전류에 의한 자기장의 이용 – 전자석

솔레노이드 내부에 철심을 넣어 만든 자석
① 자기 부상 열차: 열차 바닥에 부착된 전자석과 레일에 부착된 영구 자석 사이의 반발력으로 열차가 레일 위에 살짝 뜬 상태에서 움직인다.
② 자기 공명 영상 장치(MRI): 솔레노이드에 강한 자기장이 발생하여 인체 내 물 분자를 진동시켜 인체 내부를 영상화하는 장치이다.

6. 전류에 의한 자기장의 이용 – 자기력

① 자기력: 자기장 속에서 전류가 흐르는 도선이 받는 힘
② 전동기의 원리: 전동기 내부에서 자석의 자기장과 자석 사이에 있는 사각 도선의 전류에 의한 자기장이 상호 작용하여 사각 도선이 회전한다.
② 스피커의 원리: 스피커 내부에서 코일이 형성하는 자기장과 자석의 자기장이 상호 작용하여 진동판이 진동한다.

7. 자성

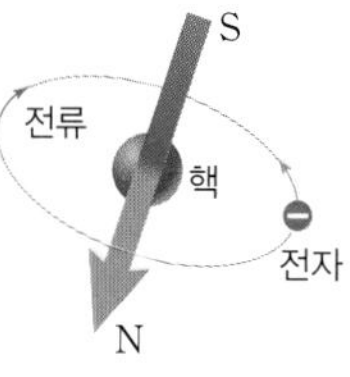

① 자성: 물질이 자석 또는 외부 자기장과 반응하는 성질
② 물질을 구성하는 원자가 자석과 같은 역할을 하여 자성이 생긴다.
➡ 원자핵 둘레를 도는 전자의 궤도 운동(공전)과 전자 자신의 축을 기준으로 자전하는 스핀이 자기장을 만든다.

8. 자성체의 종류

① 강자성체: 자석에 강하게 붙는 성질을 가진 물체

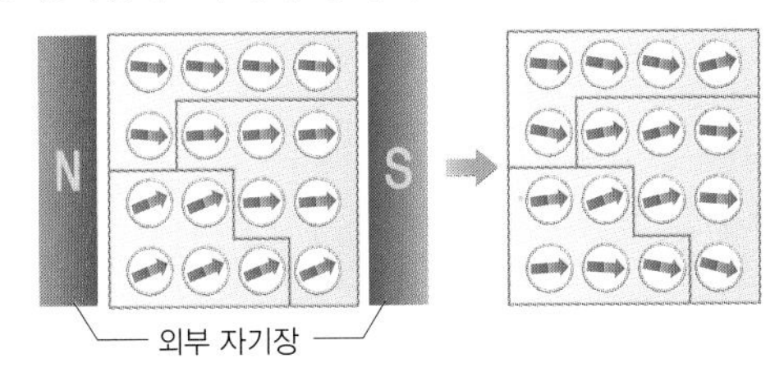

외부 자기장을 가하였을 때 외부 자기장의 방향으로 강하게 자기화되며, 외부 자기장을 제거해도 자성을 오래 유지한다.

② 상자성체: 자석에 약하게 끌리는 성질을 가진 물체

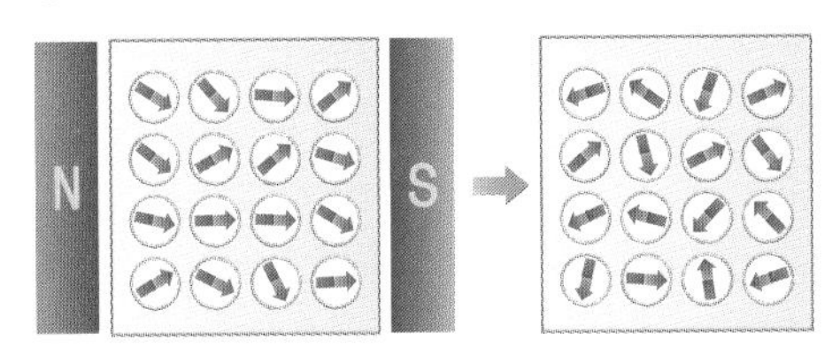

외부 자기장을 가하였을 때 외부 자기장의 방향으로 약하게 자기화되며, 외부 자기장을 제거하면 자성의 효과가 바로 사라진다.

③ 반자성체: 자석을 가까이 하였을 때 약하게 밀려나는 성질을 가진 물체

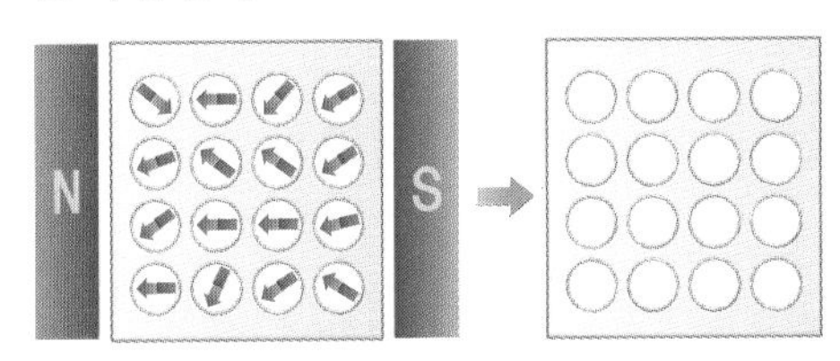

외부 자기장을 가하면 외부 자기장의 반대 방향으로 약하게 자기화되며, 외부 자기장을 제거하면 자성의 효과가 바로 사라진다.

9. 강자성체의 이용

전자석 속의 철심, 자기 테이프, 하드 디스크, 액체 자석 등

① 전자석의 철심: 강자성체인 철심이 솔레노이드가 만드는 자기장의 방향으로 자기화된다.

② 하드 디스크의 원리: 강자성체인 디스크 표면에 전류가 흘러 자기장이 생긴 헤드가 지나가면 디스크의 작은 부분들이 자기화된다.

10. 초전도체

외부 자기장을 걸어 주면 초전도체에는 외부 자기장과 반대 방향의 자기장이 만들어져 자석을 밀어내는 반자성이 강하게 나타난다.

11. 전자기 유도

자석과 코일의 상대적 운동에 의해 코일을 통과하는 자기 선속이 변할 때 전지가 없어도 코일에 전류가 유도되는 현상

12. 유도 전류의 방향 – 렌츠 법칙

① 자석을 코일에 가까이 하거나 멀리 하여 코일을 통과하는 자기 선속을 변화시키면 코일을 통과하는 자기 선속의 변화를 방해하는 방향으로 유도 전류가 흐른다.

② 자석이 코일에 대해 정지해 있을 때에는 코일을 통과하는 자기 선속의 변화가 없으므로 유도 전류가 흐르지 않는다.

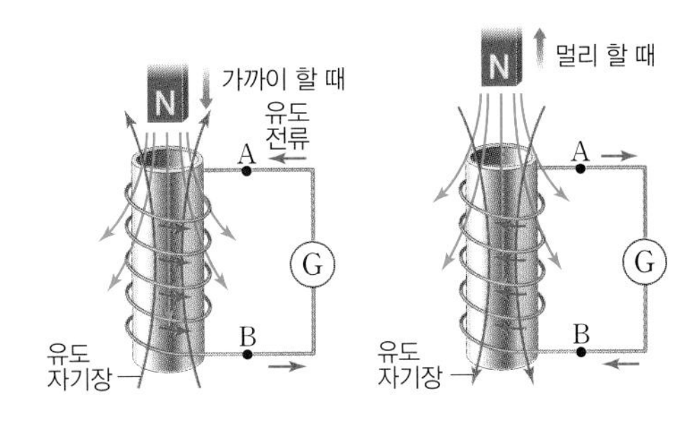

13. 유도 전류의 세기 – 패러데이 법칙

① 유도 전류의 세기는 유도 기전력의 크기에 비례한다.

$$V = -N\frac{\Delta\Phi}{\Delta t}$$

② 유도 전류의 세기는 솔레노이드의 감은 수에 비례하고, 솔레노이드를 통과하는 자기 선속의 변화율에 비례한다.

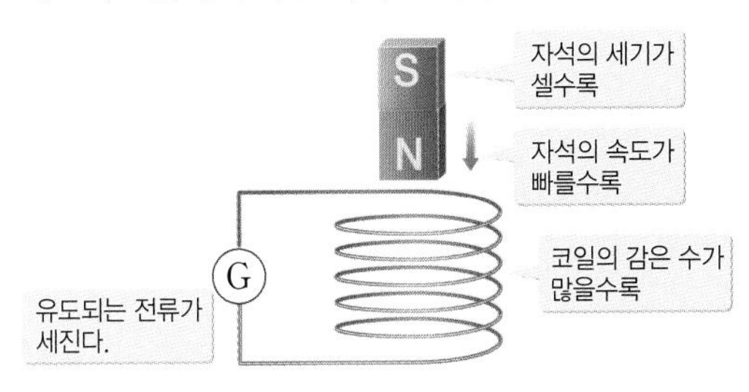

14. 전자기 유도의 이용

교통 카드, 발전기, 자기 브레이크, 마이크, 전기 기타, 무선 충전 등

① 교통 카드의 작동 원리: 카드 단말기에서 변화하는 자기장이 발생하여 전자기 유도 방식으로 카드의 정보를 읽는다.

② 무선 충전의 원리: 1차 코일에서 변화하는 자기장이 발생하여 2차 코일에 유도 전류가 발생한다. 2차 코일에 흐르는 전류에 의해 배터리가 충전된다.

마무리하기

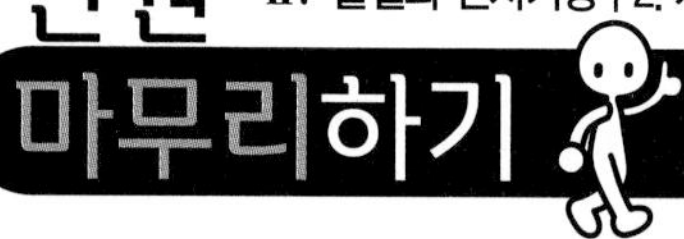

학교 시험에 꼭 나오는 문제를 모았어요. 꼼꼼하게 풀어봐요~

01 다음은 직선 전류의 자기장을 알아보기 위한 실험이다.

[실험 과정]

(가) 그림과 같이 전원 장치에 남쪽과 북쪽을 잇는 방향으로 직선 도선을 연결하고 그 아래 나침반을 놓는다.

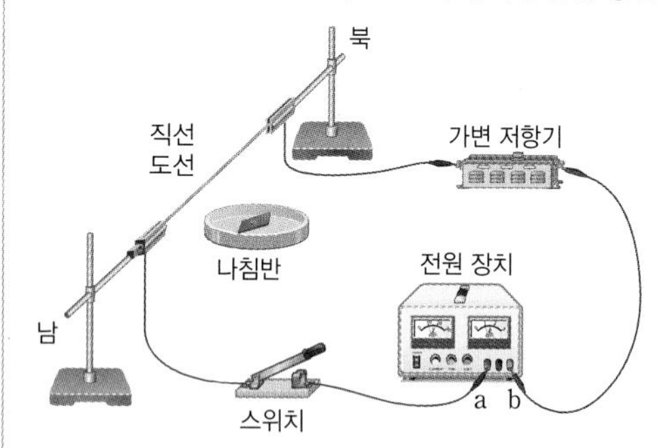

(나) 스위치를 닫고 나침반 바늘이 회전하는 방향을 관찰한다.

(다) 가변 저항의 크기를 변화시키면서 나침반 바늘의 회전 각도 θ를 관찰한다.

(라) 실험 (나)에서 전원 장치의 연결 단자 a, b만을 반대로 연결하고 나침반 바늘이 회전하는 방향을 관찰한다.

[실험 결과]

(나)의 결과: 그림 (A)와 같이 나침반 바늘의 N극이 동쪽으로 각도 θ만큼 회전하였다.

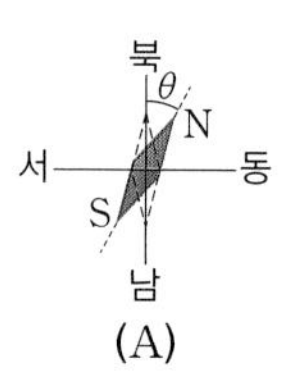

(A)

이에 대한 설명으로 옳은 것만을 〈보기〉에서 있는 대로 고른 것은?

보기

ㄱ. 실험 (나)에서 전원 장치의 단자 a는 (−)극이다.

ㄴ. 실험 (다)에서 가변 저항의 크기를 증가시키면 θ는 감소한다.

ㄷ. 실험 (라)에서 나침반의 N극은 그림 (A)와 반대 방향인 남서쪽을 가리킨다.

① ㄴ ② ㄷ ③ ㄱ, ㄴ ④ ㄱ, ㄷ ⑤ ㄱ, ㄴ, ㄷ

02 그림은 가늘고 무한히 긴 평행한 직선 도선 A, B, C가 종이면에 고정되어 있는 것을 나타낸 것이다. A, B, C에 흐르는 전류의 세기는 각각 I, $2I$, $3I$이다. A, B 사이의 거리와 B, C 사이의 거리는 서로 같다. 점 a, b는 종이면에 있으며, a는 A, B로부터, b는 B, C로부터 같은 거리에 있다. a, b에서의 자기장의 세기를 각각 B_a, B_b라고 할 때, 이에 대한 설명으로 옳은 것만을 〈보기〉에서 있는 대로 고른 것은? (단, 지구 자기장은 무시한다.)

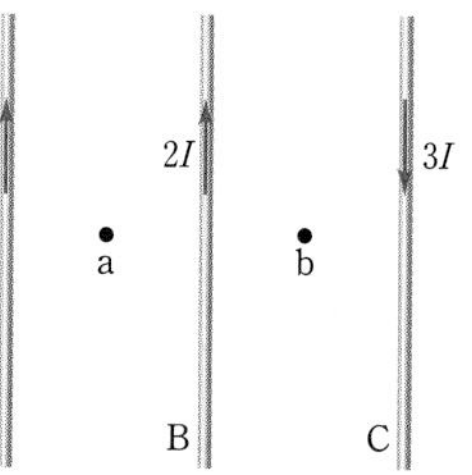

보기

ㄱ. a와 b에서 자기장의 방향은 같다.

ㄴ. $B_a < B_b$이다.

ㄷ. A에 흐르는 전류를 $2I$로 바꾸면 a에서 자기장의 방향은 수직으로 들어가는 방향이다.

① ㄱ ② ㄷ ③ ㄱ, ㄴ ④ ㄴ, ㄷ ⑤ ㄱ, ㄴ, ㄷ

03 그림과 같이 $+y$ 방향으로 전류 I_1이 흐르는 무한히 긴 직선 도선과 중심 O점인 원형 도선에 전류 I_2가 흐른다. O점에서 자기장의 세기가 0일 때, 이에 대한 설명으로 옳은 것만을 〈보기〉에서 있는 대로 고른 것은? (단, 직선 도선과 원형 도선은 같은 xy 평면에 놓여 있고, 지구 자기장은 무시한다.)

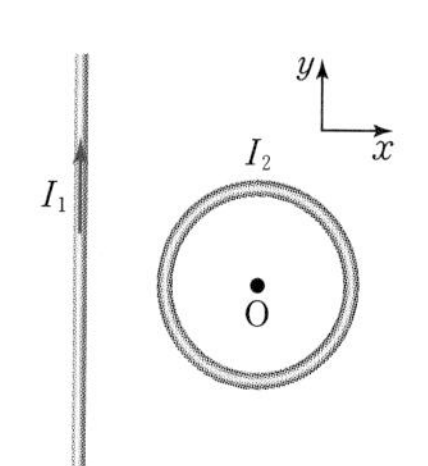

보기

ㄱ. 원형 도선의 전류는 시계 반대 방향이다.

ㄴ. I_2를 증가시키면 O점에서 자기장의 방향은 수직으로 나오는 방향이다.

ㄷ. 원형 도선과 직선 도선 사이의 거리를 감소시키면 O점에서 자기장의 방향은 수직으로 들어가는 방향이다.

① ㄴ ② ㄷ ③ ㄱ, ㄴ ④ ㄱ, ㄷ ⑤ ㄱ, ㄴ, ㄷ

04 그림과 같이 일정한 전류가 흐르는 무한히 긴 직선 도선 A, B가 xy평면에 수직으로 고정되어 있다. A에 흐르는 전류의 세기는 I이고, xy평면에 들어가는 방향이다. 점 q에서 전류에 의한 자기장은 0이다.

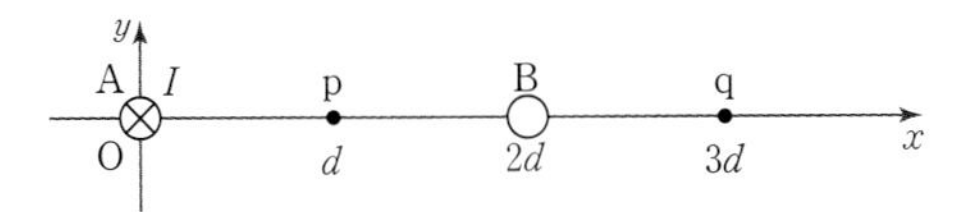

이에 대한 설명으로 옳은 것만을 〈보기〉에서 있는 대로 고른 것은? (단, 지구 자기장은 무시한다.)

보기

ㄱ. A와 B에 흐르는 전류는 서로 반대 방향이다.

ㄴ. B에 흐르는 전류의 세기는 $\frac{1}{3}I$이다.

ㄷ. 점 p에서 자기장의 방향은 $-y$방향이다.

① ㄴ ② ㄷ ③ ㄱ, ㄴ
④ ㄱ, ㄷ ⑤ ㄱ, ㄴ, ㄷ

05 그림과 같이 xy 평면에서 $+x$ 방향으로 I, $+y$ 방향으로 $2I$의 전류가 흐르는 무한히 긴 직선 도선이 고정된 상태로 놓여 있고, 같은 평면에 I_0의 전류가 흐르는 원형 도선이 b점을 중심으로 놓여 있다. 표는 a점과 b점에서 전류에 의한 자기장의 세기와 방향을 나타낸 것이다. (평면에서 수직으로 나오는 방향은 ⊙, 수직으로 들어가는 방향은 ⊗로 표시한다.)

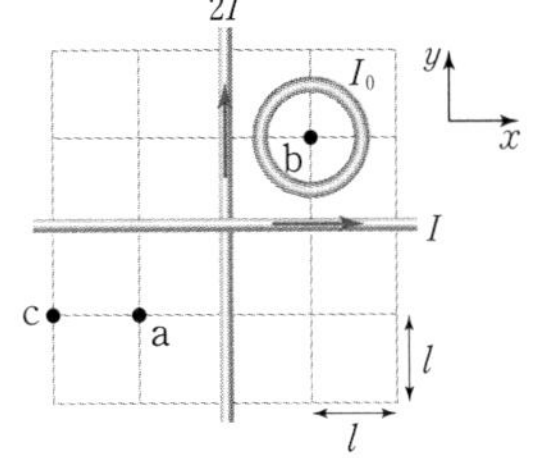

구분	방향	세기
a 점에서 두 직선 도선에 의한 자기장	⊙	B
b 점에서 두 직선 도선과 원형 도선에 의한 자기장	⊙	$2B$

원형 도선의 중심을 c점으로 옮겼을 때, c점에서 두 직선 도선과 원형 도선에 의한 자기장의 방향과 세기를 옳게 짝 지은 것은? (단, 지구 자기장은 무시한다.)

	방향	세기		방향	세기
①	⊙	$2B$	②	⊗	$2B$
③	⊙	$3B$	④	⊗	$3B$
⑤	없음	0			

06 그림은 자기화되어 있지 않은 강자성체 A와 반자성체 B, 그리고 윗면이 N극이고 아랫면이 S극인 자석 C를 각각 실에 연결하여 천장에 매달아 전원 장치가 연결된 솔레노이드 위에서 정지해 있는 모습을 나타낸 것이다.

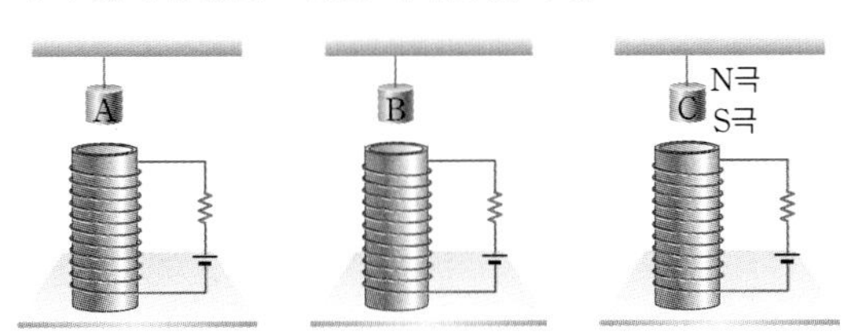

이에 대한 설명으로 옳은 것만을 〈보기〉에서 있는 대로 고른 것은?

보기

ㄱ. A의 아랫면은 N극, 윗면은 S극으로 자화된다.

ㄴ. B는 솔레노이드로부터 위 방향으로 자기력을 받는다.

ㄷ. C가 연결된 실에 걸리는 힘은 C의 무게보다 크다.

① ㄱ ② ㄴ ③ ㄱ, ㄴ
④ ㄴ, ㄷ ⑤ ㄱ, ㄷ

07 그림은 판독기의 코일을 이용해서 마그네틱 카드에 저장된 정보를 읽는 모습을 모식적으로 나타낸 것이다.

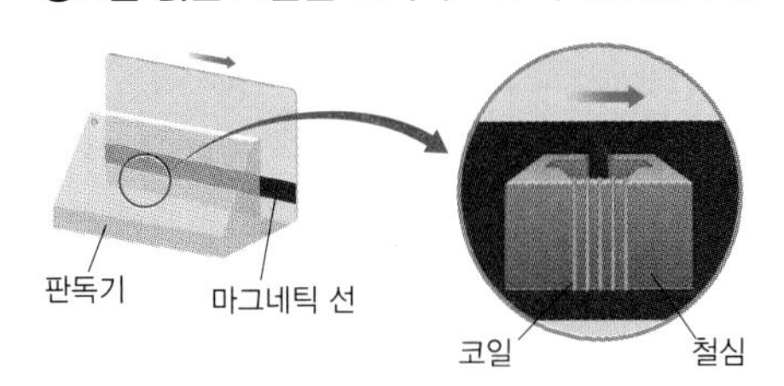

이에 대한 설명으로 옳은 것만을 〈보기〉에서 있는 대로 고른 것은?

보기

ㄱ. 마그네틱 선의 상자성체를 이용하여 저장된 정보를 읽고 있다.

ㄴ. 마그네틱 선에 강한 자석을 가까이 하면 저장된 정보가 사라진다.

ㄷ. 판독기에 마그네틱 선을 통과시키면 코일에 유도 전류가 흐른다.

① ㄱ ② ㄷ ③ ㄱ, ㄴ
④ ㄴ, ㄷ ⑤ ㄱ, ㄴ, ㄷ

08 다음은 알루미늄의 자성체 종류를 알아보기 위한 실험이다.

〈실험 과정〉

(가) 가벼운 알루미늄 포일 조각에 강한 자석을 가까이 한다.

(나) (가)에서 사용한 알루미늄 포일을 나침반 근처에서 움직이며 나침반 바늘의 움직임을 관찰한다. (단, 나침반 근처에 자석이 존재하지 않도록 한다.)

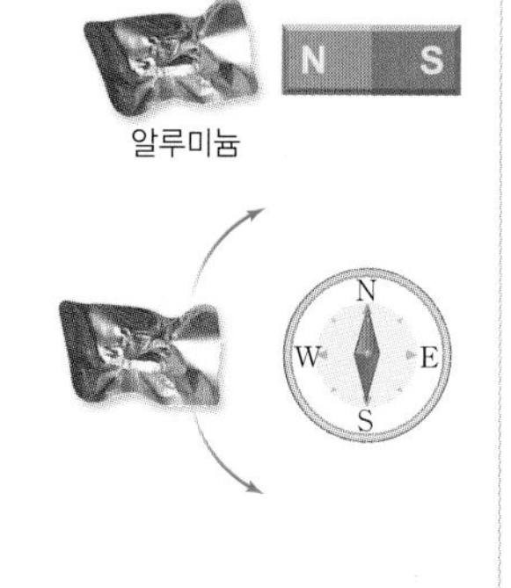

〈실험 결과〉

(가)의 결과 : 알루미늄 포일 조각이 자석에 붙는다.

(나)의 결과 : 나침반 바늘의 움직임이 없다.

이에 대한 설명으로 옳은 것만을 〈보기〉에서 있는 대로 고른 것은?

보기

ㄱ. 알루미늄은 상자성체이다.

ㄴ. (가)에서 알루미늄 조각은 자석의 자기장 방향으로 자화된다.

ㄷ. 알루미늄의 자성체 성질을 이용하여 하드 디스크의 정보 저장에 사용할 수 있다.

① ㄱ ② ㄷ ③ ㄱ, ㄴ ④ ㄴ, ㄷ ⑤ ㄱ, ㄴ, ㄷ

09 그림과 같이 $+y$ 방향으로 전류 I가 흐르는 무한히 긴 직선 도선과 같은 평면에서 원형 도선이 직선 도선을 향해 일정한 속도로 이동하고 있다. 이에 대한 설명으로 옳은 것만을 〈보기〉에서 있는 대로 고른 것은?

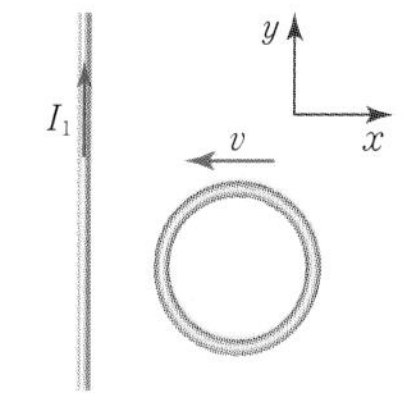

보기

ㄱ. 원형 도선을 통과하는 자기 선속이 증가한다.

ㄴ. 원형 도선에 흐르는 유도 전류는 시계 방향이다.

ㄷ. 원형 도선에 흐르는 유도 전류의 세기는 증가한다.

① ㄱ ② ㄴ ③ ㄱ, ㄷ ④ ㄴ, ㄷ ⑤ ㄱ, ㄴ, ㄷ

10 그림은 플래터의 정보 저장 물질에 디지털 정보가 저장되는 하드 디스크의 구조와 하드 디스크의 헤드를 이용해서 플래터에 저장된 정보를 읽는 모습을 나타낸 것이다.

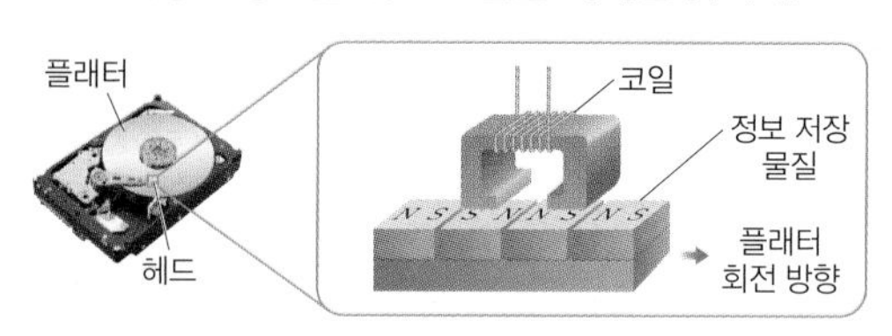

이에 대한 설명으로 옳은 것만을 〈보기〉에서 있는 대로 고른 것은?

보기

ㄱ. 정보 저장 물질은 강자성체이다.

ㄴ. 헤드의 코일이 정보 저장 물질을 지날 때 코일에는 유도 전류가 흐른다.

ㄷ. 정보 저장 물질의 자기 배열에 상관없이 헤드의 코일에 흐르는 유도 전류의 방향은 일정하다.

① ㄴ ② ㄷ ③ ㄱ, ㄴ ④ ㄱ, ㄷ ⑤ ㄱ, ㄴ, ㄷ

11 그림 (가)와 같이 자기화되어 있지 않은 물체를 자석의 윗면에 올려놓았다. 그림 (나)와 같이 (가)의 물체를 A면이 솔레노이드 쪽으로 향하도록 하여 솔레노이드에 접근시키는 동안 'a → 저항 → b' 방향으로 유도 전류가 흐른다. 자석의 윗면은 N극과 S극 중 하나이다.

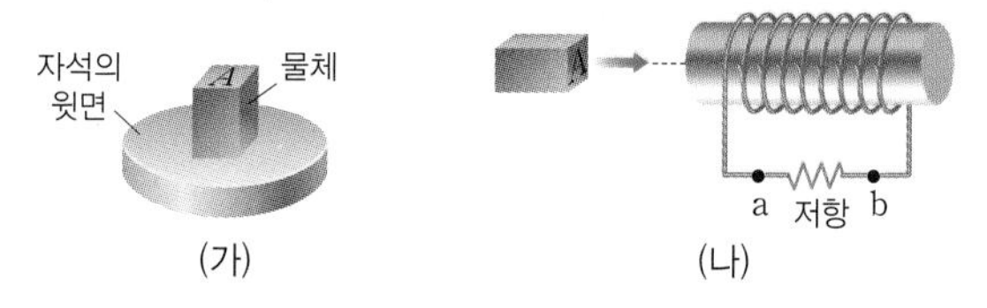

(가) (나)

이에 대한 설명으로 옳은 것만을 〈보기〉에서 있는 대로 고른 것은?

보기

ㄱ. 물체의 A는 S극이다.

ㄴ. 자석의 윗면에서는 자기장이 들어가는 방향이다.

ㄷ. 그림 (나)에서 물체와 솔레노이드는 서로 당기는 자기력이 작용한다.

① ㄱ ② ㄷ ③ ㄱ, ㄴ ④ ㄴ, ㄷ ⑤ ㄱ, ㄴ, ㄷ

12 그림과 같이 정사각형 금속 고리 P가 1 cm/s의 속력으로 x축에 나란하게 등속도 운동하여 자기장 영역 Ⅰ, Ⅱ, Ⅲ을 통과한다. $t=0$일 때, P의 중심의 위치는 $x=0$이다. Ⅰ, Ⅱ, Ⅲ에서 자기장의 세기는 각각 B_0, $2B_0$, B_0으로 균일하다.

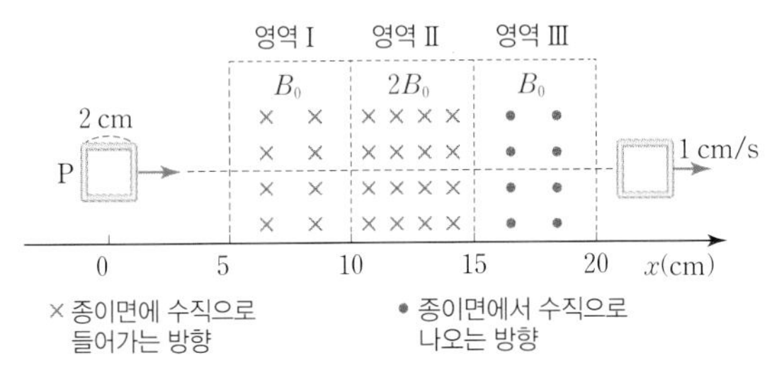

이에 대한 설명으로 옳은 것만을 〈보기〉에서 있는 대로 고른 것은?

보기

ㄱ. $t=5$초일 때와 $t=20$초일 때, P에 흐르는 유도 전류의 세기는 같다.

ㄴ. P에 흐르는 유도 전류의 세기는 8초일 때가 13초일 때보다 세다.

ㄷ. $t=15$초일 때 P에 흐르는 유도 전류의 방향은 시계 반대 방향이다.

① ㄱ ② ㄷ ③ ㄱ, ㄴ
④ ㄴ, ㄷ ⑤ ㄱ, ㄴ, ㄷ

13 그림은 소리가 마이크와 증폭기를 거쳐 스피커에서 재생되는 과정을 모식적으로 나타낸 것이다.

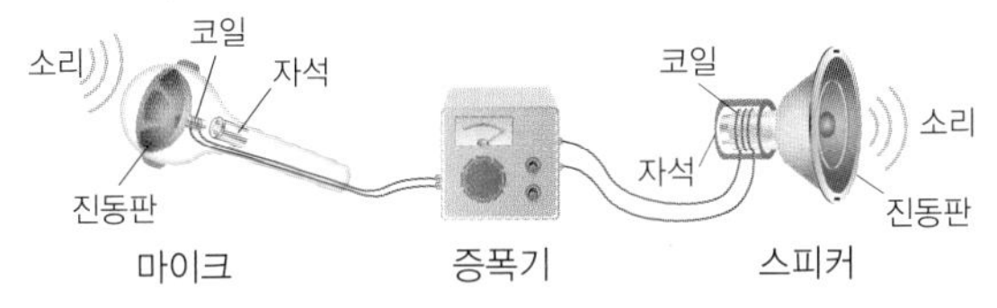

이에 대한 설명으로 옳은 것만을 〈보기〉에서 있는 대로 고른 것은?

보기

ㄱ. 마이크에서 소리가 만드는 공기의 진동에 의해 진동판에 연결된 코일이 진동한다.

ㄴ. 마이크에서는 전자기 유도 현상에 의해 소리 신호가 전기 신호로 전환된다.

ㄷ. 스피커에서 코일에 강한 전류가 흐르면 코일과 자석 사이의 자기력이 커진다.

① ㄱ ② ㄷ ③ ㄱ, ㄴ
④ ㄴ, ㄷ ⑤ ㄱ, ㄴ, ㄷ

14 그림은 균일한 자기장 속에 놓인 직사각형 도선이 자기장의 방향에 수직인 회전축을 중심으로 회전하는 모습을 나타낸 것이다. 자기장의 방향과 도선이 이루는 면 사이의 각은 θ이고, 점 a, b, c는 도선에 고정된 점이다. 이에 대한 설명으로 옳은 것만을 〈보기〉에서 있는 대로 고른 것은?

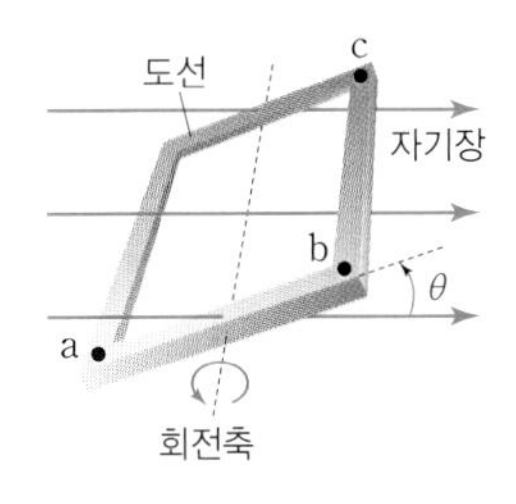

보기

ㄱ. $\theta=0°$에서 $\theta=90°$까지 도선이 회전하는 동안 도선이 이루는 면을 통과하는 자기 선속은 증가한다.

ㄴ. $\theta=90°$일 때, 도선에 흐르는 전류는 0이다.

ㄷ. $\theta=100°$일 때, 도선에 흐르는 전류는 'a → b → c' 방향으로 흐른다.

① ㄴ ② ㄷ ③ ㄱ, ㄴ
④ ㄱ, ㄷ ⑤ ㄱ, ㄴ, ㄷ

15 그림 (가)와 같이 자기화되어 있지 않은 강자성 막대를 솔레노이드에 넣고 전류를 흘려 주었다. 그림 (나)는 (가)에서 자기화된 막대를 꺼내 마찰이 없는 빗면상에 놓았더니 막대가 p점을 지나 레일을 따라 금속 고리를 통과하는 모습을 나타낸 것이다. q는 p와 높이가 같은 점이다.

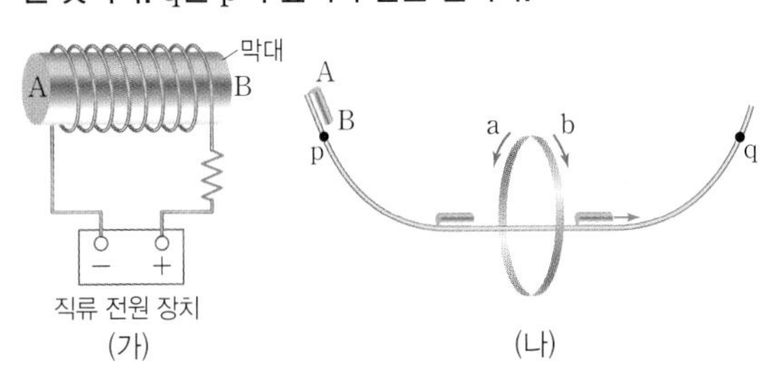

(가) (나)

이에 대한 설명으로 옳은 것만을 〈보기〉에서 있는 대로 고른 것은? (단, 모든 마찰 및 공기 저항, 막대의 크기는 무시한다.)

보기

ㄱ. 자기화된 막대의 A쪽은 N극이다.

ㄴ. 막대가 고리를 통과하여 멀어지는 동안 고리에 흐르는 유도 전류의 방향은 a 방향이다.

ㄷ. 고리를 통과한 막대가 q를 지나갈 때, p와 q에서 막대의 역학적 에너지는 동일하다.

① ㄴ ② ㄷ ③ ㄱ, ㄴ
④ ㄱ, ㄷ ⑤ ㄱ, ㄴ, ㄷ

· 횡파와 종파
· 진폭, 진동수
· 빛의 합성
· 빛의 반사
· 평면거울의 상
· 빛의 굴절
· 소리의 3요소

학습내용 | 1. 파동

01. 파동의 성질

· 파원, 매질, 파장, 주기, 진폭
· 파동의 속력
· 파동의 굴절

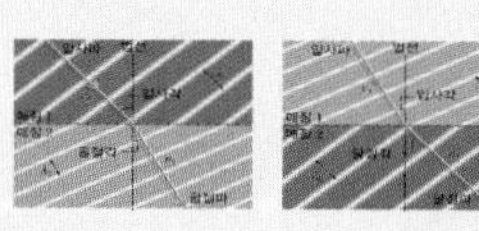

▶ 195쪽

02. 전반사와 광통신

· 물질의 굴절률
· 전반사와 임계각
· 광통신과 광섬유

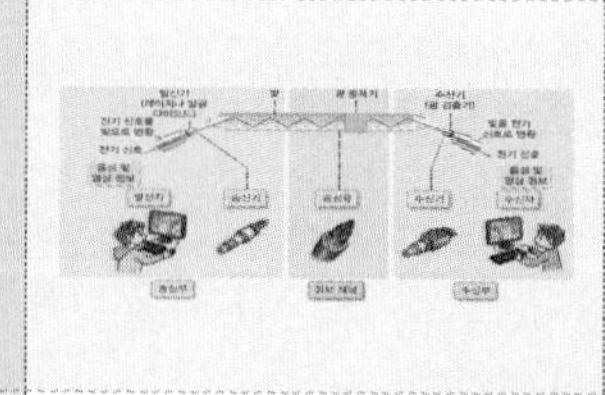

▶ 205쪽

파동과 정보 통신

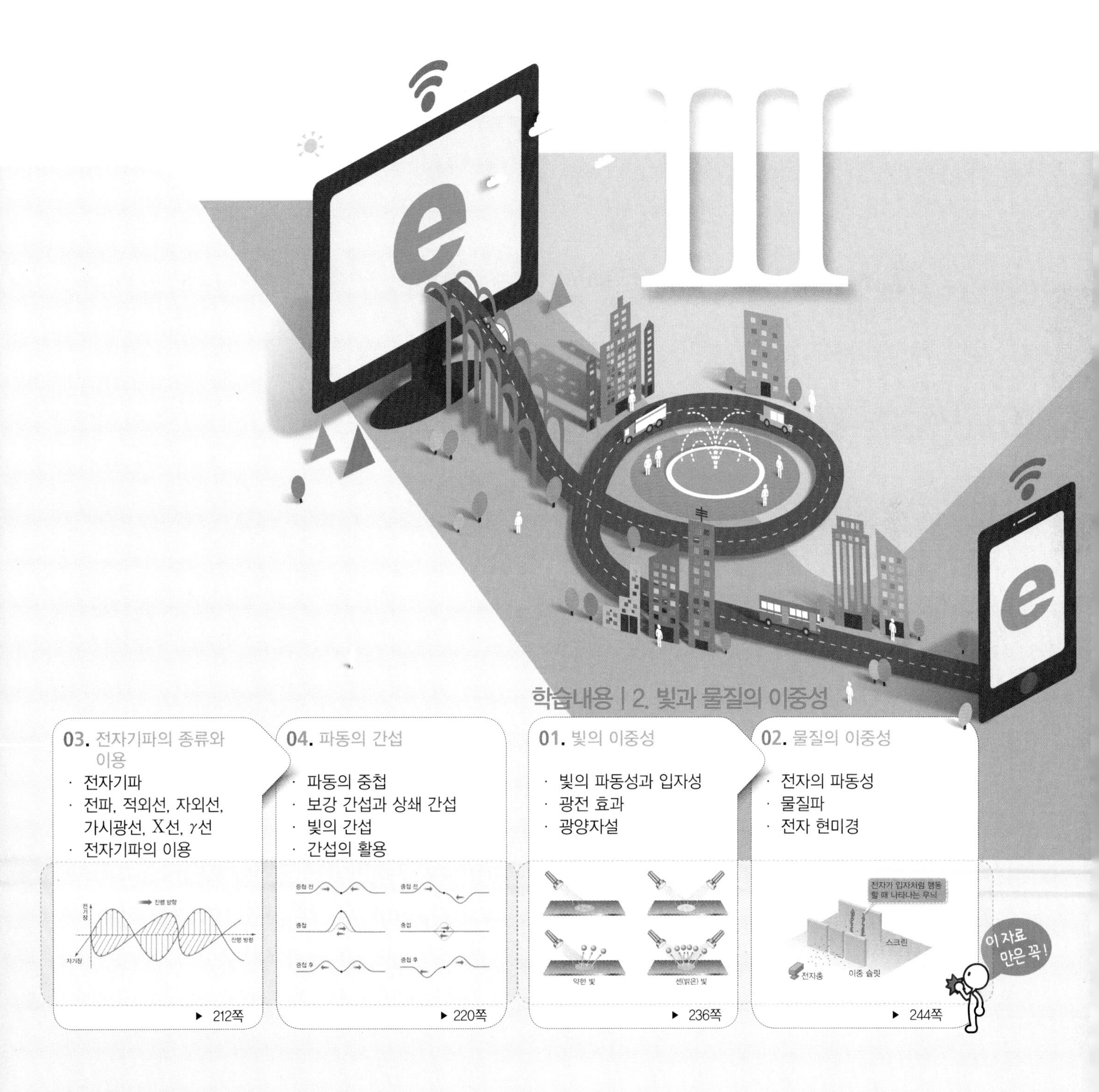
III
학습내용 | 2. 빛과 물질의 이중성
03. 전자기파의 종류와 이용
· 전자기파
· 전파, 적외선, 자외선, 가시광선, X선, γ선
· 전자기파의 이용
진행 방향
▶ 212쪽
04. 파동의 간섭
· 파동의 중첩
· 보강 간섭과 상쇄 간섭
· 빛의 간섭
· 간섭의 활용
▶ 220쪽
01. 빛의 이중성
· 빛의 파동성과 입자성
· 광전 효과
· 광양자설
약한 빛
센(밝은) 빛
▶ 236쪽
02. 물질의 이중성
· 전자의 파동성
· 물질파
· 전자 현미경
전자가 입자처럼 행동할 때 나타나는 무늬
스크린
전자총
이중 슬릿
▶ 244쪽
이 자료 만은 꼭!

01 파동의 성질

내 교과서는 어디에?
천재 p.147~153 금성 p.144~151 동아 p.143~151
미래엔 p.160~165 비상 p.142~147 YBM p.162~168

핵심 Point
- 파동의 **진동수, 파장, 속력** 사이의 관계를 알고, 매질에 따라 **파동의 속력**이 달라지는 현상을 이해한다.
- 파동의 **굴절**을 활용한 예를 알아본다.

1 파동의 발생과 속력

1. 파동의 발생❶

① 파동: 한 지점에서 발생한 진동이 주위로 퍼져 나가는 현상 → 예 잔잔한 수면에 물방울이 떨어지면 물결이 동심원을 그리며 사방으로 퍼져 나간다.

② 파원과 매질: 파동이 발생한 지점을 파원, 파동을 전달하는 물질을 매질이라고 한다.

③ 파동이 전파될 때 매질은 제자리에서 진동할 뿐 이동하지 않는다. → 에너지에 의해 매질을 이루는 입자가 진동하고, 진동하는 입자에 의해 에너지가 전달된다.

2. 횡파와 종파

횡파	종파
파동의 진행 방향과 매질의 진동 방향이 수직인 파동	파동의 진행 방향과 매질의 진동 방향이 나란한 파동
횡파, 마루, 마루, 진행 방향, 진동 방향, 골	종파, 밀, 소, 밀, 진행 방향, 진동 방향
매질의 변위가 가장 큰 곳을 마루, 가장 낮은 곳을 골이라고 한다. 예 용수철이 놓인 방향과 수직인 방향으로 흔들 때 발생하는 파동, 물결파, 전자기파, 지진파의 S파	매질이 많이 모인 곳을 밀한 지점, 매질이 많이 벌어진 곳을 소한 지점이라고 한다. 예 용수철이 놓인 방향과 나란한 방향으로 흔들 때 발생하는 파동, 음파, 초음파, 지진파의 P파

3. 파동의 표시

파동의 표시 그림은 오른쪽으로 진행하는 파동의 어느 순간의 모습을 나타낸 것이다.

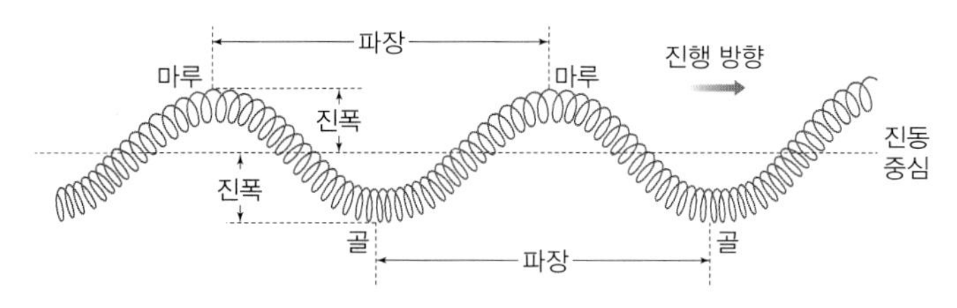

① 진폭: 매질이 진동 중심에서 가장 멀리 이동한 지점까지의 거리 → 횡파에서는 진동 중심에서 마루 또는 골까지의 거리이다.

② 파장(λ): 위상이 동일한 이웃한 두 지점 사이의 거리❷

③ 주기(T): 매질이 한 번 진동하는 데 걸리는 시간 [단위: s(초)]

④ 진동수(f): 매질이 1초 동안 진동한 횟수 [단위: Hz(헤르츠)]❸

➡ 주기와 진동수는 서로 역수 관계이다. $f=\frac{1}{T}$

---

❶ **소리(음파)의 발생**
목의 떨림이나 스피커의 떨림이 공기를 진동시키고, 공기의 진동이 주위로 퍼져 나가면서 소리가 진행한다.

❷ **종파의 파장**
종파에서는 이웃한 밀한 지점 사이의 거리 또는 이웃한 소한 지점 사이의 거리로 파장을 구할 수 있다.

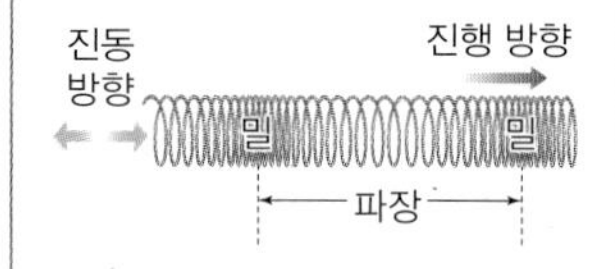

❸ **진동수와 주기**
진동수와 주기는 파원의 진동에 따라 변하는 물리량으로, 파동이 다른 매질로 진행하더라도 파원의 진동이 변하지 않으면 변하지 않는다.

용어
▸ **변위**: 위치의 변화량을 변위라고 한다. 매질의 변위는 진동 중심으로부터 위치가 얼마나 변했는지를 의미한다.

1 파동의 진행 방향과 매질의 진동 방향이 수직인 파동을 종파라고 한다. (○ , ×)
2 파동의 위상이 동일한 이웃한 두 지점 사이의 거리를 (   )이라고 한다.
3 파동의 주기와 진동수는 서로 (   ) 관계이다.

답 1. × 2. 파장 3. 역수

4. **파동을 나타내는 그래프** 매질의 위치에 따른 각 매질의 변위로 파동을 나타낼 수도 있고, 매질 위의 어느 한 점의 시간에 따른 변위로 파동을 나타낼 수도 있다.

변위-위치 그래프	변위-시간 그래프
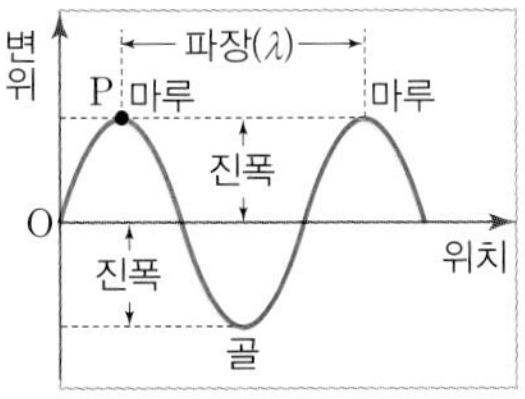 (그래프: 변위, P, 마루, 파장(λ), 마루, 진폭, O, 위치, 진폭, 골) 파장과 진폭을 알 수 있다.	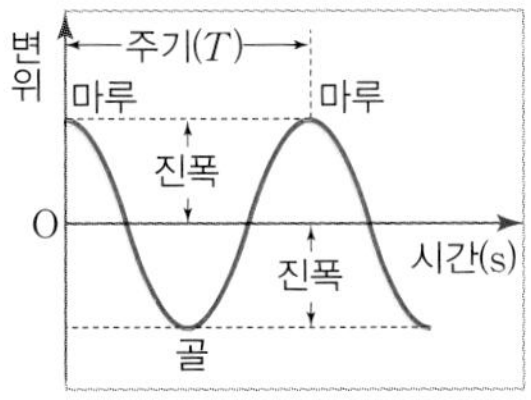 (그래프: 변위, 주기(T), 마루, 마루, 진폭, O, 시간(s), 진폭, 골) 주기와 진동수, 진폭을 알 수 있다.
어느 한 순간, 매질의 변위를 위치에 따라 그래프로 나타낸 것이다.	매질 위의 한 점(P)의 변위를 시간에 따라 그래프로 나타낸 것이다.

자료 파헤치기

위상

같은 시각에 진동 상태가 같으면 위상이 같다고 한다. 그림과 같은 사인형 파동에서 한 파동에 있는 마루와 마루는 위상이 서로 같고, 마루와 골은 위상이 180° 차이가 난다.

- 위상이 서로 같은 점: A와 E, B와 F
- 위상이 서로 180° 차이가 나는 점: A와 C, C와 E, B와 D, D와 F

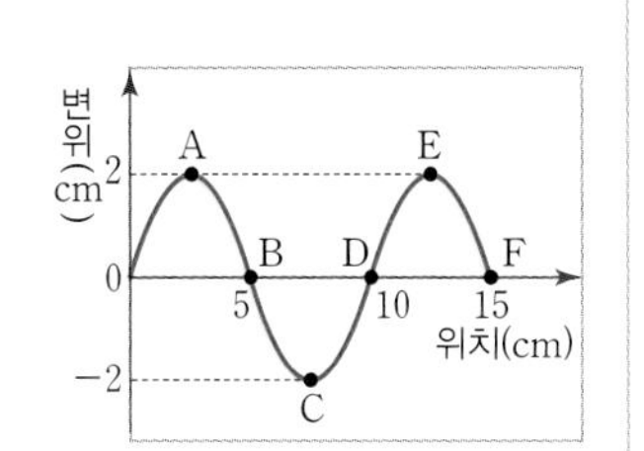

주의 콕

변위-위치 그래프로는 파장과 진폭을 알 수 있고, 변위-시간 그래프로는 주기와 진동수, 진폭을 알 수 있다.

5. **파동의 속력**

① 파동의 속력: 파동은 매질이 한 번 진동하는 동안(한 주기 동안) 한 파장의 거리를 진행한다.

$$\text{파동의 속력}(v) = \frac{\text{파장}(\lambda)}{\text{주기}(T)} = \text{진동수}(f) \times \text{파장}(\lambda)$$

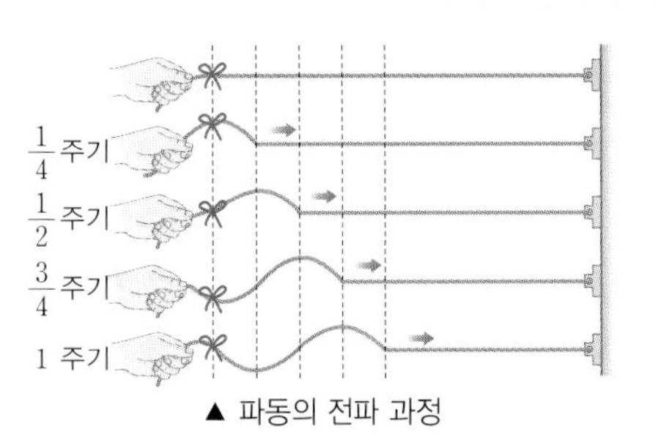

▲ 파동의 전파 과정

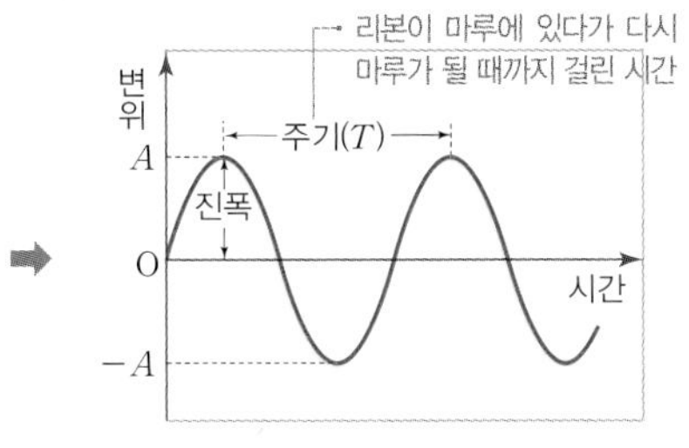

▲ 시간에 따른 리본의 위치

② 매질에 따른 파동의 속력

- 동일한 매질 내에서는 파동의 진동수와 파장이 달라지더라도 속력은 일정하다.
  ➡ 파동의 진동수가 증가하면 파장이 짧아진다.
- 파동의 속력은 매질에 따라 달라진다.
  ➡ 소리의 속력은 고체 > 액체 > 기체 순으로 빠르고, 공기의 온도가 높을수록 빠르다.[4]
  ➡ 물결파는 수심이 깊을수록 빠르다.[5]

④ 매질에 따른 소리의 속력

	매질	속력(m/s)
1	공기(0 ℃)	331.5
2	공기(25 ℃)	346.3
3	물(25 ℃)	1497
4	구리(25 ℃)	3750

매질 1과 2를 비교하면 공기의 온도가 높을수록 소리의 속력이 빨라짐을 알 수 있다. 매질 2, 3, 4를 비교하면 소리의 속력이 대체로 고체인 매질에서 빠르고, 액체, 기체 순으로 느려짐을 알 수 있다.

⑤ 지진 해일의 속력과 파장

해저 지진으로 인해 발생한 지진 해일이 육지를 향해 진행할 때, 수심이 얕아지므로 파동의 속력이 느려져서 파장이 짧아지는 현상을 관찰할 수 있다.

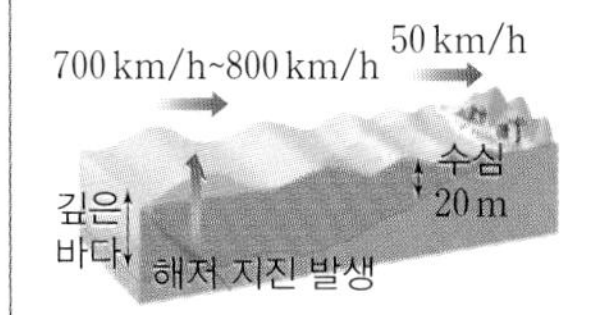

1 변위-위치 그래프로는 파장과 주기를 알 수 있다. (○ , ×)

2 파동의 속력은 파장과 주기의 곱과 같다. (○ , ×)

3 물결파의 속력은 수심이 깊을수록 (빠르다 / 느리다).

답 1. × 2. × 3. 빠르다

셀파 탐구

여러 가지 파동 관찰하기

목표 횡파와 종파에서 매질의 진동 방향과 파동의 진행 방향의 관계를 설명할 수 있다.
횡파와 종파에서 파장을 구하는 방법을 설명할 수 있다.

과정

❶ 용수철의 가운데에 작은 리본을 묶은 후, 두 명이 짝이 되어 용수철이 4 m 정도 늘어나도록 잡는다.

❷ 한 명이 용수철을 꼭 잡은 상태에서 다른 한 명이 그림 (가)와 같이 용수철을 좌우로 2번 천천히 흔든다.

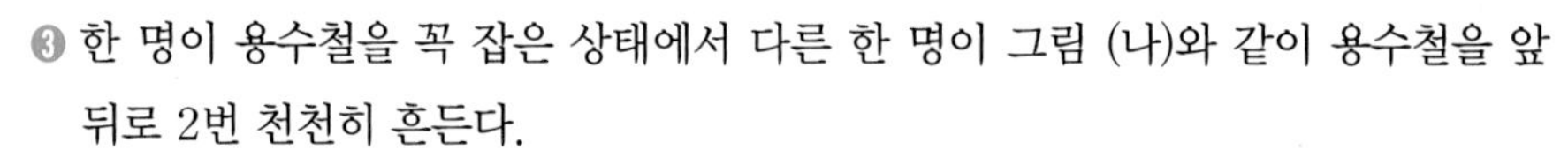

❸ 한 명이 용수철을 꼭 잡은 상태에서 다른 한 명이 그림 (나)와 같이 용수철을 앞뒤로 2번 천천히 흔든다.

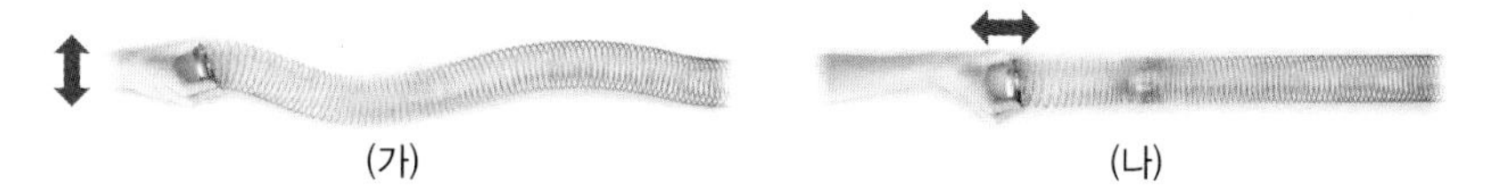

(가) (나)

결과 및 정리

1. 과정 ❷와 ❸에서 리본은 각각 어떻게 운동하는가?
   ➡ ❷에서 리본은 제자리에서 좌우로 2번 진동하고, ❸에서는 제자리에서 앞뒤로 2번 진동한다.

2. 과정 ❷와 ❸에서 용수철의 진동 방향과 파동의 진행 방향은 어떤 관계인가?
   ➡ ❷에서 파동의 진행 방향(앞)과 용수철의 진동 방향(좌우)은 서로 수직이고(횡파), ❸에서 파동의 진행 방향(앞)과 용수철의 진동 방향(앞뒤)은 서로 나란하다.(종파)

3. 과정 ❷와 ❸에서 파동의 파장은 어떻게 구할 수 있는가?
   ➡ ❷의 파장은 이웃한 마루와 마루 사이의 거리, 또는 골과 골 사이의 거리로 구할 수 있다.
   ➡ ❸의 파장은 이웃한 밀한 지점과 밀한 지점 사이의 거리, 또는 소한 지점과 소한 지점 사이의 거리로 구할 수 있다.

유의점

❶ 실험하는 도중에 용수철을 놓쳐 다치는 일이 없도록 유의한다.
❷ 용수철이 일직선 모양이 되도록 놓고 용수철이 놓인 방향과 수직이거나(좌우로 흔들 때) 평행하도록(앞뒤로 흔들 때) 흔드는 방향을 조절한다.

탐구 돋보기

리본은 용수철을 이루는 매질의 한 부분을 대표한다.

시험 유형은?

❶ 용수철 파동이 진행할 때 리본(매질)은 어떤 운동을 하는가?
▶ 리본(매질)은 제자리에서 진동할 뿐 파동의 진행 방향을 따라 이동하지는 않는다.

❷ 매질의 진동 방향과 파동의 진행 방향의 관계는?
▶ 용수철을 좌우로 흔든 경우에는 매질의 진동 방향과 파동의 진행 방향이 수직인 횡파가 발생한다. 반면, 용수철을 앞뒤로 흔든 경우에는 매질의 진동 방향과 파동의 진행 방향이 나란한 종파가 발생한다.

탐구 대표 문제

정답과 해설 54쪽

01 위 실험 과정에 대한 설명으로 옳은 것은?

① 과정 ❷에서는 종파가 발생한다.
② 과정 ❷에서는 용수철이 밀한 지점과 소한 지점이 있다.
③ 과정 ❸에서는 파동의 진행 방향과 리본의 진동 방향이 서로 나란하다.
④ 과정 ❸에서는 이웃한 마루와 마루 사이의 거리로 파장을 구할 수 있다.
⑤ 과정 ❷와 ❸에서 공통으로 리본은 파동과 함께 진행하면서 진동한다.

02 그림은 용수철을 따라 진행하는 파동의 순간적인 모습을 나타낸 것으로, 눈금 하나의 간격은 1 cm이다. 이 파동의 파장은 몇 cm인지 구하시오.

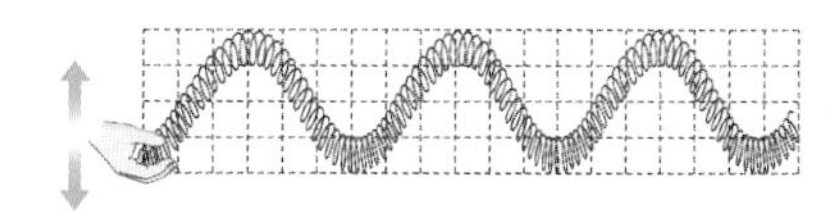

2 파동의 굴절

1. 파동의 굴절 파동이 진행하는 매질이 바뀔 때 진행 방향이 변하는 현상이다.

① 파동이 굴절하는 까닭: 두 매질에서 파동의 속력이 다르기 때문이다.

② 입사각과 굴절각[6] 사이의 관계: 파동이 매질 1에서 매질 2로 진행할 때 입사각(i)과 굴절각(r)의 사인값의 비는 일정하다. 또, 두 매질에서 파동의 속력과 파장의 비도 일정하다.

→ 물결파의 속력은 물의 깊이가 깊을수록 빠르다.

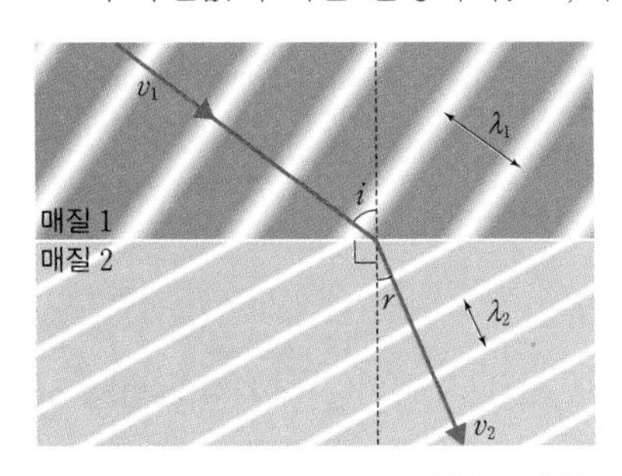

$$\frac{\sin i}{\sin r}=\frac{v_1}{v_2}=\frac{\lambda_1}{\lambda_2}=\text{일정}$$

입사각과 굴절각 사이의 관계식 유도

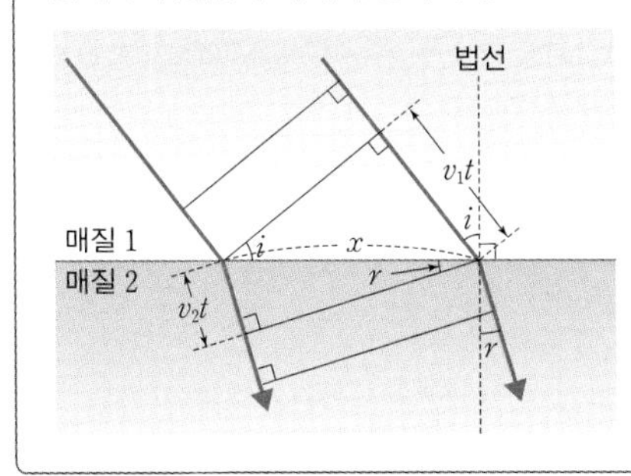

매질 1에서의 속력과 파장을 각각 v_1, λ_1, 매질 2에서의 속력과 파장을 각각 v_2, λ_2라고 하면

$\frac{v_1t}{x}=\sin i$, $\frac{v_2t}{x}=\sin r$이다.

따라서 다음 식이 성립한다.

$$\frac{\sin i}{\sin r}=\frac{v_1}{v_2}=\frac{\lambda_1}{\lambda_2}$$

자료 파헤치기

굴절이 일어날 때 파동의 속력, 진동수, 파장, 법선과 이루는 각도의 변화[7]

구분	속력이 빠른 매질 → 느린 매질	속력이 느린 매질 → 빠른 매질
파동의 진행 방향	입사파, 법선, λ_1, v_1, 입사각, 매질 1, 매질 2, 굴절각, v_2, λ_2, 굴절파	입사파, 법선, v_1, λ_1, 입사각, 매질 1, 매질 2, 굴절각, v_2, λ_2, 굴절파
속력	느려진다. → $v_1>v_2$	빨라진다. → $v_1<v_2$
진동수	변하지 않는다.	변하지 않는다.
파장	짧아진다. → $\lambda_1>\lambda_2$	길어진다. → $\lambda_1<\lambda_2$
입사각과 굴절각	입사각 > 굴절각	입사각 < 굴절각

셀파 콕콕 파동이 진행하는 매질이 달라질 때, 파동의 속력, 진동수, 파장이 어떻게 변화하는지 꼭 학습해 두자. 또한 입사각과 굴절각의 대소 관계도 이와 관련하여 이해하자.

❻ 입사각과 굴절각
- 법선: 매질의 경계면에 수직인 선
- 입사각(i): 입사파의 진행 방향이 법선과 이루는 각
- 굴절각(r): 굴절파의 진행 방향이 법선과 이루는 각

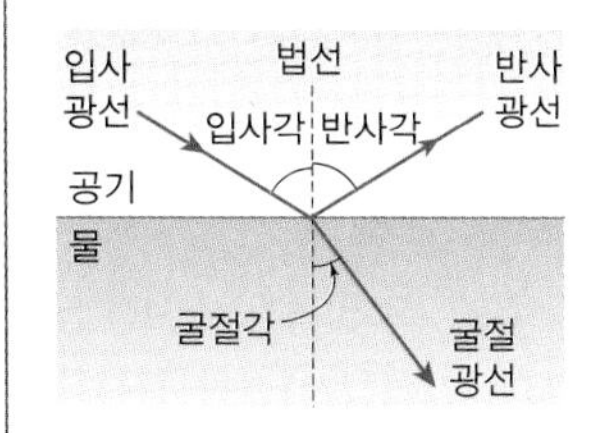

❼ 경계면에 수직으로 입사하는 파동의 진행 경로

▸파면 위의 모든 점의 속력이 동시에 느려지기 때문에 진행 방향이 꺾이지 않는다.

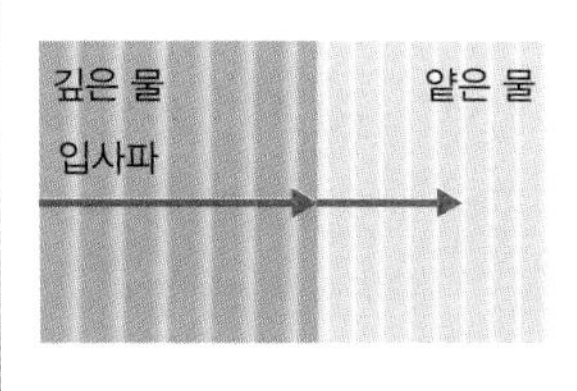

용어

▸ **파면**: 위상이 동일한 지점들을 연결한 선 또는 면으로, 파면 사이의 간격은 파장과 같다.

개념 확인하기

1 두 매질의 경계면에서 파동의 속력이 달라질 때 진행 방향이 꺾이는 현상을 (   )이라고 한다.

2 파동이 속력이 빠른 매질에서 느린 매질로 진행하면 파장이 길어진다. (○ , ×)

3 파동이 속력이 느린 매질에서 빠른 매질로 입사하면 입사각이 굴절각보다 (크다 / 작다).

답 1. 굴절 2. × 3. 작다

2. **여러 가지 매질에서의 빛의 굴절** 두 매질에서의 속력 차이가 클수록 입사각과 굴절각의 차이가 크다.

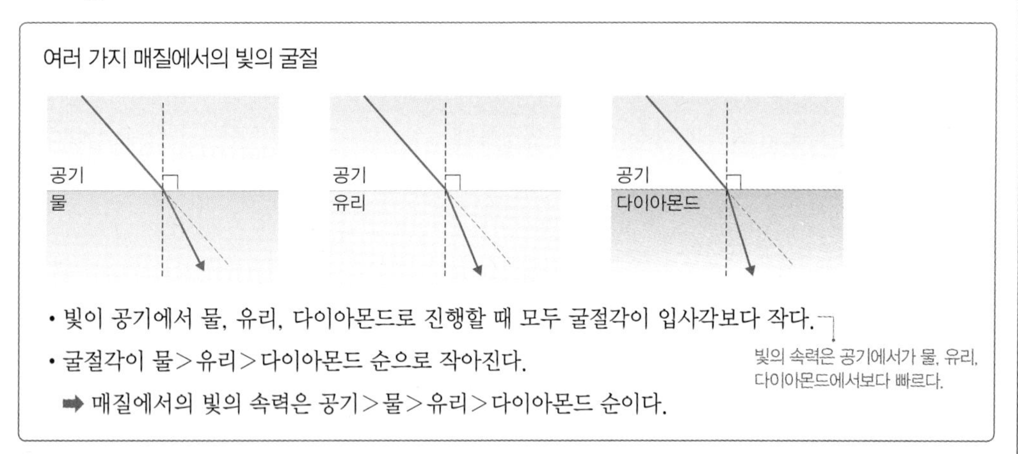

- 빛이 공기에서 물, 유리, 다이아몬드로 진행할 때 모두 굴절각이 입사각보다 작다.
- 굴절각이 물 > 유리 > 다이아몬드 순으로 작아진다.

  ➡ 매질에서의 빛의 속력은 공기 > 물 > 유리 > 다이아몬드 순이다.

빛의 속력은 공기에서가 물, 유리, 다이아몬드에서보다 빠르다.

3. **생활 속의 굴절 현상** 빛이 실제로는 휘어진 경로로 진행하더라도 우리는 빛이 직진하여 눈에 도달하였다고 판단하기 때문에, 실제 위치가 아닌 곳에 물체가 있는 것처럼 보인다.❽

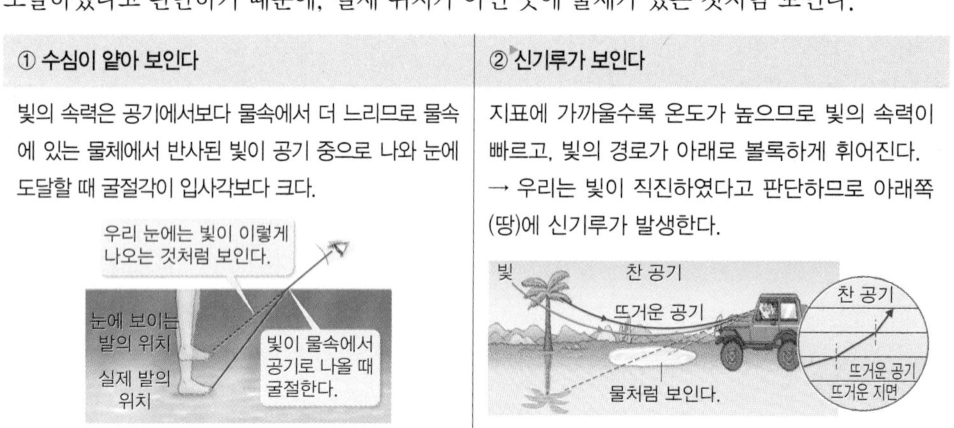

① 수심이 얕아 보인다	② 신기루가 보인다
빛의 속력은 공기에서보다 물속에서 더 느리므로 물속에 있는 물체에서 반사된 빛이 공기 중으로 나와 눈에 도달할 때 굴절각이 입사각보다 크다.	지표에 가까울수록 온도가 높으므로 빛의 속력이 빠르고, 빛의 경로가 아래로 볼록하게 휘어진다. → 우리는 빛이 직진하였다고 판단하므로 아래쪽(땅)에 신기루가 발생한다.

③ 렌즈로 빛을 모으거나 퍼뜨린다.

- 빛의 속력은 공기에서보다 렌즈에서 느리다. ➡ 공기에서 렌즈로 빛이 입사할 때는 '입사각 > 굴절각'이고, 렌즈에서 공기로 빛이 빠져나올 때는 '입사각 < 굴절각'이다.
- 평행한 광선이 입사하면 볼록 렌즈는 광선을 모으고, 오목 렌즈는 광선을 퍼뜨린다.

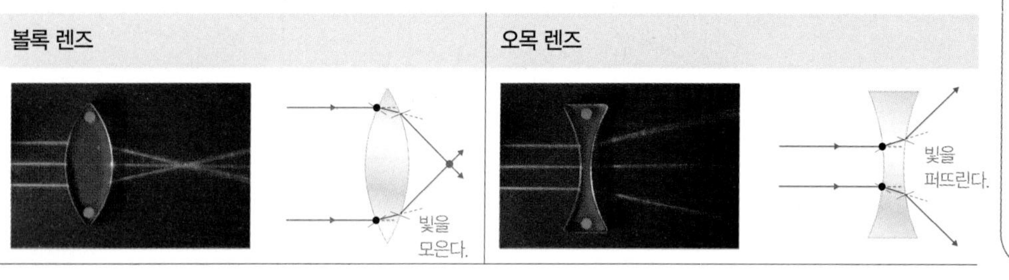

❽ **굴절에 의한 현상**

- 렌즈는 카메라, 망원경, 안경 등에 이용된다.
- 공기의 온도가 균일하지 않아 일어나는 빛의 굴절에 의해 아지랑이가 피어오르거나 별빛이 반짝인다.
- 낮에는 소리가 위로 굴절하고, 밤에는 소리가 아래로 굴절한다.

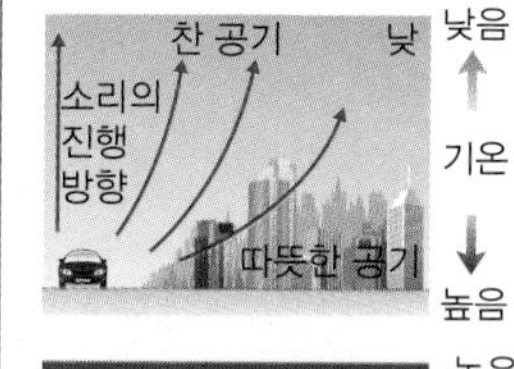

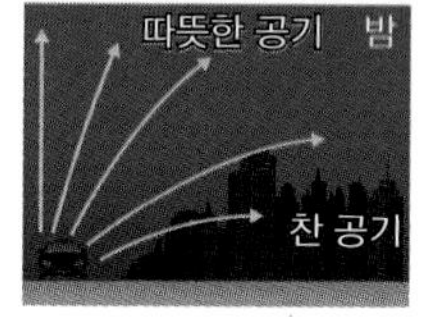

셀파 콕콕

빛의 굴절에 의한 현상에서 물체의 실제 위치와 눈에 보이는 위치가 다른 까닭을 빛의 경로를 이용하여 설명하는 방법을 잘 학습해 두자.

용어

▸ **신기루**: 바다 위나 사막에서 빛이 굴절하여 실제의 위치가 아닌 다른 위치에서 보이는 현상

1 파동이 속력이 빠른 매질에서 느린 매질로 진행하면 입사각이 굴절각보다 크다. (○ , ×)

2 물 밖에서 물속에 잠긴 발을 바라보면, 발이 실제보다 (깊은 / 얕은) 곳에 있는 것처럼 보인다.

3 신기루는 빛의 속력이 공기의 온도에 관계없이 일정하기 때문에 발생한다. (○ , ×)

답 1. ○ 2. 얕은 3. ×

파동의 속력과 굴절

▶ 파동을 나타내는 그래프를 이해하고, 신기루의 원리를 알아보아요.

01 그래프를 해석하여 파동의 속력 구하기

그림 (가)는 0초인 순간 오른쪽으로 진행하는 어떤 파동의 변위를 위치에 따라 나타낸 것이다. 그림 (나)는 (가)의 순간부터 점 A의 변위를 시간에 따라 나타낸 것이다.

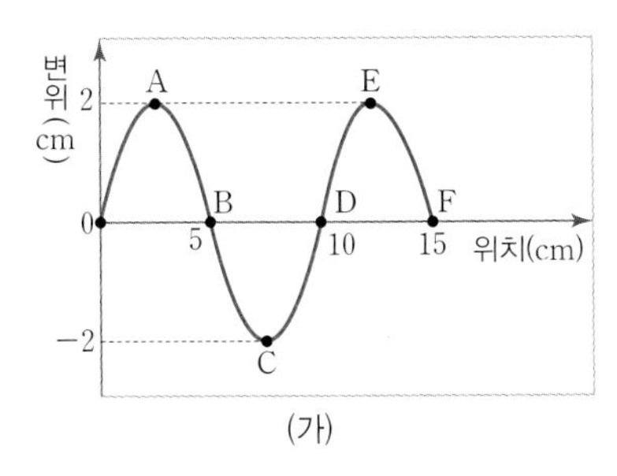

(가)

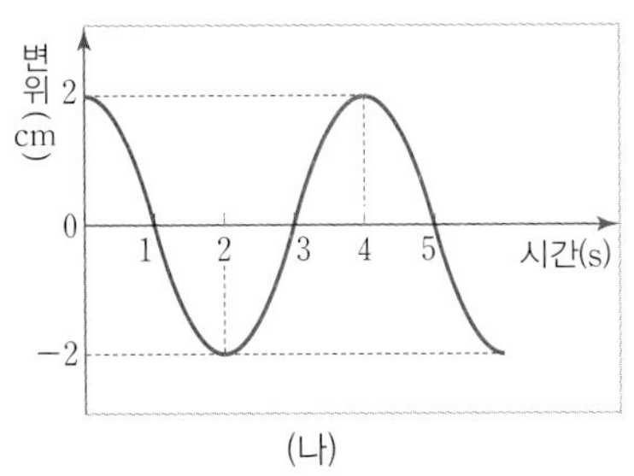

(나)

- 파동의 파장은 몇 cm인가?
  ➡ 파장은 위상이 같은 이웃한 두 지점 사이의 거리이므로 (가)에서 A와 E 사이의 거리, B와 F 사이의 거리에 해당하는 10 cm이다.
- 파동의 주기는 몇 초인가?
  ➡ 주기는 매질이 한 번 진동하는 데 걸리는 시간이다. (나)에서 점 A의 변위가 0초일 때 마루이고, 4초 후 다시 마루가 되므로 주기는 4초이다.
- 파동의 속력은 몇 cm/s인가?
  ➡ 속력$=\frac{\text{파장}}{\text{주기}}$이므로 속력 $v=\frac{\lambda}{T}=\frac{10\text{ cm}}{4\text{ s}}=2.5\text{ cm/s}$이다.

Plus 문제

Q. 왼쪽 그림의 점 A~F 중 위상이 같은 점끼리 짝을 지으면?

A. A와 E는 모두 0초일 때 변위가 2 cm이고, 0초 직후에 아래쪽으로 운동하므로 위상이 같다.
B, D, F는 모두 0초일 때 변위가 0이지만 0초 직후에 B와 F는 위로 운동하는 반면 D는 아래로 운동한다. 따라서 B와 F만 위상이 같다. 위상이 같은 점은 A와 E, B와 F이다.

02 신기루의 원리

현상	뜨거운 지표 근처에서의 신기루	차가운 해수면 근처에서의 신기루
공통 원리	• 빛의 속력은 뜨거운 공기에서 빠르고 찬 공기에서 느리다. • 사람은 빛이 직진하여 눈에 도달하였다고 판단한다.	
차이점	바닥에 가까울수록 온도가 높아 빛의 속력이 빠르다. 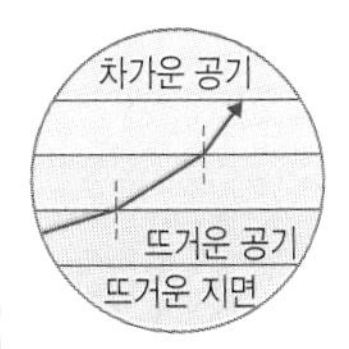 ➡ 빛의 경로가 아래로 볼록하게 휘어진다. ➡ 우리는 빛이 직진하였다고 판단하므로 아래쪽(땅)에 신기루가 발생한다. 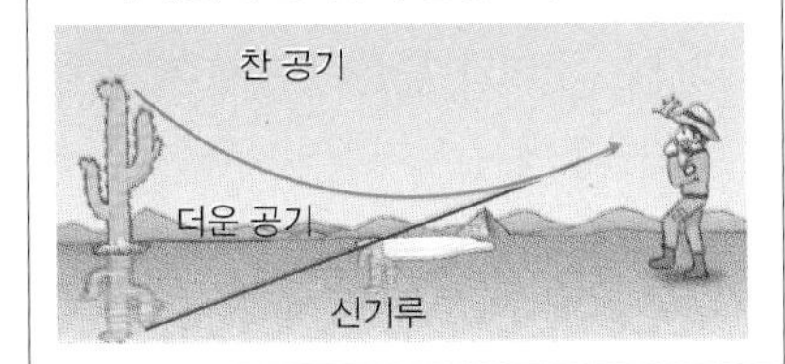 	바닥에 가까울수록 온도가 낮아 빛의 속력이 느리다. 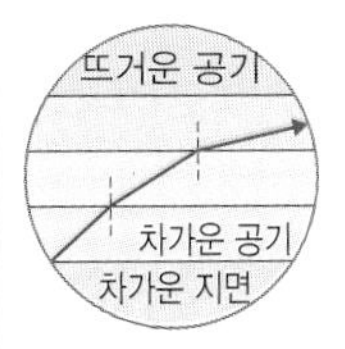 ➡ 빛의 경로가 위로 볼록하게 휘어진다. ➡ 우리는 빛이 직진하였다고 판단하므로 위쪽(하늘)에 신기루가 발생한다. 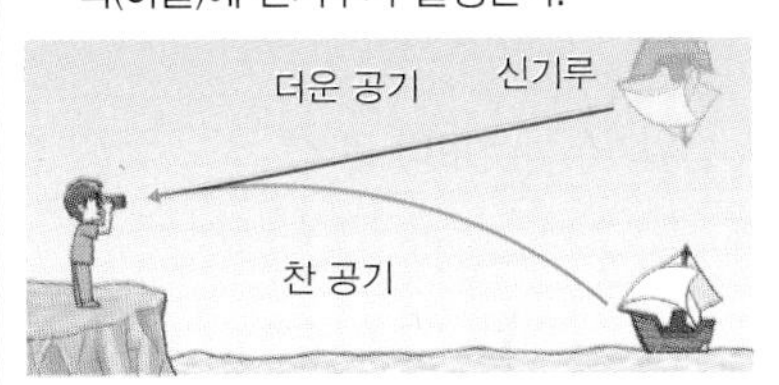

Plus 자료

- 파동이 속력이 빠른 매질에서 느린 매질로 입사할 때 : 입사각>굴절각
- 파동이 속력이 느린 매질에서 빠른 매질로 입사할 때 : 입사각<굴절각

기초 탄탄 문제

정답과 해설 54쪽

핵심용어_ 이 단원에서 내가 아는 것과 아직 모르는 것을 정리하며 나의 공부를 돌아보자.

- □ 횡파 □ 종파 □ 파장
- □ 진동수 □ 진폭 □ 파동의 속력
- □ 파동의 굴절 □ 신기루

01 그림은 용수철을 진동시켜 파장이 4 m인 파동을 발생시킬 때, 용수철에 고정된 한 점의 시간에 따른 변위를 나타낸 것이다.

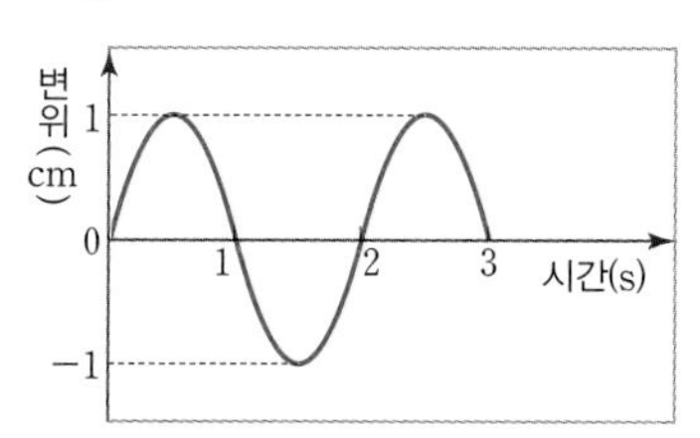

파동의 속력은?

① 0.5 m/s ② 1 m/s ③ 1.5 m/s
④ 2 m/s ⑤ 3 m/s

02 그림은 오른쪽으로 진행하는 파동의 어느 순간의 모습을 나타낸 것이다. A~F는 매질 위의 고정된 점이다.

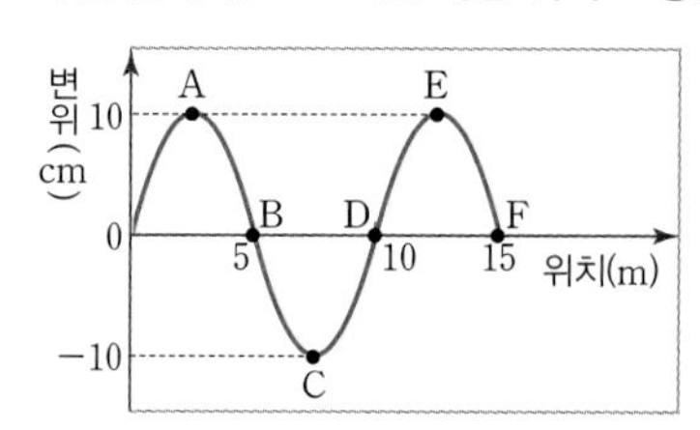

이 순간부터 $\frac{1}{4}$ 주기만큼 지난 순간, 변위가 5 cm보다 큰 점들만을 있는 대로 고른 것은?

① D ② A, E ③ B, F
④ A, C, E ⑤ B, D, F

03 그림은 물결파가 매질 Ⅰ에서 매질 Ⅱ로 진행할 때 어느 순간 파면의 모습을 나타낸 것이다. θ_1과 θ_2는 매질의 경계면과 파면이 이루는 각이고, $\theta_1 < \theta_2$이다. 매질 Ⅰ에서보다 매질 Ⅱ에서 더 큰 물리량만을 〈보기〉에서 있는 대로 고른 것은?

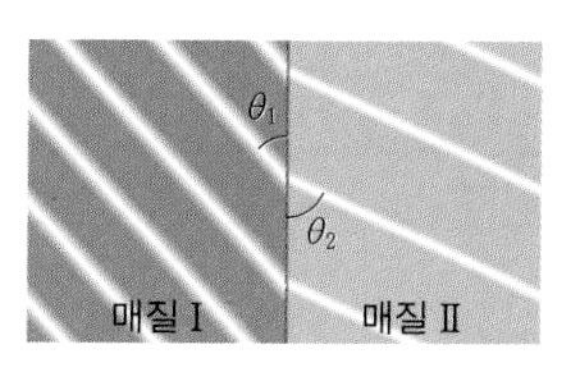

| 보기 |
ㄱ. 물결파의 진동수
ㄴ. 물결파의 속력
ㄷ. 물의 깊이

① ㄱ ② ㄷ ③ ㄱ, ㄴ
④ ㄴ, ㄷ ⑤ ㄱ, ㄴ, ㄷ

04 그림 (가)~(다)는 동일한 단색광이 공기에서 각각 매질 1, 2, 3으로 동일한 입사각으로 진행할 때 굴절하는 모습을 나타낸 것이다.

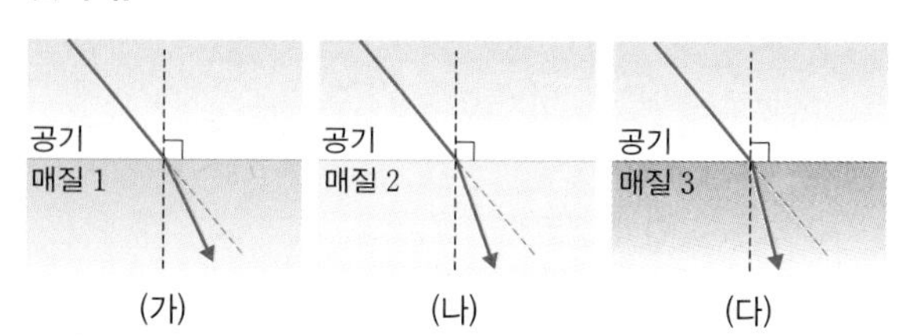

이에 대한 설명으로 옳은 것만을 〈보기〉에서 있는 대로 고른 것은?

| 보기 |
ㄱ. 굴절각은 (가)에서가 (나)에서보다 작다.
ㄴ. 매질 2에서 빛의 속력은 공기에서보다 느리다.
ㄷ. 빛의 파장은 매질 3에서가 매질 1에서보다 길다.

① ㄴ ② ㄷ ③ ㄱ, ㄴ
④ ㄱ, ㄷ ⑤ ㄴ, ㄷ

05 파동의 굴절에 의한 현상이 아닌 것은?

① 낮에는 소리가 높은 곳에서 잘 들린다.
② 비눗방울에서 무지갯빛 무늬가 나타난다.
③ 물 컵에 담긴 빨대가 꺾인 것처럼 보인다.
④ 현미경에 사용하는 렌즈는 시료를 크게 확대시킨다.
⑤ 뜨거운 사막에서 신기루 현상이 나타난다.

내신 만점 문제

정답과 해설 55쪽

■■■ 난이도를 나타냅니다.

01 그림은 오른쪽으로 진행하는 물결파의 어느 순간의 모습을 관찰한 것으로, 마루와 마루 사이의 거리가 $2\ \mathrm{m}$이고 이때 나뭇잎은 물결파의 골에 위치해 있다. 물결파의 마루에서 골까지의 수직 거리는 $30\ \mathrm{cm}$이고, 나뭇잎은 이 순간부터 2초 후 다시 골에 위치한다.

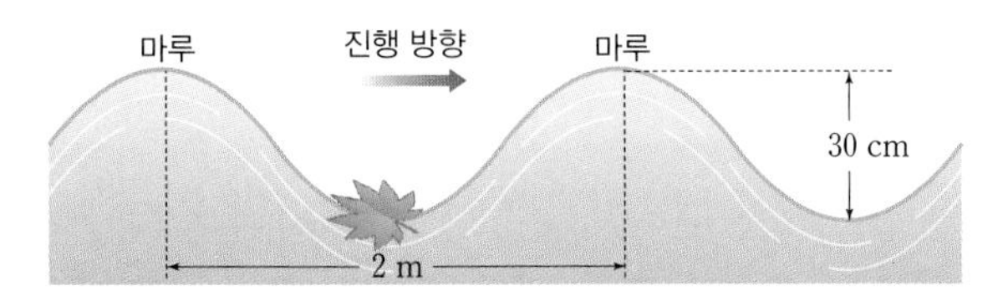

이에 대한 설명으로 옳은 것만을 〈보기〉에서 있는 대로 고른 것은?

보기
ㄱ. 물결파의 진폭은 $30\ \mathrm{cm}$이다.
ㄴ. 물결파의 주기는 2초이다.
ㄷ. 나뭇잎은 1초 동안 물결파의 진행 방향으로 $1\ \mathrm{m}$만큼 이동한다.

① ㄱ ② ㄴ ③ ㄱ, ㄷ ④ ㄴ, ㄷ ⑤ ㄱ, ㄴ, ㄷ

02 그림은 $t=0$인 순간 오른쪽으로 진행하는 파동의 모습을 나타낸 것이다. A는 매질 위의 한 점이고, 이 파동의 주기는 2초이다. A에 대한 설명으로 옳은 것만을 〈보기〉에서 있는 대로 고른 것은?

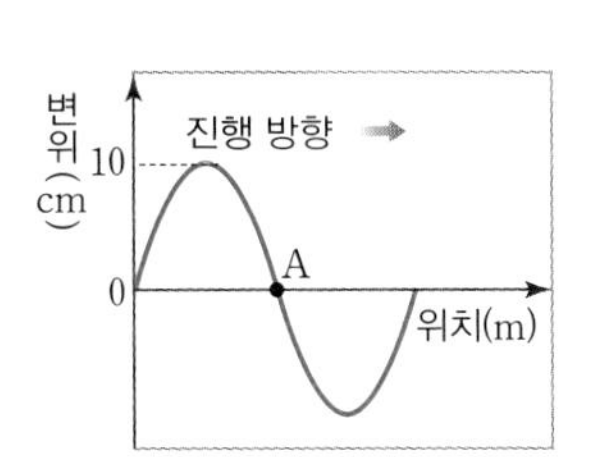

보기
ㄱ. $t=0$초 직후에 변위가 증가한다.
ㄴ. $t=0.5$초인 순간 파동의 마루에 위치한다.
ㄷ. $t=2$초인 순간 변위는 $-10\ \mathrm{cm}$이다.

① ㄱ ② ㄷ ③ ㄱ, ㄴ ④ ㄴ, ㄷ ⑤ ㄱ, ㄴ, ㄷ

03 그림 (가)~(다)는 주기가 1초로 같은 세 파동의 어느 순간의 모습을 나타낸 것이다.

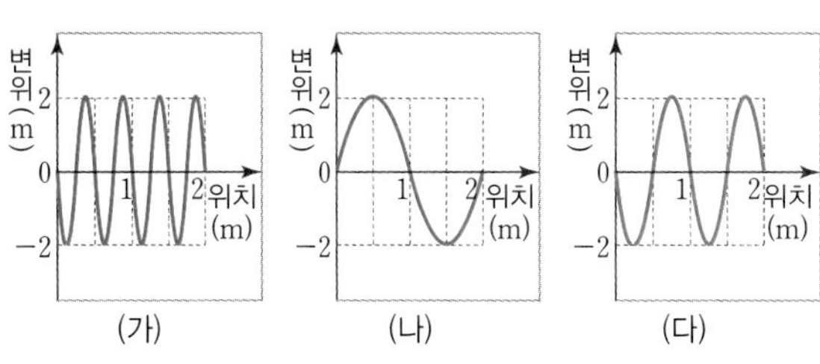

이에 대한 설명으로 옳은 것만을 〈보기〉에서 있는 대로 고른 것은?

보기
ㄱ. 진동수는 (가)가 (다)의 2배이다.
ㄴ. 파장이 가장 긴 것은 (나)이다.
ㄷ. 파동의 속도는 (나)와 (다)가 같다.

① ㄱ ② ㄴ ③ ㄱ, ㄴ ④ ㄱ, ㄷ ⑤ ㄴ, ㄷ

04 그림은 오른쪽으로 진행하는 파동의 어느 순간의 모습을 나타낸 것이다. P는 매질 위의 점이다. 이 순간부터 P의 속도를 시간에 따라 나타낸 그래프로 가장 적절한 것은? (단, 속도는 P가 위 방향으로 운동할 때 $(+)$이다.)

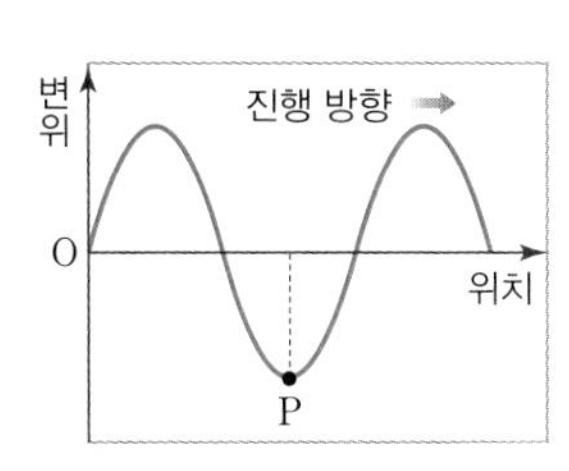

①
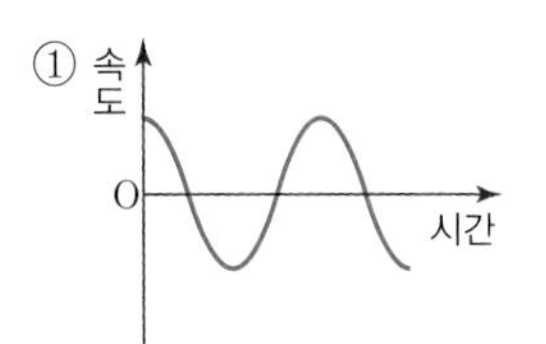

②
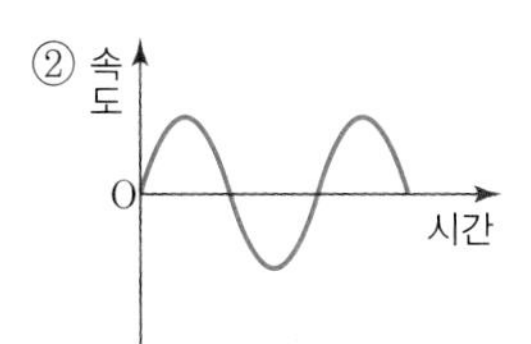

③
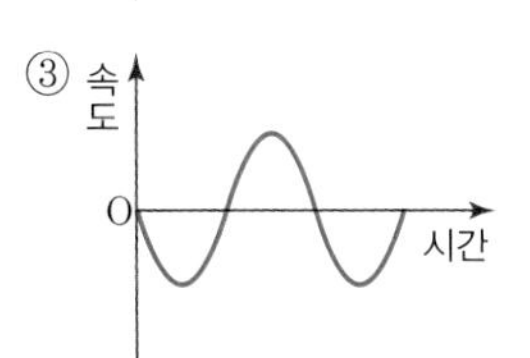

④
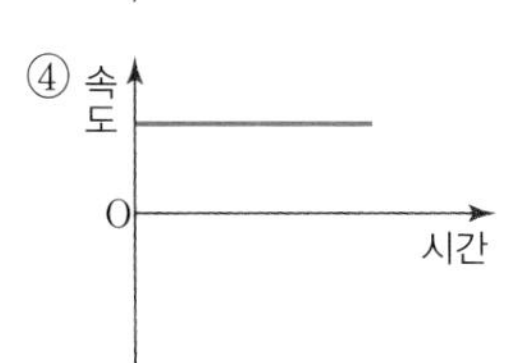

⑤
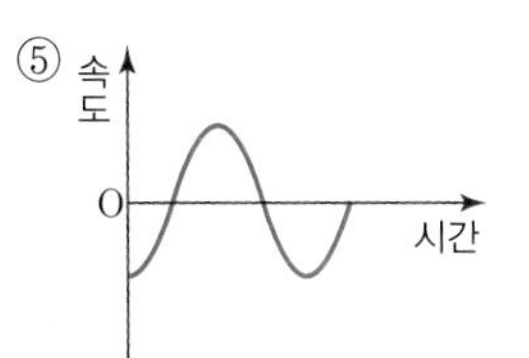

05 그림은 오른쪽으로 진행하는 파동의 어느 순간의 변위를 위치 x에 따라 나타낸 것이다. 파동의 속력은 $8\ \mathrm{m/s}$이다.

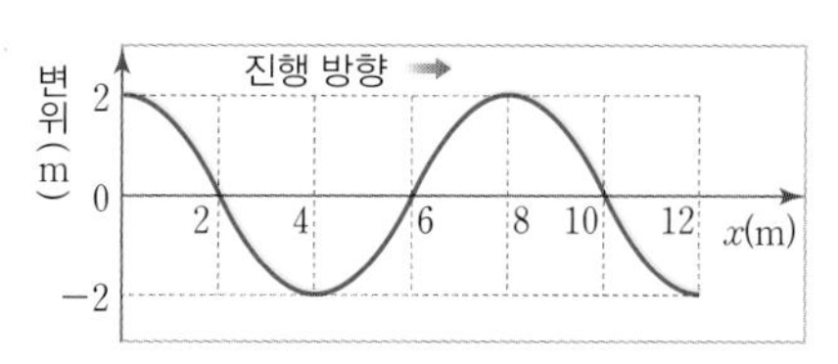

이 순간부터 $x=6\ \mathrm{m}$인 위치에서 파동의 변위를 시간에 따라 나타낸 것으로 가장 적절한 것은?

① 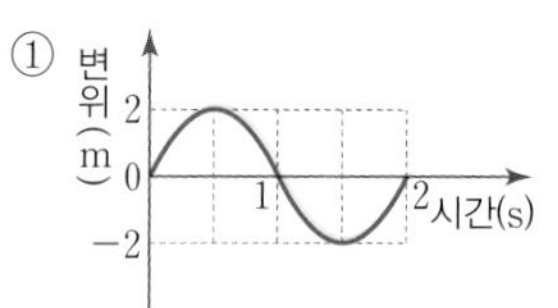
② 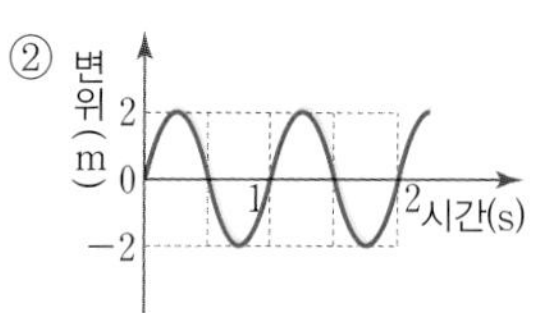
③ 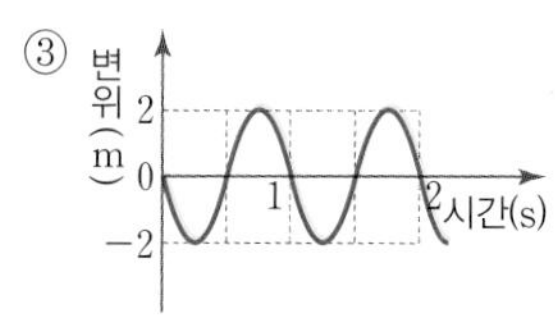
④ 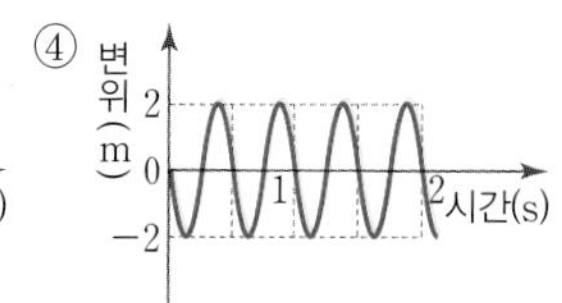
⑤ 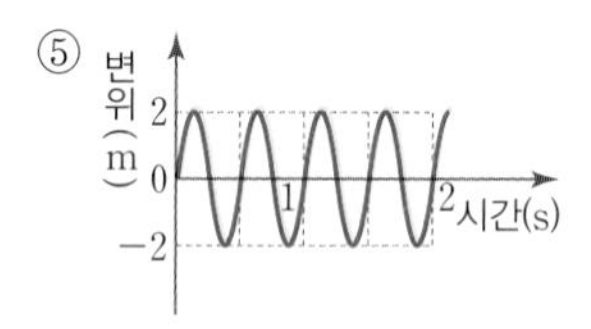

06 그림은 물결파가 매질 Ⅰ에서 매질 Ⅱ로 진행하면서 굴절하는 모습을 나타낸 것이다. Ⅰ, Ⅱ에서 물결파의 이웃한 파면 사이의 간격은 각각 d_1, d_2이고 $d_1>d_2$이다. 이에 대한 설명으로 옳은 것만을 〈보기〉에서 있는 대로 고른 것은?

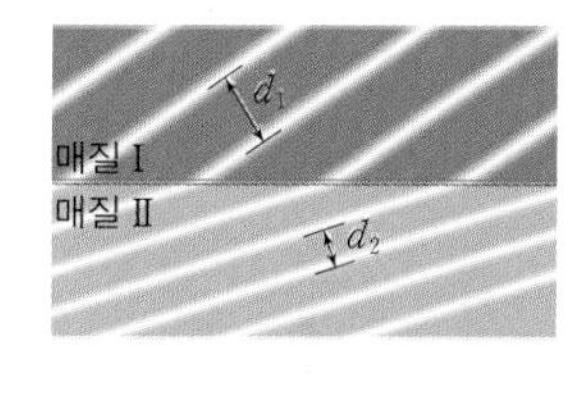

보기

ㄱ. Ⅰ에서 물결파의 파장은 $2d_1$이다.

ㄴ. 물결파의 주기는 Ⅰ에서가 Ⅱ에서보다 크다.

ㄷ. Ⅰ과 Ⅱ에서 물결파의 속력의 비는 $d_1 : d_2$이다.

① ㄱ ② ㄷ ③ ㄱ, ㄴ
④ ㄱ, ㄷ ⑤ ㄴ, ㄷ

07 그림 (가)는 단색광 A가 입사각 θ로 매질 1에서 매질 2로 진행하는 모습을, (나)는 A가 입사각 θ로 매질 2에서 매질 3으로 진행하는 모습을 나타낸 것이다. θ_1, θ_2는 굴절각으로 $\theta_1>\theta_2$이다.

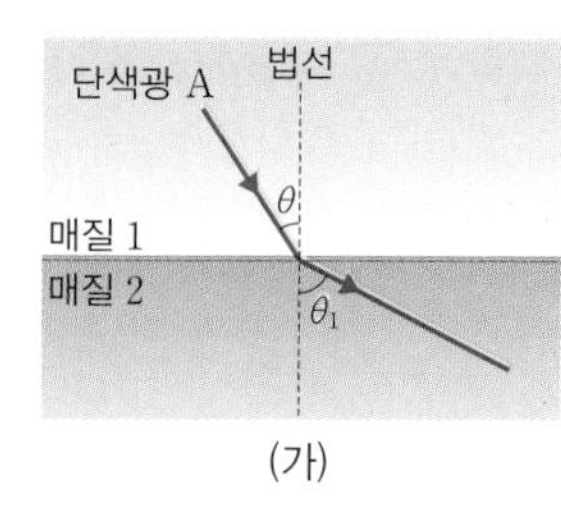

(가)

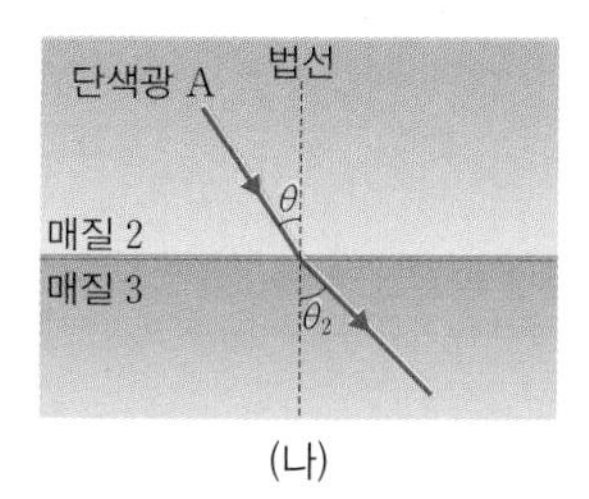

(나)

매질 1, 2, 3에서 빛의 속력을 각각 v_1, v_2, v_3이라고 할 때 속력을 옳게 비교한 것은?

① $v_1=v_2=v_3$ ② $v_1<v_2<v_3$ ③ $v_2<v_1<v_3$
④ $v_2<v_3<v_1$ ⑤ $v_3<v_2<v_1$

08 그림은 지민이가 물 밖에서 물속에 있는 물고기를 바라보고 있는 모습을 나타낸 것이다.

이에 대한 설명으로 옳은 것만을 〈보기〉에서 있는 대로 고른 것은?

보기

ㄱ. 빛의 속력은 물에서보다 공기에서 더 빠르다.

ㄴ. 물고기에서 반사된 빛이 물에서 공기로 입사할 때, 입사각이 굴절각보다 크다.

ㄷ. 지민이에게는 물고기가 실제 위치보다 얕은 곳에 있는 것처럼 보인다.

① ㄱ ② ㄴ ③ ㄱ, ㄴ
④ ㄱ, ㄷ ⑤ ㄴ, ㄷ

09 그림 (가)와 (나)는 공기 중에 놓인 동일한 재질로 만든 두 가지 모양의 렌즈에서 평행한 광선이 진행하는 경로를 나타낸 것이다.

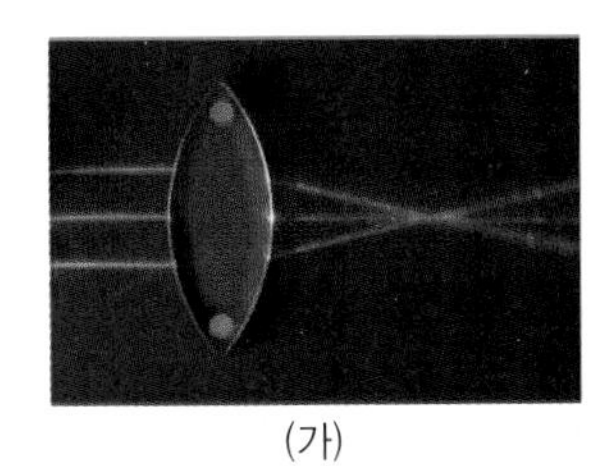
(가)

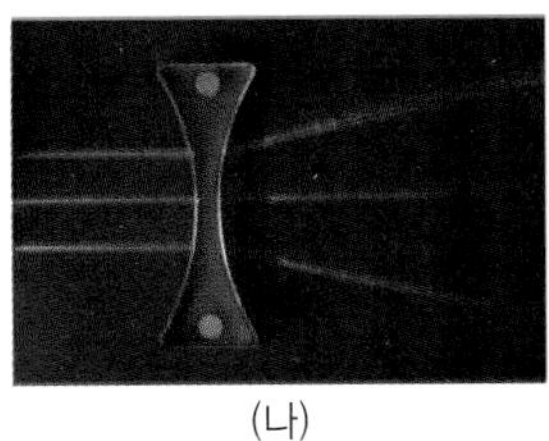
(나)

이에 대한 설명으로 옳은 것만을 〈보기〉에서 있는 대로 고른 것은?

보기
ㄱ. 돋보기에 사용하는 렌즈는 (가)이다.
ㄴ. 빛이 공기에서 렌즈로 들어갈 때 입사각이 굴절각보다 크다.
ㄷ. 빛이 렌즈 내부를 진행할 때의 파장은 공기 중에서와 같다.

① ㄱ ② ㄷ ③ ㄱ, ㄴ
④ ㄴ, ㄷ ⑤ ㄱ, ㄴ, ㄷ

10 그림은 어느 날 자동차의 경적 소리가 위쪽으로 휘어서 전파되는 모습을 나타낸 것이다.

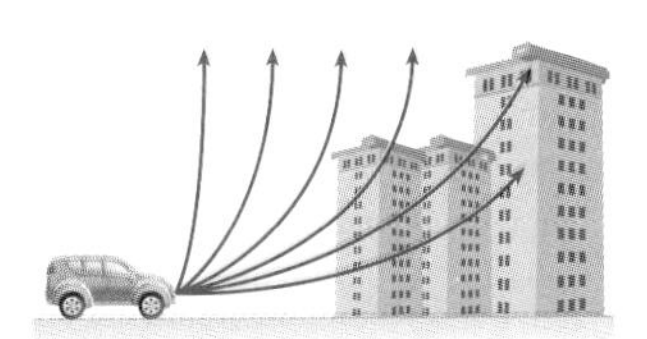

이때 지면에서 위로 올라가면서 나타나는 물리량의 변화에 대한 설명으로 옳은 것만을 〈보기〉에서 있는 대로 고른 것은?

보기
ㄱ. 소리의 진폭이 작아진다.
ㄴ. 공기의 온도가 낮아진다.
ㄷ. 소리의 파장이 짧아진다.

① ㄱ ② ㄴ ③ ㄱ, ㄷ
④ ㄴ, ㄷ ⑤ ㄱ, ㄴ, ㄷ

서술형 문제

11 그림은 피부에 젤을 바르고 초음파 스캐너로 초음파 촬영을 하는 모습을 나타낸 것이다. 표는 물질의 종류에 따른 초음파의 전파 속력을 나타낸 것이다.

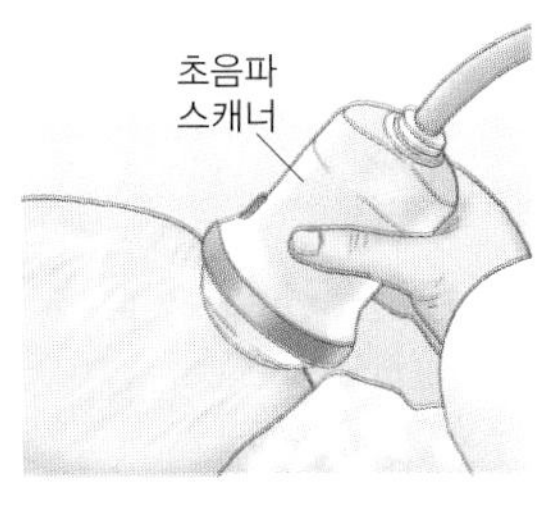

물질	공기	뼈	지방	근육	젤
속력(m/s)	334	3360	1476	1540	1510

(1) 동일한 초음파를 각 물질 내부에서 진행시킬 때, 초음파의 파장이 긴 순서대로 다섯 종류의 물질(공기, 뼈, 지방, 근육, 젤)을 나열하시오.

(2) 초음파 촬영을 할 때 피부와 굴절하는 정도가 비슷한 젤을 바르고 초음파 스캐너를 접촉시키는 까닭을 서술하시오.

12 그림은 온도가 각각 t_1, t_2, t_3으로 다른 세 개의 공기층을 파동이 진행하는 모습을 나타낸 것이다.

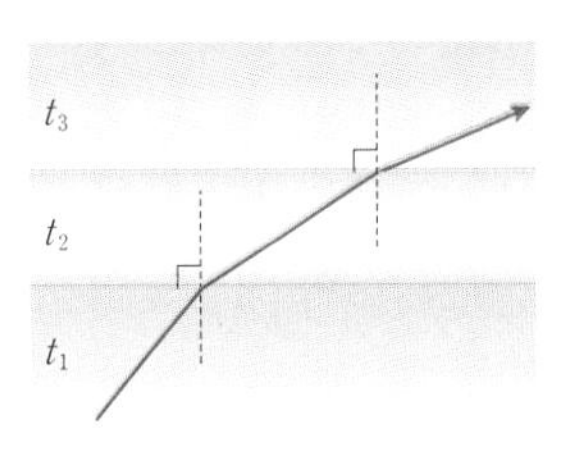

(1) 공기층의 온도 t_1, t_2, t_3의 대소 관계를 비교하시오.

(2) 그림과 같은 공기층에서 파동의 굴절로 발생하는 현상의 예를 두 가지 서술하시오.

Ⅲ. 파동과 정보 통신 | 1. 파동

02 전반사와 광통신

내 교과서는 어디에?
천재 p.154~159 금성 p.152~157 동아 p.152~157
미래엔 p.166~171 비상 p.148~151 YBM p.169~173

핵심 Point
- **전반사**의 의미와 전반사가 일어나기 위한 조건을 이해한다.
- **광섬유**를 이용한 **광통신** 과정을 이해한다.

1 전반사

1. **굴절률** 물질에서의 빛의 속력(v)에 대한 진공에서의 빛의 속력(c)❶의 비를 그 물질의 굴절률(n)이라고 한다.❷ $n=\frac{c}{v}$

① 빛은 매질이 없는 상태인 진공에서도 진행할 수 있으며, 이때 가장 빠른 속력으로 진행한다.

② 굴절률이 큰 물질일수록 물질에서의 빛의 속력이 느리다. 공기의 굴절률보다 물의 굴절률이 더 크기 때문에 빛의 속력은 공기에서보다 물에서 더 느리다.

굴절률이 작은 매질에서 큰 매질로 입사할 때	굴절률이 큰 매질에서 작은 매질로 입사할 때
예 공기 → 물 (빛의 속력 : 물<공기) 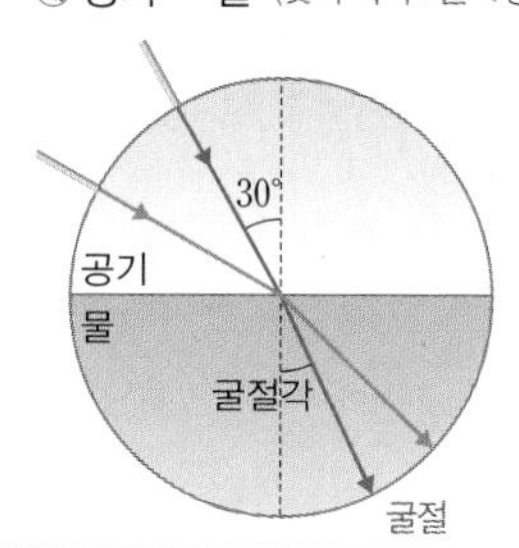	예 물 → 공기 (빛의 속력 : 물<공기) 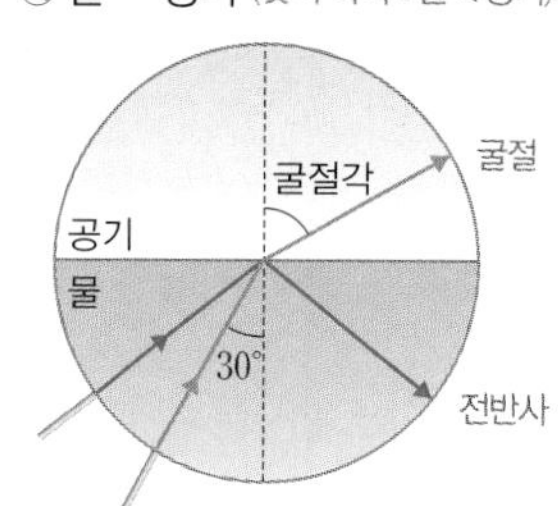
• 입사각>굴절각 • 입사각을 크게 해도 전반사가 일어나지 않는다.	• 입사각<굴절각 • 입사각이 어떤 각보다 크면 굴절이 일어나지 않고 반사만 일어난다. ➡ 전반사

2. **전반사 현상** 빛이 한 매질에서 다른 매질로 진행할 때, 특정한 조건에서 굴절 없이 전부 반사하는 현상

① 임계각: 굴절각이 90°일 때의 입사각

② 굴절 법칙: 굴절률이 n_1인 매질에서 n_2인 매질($n_1>n_2$)로 빛이 입사할 때 다음 식이 성립한다.

$$\frac{\sin i}{\sin r}=\frac{v_1}{v_2}=\frac{\frac{c}{n_1}}{\frac{c}{n_2}}=\frac{n_2}{n_1}$$

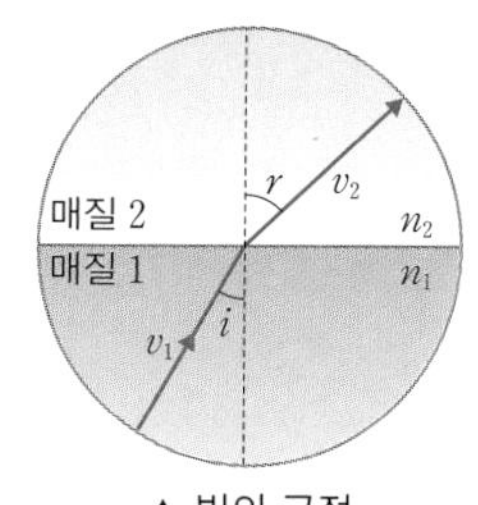

▲ 빛의 굴절

③ 굴절률과 임계각: 임계각을 θ_C라고 하면, $\frac{\sin\theta_C}{\sin 90^\circ}=\frac{n_2}{n_1}$이므로 다음과 같다.

$$\sin\theta_C=\frac{n_2}{n_1}$$

❶ **빛의 속력**
진공에서의 빛의 속력(c)은 파장에 관계없이 모두 3×10^8 m/s(30만 km/s)이다.

❷ **여러 가지 물질의 굴절률**
(측정 파장: 589 nm)

물질	굴절률
진공	1
공기(0 ℃, 1 atm)	1.0003
얼음(0 ℃)	1.31
물(20 ℃)	1.33
유리(20 ℃)	1.5 내외
다이아몬드(20 ℃)	2.42

암기 콕
$$\frac{\sin i}{\sin r}=\frac{v_1}{v_2}=\frac{n_2}{n_1}$$
$$n_1\sin i=n_2\sin r$$

용어
▶ **굴절률**: 물질에서의 빛의 속력이 진공에서의 빛의 속력에 비해 얼마나 감소하는지를 나타내는 상수로, 물질의 굴절률이 클수록 빛의 속력이 느려진다.
▶ **임계각**: 전반사가 일어나기 위한 입사각의 최솟값

개념 확인하기

1 굴절률이 큰 물질일수록 그 물질 속에서 빛의 속력이 빠르다. (○ , ×)

2 전반사가 일어나기 위해서는 굴절률이 (　　) 매질에서 (　　) 매질로 빛이 입사해야 한다.

3 전반사가 일어나기 위해서는 입사각이 (　　)보다 커야 한다.

답 1. × 2. 큰, 작은 3. 임계각

3. 전반사가 일어나기 위한 조건

조건 1. 빛이 굴절률이 큰 매질에서 굴절률이 작은 매질로 진행해야 한다.
(큰 매질 └ 속력이 느린 물질 / 작은 매질 └ 속력이 빠른 물질)

조건 2. 입사각이 임계각보다 커야 한다.

전반사❸

굴절 광선
법선
공기
물
굴절각
입사각
반사각
임계각
입사 광선
광원
반사 광선
전반사
❶ ❷ ❸

❶ 빛의 입사각이 임계각보다 작은 경우 : 빛의 일부는 반사하고, 일부는 굴절한다.

❷ 빛의 입사각이 임계각인 경우 : 빛의 일부는 반사하고, 일부는 굴절한다. 이때 굴절각은 90°가 된다.

❸ 입사각이 임계각보다 큰 경우 : 빛은 모두 반사한다. → 전반사된 빛은 입사한 빛과 세기가 같다. 반면 거울에서 반사된 빛의 세기는 입사한 빛의 세기보다 약하다.

4. 전반사의 특징

① 굴절률에 따른 임계각: 굴절률이 큰 물질일수록 임계각이 작다. 임계각보다 입사각이 클 때 전반사가 일어나므로 임계각이 작을수록 전반사가 일어나기 쉽다.

임계각과 입사각의 범위

굴절률 : 유리>물, 임계각 : 유리 → 공기<물 → 공기

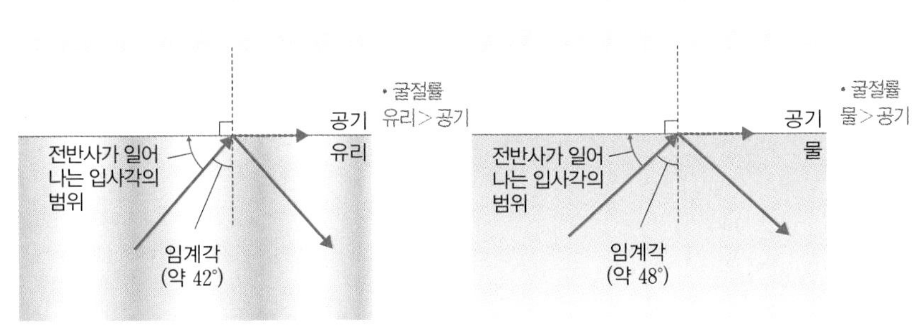

➡ 전반사가 일어나는 입사각의 범위는 유리에서 공기로 입사할 때($42° < \theta < 90°$)가 물에서 공기로 입사할 때($48° < \theta < 90°$)보다 넓다.

② 빛이 전반사할 때에는 굴절이 일어나지 않고 모두 반사하므로 반사광의 세기가 입사광의 세기와 같다.

➡ 빛을 먼 곳까지 보낼 수 있다. → 반사와 굴절이 함께 일어날 때에는 반사광 또는 굴절광의 세기가 입사광의 세기보다 약하다.

개념 확인하기

1 굴절률이 큰 물질일수록 임계각이 (작다 / 크다).

2 임계각이 작을수록 전반사가 일어나는 입사각의 범위가 (   ).

3 매질의 경계면에서 전반사가 일어날 때보다 반사와 굴절이 모두 일어날 때 반사광의 세기가 더 약하다. (○ , ×)

답 1. 작다 2. 넓다 3. ○

주의 콕
전반사가 일어나려면 굴절률이 큰 매질에서 작은 매질로 진행해야 한다는 것에 주의하자.

❸ 빛의 반사와 굴절
빛이 물속에서 공기 중으로 진행할 때 입사각을 점점 크게 하면 물속에서 공기 중으로 빠져나가는 빛이 사라지면서 입사한 빛은 전반사된다.

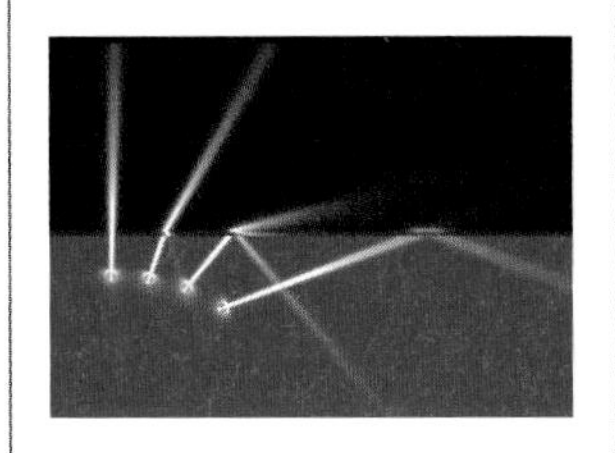

2 생활 속 전반사의 이용

1. 직각 프리즘

① 원리: 유리로 만든 직각 프리즘에 수직으로 입사하는 빛은 프리즘에서 공기로 나올 때 전반사하여 90° 꺾인 각도로 프리즘을 빠져나온다.

② 이용: 쌍안경, 잠망경 등에서 빛의 진행 방향을 바꾸는 데 사용된다.

직각 프리즘에서의 전반사[4]	쌍안경 속의 프리즘	잠망경 속의 프리즘

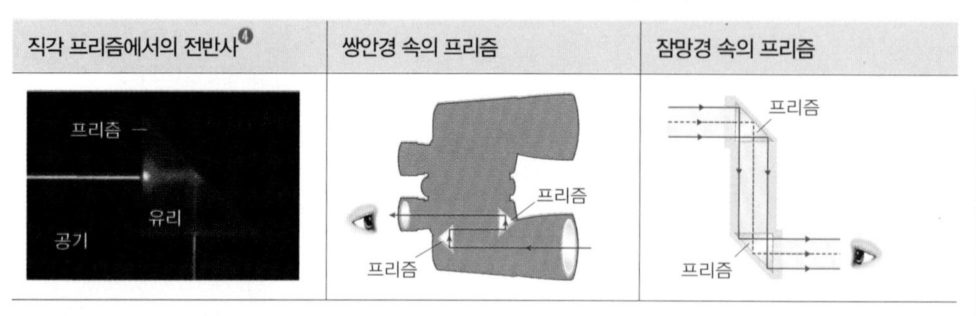

자료 파헤치기

거울을 이용한 잠망경과 프리즘을 이용한 잠망경

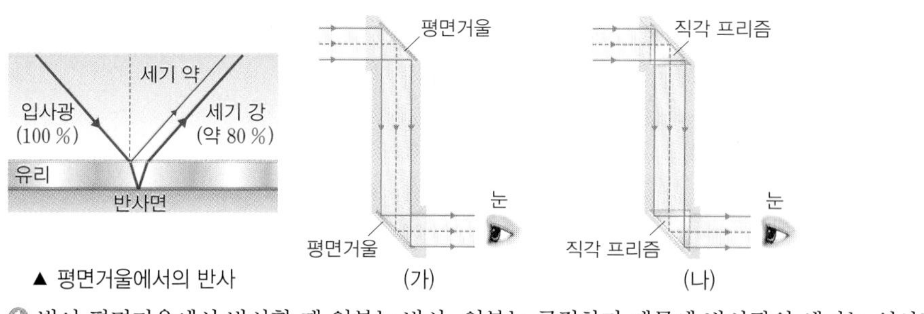

▲ 평면거울에서의 반사 (가) (나)

❶ 빛이 평면거울에서 반사할 때 일부는 반사, 일부는 굴절하기 때문에 반사광의 세기는 입사광의 세기보다 약하다. 그래서 그림 (가)와 같이 거울로 만든 잠망경으로 물체를 보면 맨눈으로 볼 때보다 많이 어둡게 보인다.

❷ 그림 (나)와 같이 직각 프리즘이 들어 있는 잠망경에는 빛이 프리즘과 공기의 경계면에서 한 번만 반사하여 하나의 상이 생기고 전반사하므로 빛의 세기가 약해지지 않는다.

➡ 프리즘이 들어 있는 잠망경을 이용하면 거울이 들어 있는 잠망경을 이용할 때보다 더 밝은 상을 또렷하게 관찰할 수 있다.

2. 다이아몬드

외부에서 들어온 빛이 전반사를 통해 대부분 되돌아 나오기 때문에 다른 보석보다 더 밝게 빛나 보인다. 다이아몬드 세공사는 전반사가 잘 일어나도록 각도를 조절한다.[5]

입사 광선 반사 광선

전반사

3. 광섬유

① 유리를 가늘게 뽑아 만든 소재로, 빛이 내부에서 전반사하며 광섬유를 따라 전달된다.

② 광섬유는 광통신, ▸내시경, 예술품, 장식품, ▸광케이블형 자연 채광 시스템 등에 사용된다.

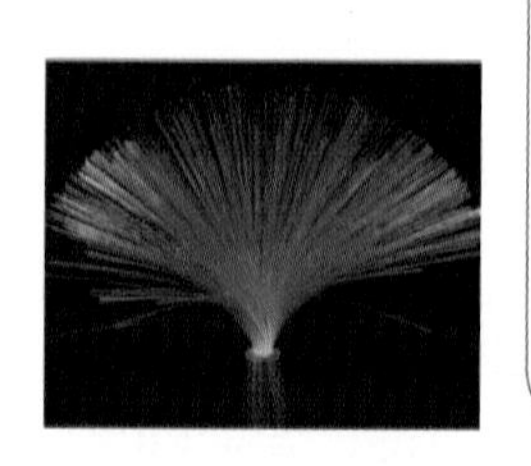

❹ 직각 프리즘에서의 전반사

직각 프리즘에 수직으로 입사한 빛은 경계면에 대한 입사각이 45°이기 때문에 임계각 θ_C보다 커서 전반사가 일어난다.

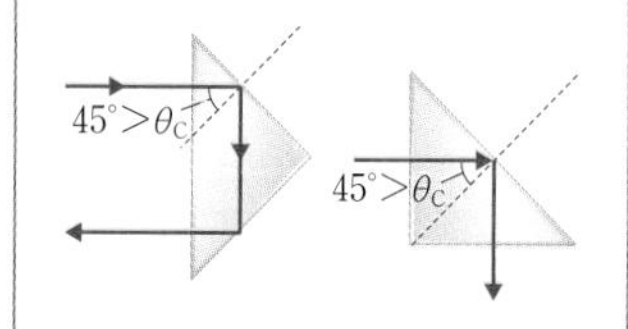

❺ 다이아몬드의 임계각

다이아몬드의 굴절률은 2.42로 매우 크다. 빛이 다이아몬드에서 공기로 입사할 때 전반사가 일어나기 위한 임계각은 약 24°이다. 임계각이 작기 때문에 전반사가 잘 일어난다.

용어

▸ **내시경**: 광섬유 다발에 소형 카메라를 연결하여 인체 내부 장기의 모습을 살펴보는 장비

▸ **광케이블형 자연 채광 시스템**: 태양을 추적하는 센서를 이용하여 집광 렌즈로 모인 태양광을 광섬유를 통해 원하는 장소까지 전송시키는 시스템

개념 확인하기

1 잠망경, 쌍안경 등에 이용되는 (   )은 전반사를 이용하여 빛의 진행 방향을 바꾼다.

2 다이아몬드의 임계각은 작기 때문에 (   )가 잘 일어나서 다른 보석보다 더 밝게 빛난다.

3 (   )은 광섬유 다발에 소형 카메라를 연결하여 인체 내부를 진단하는 의료 장비이다.

답 1. (직각) 프리즘 2. 전반사 3. 내시경

3 광통신

1. 광통신과 광섬유

① 광통신: 음성, 영상 등과 같은 정보 신호를 빛 신호로 전환하여 광섬유가 들어 있는 광케이블로 전송하는 통신 방식이다.

② 광섬유: 전반사를 이용하여 빛을 전송하는 유리로 이루어진 섬유 모양의 관

광섬유의 구조와 원리

- 구조: 중앙의 ▸코어를 ▸클래딩이 감싸는 이중 원기둥 모양이다.
- 원리: 광섬유 속에서 빛은 코어 속을 진행하다가 코어와 클래딩의 경계에서 전반사하여 다시 코어 속으로 진행한다.
  ➡ 전반사가 일어나야 하므로 코어의 굴절률이 클래딩의 굴절률보다 크다. → 전반사를 이용하여 빛의 손실이 거의 없이 빛을 전달할 수 있다.

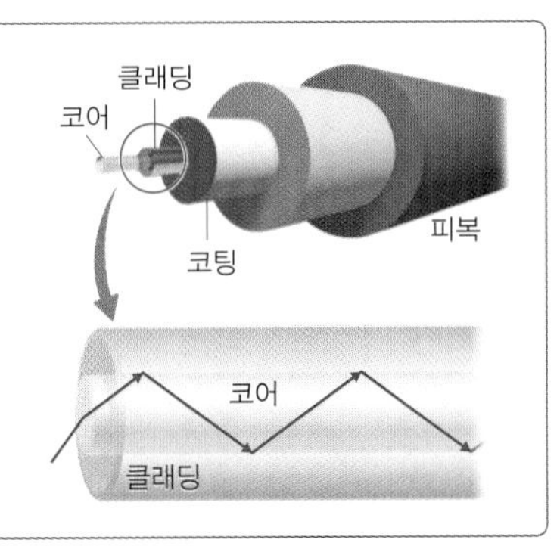

셀파 콕콕
광섬유 내부에서 전반사가 일어나기 위해서는 코어와 클래딩의 굴절률은 어떤 관계에 있어야 하는지 잘 학습해 두자.

2. 광통신 과정

① 송신부: 정보 신호를 전기 신호로 변환한 후 다시 빛 신호로 바꾸어 광섬유로 보낸다.

② 수신부: 빛 신호를 수신하여 전기 신호로 바꾼 후 컴퓨터 등과 같은 장치로 재생한다.

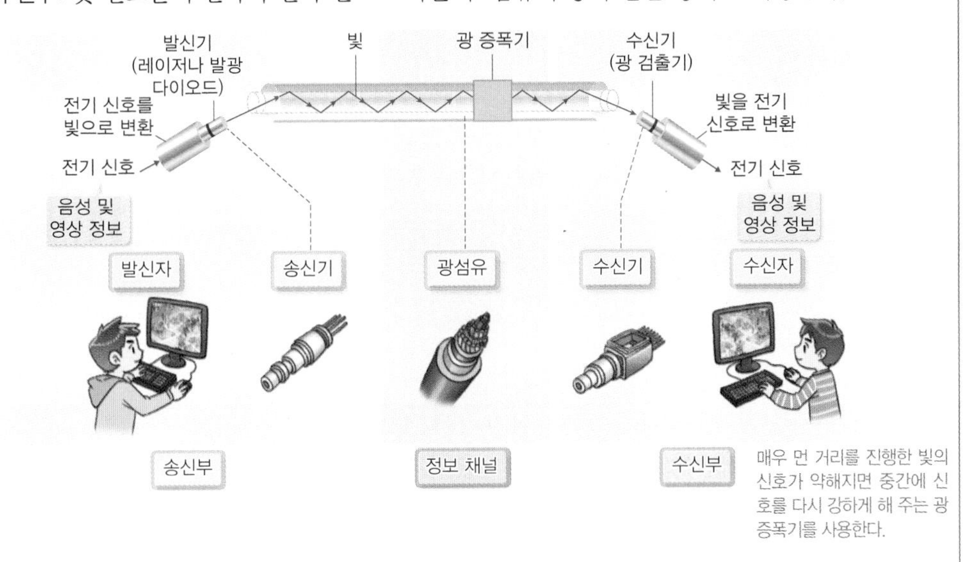

매우 먼 거리를 진행한 빛의 신호가 약해지면 중간에 신호를 다시 강하게 해 주는 광증폭기를 사용한다.

⑥ 구리 도선과 광케이블

- 구리 도선을 통한 유선 통신은 도선에 흐르는 전류를 이용하여 정보를 전송하는 방식으로, 전류의 열작용에 의한 에너지 손실이 발생하여 정보의 세기가 약해진다.
- 여러 가닥의 광섬유로 만든 광케이블을 이용한 광통신에서는 전반사를 이용하므로 빛의 세기가 거의 약해지지 않는다.

구리 도선

광케이블

3. 광통신의 장단점

장점	• 광통신에서는 빛의 세기가 거의 약해지지 않기 때문에 정보를 멀리까지 보낼 수 있다.⑥ • 구리 도선으로 전기 신호를 보내는 것보다 더 많은 양의 정보를 보낼 수 있다. • 외부 전파에 의한 간섭이나 혼선이 없으며, 도청이 어렵다.
단점	• 화재나 충격에 약하고 한번 끊어지면 연결하기 어렵다. • 연결 부위에 작은 먼지가 끼거나 틈이 생기면 광통신이 불가능해질 수 있다.

용어

▸ **코어**(core): 광섬유의 중심에 있는 원통 모양의 투명한 유리

▸ **클래딩**(cladding): 코어를 감싸고 있는 원통 모양의 투명한 유리

개념 확인하기

1 (　　　)은 음성, 영상 등의 정보를 담은 전기 신호를 빛 신호로 전환하여 전송하는 통신 방식이다.

2 광섬유는 중앙의 (　　　)를 (　　　)이 감싸는 이중 원기둥 모양을 하고 있다.

3 광섬유는 화재나 충격에는 강하지만 도청에는 취약하다. (○ , ×)

답 1. 광통신 2. 코어, 클래딩 3. ×

셀파 탐구

전반사가 발생하기 위한 조건

목표 전반사가 일어나기 위한 조건과 전반사가 일어날 때의 특징을 알 수 있다.

과정

❶ 그림 (가)와 같이 레이저 빛이 유리의 둥근 면에 입사하여 중심을 지나도록 한다.
❷ 그림 (나)와 같이 물을 채운 반원형 물통을 이용하여 과정 ❶을 반복한다.
❸ 그림 (다)와 같이 레이저 빛을 공기에서 유리의 평평한 면으로 입사시킨다.

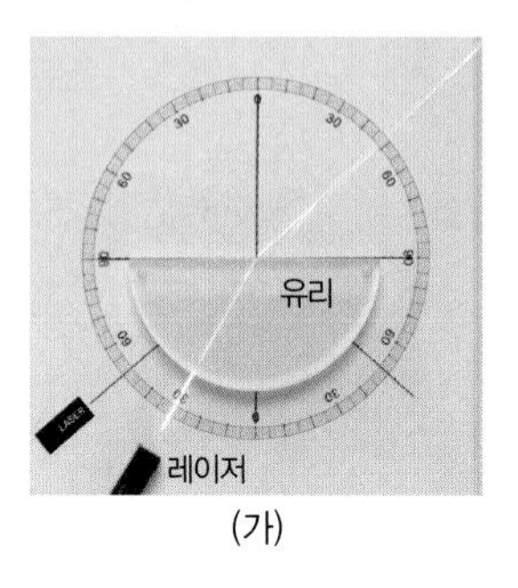

(가)

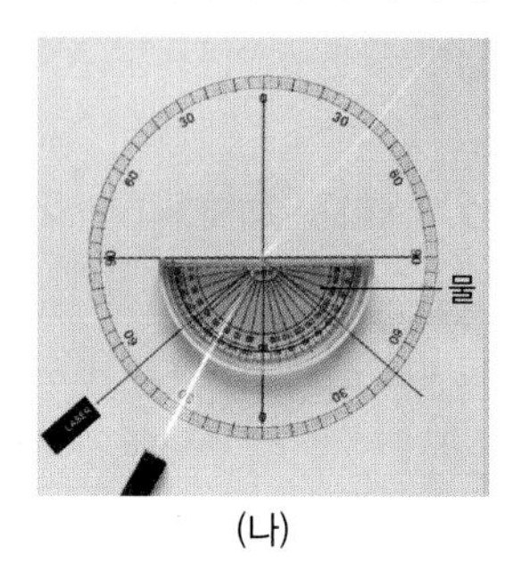

(나)

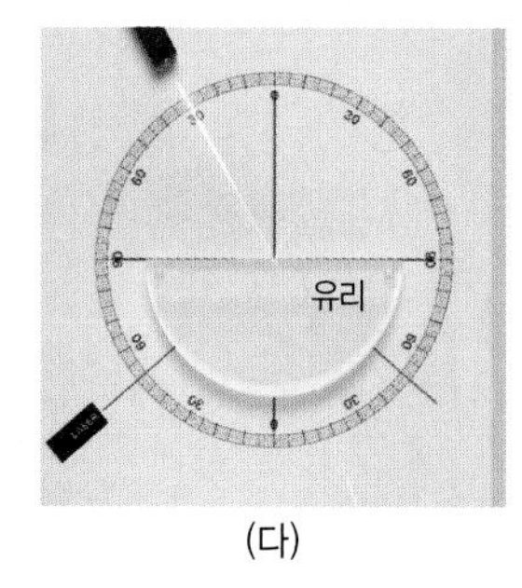

(다)

결과 및 정리

1. 과정 ❶에서 입사각이 30°와 60°일 때 반사한 빛의 밝기는 언제 더 밝은가?
   ➡ 입사각이 60°일 때가 30°일 때보다 반사한 빛의 밝기가 더 밝다. 전반사가 일어나는 경우에는 굴절하는 빛이 없으므로 굴절과 반사가 동시에 일어나는 경우에 비해 반사하는 빛의 세기가 더 세다.
2. 전반사가 일어나기 시작하는 입사각은 유리와 물 중 어디에서 더 큰가?
   ➡ 임계각은 물에서가 유리에서보다 크다. 굴절률은 유리가 물보다 크고 굴절률이 클수록 임계각이 작다.
3. 과정 ❸에서 전반사가 발생하는가?
   ➡ 공기에서 유리로 입사하는 경우 전반사가 발생하지 않는다. 빛이 굴절률이 작은 매질(→ 공기)에서 큰 매질(→ 유리)로 진행할 때는 전반사가 일어나지 않는다.

유의점

❶ 보안경을 반드시 착용한다.
❷ 레이저 빛이 눈에 들어가지 않도록 주의한다.
❸ 가능한 한 어두운 곳에서 실험을 진행하는 것이 좋다.

탐구 돋보기

유리 또는 물에서 빛이 공기로 빠져나가는 경우 임계각 i_C를 측정하면 물질의 굴절률을 알 수 있다. 공기의 굴절률은 1이므로 물질의 굴절률은 $n=\frac{1}{\sin i_C}$이다.

시험 유형은?

❶ 굴절각이 90°가 되는 순간의 입사각을 무엇이라고 하는가?
▶ 임계각
❷ 전반사가 일어나기 위한 조건 2가지는 무엇인가?
▶ • 굴절률이 큰 매질에서 작은 매질로 빛이 진행해야 한다.
• 입사각이 임계각보다 커야 한다.

탐구 대표 문제 정답과 해설 57쪽

01 이 실험에 대한 설명으로 옳지 않은 것은?

① 굴절각이 90°가 되는 순간의 입사각을 임계각이라고 한다.
② 빛이 유리에서 공기로 진행할 때 입사각이 임계각보다 크면 반사가 일어나지 않는다.
③ 전반사가 일어나면 반사와 굴절이 모두 일어날 때보다 반사광의 밝기가 밝다.
④ 빛이 유리나 물에서 공기로 진행할 때 임계각은 유리보다 물에서 크다.
⑤ 빛이 공기에서 유리로 진행할 때는 전반사가 일어나지 않는다.

02 그림은 매질 1에서 매질 2로 빛이 입사할 때 빛이 전반사하는 모습을 나타낸 것이다. 매질 1의 굴절률 n_1과 매질 2의 굴절률 n_2의 크기를 비교하시오.

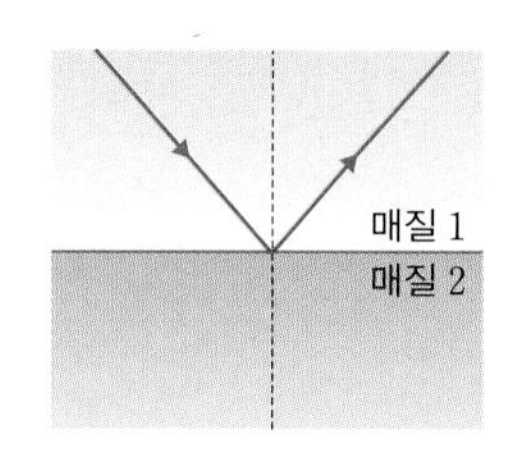

셀파 세미나 S·H·E·R·P·A

다양한 전반사 현상

▶ 전반사를 이해하고, 다양한 전반사 현상에 대해 알아보아요.

01 전반사

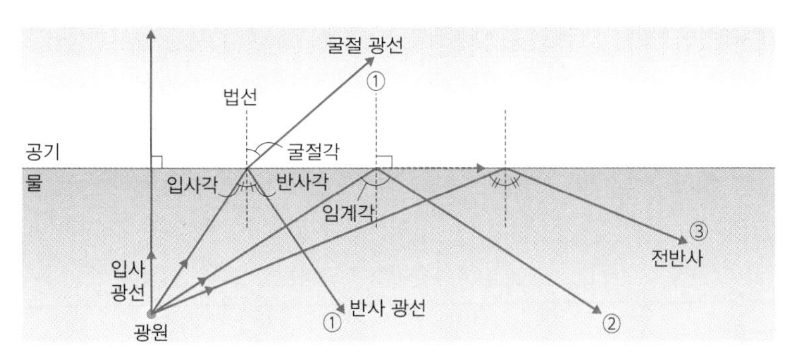

① 입사각 < 임계각 : 빛의 일부는 반사, 일부는 굴절
② 입사각 = 임계각 : 빛의 일부는 반사, 일부는 굴절(굴절각은 90°)
③ 입사각 > 임계각 : 빛은 모두 반사

- 빛이 굴절률이 큰 매질에서 작은 매질로 진행하고, 입사각이 임계각보다 클 때 전반사 현상이 일어난다.
- 두 매질의 굴절률 차이가 클수록 작은 입사각에서도 전반사한다. 즉, 임계각이 작다.
- 빛이 반사와 굴절을 모두 할 때는 반사광과 굴절광의 세기가 모두 입사광의 세기보다 약하다. 그러나 빛이 전반사할 때에는 입사광과 반사광의 세기가 같다.

Plus 자료

임계각

빛이 밀한 매질(n_1)에서 소한 매질(n_2)로 진행할 때 굴절각이 90°일 때의 입사각이다. $\frac{n_2}{n_1}$의 값이 작을수록 임계각이 작다.

02 여러 가지 전반사 현상

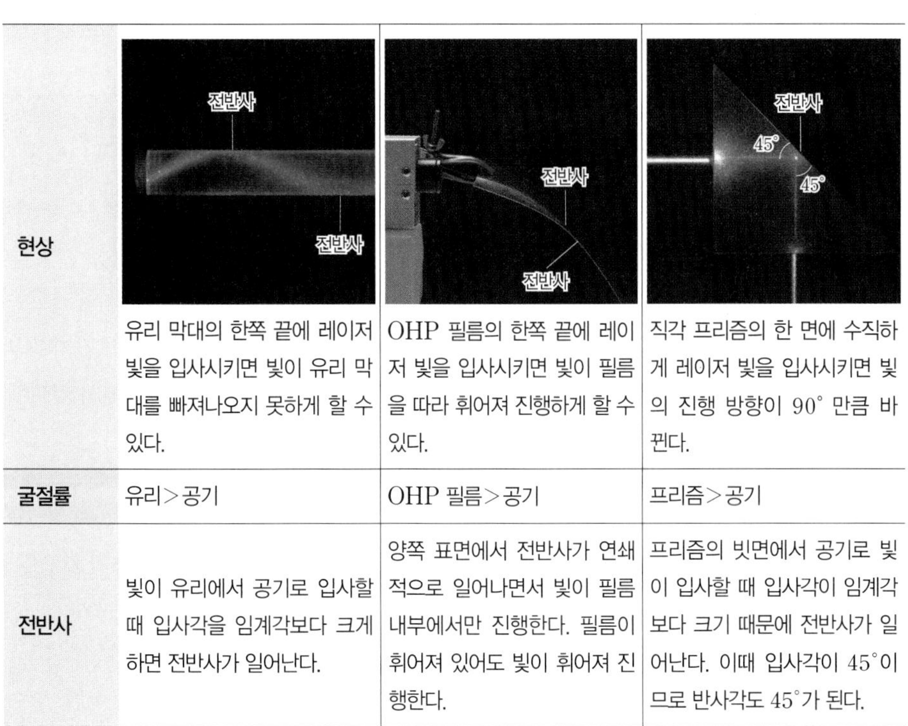

현상	유리 막대의 한쪽 끝에 레이저 빛을 입사시키면 빛이 유리 막대를 빠져나오지 못하게 할 수 있다.	OHP 필름의 한쪽 끝에 레이저 빛을 입사시키면 빛이 필름을 따라 휘어져 진행하게 할 수 있다.	직각 프리즘의 한 면에 수직하게 레이저 빛을 입사시키면 빛의 진행 방향이 90° 만큼 바뀐다.
굴절률	유리 > 공기	OHP 필름 > 공기	프리즘 > 공기
전반사	빛이 유리에서 공기로 입사할 때 입사각을 임계각보다 크게 하면 전반사가 일어난다.	양쪽 표면에서 전반사가 연쇄적으로 일어나면서 빛이 필름 내부에서만 진행한다. 필름이 휘어져 있어도 빛이 휘어져 진행한다.	프리즘의 빗면에서 공기로 빛이 입사할 때 입사각이 임계각보다 크기 때문에 전반사가 일어난다. 이때 입사각이 45°이므로 반사각도 45°가 된다.

Plus 문제

Q. 〈보기〉에서 공기, 유리, OHP 필름, 프리즘의 굴절률을 각각 $n_{공기}$, $n_{유리}$, $n_{필름}$, $n_{프리즘}$이라고 할 때, 옳게 비교한 것을 모두 고르면?

보기

ㄱ. $n_{공기} < n_{유리}$
ㄴ. $n_{필름} < n_{공기}$
ㄷ. $n_{프리즘} < n_{공기}$
ㄹ. $n_{공기} < n_{필름}$

A. 빛이 굴절률이 큰 매질에서 작은 매질로 진행할 때 전반사가 일어나므로 ㄱ, ㄹ이다.

기초 탄탄 문제

정답과 해설 57쪽

핵심용어_ 이 단원에서 내가 아는 것과 아직 모르는 것을 정리하며 나의 공부를 돌아보자.

- □ 굴절률
- □ 전반사
- □ 굴절 법칙
- □ 임계각
- □ 전반사가 일어나기 위한 조건
- □ 전반사의 이용
- □ 광섬유
- □ 광통신

01 그림과 같이 단색광이 매질 A에서 B로 굴절하며 진행하였다. 매질 B의 굴절률이 1이라면 매질 A의 굴절률은?

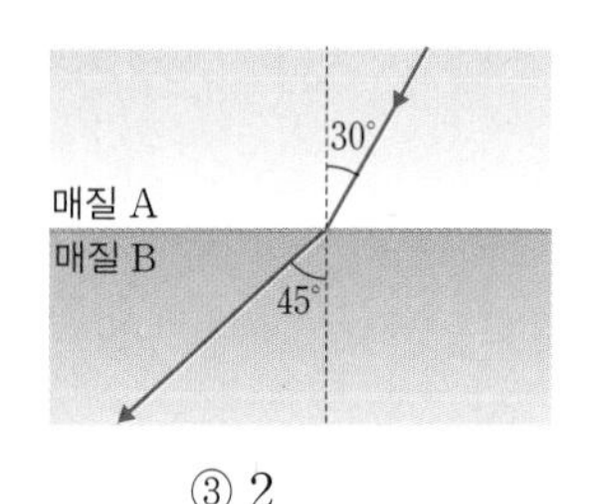

① 1 ② $\sqrt{2}$ ③ 2
④ $\frac{1}{2}$ ⑤ $\frac{1}{4}$

02 전반사가 일어나기 위한 필수 조건만을 <보기>에서 있는 대로 고른 것은?

보기
ㄱ. 입사각이 임계각보다 작아야 한다.
ㄴ. 굴절률이 작은 매질에서 큰 매질로 빛을 입사시켜야 한다.
ㄷ. 빛의 속력이 느린 매질에서 빠른 매질로 빛을 입사시켜야 한다.

① ㄱ ② ㄷ ③ ㄱ, ㄴ
④ ㄱ, ㄷ ⑤ ㄴ, ㄷ

03 일상생활 속에서 빛의 전반사 현상과 관련된 현상의 예가 아닌 것은?

① 광케이블형 자연 채광 시스템으로 실내를 밝게 한다.
② 내시경을 이용하여 인체 내부의 모습을 관찰한다.
③ 지폐에는 위조를 방지하는 특수한 무늬가 있다.
④ 다이아몬드는 다른 보석보다 밝게 빛나 보인다.
⑤ 직각 프리즘 잠망경으로 물속에서 수면 위의 모습을 볼 수 있다.

04 그림은 유리 막대의 축과 θ의 각도로 레이저를 비추었을 때 레이저 빛이 내부에서 전반사하는 모습을 나타낸 것이다.

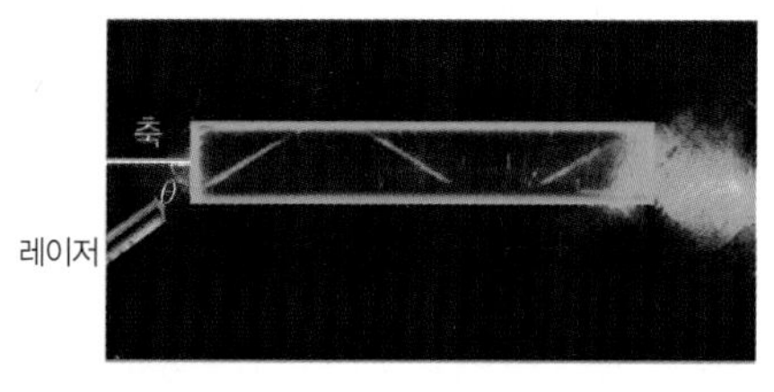

이에 대한 설명으로 옳은 것만을 <보기>에서 있는 대로 고른 것은?

보기
ㄱ. 유리의 굴절률은 공기보다 크다.
ㄴ. θ가 작을수록 전반사가 일어나기 쉽다.
ㄷ. 광섬유 내부에서도 전반사가 일어난다.

① ㄱ ② ㄷ ③ ㄱ, ㄴ
④ ㄴ, ㄷ ⑤ ㄱ, ㄴ, ㄷ

05 그림은 광섬유 내부에서 빛이 진행하는 것을 나타낸 것이다. 이에 대한 설명으로 옳은 것만을 <보기>에서 있는 대로 고른 것은?

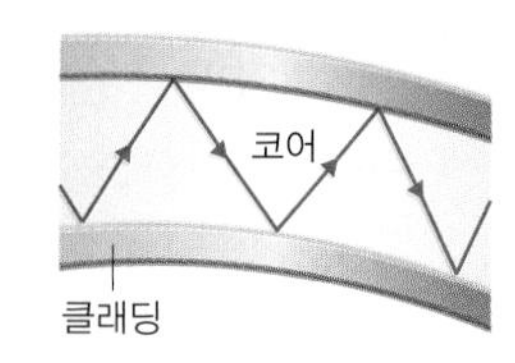

보기
ㄱ. 빛은 코어와 클래딩의 경계면에서 전반사한다.
ㄴ. 클래딩의 굴절률은 코어의 굴절률보다 크다.
ㄷ. 광통신은 여러 가닥의 광섬유로 만든 광케이블을 이용한다.

① ㄱ ② ㄷ ③ ㄱ, ㄴ
④ ㄱ, ㄷ ⑤ ㄴ, ㄷ

06 광통신의 특징으로 옳은 것만을 <보기>에서 있는 대로 고른 것은?

보기
ㄱ. 정보를 멀리까지 보낼 수 있다.
ㄴ. 외부 전파에 의한 간섭이나 혼선이 없다.
ㄷ. 전류의 열작용에 의해 에너지 손실이 발생한다.
ㄹ. 화재나 충격에 약하고 한번 끊어지면 연결하기 어렵다.

① ㄱ, ㄴ ② ㄱ, ㄴ, ㄷ ③ ㄱ, ㄴ, ㄹ
④ ㄱ, ㄷ, ㄹ ⑤ ㄴ, ㄷ, ㄹ

내신 만점 문제

정답과 해설 58쪽

난이도를 나타냅니다.

01 그림은 단색광이 매질 A, B의 경계면에서 입사각 i로 입사하여 전반사하는 모습을 나타낸 것이다. 이에 대한 설명으로 옳은 것만을 〈보기〉에서 있는 대로 고른 것은?

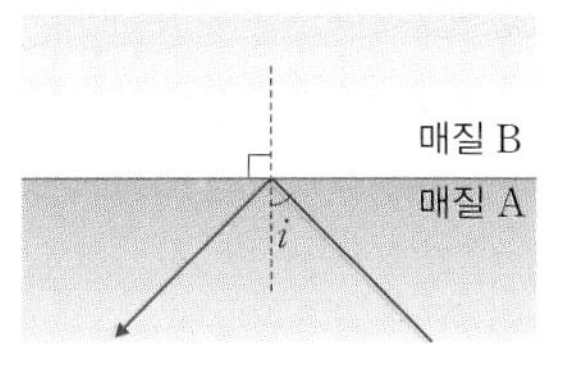

보기
ㄱ. i는 임계각보다 크다.
ㄴ. 굴절률은 B가 A보다 크다.
ㄷ. 동일한 단색광을 B에서 A로 입사시키면 단색광의 속력이 느려진다.

① ㄱ ② ㄴ ③ ㄱ, ㄷ ④ ㄴ, ㄷ ⑤ ㄱ, ㄴ, ㄷ

02 그림 (가)는 단색광을 입사각 θ_1로 물질 A에서 B로 입사시켰더니 A와 B의 경계면에서 일부는 반사하고 일부는 굴절하는 모습을 나타낸 것이다. 그림 (나)는 (가)와 동일한 단색광을 θ_2로 입사시켰더니 전반사하는 모습을 나타낸 것이다.

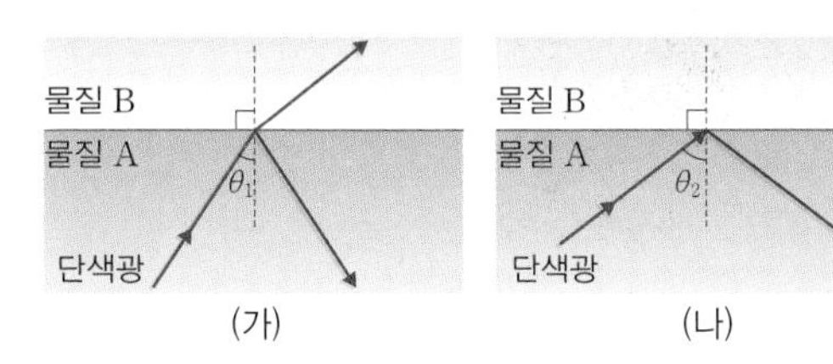

(가) (나)

이에 대한 설명으로 옳은 것만을 〈보기〉에서 있는 대로 고른 것은?

보기
ㄱ. 반사광의 세기는 (가)에서보다 (나)에서 더 세다.
ㄴ. A에서 B로 입사할 때 임계각은 θ_1보다 크고 θ_2보다 작다.
ㄷ. B에서 A로 단색광을 입사시키면 입사각이 아무리 커도 전반사가 일어나지 않는다.

① ㄱ ② ㄴ ③ ㄱ, ㄷ ④ ㄴ, ㄷ ⑤ ㄱ, ㄴ, ㄷ

03 그림은 물질 A(굴절률 $n_A=3$)와 물질 B(굴절률 $n_B=1.5$)를 반원 모양으로 만들어서 접촉시키고, 원의 중심을 향해 동일한 단색광 P, Q를 입사시킨 모습을 나타낸 것이다. P는 입사각 θ_1로 A에서 B로 입사시키고, Q는 입사각 θ_2로 B에서 A로 입사시킨다.

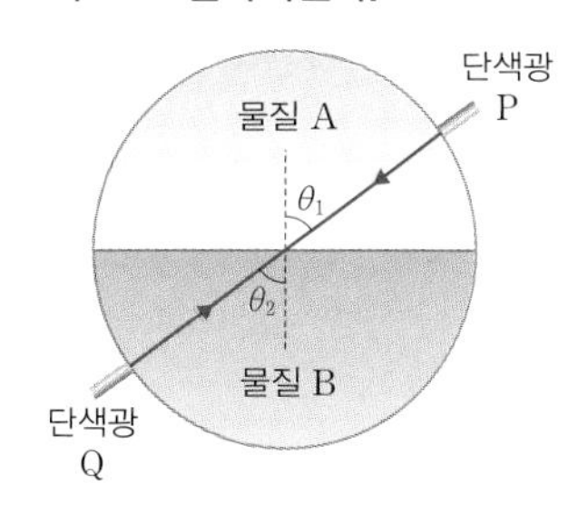

이에 대한 설명으로 옳은 것만을 〈보기〉에서 있는 대로 고른 것은?

보기
ㄱ. P는 A와 B의 경계면에서 입사각보다 작은 각도로 굴절한다.
ㄴ. $\theta_1>30°$일 때 P는 A와 B의 경계면에서 전반사한다.
ㄷ. $\theta_2>60°$일 때 Q는 A와 B의 경계면에서 전반사한다.

① ㄴ ② ㄷ ③ ㄱ, ㄴ ④ ㄱ, ㄷ ⑤ ㄱ, ㄴ, ㄷ

04 그림은 서로 다른 물질 A, B, C에서 단색광이 진행하는 모습을 나타낸 것이다. θ는 A에서 B로 진행할 때의 입사각이다. A와 B의 경계면과 B와 C의 경계면은 서로 평행하다.

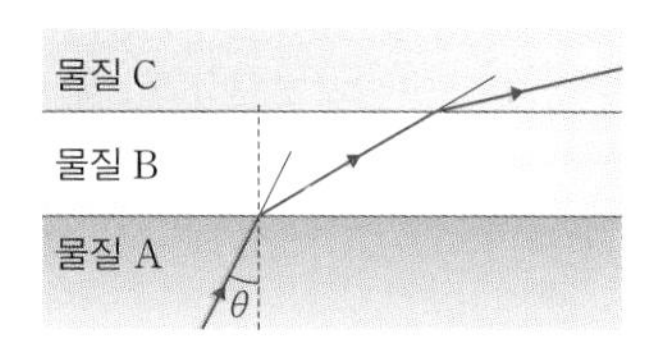

이에 대한 설명으로 옳은 것만을 〈보기〉에서 있는 대로 고른 것은?

보기
ㄱ. A, B, C 중 굴절률이 가장 큰 것은 B이다.
ㄴ. A에서 B로 진행할 때의 굴절각과 B에서 C로 진행할 때의 입사각은 같다.
ㄷ. B와 C의 경계면에서 전반사가 일어나기 위해서는 θ를 증가시켜야 한다.

① ㄱ ② ㄷ ③ ㄱ, ㄴ ④ ㄴ, ㄷ ⑤ ㄱ, ㄴ, ㄷ

05 그림은 공기 중에 놓인 직각 프리즘에 레이저 빛이 90°로 입사하여 진행하는 모습을 나타낸 것이다. a, b, c는 공기와 프리즘의 경계면 위의 점이다.

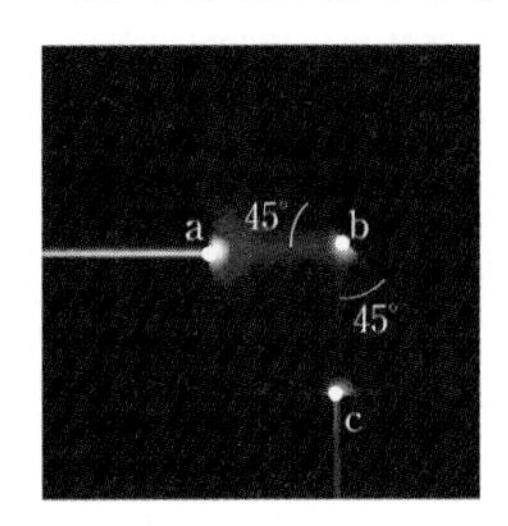

이에 대한 설명으로 옳은 것만을 〈보기〉에서 있는 대로 고른 것은?

보기

ㄱ. 프리즘의 굴절률은 공기의 굴절률보다 크다.
ㄴ. 레이저 빛의 속력은 a를 지나기 전보다 지난 후에 느려진다.
ㄷ. b에서 레이저 빛의 세기는 급격히 약해진다.

① ㄱ ② ㄴ ③ ㄱ, ㄴ
④ ㄱ, ㄷ ⑤ ㄴ, ㄷ

그림과 같이 단색광을 매질 A, B의 경계면에 입사각 45°로 입사시켰더니, 단색광이 굴절각 60°로 굴절하여 B와 C의 경계면에서 전반사하였다.

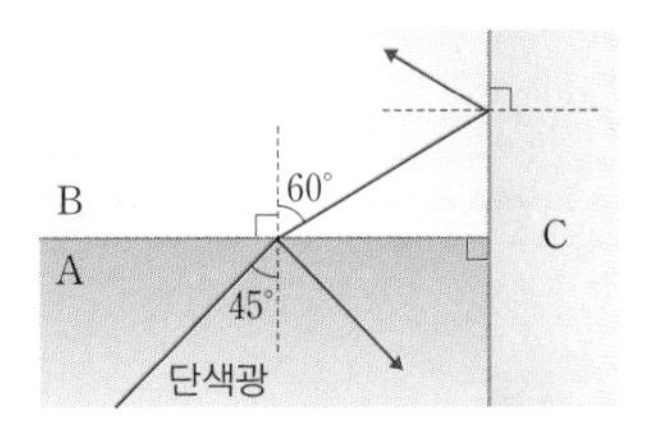

A, B, C의 굴절률을 각각 n_A, n_B, n_C라고 할 때, n_A, n_B, n_C를 옳게 비교한 것은?

① $n_A > n_B > n_C$
② $n_A > n_C > n_B$
③ $n_B > n_A > n_C$
④ $n_B > n_C > n_A$
⑤ $n_C > n_A > n_B$

07 그림은 공기 중에 놓여 있는 다이아몬드에 단색광을 입사시켰을 때 빛이 진행하는 모습을 나타낸 것이다. a~d는 단색광이 진행할 때 지나가는 다이아몬드의 경계면상의 점이다. 이에 대한 설명으로 옳은 것만을 〈보기〉에서 있는 대로 고른 것은? (단, 다이아몬드의 임계각은 약 24°이다.)

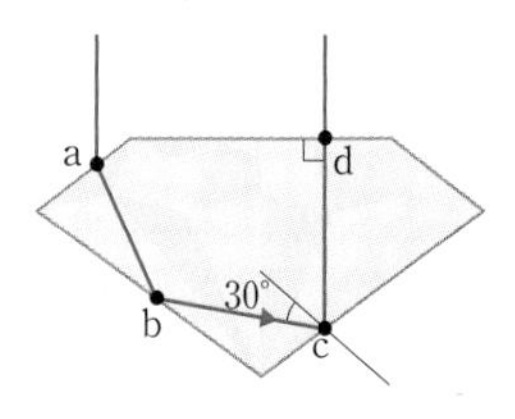

보기

ㄱ. a에서 입사각은 굴절각보다 크다.
ㄴ. b와 c에서 단색광은 전반사한다.
ㄷ. d에서 단색광은 반사와 굴절을 한다.

① ㄱ ② ㄷ ③ ㄱ, ㄴ
④ ㄴ, ㄷ ⑤ ㄱ, ㄴ, ㄷ

08 그림 (가)는 광통신에 이용하는 광케이블의 구조를, (나)는 구리선을 이용한 동축 케이블의 구조를 나타낸 것이다.

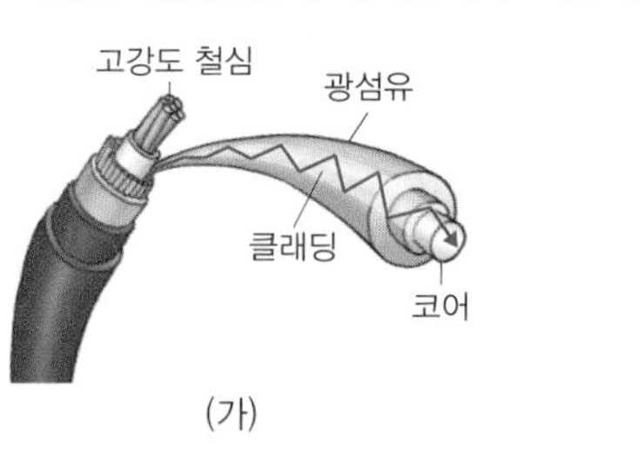

(가)

(나)

이에 대한 설명으로 옳은 것만을 〈보기〉에서 있는 대로 고른 것은?

보기

ㄱ. (가)와 (나)는 모두 전기 신호를 전달한다.
ㄴ. 케이블이 끊어졌을 때 (가)는 (나)보다 수리하기 쉽다.
ㄷ. (가)는 (나)보다 신호 전달 과정에서 에너지 손실이 적다.

① ㄱ ② ㄷ ③ ㄱ, ㄴ
④ ㄴ, ㄷ ⑤ ㄱ, ㄴ, ㄷ

09 그림은 서로 다른 물질 A, B로 만든 광섬유를 따라 단색광이 진행하는 모습을 나타낸 것이다. 점 P, Q는 A와 B의 경계면 위의 점이다. 단색광은 점 P에서 전반사하고, 급격히 휘어진 부분의 점 Q에서는 일부는 A로 반사하고 일부는 B로 굴절한다.

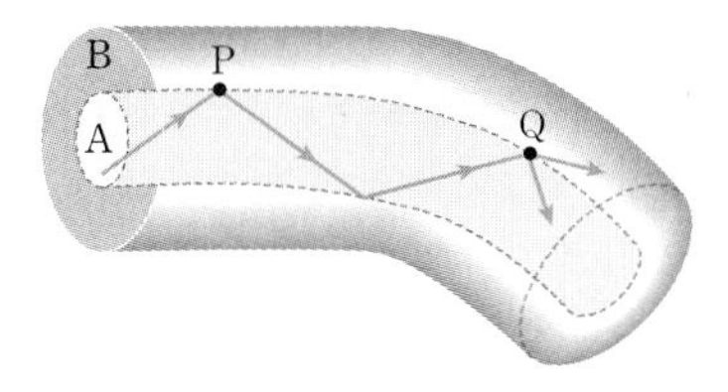

이에 대한 설명으로 옳은 것만을 〈보기〉에서 있는 대로 고른 것은?

보기

ㄱ. P에서의 입사각은 Q에서보다 크다.
ㄴ. 단색광의 속력은 B에서보다 A에서 빠르다.
ㄷ. P에서 반사된 빛의 세기는 Q에서 반사된 빛보다 세다.

① ㄱ ② ㄴ ③ ㄱ, ㄷ
④ ㄴ, ㄷ ⑤ ㄱ, ㄴ, ㄷ

10 그림은 코어와 클래딩으로 이루어진 광섬유 내부에서 레이저 빛이 진행하는 모습을 나타낸 것으로, θ는 전반사가 일어나는 입사각의 최솟값이다. 표는 광섬유의 재료가 되는 세 가지 물질 A, B, C의 굴절률을 나타낸 것이다.

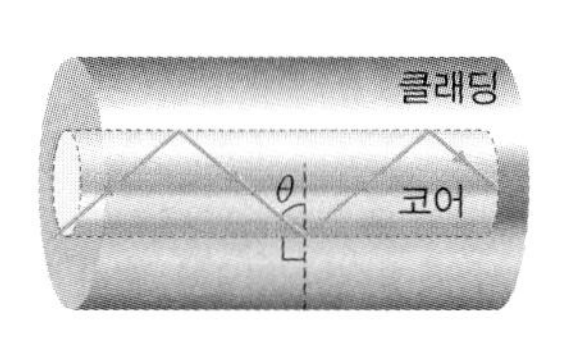

물질	굴절률
A	1.33
B	1.50
C	2.42

이에 대한 설명으로 옳은 것만을 〈보기〉에서 있는 대로 고른 것은?

보기

ㄱ. 클래딩을 B로 만들면 코어는 C로 만들어야 한다.
ㄴ. 코어를 A, 클래딩을 B로 만들면 전반사가 일어나지 않는다.
ㄷ. 코어를 C, 클래딩을 A로 만들면 θ의 값이 최소가 된다.

① ㄱ ② ㄴ ③ ㄱ, ㄴ
④ ㄴ, ㄷ ⑤ ㄱ, ㄴ, ㄷ

서술형 문제

11 그림은 광통신을 이용하여 발신자가 보낸 음성 및 영상 정보가 수신자에게 전달되는 과정을 나타낸 것이다.

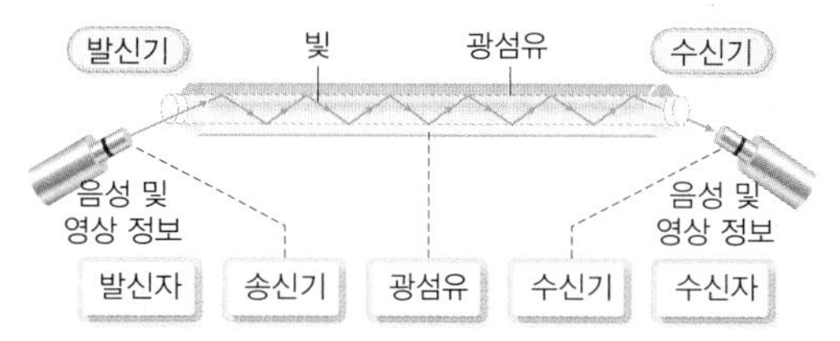

(1) 발신기와 수신기에서 각각 정보가 어떤 형태로 변환되는지 서술하시오.

(2) 광통신에서 신호의 세기를 먼 곳까지 강하게 전달시키기 위한 방법을 서술하시오.

12 서로 다른 그림이 그려져 있는 투명한 컵 A와 B를 이용하여 다음과 같은 실험을 하였다.

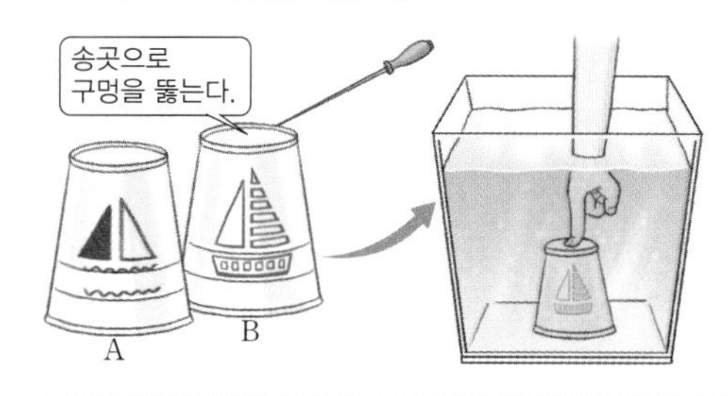

(가) B의 바닥에 송곳으로 구멍을 뚫는다.
(나) B 안에 A를 넣어 겹친 후 B의 구멍을 막은 채로 물이 든 수조 안에 넣는다.
(다) ㉠ 구멍을 막은 채로 컵을 물에 넣었을 때와 ㉡ 물속에서 구멍을 막은 손가락을 떼었을 때 컵에 나타나는 그림을 비교한다.

(1) ㉠과 ㉡에 나타나는 그림을 비교하여 서술하시오.

(2) (1)의 까닭을 전반사와 관련하여 서술하시오.

03 전자기파의 종류와 이용

내 교과서는 어디에?
천재 p.160~163 금성 p.168~171 동아 p.158~163
미래엔 p.172~177 비상 p.152~156 YBM p.174~178

핵심 Point
- **전자기파를 파장**에 따라 구분하고, 각 **전자기파의 특징**을 이해한다.
- 전자기파가 **사용되는 예**를 알아본다.

1 전자기파

1. 전자기파의 발견

① 1864년 영국의 맥스웰이 전자기파의 존재를 예언하였으며, 빛도 전자기파의 일종이라고 주장하였다.

② 1886년 독일의 헤르츠가 전자기파의 존재를 실험으로 확인하였다.

2. 전자기파의 진행

전기장과 자기장의 세기가 커졌다가 작아지는 것을 반복하면서 진행한다.❶

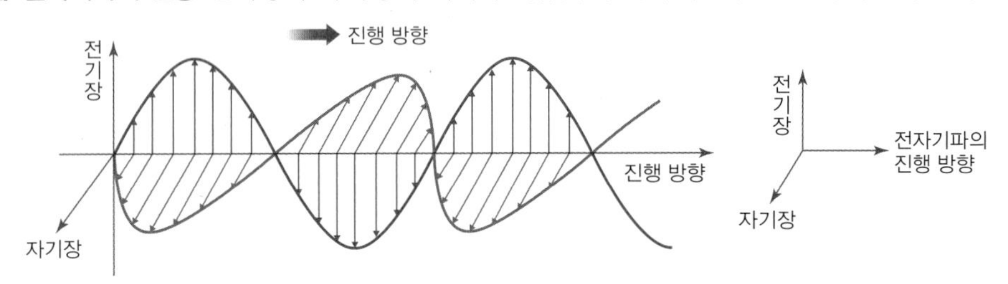

① 전기장의 진동 방향과 자기장의 진동 방향, 전자기파의 진행 방향은 모두 서로 수직이다.
　└ 진동 방향과 진행 방향이 수직이므로 전자기파는 횡파이다.

② 매질이 없는 진공에서도 진행할 수 있다.

③ 전자기파의 속력: 진공에서는 종류에 관계없이 모두 약 30만 km/s이다.
　➡ 전자기파의 진동수(f)와 파장(λ)의 곱은 빛의 속력(c)과 같다. $c=f\lambda$

3. 전자기파의 분류

① 전자기파는 모든 파장에 연속적으로 걸쳐 있지만, 보통 전자기파 스펙트럼❷ 중 비슷한 성질을 가진 파장의 구간을 정하여 용도에 따라 구분한다.

② 파장이 긴 영역(진동수가 작은 영역)부터 전파(라디오파, 마이크로파), 적외선, 가시광선, 자외선, X선, γ선으로 구분할 수 있다.

③ 전자기파가 전달하는 에너지는 다른 조건이 같다면 진동수가 클수록(파장이 짧을수록) 크다.

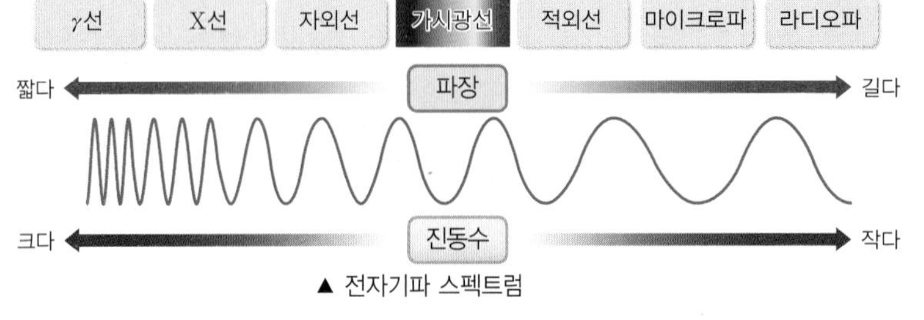

▲ 전자기파 스펙트럼

파장이 가장 긴 라디오파는 전달하는 에너지가 가장 작고, 파장이 가장 짧은 감마(γ)선은 전달하는 에너지가 가장 크다.

❶ 전기장과 자기장의 상호 유도

전기장과 자기장은 서로 독립적으로 진동하는 것이 아니다. 공간의 한 곳에서 일어난 전기장의 변화는 자기장을 발생시키고, 자기장의 변화는 전기장을 유도한다. 진동하는 전기장과 자기장은 서로를 유도하며 공간을 퍼져 나가는 파동, 즉 전자기파가 된다.

❷ 전자기파 스펙트럼

전자기파를 파장이나 진동수에 따라 구분하여 나타낸 것을 스펙트럼이라고 한다. 햇빛이나 백열전구의 빛을 프리즘에 통과시키면 가시광선 영역의 스펙트럼인 무지개 색 띠를 얻을 수 있다.

셀파 콕콕

전자기파의 스펙트럼에서 영역별 파장, 진동수, 에너지의 크기를 비교할 수 있어야 한다.

용어

▸ **전기장**: 양(+)전하 또는 음(−)전하 주위에 전기력이 작용하는 공간

개념 확인하기

1 전자기파는 (종파 / 횡파)이다.

2 전자기파는 매질이 없는 진공에서는 전달되지 않는다. (○ , ×)

3 전자기파의 스펙트럼 중 파장이 가장 짧은 것은 (　　　)이다.

답 1. 횡파 2. × 3. γ선

2 전자기파의 종류와 이용

1. 전파(라디오파, 마이크로파) 파장이 0.1 mm 이상인 전자기파, 모든 전자기파 중에서 파장이 가장 길고, 진동수가 가장 작다.[3]

라디오파	마이크로파
• 도선 속에서 가속되는 전하에 의해 발생한다. • 마이크로파보다 파장이 길다. • 이용 : 휴대 전화, 라디오, 텔레비전 등에서 정보를 전송하는 데 이용된다.	• 전기 기구에서 전자의 진동으로 발생한다. • 이용 : 전자레인지에 이용되며, 선박과 항공기의 운항을 추적하거나 날씨를 예측하는 데 필요한 레이더[4]와 위성 통신에 이용된다.

전자레인지의 원리

• 전자레인지에서 발생하는 마이크로파는 물에 잘 흡수되는 성질이 있다.

• 이 마이크로파의 진동수는 물 분자의 ▸고유 진동수와 같기 때문에 음식물 속의 물 분자를 진동시켜 열이 발생하도록 한다.

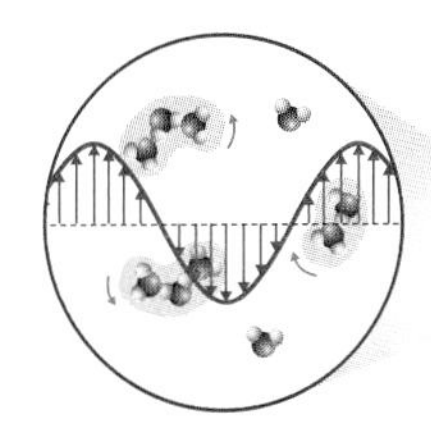

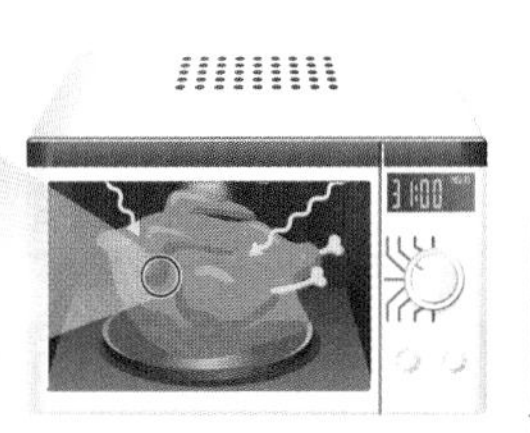

2. 적외선 파장이 750 nm보다 길고 마이크로파보다 짧다.[5]

① 강한 열작용을 하여 열선이라고 부른다.

② 뱀이나 열 추적 미사일은 적외선을 감지하여 목표물을 추적한다.

③ 이용 : 리모컨, 자동문, 적외선 온도계, 적외선 카메라 등에 이용된다.

(적외선 카메라 → 열 감지 카메라, 열화상 카메라라고도 한다.)

적외선 카메라의 원리

• 적외선 카메라는 물체의 표면으로부터 복사되는 열에너지를 시각적으로 보여 주는 장비이다.

• 표면 온도에 따라 각각 다른 색으로 표현된다.

적외선으로 촬영한 사람의 모습

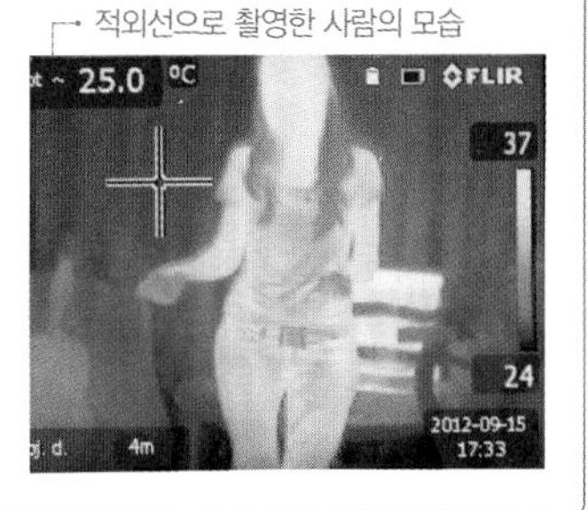

3. 가시광선 파장이 대략 380 nm~750 nm 정도이다.

① 전자기파 중에서 사람의 눈이 감지할 수 있는 영역으로 가시광선 또는 빛이라고 한다.

• 파장에 따라 다른 색으로 보이며 380 nm 정도의 파장은 보라색, 750 nm 정도의 파장은 빨간색으로 보인다.

② 이용 : 조명, 텔레비전이나 모니터와 같은 영상 장치, 레이저 포인터, 망원경이나 현미경과 같은 광학 장치, 광섬유 등에 이용된다.

❸ 전파의 성질

무선 통신에서 주파수(진동수)가 큰 전파는 많은 양의 정보를 전송하는 데 유리하고, 주파수가 작은 전파는 넓은 방향으로 멀리까지 정보를 전송하는 데 유리하다.

❹ 레이더

레이더는 전파를 방출한 후 물체에서 반사되어 돌아오는 전파를 수신하여 물체의 위치나 속도 등을 파악한다.

❺ 적외선의 발생

적외선, 가시광선, 자외선은 들뜬 상태에 있던 전자가 낮은 궤도로 이동하면서 발생한다. 전자가 전이할 때 흡수되거나 방출되는 광자 한 개의 에너지는 두 에너지 준위의 차이와 같으며, 진동수에 비례한다.

▲ 빛의 흡수

▲ 빛의 방출

용어

▸ **고유 진동수** : 물체의 고유한 성질에 의해 결정되는 진동수로, 외부의 영향 없이 물체가 진동할 때 고유 진동수로 진동한다. 고유 진동수와 같은 진동수의 주기적인 외력이 가해지면 공명 현상이 일어난다.

개념 확인하기

1 전자레인지에는 적외선보다 파장이 짧은 전파가 이용된다. (○ , ×)

2 난로와 같은 뜨거운 물체로부터 복사되는 전자기파로, 뱀이나 열 추적 미사일이 목표물을 감지하는 데 이용하는 전자기파의 종류는 무엇인가?

3 사람의 눈이 감지할 수 있는 전자기파는 (   ) 또는 빛이라고 부른다.

답 1. × 2. 적외선 3. 가시광선

4. **자외선** 파장이 380 nm보다 짧다.

① 강한 살균 기능이 있다.

② 물질 속에 포함된 형광 물질에 흡수되면 가시광선을 방출한다.(형광 작용)

③ 화학 작용이 강해서 자외선에 오래 노출되면 피부가 검게 타고, 노화가 촉진된다.

④ 이용 : 식기 소독기, 형광등, 위조지폐 감별[6]

자외선을 이용한 위조지폐 감별

주위를 어둡게 한 뒤 자외선등을 켜고 지폐를 비추어 본다.

➡ 자외선등을 켜면 맨눈으로 볼 때는 볼 수 없었던 지폐의 형광 물질을 확인할 수 있다.

▲ 자외선을 이용한 위조지폐 감별

5. **X선** 파장이 대략 0.01 nm~10 nm이다.

① 고속의 전자가 금속과 충돌할 때 전자의 감속 때문에 발생한다.

② 투과력이 강해서 인체의 질병을 진단하거나 공항 등에서 물체의 내부를 알아보는 데 이용된다.

③ 이용: 공항의 수하물 검사, X선을 이용한 인체의 질병 진단, X선 망원경[7] 등

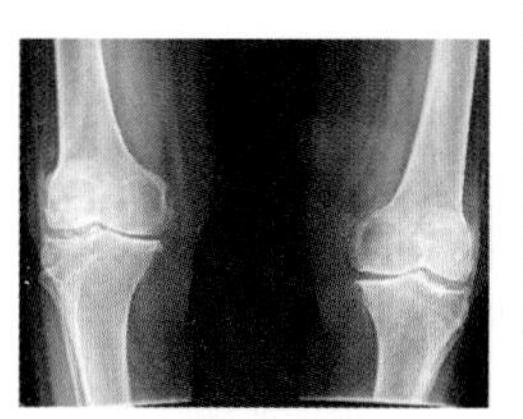

▲ X선 사진

6. **γ선** X선보다 파장이 짧다.

① 전자기파 중에서 파장이 가장 짧고 진동수와 에너지가 가장 크다.

② 핵반응 중에 나오는 방사선의 일종으로, 주로 원자핵 내부에서 발생한다.

③ X선보다 투과력이 강하며 에너지가 크기 때문에 γ선에 노출되면 매우 위험하다.

④ 이용: 암치료, 의료 기기, 살균, 비파괴 검사, 품종 개량 등

γ선을 이용한 암 치료

• 돋보기로 햇빛을 모으는 것처럼 감마선을 암세포에 조사한다.

• 장점: 머리뼈를 절개하지 않고 머릿속의 질병을 치료할 수 있다.

• 단점: 오래 쪼이면 몸에 해롭다.

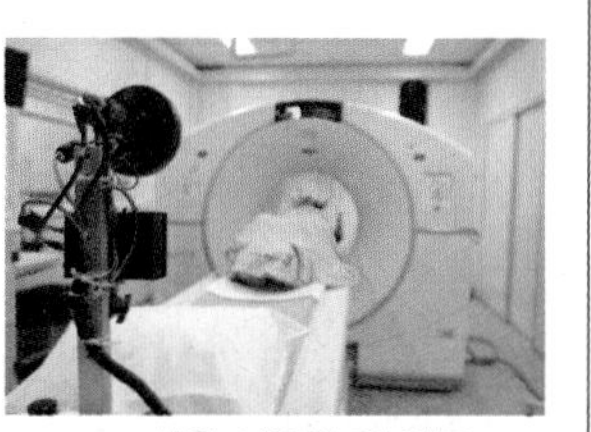

▲ γ선을 이용한 암 치료

[6] 위조지폐 감별

자외선은 눈에 보이지 않지만 형광 물질에 흡수되면 가시광선을 방출한다. 지폐에는 형광 물질을 이용한 그림을 넣어서 위조를 방지한다.

[7] X선 망원경

우주에서 오는 전자기파 중 파장이 짧은 것은 대기에서의 산란 등으로 지상까지 거의 도달하지 못한다. 따라서 X선을 검출하려면 망원경을 지구의 대기권 밖에 올려놓아야 한다.

셀파 콕콕

전자기파의 종류별 특징과 이용 분야가 관련되어 있으므로 함께 학습해 두자.

용어

▸ **형광 작용**: 어떤 물질이 자외선 등의 전자기파를 흡수한 후 물질 고유의 빛을 방출하는 현상

1 자외선은 형광 작용을 하기 때문에 위조지폐 감별에 이용된다. (○ , ×)

2 (　　　　)은 암 치료에 이용되며, (　　　　)은 공항의 수하물 검사에 이용된다.

3 다음 중 자외선보다 진동수가 큰 전자기파를 모두 고르시오.

적외선, X선, 마이크로파, 가시광선, γ선, 라디오파

답 1. ○ 2. γ선, X선 3. X선, γ선

셀파 세미나

S · H · E · R · P · A

▶ 적외선이나 전파 등의 전자기파의 활용에 대하여 알아보아요.

전자기파의 활용

01 적외선 관찰하기

리모컨의 버튼을 눌러 신호가 방출될 때 리모컨 발신 부위를 눈과 디지털카메라로 관찰하고 둘의 차이를 비교해 보자.

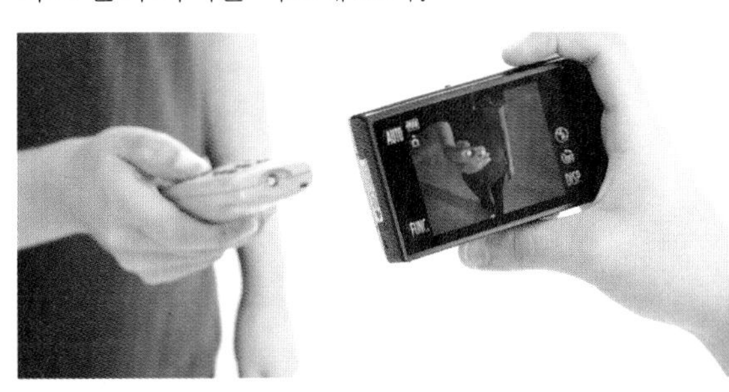

관찰 도구	눈	디지털카메라
관찰 결과	아무런 변화도 관찰되지 않는다.	리모컨 버튼을 누르면 발신 부위에서 빛이 나오는 것이 관찰된다.

- 리모컨에서 정보를 전달하는 데 이용되는 전자기파는 적외선이다.
- 사람의 눈으로는 적외선을 볼 수 없지만 디지털카메라는 적외선의 일부분까지 감지할 수 있기 때문에 리모컨에서 나오는 빛이 관찰된다.

Plus 실험

자외선 관찰하기

[과정]

(가) 불을 끄고 커튼으로 창문을 가려 주위를 어둡게 한다.

(나) 자외선등을 켜고 지폐, 형광펜으로 그린 그림, 형광 물질이 들어 있는 광물 등을 비추어 본다.

[결과]

- 자외선을 비추면 형광 물질이 들어 있는 부분이 밝게 빛난다.

[정리]

- 자외선은 형광 물질에 흡수되면 가시광선을 방출하는 형광 작용을 한다.

02 같은 천체를 여러 가지 망원경으로 본 모습

다음은 초신성 잔해인 게 성운을 여러 가지 파장의 망원경으로 관측한 모습이다.

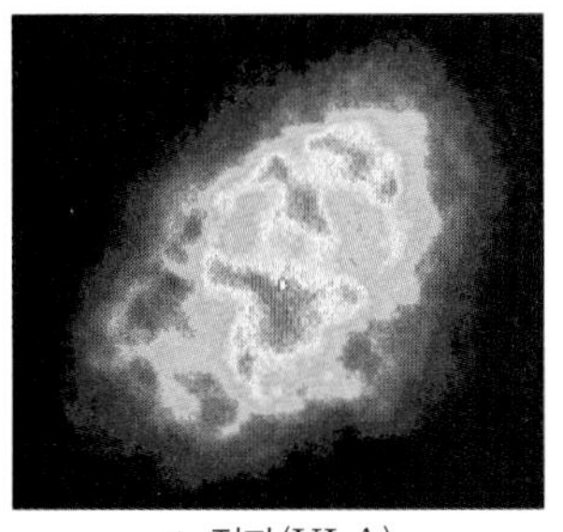

▲ 전파(VLA)

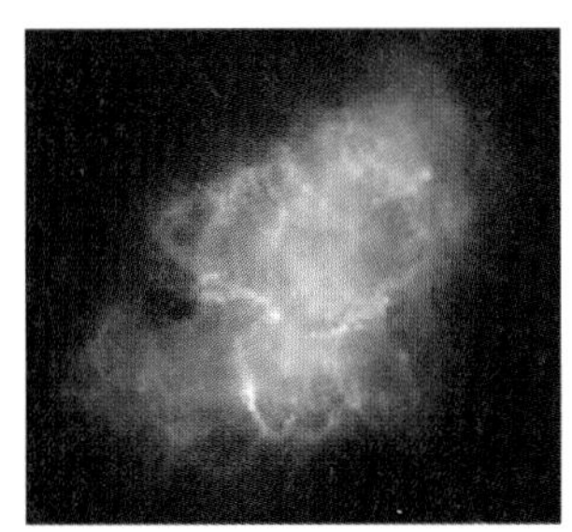

▲ 적외선(스피처 우주 망원경)

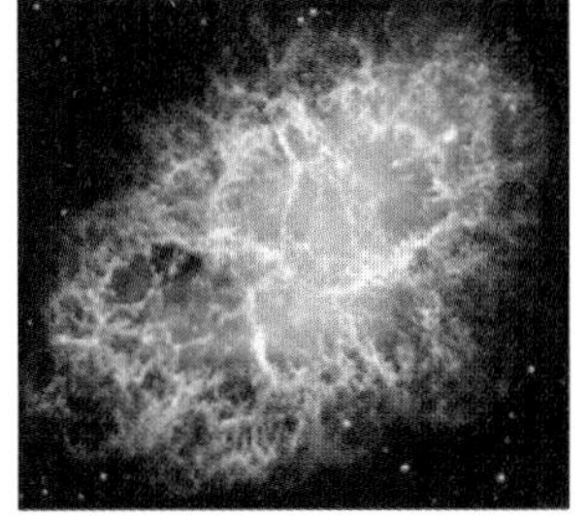

▲ 가시광선(허블 우주 망원경)

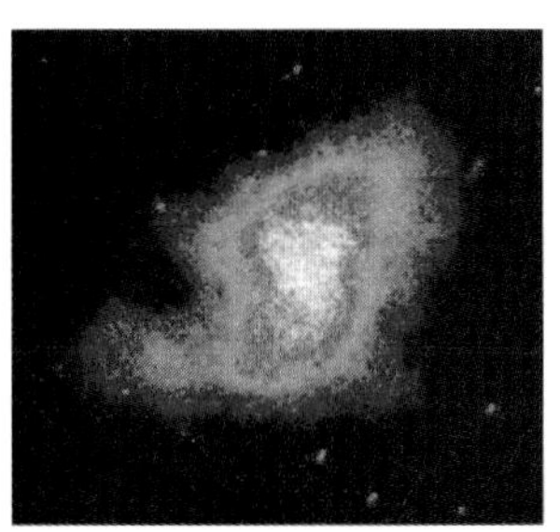

▲ 자외선(ASTRO-1)

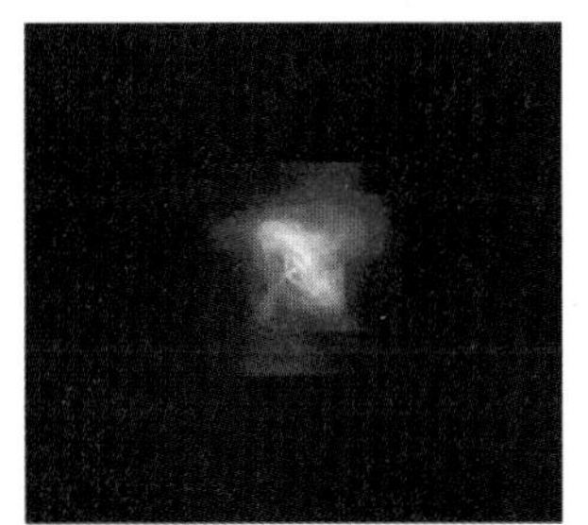

▲ 연X선(찬드라 X선 망원경)

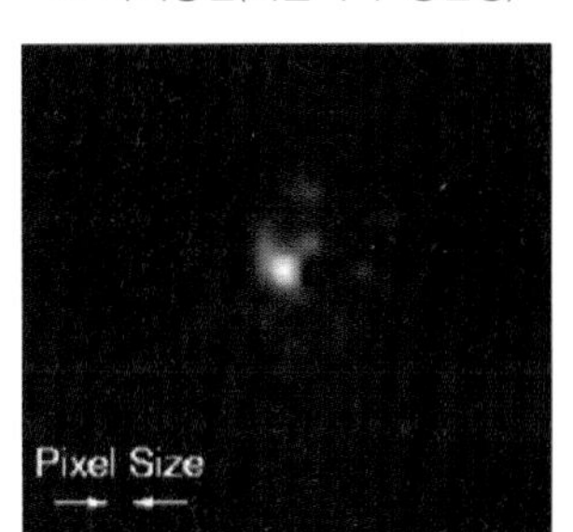

▲ 경X선(HEFT)

- 각각의 망원경에 이용되는 전자기파의 종류는 다양하다. 즉, 천문학 분야에서는 관측하는 전자기파의 파장에 따라 다양한 망원경이 이용된다.

Plus 자료

천문학 분야에서 사용하는 망원경에는 전파 망원경, 서브밀리미터 망원경, 적외선 망원경, 광학 망원경, 자외선 망원경, X선 망원경, γ선 망원경 등이 있다.

▲ 찬드라 X선 망원경

기초 탄탄 문제

정답과 해설 60쪽

핵심용어_ 이 단원에서 내가 아는 것과 아직 모르는 것을 정리하며 나의 공부를 돌아보자.

□ 전자기파 □ 전파 □ 적외선
□ 가시광선 □ 자외선 □ X선
□ γ선

01 전자기파에 대한 설명으로 옳지 않은 것은?

① 횡파이다.
② 매질의 진동을 통해서만 전달된다.
③ 전기장과 자기장의 진동 방향은 서로 수직이다.
④ 헤르츠가 전자기파의 존재를 실험으로 확인하였다.
⑤ 전자기파가 전달하는 에너지는 진동수가 클수록 크다.

02 다음에서 설명하는 전자기파는 무엇인가?

> 파장이 대략 380 nm~750 nm 정도인 전자기파로, 사람의 눈에는 파장에 따라 다른 색으로 감지된다. 380 nm 정도의 파장은 보라색, 750 nm의 파장은 빨간색으로 보인다. 조명 기기, TV나 모니터와 같은 영상 장치에 이용되며 망원경이나 현미경과 같은 광학 장치에도 이용된다.

① 적외선 ② 자외선 ③ 라디오파
④ X선 ⑤ 가시광선

03 전자기파의 파장이 짧은 것부터 긴 순으로 옳게 나열한 것은?

① 자외선 → γ선 → 가시광선 → 마이크로파
② 적외선 → X선 → 마이크로파 → γ선
③ γ선 → 가시광선 → 적외선 → 라디오파
④ X선 → 라디오파 → 가시광선 → 적외선
⑤ 마이크로파 → 자외선 → γ선 → X선

04 γ선이 발생하는 원리로 옳은 것은?

① 전기 기구에서 전자의 진동으로 발생한다.
② 도선 속에서 가속되는 전하에 의해 발생한다.
③ 원자핵 내부에서 핵반응이 일어날 때 발생한다.
④ 고속의 전자가 금속과 충돌할 때 전자의 감속 때문에 발생한다.
⑤ 들뜬 상태에 있던 전자가 낮은 궤도로 이동하면서 발생한다.

05 전자기파의 명칭과 이용 분야를 옳게 짝 지은 것은?

	명칭	이용 분야
①	적외선	온도계
②	라디오파	공항 검색대
③	X선	기상 레이더
④	자외선	휴대 전화 통신
⑤	마이크로파	형광등

06 그림은 진동수에 따라 전자기파를 분류한 것이다.

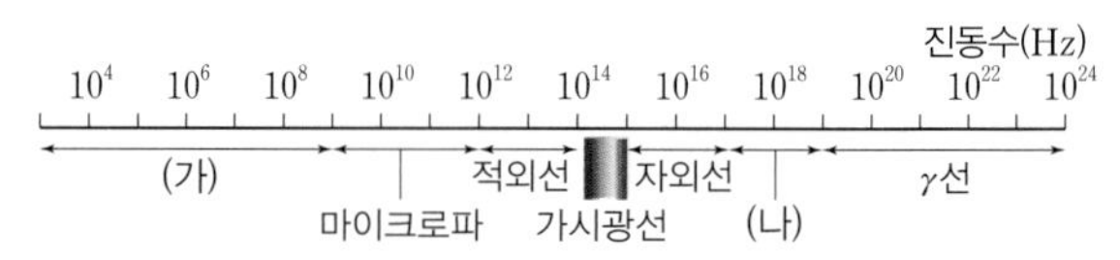

이에 대한 설명으로 옳은 것만을 〈보기〉에서 있는 대로 고른 것은?

보기
ㄱ. (가)는 X선이다.
ㄴ. (나)는 고속의 전자를 금속에 충돌시킬 때 발생한다.
ㄷ. (가)는 (나)보다 투과력이 좋다.

① ㄱ ② ㄴ ③ ㄷ
④ ㄱ, ㄷ ⑤ ㄴ, ㄷ

내신 만점 문제

정답과 해설 60쪽

▮▮▮ 난이도를 나타냅니다.

01 ▮▮ 그림은 전자기파가 진행하는 어느 순간의 모습을 나타낸 것이다. A는 전기장이 가장 센 이웃한 두 점 사이의 거리이다.

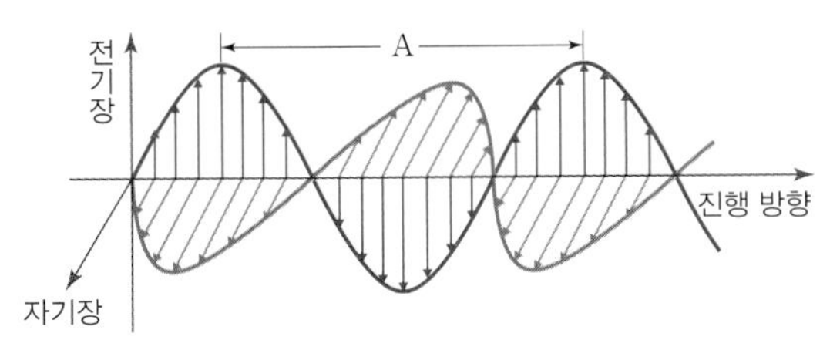

이에 대한 설명으로 옳은 것만을 〈보기〉에서 있는 대로 고른 것은?

보기
ㄱ. 전기장의 진동 방향은 진행 방향과 항상 수직이다.
ㄴ. 전기장과 자기장의 진동 방향은 항상 서로 수직이다.
ㄷ. A는 전파가 가시광선보다 짧다.

① ㄱ ② ㄷ ③ ㄱ, ㄴ
④ ㄴ, ㄷ ⑤ ㄱ, ㄴ, ㄷ

02 ▮ 그림은 전자레인지를 이용하여 달걀찜 요리를 하는 모습을 나타낸 것이다. 전자레인지에서 사용하는 전자기파에 대한 설명으로 옳은 것만을 〈보기〉에서 있는 대로 고른 것은?

보기
ㄱ. 파장은 가시광선보다 길다.
ㄴ. 진공에서의 속력은 X선보다 느리다.
ㄷ. 진동수가 물 분자의 고유 진동수와 같다.

① ㄱ ② ㄴ ③ ㄱ, ㄷ
④ ㄴ, ㄷ ⑤ ㄱ, ㄴ, ㄷ

03 ▮▮ 그림은 여러 가지 전자기파가 실생활에 이용되는 예를 나타낸 것이다.

A. 식기 소독 B. 공항 수하물 검색 C. TV 화면

A, B, C에서 이용되는 전자기파의 파장을 각각 λ_A, λ_B, λ_C라고 할 때, 파장을 옳게 비교한 것은?

① $\lambda_A > \lambda_C > \lambda_B$ ② $\lambda_B > \lambda_A > \lambda_C$
③ $\lambda_B > \lambda_C > \lambda_A$ ④ $\lambda_C > \lambda_B > \lambda_A$
⑤ $\lambda_C > \lambda_A > \lambda_B$

04 ▮▮ 그림은 리모컨의 버튼을 눌러 신호가 방출될 때 리모컨의 발신 부위를 관찰하는 모습을 나타낸 것이다. 표는 리모컨의 발신 부위를 눈과 디지털카메라로 각각 관찰한 결과를 나타낸 것이다.

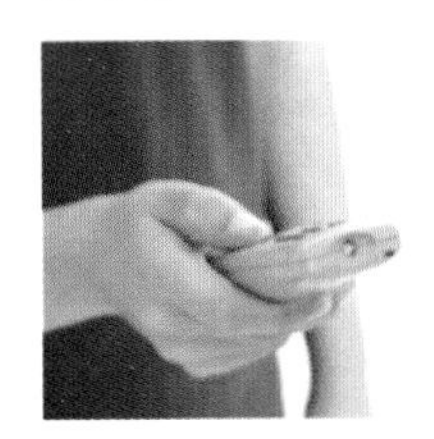

관찰 도구	눈	디지털카메라
관찰 결과	변화 없음	빛(A)이 나옴

이에 대한 설명으로 옳은 것만을 〈보기〉에서 있는 대로 고른 것은?

보기
ㄱ. A는 가시광선이다.
ㄴ. A의 파장은 마이크로파보다 짧다.
ㄷ. A는 휴대 전화에서 정보를 전송하는 데 이용된다.

① ㄱ ② ㄴ ③ ㄱ, ㄷ
④ ㄴ, ㄷ ⑤ ㄱ, ㄴ, ㄷ

05 그림 (가), (나)는 각각 전파 천문대에 설치된 전파 망원경과 인공위성의 형태로 지구를 공전하고 있는 찬드라 X선 망원경을 나타낸 것이다.

(가) 전파 망원경

(나) 찬드라 X선 망원경

망원경 (가), (나)에 사용되는 전자기파에 대한 설명으로 옳은 것은?

① 전자기파의 파장은 (가)에 사용되는 전자기파가 (나)보다 짧다.
② 전자기파의 진동수는 (가)에 사용되는 전자기파가 (나)보다 작다.
③ 전자기파의 에너지는 (가)에 사용되는 전자기파가 (나)보다 크다.
④ 전자기파의 투과력은 (가)에 사용되는 전자기파가 (나)보다 좋다.
⑤ (가)는 지구 대기권 밖에 설치해야 하지만 (나)는 지상에 설치해도 관측할 수 있다.

06 그림은 전자기파 A를 이용한 치료 장치를 나타낸 것이다. 돋보기로 햇빛을 모으는 것처럼 A를 암세포에 비추어 제거한다.

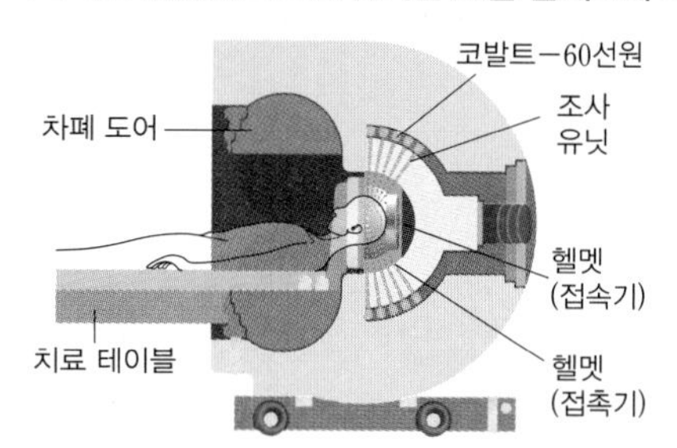

A에 대한 설명으로 옳은 것만을 〈보기〉에서 있는 대로 고른 것은?

보기
ㄱ. 투과력이 매우 크다.
ㄴ. 오래 쪼여도 인체에 해롭지 않다.
ㄷ. 방사성 붕괴 과정에서 발생한다.

① ㄴ ② ㄷ ③ ㄱ, ㄴ
④ ㄱ, ㄷ ⑤ ㄱ, ㄴ, ㄷ

07 그림 (가)는 전자기파 A를 이용한 카메라로 사람을 관찰한 모습을, (나)는 전자기파 B가 방출되는 전등으로 지폐를 관찰한 모습을 나타낸 것이다.

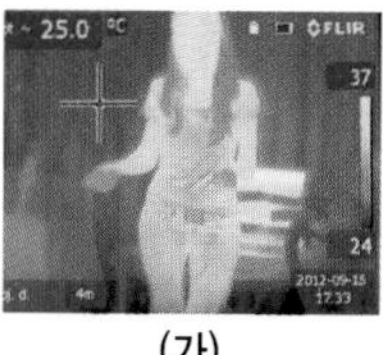

(가)

(나)

이에 대한 설명으로 옳은 것만을 〈보기〉에서 있는 대로 고른 것은?

보기
ㄱ. A는 전자레인지에 이용된다.
ㄴ. B가 피부에 오래 노출되면 노화가 촉진된다.
ㄷ. 전자기파의 진동수는 A와 B가 같다.

① ㄴ ② ㄷ ③ ㄱ, ㄴ
④ ㄱ, ㄷ ⑤ ㄱ, ㄴ, ㄷ

08 그림 (가)는 어떤 전자기파를 이용하는 레이더 관측소를, (나)는 전자기파를 파장에 따라 분류한 것을 나타낸 것이다.

(가)

A B C
γ선 자외선 적외선 라디오파
10^{-12} 10^{-8} 10^{-4} 10^{-3} 1 10^{3}
파장(m)

(나)

이에 대한 설명으로 옳은 것만을 〈보기〉에서 있는 대로 고른 것은?

보기
ㄱ. 진동수는 A가 B보다 크다.
ㄴ. 진공에서의 속력은 C가 B보다 빠르다.
ㄷ. (가)에서 이용하는 전자기파는 A에 속한다.

① ㄱ ② ㄷ ③ ㄱ, ㄴ
④ ㄴ, ㄷ ⑤ ㄱ, ㄴ, ㄷ

09 그림은 γ선, 라디오파, 자외선을 특성에 따라 분류하는 과정을 나타낸 것이다. A, B, C는 각각 γ선, 라디오파, 자외선 중 하나이다.

γ선, 라디오파, 자외선
↓
가시광선보다 에너지가 큰가? —예→ 식기를 살균할 때 이용되는가? —예→ C
가시광선보다 에너지가 큰가? —아니요→ A
식기를 살균할 때 이용되는가? —아니요→ B

이에 대한 설명으로 옳은 것만을 〈보기〉에서 있는 대로 고른 것은?

보기
ㄱ. A는 정보를 전송하는 데 이용된다.
ㄴ. C는 A보다 파장이 짧다.
ㄷ. B는 자외선이다.

① ㄱ ② ㄷ ③ ㄱ, ㄴ
④ ㄴ, ㄷ ⑤ ㄱ, ㄴ, ㄷ

10 표는 병원에서 사용하는 세 가지 장치의 기능과 각 장치에 사용되는 전자기파 A, B, C를 나타낸 것이다.

구분	장치 1	장치 2	장치 3
기능	머리뼈를 절개하지 않고 머리 내부의 암세포를 제거한다.	소형 카메라와 광섬유를 이용하여 진단한다.	인체 내부의 골격 구조를 볼 때 사용한다.
사용되는 전자기파	A	B	C

이에 대한 설명으로 옳은 것만을 〈보기〉에서 있는 대로 고른 것은?

보기
ㄱ. A는 전자기파 중 파장이 가장 길다.
ㄴ. B는 C보다 진동수가 작다.
ㄷ. C는 공항에서 수하물을 검색하는 데 이용된다.

① ㄱ ② ㄷ ③ ㄱ, ㄴ
④ ㄴ, ㄷ ⑤ ㄱ, ㄴ, ㄷ

서술형 문제

11 그림은 스피드건을 이용하여 야구 경기에서 투수가 던진 공의 속력을 측정하는 모습을 나타낸 것이다. 스피드건은 전자기파 A를 발생시키고 물체에서 반사되어 돌아온 A를 비교하여 속력을 계산한다. A는 선박과 항공기의 운항을 추적하는 레이더나 위성 통신에도 이용된다.

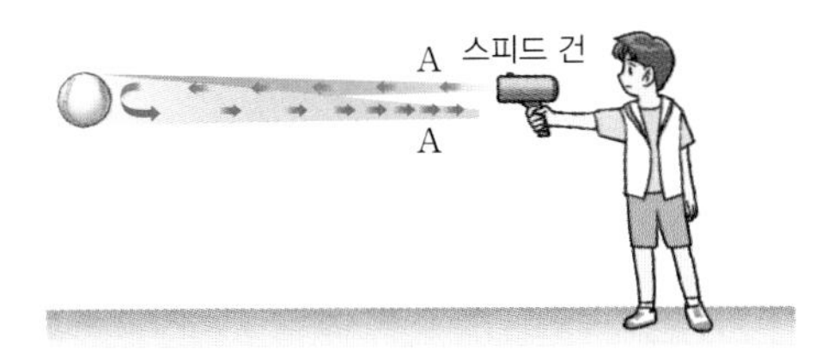

(1) 전자기파 A의 이름을 쓰시오.

(2) 가정에서 A가 이용되는 예를 쓰고, 그 원리를 서술하시오.

12 그림은 전자기파의 스펙트럼을 어떤 물리량에 따라 순서대로 나타낸 것이다.

(1) A 방향으로 갈수록 전자기파의 파장, 진동수, 에너지는 어떻게 달라지는지 쓰시오.

(2) (가)와 (나)에 들어갈 전자기파의 이름과 일상생활에서 이용되는 예를 각각 서술하시오.

Ⅲ. 파동과 정보 통신 | 1. 파동

04 파동의 간섭

내 교과서는 어디에?
천재 p.164~169 금성 p.158~163 동아 p.164~171
미래엔 p.178~186 비상 p.158~165 YBM p.179~186

핵심 Point
- 파동의 **간섭 현상**에 대해 이해한다.
- 파동의 **간섭이 활용**되는 예를 알아본다.

1 파동의 간섭

1. ▸**파동의 중첩** 여러 파동이 한 지점에서 만나 서로 겹쳐지는 현상

① 중첩 원리: 두 파동이 만나는 동안 각 지점의 변위는 각 파동의 변위의 합과 같다.

② 파동의 독립성: 파동은 다른 파동과 중첩된 이후에도 중첩 전과 동일한 상태로 진행한다. 즉, 파동이 서로 중첩되더라도 각 파동의 성질은 그대로 유지된다.

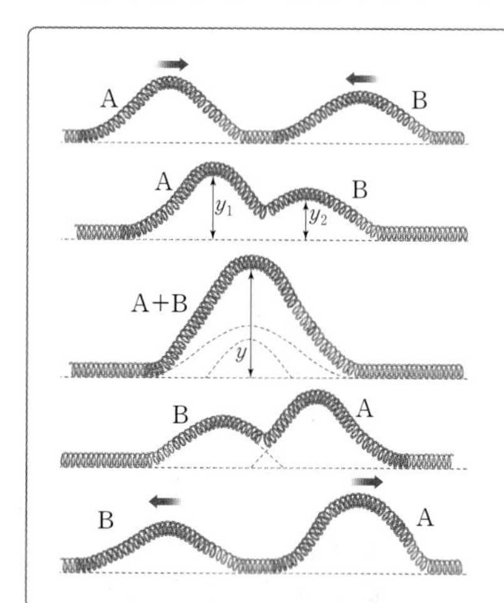

❶ 파동 A와 파동 B가 서로를 향해 다가온다.

⬇

❷ 파동 A의 변위가 y_1인 부분과 파동 B의 변위가 y_2인 부분이 중첩되면 합성파의 변위 y는 $y=y_1+y_2$가 된다.
➡ 중첩 원리

⬇

❸ 중첩에 의해 각 파동의 성질이 바뀌지는 않기 때문에, 파동 A와 B는 중첩된 이후에도 중첩 전과 동일한 상태로 진행한다. ➡ 파동의 독립성
(중첩 전과 동일한 상태: 진행 방향, 속도, 진폭, 위상)

2. **파동의 간섭**

① 파동의 간섭: 두 파동이 중첩될 때 파동의 진폭이 중첩 전보다 커지거나 작아지는 현상❶

② 보강 간섭과 상쇄 간섭: 두 파동의 변위의 방향이 같으면 서로 보강되어 합성 파동의 변위가 커지고, 두 파동의 변위의 방향이 반대이면 서로 상쇄되어 변위가 작아진다.

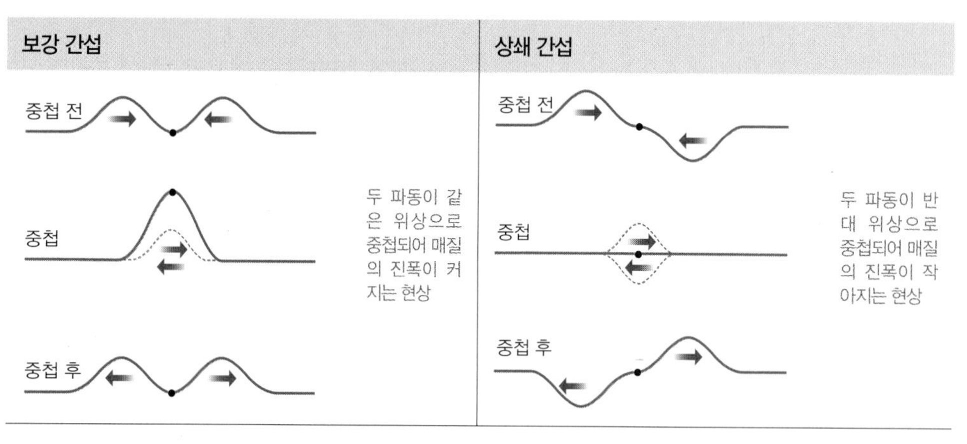

❶ 파동의 간섭과 변위

• 보강 간섭: 두 파동의 변위가 같은 방향인 경우 보강 간섭을 하여 매질의 진폭이 증가한다.

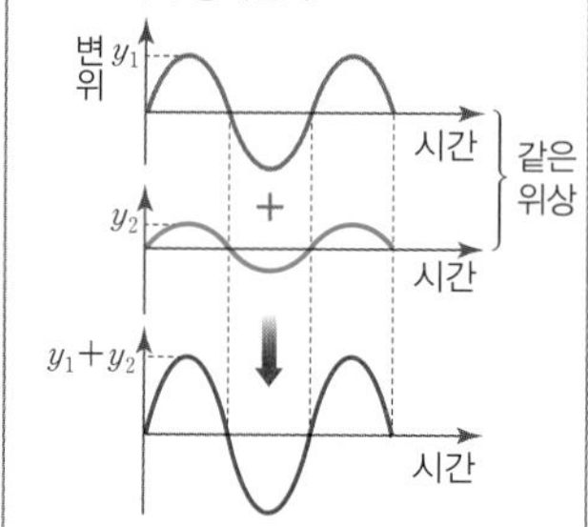

• 상쇄 간섭: 두 파동의 변위가 반대 방향인 경우 상쇄 간섭을 하여 파동의 진폭이 감소한다.

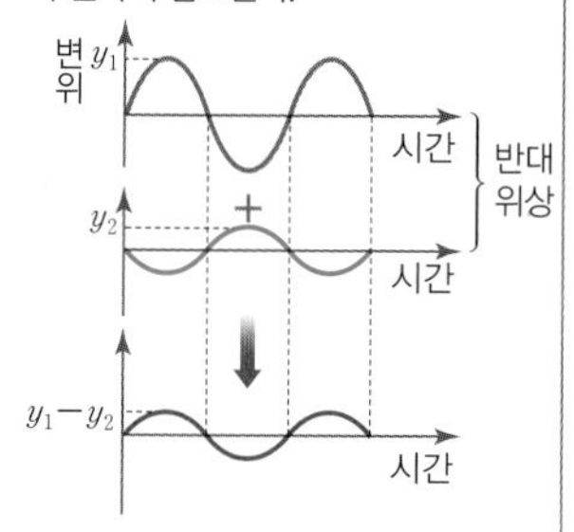

주의 콕

보통 파동의 중첩과 간섭은 같은 의미로 사용되지만 중첩은 파동이 지닌 본래의 성질에 초점을 맞추고, 간섭은 파동의 중첩으로 인해 나타나는 결과로서의 현상에 초점을 맞춘다.

용어

▸ **파동의 중첩**: 둘 이상의 파동이 서로 만났을 때 새로 생기는 파동은 각각의 파동을 더한 값으로 나타나는 현상

개념 확인하기

1 여러 파동이 한 지점에서 만나 서로 겹쳐지는 현상을 (　　　　)이라고 한다.

2 파동의 (　　　　)이란 파동이 다른 파동과 중첩된 이후에도 중첩 전과 동일한 상태로 진행하는 성질이다.

3 두 파동의 변위의 방향이 같으면 합성파의 변위가 커지고, 두 파동의 변위의 방향이 반대이면 합성파의 변위가 작아진다. (○ , ×)

답 1. 중첩 2. 독립성 3. ○

3. 두 점파원에서 발생한 파동의 중첩

① 두 점파원 S_1, S_2에서 진동수가 같은 2개의 파동이 만들어지면 각각의 파동은 사방으로 퍼져 나간다. 그림과 같이 두 파동이 P점에서 중첩될 때 (가), (나)와 같이 파동의 간섭이 나타난다.

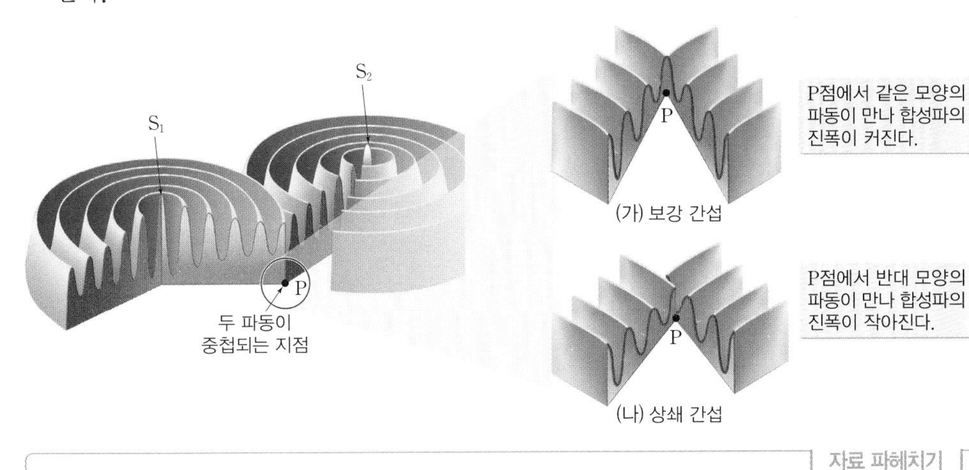

자료 파헤치기

파동의 간섭

그림은 두 점파원 S_1, S_2에서 동시에 발생한 동일한 파동의 어느 순간의 모습을 나타낸 것이다. 실선은 마루, 점선은 골의 파면이다.

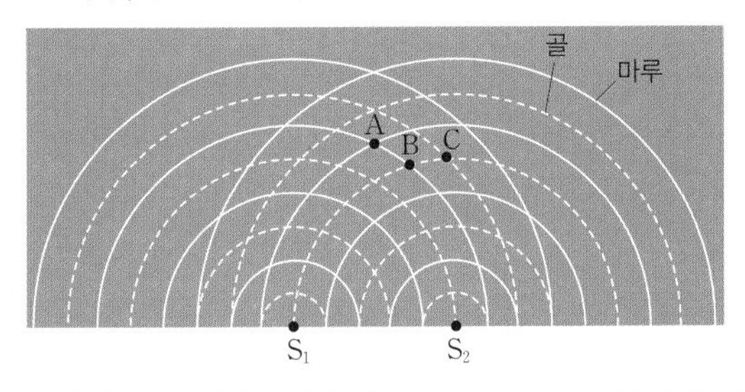

- A점, C점: 두 파동의 마루와 마루, 골과 골이 중첩된다. ➡ 보강 간섭이 일어나서 진폭이 원래 파동보다 커진다.
- B점: 두 파동의 마루와 골이 중첩된다. ➡ 상쇄 간섭이 일어나서 진폭이 작아진다.

② 물결파의 중첩: 두 파원에서 파장과 진폭이 같은 물결파를 같은 위상으로 발생시키면 물결파의 간섭무늬가 나타난다.

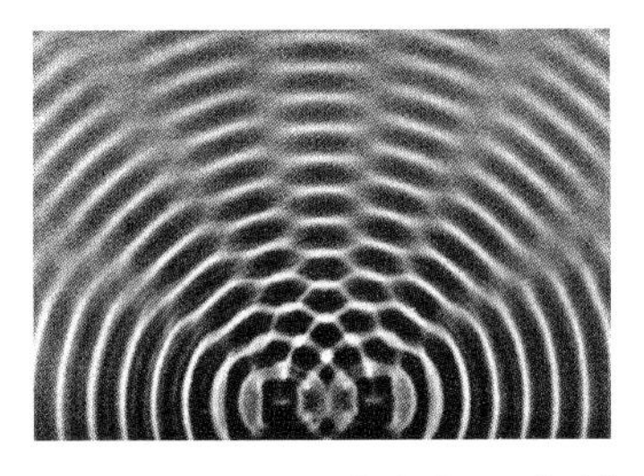

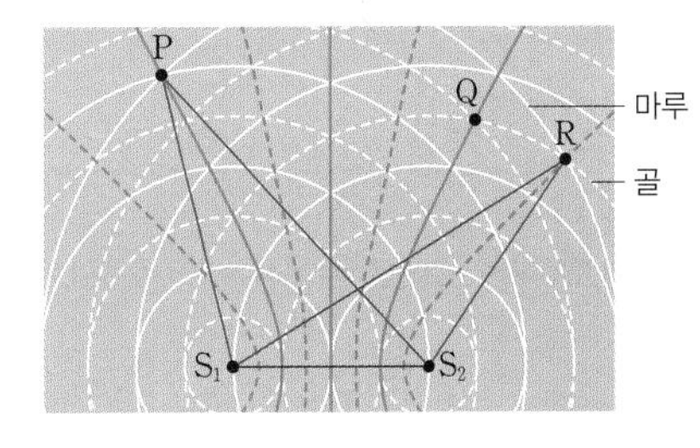

- P점: 마루와 마루가 만나 밝게 보임
- Q점: 골과 골이 만나 어둡게 보임
- R점: 마루와 골이 만나 상쇄 간섭이 일어남

- 보강 간섭이 일어나는 지점(P, Q)은 합성파의 진폭이 2배가 되고 수면의 높이가 계속 변하므로 무늬의 밝기가 변한다.❷
- 상쇄 간섭이 일어나는 지점(R)은 수면이 거의 진동하지 않으므로 무늬의 밝기가 변하지 않는다.❸

❷ 물결파의 밝기

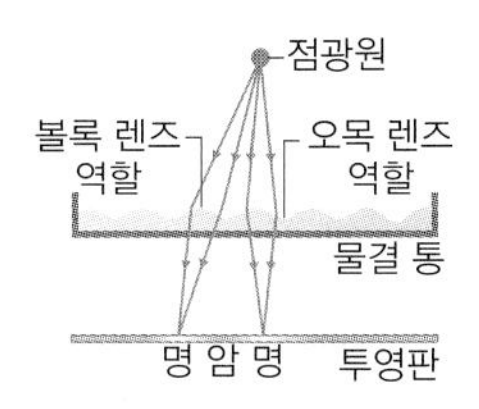

물결파 위에서 불빛을 비추면 물결파의 위로 볼록한 물결은 볼록 렌즈 역할을 하여 투영판에 밝은 무늬를 만들고, 물결파의 아래로 오목한 물결은 오목 렌즈 역할을 하여 어두운 무늬를 만든다.

❸ 마디선

물결파의 상쇄 간섭이 일어나는 점들을 이은 선으로, 마루와 골이 만나 진동이 상쇄되므로 수면이 잔잔하고 밝기의 변화가 없다.

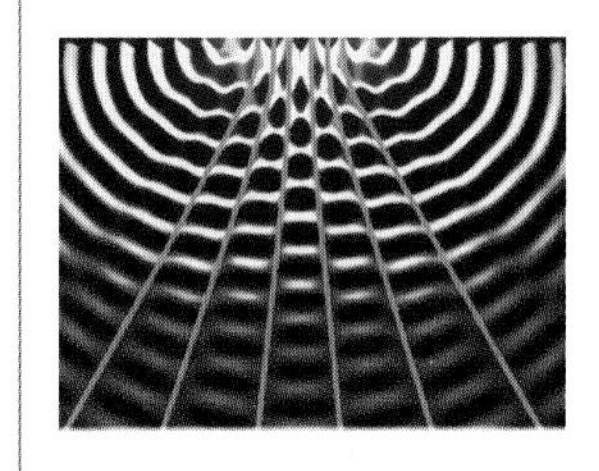

용어

▸ **점파원**: 진동을 일으키는 물체나 파동이 처음 만들어진 곳, 파원이 점일 경우 파면이 원이나 구면이 된다.

▸ **파면**: 파동이 퍼져 나갈 때 특정 시간에 같은 변위를 갖는 점들을 이어서 만든 선 또는 면

개념 확인하기

1 두 파동이 같은 위상으로 중첩되어 매질의 진폭이 커지는 현상을 (보강 / 상쇄) 간섭이라고 하고, 반대 위상으로 중첩되어 매질의 진폭이 작아지는 현상을 (보강 / 상쇄) 간섭이라고 한다.

2 두 점파원에서 발생시킨 물결파가 보강 간섭 하는 지점은 무늬의 밝기가 항상 밝다. (○ , ×)

3 (   ) 간섭이 일어나는 지점은 수면이 잔잔하고 밝기의 변화가 없다.

답 1. 보강, 상쇄 2. × 3. 상쇄

셀파 탐구

두 개의 스피커를 이용한 보강 간섭과 상쇄 간섭 실험

목표 두 개의 스피커에서 나오는 소리가 보강 간섭 하는 경우와 상쇄 간섭 하는 경우를 구분할 수 있다.

과정

❶ 그림 (가)와 같이 설치하고 스마트폰의 소리 발생 어플리케이션을 이용하여 스피커에서 440 Hz의 소리가 발생하게 한다. 스피커에서 2 m 떨어져서 그 앞을 가로지르며 소리를 듣는다.

❷ 그림 (나)와 같이 스마트폰에 스피커 2개를 연결하고 과정 ❶을 반복한다.

❸ 신호 발생기에서 더 큰 진동수의 소리가 발생하도록 하여 위의 과정을 반복한다.

(가)

(나)

결과 및 정리

1. 과정 ❶에서 소리의 크기는 어떻게 변하는가?
   ➡ 소리의 크기는 스피커에서 멀어질수록 조금씩 작아진다.

2. 과정 ❷에서 소리의 크기는 어떻게 변하는가?
   ➡ 두 스피커로부터 같은 거리만큼 떨어진 중앙 지점에서는 큰 소리가 들린다. → 두 스피커에서 오는 파동이 항상 같은 위상으로 만나서 보강 간섭이 일어나기 때문이다.
   ➡ 중앙에서 조금씩 이동을 하면 소리의 크기가 점점 작아지다가 거의 들리지 않는 지점에 이른다. → 두 스피커에서 나오는 파동이 반대 모양으로 만나는 지점에 이르면 두 파동이 상쇄 간섭을 일으켜 소리가 작아진다.

3. 과정 ❸에서 소리의 크기가 변하는 간격은 진동수에 따라 어떻게 다른가?
   ➡ 진동수가 클수록(파장이 짧을수록) 중앙에 가까운 지점에서 상쇄 간섭이 일어난다.
   └ 파장이 짧을수록 마루와 마루 사이의 거리가 좁아지므로 중앙에 가까운 지점에서 상쇄 간섭이 일어난다. 즉, 진동수가 클수록 중앙에 가까운 지점에서 상쇄 간섭이 일어난다.

유의점

❶ 가급적 체육관이나 운동장 등과 같은 넓고 장애물이 거의 없는 공간에서 실험을 수행한다.
❷ 젖은 손으로 전자 기기를 만지지 않는다.
❸ 작은 소리부터 큰 소리로 천천히 높여서 실험 중 갑자기 큰 소리가 나지 않도록 주의한다.
❹ 소음 측정 프로그램이 발소리를 인지하지 않도록 조용히 이동한다.

탐구 돋보기

중앙에서 조금씩 이동함에 따라 큰 소리가 들리는 지점과 작은 소리가 들리는 지점이 반복된다. → 두 스피커로부터의 거리 차가 반파장의 짝수 배인 지점은 보강 간섭이, 거리 차가 반파장의 홀수 배인 지점은 상쇄 간섭이 일어난다.

시험 유형은?

❶ 큰 소리가 들리는 지점의 공통적인 특징은 무엇인가?
▶ 두 스피커에서 나온 소리가 보강 간섭을 한다. 두 스피커로부터의 거리의 차이가 반파장의 짝수 배이다.

❷ 소리가 거의 들리지 않는 지점의 공통적인 특징은 무엇인가?
▶ 두 스피커에서 나온 소리가 상쇄 간섭을 한다. 두 스피커로부터의 거리의 차이가 반파장의 홀수 배이다.

탐구 대표 문제 정답과 해설 62쪽

01 위 실험 과정에 대한 설명으로 옳은 것만을 <보기>에서 있는 대로 고르시오.

보기

ㄱ. 과정 ❶에서 소리의 크기는 커졌다 작아졌다를 반복한다.
ㄴ. 과정 ❷에서 두 스피커의 중앙 지점에서는 큰 소리가 들린다.
ㄷ. 과정 ❷에서 두 스피커의 중앙 지점에서는 두 스피커로부터의 거리가 같다.

02 그림은 동일한 진폭, 진동수, 위상으로 동시에 소리를 발생시키는 두 스피커에서 어느 정도 떨어진 사람에게 소리가 도달하는 모습을 나타낸 것이다. 이 사람이 듣는 소리의 크기를 한 스피커에서 나오는 소리의 크기와 비교하시오. (단, 두 스피커에서 귀까지의 거리는 같다.)

2 간섭의 활용

1. 소음 제거 기술

① 소음 제거 헤드폰: 소음 제거 헤드폰에는 마이크가 내장되어 있다. 소음 제거 회로에서 마이크로 감지한 소음과 위상이 반대인 소음을 발생시켜 사용자의 귀에 전달한다. ➡ 두 소음이 서로 상쇄 간섭 되어 소음의 크기가 매우 작아지기 때문에 음악 소리만 들린다.

소음 제거 원리

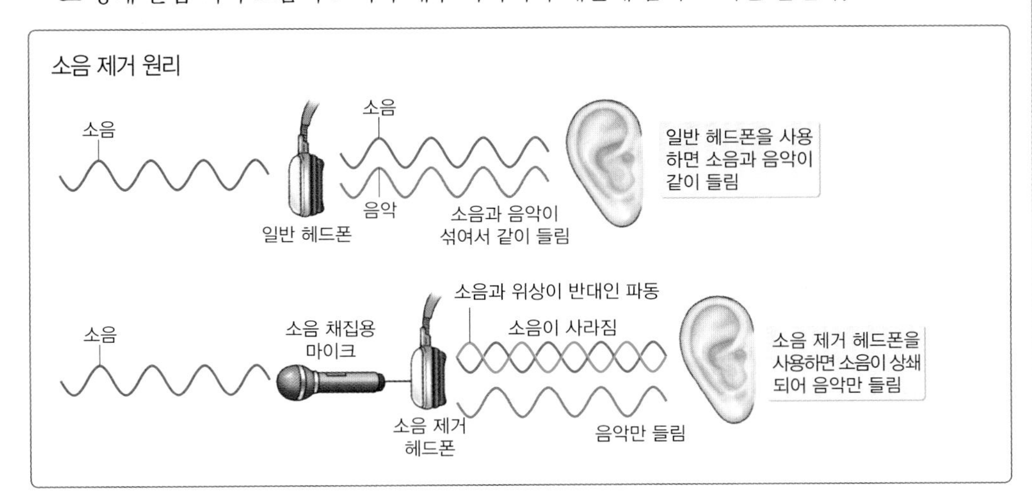

② 여객기 내부의 소음 제거 장치: 여객기 내부에 여객기 밖의 엔진에서 발생하는 소리와 진동수는 같지만 위상이 반대인 소리를 발생시킨다.
➡ 상쇄 간섭이 일어나 소음이 제거된다.

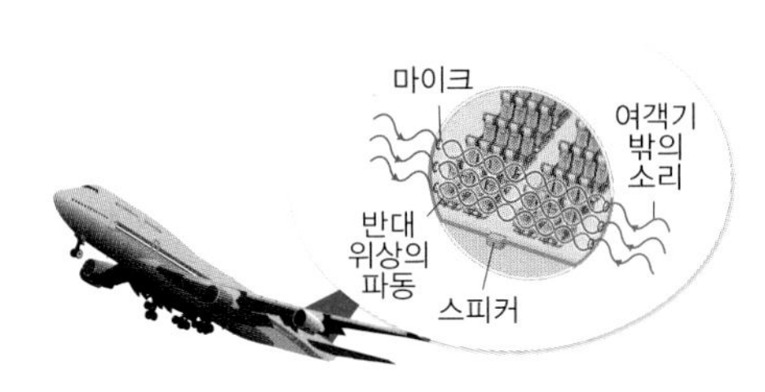

③ 자동차 엔진의 소음 제거 장치

소음을 상쇄하는 소리를 발생한다.	배기관의 길이를 다르게 한다.
자동차 내부에 설치한 마이크로 엔진 소음을 감지하여, 소음과 진동수는 같지만 위상이 반대인 소리를 발생시키면, 원래 소음과 발생시킨 소리가 상쇄 간섭이 일어나서 소음이 제거된다.	자동차의 엔진에서 발생하는 배기음의 통로를 두 개로 나누어 한 통로(l_1)를 다른 통로(l_2)보다 반파장만큼 길게 하면 이 두 통로를 통과한 배기음이 합쳐질 때 상쇄 간섭이 일어난다.❹
	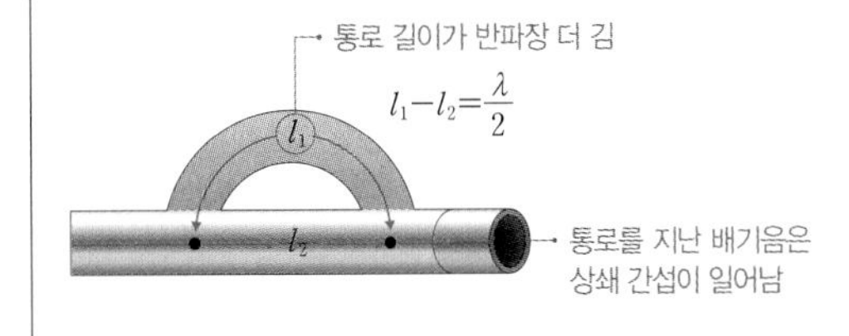

❹ **파동의 간섭 조건**
진폭과 파장이 같은 두 파동이 서로 간섭을 일으킬 때, 두 파원으로부터의 거리 차(경로차)가 반파장의 짝수 배가 되는 곳에서는 보강 간섭, 반파장의 홀수 배가 되는 곳에서는 상쇄 간섭이 일어난다.

셀파 콕콕
소음 제거 기술은 소리의 상쇄 간섭을 이용한다는 점을 기억하자. 또한, 소음 제거 기술이 적용된 다양한 사례를 알아 두자.

용어
▸ **위상**: 매질이 시간에 따라 진동하는 상태를 나타내는 물리량, 진동 상태가 동일하면 위상이 같고, 진동 상태가 다르면 위상이 다르다.

개념 확인하기

1 소음 제거 기술은 소리의 (보강 / 상쇄) 간섭을 이용한다.
2 소음 제거 헤드폰은 소음과 진동수는 (같고 / 다르고) 위상은 (같은 / 반대인) 소리를 발생시킨다.
3 자동차의 엔진에서 발생하는 소음을 제거하는 장치는 배기음이 길이가 같은 두 개의 통로로 나뉘어 지나가도록 한다. (○ , ×)

답 1. 상쇄 2. 같고, 반대인 3. ×

2. 얇은 막에서의 빛의 간섭 비눗방울 또는 기름의 얇은 막에서 윗면에서 반사된 빛과 아랫면에서 반사된 빛이 보강 간섭을 일으킨다. 얇은 막의 두께와 보는 각도에 따라 보강 간섭 하는 빛의 색깔이 달라져 무지갯빛으로 보인다.

기름막에 의한 간섭

단색광이 기름띠의 위쪽과 아래쪽에서 각각 반사하면 두 빛이 만나 간섭한다.

단색광
빛을 볼 수 없다.
상쇄 간섭
기름막의 윗면에서 반사한 빛과 아랫면에서 반사한 빛의 위상이 반대이다.
공기
기름
물

단색광
빛을 볼 수 있다.
보강 간섭
기름막의 윗면에서 반사한 빛과 아랫면에서 반사한 빛의 위상이 같다.

무반사 코팅 렌즈	모르포 나비의 푸른빛
렌즈 표면에 적당한 두께의 얇은 막을 코팅하면 막의 윗면과 아랫면에서 반사된 빛이 상쇄 간섭을 한다. 그래서 코팅하지 않은 렌즈에 비해 반사되는 빛이 매우 줄어든다.	색소가 없는 모르포 나비 날개가 푸른색을 띠는 것은 표면에 있는 얇은 층에서 파란색 빛이 보강 간섭을 하기 때문이다. 풍뎅이나 공작의 깃털도 빛의 간섭으로 선명한 색을 낸다.
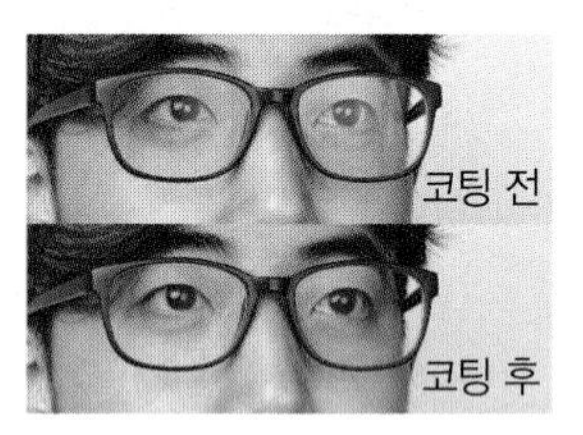 코팅 전 / 코팅 후 — 효율적으로 빛이 투과하는 렌즈를 만들 수 있다.	 모르포 나비 날개 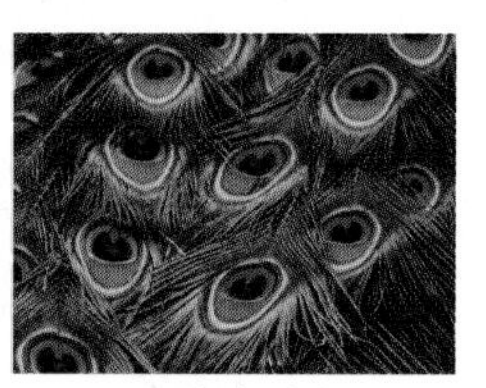 공작의 깃털

3. 악기의 소리

① 악기는 보강 간섭을 이용하여 선명하고 큰 소리를 내는데, 울림통에서 보강 간섭이 일어나면 선명하고 일정한 음파를 만든다.

② 외부에서 악기의 고유 진동수와 같은 진동수로 진동을 일으키면, 파동이 보강 간섭 하여 진폭이 커지는 현상이 발생한다.[5]

③ 공연장의 벽이나 천장은 파동의 간섭을 고려하여 설계한다.

4. 홀로그램 이미지[6]

① 홀로그램은 빛의 간섭을 이용하여 빛을 비추는 각도에 따라 색과 문양이 달라져서 입체적인 영상을 만든다.

② 복사나 위조를 방지하기 위해 사용하는 신용카드나 지폐, 인증서 등에 이용된다.

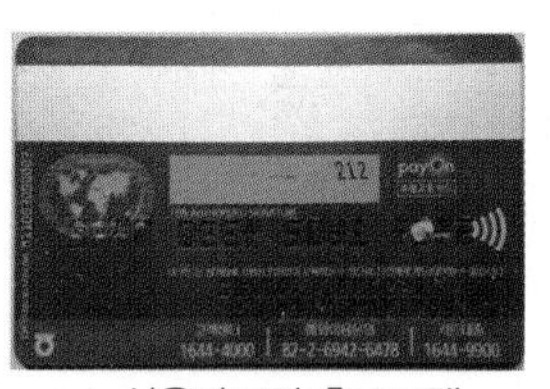

▲ 신용카드의 홀로그램

❺ 공명

각 악기는 특정한 진동수에서 정상파가 만들어져 소리가 울리는데, 이를 고유 진동수라고 한다. 물체의 고유 진동수와 같은 진동수의 파동이 외부에서 가해졌을 때, 진폭이 매우 커지는 현상을 공명이라고 한다.

❻ 간섭의 이용

- 천문 연구 분야에서는 망원경을 크게 하는 대신 여러 대의 전파 망원경이 수신한 전파의 간섭을 이용한다.
- 신장에 결석이 생기면 초음파가 결석이 있는 위치에서 보강 간섭 하여 결석을 깨뜨린다.
- 빛의 간섭 현상을 이용하여 빛을 파장별로 분리시키는 분광기를 만들 수 있다.

셀파 콕콕

소리와 빛을 중심으로 파동의 간섭이 이용되는 다양한 예를 알아 두자.

용어

▸ **정상파**: 진폭이 0인 위치와 진폭이 최대인 위치가 고정되어 마치 제자리에서 진동하는 것처럼 보이는 파동

개념 확인하기

1 악기에서 크고 선명한 소리가 나는 것은 소리가 (   ) 간섭을 하기 때문이다.

2 모르포 나비의 날개는 파란색 색소가 파란색 빛을 반사하기 때문에 푸른빛을 띤다. (○ , ×)

3 (   )은/는 빛을 비추는 각도에 따라 색과 문양이 달라져서 신용카드나 지폐에 이용된다.

답 1. 보강 2. × 3. 홀로그램

셀파 세미나

S · H · E · R · P · A

▶ 일상 생활에서 이용되는 간섭 현상의 원리를 알아보아요.

다양한 파동의 간섭 현상

01 악기에서 만들어지는 정상파

① 정상파: 진폭이 0인 위치와 진폭이 최대인 위치가 고정되어 마치 제자리에서 진동하는 것처럼 보이는 파동

② 정상파의 발생 원리: 동일한 두 파동이 서로 반대 방향으로 진행하여 중첩될 때 발생한다.

③ 정상파에서 진폭이 최대인 점을 배, 진폭이 0인 점을 마디라고 하며, 이웃한 마디 사이의 거리는 파장의 $\frac{1}{2}$배이다.

④ 악기에서 진동하는 부분의 길이에 따라 정상파를 이룰 수 있는 파장이 정해지기 때문에 악기마다 고유 진동수를 갖는다. ➡ 관이나 줄의 길이가 길수록 파장이 길어져 낮은 소리가 난다.

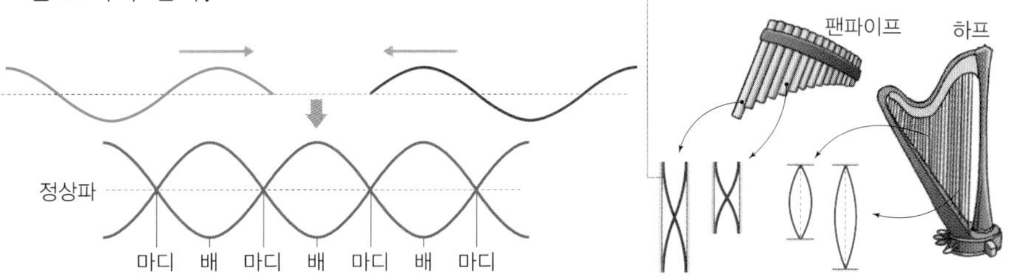

Plus 자료

악기 조율에 이용되는 소리의 간섭

• 맥놀이 현상은 진동수가 비슷한 소리가 간섭 하면서 소리가 주기적으로 커졌다 작아졌다 하는 현상이다.

• 악기를 조율하기 위해 기준이 되는 음과 악기의 소리를 동시에 발생시켰을 때 맥놀이 현상이 일어나면 두 음이 일치하지 않는 것이므로 맥놀이 현상이 일어나지 않을 때까지 악기를 조율한다.

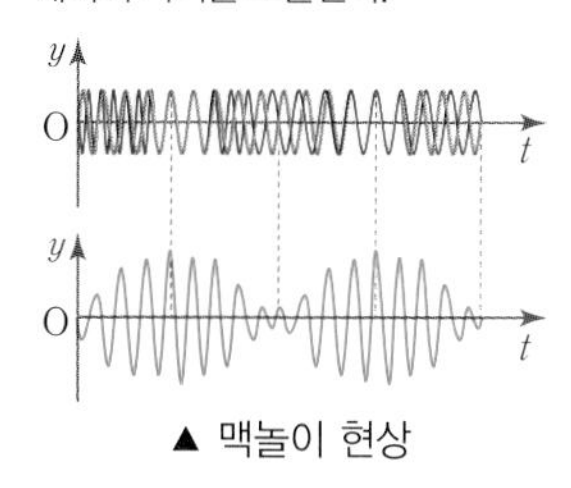

▲ 맥놀이 현상

02 지폐의 위조 방지를 위해 사용되는 색 변환 잉크

색 변환 잉크로 그려진 '10000'이라는 숫자는 보는 각도에 따라 색깔이 달라진다.

➡ 숫자를 보는 각도에 따라서 보강 간섭이 되는 빛의 파장이 달라지기 때문이다.

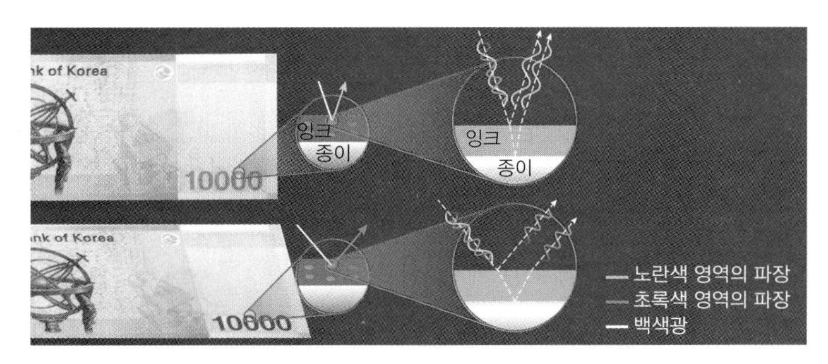

03 무반사 코팅 렌즈의 원리

① 무반사 코팅 렌즈를 끼운 안경에서는 코팅막의 윗면에서 반사된 빛과 아랫면에서 반사된 빛이 상쇄 간섭을 일으킨다.

② 안경에 이용하면 반사하는 빛의 세기가 감소하므로 안경을 투과하는 빛의 세기가 증가하여 선명한 시야를 얻을 수 있다.

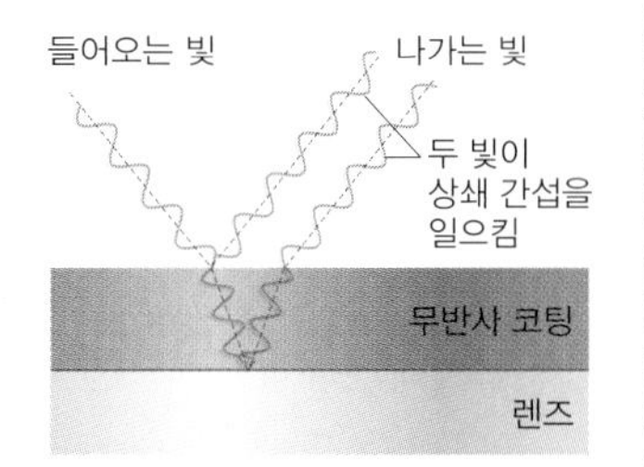

Plus 자료

태양 전지의 반사 방지막 코팅

태양 전지에 반사 방지막을 코팅하면 태양 전지에 도달하는 빛의 세기가 증가하여 더 많은 전기 에너지를 생산할 수 있다.

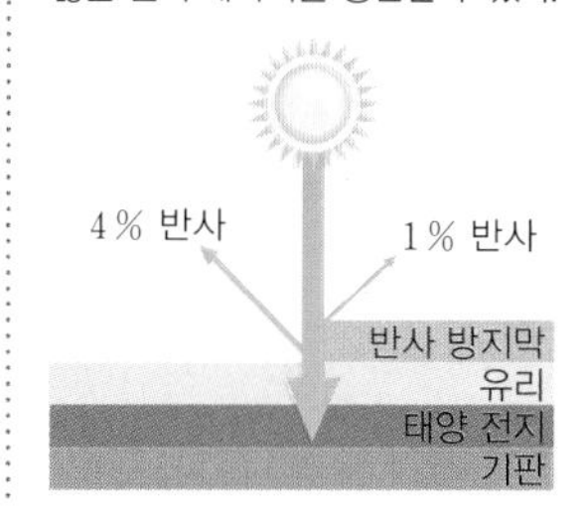

기초 탄탄 문제

정답과 해설 62쪽

핵심용어_ 이 단원에서 내가 아는 것과 아직 모르는 것을 정리하며 나의 공부를 돌아보자.

- ☐ 파동의 중첩
- ☐ 보강 간섭
- ☐ 상쇄 간섭
- ☐ 파동의 독립성
- ☐ 소리의 간섭
- ☐ 소음 제거 기술
- ☐ 간섭의 활용

01 보강 간섭에 대한 설명이다.

> 보강 간섭은 두 파동이 중첩될 때 파동의 진폭이 (㉠)하는 현상이다. 한 파동의 골과 다른 파동의 (㉡)이(가) 만나 중첩하는 경우 보강 간섭이 일어나며, 동일한 두 파동이 보강 간섭을 하면 진폭이 원래 파동의 (㉢)배가 된다.

㉠~㉢에 들어갈 말로 옳게 짝 지은 것은?

	㉠	㉡	㉢
①	증가	마루	2배
②	증가	마루	3배
③	증가	골	2배
④	감소	골	$\frac{1}{2}$배
⑤	감소	마루	$\frac{1}{3}$배

02 소음 제거 헤드폰을 사용하면 주변의 소음이 잘 들리지 않는 까닭은?

① 헤드폰이 매우 단단하여 소음이 투과하지 않기 때문이다.
② 헤드폰에서 재생되는 음악이 소음과 보강 간섭을 하기 때문이다.
③ 헤드폰에서 소음보다 매우 큰 소리로 음악을 재생하기 때문이다.
④ 주변 소음의 진동수는 이 사람이 들을 수 있는 가청 주파수 범위가 아니기 때문이다.
⑤ 헤드폰에서 소음과 상쇄 간섭을 일으키는 음파를 발생시키기 때문이다.

03 파동의 간섭 현상으로 설명할 수 있는 현상이 아닌 것은?

① 악기에서 선명하고 큰 소리가 난다.
② 공작의 깃털은 선명하고 아름다운 색을 띤다.
③ 여객기 내부에서는 엔진의 소음이 들리지 않는다.
④ 태양 빛을 프리즘에 통과시키면 무지갯빛을 볼 수 있다.
⑤ 지폐에 적힌 숫자가 보는 각도에 따라 다른 색으로 보인다.

04 그림과 같이 두 스피커에서 동일한 소리가 나오게 하고 어느 정도 떨어진 거리에서 스피커가 놓인 선과 나란하게 걸으면서 소리를 들었다. 소리의 크기가 커지는 곳과 거의 들리지 않는 곳이 반복적으로 나타나는 현상과 가장 밀접한 파동의 성질은?

① 간섭 ② 반사 ③ 직진
④ 굴절 ⑤ 전반사

05 그림은 두 점파원 S_1, S_2에서 진폭과 파장, 위상이 동일한 두 파동을 발생시킨 후 어느 순간의 모습을 나타낸 것이다. 실선은 마루를, 점선은 골을 나타낸다.

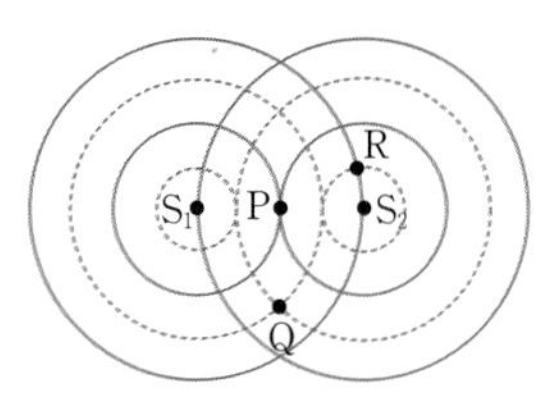

P, Q, R 중에서 보강 간섭이 일어나는 점과 상쇄 간섭이 일어나는 점을 옳게 짝 지은 것은?

	보강 간섭	상쇄 간섭
①	P	Q, R
②	P, Q	R
③	Q	P, R
④	Q, R	P
⑤	R	P, Q

내신 만점 문제

정답과 해설 63쪽

▮▮▮ 난이도를 나타냅니다.

01 그림은 두 파동 A, B가 화살표 방향으로 진행하는 모습을 나타낸 것이다.

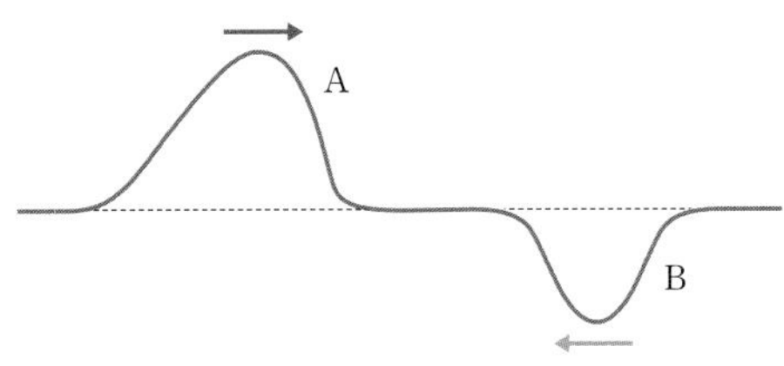

이에 대한 설명으로 옳은 것만을 〈보기〉에서 있는 대로 고른 것은?

보기
ㄱ. A, B는 상쇄 간섭을 한다.
ㄴ. 합성파의 변위는 A, B의 변위보다 커진다.
ㄷ. 중첩된 이후에 A는 진행 방향이 왼쪽으로 바뀐다.

① ㄱ ② ㄷ ③ ㄱ, ㄴ
④ ㄴ, ㄷ ⑤ ㄱ, ㄴ, ㄷ

02 그림은 서로 반대 방향으로 진행하는 진폭과 파장이 같은 두 파동의 $t=0$초인 순간의 모습을 나타낸 것이다. 두 파동은 같은 직선상에서 움직이며 4 m/s의 동일한 속력으로 서로를 향해 다가온다.

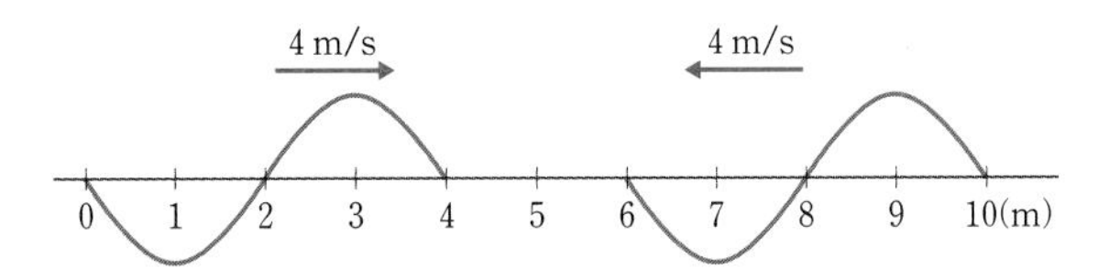

$t=\frac{3}{4}$초인 순간 매질의 변위가 0인 지점만을 〈보기〉에서 있는 대로 고른 것은?

보기
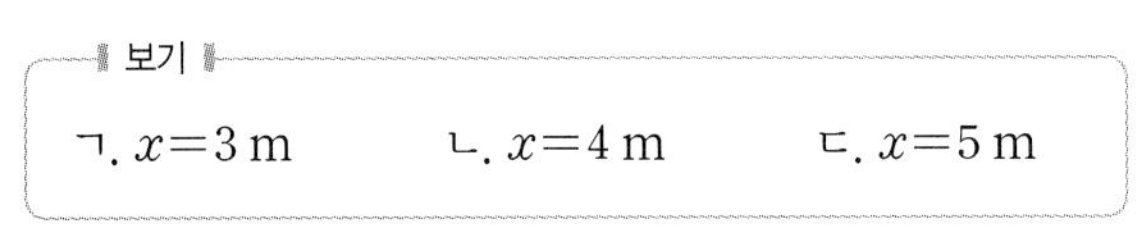
ㄱ. $x=3$ m ㄴ. $x=4$ m ㄷ. $x=5$ m

① ㄱ ② ㄴ ③ ㄱ, ㄷ
④ ㄴ, ㄷ ⑤ ㄱ, ㄴ, ㄷ

03 그림은 물결파 투영 장치의 두 파원 S_1, S_2에서 파장과 진폭이 같은 물결파를 같은 위상으로 발생시켰을 때 어느 순간 나타나는 물결파의 간섭무늬를 나타낸 것이다. 그림에서 실선은 물결파의 마루를, 점선은 골을 나타내며 P, Q, R는 평면상에 고정된 지점이다.

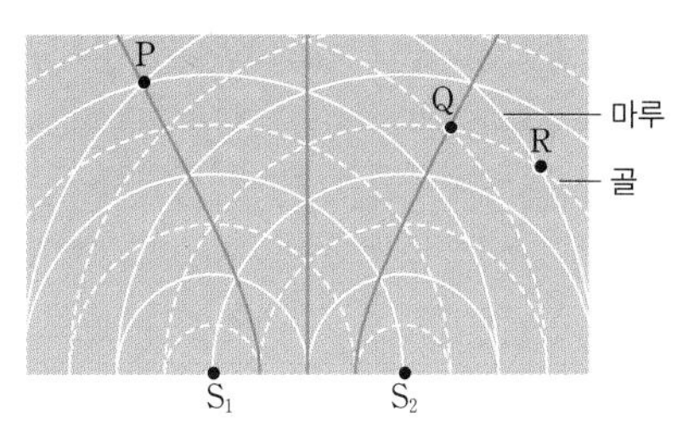

이에 대한 설명으로 옳은 것만을 〈보기〉에서 있는 대로 고른 것은?

보기
ㄱ. P에서는 두 파동의 마루와 마루가 만난다.
ㄴ. R에서는 두 파동이 보강 간섭을 한다.
ㄷ. 수면의 높이는 R가 Q보다 높다.

① ㄴ ② ㄷ ③ ㄱ, ㄴ
④ ㄱ, ㄷ ⑤ ㄱ, ㄴ, ㄷ

04 그림은 두 스피커에서 진동수와 진폭이 일정한 값으로 같고 위상이 동일한 소리가 동시에 발생하게 하고, 그 앞을 지나가면서 소리의 세기를 측정하는 모습을 나타낸 것이다. A 지점에서는 매우 큰 소리가 들리고, B 지점에서는 소리가 거의 들리지 않았다.

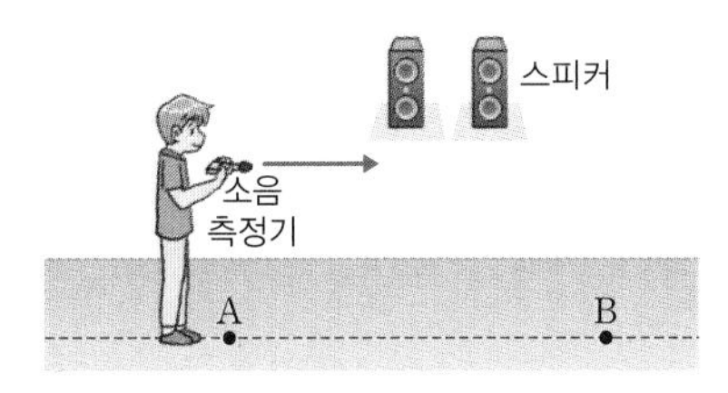

이에 대한 설명으로 옳은 것만을 〈보기〉에서 있는 대로 고른 것은?

보기
ㄱ. A 지점에서는 소리가 보강 간섭을 한다.
ㄴ. B 지점에서는 소리가 같은 위상으로 만나 중첩된다.
ㄷ. 소리의 진동수를 증가시키면 소리가 크게 들리는 이웃한 두 지점 사이의 거리가 짧아진다.

① ㄴ ② ㄷ ③ ㄱ, ㄴ
④ ㄱ, ㄷ ⑤ ㄱ, ㄴ, ㄷ

05 그림 (가)는 파장, 진폭, 진동수가 각각 같은 두 파동 A, B가 서로 반대 방향으로 x축을 따라 진행하다가 $t=0$인 순간에 원점에서 만나는 모습을 나타낸 것이다. 그림 (나)는 $x=0$의 위치에서 파동의 변위 y를 시간 t에 따라 나타낸 것이다.

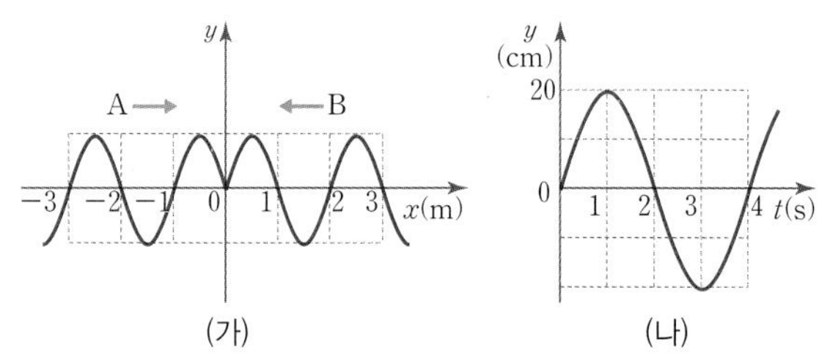

(가) (나)

A와 B에 대한 설명으로 옳은 것만을 〈보기〉에서 있는 대로 고른 것은?

보기
ㄱ. 파장은 2 m이다.
ㄴ. 진폭은 20 cm이다.
ㄷ. 진동수는 4 Hz이다.

① ㄱ ② ㄷ ③ ㄱ, ㄴ
④ ㄴ, ㄷ ⑤ ㄱ, ㄴ, ㄷ

06 그림 (가)는 만원짜리 지폐에서 '10000' 글자가 노란색으로 보이는 모습을, (나)는 (가)와 같은 지폐를 기울였을 때 글자가 초록색으로 보이는 모습을 나타낸 것이다. 지폐에는 위조를 방지하기 위해 색 변환 잉크가 사용된다.

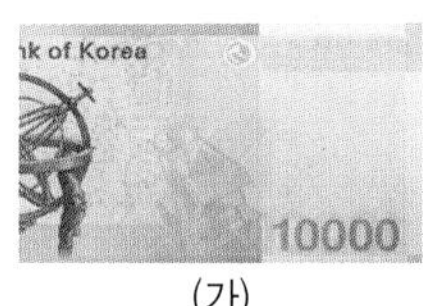

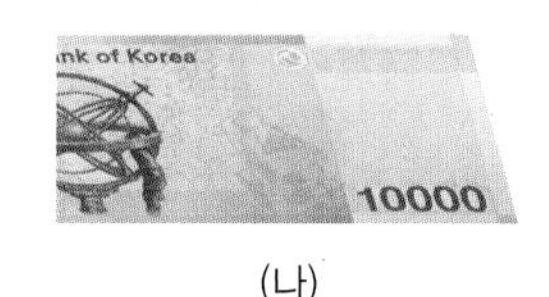

(가) (나)

이에 대한 설명으로 옳은 것만을 〈보기〉에서 있는 대로 고른 것은?

보기
ㄱ. 잉크의 표면에서 반사하는 빛과 잉크와 종이의 경계에서 반사하는 빛이 간섭하여 나타나는 현상이다.
ㄴ. (가)에서 노란색 빛은 보강 간섭을 한다.
ㄷ. (나)에서 초록색 빛은 상쇄 간섭을 한다.

① ㄴ ② ㄷ ③ ㄱ, ㄴ
④ ㄱ, ㄷ ⑤ ㄱ, ㄴ, ㄷ

07 그림은 렌즈와 반사 방지막에서 빛이 진행하는 모습을 나타낸 것이다. A는 반사 방지막에서 반사한 빛이고, B는 반사 방지막과 렌즈의 경계에서 반사한 빛이다. 이에 대한 설명으로 옳은 것만을 〈보기〉에서 있는 대로 고른 것은?

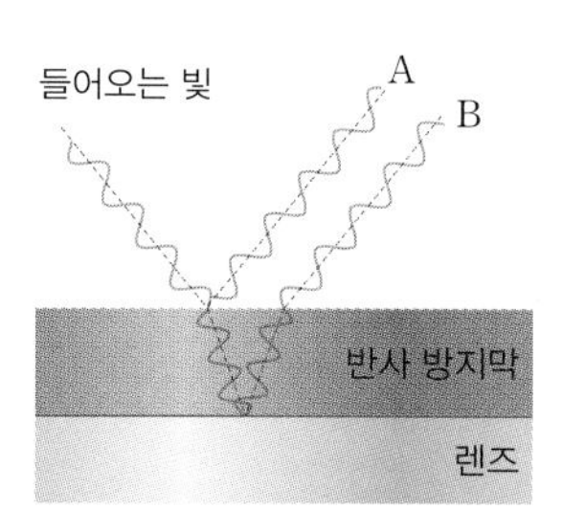

보기
ㄱ. A와 B는 같은 위상으로 중첩한다.
ㄴ. 반사 방지막을 코팅한 렌즈는 코팅하지 않은 렌즈보다 빛을 잘 투과한다.
ㄷ. 반사 방지막을 태양 전지에 사용하면 효율을 높일 수 있다.

① ㄱ ② ㄷ ③ ㄱ, ㄴ
④ ㄱ, ㄷ ⑤ ㄴ, ㄷ

08 그림 (가), (나)는 각각 두 파동이 중첩될 때 합성파의 진폭을 나타낸 것이다.

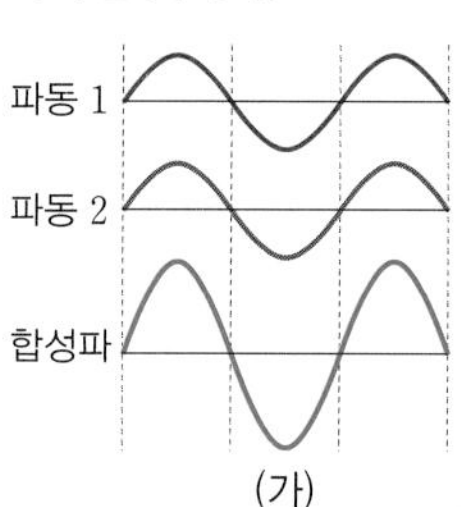

(가)

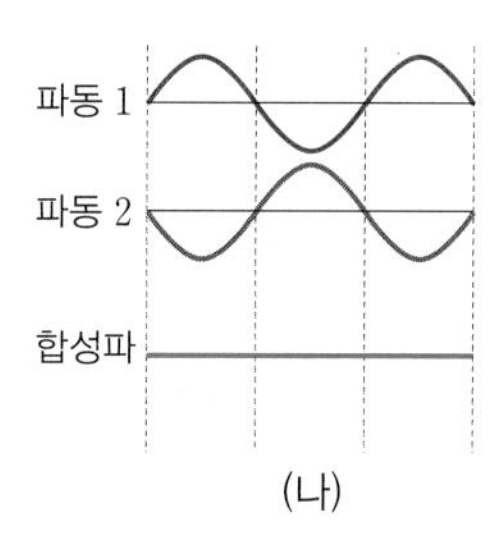

(나)

(가)와 같은 원리로 일어나는 현상만을 〈보기〉에서 있는 대로 고른 것은?

보기
ㄱ. 모르포 나비의 날개는 파란색을 띤다.
ㄴ. 두 점파원이 발생시킨 물결파가 간섭할 때 마디선이 나타난다.
ㄷ. 외부에서 악기의 고유 진동수와 같은 진동수로 진동을 일으키면 크고 선명한 소리가 발생한다.

① ㄴ ② ㄷ ③ ㄱ, ㄴ
④ ㄱ, ㄷ ⑤ ㄱ, ㄴ, ㄷ

09 그림과 같이 y축상에 놓여 있는 두 스피커 S_1, S_2에서 파장과 진동수가 같은 음파를 동시에 같은 위상으로 발생시켰다. 소음 측정기를 들고 x축상의 점 P에서 출발하여 $+y$ 방향으로 이동하였더니 Q점에서 처음으로 소리가 가장 작게 들렸다. S_1, S_2의 y좌표는 절댓값이 같다.

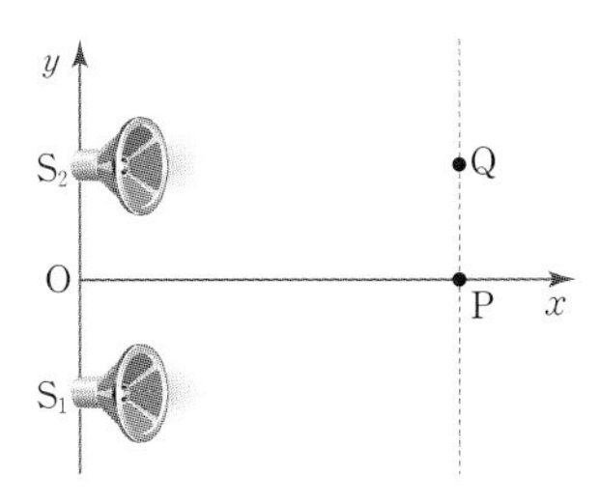

이에 대한 설명으로 옳은 것만을 <보기>에서 있는 대로 고른 것은?

보기

ㄱ. P점에서 각 스피커까지의 거리가 같다.

ㄴ. Q점에서 상쇄 간섭이 일어난다.

ㄷ. P점에서 $-x$ 방향으로 이동하면서 측정하면 소리의 세기가 다시 증가했다가 감소하는 것을 반복한다.

① ㄱ ② ㄷ ③ ㄱ, ㄴ
④ ㄴ, ㄷ ⑤ ㄱ, ㄴ, ㄷ

10 그림은 자동차의 엔진에서 발생하는 배기음을 제거하는 장치를 나타낸 것이다. 배기음은 A점에서 두 개의 통로 l_1과 l_2로 나뉘어 진행한 뒤 B점에서 다시 합쳐져 배기통을 빠져나간다. 소음의 파장은 λ이고, $l_1 > l_2$이다. 이에 대한 설명으로 옳은 것만을 <보기>에서 있는 대로 고른 것은?

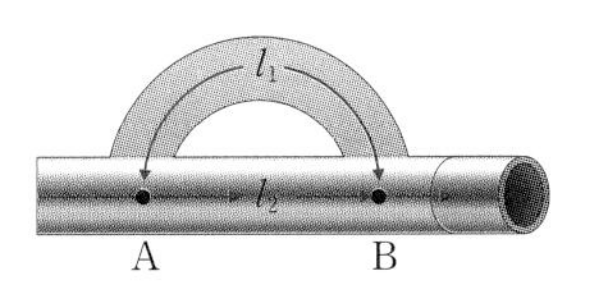

보기

ㄱ. l_1로 진행하는 소리는 l_2로 진행하는 소리보다 긴 거리를 이동한다.

ㄴ. B점에서 보강 간섭이 일어난다.

ㄷ. $l_1 - l_2$는 $\frac{\lambda}{2}$의 짝수 배가 되도록 설계해야 한다.

① ㄱ ② ㄴ ③ ㄱ, ㄴ
④ ㄴ, ㄷ ⑤ ㄱ, ㄴ, ㄷ

서술형 문제

11 그림은 동일한 진폭, 파장, 위상으로 동시에 소리를 발생시키는 두 스피커에서 어느 정도 떨어진 두 지점 A, B를 나타낸 것이다. 각 스피커에서 나오는 소리의 파장은 λ이다.

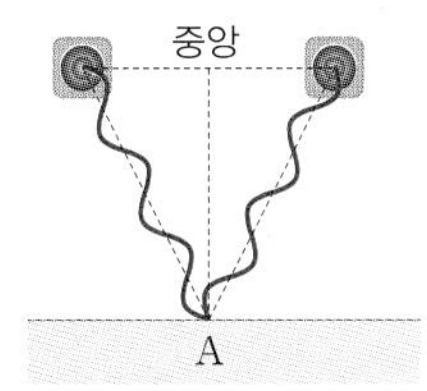

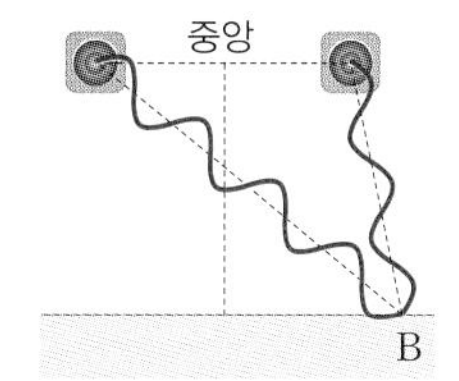

(1) 두 스피커에서 각 지점(A, B)까지의 거리의 차이는 각각 얼마인지 쓰시오.

(2) 두 지점 A, B에서 일어나는 간섭의 종류와 소리의 크기를 서술하시오.

12 그림은 소음 제거 헤드폰에서 주변의 소음을 줄여 깨끗한 음질로 음악이 들리게 하는 방법을 나타낸 것이다.

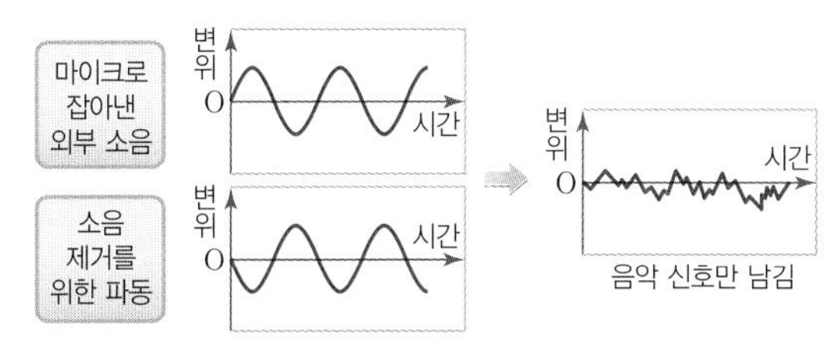

(1) 소음 제거 헤드폰에서 주변의 소음을 제거하는 원리를 서술하시오.

(2) 일상생활 속에서 소음 제거 헤드폰에서 이용하는 파동의 간섭의 원리를 이용하는 예를 2가지 서술하시오.

단원 정리하기

Ⅲ. 파동과 정보 통신 | 1. 파동

핵심 Point 1~10

1. 파동의 성질

① 파동: 한 지점에서 발생한 진동이 주위로 퍼져 나가는 현상, 파동이 전파될 때 매질은 제자리에서 진동할 뿐 이동하지 않는다.

② 파동의 진행 방향과 매질의 진동 방향이 수직인 파동을 횡파, 나란한 파동을 종파라고 한다.

③ 파동을 나타내는 그래프

변위-위치 그래프	변위-시간 그래프
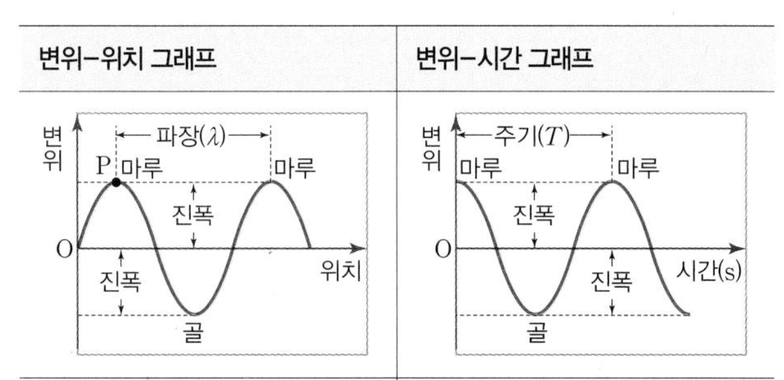	
어느 한 순간 매질의 변위를 위치에 따라 나타낸 그래프이다. → 파장과 진폭을 알 수 있다.	매질 위의 한 점(P)의 변위를 시간에 따라 나타낸 그래프이다. → 진동수와 주기, 진폭을 알 수 있다.

④ 파동의 속력: 파동은 매질이 한 번 진동하는 동안 한 파장의 거리를 진행한다.

$$\text{파동의 속력}=\frac{\text{파장}}{\text{주기}}=\text{진동수}\times\text{파장}$$

2. 파동의 굴절

① 입사각과 굴절각 사이의 관계

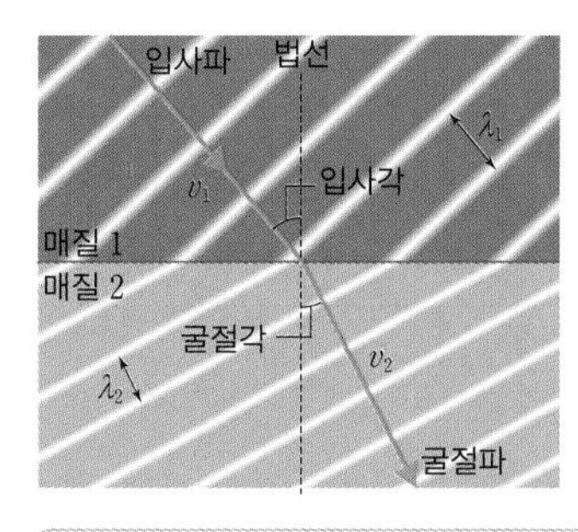

- 입사각>굴절각
- 속력: $v_1>v_2$
- 파장: $\lambda_1>\lambda_2$

$$\frac{\sin i}{\sin r}=\frac{v_1}{v_2}=\frac{\lambda_1}{\lambda_2}=\text{일정}$$

② 굴절률: 물질에서의 빛의 속력(v)에 대한 진공에서의 빛의 속력(c)의 비를 물질의 굴절률(n)이라고 한다.

$$n=\frac{c}{v}$$

③ 굴절 법칙

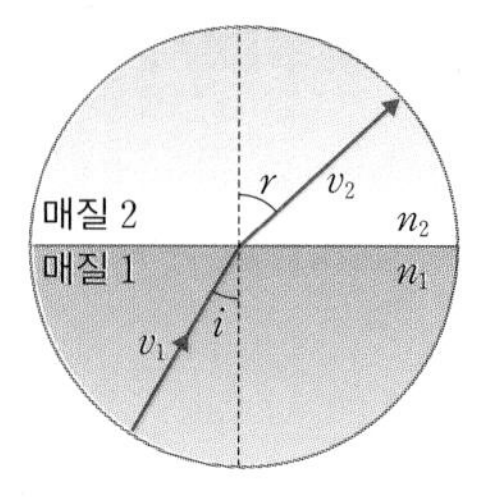

$$\frac{\sin i}{\sin r}=\frac{v_1}{v_2}=\frac{n_2}{n_1}$$
$$n_1\sin i=n_2\sin r$$

④ 굴절과 관련된 현상

- 물 밖에서 물속을 보면 수심이 실제보다 얕아 보인다.
- 뜨거운 지표 근처에서 바닥에 신기루가 생긴다.
- 평행한 광선이 입사하면 볼록 렌즈는 광선을 모으고, 오목 렌즈는 광선을 퍼뜨린다.

3. 전반사

① 전반사: 빛이 한 매질에서 다른 매질로 진행할 때 전부 반사하는 현상

② 임계각: 굴절각이 90°일 때의 입사각

③ 전반사가 일어나기 위한 조건

- 빛이 굴절률이 큰 매질에서 굴절률이 작은 매질로 진행해야 한다.
- 입사각이 임계각보다 커야 한다.

4. 생활 속 전반사의 이용

직각 프리즘	다이아몬드
프리즘 유리 공기	입사 광선 반사 광선 전반사
쌍안경, 잠망경 등에서 빛의 진행 방향을 바꾼다.	외부에서 들어온 빛이 전반사되므로 밝게 빛나 보인다.

5. 광통신

① 광통신: 정보 신호를 빛 신호로 전환하여 광섬유를 통해 전송하는 통신 방식

② 광섬유: 중앙의 코어를 클래딩이 감싸는 이중 원기둥 모양

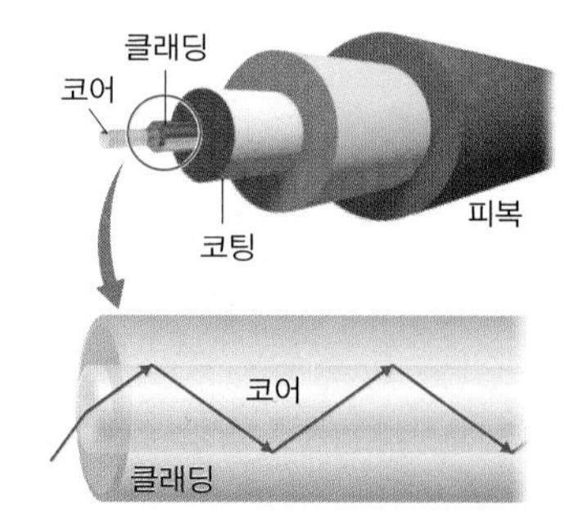

6. 전자기파의 특징

① 전기장과 자기장의 세기가 커졌다가 작아지는 것을 반복하면서 진행하는 파동이다.

② 전기장의 진동 방향과 자기장의 진동 방향, 전자기파의 진행 방향이 모두 서로 수직인 횡파이다.

③ 매질이 없는 진공에서도 진행할 수 있다.

④ 진공에서의 전자기파의 속력은 종류에 관계없이 모두 같다.

➡ 전자기파의 속력은 $c=f\lambda$이다.

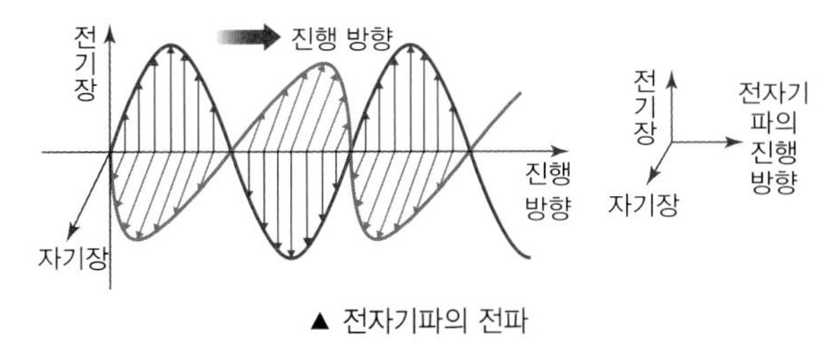

▲ 전자기파의 전파

7. 전자기파의 종류

① 전자기파 스펙트럼: 파장이 긴 영역부터 전파(라디오파, 마이크로파), 적외선, 가시광선, 자외선, X선, γ선으로 구분할 수 있다.

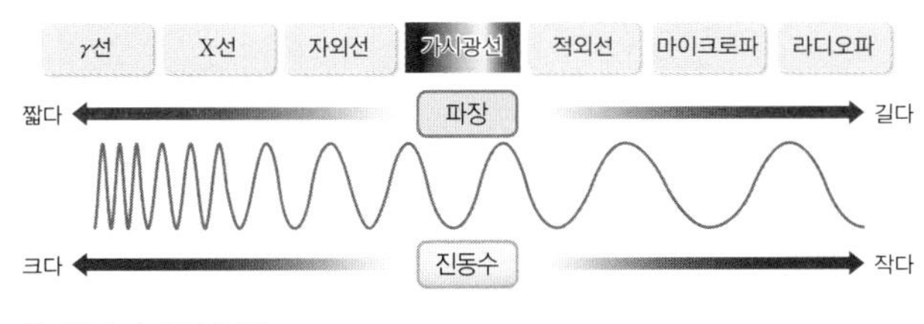

② 전자기파의 이용

명칭	이용 분야
라디오파	휴대 전화, 라디오, 텔레비전
마이크로파	전자레인지, 기상 레이더, 위성 통신
적외선	온도계, 리모컨, 자동문, 열화상 카메라
가시광선	조명, 영상 장치(TV, 모니터), 레이저 포인터, 광학 장치(망원경, 현미경)
자외선	자외선 소독기, 위조지폐 감별, 형광등
X선	공항 검색대, X선 촬영
γ선	방사선 치료

▲ 자외선을 이용한 위조지폐 감별

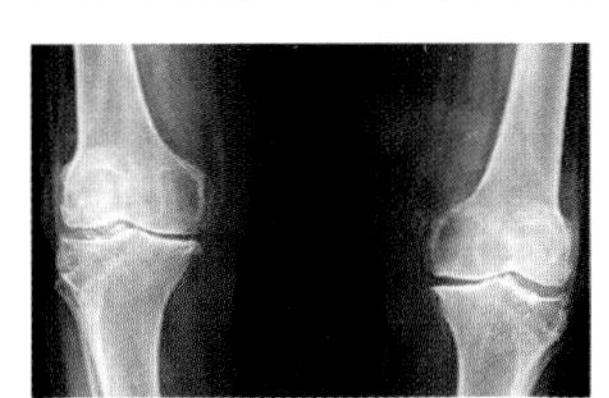
▲ X선을 이용한 뼈의 진단

8. 파동의 중첩

① 파동의 중첩: 여러 파동이 한 지점에서 만나 서로 겹쳐지는 현상

② 중첩 원리: 두 파동이 만나는 동안 각 지점의 변위는 각 파동의 변위의 합과 같다.

③ 파동의 독립성: 파동은 다른 파동과 중첩된 이후에도 중첩 전과 동일한 상태로 진행한다.

9. 보강 간섭과 상쇄 간섭

보강 간섭	상쇄 간섭
두 파동이 같은 위상으로 중첩되어 매질의 진폭이 커지는 현상	두 파동이 반대 위상으로 중첩되어 매질의 진폭이 작아지는 현상
변위 y_1, y_2, 시간, 같은 위상, y_1+y_2	변위 y_1, y_2, 시간, 반대 위상, y_1-y_2

10. 간섭과 관련된 현상

① 물결파의 간섭: 두 점파원이 만드는 물결파가 간섭 하여 간섭무늬를 만든다.

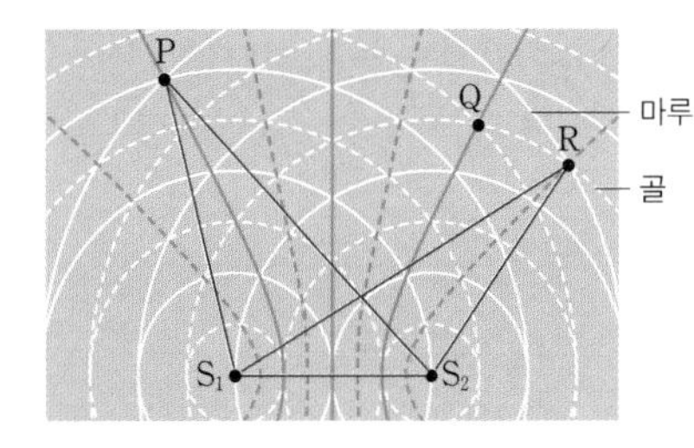

• 보강 간섭이 일어나는 지점: P, Q

• 상쇄 간섭이 일어나는 지점: R

② 소리의 간섭: 두 스피커에서 나오는 소리가 간섭하여 소리의 세기가 큰 지점과 작은 지점이 번갈아 나타난다.

③ 간섭 현상의 이용

소리의 간섭	소음 제거 기술, 악기의 소리 등
빛의 간섭	• 비눗방울이나 물 위의 기름띠에서 나타나는 무늬 • 모르포 나비 날개의 푸른색, 풍뎅이나 공작의 깃털, 벌새의 깃털의 색 • 무반사 코팅 렌즈 • 신용카드나 지폐에 이용되는 홀로그램 등

학교 시험에 꼭 나오는 문제를 모았어요. 꼼꼼하게 풀어봐요~

01 그림 (가)는 오른쪽으로 진행하는 파동의 어느 한 순간의 모습을 나타낸 것이고, (나)는 점 P의 변위를 시간에 따라 나타낸 것이다. a는 (가)에서 변위의 최댓값, b는 (나)에서 변위의 최댓값이다.

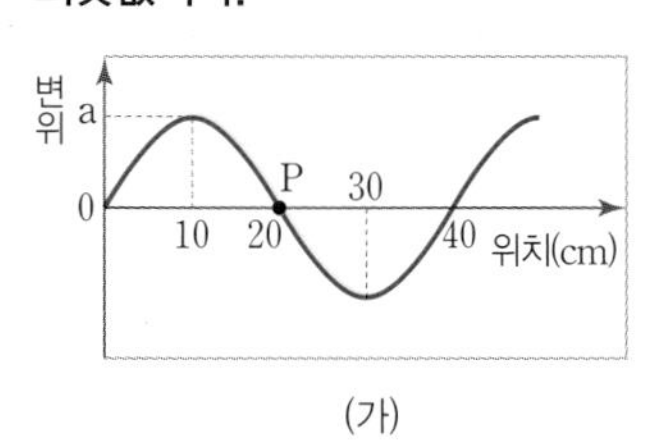

(가)

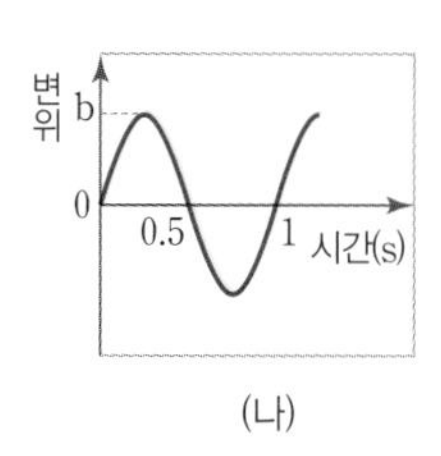

(나)

이에 대한 설명으로 옳은 것만을 <보기>에서 있는 대로 고른 것은?

보기

ㄱ. 파장은 20 cm이다.
ㄴ. 속력은 0.4 m/s이다.
ㄷ. a는 b보다 크다.

① ㄱ ② ㄴ ③ ㄱ, ㄷ
④ ㄴ, ㄷ ⑤ ㄱ, ㄴ, ㄷ

02 그림 (가)는 오른쪽으로 진행하는 파동의 $t=0$인 순간, (나)는 $t=1$초인 순간 매질의 위치에 따른 변위를 나타낸 것이다. 그림에서 눈금 하나의 간격은 10 cm이다.

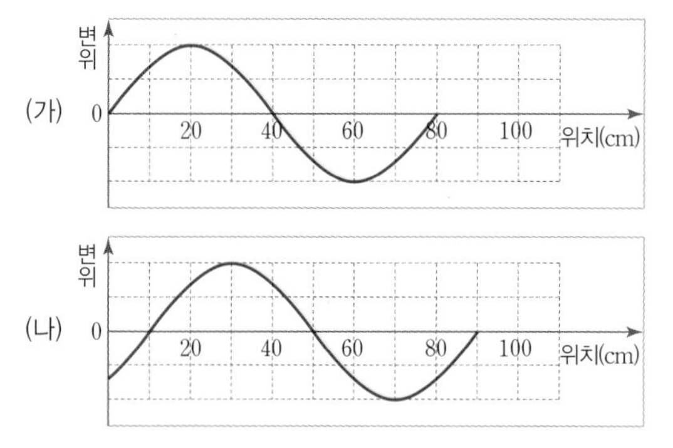

이 파동에 대한 설명으로 옳은 것만을 <보기>에서 있는 대로 고른 것은?

보기

ㄱ. 진폭은 20 cm이다.
ㄴ. 진동수는 0.25 Hz이다.
ㄷ. 파동의 속력은 0.2 m/s이다.

① ㄱ ② ㄴ ③ ㄷ
④ ㄱ, ㄴ ⑤ ㄴ, ㄷ

03 그림은 물결파 발생 장치를 이용하여 평면파를 만들고, 유리판이 없는 부분(A)과 유리판이 있는 부분(B)에서 물결파의 모습을 관찰한 것이다.

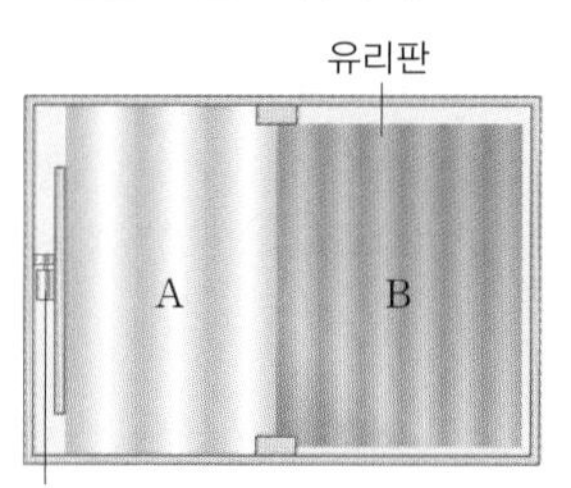

A에서가 B에서보다 큰 값을 갖는 물리량만을 <보기>에서 있는 대로 고른 것은?

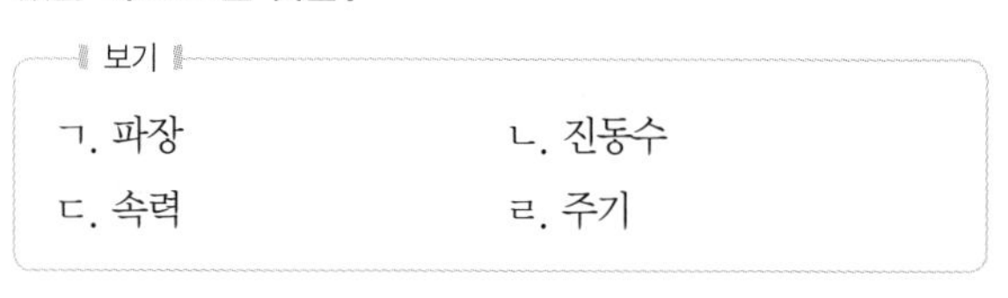

보기

ㄱ. 파장 ㄴ. 진동수
ㄷ. 속력 ㄹ. 주기

① ㄱ, ㄴ ② ㄱ, ㄷ ③ ㄴ, ㄷ
④ ㄷ, ㄹ ⑤ ㄱ, ㄴ, ㄹ

04 그림은 빛이 매질 1, 2, 3을 진행하는 경로를 나타낸 것이다.

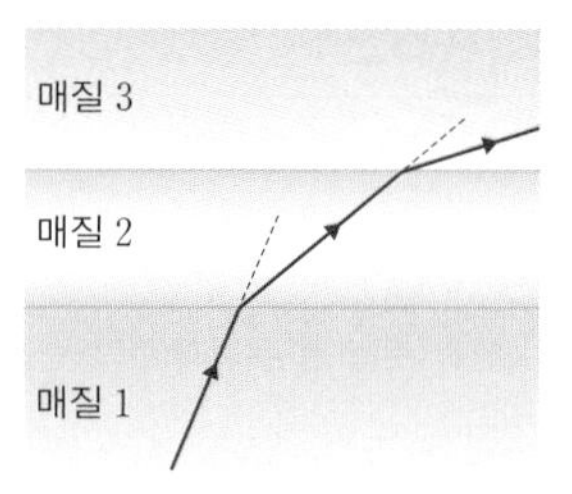

이에 대한 설명으로 옳은 것만을 <보기>에서 있는 대로 고른 것은?

보기

ㄱ. 매질 1에서 2로 입사할 때 입사각이 굴절각보다 크다.
ㄴ. 빛의 파장은 매질 2와 3에서 같다.
ㄷ. 빛의 속력은 매질 1에서가 3에서보다 느리다.

① ㄱ ② ㄷ ③ ㄱ, ㄴ
④ ㄴ, ㄷ ⑤ ㄱ, ㄴ, ㄷ

05 그림은 공기 중에 놓인 직각 프리즘에 입사한 레이저 빛이 전반사하는 모습을 나타낸 것이다.

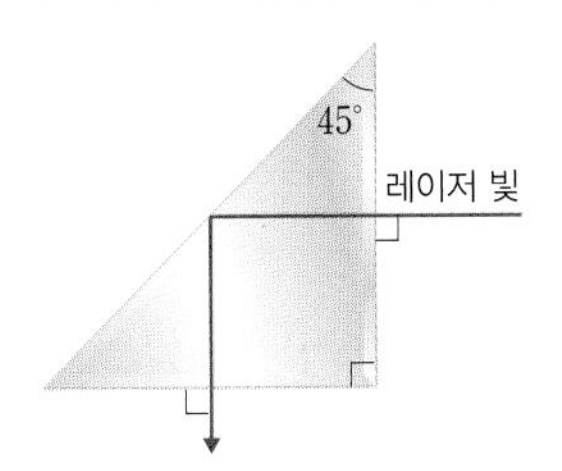

이에 대한 설명으로 옳은 것만을 〈보기〉에서 있는 대로 고른 것은?

보기
ㄱ. 직각 프리즘의 임계각은 45°보다 크다.
ㄴ. 직각 프리즘의 굴절률은 공기의 굴절률보다 크다.
ㄷ. 직각 프리즘은 잠망경이나 쌍안경에 이용된다.

① ㄴ ② ㄷ ③ ㄱ, ㄴ
④ ㄱ, ㄷ ⑤ ㄴ, ㄷ

06 빛의 전반사와 관련된 현상만을 〈보기〉에서 있는 대로 고른 것은?

보기
ㄱ. 뜨거운 사막에서 신기루가 발생한다.
ㄴ. 볼록 렌즈를 이용하여 검은색 종이를 태울 수 있다.
ㄷ. 다이아몬드는 다른 보석에 비해 더 빛나는 광채를 갖는다.
ㄹ. 내시경을 이용하여 인체 내부 장기의 모습을 관찰할 수 있다.

① ㄱ, ㄴ ② ㄱ, ㄹ ③ ㄴ, ㄷ
④ ㄴ, ㄹ ⑤ ㄷ, ㄹ

07 그림은 단색광이 매질 A, B, C에서 진행하는 경로를 나타낸 것이다. B는 중심이 점 O인 원 모양이며, A에서 B로 진행할 때의 입사각은 θ_1, B에서 C로 진행할 때의 굴절각은 θ_2이다. 이때 $\theta_2 > \theta_1$이다.

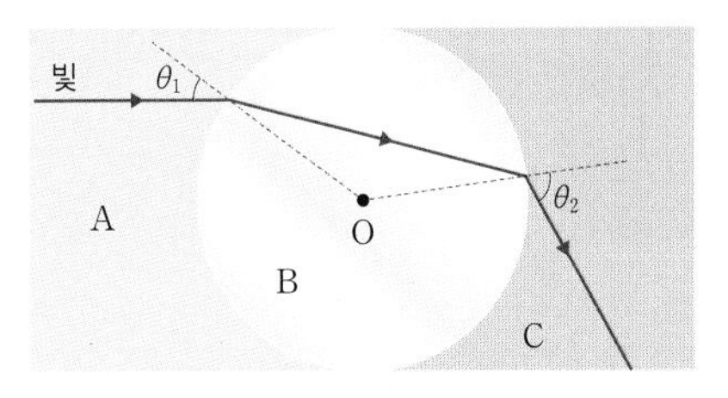

이에 대한 설명으로 옳은 것만을 〈보기〉에서 있는 대로 고른 것은?

보기
ㄱ. A, B, C 중 굴절률이 가장 큰 것은 B이다.
ㄴ. 단색광의 속력은 A에서가 C에서보다 느리다.
ㄷ. θ_1을 감소시키면 θ_2는 증가한다.

① ㄱ ② ㄷ ③ ㄱ, ㄴ
④ ㄴ, ㄷ ⑤ ㄱ, ㄴ, ㄷ

08 다음은 광섬유를 이용한 전화 통화 과정에서 신호의 형태가 전환되는 것에 대한 설명이다.

전화기의 마이크는 (㉠)를 (㉡)로 전환한다. 발신기는 그 신호를 다시 (㉢)로 변환하여 광섬유를 따라 진행하게 한다. 전화를 받는 상대방 쪽에서는 광 검출기가 (㉢)를 (㉡)로 전환하여 전화기의 스피커에 입력하고 (㉠)가 수신자에게 들리게 된다.

㉠~㉢에 해당하는 신호의 형태를 옳게 짝 지은 것은?

	㉠	㉡	㉢
①	빛 신호	소리 신호	전기 신호
②	소리 신호	전기 신호	빛 신호
③	소리 신호	빛 신호	전기 신호
④	전기 신호	소리 신호	빛 신호
⑤	전기 신호	빛 신호	소리 신호

09 표의 (가)~(다)는 각각 전자기파 A, B, C를 이용하여 촬영한 사진이다.

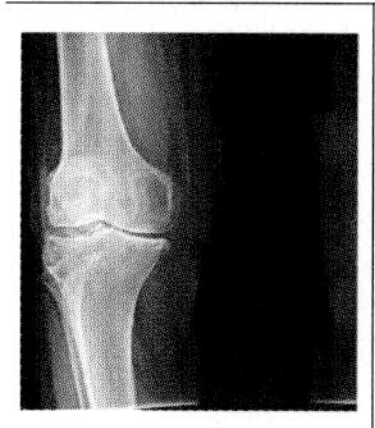		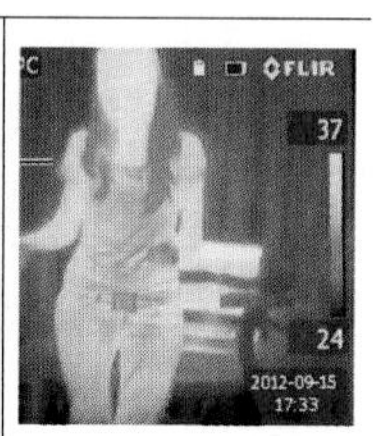
(가) 전자기파 A를 이용하여 촬영한 사람의 뼈 사진	(나) 전자기파 B를 이용하여 촬영한 풍경 사진	(다) 전자기파 C를 이용하여 촬영한 열화상 사진

이에 대한 설명으로 옳은 것만을 〈보기〉에서 있는 대로 고른 것은?

보기
ㄱ. A는 B보다 파장이 길다.
ㄴ. 진공에서 B와 C의 속력은 같다.
ㄷ. C는 온도계에 이용된다.

① ㄱ ② ㄴ ③ ㄱ, ㄴ
④ ㄴ, ㄷ ⑤ ㄱ, ㄴ, ㄷ

10 다음은 어떤 전자기파의 성질과 활용 사례에 대한 설명이다.

(가) 휴대 전화, 텔레비전 등에서 정보를 전송하는 데 이용된다.
(나) 머리를 절개하지 않고 머릿속의 암세포를 제거하는 시술에 이용된다.
(다) 선박이나 항공기의 운항을 추적하거나 기상을 예측하는 레이더에 이용된다.

전자기파 (가), (나), (다)를 진동수가 큰 것부터 순서대로 나열한 것은?

① (가)-(다)-(나) ② (나)-(가)-(다)
③ (나)-(다)-(가) ④ (다)-(가)-(나)
⑤ (다)-(나)-(가)

11 그림은 전자기파의 종류를 파장에 따라 분류한 것이다.

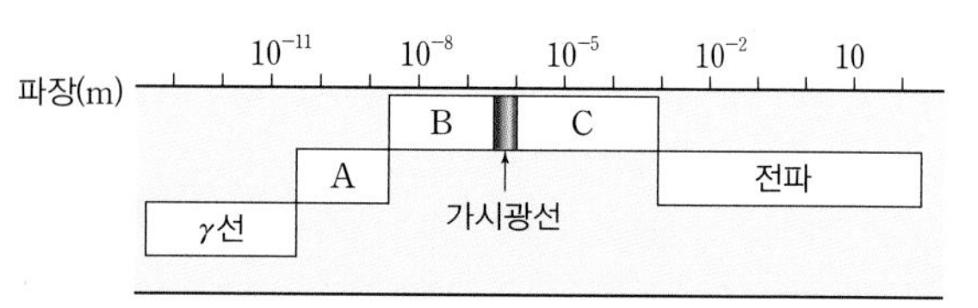

이에 대한 설명으로 옳은 것만을 〈보기〉에서 있는 대로 고른 것은?

보기
ㄱ. A는 공항의 수하물 검색에 이용된다.
ㄴ. C는 B보다 진동수가 크다.
ㄷ. B는 물을 가열하는 성질이 있어 전자레인지에 이용된다.

① ㄱ ② ㄷ ③ ㄱ, ㄴ
④ ㄴ, ㄷ ⑤ ㄱ, ㄴ, ㄷ

12 그림은 전자기파를 파장에 따라 분류한 것이고, 표는 전자기파 A, B, C의 이용 분야를 나타낸 것이다.

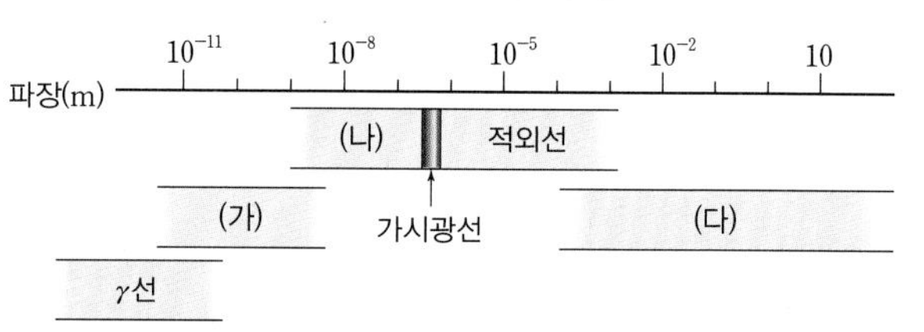

종류	이용 분야
A	형광등에 이용되고 살균 작용을 한다.
B	투과력이 매우 좋고 찬드라 망원경에 이용된다.
C	안테나를 통해 송수신이 되며 통신에 이용된다.

전자기파 A, B, C가 속한 영역을 그림에서 찾아 옳게 짝 지은 것은?

	A	B	C
①	(가)	(나)	(다)
②	(나)	(가)	(다)
③	(나)	(다)	(가)
④	(다)	(가)	(나)
⑤	(다)	(나)	(가)

13 그림과 같이 한 지점에 파동 1과 파동 2가 도달하여 중첩되었다.

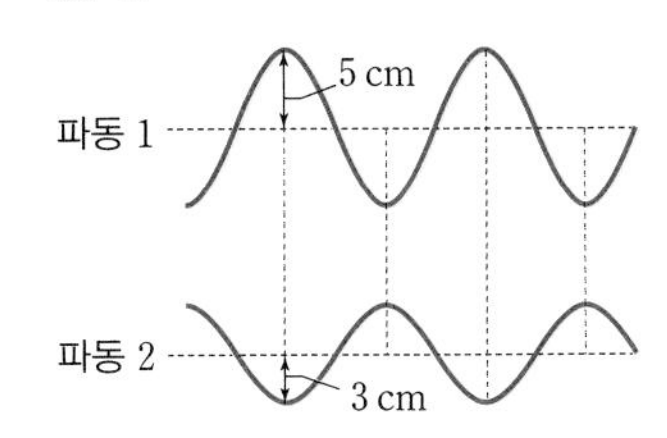

합성파의 진폭은?

① 2 cm ② 3 cm ③ 5 cm
④ 8 cm ⑤ 10 cm

14 (가)~(마)는 빛과 관련된 여러 가지 현상들이다.

(가) 물이 담긴 컵 속에 넣은 젓가락이 꺾여 보인다.
(나) 비눗방울에 무지갯빛 무늬가 나타난다.
(다) 더운 여름날 고속도로에서 신기루가 생긴다.
(라) 연못이나 수영장 바닥이 실제보다 얕아 보인다.
(마) 신용카드의 홀로그램은 보는 각도에 따라 다른 무늬가 보인다.

(가)~(마)를 현상이 일어나는 원리가 같은 것끼리 묶어 두 개의 그룹으로 분류한 것으로 옳은 것은?

	그룹 1	그룹 2
①	(가), (나)	(다), (라), (마)
②	(가), (다), (라)	(나), (마)
③	(나), (다), (라)	(가), (마)
④	(나), (라), (마)	(가), (다)
⑤	(다), (마)	(가), (나), (라)

15 그림은 두 개의 스피커 S_1, S_2에서 파장이 λ인 두 음파가 퍼져 나가는 어느 순간의 모습을 나타낸 것이다. 실선은 음파의 밀한 부분을, 점선은 음파의 소한 부분을 나타낸다. A, B는 고정된 위치이다.

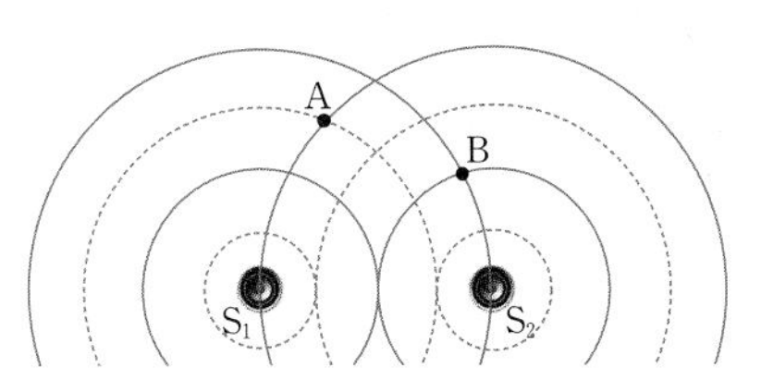

이에 대한 설명으로 옳은 것만을 <보기>에서 있는 대로 고른 것은?

보기
ㄱ. A에서는 큰 소리가 들린다.
ㄴ. 두 스피커 사이의 거리는 4λ이다.
ㄷ. 각 스피커에서 B까지의 거리의 차는 λ이다.

① ㄱ ② ㄷ ③ ㄱ, ㄴ
④ ㄴ, ㄷ ⑤ ㄱ, ㄴ, ㄷ

16 다음은 자동차 엔진에서 발생하는 소음을 제거하는 기술에 대한 설명이다.

자동차 엔진에서 발생하는 소음이 자동차 내부의 탑승자에게 들리지 않는 기술이 적용되고 있다. 자동차 내부에 설치한 (㉠)가 소음을 감지하고, 소음과 진동수는 같고 위상이 (㉡) 소리를 발생시키면 (㉢) 간섭이 일어나서 소음이 제거된다. 자동차의 배기통도 배기음이 (㉢) 간섭을 하도록 설계하면 소음을 줄일 수 있다.

㉠~㉢에 해당하는 신호의 형태를 옳게 짝 지은 것은?

	㉠	㉡	㉢
①	스피커	같은	보강
②	스피커	반대인	보강
③	스피커	같은	상쇄
④	마이크	반대인	상쇄
⑤	마이크	같은	보강

01 빛의 이중성

내 교과서는 어디에?
천재 p.173~177 금성 p.173~179 동아 p.177~183
미래엔 p.192~199 비상 p.170~175 YBM p.192~198

핵심 Point
- **광전 효과**를 이해하고, **빛의 이중성**을 설명할 수 있다.
- **영상 정보가 기록**되는 원리를 이해한다.

1 광전 효과

1. **광전 효과** 금속 표면에 문턱 진동수❶보다 큰 진동수의 빛을 비추었을 때 금속 표면에서 전자가 튀어 나오는 현상 (문턱 진동수 → 한계 진동수라고도 한다.)

① 광전자: 광전 효과에 의해 금속 표면에서 튀어 나온 전자이다.

② 빛을 파동으로 생각하는 파동성으로는 광전 효과를 설명할 수 없다. ➡ 빛의 입자성을 증명

광전 효과 실험

아연판의 문턱 진동수보다 큰 진동수의 빛인 자외선을 음(−)전하로 대전된 검전기 위의 아연판에 비추면 금속박이 오므라든다.

➡ 아연판 표면에서 광전자가 방출되기 때문이다.

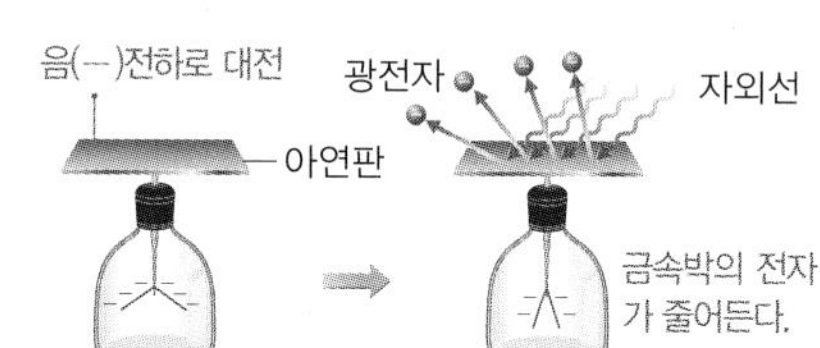

음(−)전하로 대전
아연판
광전자
자외선
금속박의 전자가 줄어든다.

2. **광전 효과 실험의 결과**

① 광전자의 방출 여부는 금속판에 비춘 빛의 세기❷에는 관계없고 빛의 진동수에만 관계된다.

② 금속판에 비추는 빛의 진동수가 문턱 진동수보다 크면 아무리 약한 빛을 비추더라도 광전자가 즉시 방출된다.

③ 빛의 진동수가 문턱 진동수보다 클 때 방출되는 광전자의 수는 빛의 세기에 비례한다.

④ 금속판에 비추는 빛의 진동수가 문턱 진동수보다 작으면 아무리 센 빛을 비추어도 광전자가 방출되지 않는다.➡ 빛이 전자기파라는 파동의 성질만 가지고 있다면 빛의 진동수가 문턱 진동수보다 작더라도 빛의 세기를 증가시키면 광전 효과가 일어나야 한다.

빛의 세기와 진동수에 따른 광전 효과

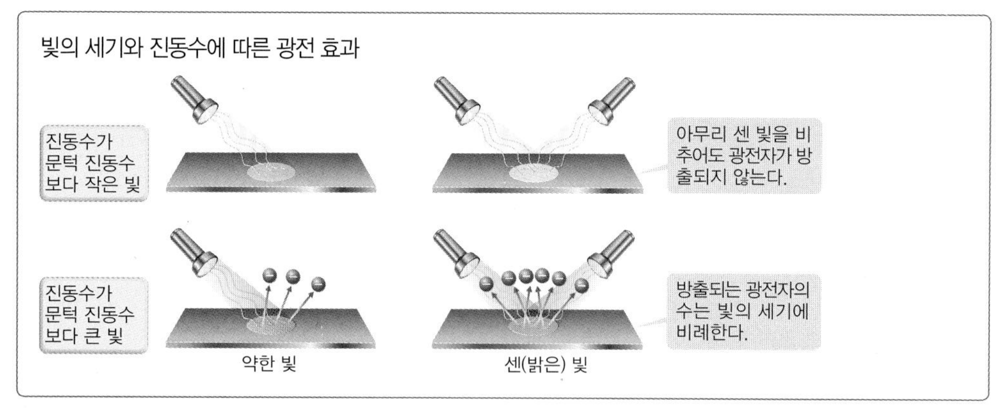

진동수가 문턱 진동수보다 작은 빛
아무리 센 빛을 비추어도 광전자가 방출되지 않는다.
진동수가 문턱 진동수보다 큰 빛
방출되는 광전자의 수는 빛의 세기에 비례한다.
약한 빛
센(밝은) 빛

❶ **문턱 진동수**
어떤 금속에서 광전자를 방출시킬 수 있는 빛의 최소 진동수

❷ **빛의 세기**
빛의 광도 또는 밝기로 표현할 수 있다. 빛의 세기가 세다는 것은 빛의 밝기가 밝다는 표현이고, 입자성 관점에서는 빛 입자의 수가 많다는 것이다.

셀파 콕콕
빛의 진동수가 문턱 진동수보다 클 때만 금속 표면에서 전자가 튀어 나온다.

용어
▸ **파동성**: 파동이 가지는 성질

개념 확인하기

1 금속 표면에 ( ) 진동수보다 큰 진동수의 빛을 비추었을 때 금속 표면에서 전자가 튀어 나오는 현상을 광전 효과라고 한다.

2 빛의 진동수가 문턱 진동수보다 작은 경우 빛의 세기를 강하게 하면 전자가 방출될 수 있다. (○ , ×)

답 1. 문턱 2. ×

3. **광양자설** 아인슈타인[3]은 광전 효과를 설명하기 위해 "빛은 진동수에 비례하는 에너지를 갖는 광자(광양자)[4]라고 하는 입자들의 흐름이다."라는 광양자설을 제안하였다. 진동수가 f일 때 광자의 에너지 E는 다음과 같다.

$$E=hf \quad (h: \text{플랑크 상수})$$

① 광전 효과는 광자와 전자 사이의 충돌로 생각할 수 있다.
② 빛의 세기가 약해도 빛의 진동수가 문턱 진동수보다 큰 광자는 충돌하는 전자에게 큰 에너지를 전달하므로 광전자는 즉시 방출된다.
③ 빛의 세기가 강해도 진동수가 문턱 진동수보다 작은 광자는 전자에게 전달하는 에너지가 작으므로 광전자가 방출되지 않는다.
④ 문턱 진동수보다 큰 진동수의 빛을 비출 때 광자 한 개의 에너지(진동수)가 클수록 튀어 나온 전자가 가질 수 있는 최대 운동 에너지도 커진다.
⑤ 방출되는 광전자의 수는 문턱 진동수보다 큰 빛의 광자 수에 비례한다.
└ 광자 1개가 충돌할 때 전자 1개가 방출된다.

자료 파헤치기

일함수와 광전자의 최대 운동 에너지

❶ 일함수(W): 금속 표면에 있는 전자 1개를 방출시키는 데 필요한 최소한의 에너지로, 금속의 종류에 따라 다르다. ➡ 문턱 진동수가 클수록 일함수가 크다.

$$W=hf_0 \quad (f_0: \text{문턱 진동수})$$

❷ 광전자의 최대 운동 에너지(E_k): E_k는 광자 한 개의 에너지 hf에서 일함수 W를 뺀 값과 같다.

$$E_k=\frac{1}{2}mv^2=hf-W=hf-hf_0$$

➡ 광자의 에너지(hf)의 일부는 금속 표면에서 전자를 방출시키는 데 필요한 에너지(W)로 사용되고, 남은 에너지는 광전자의 운동 에너지(E_k)로 전환된다.

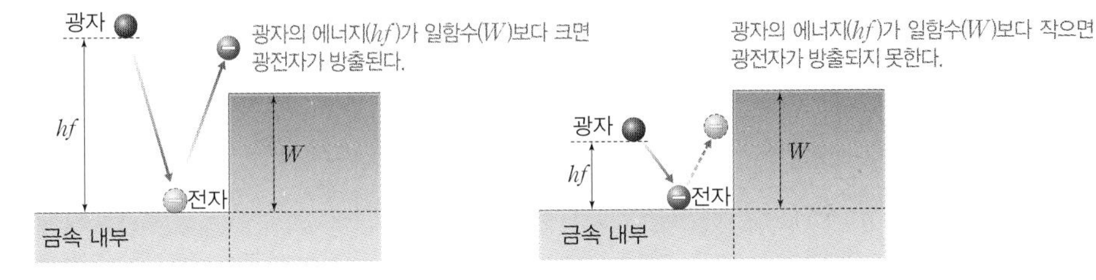
광자
광자의 에너지(hf)가 일함수(W)보다 크면 광전자가 방출된다.
hf
W
전자
금속 내부
광자의 에너지(hf)가 일함수(W)보다 작으면 광전자가 방출되지 못한다.
광자
hf
W
전자
금속 내부

❸ **아인슈타인**(A.Einstein, 1879~1955)
독일 태생의 이론 물리학자로, 1905년 광전 효과를 설명하는 양자론을 발표하고 1921년 이 업적으로 노벨 물리학상을 수상하였다.

❹ **광자(광양자)**
빛을 입자의 모임이라고 볼 때의 입자이다. 광자는 크기와 정지 질량이 0이지만 에너지를 가지고 있는 입자로, 진공에서 항상 일정한 속력으로 이동한다.

주의 콕
전자의 방출 여부는 빛의 진동수(에너지)가 결정하고, 방출되는 광전자의 수는 빛의 세기가 결정한다.

2 빛의 이중성

1. **빛의 파동성과 입자성** 빛의 입자성과 파동성은 동시에 나타나지 않고 어떤 특정한 순간에 입자적 성질과 파동적 성질 중 하나만 측정할 수 있다.
2. **빛의 이중성** 빛은 파동성과 입자성을 함께 가지고 있다.
① 빛의 파동성의 증거 : 빛의 간섭 현상은 빛이 파동이라는 증거이다.
② 빛의 입자성의 증거 : 광전 효과는 빛이 입자라는 증거이다. → 빛의 반사와 굴절 현상은 빛의 파동성과 입자성으로 모두 설명이 가능하다.

용어
▸ **양자**: 어떤 기본 값의 정수배로 나타나는 불연속적인 값을 갖는 경우, 그 단위량을 가리키는 용어이다.
▸ **간섭**: 두 파동이 중첩될 때 매질의 진폭이 중첩 전보다 커지거나 작아지는 현상

개념
확인하기

1 광자 한 개의 에너지는 광자의 진동수에 반비례한다. (○ , ×)
2 빛이 입자성과 파동성을 함께 가지고 있는 성질을 빛의 (   )이라고 한다.

답 1. × 2. 이중성

3 영상 정보의 기록

1. 광 다이오드 → 빛 신호를 전기 신호로 변환한다.

① p형 반도체와 n형 반도체❺의 접합 구조로 되어 있다.

② p-n 접합면에 광자가 들어오면 광전 효과에 의해 전자와 양공의 쌍❻이 형성되어 전류가 흐른다.

③ 광전 효과의 특성에 따라 형성되는 전자의 개수는 빛의 세기에 비례한다.

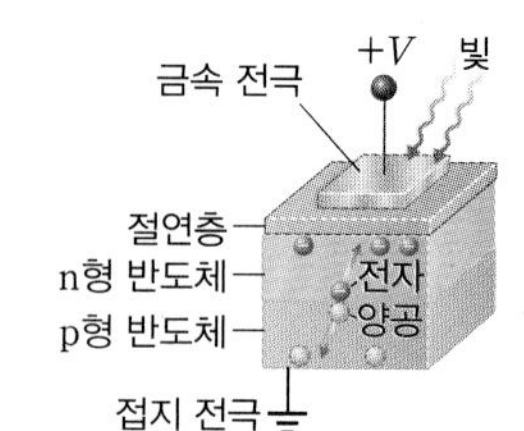

▲ 광 다이오드의 구조

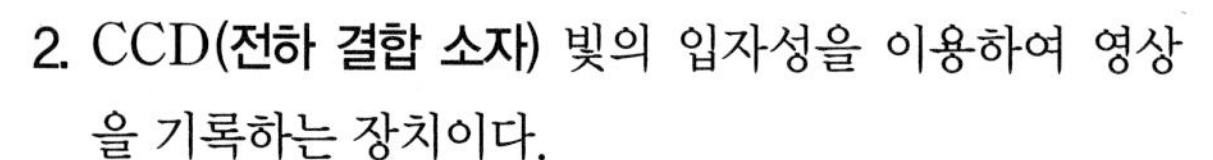

2. CCD(전하 결합 소자) 빛의 입자성을 이용하여 영상을 기록하는 장치이다.

① 구조: 수백만 개의 광 다이오드가 규칙적으로 배열된 반도체 소자로, 광 다이오드는 ▸화소에 해당한다.

- 색 필터: 빛을 RGB(빨간색, 초록색, 파란색) 색상으로 구분한다. 예를 들어 빨간색 필터 아래에 있는 CCD는 빨간색 빛의 세기를 측정한다.
- 마이크로 렌즈: 빛을 모아 각각의 광 다이오드에 집중시킨다.

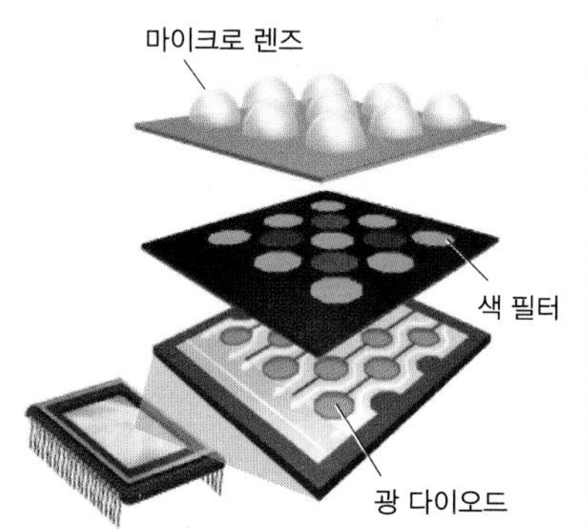

▲ CCD의 구조

② 원리: 빛이 CCD에 닿으면 광전 효과 때문에 각 화소에서 전자가 발생한다. 각 화소에서 발생하는 전하의 양을 차례대로 전기 신호로 변환시켜서 각 위치에 비춰진 빛의 세기에 대한 영상 정보를 기록한다.

③ 이용: 디지털카메라, 캠코더, CCTV, 내시경 카메라, 차량용 블랙박스, 우주 천체 망원경 등

3. CCD의 영상 기록 과정 디지털카메라의 렌즈를 통해 들어온 빛이 조리개와 셔터를 지나 CCD에 물체의 상으로 맺힌다.

CCD에서 영상 정보의 저장 과정

빛 → 렌즈 → CCD → 전기 신호 → 메모리 카드

피사체

렌즈 / 조리개 / 렌즈 / 셔터 / CCD / 메모리 카드

❶ 렌즈를 통해 들어온 광자들이 CCD의 광 다이오드에 들어온다.

❷ CCD는 광자의 수에 비례하여 광전자를 방출하는 방식으로 빛을 전기 신호로 전환한다.

❸ 광 다이오드가 빛의 세기만을 측정하므로 CCD는 광 다이오드 위에 씌운 색 필터를 통과한 빛의 세기를 분석해서 천연색 영상 정보를 메모리 카드에 저장한다.

❺ p형 반도체와 n형 반도체

- p형 반도체: 4가 원소인 순수 반도체에 3가 원소를 도핑하여 만든 불순물 반도체
- n형 반도체: 4가 원소인 순수 반도체에 5가 원소를 도핑하여 만든 불순물 반도체

❻ 전자와 양공의 쌍

p-n 접합면 부근에는 양공과 전자가 결합되어 있는 공핍층이 존재한다. 이곳에 빛이 들어오면 양공과 전자가 분리되면서 형성된다.

셀파 콕콕

CCD는 광전 효과에 의해 빛에너지를 전기 에너지로 전환시키며, 광전자를 이용하여 빛의 세기를 구분한다.

용어

▸ **화소**: 영상을 표현하는 최소 단위로 픽셀이라고 한다.

1 CCD는 광 다이오드를 이용하여 전기 에너지를 빛에너지로 바꾸어 저장한다. (○ , ×)

2 CCD는 광자의 수에 비례하여 광전자를 방출하는 방식으로 빛을 전기 신호로 변환한다. (○ , ×)

3 디지털카메라에서 빛 신호를 전기 신호로 바꾸는 반도체 소자는 (   )이다.

답 1. × 2. ○ 3. CCD

셀파 탐구

광전 효과

목표 아연판 표면에 파장이 다른 빛을 비출 때 나타나는 현상을 알 수 있다.

과정

❶ 잘 닦은 아연판을 검전기 위에 올려놓는다.

❷ 그림 (가)와 같이 털가죽에 마찰시킨 에보나이트 막대를 아연판에 접촉하여 검전기를 음(−)전하로 대전시킨다.

❸ 그림 (나)와 같이 아연판에 형광등을 비추고 금속박의 변화를 관찰한다.

❹ 그림 (다)와 같이 아연판에 자외선등을 비추고 금속박의 변화를 관찰한다.

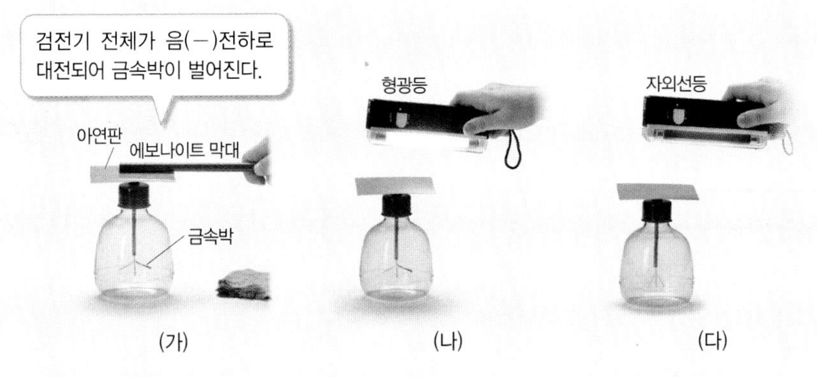

(가) (나) (다)

결과 및 정리

1. 아연판에 형광등을 비추면 금속박은 어떻게 되는가?

➡ 금속박은 벌어진 상태로 변함이 없다. 형광등에 포함된 빛의 진동수는 아연판의 문턱 진동수보다 작기 때문에 전자의 방출이 일어나지 않아서 아연판과 금속박의 음(−)전하 대전 상태가 그대로 유지되기 때문이다.

2. 아연판에 자외선등을 비추면 금속박은 어떻게 되는가? 그 까닭을 설명해 보자.

➡ 금속박이 오므라든다. 자외선등에 포함된 빛의 진동수가 아연판의 문턱 진동수보다 크기 때문에 전자가 방출되면서 금속박의 음(−)전하가 줄어들기 때문이다.

유의점

❶ 아연판에 형광등 빛과 자외선등 빛 이외의 빛이 비춰지지 않도록 한다. 특히 자연광(태양광)이 비춰지지 않도록 한다.

❷ 자외선이 눈으로 직접 들어가지 않도록 주의한다.

탐구 돋보기

빛의 진동수가 금속의 문턱 진동수보다 클 때만 광전자가 방출되면서 금속박이 움직인다.

시험 유형은?

❶ 형광등의 빛의 세기를 증가시키면 금속박은 어떻게 되는가?

▶ 빛의 진동수가 문턱 진동수보다 작으므로 전자가 방출되지 않아 금속박은 변함이 없다.

❷ 금속판과 금속박이 양(+)전하로 대전된 상태에서 광전자가 방출되면 금속박은 어떻게 되는가?

▶ 금속박의 음(−)전하가 줄어들게 되므로 금속박은 더 벌어진다.

탐구 대표 문제 정답과 해설 67쪽

01 위 실험 과정에 대한 설명으로 옳은 것은?

① 털가죽에 마찰시킨 에보나이트 막대는 양(+)전하로 대전되어 있다.
② 과정 ❷에서 아연판과 금속박은 모두 음(−)전하로 대전되어 있다.
③ 아연판과 형광등의 거리를 매우 가깝게 하면 금속박의 벌어진 각도가 줄어든다.
④ 자외선등을 비추었을 때 금속박의 벌어진 정도는 변함이 없다.
⑤ 이 실험은 빛의 파동성으로 설명할 수 있다.

02 그림과 같이 대전되지 않은 검전기에 형광등과 자외선등을 비추었더니 한 경우에만 금속박이 벌어졌다. 어떤 등에서 금속박이 벌어졌는지 쓰고, 이때 금속판에서 방출된 A는 무엇인지 쓰시오.

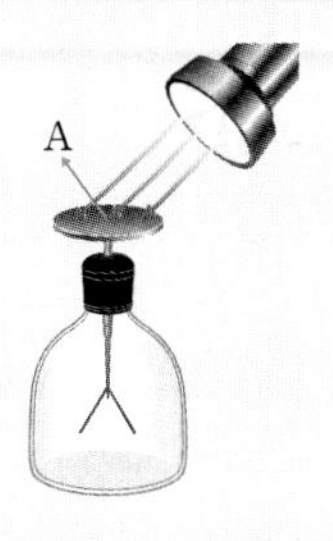

셀파 세미나 S·H·E·R·P·A

▶ 광전 효과를 이해하고, 빛의 이중성에 대해 알아보아요.

광전 효과의 해석과 빛의 이중성

01 광전 효과의 관찰과 해석

광전 효과 관찰	광전 효과의 해석
적외선, 자외선, 광전자 방출, 금속박, 검전기	$E_k=\frac{1}{2}mv^2=hf-W$ 광전자, 빛에너지 hf, 광자, 전자, v, W, 금속 내부, 금속 외부

구분	적외선	자외선
진동수	작다.	크다.
광자의 에너지	작다.	크다.
전자 방출	방출 안 됨	방출 됨
금속박의 변화	변화 없음	변화 있음

- 진동수 f인 광자의 에너지: hf
- 문턱 진동수가 f_0인 금속의 일함수: $W=hf_0$
- 광전자의 최대 운동 에너지(E_k)

$$E_k=\frac{1}{2}mv^2=hf-W=hf-hf_0$$

Plus 자료

최대 운동 에너지와 진동수 관계 그래프

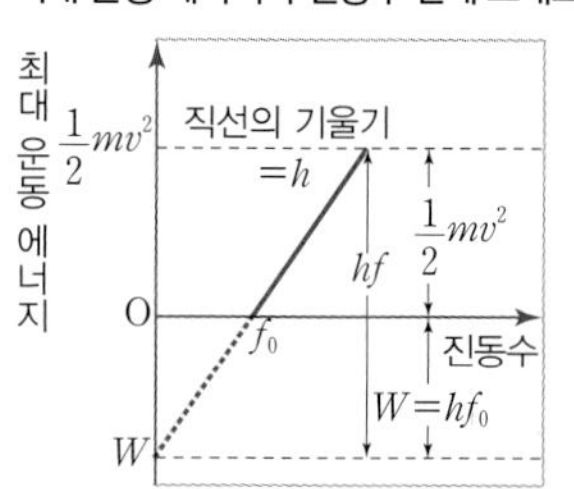

- $hf < W$: 광전자가 방출되지 않는다.
- $hf = W$: 광전자가 방출되기 위한 최소 조건으로, 이때의 진동수를 문턱 진동수 (f_0)라고 한다.
  ➡ $W = hf_0$이므로, 광전자의 최대 운동 에너지는 0이다.
- $hf > W$: 광전자가 방출되며 방출된 광전자의 최대 운동 에너지는 $E_k=hf-W$ 이다.

02 입자성과 파동성을 주장한 과학자들

다음은 시대별로 빛의 입자성과 파동성을 주장한 과학자와 그들의 주장을 정리한 것이다.

구분	빛의 입자성	빛의 파동성
1600년대	**뉴턴**: 빛은 직선을 따라 진행하며 그림자가 뚜렷이 맺힌다는 사실과 교차하는 두 빛이 상호 작용하지 않는다는 사실로부터 빛이 아주 작고 가벼운 입자들의 모임이라 주장함	**하위헌스**: 빛이 입자라면 아무리 작은 입자로 되어 있어도 그들 사이의 충돌로 인한 상호 작용을 피할 수 없으며, 빛의 입자설로는 매질의 경계면에서 빛의 반사와 굴절이 동시에 일어나는 현상을 설명할 수 없다고 주장함
1800년대	—	**영**: 이중 슬릿 실험(1803년)을 통해 빛의 회절과 간섭 현상을 관찰하여 빛의 파동성을 증명함 **맥스웰**: 빛은 전기장과 자기장이 서로 진동하면서 진행하는 전자기파임을 입증함
1900년대	**아인슈타인**: 빛이 진동수에 비례하는 에너지를 갖는 입자들의 모임임을 이용하여 광전 효과 현상을 설명함 → 빛의 입자성을 증명함	**라우에**: 결정에 의한 X선 회절 실험을 통해 전자기파가 파동의 성질을 갖는다는 것을 다시 한번 증명함
현재와 미래	빛은 입자의 성질과 파동의 성질을 모두 가지고 있다. ➡ 빛의 이중성 빛은 입자의 성질과 파동의 성질을 포함하고 있는 다른 어떠한 존재일 수 있으며, 그 존재를 밝히기 위한 연구와 노력은 지금도 이어지고 있다.	

Plus 자료

회절
파동이 장애물 뒤에까지 전달되는 현상을 회절이라고 한다.

간섭
물 위에 떠 있는 기름이나 비눗방울에 생기는 알록달록한 무늬는 막의 윗면과 아랫면에서 반사하는 빛이 간섭 하여 생긴 것이다.

기초 탄탄 문제

정답과 해설 67쪽

핵심용어_ 이 단원에서 내가 아는 것과 아직 모르는 것을 정리하며 나의 공부를 돌아보자.

- □ 광전 효과
- □ 문턱 진동수
- □ 광양자설
- □ 광 다이오드
- □ 일함수
- □ 빛의 입자성
- □ 빛의 이중성
- □ CCD(전하 결합 소자)

01 다음은 세 학생이 광전 효과에 대해 대화하는 내용이다.

> 철수 : 빛의 파동성으로 설명할 수 있어.
> 영희 : 빛에너지는 빛의 진동수에 비례한다는 것으로 설명할 수 있지.
> 민수 : 빛의 진동수에 관계없이 빛의 세기가 충분히 크면 금속 표면에서 광전자를 튀어 나오게 할 수 있어.

제시된 내용이 옳은 학생만을 있는 대로 고른 것은?

① 철수 ② 영희 ③ 철수, 민수 ④ 영희, 민수 ⑤ 철수, 영희, 민수

02 그림은 음(−)전하로 대전된 검전기의 아연판에 자외선을 비추었더니 광전자가 방출되면서 금속박이 오므라든 것을 나타낸 것이다.

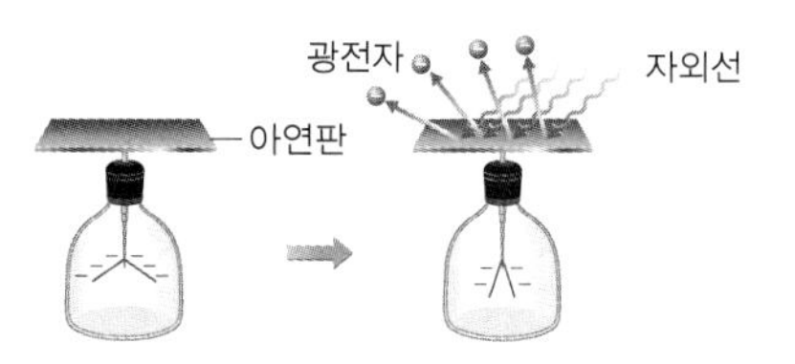

이에 대한 설명으로 옳은 것만을 〈보기〉에서 있는 대로 고른 것은?

〈보기〉
ㄱ. 자외선의 진동수는 아연판의 문턱 진동수보다 크다.
ㄴ. 자외선의 세기를 증가시켜도 방출되는 광전자 수는 일정하다.
ㄷ. 자외선을 오랫동안 비추면 금속박은 오므라들었다가 다시 벌어진다.

① ㄴ ② ㄷ ③ ㄱ, ㄴ ④ ㄱ, ㄷ ⑤ ㄱ, ㄴ, ㄷ

03 그림은 빛을 광자로 설명하는 광양자설에 따른 빛의 개념도이다. 광양자설에 대한 설명으로 옳은 것만을 〈보기〉에서 있는 대로 고른 것은?

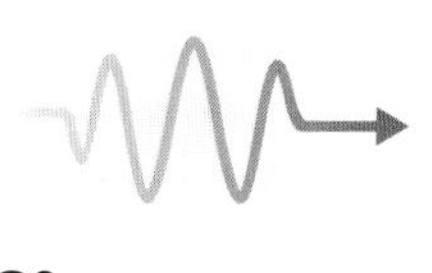

〈보기〉
ㄱ. 광전 효과는 광자와 전자 사이의 충돌로 설명할 수 있다.
ㄴ. 빛은 진동수에 비례하는 에너지를 갖는 광자라고 하는 입자들의 흐름이다.
ㄷ. 진동수가 문턱 진동수보다 큰 광자는 전자와의 충돌에 의해 광전자를 즉시 방출시킬 수 있다.

① ㄱ ② ㄴ ③ ㄱ, ㄷ ④ ㄴ, ㄷ ⑤ ㄱ, ㄴ, ㄷ

04 CCD(전하 결합 소자)를 구성하는 광 다이오드에 대한 설명으로 옳은 것만을 〈보기〉에서 있는 대로 고른 것은?

〈보기〉
ㄱ. p형 반도체와 n형 반도체가 접합되어 있다.
ㄴ. 빛에 의해 양공과 전자가 형성되어 한쪽 방향으로 전류를 흐르게 한다.
ㄷ. 작동 원리는 빛의 입자성으로 설명할 수 있다.

① ㄱ ② ㄴ ③ ㄱ, ㄷ ④ ㄴ, ㄷ ⑤ ㄱ, ㄴ, ㄷ

05 그림은 마이크로 렌즈, 색 필터와 광 다이오드로 구성된 CCD(전하 결합 소자)의 구조를 나타낸 것이다. 이에 대한 설명으로 옳은 것만을 〈보기〉에서 있는 대로 고른 것은?

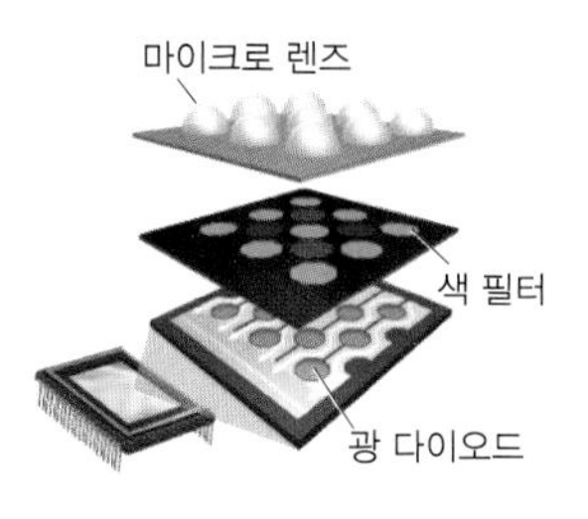

〈보기〉
ㄱ. 마이크로 렌즈를 이용해 색 필터를 통과하는 빛의 세기를 증가시킨다.
ㄴ. 색 필터를 이용해서 빛의 색을 구분한다.
ㄷ. 광 다이오드는 빛의 세기와 진동수를 함께 측정한다.

① ㄱ ② ㄷ ③ ㄱ, ㄴ ④ ㄴ, ㄷ ⑤ ㄱ, ㄴ, ㄷ

내신 만점 문제

정답과 해설 67쪽

▮▮▮ 난이도를 나타냅니다.

01 ▮▮ 그림 (가)는 금속 A에 단색광을 비추었을 때 광전자가 방출되지 않는 모습을, (나)는 금속 B에 (가)와 동일한 단색광을 비추었을 때 광전자가 방출되는 모습을 나타낸 것이다.

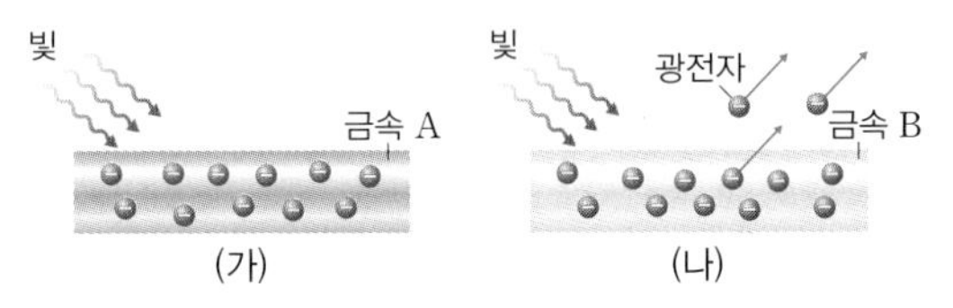

이에 대한 설명으로 옳은 것만을 〈보기〉에서 있는 대로 고른 것은?

〈보기〉

ㄱ. 금속의 문턱 진동수는 A가 B보다 크다.

ㄴ. (가)에서 단색광의 세기만을 증가시키면 A에서 광전자가 방출된다.

ㄷ. (나)에서 단색광의 진동수를 감소시켜도 B에서는 항상 광전자가 방출된다.

① ㄱ ② ㄴ ③ ㄱ, ㄷ
④ ㄴ, ㄷ ⑤ ㄱ, ㄴ, ㄷ

02 ▮▮ 그림과 같이 금속판에 쪼이는 단색광의 진동수를 변화시켰더니 진동수가 f_0일 때 금속판에서 광전자가 방출되기 시작하였다. f_0보다 큰 f_1의 진동수를 갖는 빛을 비추었을 때 방출되는 광전자의 최대 운동 에너지는?

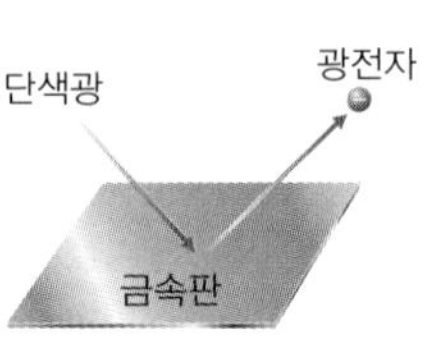

① f_0 ② hf_0 ③ hf_1
④ $h(f_0+f_1)$ ⑤ $h(f_1-f_0)$

03 ▮▮ 그림과 같이 음(−)전하로 대전된 검전기의 금속박이 벌어져 있는 상태에서 아연판에 형광등을 비추었더니 검전기의 금속박에 아무런 변화가 없었다. 이에 대한 설명으로 옳은 것만을 〈보기〉에서 있는 대로 고른 것은?

〈보기〉

ㄱ. 아연판에 형광등을 좀 더 가까이 가져가면 금속박이 오므라든다.

ㄴ. 형광등을 비추는 시간을 길게 하면 금속박이 더 벌어진다.

ㄷ. 형광등을 적외선등으로 바꾸어 비추어도 금속박에는 아무런 변화가 없다.

① ㄱ ② ㄷ ③ ㄱ, ㄴ
④ ㄴ, ㄷ ⑤ ㄱ, ㄴ, ㄷ

04 ▮▮▮ 그림 (가)는 단색광 A, B, C, D의 세기와 진동수를, (나)는 A, B, C, D를 광전관의 금속판에 비추는 모습을 나타낸 것이다. B를 비추었을 때는 금속판에서 광전자가 방출되지 않았으나 C를 비추었을 때는 광전자가 방출되었다.

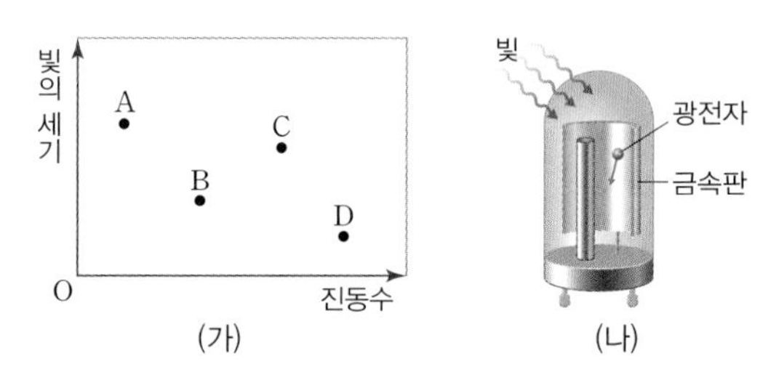

이에 대한 설명으로 옳은 것만을 〈보기〉에서 있는 대로 고른 것은?

〈보기〉

ㄱ. A를 비추면 금속판에서 광전자가 방출된다.

ㄴ. B와 C를 동시에 비추면 C만 비추었을 때보다 방출되는 광전자 수가 증가한다.

ㄷ. 광전자의 최대 운동 에너지는 D를 비출 때가 가장 크다.

① ㄴ ② ㄷ ③ ㄱ, ㄴ
④ ㄱ, ㄷ ⑤ ㄱ, ㄴ, ㄷ

05 그림 (가)는 빛이 이중 슬릿을 통과하면서 회절과 간섭에 의해 스크린에 밝고 어두운 무늬가 나타난 모습이고, (나)는 금속판에 빛을 비추었을 때 광전자가 방출되는 모습을 나타낸 것이다.

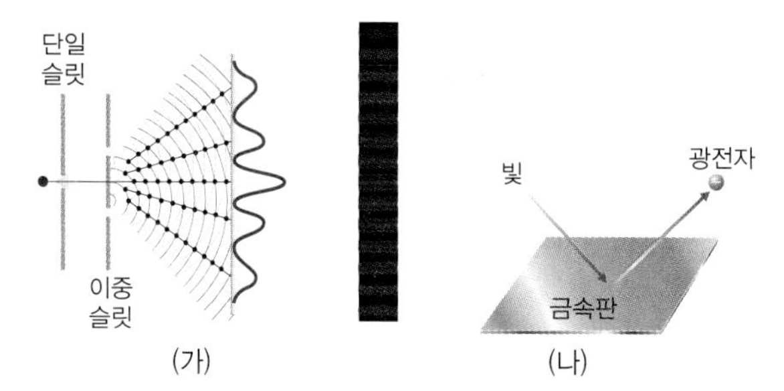

이에 대한 설명으로 옳은 것만을 〈보기〉에서 있는 대로 고른 것은?

보기

ㄱ. (가)를 통해 빛이 파동의 성질을 가지고 있음을 알 수 있다.

ㄴ. (나) 현상이 발생하는 까닭은 빛이 광자(광양자)의 흐름이기 때문이다.

ㄷ. (가)와 (나)는 빛의 이중성을 증명한다.

① ㄱ ② ㄴ ③ ㄱ, ㄷ
④ ㄴ, ㄷ ⑤ ㄱ, ㄴ, ㄷ

06 그림은 CCD(전하 결합 소자)를 이용한 디지털카메라의 구조와 원리를 나타낸 것이다.

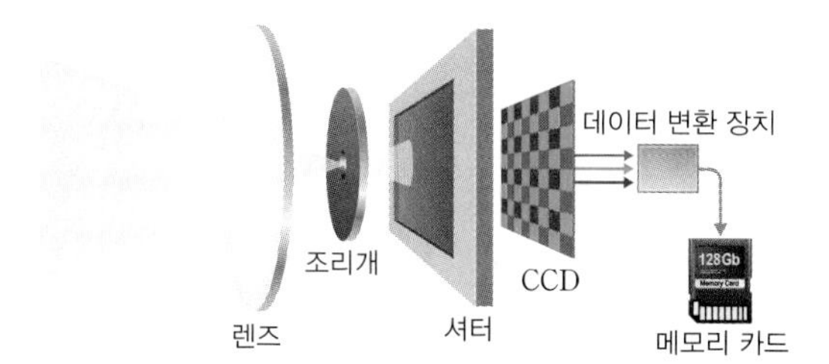

이에 대한 설명으로 옳은 것만을 〈보기〉에서 있는 대로 고른 것은?

보기

ㄱ. 빛이 렌즈를 통과하는 현상으로 빛이 입자임을 알 수 있다.

ㄴ. 빛이 CCD에 도달하면 전기 신호가 발생한다.

ㄷ. CCD는 빛의 색에 따른 진동수 차이로 빛의 색을 구분하여 저장한다.

① ㄴ ② ㄷ ③ ㄱ, ㄴ
④ ㄱ, ㄷ ⑤ ㄱ, ㄴ, ㄷ

서술형 문제

[07~09] 다음은 검전기를 이용한 광전 효과 실험이다.

〈실험 과정〉

(가) 양(+)전하로 대전된 검전기 A, B에 빨강, 초록, 파랑에 해당하는 빛 중에서 하나를 방출하는 발광 다이오드(LED) X, Y, Z를 비춘다.

(나) 발광 다이오드 X만을 비추었을 때, X와 Y를 함께 비추었을 때, X와 Z를 함께 비추었을 때 각각 금속박의 움직임을 관찰한다.

〈실험 결과〉

과정	X	X+Y	X+Z
A 금속박의 상태	변화 없음	더 벌어짐	더 벌어짐
B 금속박의 상태	변화 없음	더 벌어짐	변화 없음

07 빨강, 초록, 파랑 빛과 발광 다이오드 X, Y, Z에서 방출하는 빛의 색을 짝 짓고, 그 까닭을 A와 B의 문턱 진동수와 비교하여 서술하시오.

08 금속판 A와 B 중에서 문턱 진동수가 큰 금속은 무엇인지 그 까닭과 함께 서술하시오.

09 다음 문장의 옳고 그름을 판단하고, 그 까닭을 서술하시오.

X+Z의 빛을 금속판 B에 비출 때, X의 세기를 증가시키면 금속박이 더 벌어질 수 있다.

02 물질의 이중성

내 교과서는 어디에?
천재 p.178~182 금성 p.180~187 동아 p.184~190
미래엔 p.200~205 비상 p.176~179 YBM p.199~204

핵심 Point
- 물질의 이중성을 알아본다.
- 전자 현미경의 원리를 이해한다.

1 물질파

1. **물질파** 빛이 파동과 입자의 성질을 모두 가지고 있듯이, 전자도 입자의 성질과 함께 파동의 성질을 가지고 있다고 드브로이가 제안하였다.❶

① 물질파 또는 드브로이파: 전자, 야구공, 행성 등 질량을 갖는 물질이 가진 파동

② 물질파의 확인: 물질파가 만드는 회절과 간섭 현상을 통해 확인되었다.

2. **물질파 확인 실험**

① 전자를 이용한 이중 슬릿 실험: 이중 슬릿을 통과하는 전자의 수를 증가시키면 스크린에 도달하는 전자의 수가 많아질수록 파동의 간섭무늬가 잘 나타난다. ➡ 전자가 물질파의 형태로 이중 슬릿을 통과했다는 증거로 전자의 파동성이 증명되었다.

전자의 이중성 실험

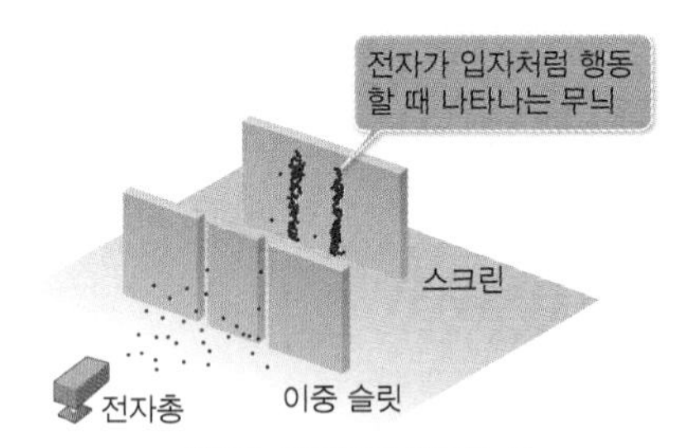

▲ 전자가 입자처럼 행동할 때

전자들을 이중 슬릿에 통과시키면 이중 슬릿의 위치에 해당하는 부분에서만 스크린에 전자가 도착하여 두 개의 무늬를 형성한다.

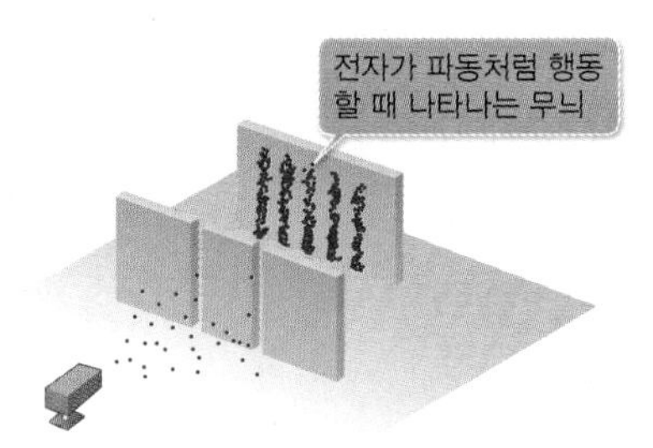

▲ 전자가 파동처럼 행동할 때

전자들을 이중 슬릿에 통과시키면 빛의 이중 슬릿 실험에서 회절과 간섭에 의한 여러 개의 무늬 결과와 비슷한 무늬를 형성하게 된다.

② 톰슨의 전자 회절 실험❷: 톰슨은 X선과 전자의 드브로이 파장이 같도록 하여 얇은 알루미늄 박막에 쪼일 때 같은 모양의 회절 무늬가 나타나는 것을 확인하였다.

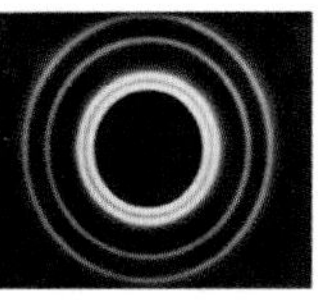

▲ X선 ▲ 전자선

③ 데이비슨과 거머의 전자 회절 실험: 니켈 표면에 전자선을 쏘면 입사 전자선과 50°의 각을 이루는 곳에서 튕겨 나오는 전자의 수가 가장 많았다. 이러한 결과는 전자의 물질파가 반사되어 나올 때 특별한 각도에서 보강 간섭이 일어나는 것으로 해석할 수 있다.

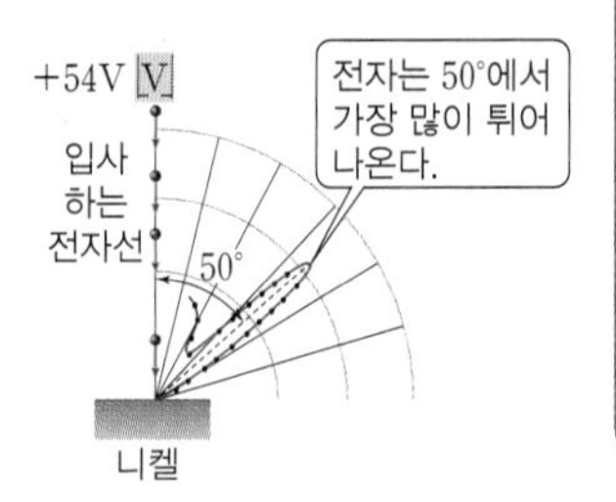

❶ **드브로이**(de Broglie, L.V., 1892~1987)
프랑스의 물리학자로 물질파 이론을 제안하였다. 물질의 이중성 개념에 결정적인 영향을 주었다.

❷ **톰슨의 실험**
알루미늄 박막에 X선과 전자선을 각각 쪼여 회절 무늬를 얻었다.

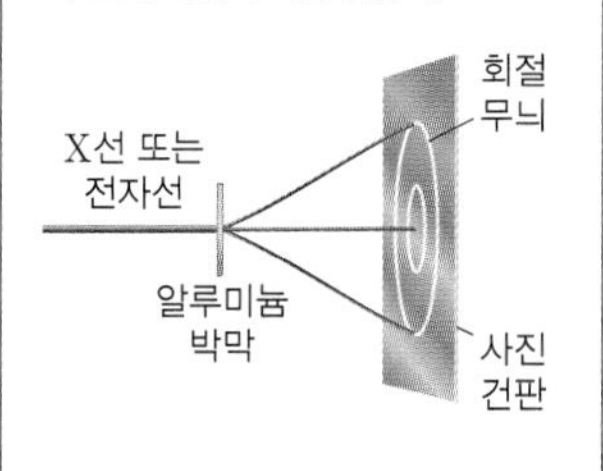

셀파 콕콕
회절과 간섭은 파동만이 가지는 특징임을 기억해 두자.

용어
▸ **전자**: 음(−)전하를 띠고 있는 기본 입자이며 전하량은 1.6×10^{-19} C이고, 질량은 9.1×10^{-31} kg이다.
▸ **이중 슬릿**: 좁고 길게 파낸 두 개의 실틈을 가진 판이다.

개념 확인하기

1 질량을 갖는 물질이 가진 파동을 (   )라고 한다.

2 전자를 이용한 이중 슬릿 실험을 통해 전자가 파동의 성질을 갖는다는 것을 알 수 있다. (○ , ×)

답 1. 물질파(드브로이파) 2. ○

2 물질의 이중성

1. **물질의 이중성** 빛이 파동의 성질뿐만 아니라 입자의 성질을 가지고 있듯이, 전자도 입자의 성질뿐만 아니라 파동의 성질을 갖는다.
2. **물질파의 파장** 물질파의 파장(λ)은 물질의 질량(m)과 속도(v)를 곱한 운동량(p)❸에 반비례한다.

$$\lambda = \frac{h}{p} = \frac{h}{mv} \quad (h: \text{플랑크 상수})$$

① 일상생활에서는 물질의 파동성, 즉 물질파를 관찰하기 어렵다. ─ 물질의 질량이 커서 파장이 매우 짧기 때문이다.
② 원자나 전자는 질량이 매우 작기 때문에 운동량이 작다. 따라서 물질파의 파장이 입자의 크기에 비해 상대적으로 커서 파동성을 관찰할 수 있다.
③ 전자의 이중 슬릿 실험을 통해 확인할 수 있는 간섭 현상이 양성자, 중성자 그리고 여러 가지 입자에서도 실험적으로 증명되었다.

3 물질파의 이용 - 전자 현미경

1. **물체의 구조를 자세히 보기 위한 조건**
① 사용하는 파동의 파장이 관찰하고자 하는 물체의 크기보다 작아야 한다.
② 사용하는 빛의 파장이 짧을수록 물체를 구별하는 능력(분해능❹)이 좋다.
2. **전자 현미경** 전자의 물질파의 성질을 이용하면 빛 대신 전자선을 사용하는 전자 현미경을 만들 수 있다. 전자의 속력을 빠르게 가속시키면 가시광선보다 매우 짧은 파장(<0.1 nm)을 만들 수 있다.

광학 현미경과 전자 현미경의 비교

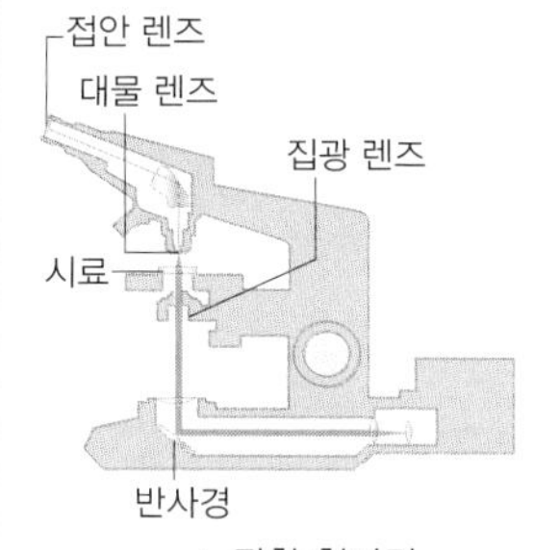

▲ 광학 현미경

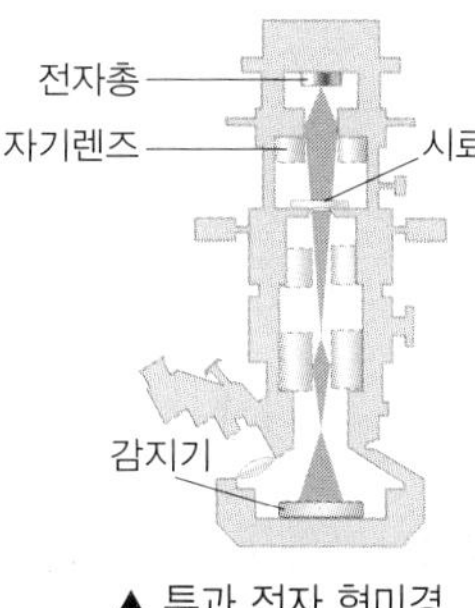

▲ 투과 전자 현미경

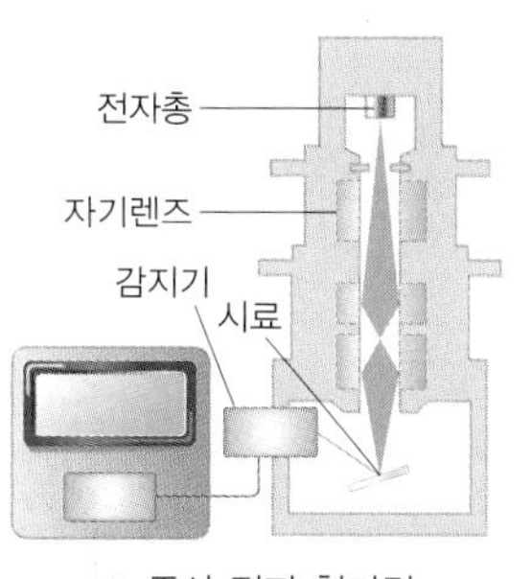

▲ 주사 전자 현미경

• 전자 현미경은 광학 현미경보다 배율과 분해능이 높아 더 작은 물체를 관찰할 수 있다.
• 광학 현미경과 전자 현미경의 차이점

구분	광원	렌즈 형태	현미경 내부	배율
광학 현미경	빛	유리(광학) 렌즈	공기	약 1000배~1500배
전자 현미경	전자선	자기렌즈❺	진공	100000배 이상

❸ 운동 에너지와 운동량
입자의 운동 에너지와 질량이 주어질 때 다음 식으로 운동량을 구할 수 있다.

$$E_k = \frac{1}{2}mv^2 = \frac{(mv)^2}{2m} = \frac{p^2}{2m}$$

❹ 분해능
서로 떨어져 있는 두 물체를 구별할 수 있는 능력. 분해능이 좋을수록 아주 가까운 두 물체를 서로 다른 물체로 구별할 수 있다. 즉, 분해능이 좋으면 물체를 자세히 관찰할 수 있다.

❺ 자기렌즈
코일이 감긴 원통형의 전자석으로, 전자가 자기장에 의해 진행 경로가 휘어지는 성질을 이용하여 전자를 초점으로 모으는 역할을 한다.

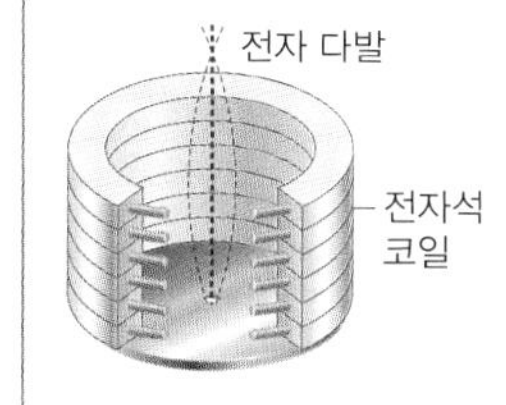

암기 콕
물질파의 파장은 운동량에 반비례한다. 일반적으로 질량이 큰 물체는 입자성이 크고, 질량이 작은 물체는 파동성이 크게 나타남을 기억하자.

용어
▸ nm(나노 미터): 길이(거리)를 표현하는 단위이다. 1 nm$=10^{-9}$ m
▸ **전자선**: 속도가 거의 균일한 전자들의 연속적인 흐름

1 물질파의 파장은 물질의 운동량과 비례 관계이다. (○ , ×)
2 물체의 크기가 가시광선 영역의 빛의 파장보다 작으면 물체를 눈으로 볼 수 없다. (○ , ×)
3 전자 현미경은 전자의 (   )의 성질을 이용하여 만든 현미경이다.

답 1. × 2. ○ 3. 물질파

셀파 탐구

입자성과 파동성 관찰하기

목표 모래와 레이저 빛의 입자성과 파동성을 구별할 수 있다.

과정

❶ 그림 (가)와 같이 하드보드지로 만든 이중 슬릿에 모래를 뿌리고, 스크린에 쌓인 모래의 모양을 관찰한다.

❷ 그림 (나)와 같이 이중 슬릿에 레이저 빛을 비추고, 스크린에 나타난 빛의 모양을 관찰한다.

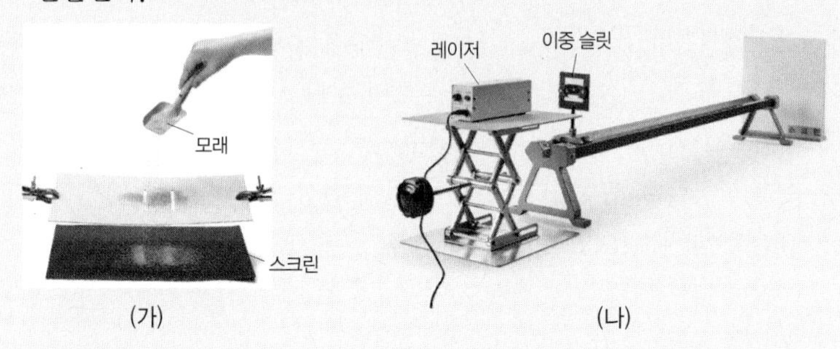

결과 및 정리

1. 이중 슬릿을 통과해 스크린에 나타난 모래와 레이저 빛의 모양을 그려 보자.

모래	레이저 빛

2. 모래와 레이저 빛의 모양이 달리 나타난 까닭은 무엇인가?

➡ 모래는 질량이 크기 때문에 물질파의 파장이 매우 짧다. 따라서 파동성이 거의 나타나지 않는 상태이므로 회절에 의한 간섭무늬를 관찰할 수 없다. 레이저 빛은 이중 슬릿에 의해 회절과 간섭 현상이 일어나서 파동성에 의한 여러 개의 무늬가 관측된다.

유의점

❶ 모래에 사용되는 이중 슬릿과 스크린이 움직이지 않도록 단단하게 고정시킨다.

❷ 이중 슬릿과 스크린 사이의 거리는 충분히 멀게 설치한다.

탐구 돋보기

이중 슬릿에 통과시킨 모래는 이중 슬릿과 같은 2개의 무늬를 나타내고, 레이저 빛은 여러 개의 간섭무늬를 나타낸다.

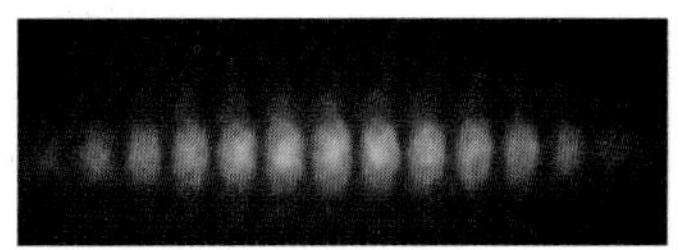

▲ 레이저 빛에 의한 간섭무늬

시험 유형은?

❶ 빛의 이중 슬릿 실험의 결과는 파동성과 입자성 중 어떤 성질에 의해서 나타나는가?

▶ 파동성

❷ 물질의 파동성을 증가시키기 위한 방법은 무엇인가?

▶ 물질의 운동량을 감소시킨다.

탐구 대표 문제 정답과 해설 69쪽

01 위의 실험에 대한 설명으로 옳은 것만을 <보기>에서 있는 대로 고른 것은?

보기

ㄱ. 모래의 물질파의 파장이 레이저 빛의 파장보다 짧다.

ㄴ. 모래를 슬릿의 틈이 한 개인 슬릿에 통과시키면 스크린의 무늬의 개수는 여러 개가 된다.

ㄷ. 레이저 빛에 의한 스크린 무늬의 모습은 빛의 입자성 때문이다.

① ㄱ ② ㄷ ③ ㄱ, ㄴ ④ ㄴ, ㄷ ⑤ ㄱ, ㄴ, ㄷ

02 그림은 이중 슬릿에 모래와 레이저 빛 중에서 한 가지를 통과시켰을 때 스크린에 생긴 무늬를 나타낸 것이다. 이중 슬릿을 통과한 것은 모래와 레이저 빛 중에서 무엇인가? 또 빛의 어떤 성질과 관련이 있는지 쓰시오.

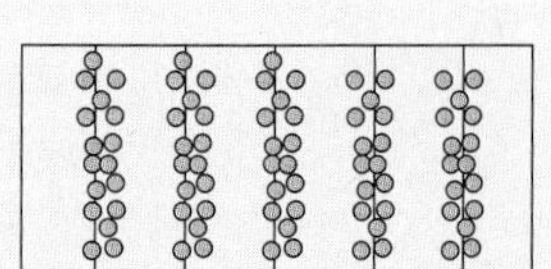

기초 탄탄 문제

정답과 해설 69쪽

핵심용어_ 이 단원에서 내가 아는 것과 아직 모르는 것을 정리하며 나의 공부를 돌아보자.

- □ 물질파
- □ 이중 슬릿 실험
- □ 톰슨의 전자 회절 실험
- □ 데이비슨과 거머의 전자 회절 실험
- □ 물질의 이중성
- □ 물질파의 파장
- □ 전자 현미경

01 다음은 세 학생이 물질파에 대해 대화하는 내용이다.

> 철수 : 질량을 가진 입자가 속력을 가지고 이동하면 파동의 성질을 갖지.
> 영희 : 물질파는 파장이 존재하지 않는 파동이야.
> 민수 : 드브로이가 제안하여 드브로이파라고도 불러.

제시된 내용이 옳은 학생만을 있는 대로 고른 것은?

① 철수　② 영희　③ 철수, 민수　④ 영희, 민수　⑤ 철수, 영희, 민수

02 그림은 전자총에서 방출된 전자들이 매우 좁은 이중 슬릿을 지나 스크린에 무늬를 만들어내는 모습을 나타낸 것이다. 이에 대한 설명으로 옳은 것만을 <보기>에서 있는 대로 고른 것은?

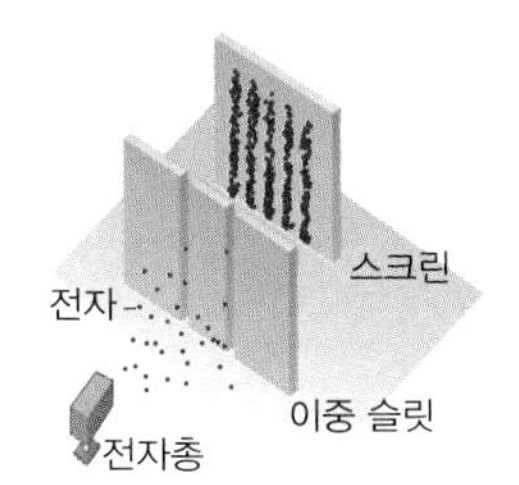

보기

ㄱ. 전자의 파동성을 설명할 수 있는 실험이다.
ㄴ. 스크린에 나타난 무늬는 이중 슬릿에 의한 빛의 간섭 무늬와 비슷하다.
ㄷ. 전자 대신 모래를 이용해서 실험을 해도 스크린에 나타나는 무늬 모습이 비슷하다.

① ㄴ　② ㄷ　③ ㄱ, ㄴ　④ ㄱ, ㄷ　⑤ ㄱ, ㄴ, ㄷ

03 물질의 이중성에 대한 설명으로 가장 적절한 것은?

① 물질 입자도 파동의 성질을 가지고 있다.
② 야구선수가 던진 야구공은 물질의 이중성을 잘 관찰할 수 있다.
③ 운동하는 물질의 위치와 속도를 동시에 정확히 측정할 수 있다.
④ 질량을 가진 입자는 관성 질량과 중력 질량이 같다.
⑤ 빛의 속력에 가깝게 운동하는 물질은 시간 지연과 길이 수축이 발생한다.

04 질량 m인 입자가 속력 v로 움직일 때, 물질파의 파장 λ와 속력 v의 관계를 나타낸 그래프로 가장 적절한 것은?

①
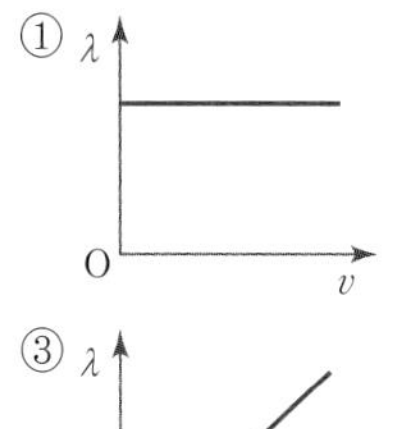

②
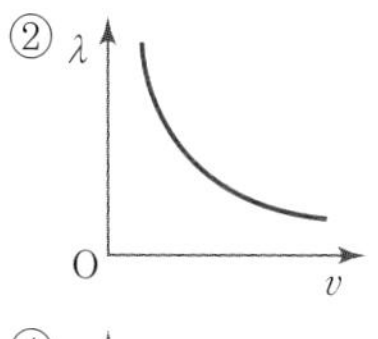

③
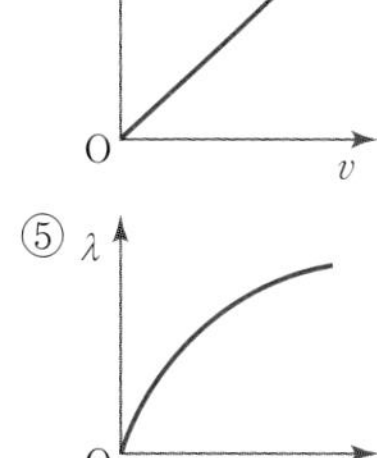

④
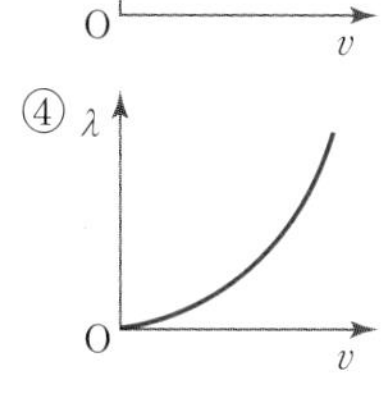

⑤ λ O v

05 다음은 광학 현미경과 전자 현미경에 대한 설명이다.

> • 광학 현미경은 광원으로 가시광선을 이용하며 유리 렌즈를 사용하여 물체의 크기가 10^{-7} m 정도까지 볼 수 있고, 배율은 약 1000배~1500배이다.
> • 전자 현미경은 광원으로 전자선을 이용하며 자기렌즈를 사용하여 물체의 크기가 약 10^{-10} m까지 볼 수 있고, 배율은 약 100000배 이상이다.

전자 현미경이 광학 현미경보다 더 작은 물체까지 볼 수 있는 까닭으로 가장 적절한 것은?

① 전자선은 전자의 연속적인 흐름이다.
② 전자선이 자기렌즈를 지나며 굴절한다.
③ 전자선의 파장이 가시광선의 파장보다 짧다.
④ 전자선은 전자기파의 한 종류이다.
⑤ 전자선은 회절 현상이 일어난다.

내신 만점 문제

정답과 해설 69쪽

난이도를 나타냅니다.

01 그림 (가)는 전자총에서 방출된 전자가 틈이 매우 좁은 이중 슬릿을 지나 스크린에 도달하는 모습이다. 그림 (나)는 이중 슬릿을 통과한 전자들이 스크린에 부딪혀 A 무늬 또는 B 무늬를 만든 모습이다.

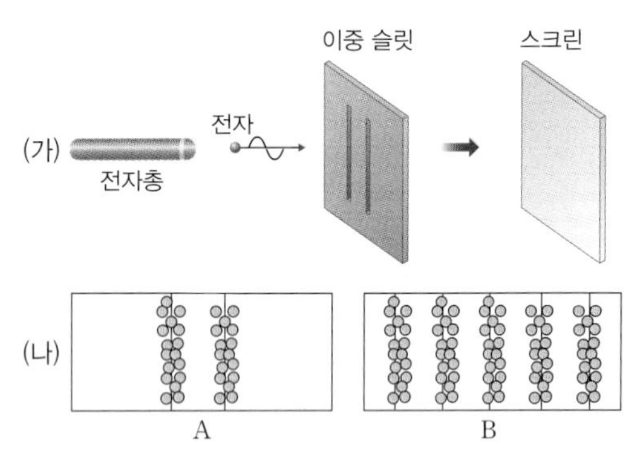

이에 대한 설명으로 옳은 것만을 〈보기〉에서 있는 대로 고른 것은?

보기

ㄱ. 전자가 입자의 성질만 있다면 A가 관측된다.
ㄴ. B는 입자의 성질로는 설명할 수 없고 파동의 성질로만 설명할 수 있다.
ㄷ. B가 발생하는 까닭은 전자가 이중 슬릿을 통과할 때 굴절하였기 때문이다.

① ㄴ ② ㄷ ③ ㄱ, ㄴ
④ ㄱ, ㄷ ⑤ ㄱ, ㄴ, ㄷ

02 표는 입자 A, B, C의 질량과 운동 에너지를 나타낸 것이다.

	A	B	C
질량	m	$2m$	$4m$
운동 에너지	E	$2E$	E

A, B, C의 물질파 파장을 각각 λ_A, λ_B, λ_C라 할 때, $\lambda_A : \lambda_B : \lambda_C$를 쓰시오.

03 그림 (가)는 알루미늄 박막에 X선을 쪼여 주었을 때 형광 필름에 생긴 회절 무늬이고, (나)는 X선 대신 전자선을 쪼여 주었을 때의 결과이다.

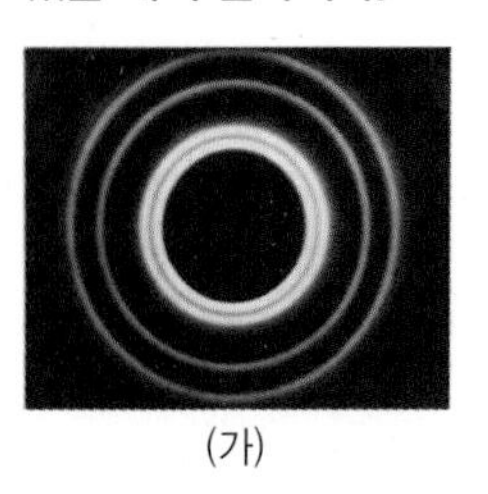
(가)

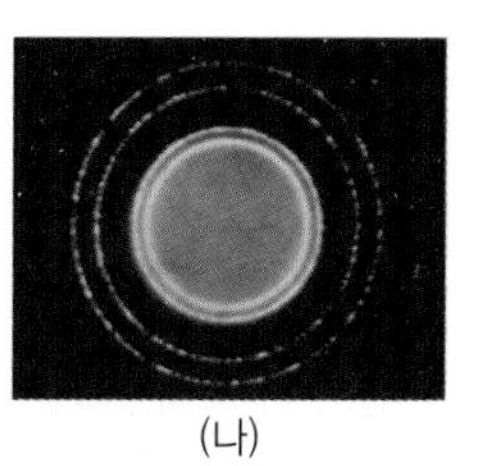
(나)

이에 대한 설명으로 옳은 것만을 〈보기〉에서 있는 대로 고른 것은?

보기

ㄱ. (가)는 X선이 파동의 성질을 가지기 때문이다.
ㄴ. (나)는 전자선이 회절한 결과이다.
ㄷ. 전자선이 파동의 성질을 가지고 있음을 알 수 있다.

① ㄱ ② ㄷ ③ ㄱ, ㄴ
④ ㄴ, ㄷ ⑤ ㄱ, ㄴ, ㄷ

04 그림 (가)는 니켈 결정에 전자선을 입사시킨 후 입사한 전자선과 튀어 나온 전자가 이루는 각도가 θ인 곳에서 전자를 검출하는 실험 장치를, (나)는 운동 에너지가 54 eV인 전자를 입사시킨 후 θ에 따른 튀어 나온 전자 수를 나타낸 것이다. $\theta=50°$일 때 검출기에 도달한 전자 수가 최대이다.

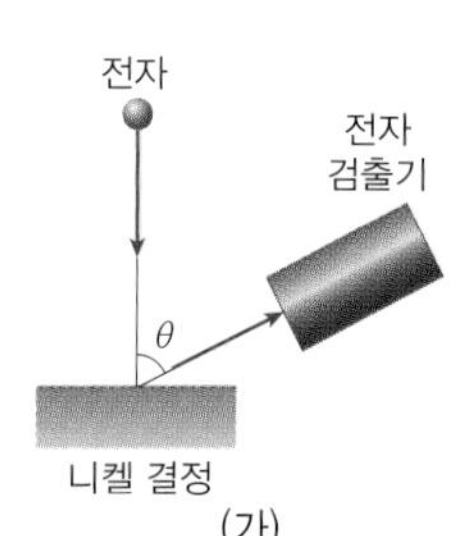

(가)

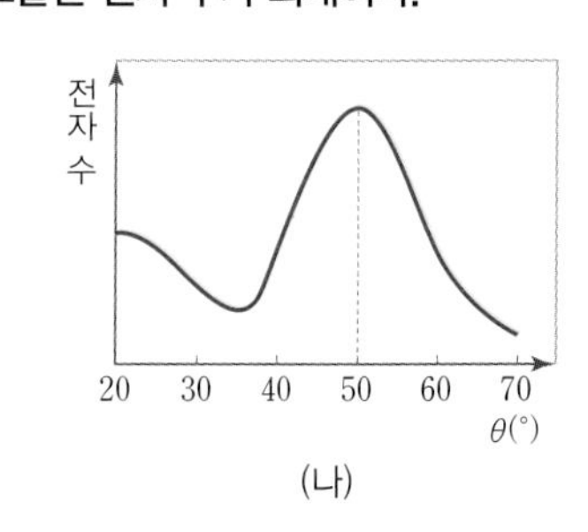

(나)

이에 대한 설명으로 옳은 것만을 〈보기〉에서 있는 대로 고른 것은?

보기

ㄱ. 물질파 이론으로 위 실험의 결과를 설명할 수 있다.
ㄴ. $\theta=50°$에서 전자들이 상쇄 간섭을 한 결과이다.
ㄷ. 입사시키는 전자의 운동 에너지를 변화시켜도 전자 수가 최대인 각도는 $\theta=50°$이다.

① ㄱ ② ㄴ ③ ㄱ, ㄷ
④ ㄴ, ㄷ ⑤ ㄱ, ㄴ, ㄷ

05 그림은 질량이 각각 m_A, m_B인 입자 A, B의 속력에 따른 물질파의 파장을 나타낸 것이다. A의 속력이 v_0일 때 물질파의 파장은 λ_0이다. 이에 대한 설명으로 옳은 것만을 〈보기〉에서 있는 대로 고른 것은?

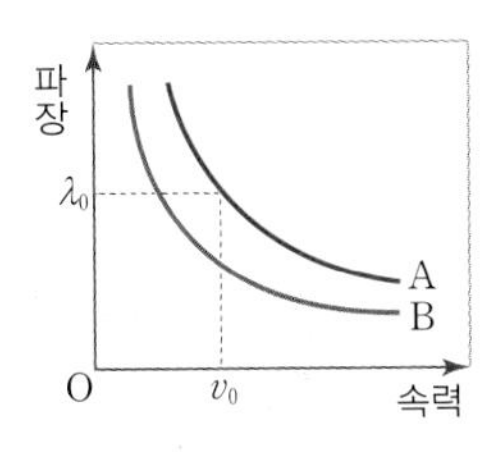

보기

ㄱ. $m_A < m_B$이다.

ㄴ. 물질파의 파장이 λ_0일 때, 운동량의 크기는 A와 B가 같다.

ㄷ. 입자의 속력이 v_0일 때, 입자의 운동량은 A가 B보다 크다.

① ㄴ ② ㄷ ③ ㄱ, ㄴ
④ ㄱ, ㄷ ⑤ ㄱ, ㄴ, ㄷ

06 그림 (가)는 빛을 광원으로 하는 광학 현미경을, (나)는 전자총에서 방출되는 전자선을 광원으로 하는 전자 현미경을 나타낸 것이다.

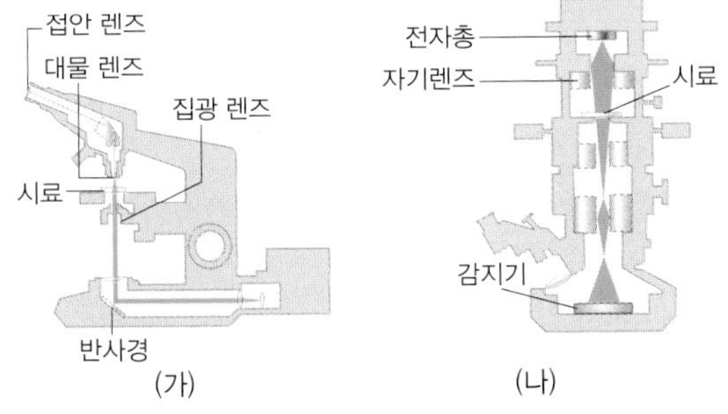

위 현미경으로 시료를 관찰할 때, 이에 대한 설명으로 옳은 것만을 〈보기〉에서 있는 대로 고른 것은?

보기

ㄱ. (가)에서 빛의 파장은 (나)에서 전자선의 물질파 파장보다 길다.

ㄴ. 분해능은 (가)가 (나)보다 좋다.

ㄷ. (나)를 통해 시료의 색을 알 수 있다.

① ㄱ ② ㄴ ③ ㄱ, ㄷ
④ ㄴ, ㄷ ⑤ ㄱ, ㄴ, ㄷ

서술형 문제

07 그림은 입자 가속 장치에서 방출된 입자가 이중 슬릿을 통과하여 형광판에 간섭무늬를 형성한 것을 나타낸 것이다.

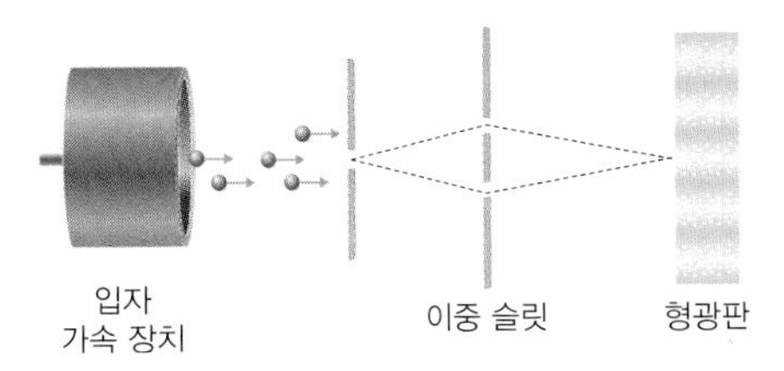

(1) 형광판에 생긴 간섭무늬로 보아 전자는 어떤 성질을 갖는다고 할 수 있는지 쓰시오.

(2) 형광판에 간섭무늬가 생기는 까닭을 입자의 성질을 이용해서 서술하시오.

08 그림은 입자가 연직 아래로 운동하는 것을 나타낸 것이다. 기준선 A, B를 지날 때 입자의 운동 에너지가 각각 E_0, $4E_0$이다.

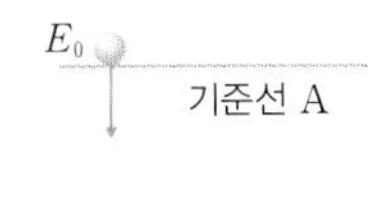

(1) 입자가 A, B를 지나는 순간 입자의 운동량을 각각 p_A, p_B라 할 때, $p_A : p_B$를 계산 과정과 함께 구하시오.

(2) 입자가 A, B를 지나는 순간 입자의 물질파 파장을 각각 λ_A, λ_B라 할 때, $\lambda_A : \lambda_B$를 계산 과정과 함께 구하시오.

단원 정리하기

핵심 Point 1~9

1. 광전 효과

① 광전 효과: 금속 표면에 문턱 진동수보다 큰 진동수의 빛을 비추었을 때 금속 표면에서 전자가 튀어 나오는 현상

② 광전자: 광전 효과에 의해 금속 표면에서 튀어 나온 전자이다.

③ 빛을 파동으로 생각하는 파동성으로는 광전 효과를 설명할 수 없다. ➡ 빛의 입자성을 증명

광전 효과 실험

아연판의 문턱 진동수보다 큰 진동수의 빛인 자외선을 음(−)전하로 대전된 검전기에 비추면 금속박이 오므라든다.

➡ 아연판 표면에서 광전자가 방출되기 때문이다.

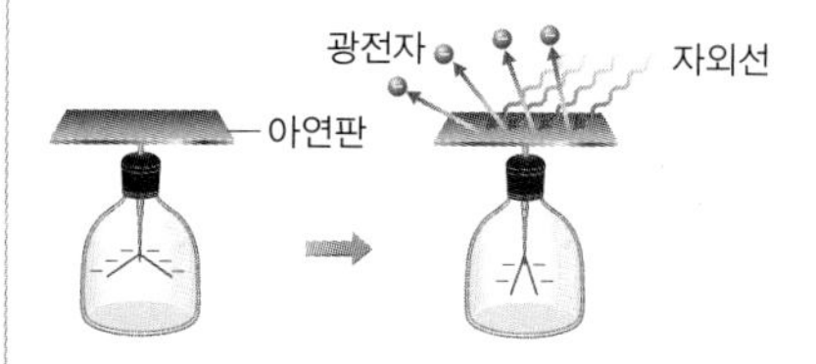

2. 광전 효과 실험 결과

① 광전자의 방출 여부는 금속판에 비춘 빛의 세기에는 관계없고 빛의 진동수에만 관계한다.

② 금속판에 비추는 빛의 진동수가 문턱 진동수보다 크면 아무리 약한 빛을 비추더라도 광전자가 즉시 방출된다.

③ 빛의 진동수가 문턱 진동수보다 클 때 방출되는 광전자의 수는 빛의 세기에 비례한다.

④ 금속판에 비추는 빛의 진동수가 문턱 진동수보다 작으면 아무리 센 빛을 비추어도 광전자가 방출되지 않는다. ➡ 빛이 전자기파라는 파동의 성질만 가지고 있다면 빛의 진동수가 문턱 진동수보다 작더라도 빛의 세기를 증가시키면 광전 효과가 일어나야 한다.

빛의 세기와 진동수에 따른 광전 효과

진동수가 문턱 진동수보다 작은 빛

아무리 센 빛을 비추어도 광전자가 방출되지 않는다.

진동수가 문턱 진동수보다 큰 빛

방출되는 광전자의 수는 빛의 세기에 비례한다.

약한 빛 / 센(밝은) 빛

3. 광양자설

① 광양자설: 빛은 진동수에 비례하는 에너지를 갖는 광자(광양자)라고 하는 입자들의 흐름이다. 진동수가 f일 때 광자의 에너지 E는 다음과 같다.

$$E=hf \ (h: \text{플랑크 상수})$$

② 광양자설로 광전 효과의 해석

- 광전 효과는 광자와 전자 사이의 충돌로 생각할 수 있다.
- 빛의 세기가 약해도 빛의 진동수가 문턱 진동수보다 크면 광전자는 즉시 방출된다.
- 빛의 세기가 강해도 진동수가 문턱 진동수보다 작으면 광전자가 방출되지 않는다.
- 문턱 진동수보다 큰 진동수의 빛은 광자 한 개의 에너지가 클수록 튀어 나온 전자의 최대 운동 에너지도 커진다.
- 방출되는 광전자의 수는 문턱 진동수보다 큰 빛의 광자 수에 비례한다.

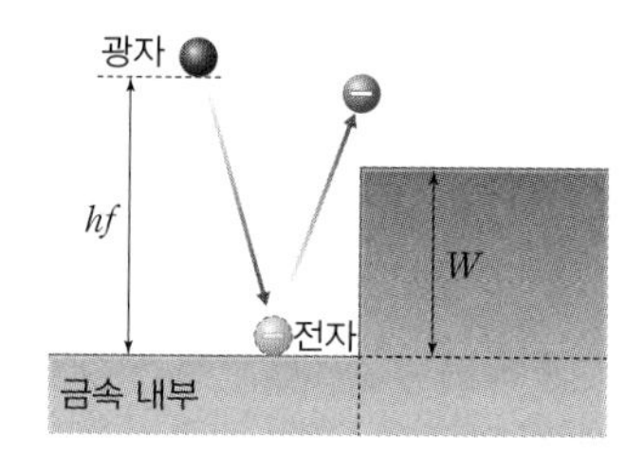

4. 빛의 이중성

① 빛의 파동성과 입자성: 빛의 파동성과 입자성은 동시에 나타나지 않고 어떤 특정한 순간에 파동적 성질과 입자적 성질 중 하나만 측정할 수 있다.

② 빛의 이중성: 빛은 파동성과 입자성을 함께 가지고 있다.

- 빛의 파동성의 증거: 빛의 간섭 현상
- 빛의 입자성의 증거: 광전 효과

5. CCD(전하 결합 소자)

① 구조: 수백만 개의 광 다이오드가 규칙적으로 배열된 반도체 소자로, 빛의 입자성을 이용하여 영상을 기록한다.

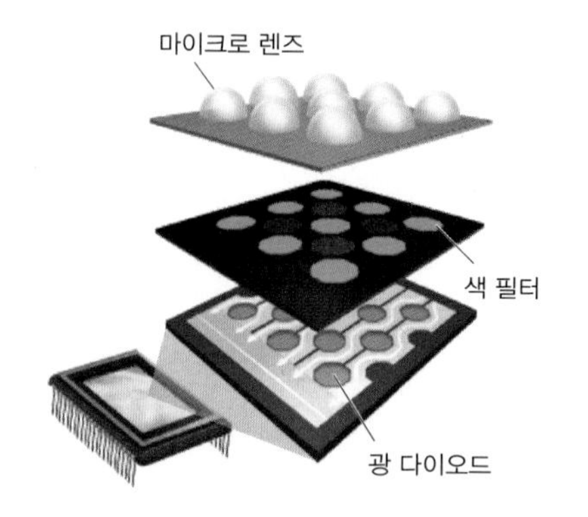

② 원리: 빛이 CCD에 닿으면 광전 효과에 의해 각 화소에서 발생하는 전하의 양을 전기 신호로 변환시켜서 빛의 세기에 대한 영상 정보를 기록한다.

③ 영상 기록 과정: 디지털카메라는 렌즈를 통해 들어온 빛이 조리개와 셔터를 지나 CCD에 물체의 상으로 맺힌다.

빛 → 렌즈 → CCD → 전기 신호 → 메모리 카드

6. 물질파

① 물질파: 빛이 파동과 입자의 성질을 모두 가지고 있듯이, 전자도 입자의 성질과 함께 파동의 성질도 가지고 있다고 드브로이가 제안하였다.

② 물질파가 만드는 회절과 간섭 현상을 통해 확인되었다.

7. 물질파 확인 실험

① 전자를 이용한 이중 슬릿 실험: 이중 슬릿을 통과하는 전자의 수를 증가시키면 스크린에 도달하는 전자의 수가 많아질수록 파동의 간섭무늬가 잘 나타난다.

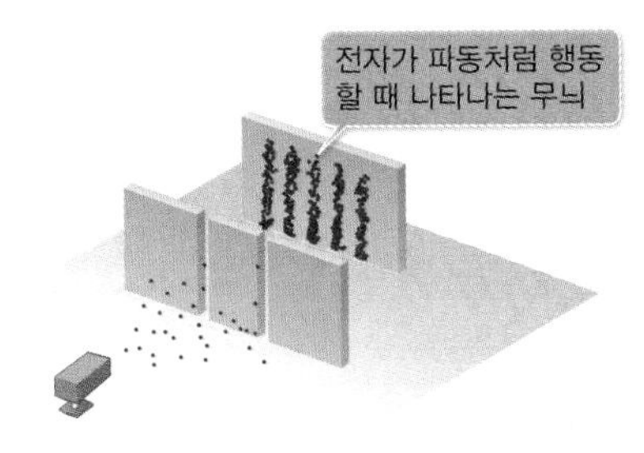

② 톰슨의 전자 회절 실험: 톰슨은 X선과 전자의 드브로이 파장이 같도록 하여 얇은 알루미늄 박막에 쪼일 때 같은 모양의 회절 무늬가 나타나는 것을 확인하였다.

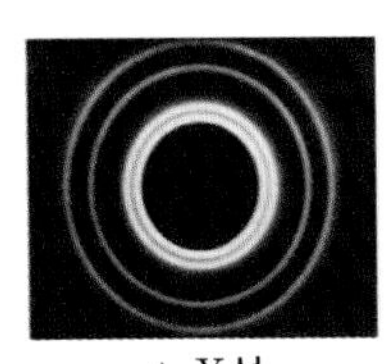
▲ X선

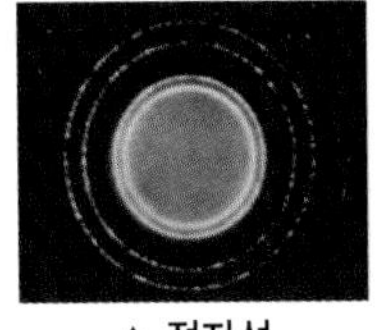
▲ 전자선

③ 데이비슨과 거머의 전자 회절 실험: 니켈 표면에 전자선을 쏘면 입사 전자선과 50°의 각을 이루는 곳에서 튕겨 나오는 전자의 수가 가장 많았다.

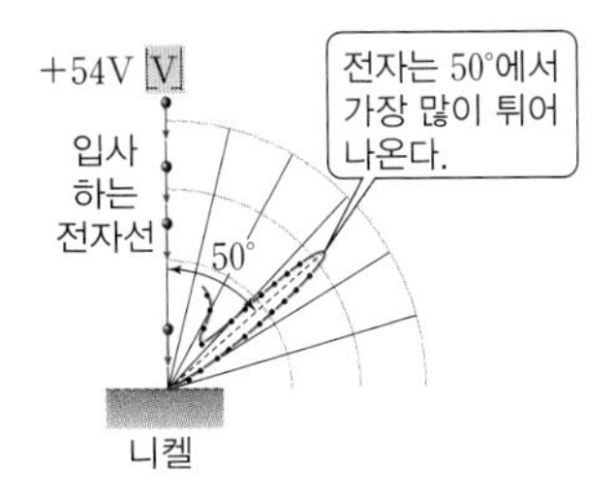

8. 물질의 이중성

① 물질의 이중성: 빛이 파동의 성질뿐만 아니라 입자의 성질을 가지고 있듯이, 전자도 입자의 성질뿐만 아니라 파동의 성질을 가진다.

② 물질파의 파장: 물질파의 파장(λ)은 물질의 질량(m)과 속도(v)를 곱한 운동량(p)에 반비례한다.

$$\lambda=\frac{h}{p}=\frac{h}{mv} \quad (h: \text{플랑크 상수})$$

③ 일상생활에서는 물질의 파동성, 즉 물질파를 관찰하기 어렵다.

④ 원자나 전자는 질량이 매우 작기 때문에 운동량이 작고 따라서 물질파의 파장이 입자의 크기에 비해 상대적으로 커서 파동성을 관찰할 수 있다.

⑤ 전자의 이중 슬릿 실험을 통해 확인할 수 있는 간섭 현상이 양성자, 중성자 그리고 여러 가지 입자에서도 실험적으로 증명되었다.

9. 전자 현미경

① 광학 현미경으로는 가시광선의 파장(수백 nm)보다 작은 물체를 선명하게 볼 수 없다.

② 전자의 물질파의 성질을 이용하면, 빛 대신 전자선을 사용하는 전자 현미경을 만들 수 있다.

③ 전자 현미경은 광학 현미경보다 배율과 분해능이 높아 더 작은 물체를 관찰할 수 있다.

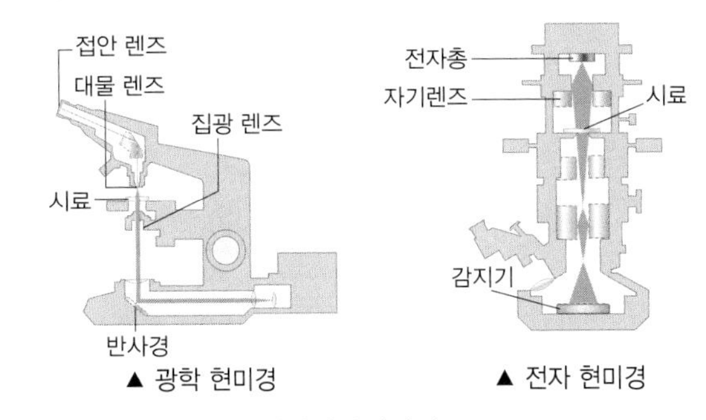

▲ 광학 현미경 ▲ 전자 현미경

④ 광학 현미경과 전자 현미경의 차이점

구분	광원	렌즈 형태	현미경 내부	배율
광학 현미경	빛	유리 렌즈	공기	약 1000배~1500배
전자 현미경	전자선	자기렌즈	진공	100000배 이상

학교 시험에 꼭 나오는 문제를 모았어요. 꼼꼼하게 풀어봐요~

01 다음은 빛의 진동수와 세기에 따른 광전 효과를 확인하는 실험 과정과 결과이다.

〈실험 과정〉

(가) 음(−)전하로 대전된 검전기 위에 아연판을 올려놓는다.

(나) 아연판에 네온등을 비춘다.

(다) 아연판에 네온등 대신 자외선등을 비춘다.

(라) 자외선등을 아연판에 더 가까이 비춘다.

〈실험 결과〉

- (나)에서는 금속박이 오므라들지 않는다.
- (다)에서는 금속박이 서서히 오므라든다.
- (라)에서는 (다)에서보다 금속박이 빨리 오므라든다.

이에 대한 설명으로 옳은 것만을 〈보기〉에서 있는 대로 고른 것은?

보기

ㄱ. (나)의 결과로 네온등 빛의 진동수는 아연판의 문턱 진동수보다 크다는 것을 알 수 있다.

ㄴ. (나)와 (다)의 결과로 빛의 세기는 자외선등이 네온등보다 크다는 것을 알 수 있다.

ㄷ. 아연판에서 단위 시간당 방출되는 광전자 수는 (라)가 (다)보다 크다.

① ㄱ ② ㄷ ③ ㄱ, ㄴ ④ ㄴ, ㄷ ⑤ ㄱ, ㄴ, ㄷ

02 그림은 대전되지 않은 금속구 A와 B를 실에 매단 후 진동수가 f_0인 단색광을 비추었을 때 두 금속구가 멀어진 모습을 나타낸 것이다. 이에 대한 설명으로 옳은 것만을 〈보기〉에서 있는 대로 고른 것은?

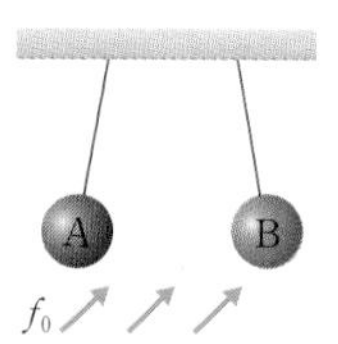

보기

ㄱ. A와 B는 양(+)전하로 대전되어 있다.

ㄴ. 단색광의 세기를 증가시키면 금속구는 가까워진다.

ㄷ. 진동수가 $2f_0$인 단색광을 비추면 금속구는 가까워진다.

① ㄱ ② ㄴ ③ ㄱ, ㄷ ④ ㄴ, ㄷ ⑤ ㄱ, ㄴ, ㄷ

03 그림 (가)는 단색광 A, B, C, D, E를 광전관의 금속판에 비추는 모습을, (나)는 A, B, C, D, E의 세기와 진동수를 나타낸 것이다.

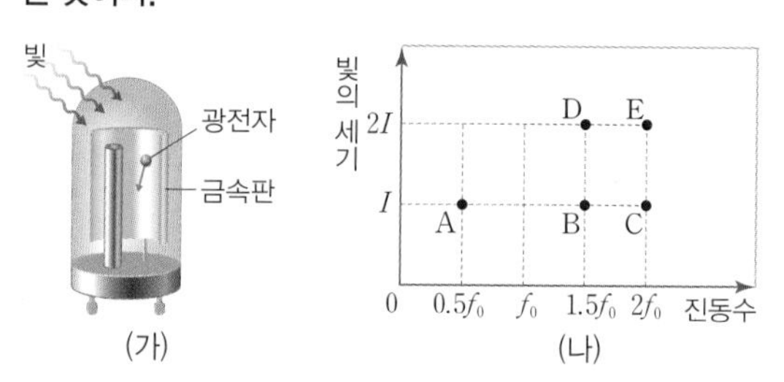

(가) (나)

금속판의 문턱 진동수가 f_0일 때, 이에 대한 설명으로 옳은 것만을 〈보기〉에서 있는 대로 고른 것은?

보기

ㄱ. A는 광전자가 방출되지 않는다.

ㄴ. B와 C는 방출되는 광전자 수가 같다.

ㄷ. D와 E는 방출되는 광전자의 최대 운동 에너지가 같다.

① ㄴ ② ㄷ ③ ㄱ, ㄴ ④ ㄱ, ㄷ ⑤ ㄱ, ㄴ, ㄷ

04 그림 (가)는 도선으로 연결된 대전되지 않은 금속판 A, B에 진동수가 f인 빛을 같은 세기로 비추고 있을 때 A와 B 중 한 개의 금속판에서만 광전 효과가 일어나 도선에 오른쪽 방향으로 전자가 이동하는 모습을 나타낸 것이다. 그림 (나)는 (가)에서 B에만 진동수가 f인 빛을 비추는 모습을 나타낸 것이다.

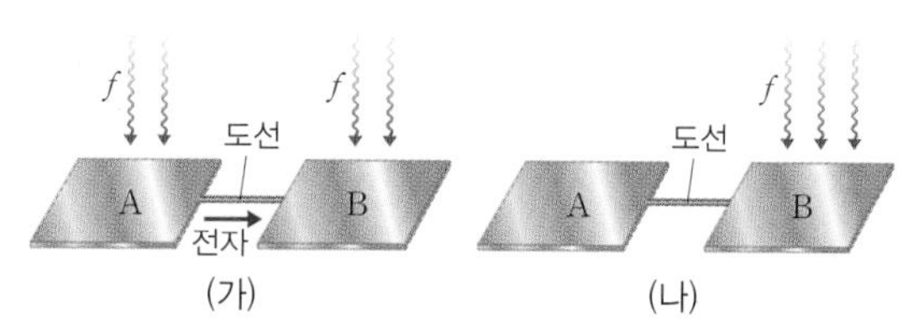

(가) (나)

이에 대한 설명으로 옳은 것만을 〈보기〉에서 있는 대로 고른 것은?

보기

ㄱ. A에서 광전 효과가 일어난다.

ㄴ. (나)의 도선에서 전자의 이동 방향은 오른쪽이다.

ㄷ. B의 문턱 진동수는 f보다 작다.

① ㄱ ② ㄷ ③ ㄱ, ㄴ ④ ㄴ, ㄷ ⑤ ㄱ, ㄴ, ㄷ

05 그림과 같이 광전 효과를 이용하여 빛을 검출하는 동일한 광전관 A, B, C, D, E에 단색광을 방출하는 L_1, L_2, L_3을 비추었다. L_1, L_2, L_3의 진동수는 각각 f_1, f_2, f_3이고, 표는 광전관에서 광전자 방출 여부를 나타낸 것이다.

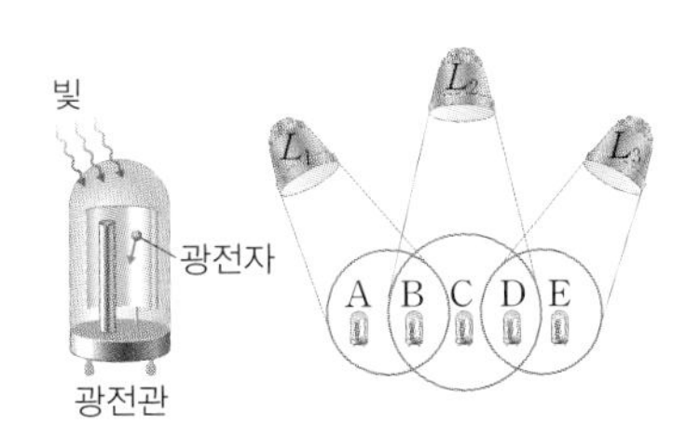

광전관	A	B	C	D	E
광전자	×	×	(가)	(나)	○

(○: 방출됨 ×: 방출 안 됨)

이에 대한 설명으로 옳은 것만을 〈보기〉에서 있는 대로 고른 것은?

보기

ㄱ. (가)와 (나)는 ○이다.

ㄴ. 광전관 금속판의 문턱 진동수는 f_2보다 크고 f_3보다 작다.

ㄷ. L_1 빛의 세기를 증가시키면 A에서 광전자가 방출된다.

① ㄴ ② ㄷ ③ ㄱ, ㄴ
④ ㄱ, ㄷ ⑤ ㄱ, ㄴ, ㄷ

06 그림 (가)는 보어의 수소 원자 모형에서 양자수 n에 따른 에너지 준위의 일부를 나타낸 것으로 a, b, c는 전자의 전이 과정이다. 그림 (나)는 광전관에 빛을 비추어 금속판에서 광전자가 방출되는 모습이다.

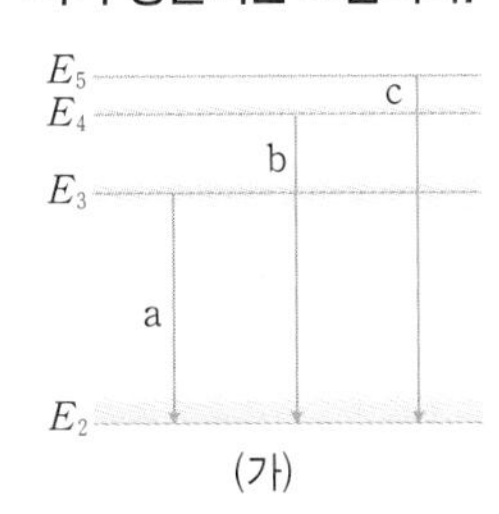

(가)

(나)

c 과정에서 발생한 빛을 광전관에 비추었더니 광전자가 방출되지 않았을 때, 이에 대한 설명으로 옳은 것만을 〈보기〉에서 있는 대로 고른 것은?

보기

ㄱ. 전이 과정에서 발생하는 빛의 파장은 a가 가장 길다.

ㄴ. b에 의해 발생하는 빛은 광전자를 방출시킨다.

ㄷ. 빛의 파동성으로 (나) 현상을 설명할 수 있다.

① ㄱ ② ㄴ ③ ㄱ, ㄷ
④ ㄴ, ㄷ ⑤ ㄱ, ㄴ, ㄷ

07 그림 (가)는 문턱 진동수가 f_0인 금속판 표면에 빛을 비추어 광전자를 방출시키는 것을 나타낸 것이다. 그림 (나)와 같이 금속판 표면에 비추는 빛의 진동수와 세기를 시간에 따라 동시에 변화시켰다.

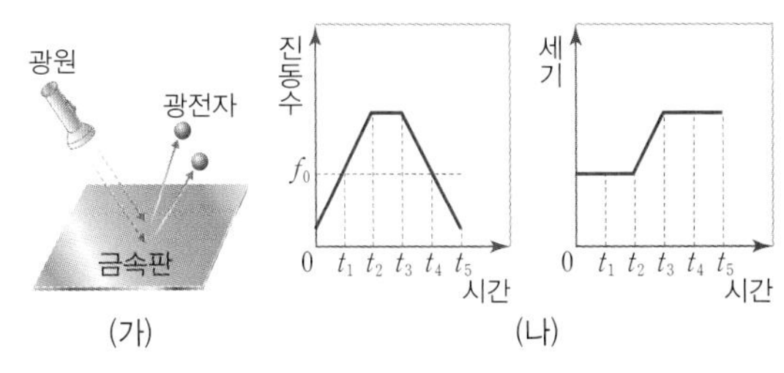

(가) (나)

이에 대한 설명으로 옳은 것은?

① $0 \sim t_1$ 동안 방출되는 광전자의 수는 증가한다.

② $t_1 \sim t_2$ 동안 방출되는 광전자의 최대 운동 에너지는 감소한다.

③ $t_2 \sim t_3$ 동안 광전자는 방출되지 않는다.

④ $t_3 \sim t_4$ 동안 방출되는 광전자의 수는 일정하다.

⑤ $t_4 \sim t_5$ 동안 방출되는 광전자의 최대 운동 에너지는 감소한다.

08 그림 (가)는 CCD(전하 결합 소자)를 사용한 디지털카메라를, (나)는 CCD의 구조를 나타낸 것이다.

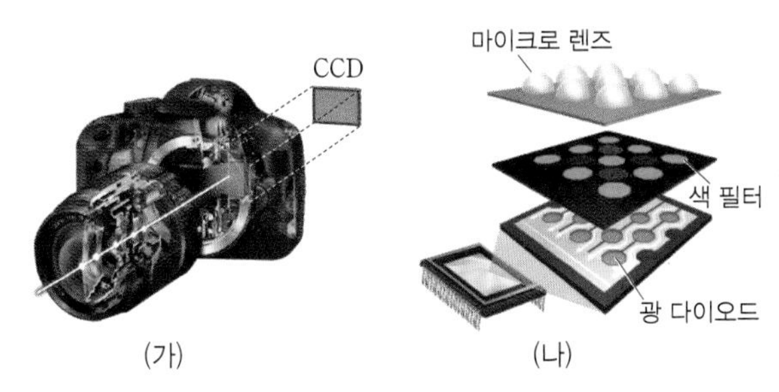

(가) (나)

이에 대한 설명으로 옳은 것만을 〈보기〉에서 있는 대로 고른 것은?

보기

ㄱ. 카메라를 통과하여 CCD에 도달하는 빛의 세기는 빛의 진동수에 비례한다.

ㄴ. 색 필터를 통과하는 빛의 세기를 분석하여 천연색 영상 정보를 얻는다.

ㄷ. 광 다이오드는 빛의 입자성을 이용하여 빛을 전기 신호로 전환한다.

① ㄱ ② ㄷ ③ ㄱ, ㄴ
④ ㄴ, ㄷ ⑤ ㄱ, ㄴ, ㄷ

[09~10] 그림은 광전 효과 실험 장치를 나타낸 것이다. 표는 다른 조건들은 동일하게 하고, 진동수와 세기가 다른 단색광 a, b, c를 각각 세슘으로 만들어진 금속판에 비추었을 때, 방출된 광전자 수의 상대적 수치와 광전자의 최대 운동 에너지를 나타낸 것이다.

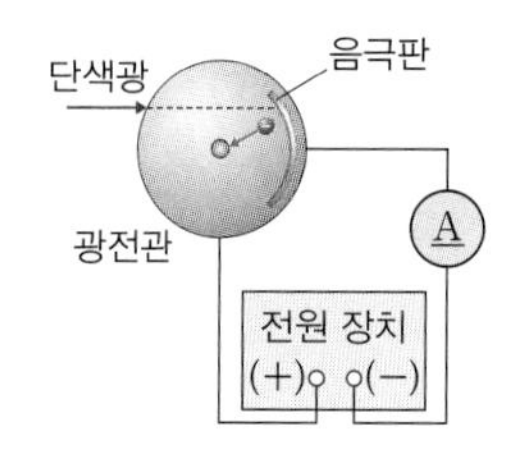

단색광	광전자 수	최대 운동 에너지(eV)
a	$2I_0$	0.5
b	$1.5I_0$	1
c	$2I_0$	1

09 이에 대한 설명으로 옳은 것만을 〈보기〉에서 있는 대로 고른 것은?

보기
ㄱ. 단색광의 진동수는 a가 b보다 크다.
ㄴ. 단색광의 세기는 b와 c가 같다.
ㄷ. 단색광의 빛에너지는 a가 c보다 작다.

① ㄱ ② ㄷ ③ ㄱ, ㄴ
④ ㄴ, ㄷ ⑤ ㄱ, ㄴ, ㄷ

10 표에서 단색광 a, b, c에 의한 최대 운동 에너지를 가지는 광전자의 물질파를 각각 A, B, C라 할 때, 이에 대한 설명으로 옳은 것만을 〈보기〉에서 있는 대로 고른 것은?

보기
ㄱ. 물질파의 운동량은 A가 B보다 크다.
ㄴ. 물질파의 파장은 B와 C가 같다.
ㄷ. 물질파의 파장은 A가 가장 길다.

① ㄱ ② ㄴ ③ ㄱ, ㄷ
④ ㄴ, ㄷ ⑤ ㄱ, ㄴ, ㄷ

11 그림은 질량이 m인 입자들이 입자 가속 장치에서 속력 v로 방출되어 이중 슬릿을 통과한 후 스크린에 간섭무늬를 만든 모습을 나타낸 것이다.

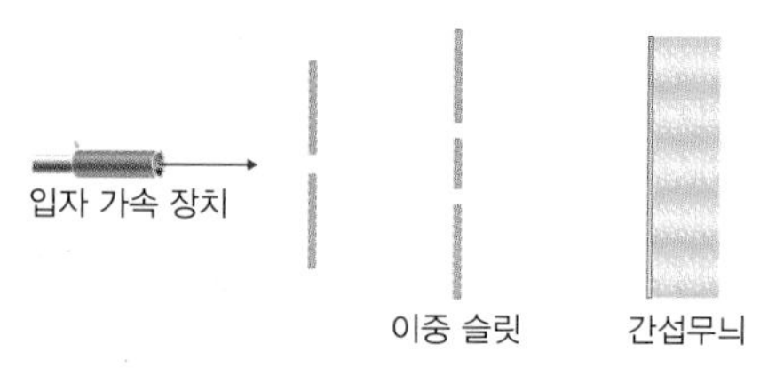

이에 대한 설명으로 옳은 것만을 〈보기〉에서 있는 대로 고른 것은?

보기
ㄱ. 간섭무늬는 입자의 파동성 때문에 나타난다.
ㄴ. 입자 가속 장치에서 방출되는 입자들의 질량을 m보다 작게 하면 간섭무늬는 사라진다.
ㄷ. 입자 가속 장치에서 방출되는 입자들의 속력을 v보다 작게 하면 간섭무늬는 사라진다.

① ㄱ ② ㄴ ③ ㄱ, ㄷ
④ ㄴ, ㄷ ⑤ ㄱ, ㄴ, ㄷ

12 그림 (가)는 니켈 표면에 전자선을 쏘고 검출기의 각도(θ)를 변화시키면서 니켈 표면에서 튀어 나오는 전자의 수를 측정하는 실험이다. 그림 (나)는 (가)에서 54 V로 가속된 전자의 각도(θ)에 따른 전자 수를 나타낸 것이다.

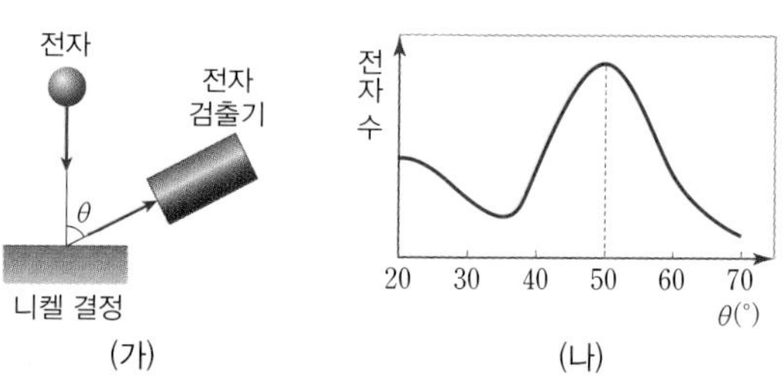

이에 대한 설명으로 옳은 것만을 〈보기〉에서 있는 대로 고른 것은?

보기
ㄱ. 전자선은 전자기파의 한 종류이다.
ㄴ. 이 실험 결과를 바탕으로 광전 효과를 설명할 수 있다.
ㄷ. $\theta=50°$에서 전자 수가 가장 많은 것은 보강 간섭의 효과로 설명할 수 있다.

① ㄴ ② ㄷ ③ ㄱ, ㄴ
④ ㄱ, ㄷ ⑤ ㄱ, ㄴ, ㄷ

[13~14] 그림은 알루미늄 박에 X선을 비출 때와 전자선을 입사시킬 때, 형광판에 회절 무늬가 생기는 것을 나타낸 것이다. 두 회절 무늬의 모양과 크기는 같다.

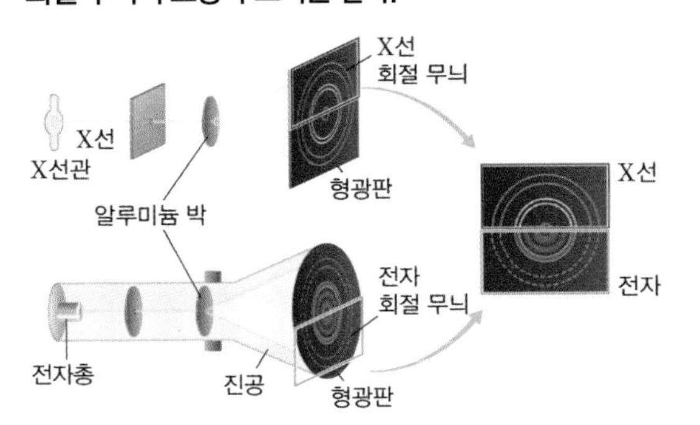

13 이에 대한 설명으로 옳은 것만을 〈보기〉에서 있는 대로 고른 것은?

보기
ㄱ. X선과 전자선의 물질파 파장은 같다.
ㄴ. X선의 광자 1개와 전자선의 전자 1개의 운동량은 같다.
ㄷ. X선과 전자선은 파동의 성질을 띠고 있다.

① ㄴ ② ㄷ ③ ㄱ, ㄴ
④ ㄱ, ㄷ ⑤ ㄱ, ㄴ, ㄷ

14 X선의 파장이 λ, 전자의 질량이 m일 때, 전자의 속력 v는? (단, 플랑크 상수는 h이다.)

① $\dfrac{\lambda h}{m}$ ② $\dfrac{h}{m\lambda}$ ③ $\dfrac{mh}{\lambda}$
④ $\dfrac{\lambda^2 h}{m}$ ⑤ $\dfrac{h}{m\lambda^2}$

15 그림은 속력 v로 등속도 운동하던 입자 A가 정지해 있던 입자 B와 충돌한 후 A가 $0.5v$의 속력으로 등속도 운동하는 것을 나타낸 것이다. A, B의 질량은 각각 $2m$, m이다.

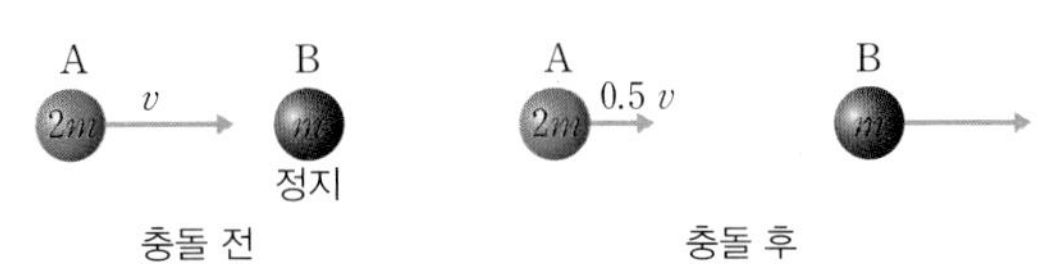

이에 대한 설명으로 옳은 것만을 〈보기〉에서 있는 대로 고른 것은? (단, 충돌 전후 A와 B는 동일 직선상에서 운동한다.)

보기
ㄱ. 충돌 후 B의 속력은 v이다.
ㄴ. 충돌 후 A와 B의 물질파의 파장은 같다.
ㄷ. A의 충돌 전 물질파 파장은 충돌 후 물질파 파장의 2배이다.

① ㄱ ② ㄷ ③ ㄱ, ㄴ
④ ㄴ, ㄷ ⑤ ㄱ, ㄴ, ㄷ

16 그림 (가)와 (나)는 광학 현미경과 전자 현미경을 이용하여 관찰한 동일한 짚신벌레의 모습을 순서 없이 나타낸 것이다.

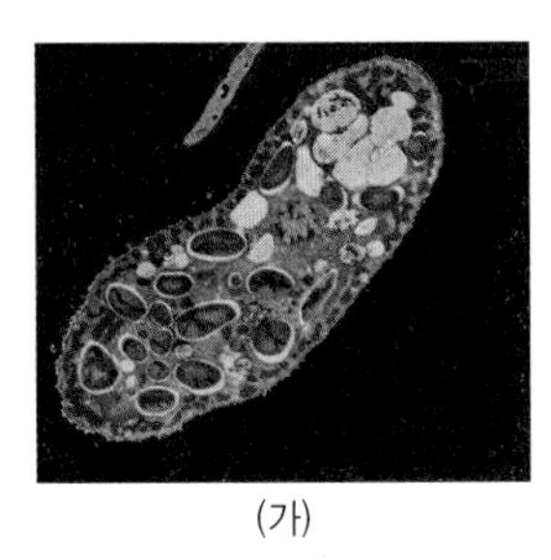
(가)

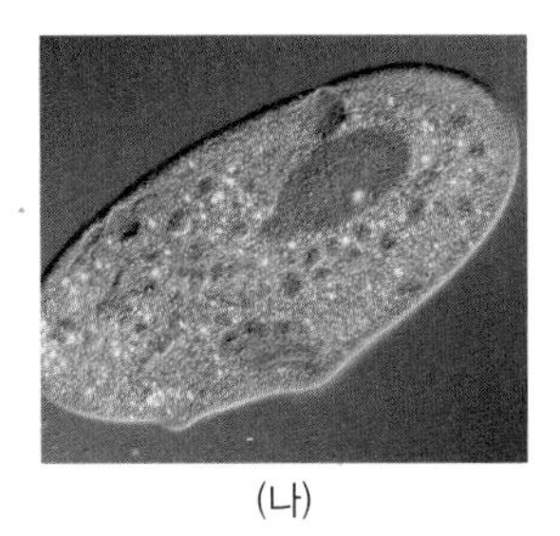
(나)

이에 대한 설명으로 옳은 것만을 〈보기〉에서 있는 대로 고른 것은?

보기
ㄱ. (가)는 내부가 진공인 현미경으로 관찰한 것이다.
ㄴ. 짚신벌레를 관찰하기 위해 사용한 파동의 파장은 (가)가 (나)보다 길다.
ㄷ. 자기렌즈를 이용하여 관찰한 결과는 (나)이다.

① ㄱ ② ㄴ ③ ㄱ, ㄷ
④ ㄴ, ㄷ ⑤ ㄱ, ㄴ, ㄷ

Memo

S·H·E·R·P·A

Memo

S·H·E·R·P·A

Memo

S·H·E·R·P·A

Memo

S·H·E·R·P·A

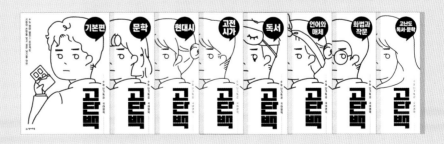

Sherpa

개념을 쌓아가는 **기본서**

고등 셀파

물리학 I

김명하·김태은·강태욱·남벽우·조봉제

BOOK 1

개념 기본서 | **정답과 해설**

천재교육

Sherpa

개념 기본서 | 정답과 해설

개념을 쌓아가는 **기본서**

고등 셀파

정답과 해설

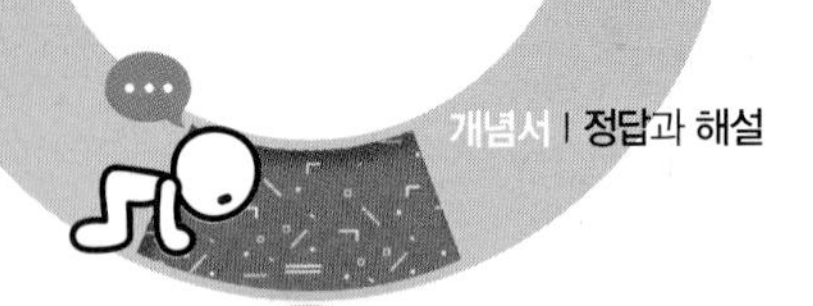

I 역학과 에너지

1. 힘과 운동

01 | 여러 가지 운동

탐구 대표 문제 p. 12

01 ①

01 ㄱ, ㄹ. 속도의 크기는 일정하지만 운동 방향이 변하는 등속 원운동이다.

오답 피하기

ㄴ, ㄷ. 바이킹은 실에 매달린 추의 운동과 같이 왕복 운동을 하고, 자이로드롭은 방향은 변하지 않지만 속력이 변하는 가속도 운동을 한다.

기초 탄탄 문제 p. 14

01 ⑤	02 ①	03 ①	04 ①	05 ⑤	06 ②

01 이동 거리는 강아지가 이동한 총 거리로, 60 m + 20 m = 80 m이고, 변위는 동쪽으로 이동할 때를 (+), 서쪽으로 이동할 때를 (−)로 정의하면 변위의 크기는 60 m − 20 m = 40 m이다. 부호가 (+)이므로 방향은 동쪽이다.

02 평균 속력은 이동 거리를 시간으로 나눈 $\frac{80}{5} = 16$ (m/s)이고, 평균 속도는 변위를 시간으로 나눈 $\frac{40}{5} = 8$ (m/s)이다.

03 이동 거리−시간 그래프에서 시간에 따라 이동 거리가 일정하게 증가하므로 물체는 등속 운동을 한다. 또한 이동 거리−시간 그래프에서 기울기는 속력을 의미한다.

04 ① 가속도 $a = \frac{-10-10}{10} = -2$ (m/s²)이다.

오답 피하기

② 5초 동안 이동한 거리는 $10 \times 5 \times \frac{1}{2} = 25$ (m)이다.

③ 5초일 때 물체의 속도의 부호가 바뀌므로 원래의 운동 방향과 반대 방향으로 운동을 한다.

④ 10초일 때 물체의 변위 $s = 10 \times 10 + \frac{1}{2} \times (-2) \times 10^2 = 0$이다.

⑤ 물체가 10초 동안 변위가 0이므로 평균 속도는 0이다.

05 가속도−시간 그래프에서 색칠한 부분의 넓이는 속도의 변화량을 나타내며, 이 물체는 가속도의 크기가 일정한 운동을 한다.

06 ① A에서 O까지 축구공에 작용하는 힘(중력)은 축구공의 연직 방향의 운동과 반대이므로 축구공의 속력은 감소한다.

③ O점을 지날 때 수직 방향의 속력은 0이지만 수평 방향의 속력은 0이 아니다.

④ 수평 방향의 속력은 항상 일정하다.

⑤ O에서 B까지 축구공의 운동 방향은 포물선의 접선 방향이다.

내신 만점 문제 p. 15~19

01 ④	02 ③	03 ⑤	04 ①	05 ⑤	06 ③
07 ④	08 ③	09 ③	10 ④	11 ④	12 ②
13 ③	14 ④	15 ①	16 ③	17 ⑤	18 ①
19 ③	20 ④	21~22 해설 참조			

01 ①, ② 0초~3초, 5초~10초 동안 기울기의 크기가 증가하므로 속력이 증가한다.

③ 5초일 때 속도의 부호가 (+)에서 (−)로 바뀐다.

⑤ 0초~5초 동안 평균 속력은 $\frac{12\text{ m}}{5\text{ s}} = 2.4$ m/s이고, 5초~10초 동안 평균 속력은 $\frac{8\text{ m}}{5\text{ s}} = 1.6$ m/s이다.

오답 피하기

④ 0초~12초 동안 변위가 12 m − 12 m = 0이므로 평균 속도의 크기는 0이다.

문제 속 자료 위치−시간 그래프

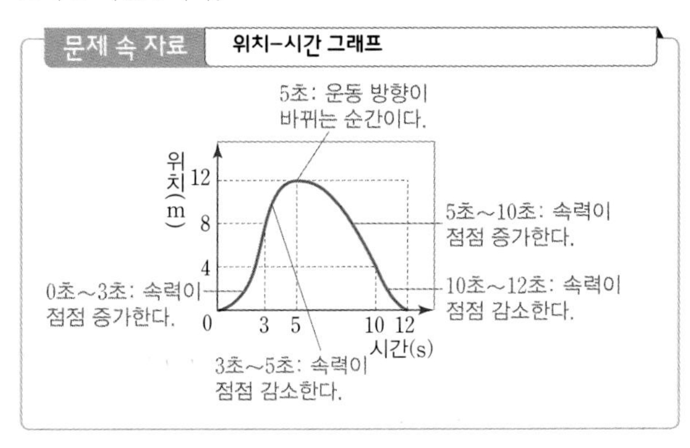

02 ③ 속력은 크기만 가지는 물리량으로 등속 원운동에서 속력은 일정하다.

오답 피하기

① 등속 원운동에서 물체의 운동 방향은 계속 변한다.

② 속도는 크기와 방향을 가진 물리량으로 원운동은 속도의 크기는 일정하지만 방향이 변하는 운동이다.

④ 등속 원운동은 일정한 속력으로 운동을 하지만 방향이 변하므로 가속도는 0이 아니다.

⑤ 등속 원운동은 물체에 작용하는 힘의 방향과 운동 방향이 서로 수직이다.

03 ㄱ. 영희와 철수가 P선에서 다시 만날 때까지 걸린 시간이 같으므로 '이동 거리 = 평균 속력 × 걸린 시간'에 의해 이동 거리는 평균 속력에 비례한다. 영희와 철수의 평균 속력의 비가 2 : 3이므로 이동 거리의 비도 2 : 3이다.

ㄴ. 영희의 이동 거리와 철수의 이동 거리의 합이 20 m이므로 두 사람이 만난 시각 t는 $2\ \mathrm{m/s} \times t + 3\ \mathrm{m/s} \times t = 20\ \mathrm{m}$에 의해 $t = 4\ \mathrm{s}$이다.

ㄷ. 철수가 4초 동안 이동한 거리는 $3\ \mathrm{m/s} \times 4\ \mathrm{s} = 12\ \mathrm{m}$이므로 O에서 P점까지의 거리인 변위의 크기는 2 m이다. 따라서 철수의 평균 속도의 크기는 $\dfrac{2\ \mathrm{m}}{4\ \mathrm{s}} = 0.5\ \mathrm{m/s}$이다.

04 ㄱ. 자동차 A는 5초 동안 20 m/s의 속도로 등속도 운동을 하므로 5초 동안 이동한 거리는 $5 - 20 = 100\ \mathrm{m}$이다.

오답 피하기

ㄴ. 5초 후 두 자동차의 위치는 같으므로 5초 동안 자동차 B가 등가속도 운동으로 이동한 거리는 100 m이다. 따라서 $s = v_0t + \dfrac{1}{2}at^2$에 의해 $100 = 0 \times 5 + \dfrac{1}{2}a \times (5)^2$이고 $a = 8\ (\mathrm{m/s^2})$이다.

ㄷ. 0초부터 5초까지 자동차 B가 이동한 거리는 100 m이므로 평균 속도는 20 m/s이다.

05 ㄱ, ㄴ. 평균 속력이 평균 속도의 크기의 $\dfrac{5}{4}$배이므로 이동 거리는 변위의 크기의 $\dfrac{5}{4}$배이다. 그런데 변위의 크기가 8 m이므로 이동 거리는 $8\ \mathrm{m} \times \dfrac{5}{4} = 10\ \mathrm{m}$이다. 따라서 $x = -1\ \mathrm{m}$에서 운동 방향이 바뀐다.

ㄷ. $x = -1\ \mathrm{m}$에서 속력이 0이므로 $2 \times a \times (-1\ \mathrm{m}) = 0^2 - (-2\ \mathrm{m/s})^2$에서 가속도는 $a = 2\ \mathrm{m/s^2}$이다.

06 $2as = v^2 - {v_0}^2$에 의해 $2 \times 2\ \mathrm{m/s^2} \times 8\ \mathrm{m} = v^2 - (-2\ \mathrm{m/s})^2$에서 $v = 6\ \mathrm{m/s}$이다. $a = \dfrac{v - v_0}{t}$에 의해

$2\ \mathrm{m/s^2} = \dfrac{6\ \mathrm{m/s} - (-2\ \mathrm{m/s})}{t}$에서 $t = 4\ \mathrm{s}$이다.

07 ㄱ. 정지해 있던 물체가 가속도 $6\ \mathrm{m/s^2}$의 크기로 2초 동안 운동을 하므로 $v = v_0 + at$에 의해 2초 후 속력은 12 m/s이다. 가속도-시간 그래프에서 면적은 물체의 속도 변화량과 같다.

ㄷ. 0초~2초까지 물체의 이동 거리는 $s = v_0t + \dfrac{1}{2}at^2$에 의해 12 m를 이동하고, 2초~4초까지 물체는 24 m를 이동하여 4초 동안 총 36 m를 이동한다. 그러므로 평균 속력은 9 m/s이다.

오답 피하기

ㄴ. 2초부터 4초까지 물체의 가속도가 0이므로 12 m/s의 크기로 등속도 운동을 한다.

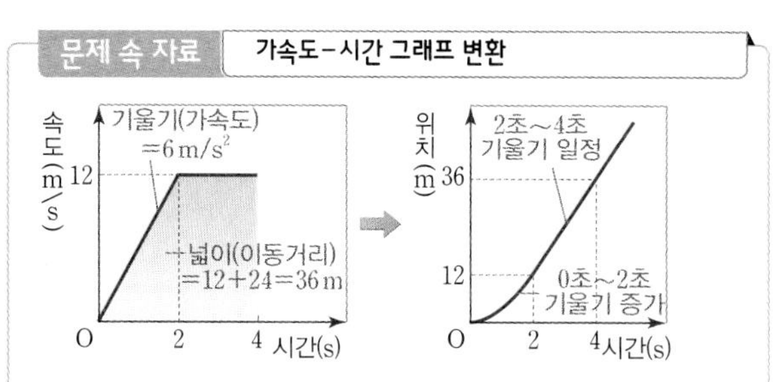

문제의 가속도-시간 그래프를 각각 속도-시간, 위치-시간 그래프로 나타내면 위와 같다. 0초~2초까지 물체는 등가속도 운동을 하고 2초~4초까지는 등속도 운동을 한다.

08 ㄱ. a에서 b까지 가는 데 걸린 시간과 c에서 d까지 가는 데 걸린 시간이 같으므로 c에서 d까지의 평균 속력이 a에서 b까지의 평균 속력의 3배이다.

$3 \times \dfrac{(2\ \mathrm{m/s} + v)}{2} = \dfrac{2v + 10\ \mathrm{m/s}}{2}$에서 $v = 4\ \mathrm{m/s}$이다.

ㄷ. 가속도가 $1\ \mathrm{m/s^2}$이므로 b에서 c까지 가는 데 걸린 시간은 $v = v_0 + at$에 의해 $8\ \mathrm{m/s} = 4\ \mathrm{m/s} + 1\ \mathrm{m/s^2} \times t$에서 $t = 4$초이다.

오답 피하기

ㄴ. $2as = v^2 - {v_0}^2$에 의해 $2 \times a \times 6\ \mathrm{m} = (4\ \mathrm{m/s})^2 - (2\ \mathrm{m/s})^2$에서 $a = 1\ \mathrm{m/s^2}$이다.

09 ㄷ. 0초~3초까지 물체의 평균 속력은 총 이동 거리를 시간으로 나눈 값으로 2 m/s이다.

오답 피하기

ㄱ. 물체가 운동하는 동안 속도의 부호(방향)가 바뀌지 않으므로 운동 방향도 바뀌지 않는다.

ㄴ. 물체는 0초~3초까지 운동 방향의 변화 없이 운동하므로 3초일 때 이동 거리는 속도-시간 그래프 아랫부분의 넓이와 같다. 즉, $s = \dfrac{1}{2} \times 4\ \mathrm{m/s} \times 3\ \mathrm{s} = 6\ \mathrm{m}$이다.

10 평균 속력은 물체가 이동한 총 거리를 걸린 시간으로 나눈 값이고 속도-시간 그래프 아랫부분의 넓이는 이동한 거리이다(방향의 변화 없이 직선상 운동을 하는 물체의 변위는 이동 거리와 같다.). ➡ 평균 속력 $v = \dfrac{(2 \times 3) + (4 \times 2)}{5} = 2.8\ (\mathrm{m/s})$

11 ㄱ. 속도－시간 그래프에서 기울기는 가속도이므로 2초일 때 A의 가속도는 $\frac{-4\text{ m/s}}{4\text{ s}}=-1\text{ m/s}^2$이고, B의 가속도는 $\frac{-2\text{ m/s}}{8\text{ s}}=-\frac{1}{4}\text{ m/s}^2$이다. 따라서 가속도의 크기는 A가 B의 4배이다.

ㄷ. A, B 모두 등가속도 직선 운동을 하였으므로 $v=v_0+at$에 의해 A는 $v_A=4\text{ m/s}+(-1\text{ m/s}^2)\times t$, B는 $v_B=2\text{ m/s}+(-\frac{1}{4}\text{ m/s}^2)\times t$이다. A, B의 속도가 같아지는 순간은 $v_A=v_B$이므로 $4\text{ m/s}-1\text{ m/s}^2\times t=2\text{ m/s}-\frac{1}{4}\text{ m/s}^2\times t$에서 $t=\frac{8}{3}$초일 때이다.

0초~$\frac{8}{3}$초 동안 $s=v_0t+\frac{1}{2}at^2$을 이용하여 A의 이동 거리 s_A와 B의 이동 거리 s_B를 구하면 다음과 같다.

$s_A=4\text{ m/s}\times\frac{8}{3}\text{ s}+\frac{1}{2}\times(-1\text{ m/s}^2)\times\left(\frac{8}{3}\text{ s}\right)^2=\frac{64}{9}\text{ m}$

$s_B=2\text{ m/s}\times\frac{8}{3}\text{ s}+\frac{1}{2}\times\left(-\frac{1}{4}\text{ m/s}^2\right)\times\left(\frac{8}{3}\text{ s}\right)^2=\frac{40}{9}\text{ m}$

따라서 A, B 사이의 거리는 $s_A-s_B=\frac{64}{9}\text{ m}-\frac{40}{9}\text{ m}=\frac{24}{9}\text{ m}=\frac{8}{3}\text{ m}$이다.

오답 피하기

ㄴ. 속도－시간 그래프에서 아랫부분의 넓이는 이동 거리이므로, A가 정지할 때까지 이동한 거리는 $\frac{1}{2}\times4\text{ m/s}\times4\text{ s}=8\text{ m}$이고, B가 정지할 때까지 이동한 거리는 $\frac{1}{2}\times2\text{ m/s}\times8\text{ s}=8\text{ m}$이다.

12 속도－시간 그래프에서 넓이는 변위, 기울기는 가속도이다.

① 0초~4초 동안 이동 거리는 $4\text{ m}+4\text{ m}+2\text{ m}=10\text{ m}$이다.

③ 2초~3초 동안은 등가속도 운동이므로 평균 속력은 4 m/s이고, 3초~5초 동안의 평균 속력은 $\frac{2\text{ m}+2\text{ m}}{2\text{ s}}=2\text{ m/s}$이다.

④ 5초~9초 동안 속도의 크기가 감소하므로 속도의 방향(운동 방향)과 가속도의 방향은 반대이다.

⑤ 0초~9초 동안의 변위는 $4\text{ m}+4\text{ m}+2\text{ m}-2\text{ m}-8\text{ m}=0$이므로 물체는 9초일 때 출발점으로 되돌아온다.

오답 피하기

② 1초일 때 가속도는 $\frac{4\text{ m/s}}{2\text{ s}}=2\text{ m/s}^2$이고, 4초일 때 가속도는 $\frac{-8\text{ m/s}}{2\text{ s}}=-4\text{ m/s}^2$이다. 따라서 4초일 때 가속도의 크기가 더 크다.

문제 속 자료 속도－시간 그래프

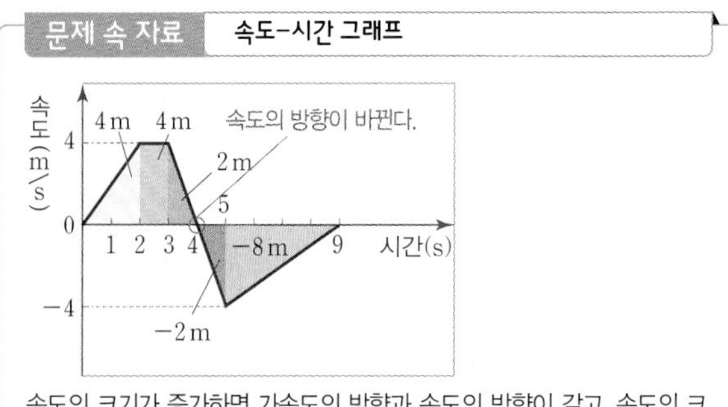

속도의 크기가 증가하면 가속도의 방향과 속도의 방향이 같고, 속도의 크기가 감소하면 가속도의 방향과 속도의 방향이 반대이다.

13 ㄱ. A는 기울기가 일정하므로 속도가 일정한 등속 직선 운동을 하고, B는 접선의 기울기가 시간이 지남에 따라 점점 증가하므로 속도가 증가하는 운동을 한다.

ㄷ. t초 동안 두 물체의 변위와 걸린 시간이 같으므로 A, B의 평균 속도는 같다.

오답 피하기

ㄴ. 시각 t일 때 접선의 기울기는 B가 A보다 크므로 순간 속도도 B가 A보다 크다.

14 타점에 찍힌 물체의 운동을 보면 단위 시간 동안 이동한 거리가 일정하게 증가하므로 위치－시간 그래프는 기울기가 점점 증가하는 'ㄴ'으로 나타나고, 속도－시간 그래프는 속도가 일정하게 증가하는 'ㄹ'로 나타나며, 가속도－시간 그래프는 가속도 값이 일정한 'ㅁ'으로 나타난다.

15 10 m/s의 속력으로 등속 직선 운동하는 A가 200 m를 이동하는 데 걸린 시간은 20 s이다. 20초 동안 B는 가속도 a로 등가속도 직선 운동을 하므로 $s=v_0t+\frac{1}{2}at^2$에 의해 $200\text{ m}=15\text{ m/s}\times20\text{ s}+\frac{1}{2}a\times(20\text{ s})^2$에서 $a=-\frac{1}{2}\text{ m/s}^2$이다. 따라서 Q에 도달하는 순간 B의 속력은 $v=v_0+at$에 의해 $v_B=15\text{ m/s}-\frac{1}{2}\text{ m/s}^2\times20\text{ s}=5\text{ m/s}$이다.

16 ㄱ. $v_A=\frac{0.5\text{ m}}{0.4\text{ s}}=1.25\text{ m/s}$이고 $v_B=\frac{0.7\text{ m}}{0.4\text{ s}}=1.75\text{ m/s}$이다.

따라서 v_B는 v_A보다 0.5 m/s만큼 크다.

ㄴ. P에서 속력은 A 구간의 평균 속력과 B 구간의 평균 속력의 중간 값과 같으므로, P에서 속력은 1.5 m/s이다.

오답 피하기

ㄷ. 가속도의 크기는 $a=\frac{0.5\text{ m/s}}{0.4\text{ s}}=1.25\text{ m/s}^2$이다.

17 ㄱ. A의 평균 속도는 $2v$이고 B의 평균 속도는 $1.5v$이다. 따라서 평균 속도는 A가 B의 $\frac{2}{1.5}=\frac{4}{3}$배이다.

ㄴ. 0초부터 4초까지 속도 변화량은 A가 $2v$, B가 $3v$이므로, B가 A의 $\frac{3}{2}$배이다. 따라서 가속도의 크기는 B가 A의 $\frac{3}{2}$배이다.

ㄷ. 2초일 때 속도는 0초부터 4초까지 평균 속도와 같다. 따라서 2초일 때 A의 속도는 $2v$이고 B의 속도는 $1.5v$이다. 그러므로 A가 B보다 $0.5v$만큼 크다.

문제 속 자료 등가속도 직선 운동의 평균 속도

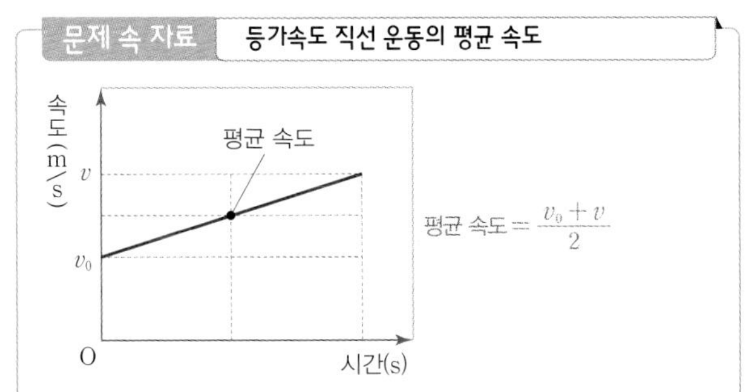

등가속도 운동을 하는 물체는 속도가 일정하게 증가하므로 평균 속도는 처음 속도와 나중 속도의 중간 값과 같다.

18 ㄱ. 철수는 시간에 따른 속력이 일정하며 직선 운동을 하기 때문에 방향도 일정하다. 등속 직선 운동을 한다.

오답 피하기

ㄴ. 이동 거리－시간 그래프에서 기울기는 속력이다. (나)에서 그래프의 기울기가 일정하므로 영희는 등속 직선 운동을 한다.

ㄷ. 4초일 때 철수의 위치는 $10\ m/s \times 4\ s = 40\ m$, 영희의 위치는 30 m이다.

19 ㄷ. (나)에서 쇠구슬은 속력과 운동 방향 모두 변하는 진자 운동을 한다.

오답 피하기

ㄱ. (가)에서 쇠구슬은 등속 원운동을 한다. 등속 원운동에서 물체는 일정한 속력으로 운동하지만 방향은 원 방향을 따라 매 순간 변하기 때문에 속도는 일정하지 않다.

ㄴ. 원 운동을 하는 쇠구슬에 작용하는 힘은 원 중심 방향으로 일정한 크기를 갖는다.

20 ㄱ. (가)에서 물체는 수평 방향으로는 속력이 일정한 등속도 운동을 하지만 수직 방향으로는 중력을 받아 속력이 증가하는 가속도 운동을 한다.

ㄷ. 수평으로 던진 물체와 비스듬히 던져 올린 물체는 모두 수평 방향으로는 일정한 속력으로 운동한다.

오답 피하기

ㄴ. (나)에서 물체가 O점에 도달하면 수직 방향의 속력은 0이고, 수평 방향의 속력은 있다. 그러므로 O점에서 속력은 0이 아니다.

문제 속 자료 포물선 운동

비스듬히 던져 올린 물체는 포물선 운동을 한다. 이때 수평 방향으로는 힘이 작용하지 않으며, 연직 방향으로만 중력이 작용해 등가속도 운동을 한다.

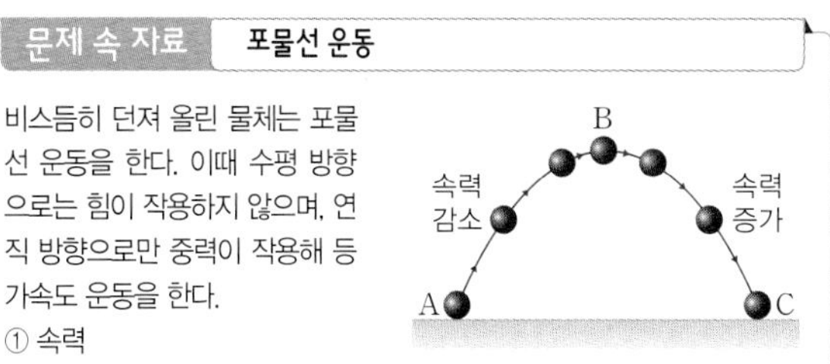

① 속력
- 수평 방향 : 속력이 일정함.
- 연직 방향 : A → B 속력 감소, B → C 속력 증가

② 운동 방향 : 매 순간 변한다. (포물선의 접선 방향)

21 0초~20초: 정지해 있던 자동차가 등가속도 운동을 하여 20초 후 20 m/s^{2}의 속력을 가질 때, $v=v_0+at$에 의해 가속도 a는 1 m/s^{2}이므로 20초 동안 이동한 거리는 $s=v_0t+\frac{1}{2}at^2$에 의해 $L=0\times(20\ s)+\frac{1}{2}\times(1\ m/s^2)\times(20\ s)^2=200\ m$이다.

20초 이후: 20초 후 20 m/s의 속력으로 등속도 운동을 하는 자동차가 L(200 m)만큼 이동하는 데 걸린 시간은 $s=vt$에 의해 $200\ m=20\ m/s\times t$에서 $t=10\ s$이다.

그러므로 자동차가 기준선 P부터 기준선 R까지 이동한 거리는 400 m이고, 시간은 30초이다.

[모범 답안]

(1)

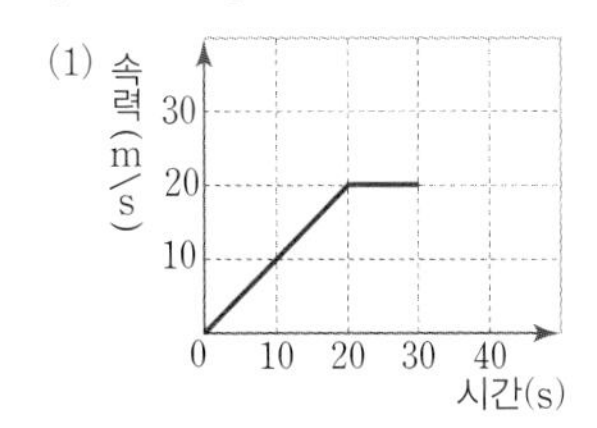

(2) 400 m, 30초

22 비스듬히 던져 올린 물체의 운동은 수평 방향으로는 힘이 작용하지 않으며, 연직 방향으로만 중력이 작용해 등가속도 운동을 한다.

[모범 답안] (1) 연직 아래 방향

(2) 수평 방향: 농구공의 수평 방향은 가속도가 없기 때문에 속력의 크기가 같은 등속 운동을 한다.

연직 방향: 농구공은 연직아래 방향으로 중력을 받아 등가속도 운동을 한다. 따라서 최고점에 도달할 때 까지는 공의 가속도 방향과 운동 방향이 반대이므로 공의 속력이 감소하고, 공의 가속도 방향과 운동 방향이 같아지는 최고점에서 내려올 때 공의 속력이 증가한다.

02 | 관성 법칙과 가속도 법칙

탐구 대표 문제 p. 23

01 ③

01 민수의 실험은 질량이 일정할 때 힘과 가속도의 관계를 알아보기 위한 것이다.

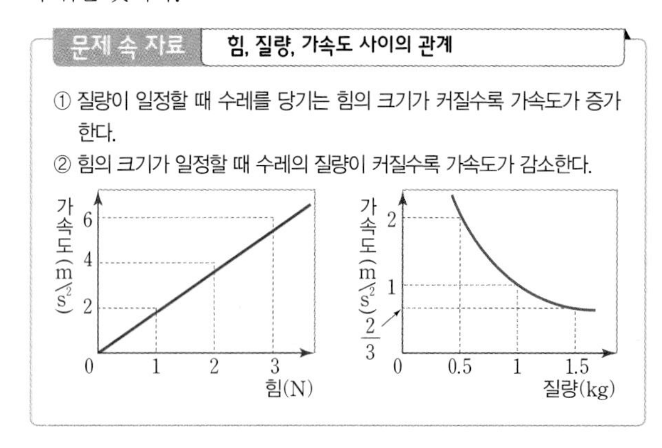

문제 속 자료
힘, 질량, 가속도 사이의 관계
① 질량이 일정할 때 수레를 당기는 힘의 크기가 커질수록 가속도가 증가한다.
② 힘의 크기가 일정할 때 수레의 질량이 커질수록 가속도가 감소한다.
가속도(m/s²)
힘(N)
질량(kg)
2/3

기초 탄탄 문제 p. 24

01 ② 02 ④ 03 ③ 04 ⑤ 05 ① 06 ① 07 ④

01 오답 피하기
② 힘은 물체의 모양이나 운동 상태를 변화시키는 원인으로 물체의 속도를 변화시킨다.

02 용수철에 연결되어 있는 물체에 왼쪽으로 15 N을 작용했을 때 물체가 움직이지 않는 것으로 보아 작용한 힘과 용수철이 물체에 작용한 힘의 합은 평형을 이룬다. 즉 두 힘의 합인 알짜힘이 0이므로 용수철이 물체에 작용함 힘은 15 N으로 같고 방향은 반대(→)이다.

03 한 칸의 크기가 1 N일 때 F_1은 윗방향으로 2 N, F_2는 아랫방향으로 2 N, F_3는 왼쪽으로 1 N, F_4는 오른쪽으로 3 N을 작용하므로 같은 일직선상에 작용하는 힘끼리 합하는 경우 y축 알짜힘은 0이 되고 x축 알짜힘은 오른쪽으로 2 N을 가지므로 물체에 작용한 알짜힘의 크기와 방향은 오른쪽으로 2 N이다.

04 ① 관성은 질량이 클수록 크다.
② 모든 물체는 외력이 작용하지 않으면 처음 운동 상태를 유지하려고 한다. 그러므로 정지 상태를 유지하려고 한다.
③ 물체에 작용하는 알짜힘이 0이면 물체는 운동 상태를 유지한다.
④ 정지해 있던 물체가 힘을 받으면 가속도 운동을 한다.

05 철수: 휴지를 갑자기 잡아당기면 휴지는 멈춰 있으려는 상태를 유지하는 관성 현상이 나타난다.
오답 피하기
영희: 물체에 작용하는 알짜힘이 0일 때 물체의 운동 상태는 계속 유지된다.
민수: 물체의 질량이 클수록 관성이 크다.

06 ① 정지한 물체는 계속 정지해 있으려는 정지 관성을 가지고 ②, ③, ④, ⑤ 움직이는 물체는 계속 운동하려는 운동 관성을 가진다.

07 A에 작용한 힘의 크기 $F=5\times2=10$ (N)이다. B에 같은 힘으로 작용했을 때 가속도가 5 m/s²이므로 B의 질량 $m=\frac{10}{5}=2$ (kg)이다.

내신 만점 문제 p. 25~27

01 ① 02 ③ 03 ③ 04 ③ 05 ③ 06 ⑤ 07 ⑤ 08 ① 09 ③ 10 ①
11~12 해설 참조

01 ㄱ. 일정한 속도로 달리고 있는 자동차의 가속도는 0이므로 자동차에 작용하는 알짜힘의 크기는 0이다.
오답 피하기
ㄴ. 일정한 속력으로 원운동하고 있는 인공위성은 원의 중심으로 구심력이 작용하고 있으므로 알짜힘이 0이 아니다.
ㄷ. 줄에 매달려 진자 운동을 하는 물체는 중력과 줄이 물체를 잡아당기고 있는 장력의 합이 0이 아니기 때문에 속도가 변한다.

02 물체에 작용하는 알짜힘의 크기는 50 N − 30 N = 20 N이다. 뉴턴의 운동 제2법칙에 따르면 20 N = 4 kg × a이므로 물체의 가속도는 5 m/s²이다. 그러므로 힘을 작용한 후 5초 뒤에 나무 도막의 속도 $v=5$ m/s × 5 s = 25 m/s이다.

03 ㄷ. 0초~4초까지 물체가 이동한 거리는 속도−시간 그래프에서 면적이므로 $s=\left(\frac{1}{2}\times2\times4\right)+(2\times4)=12$ (m)이다.
따라서 평균 속도 $v=\frac{12}{4}=3$ (m/s)이다.

오답 피하기

ㄱ. (나)에서 1초일 때 물체의 가속도가 $\frac{4}{2}=2\,(\text{m/s}^2)$이다. 그러므로 뉴턴 운동 제2법칙에 따라 $F=3\times2=6\,(\text{N})$이다.

ㄴ. 2초부터 물체는 등속도 운동을 한다. 그러므로 물체에 작용하는 힘의 크기는 0이다.

04 물체에 작용하는 알짜힘이 0인 경우 물체는 외력을 받지 않은 상태이다. 그러므로 물체는 처음 운동 상태를 그대로 유지하려고 한다. 따라서 (A)는 등속도 운동이다. 알짜힘이 0이 아닌 경우 물체는 힘을 받기 때문에 운동 상태가 변하게 된다. 따라서 (B)는 가속도 운동이다.

05 ㄷ. 관성은 물체에 작용하는 알짜힘이 0일 경우 물체의 운동 상태를 유지하려는 현상을 의미한다.

오답 피하기

ㄱ. 물체에 외력이 작용하지 않을 경우 물체는 운동 상태를 계속 유지한다. 그러므로 A는 '물체는 속력이 일정한 직선 운동을 한다.'이다.

ㄴ. 알짜힘이 0이 아닌 경우 물체에 힘이 작용하므로 정지해 있는 물체는 운동 상태가 변한다.

06 ㄱ. 수레에 작용하는 힘의 크기가 커질수록 수레의 가속도가 커지므로 F_1의 힘으로 수레를 당겼을 때의 가속도는 F_2의 힘으로 수레를 당겼을 때보다 크므로 A이다.

ㄴ. 속력-시간 그래프에서 기울기는 가속도를 의미하므로 A, B의 기울기를 구하면 $\frac{2}{3}v$, $\frac{1}{3}v$으로 F_1의 힘으로 당겼을 때 가속도는 F_2의 힘으로 당겼을 때 가속도의 2배이다.

ㄷ. 속력-시간 그래프에서 면적은 물체의 이동 거리를 의미하므로 0초~3초 동안 이동한 거리는 9 m이다.

07 ㄱ. 열차의 운동 방향을 (+)로 정하면 $0\sim t_1$ 동안 기울기(가속도)가 (+)이므로 객차에 작용하는 알짜힘도 (+)이다. 객차는 (+)방향으로 기관차가 객차를 당기는 힘과 (−)방향으로 마찰력을 받으므로 기관차가 객차를 당기는 힘의 크기가 마찰력의 크기보다 크다.

ㄴ. $t_1\sim t_2$ 동안 등속도 운동을 하므로 객차가 받는 알짜힘은 0이다.

ㄷ. 속력이 감소하면 알짜힘의 방향과 운동 방향은 반대이다. 따라서 $t_2\sim t_3$ 동안 객차의 속력이 감소하므로 객차가 받는 알짜힘의 방향과 객차의 운동 방향은 반대이다.

주의 Tip

속력이 증가하면 가속도의 방향과 속도의 방향이 같고, 속력이 감소하면 가속도의 방향과 속도의 방향이 반대이다.

08 ㄱ. 속도-시간 그래프에서 기울기는 가속도이므로 가속도(기울기)의 비는 $\frac{4v-0}{t}:\frac{3v-v}{t}=\frac{4v}{t}=\frac{2v}{t}=2:1$이다.

오답 피하기

ㄴ. 등가속도 직선 운동에서 평균 속력은 처음 속도와 나중 속도의 중간값이다. A는 처음 속도 0, 나중 속도 $4v$이므로 평균 속력은 $2v$이고, B는 처음 속도 v, 나중 속도 $3v$이므로 평균 속력은 $2v$이다. 평균 속력과 걸린 시간이 같으므로 이동 거리도 같다.

ㄷ. 같은 크기의 힘을 작용하였으므로 $F=ma$에 의해 질량과 가속도의 크기는 반비례한다. A, B의 가속도의 비가 2 : 1이므로 질량의 비는 1 : 2이다.

문제 속 자료 속도-시간 그래프

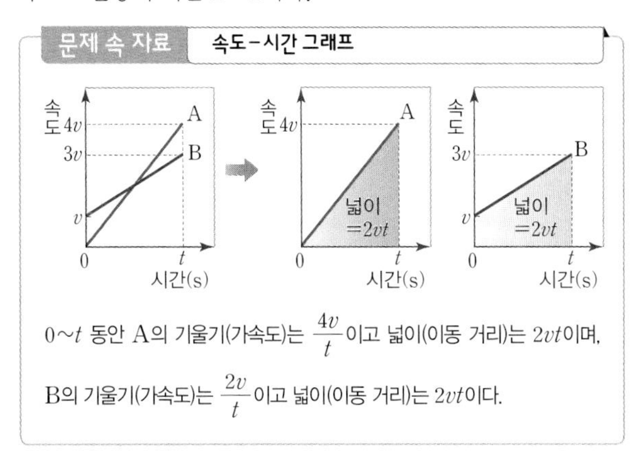

$0\sim t$ 동안 A의 기울기(가속도)는 $\frac{4v}{t}$이고 넓이(이동 거리)는 $2vt$이며, B의 기울기(가속도)는 $\frac{2v}{t}$이고 넓이(이동 거리)는 $2vt$이다.

09 ㄷ. 철수에게 작용한 알짜힘 $F=60\text{ kg}\times(-0.5\text{ m/s}^2)=-30\text{ N}$이다. 힘의 부호가 (−)이므로 힘의 방향은 운동 방향과 반대 방향이다.

오답 피하기

ㄱ. 속도-시간 그래프에서 기울기는 가속도이므로 철수의 가속도는 $a=\frac{0\text{ m/s}-3\text{ m/s}}{6\text{ s}}=-0.5\text{ m/s}^2$이다.

ㄴ. 영희는 등속도 운동을 하고 있으므로 영희에게 작용한 알짜힘의 크기는 0이다.

10 ㄱ. 물체가 정지해 있으므로 물체에 작용하는 알짜힘은 0이다.

오답 피하기

ㄴ. 물체에 작용하는 중력의 크기가 20 N이고, 용수철저울이 물체를 당기는 힘의 크기가 12 N이므로 수평면이 물체를 미는 힘의 크기는 20 N−12 N=8 N이다.

ㄷ. 수평면이 물체를 미는 힘과 용수철저울이 물체를 당기는 힘의 합력이 중력과 평형을 이룬다.

11 부력의 방향은 중력의 반대 방향이다. A에서는 중력과 부력의 크기가 같고 방향이 반대이므로 알짜힘이 0이다. B에서는 중력의 반대 방향으로 수직 항력과 부력이 작용한다.

[모범 답안] (1) 물체는 물속에 잠길 경우 중력과 반대 방향으로 부력을 받게 되는데 물체가 물속에 부피의 절반만큼 잠겼을 때 중력의 크기와 부력의 크기가 서로 같아. 알짜힘이 0이 되었기 때문에 멈춰 있을 수 있는 것이다.

(2) 물체 B는 아랫방향으로 잡아당기는 중력과 윗방향으로 밀어 올리는 부력 그리고 수조 바닥이 물체를 받쳐 올리는 수직 항력이 작용하고 있으며 이 세 힘의 합력이 0이므로 멈춰 있는 것이다.

서술형 Tip

물체가 움직이지 않는 것은 물체에 작용하는 알짜힘이 0일 경우이다. 그러므로 물체에 작용하는 모든 힘(중력, 부력, 수직 항력)의 크기와 방향을 고려해야 한다.

12 뉴턴 운동 제2법칙에 따르면 운동하는 물체의 가속도 크기는 작용하는 알짜힘의 크기에 비례하고, 질량에 반비례하며, 가속도의 방향은 알짜힘의 방향과 같다.

가속도$=\frac{\text{알짜힘}}{\text{질량}}$, $a=\frac{F}{m}$ ➡ $F=ma$

[모범 답안] (1) 수레의 질량이 일정한 조건에서 힘의 크기와 가속도는 비례 관계이다.

(2) 수레에 작용하는 힘이 일정한 조건에서 질량과 가속도는 반비례 관계이다.

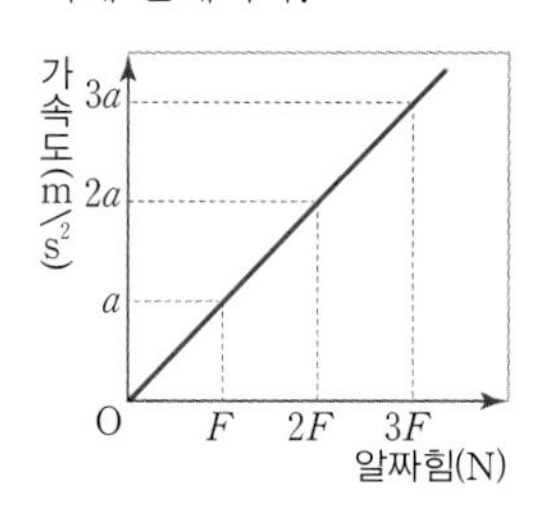

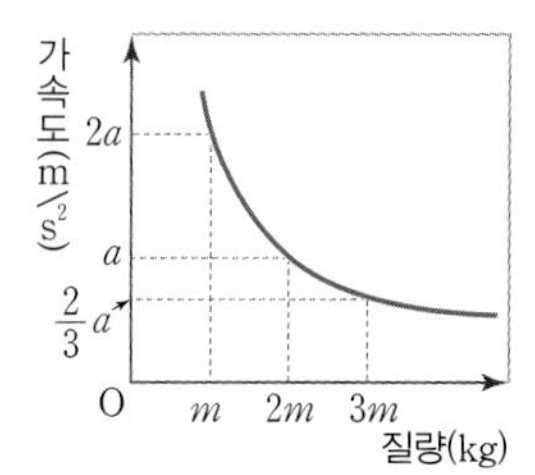

03 | 작용 반작용과 운동 법칙 적용

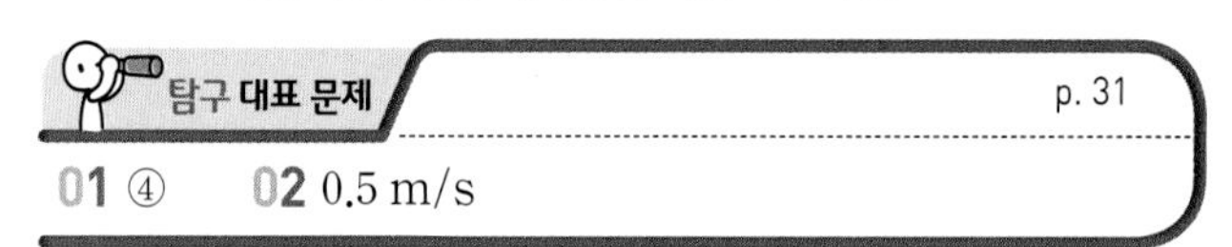

탐구 대표 문제 p. 31

01 ④ 02 0.5 m/s

01 ㄱ. 수영 선수가 벽을 미는 힘과 벽이 수영 선수를 미는 힘은 크기가 같고 방향이 반대인 작용 반작용 관계이다.

ㄴ. 야구 방망이가 공을 미는 힘과 공이 야구 방망이를 미는 힘은 크기가 같고 방향이 반대인 작용 반작용 관계이다.

오답 피하기

ㄷ. 지구가 책을 당기는 힘과 책상이 책을 떠받치는 힘은 한 물체에 크기가 같고 방향이 반대인 힘의 평형 관계의 힘이다.

02 어른이 아이를 밀 때 작용 반작용으로 인해 어른은 아이한테서 같은 크기의 힘을 받는다. 어른이 받은 힘의 크기가 30 N이므로 가속도가 $a=\frac{30}{60}=0.5\ m/s^2$이다. 1초 후 어른의 속력 $v=0.5\times1=0.5\ m/s$이다.

기초 탄탄 문제 p. 32

01 ③ 02 ② 03 ② 04 ④ 05 ① 06 ②

01 작용 반작용은 동시에 서로 다른 물체에 작용하며 크기는 같지만 방향이 반대로 작용한다. 또한 두 힘의 작용점은 서로 다른 물체에 있으므로 합성할 수 없다.

02 칠판 지우개가 철수를 미는 힘에 대한 반작용은 철수가 칠판 지우개를 누르는 힘이다.('A가 B를 미는 힘'의 반작용은 'B가 A를 미는 힘'이다.)

03 두 물체에 작용하는 알짜힘의 크기는 물체 B 방향으로 10 N이고 두 물체 질량의 합은 5 kg이므로 물체 A와 B의 가속도 크기는 2 m/s^2이다.

04 ①, ②, ③은 관성에 대한 예이고, ⑤는 충격량과 시간의 관계에 대한 예이다. 달리기 경주에서 스타팅 블록은 선수들이 출발할 때 작용 반작용을 통해 강한 힘으로 빠른 출발을 하기 위한 도구로 활용된다.

05 용수철저울에 작용하는 힘의 관점에서 보면 (가)와 (나)의 경우는 동일한 물리적인 상황이다. 즉, $N_1=N_2$이다.

06 A, B가 함께 움직이므로 $30\ (N)=(2+3)\times a$, $a=6\ m/s^2$이다. 용수철저울에 측정되는 힘은 A에 작용하는 알짜힘의 크기와 같다. 따라서 $F_A=2\times6=12\ (N)$이다.

내신 만점 문제 p. 33~35

01 ③ 02 ⑤ 03 ⑤ 04 ② 05 ④ 06 ②
07 ④ 08 ③ 09 ③ 10 ① 11 ⑤
12~13 해설 참조

01 ㄷ. 피에로와 공이 서로 상대방에게 힘을 작용하므로 작용 반작용의 관계이다.

오답 피하기

ㄱ. 공은 피에로의 무게가 공을 누르는 힘 외에도 수평면이 공을 위로 떠받치는 힘과 중력을 받는다.

ㄴ. 수평면의 수직 항력은 자신을 누르는 만큼 작용한다. 피에로의 무게와 공에 작용하는 중력을 합한 크기 만큼 수직 항력이 생긴다.

02 F_1과 F_2는 공과 손가락 사이의 작용 반작용인 두 힘이고, F_3와 F_4는 벽과 공 사이의 작용 반작용인 두 힘이다. F_2와 F_3는 공에 작용하여 평형을 이루는 두 힘이다.

03 ㄴ. 같은 시간 동안 이동했을 때 가속도의 크기가 큰 영희가 철수보다 속력이 빠르다.

ㄷ. 철수가 영희에게 작용하는 힘과 영희가 철수에게 작용하는 힘은 동일 직선상에서 크기가 같고 방향이 반대인 작용 반작용 관계이다.

오답 피하기

ㄱ. 철수와 영희에게는 크기가 같고 방향이 반대인 힘이 작용한다. 그러므로 철수와 영희의 가속도 방향은 반대 방향이다.

04 ㄱ. B가 A를 떠받치는 힘은 A에 작용하는 중력의 크기와 같으므로 mg이다.

ㄴ. B가 수평면을 누르는 힘의 크기는 A와 B의 무게의 합과 같으므로 $mg + 3mg = 4mg$이다.

오답 피하기

ㄷ. A가 B를 누르는 힘과 B가 A를 떠받치는 힘은 작용 반작용 관계이다.

05 ㄱ. F_1과 F_4는 책에 작용하는 두 힘이고 책이 정지해 있으므로 책에 작용하는 두 힘은 평형 관계이다.

ㄴ. F_1과 F_2는 작용점이 상대 물체에 있으며 힘의 크기는 서로 같고 방향이 반대이므로 작용 반작용 관계이다.

오답 피하기

ㄷ. F_2와 F_3는 힘의 평형 관계가 아니다.

06 질량이 같은 세 물체는 용수철로 연결되어 있으므로 같은 가속도로 운동하므로 각각 물체가 받는 알짜힘은 같다. 가운데 있는 물체에 작용하는 알짜힘은 10 N이고 용수철 A로부터 −10 N의 힘을 받으므로 B 용수철로부터 20 N의 힘을 받아야 한다. (여기서 오른쪽은 (+)이고, 왼쪽은 (−)이다.)

07 ㄱ. 두 물체 A와 B는 실로 연결되어 하나의 운동을 한다. 두 물체에 작용하는 알짜힘은 물체 B에 작용하는 중력이므로 $20\ \text{N} = (2\ \text{kg} + 3\ \text{kg}) \times a$에 의해 가속도는 $4\ \text{m/s}^2$이다.

ㄴ. 물체 B가 $4\ \text{m/s}^2$의 크기로 등가속도 운동을 하므로 B가 받은 알짜힘은 $2\ \text{kg} \times 4\ \text{m/s}^2 = 8\ \text{N}$이다.

오답 피하기

ㄷ. 물체 B에 작용하는 알짜힘은 B에 작용하는 중력−실이 B를 당기는 장력(T)이므로 $8\ \text{N} = 20\ \text{N} - T$에 의해 T는 12 N이다.

08 ① 철수가 농구공으로부터 받은 힘의 크기는 10 N이다.

② 철수가 농구공으로부터 받은 힘의 방향은 철수가 농구공에 주는 힘의 방향의 반대이다.

④ 철수가 농구공에 힘을 작용한 시간은 농구공이 철수에게 힘을 작용한 시간과 같다.

⑤ 길을 걷다 돌에 걸려 넘어지는 것은 관성에 의한 현상이다.

09 ㄷ. 정지해 있던 A가 $4\ \text{m/s}^2$의 크기로 등가속도 운동을 할 때 4초 후 속도는 $v = v_0 + at$에 의해 16 m/s이다.

오답 피하기

ㄱ. 두 물체에 작용하는 힘은 B에 작용하는 중력과 A에 작용하는 F가 있다. 따라서 알짜힘은 $50\ \text{N} - 30\ \text{N} = 20\ \text{N}$이고 $20\ \text{N} = (2\ \text{kg} + 3\ \text{kg}) \times a$에 의해 A의 가속도의 크기는 $4\ \text{m/s}^2$이다.

ㄴ. B는 $4\ \text{m/s}^2$의 크기로 등가속도 운동을 하므로 B가 받은 알짜힘은 $4\ \text{m/s}^2 \times 3\ \text{kg} = 12\ \text{N}$이다.

10 ㄱ. (나)에 매달린 추의 질량이 (가)의 2배이므로 추에 작용하는 중력의 합도 2배이다.

오답 피하기

ㄴ, ㄷ. 수레의 질량을 M, 추의 질량을 m이라고 하면, (가)에서 경우 수레에 작용하는 알짜힘은 $M \times \dfrac{mg}{M+m}$가 되고, (나)에서 경우 수레에 작용하는 알짜힘은 $M \times \dfrac{2mg}{M+2m}$가 된다. 운동의 2법칙에 따르면 가속도의 크기는 (나)가 (가)보다 크다.

11 ㄱ. 두 물체는 상자 안에서 함께 움직이므로 한 물체의 운동이다. 두 물체에 힘 F를 가했을 때 $10\ \text{m/s}^2$의 크기로 가속도 운동을 하므로 $(3\ \text{kg} + 2\ \text{kg}) \times 10\ \text{m/s}^2 = 50\ \text{N}$이다.

ㄴ. A가 B에 작용하는 힘의 크기는 B에 작용하는 알짜힘과 같다. B에 작용하는 알짜힘은 $2\ \text{kg} \times 10\ \text{m/s}^2 = 20\ \text{N}$이므로 A는 B에 20 N의 힘을 작용한다.

ㄷ. 두 물체가 함께 움직이므로 B의 가속도는 $10\ \text{m/s}^2$이다.

12 (1) 작용 반작용은 두 물체 사이에 작용하는 힘이다. (가)에서 지구가 A를 당기는 힘에 대한 반작용은 A가 지구를 당기는 힘이다. (나)에서 A와 B 사이에 작용하는 자기력은 작용 반작용 관계이다.

[모범 답안] (1) A가 지구를 당기는 힘

(2) B가 A로부터 받는 자기력

13 (1) 용수철로 연결되어 있지만 두 물체가 함께 운동하므로 뉴턴의 운동 법칙에 따라 $10=(2+3)\times a$, $a=2\ \text{m/s}^2$이다.

[모범 답안] (1) $a=2\ \text{m/s}^2$

(2) 용수철에 작용한 힘이 클수록 많이 압축된다. (가)와 (나)에서 A, B의 가속도는 모두 $2\ \text{m/s}^2$이다. 이때 (가)의 용수철에 작용하는 힘의 크기는 B가 받은 힘의 크기와 같다. 그러므로 $F_B=3\times2=6$ N이고, (나)의 경우 용수철에 작용하는 힘의 크기는 A가 받는 힘의 크기와 같으므로 $F_A=2\times2=4$ N이다.

[모범 답안] (2) A와 B가 함께 운동하므로 가속도의 크기가 같지만 (가)에서 B가 받는 힘의 크기가 (나)에서 A가 받는 힘의 크기보다 크다. 따라서 용수철은 (가)가 (나)보다 많이 압축된다.

문제 속 자료 힘에 따른 용수철 길이

• 탄성력: 탄성체가 변형되었을 때 원래 상태로 되돌아가려는 힘으로, 탄성력 F는 탄성체의 변형된 길이 x에 비례한다.

$F=-kx$ (k : 용수철 상수, x : 변형된 길이)

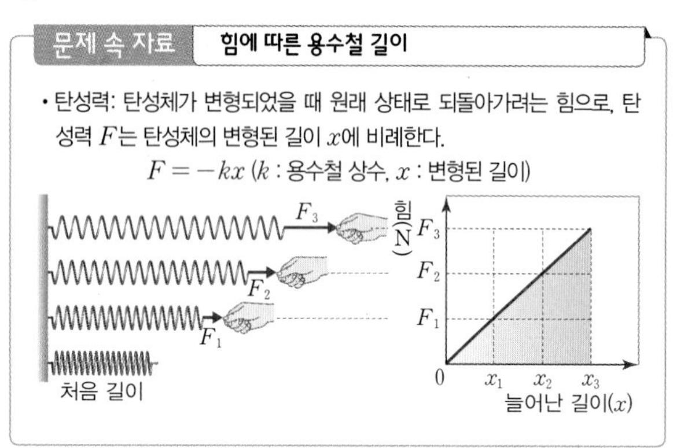

04 | 운동량과 충격량

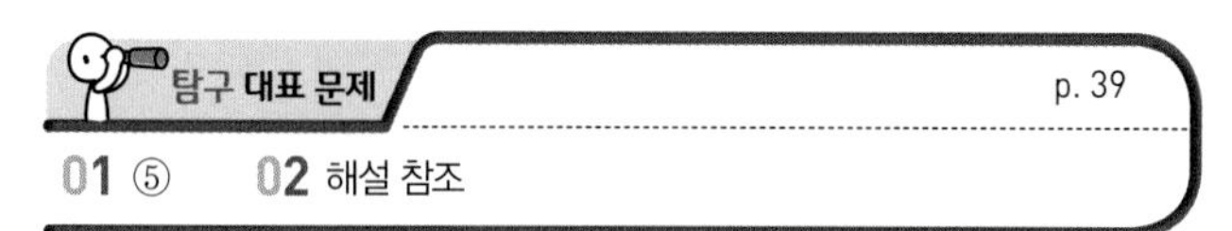

탐구 대표 문제 p. 39

01 ⑤ 02 해설 참조

01 ㄴ. 에어백은 충격을 받는 시간을 길게 하여 사람이 받는 충격력을 작게 한다.

ㄷ. 글러브는 야구공이 손에 충돌하는 시간을 길게 하여 충격력을 작게 한다.

오답 피하기

ㄱ. 충격량은 물체에 작용하는 힘과 시간의 곱이다. 따라서 포신을 길게 하여 포탄이 힘을 받는 시간을 길게 하면 충격량이 커지므로 포탄의 운동량의 변화량이 커진다.

02 두 달걀이 각각 단단한 바닥과 방석에 충돌하는 순간 충돌로 인해 받은 충격력의 크기는 방석보다 단단한 바닥의 경우가 더 크기 때문이다. / 같은 높이에서 떨어진 두 달걀은 지면에 충돌 직전 속력과 직후 속력이 같으므로 운동량의 변화량이 같다. 즉, 두 달걀이 받는 충격량이 같기 때문에 충돌 시간에 따라 달걀이 받는 충격력이 달라진다. 달걀이 단단한 바닥에 떨어질 때 충돌하는 시간이 짧아 충돌로 인해 받은 충격력의 크기가 크다.

기초 탄탄 문제 p. 40

01 ③ 02 ① 03 ④ 04 ① 05 ① 06 ①
07 ②, ③

01 운동량은 물체의 질량에 속도를 곱한 값이다.
$p=0.2\ \text{kg}\times20\ \text{m/s}=4\ \text{kg}\cdot\text{m/s}$이다.

02 운동량－시간 그래프에서 기울기는 물체에 작용하는 힘(알짜힘)을 나타낸다.

03 힘－시간 그래프에서 그래프에서 아랫부분의 넓이는 충격량이다. 그러므로 $I=I_1+I_2=3\times2+1\times1=7$ (N·s)이다.

04 충격량은 운동량의 변화량이다. 그러므로 $I=\Delta p=p-p_0=30-20=10$ N·s이다.

05 골프공이 받은 충격량의 크기는 골프공의 운동량의 변화량과 같고 평균 힘과 힘이 작용하는 시간의 곱과 같다. $I=\Delta p=0.5\times(4-0)=F\times\frac{1}{50}$이다. 그러므로 $F=100$ (N)이다.

06 힘－시간 그래프의 넓이는 물체가 받은 충격량이다. 충격량은 운동량의 변화량이므로 $I=\frac{1}{2}\times20\times5=5\times(v-0)$, $v=10$ (m/s)이다.

07 힘－시간 그래프에서 아랫부분의 넓이는 물체에 가해진 충격량과 같으며, 물체가 받은 충격량은 물체의 운동량의 변화량과 같다.

내신 만점 문제 p. 41~43

01 ① 02 ③ 03 ③ 04 ⑤ 05 ① 06 ①
07 ④ 08 ④ 09 ⑤ 10 ④ 11~12 해설 참조

01 ㄱ. 볼링공의 운동량 $p=mv=5\text{ kg}\times3\text{ m/s}=15\text{ kg}\cdot\text{m/s}$이다.

오답 피하기

ㄴ. 볼링공이 충돌하는 동안 받은 충격량의 크기는 볼링공의 운동량의 변화량과 같다. $\Delta p=5\text{ kg}\times0-15\text{ kg}\cdot\text{m/s}=-15\text{ kg}\cdot\text{m/s}$이므로 충격량의 크기는 $15\text{ kg}\cdot\text{m/s}$이다.

ㄷ. 볼링공이 벽에 충돌해 정지하는 동안 걸린 시간은 볼링공이 벽으로부터 충격력을 받은 시간과 같으므로 $I=\Delta p=F\Delta t=15\text{ kg}\cdot\text{m/s}=150\text{ N}\times\Delta t$에 의해 $\Delta t=0.1\text{ s}$이다.

02 ㄱ. 힘-시간 그래프에서 면적은 물체가 받은 충격량을 의미하므로 0초부터 4초까지 물체가 받은 충격량은 $I=I_1+I_2=\frac{1}{2}\times8\times2+\frac{1}{2}\times4\times2=12\text{ (N}\cdot\text{s)}$이다.

ㄴ. 0초부터 2초까지 받은 충격량은 물체의 운동량의 변화량과 같으므로 $\frac{1}{2}\times8\times2=\Delta p=p_{2초}-p_{0초}=p_{2초}-0$에 의해 2초일 때 운동량은 $8\text{ (kg}\cdot\text{m/s)}$이다.

오답 피하기

ㄷ. 4초 동안 물체가 받은 충격량은 물체의 운동량의 변화량과 같으므로 $12\text{ (kg}\cdot\text{m/s)}=2v-0$, $v=6\text{ (m/s)}$이다.

03 ㄷ. 충돌하는 시간은 달걀이 시멘트 바닥과 충돌할 때보다 방석과 충돌할 때 더 많은 시간이 걸리므로 방석과 충돌할 때 받는 충격력이 더 작다.

오답 피하기

ㄱ. 같은 높이에서 떨어진 달걀은 시멘트 바닥 또는 방석과 충돌 전 속도가 같으므로 충돌 전 두 달걀의 운동량은 같다.

ㄴ. 달걀이 바닥과 충돌 전 속도가 같고 충돌 후 속도가 같으므로 방석 위에 떨어질 때와 시멘트 바닥에 떨어질 때의 충격량은 같다.

04 ⑤ 유리컵이 부드러운 바닥에 떨어졌을 때보다 단단한 바닥에 떨어졌을 때 충돌하는 시간이 짧으므로, 단단한 바닥이 유리컵에 작용하는 힘을 나타낸 그래프는 A이다.

오답 피하기

두 유리컵이 부드러운 바닥과 딱딱한 바닥에 충돌하는 과정에서 충돌 전후 속도의 크기가 같으므로 두 유리컵이 바닥으로부터 받은 충격량은 같다.

① A, B의 아랫부분의 넓이는 같다.

② 충돌 전 두 유리컵의 운동량은 같다.

③ 충격량은 '충격력×힘이 작용한 시간'이므로 힘이 작용한 시간이 긴 B가 받는 충격력이 A보다 더 작다.

④ 유리컵이 바닥에 작용한 충격량은 A와 B가 같다.

05 ㄱ. 1초일 때 물체는 4 m/s의 크기로 등속 운동을 하므로 이때 물체의 운동량은 $8\text{ kg}\cdot\text{m/s}$이다.

오답 피하기

ㄴ. 속도-시간 그래프에서 기울기는 가속도이다. 2초~4초까지 물체의 가속도 크기는 $a=\frac{0-4}{2}=-2\text{ (m/s}^2)$이고, 속도가 점점 작아지는 감속 운동을 하므로 힘의 방향은 물체의 운동 방향과 반대이다.

ㄷ. 2초부터 4초까지 물체가 받은 충격량의 크기는 물체의 운동량의 변화량과 같으므로 $2\text{ kg}\times(0\text{ m/s}-4\text{ m/s})=-8\text{ kg}\cdot\text{m/s}$이므로 충격량의 크기는 $8\text{ kg}\cdot\text{m/s}$이다.

06 ㄱ. 1초일 때 물체의 운동량은 $30\text{ kg}\cdot\text{m/s}$이고, 위치-시간 그래프에서 기울기는 속력이므로 물체의 속력은 2 m/s이다. 물체의 운동량은 '질량×속력'이므로 이 물체의 질량은 $\frac{30\text{ kg}\cdot\text{m/s}}{2\text{ m/s}}=15\text{ kg}$이다.

오답 피하기

ㄴ. 위치-시간 그래프에서 기울기는 속력을 의미하는데 0초~2초까지 물체가 등속도 운동을 하므로 물체에 작용하는 알짜힘은 0이다.

ㄷ. 3초일 때 물체의 속력이 0이므로 운동량도 0이다.

07 ㄱ. 물체가 벽과 충돌하면서 받는 충격력은 물체가 벽에 가하는 충격력과 작용 반작용 관계이므로 물체의 운동 방향과 반대인 왼쪽으로 작용한다.

ㄷ. 벽이 물체로부터 받은 충격량의 크기는 물체가 벽으로부터 받은 충격량의 크기와 같다. 그림 (나)에서 힘-시간 그래프의 면적은 물체가 받은 충격량을 의미하므로 충돌하는 동안 벽이 물체로부터 받은 충격량의 크기는 $\frac{3}{2}mv_0$이다.

오답 피하기

ㄴ. 물체가 받은 충격량의 크기는 물체의 운동량의 변화량과 같으므로 오른쪽을 (−), 왼쪽을 (+)라고 했을 때 $I=\Delta p=\frac{3}{2}mv_0=m(v'-(-v_0))$에 의해 물체의 나중 속도는 $v'=\frac{1}{2}v_0$이다. 충돌 후 물체의 속도는 (+)이므로 왼쪽으로 $\frac{1}{2}v_0$의 속력으로 운동한다.

08 철수: 운동량의 크기는 질량과 속력의 곱이므로 사람의 속력이 작아지는 동안 운동량의 크기는 점점 작아진다.

영희: 충격량은 운동량의 변화량과 같다.

오답 피하기

민수: 사람과 에어매트의 충돌 시간을 길게 하면 에어매트가 사람에 작용하는 평균 힘의 크기가 작아진다.

09 충격량은 운동량의 변화량으로 $I=\Delta p=F\Delta t$에 의해 $F=\dfrac{\Delta p}{\Delta t}$이므로 운동 선수가 정지해 있는 공을 찼을 때 평균 힘은 $F_1=\dfrac{3mv_0-0}{2t_0}=\dfrac{3mv_0}{2t_0}$이고 공이 벽과 충돌하며 받은 평균 힘은 $F_2=\dfrac{-2mv_0-3mv_0}{3t}=\dfrac{-5mv_0}{t_0}$이다. 그러므로 평균 힘의 크기의 비 $F_1:F_2$는 9 : 10이다.

10 ㄱ. 힘-시간 그래프에서 면적은 충격량을 의미하므로 A가 받은 충격량이 B의 2배이다. 물체가 받은 충격량은 운동량의 변화량과 같고 충돌 후 두 물체가 정지하므로 A와 B의 충격량은 충돌 전 운동량과 같으므로 운동량의 크기는 A가 B의 2배이다.
ㄷ. 충격량의 크기는 평균 힘의 크기와 충돌 시간의 곱이다. 충격량의 크기는 A가 B의 2배이고 충돌 시간은 A가 B의 $\dfrac{2}{3}$배이므로, 벽으로부터 받은 평균 힘의 크기는 A가 B의 3배이다.

오답 피하기

ㄴ. 충돌 전 운동량이 A가 B의 2배 이고 속력이 같으므로 질량은 A가 B의 2배이다.

11 [모범 답안] (1) $v_A:v_B=1:1$
(2) 물체 A와 B는 충돌 직전 속도가 같고 벽과 충돌 후 정지하므로 질량이 작은 A의 운동량의 변화량이 B보다 작다. 운동량의 변화량은 물체가 받은 충격량과 같고, 힘-시간 그래프의 아랫부분의 넓이는 충격량이므로 A는 Y, B는 X이다.

문제 속 자료 빗면의 높이에 따른 공의 속력

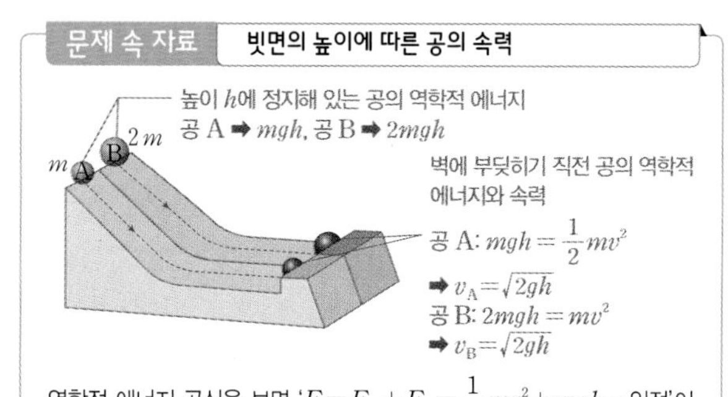
높이 h에 정지해 있는 공의 역학적 에너지
공 A ➡ mgh, 공 B ➡ $2mgh$
$2m$
m
A
B
벽에 부딪히기 직전 공의 역학적 에너지와 속력
공 A: $mgh=\frac{1}{2}mv^2$
➡ $v_A=\sqrt{2gh}$
공 B: $2mgh=mv^2$
➡ $v_B=\sqrt{2gh}$

역학적 에너지 공식을 보면 '$E=E_k+E_p=\frac{1}{2}mv^2+mgh$=일정'이다. 두 공의 질량이 다르더라도 높이가 같다면 두 공의 속도는 같다. 따라서 수평면을 지나 벽에 부딪혀 정지한 두 공은 충돌 전후 속도가 같으므로 속도의 변화량은 같다. 그러나 운동량의 변화량 $\Delta p=m(v-v_0)$은 질량에 비례하므로 B가 A보다 큰 충격량을 받고 시간-힘 그래프 아랫부분의 넓이는 B가 A보다 크다.

12 [모범 답안] (1) 야구 글러브를 사용하면 야구공이 선수에게 충돌하는 시간을 길게 해서 야구공이 선수에게 작용하는 평균 힘의 크기를 작게 한다.
(2) ① 에어매트를 사용하면 지면과 충돌할 때가지 힘이 작용하는 시간을 길게 해주어 에어매트가 없을 때보다 안전하다.
② 자동차 에어백을 사용하면 충돌하였을 때 사람이 받는 충격력을 줄일 수 있다.

05 | 운동량 보존

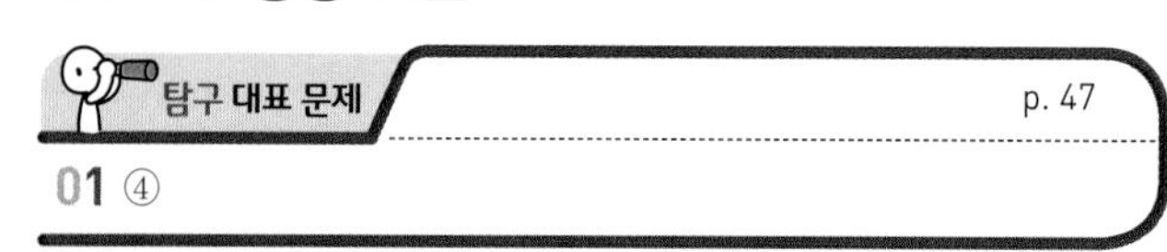
탐구 대표 문제 p. 47

01 ④

01 ㄱ. 운동량 보존 법칙에 따르면 충돌 전 운동량의 합은 충돌 후 운동량의 합과 같다.
ㄴ. 충돌 과정에서 물체 A와 B가 받은 충격력은 작용과 반작용 관계로 크기가 서로 같다.

오답 피하기

ㄷ. 충돌 과정에서 A와 B가 받는 충격력과 힘이 작용한 시간이 같으므로 두 물체가 받은 충격량도 같다.

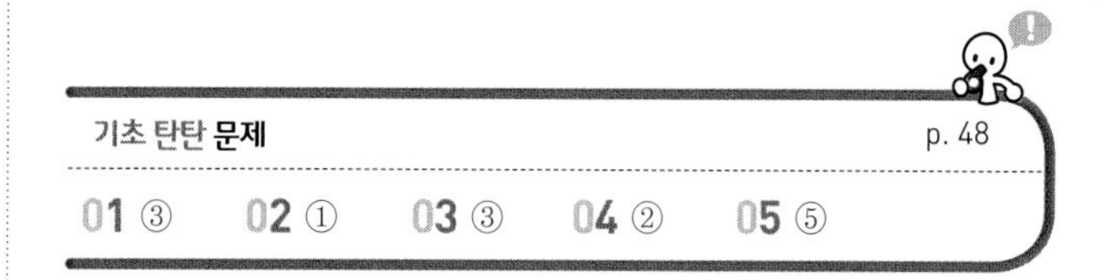
기초 탄탄 문제 p. 48

01 ③ 02 ① 03 ③ 04 ② 05 ⑤

01 운동량 보존 법칙으로 물체 A와 B의 운동량 합은 충돌 전과 충돌 후가 같다. 충돌 전 두 물체의 운동량의 합은 $p=m_Av_A+m_Bv_B=mv+2m\times 0=mv$이고 충돌 후 두 물체의 운동량의 합은 $p'=m_Av_A'+m_Bv_B'=(m+2m)v'=3mv'$이므로 충돌 후 두 물체의 속도 $v'=\dfrac{1}{3}v$이다.

02 물체가 분열하면서 A와 B가 받는 충격량의 크기가 같으므로 A와 B의 운동량의 변화량의 크기가 같다. B의 운동량의 변화량의 크기는 $|\Delta p_B|=|m_2v-m_2\times 0|=m_2v$이고, A의 운동량의 변화량의 크기는 $|\Delta p_A|=|-m_1v_A-m_1\times 0|=m_1v_A$이므로 v_A의 크기는 $\dfrac{m_2}{m_1}v$이다.

03 운동량 보존 법칙으로 충돌 전 두 물체의 운동량의 합과 충돌 후 두 물체의 운동량의 합은 같다. 여기서 위치-시간 그래프의 기울기는 속력이므로 충돌 전 운동량의 합은 $p=m_Av_A+m_Bv_B=1\text{ kg}\times 4\text{ m/s}+m\times 0=4\text{ kg·m/s}$이고 충돌 후 운동량의 합은 $p'=m_Av_A'+m_Bv_B'=1\text{ kg}\times(-2\text{ m/s})+m\times 2\text{ m/s}=4\text{ kg·m/s}$이므로 m은 3 kg이다.

04 분열 전후 운동량의 합이 보존되어야 한다. 주어진 그래프에서 분열 후 두 물체는 같은 방향으로 운동하고, 두 물체의 운동량의 합이 분열 전 물체의 운동량과 같아야 한다.

05 ⑤ B의 처음 속도가 $2v$가 되면 충돌 전 운동량의 합은 $2mv - 2mv = 0$이 되므로 충돌 후 한 덩어리가 된 물체는 멈춘다.

오답 피하기

① 충돌 과정에서 받는 힘의 크기는 A와 B가 같다.
② 충돌 과정에서 받는 충격량의 크기는 A와 B가 같다.
③ 충돌 전 후 운동량이 보존되므로
$2mv - mv = (2m + m)V$, $V = \frac{1}{3}v$이다.
④ 충돌 후 두 물체는 A의 충돌 전 운동 방향으로 운동한다.

내신 만점 **문제** p. 49~51

01 ④ **02** ① **03** ④ **04** ④ **05** ① **06** ③
07 ② **08** ④ **09** ② **10** ⑤
11~12 해설 참조

01 운동량 보존 법칙으로 충돌 후 한 덩어리로 움직이는 경우에도 운동량의 합은 보존된다. 충돌 전 운동량의 합은
$p = p_{총알} + p_{나무도막} = 0.2\ \mathrm{kg} \times 100\ \mathrm{m/s} + 0 = 20\ \mathrm{kg \cdot m/s}$
이고 충돌 후 운동량의 합은
$p' = (m_{총알} + m_{나무\ 도막}) \times V = 2\ \mathrm{kg} \times V = 20\ \mathrm{kg \cdot m/s}$이므로 충돌 후 속력의 크기는 10 m/s이다.

02 ㄱ. 수레가 분리되기 전후 운동량의 합은 보존된다. 분리 전 A와 B의 속도가 0이기 때문에 운동량의 합이 0이므로 분리 후 A와 B의 운동량의 합도 0이다.

오답 피하기

ㄴ. 용수철로부터 A와 B가 받은 충격량의 크기는 같고 반대 방향으로 작용하며 수레의 속도는 질량과 반비례하므로 A의 질량은 B의 3배이다.
ㄷ. 수레가 받은 충격량은 A와 B가 같다.

03 ㄱ. 운동량-시간 그래프를 보아 물체 A의 충돌 후 운동량의 변화량은 50 kg·m/s이다.
ㄴ. 충돌하는 과정에서 물체 A가 받은 충격량과 물체 B가 받은 충격량의 크기가 같고 충돌 후 B의 속도가 5 m/s이므로 B의 질량은 10 kg이다.

오답 피하기

ㄷ. A의 운동량의 변화량은 A가 받은 충격량이고, B가 받은 충격량은 A가 받은 충격량과 같다. 그러므로 B가 받은 충격량은 50 N·s이다.

04 ㄱ. 물체가 운동하는 방향을 (+)라 하고 반대 방향은 (−)라고 할 때 물체 A가 충돌하면서 받은 충격량의 방향은 물체 A가 운동하는 방향의 반대이다. 또한 힘-시간 그래프에서 그래프 아랫부분의 넓이는 충격량으로 물체의 운동량의 변화량과 같으므로 $I = p_A' - p_A = 2\ \mathrm{kg} \times v_A' - 2\ \mathrm{kg} \times 4\ \mathrm{m/s} = -4\ \mathrm{N \cdot s}$에서 충돌 후 A의 속도는 2 m/s이다.
ㄷ. 충돌 과정에서 A와 B가 받은 충격량의 크기는 같다.

오답 피하기

ㄴ. 물체 B는 운동 방향으로 충격량 4 N·s를 받으므로 $I_B = \Delta p_B = p'_B - 1\ \mathrm{kg \cdot m/s} = 4\ \mathrm{kg \cdot m/s}$에서 충돌 후 B의 운동량 $p_B = 5\ \mathrm{kg \cdot m/s}$이다.

05 ㄱ. (가)에서 운동량이 보존되므로 $mv + 0 = (m + 2m)v'$이다. 따라서 $v' = \frac{1}{3}v$이다.

오답 피하기

ㄴ. (나)에서 운동량이 보존되므로 $mv + 0 = -\frac{1}{2}mv + 2mv''$이다. 따라서 $v'' = \frac{3}{4}v$이다.
ㄷ. 충격량은 운동량의 변화량이다. (가)에서 A가 받은 충격량 $I = \frac{1}{3}mv - mv = -\frac{2}{3}mv$, (나)에서 A가 받은 충격량 $I = -\frac{1}{2}mv - mv = -\frac{3}{2}mv$이다.

06 ㄱ. 정지해 있던 물체 A에 4 N의 힘을 1초 동안 작용했을 때 물체가 받는 충격량은 4 N·s이고 충격량은 물체의 운동량의 변화량과 같으므로 1초 후 물체의 속도는 2 m/s이다.
ㄴ. 충돌 전후 두 물체의 운동량의 합은 같다.
$p = m_A v_A + m_B v_B = m_A v_A' + m_B v_B' = 2\ \mathrm{kg} \times 2\ \mathrm{m/s} + 2\ \mathrm{kg} \times 0 = 2\ \mathrm{kg} \times v_A' + 2\ \mathrm{kg} \times 1\ \mathrm{m/s}$이므로 v'_A는 1 m/s이므로 충돌 후 A와 B는 함께 운동한다.

오답 피하기

ㄷ. 충돌 과정에서 물체가 받은 충격량의 크기는 A와 B가 같다.

문제 속 자료 **충격량과 운동량**

• 충격량과 운동량의 관계 : 충격량은 운동량의 변화량과 같다.

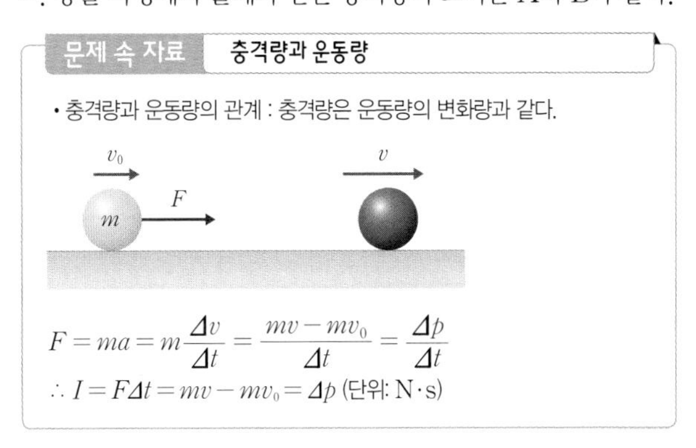

$F = ma = m\frac{\Delta v}{\Delta t} = \frac{mv - mv_0}{\Delta t} = \frac{\Delta p}{\Delta t}$
$\therefore I = F\Delta t = mv - mv_0 = \Delta p$ (단위: N·s)

07 ㄴ. 충돌 과정에서 물체가 벽으로부터 받은 충격량은 물체의 운동량의 변화량과 같으므로 $4mv$이다.

오답 피하기

ㄱ. 충돌 전후 물체의 운동 방향을 오른쪽은 (+), 왼쪽은 (−)라고 했을 때 $\varDelta p = -mv - 3mv = -4mv$이다.

ㄷ. 물체가 벽으로부터 받는 충격력과 벽이 물체로부터 받는 충격력은 작용 반작용 관계이므로 크기가 같고, 충돌 시간이 같으므로 물체와 벽이 받는 충격량도 같다.

08 ㄱ. A의 질량은 m, B의 질량은 $2m$일 때, 충돌 전 A의 운동량은 $p_A = m \times 4 = 4m$이고, B의 운동량 $p_B = 2m \times 1 = 2m$이다.

ㄴ. 두 물체의 운동량 합은 보존되므로 $m_Av_A + m_Bv_B = m_Av_A' + m_Bv_B'$에 의해 $m_Av_A - m_Av' = m_Bv' - m_Bv_B$이므로 $\varDelta p_A = -\varDelta p_B$이다.

오답 피하기

ㄷ. 충돌하는 동안 A가 B로부터 받은 충격량과 B가 A로부터 받은 충격량은 크기가 같다.

09 ㄷ. 충격량은 물체에 작용하는 평균 힘 곱하기 충돌하는 시간과 같으므로 충돌하는 동안 A가 B에 작용한 평균 힘의 크기는 $\dfrac{S}{T}$이다.

오답 피하기

ㄱ. 충돌하는 동안 A가 B로부터 받은 충격량은 B가 A로부터 받은 충격량과 같으므로 크기는 S로 같다.

ㄴ. '충격량 = 운동량의 변화량'이므로 $S = \varDelta p = mv_B' - m \times 0$에 의해 충돌 직후 B의 속력은 $v_B' = \dfrac{S}{m}$이다.

10 ㄴ. 처음 야구공의 운동량은 $mv_0 = 2p$로 $p = \dfrac{mv_0}{2}$이고, 방망이와 충돌 후 야구공의 운동량은 $m(-v') = -p$이므로 충돌 후 야구공의 속도의 크기는 $v' = \dfrac{p}{m} = \dfrac{v_0}{2}$이다.

ㄷ. 야구공이 방망이로부터 받은 충격량의 크기는 방망이가 야구공으로부터 받은 충격량 크기와 같다.

오답 피하기

ㄱ. 야구공의 운동량의 변화량 $\varDelta p = -p - 2p = -3p$이다. 그러므로 운동량의 변화량 크기는 $3p$이다.

11 운동량 보존 법칙으로부터 분리 전후 수레 A와 B의 운동량의 합은 같다. $p = m_Av_A + m_Bv_B = m_Av_A' + m_Bv_B'$으로 $(3\text{ kg} + 2\text{ kg}) \times 4\text{ m/s} = 3\text{ kg} \times (-2\text{ m/s}) + 2\text{ kg} \times v_B'$이므로 $v_B' = 13\text{ m/s}$이다. 여기서 속도의 부호가 (+)이므로 수레는 오른쪽으로 운동한다.

[모범 답안] 오른쪽으로 13 m/s의 속력으로 운동한다.

12 운동량 보존 법칙으로부터 분리 전후 수레 A와 B의 운동량의 합은 같다. $p = m_Av_A + m_Bv_B = m_Av_A' + m_Bv_B'$으로 $2\text{ kg} \times 8\text{ m/s} + 4\text{ kg} \times (-2\text{ m/s}) = 2\text{ kg} \times (-4\text{ m/s}) + 4\text{ kg} \times v$이므로 $v = 4\text{ m/s}$이다. 여기서 속도의 부호가 (+)이므로 물체 B는 오른쪽으로 운동한다.

[모범 답안] (1) 오른쪽 방향으로 4 m/s의 속력으로 운동한다.

(2) B가 받은 충격량은 운동량의 변화량과 같다.

$I = \varDelta p_B = 4\text{ kg} \times 4\text{ m/s} - 4\text{ kg} \times (-2\text{ m/s}) = 24\text{ kg·m/s}$이다.

단원 마무리하기 p. 54 ~ 57

01 ③	02 ③	03 ③	04 ④	05 ⑤	06 ④
07 ③	08 ④	09 ①	10 ④	11 ③	12 ⑤
13 ⑤	14 ④	15 ①	16 ⑤		

01 ㄱ. 위치−시간 그래프에서 기울기는 속력을 의미한다. 물체 B는 기울기는 일정하므로 속력이 일정한 등속 운동을 한다.

ㄷ. 평균 속력 = $\dfrac{\text{이동 거리}}{\text{시간}}$이고, 세 물체가 0초~10초까지 이동한 거리가 $2d$로 같으므로 평균 속도의 크기는 모두 같다.

오답 피하기

ㄴ. 세 물체의 운동 방향이 바뀌지 않으므로 위치−시간 그래프에서 물체의 이동 거리는 y축의 값이다. 그러므로 0초~10초까지 세 물체가 이동한 거리는 $2d$로 같다.

02 ㄱ. 40초~80초까지 A의 속력이 일정하므로 가속도는 0이다. A는 직선 운동을 하므로 A는 등속 직선 운동을 한다.

ㄴ. 속력−시간 그래프에서 아랫부분의 넓이는 이동한 거리이다. 80초일 때 A의 이동 거리 $s_A = \dfrac{1}{2} \times 4 \times 40 + 4 \times 40 = 240\text{ (m)}$, B의 이동 거리 $s_B = \dfrac{1}{2} \times 6 \times 60 = 180\text{ (m)}$이다. 따라서 $s_A - s_B = 60\text{ m}$이다.

오답 피하기

ㄷ. 속력−시간 그래프에서 기울기는 가속도를 의미하므로 40초부터 80초까지 A의 가속도는 0이다.

03 물체의 가속도를 a, 0초일 때 속도를 v_0라고 하면 등속 직선 운동 관계식 $s = v_0t + \dfrac{1}{2}at^2$에 의해 2초일 때 $20 = v_0 \times 2 + \dfrac{1}{2}a \times 2^2$이고, 2초일 때 물체의 속도가 0이 되므로 $v = v_0 + at$에 의해 $0 = v_0 + 2a$이다.

두 식을 연립하면 $v_0 = 20$ m/s, $a = -10$ m/s^{2}이다. 따라서 물체는 20 m 위치까지 이동했다가 되돌아오는 운동을 하고, 가속도 방향은 운동 방향과 반대 방향이다.

문제 속 자료 **등가속도 직선 운동의 관계식**

① $v = v_0 + at$, ② $s = v_0t + \frac{1}{2}at^2$, ③ $2as = v^2 - v_0^2$
(v: 나중 속도, v_0: 처음 속도, a: 가속도, t: 시간, s: 변위)

04 ㄴ. 출발선에서 중간선까지 A와 B의 평균 속력이 같으므로 $\frac{v+v_1}{2} = \frac{0+4v}{2}$에 의해 자동차 A는 중간선을 $3v$로 통과한다. 따라서 중간선에서 도착선까지 A의 속력은 감소한다.
ㄷ. 중간선에서 도착선까지 A와 B의 평균 속력이 같으므로 $\frac{3v+2v}{2} = \frac{4v+v_2}{2}$에 의해 B는 도착선을 v로 통과한다.

오답 피하기

ㄱ. 출발선에서 중간선까지 걸린 시간이 같으므로 출발선에서 중간선까지 A, B의 평균 속력은 같다.

05 ㄴ. 0초부터 2초까지 이동 거리 $= \frac{1}{2} \times 2\ \text{s} \times 4\ \text{m/s} = 4$ m이다. 물체의 평균 속도 $= \frac{\text{이동 거리}}{\text{시간}}$이므로 0초부터 2초까지 물체의 평균 속도는 2 m/s이다.
ㄷ. 속도-시간 그래프에서 기울기는 가속도를 의미하는데 1초일 때 기울기는 (+)값을 갖고, 3초일 때 기울기는 (−)값을 가지므로 가속도의 방향은 서로 반대이다.

오답 피하기

ㄱ. 속도-시간 그래프 아랫부분의 넓이는 이동 거리를 의미하므로 1초부터 3초까지 물체의
이동 거리 $= \frac{1}{2} \times 1\ \text{s} \times 2\ \text{m/s} + \frac{1}{2} \times 1\ \text{s} \times 6\ \text{m/s} =$ 4 m이다.

06 ㄴ. 여기서 부호는 운동의 방향을 의미한다. 부호가 (−)이든 (+)이든 가속도는 속도의 변화량을 의미하므로 처음 속도와 가속도의 방향(부호)이 같아야 속도의 크기가 증가한다. 따라서 0초 이후 속도의 크기가 계속 증가하는 자동차는 B이다.
ㄷ. 등가속도 직선 운동을 하는 물체의 t초 후 속도는 $v = v_0 + at$로 알 수 있다. 나중 속도가 0이 되는 시각은 물체 A는 $v_A = 24\ \text{m/s} - 6\ \text{m/s}^2 \times t_A = 0$이므로 4초이고, 물체 B는 $v_B = -16\ \text{m/s} + 4\ \text{m/s}^2 \times t_B = 0$이므로 4초이다.
따라서 A와 C의 속도가 0이 되는 시각은 서로 같다.

오답 피하기

ㄱ. 등가속도 운동을 하는 물체 A가 2초일 때 이동한 거리는 $s = v_0t + \frac{1}{2}at^2$에 의해 $s = 24 \times 2 + \frac{1}{2} \times (-6) \times 2^2 =$ 36 (m)이다.

07 ㄷ. (나)는 비스듬히 던져 올린 물체로 속력과 방향이 모두 변하는 운동이다.

오답 피하기

ㄱ. (가)는 속력이 일정한 등속 원운동으로 속도의 방향은 계속 변한다.
ㄴ. (나)의 A점에서 물체의 연직 방향 속도는 0이지만 수평 방향 속도는 0이 아니다. 따라서 A점에서 속도는 0이 아니다.

08 ㄱ. 지진으로 땅이 흔들려도 추는 관성에 의해 제자리에 있으려고 하므로 지진이 기록된다.
ㄴ. 지면이 흔들리는 방향과 회전 원통의 운동 방향은 같다. 추는 정지해 있으므로 회전 원통과 반대 방향으로 운동한다. 따라서 회전 원통에 대한 추의 운동 방향은 지면의 운동 방향과 반대이다.

오답 피하기

ㄷ. 지진계는 추의 관성을 이용하여 지진의 정도를 측정하는 기기이다. 하지만 로켓이 연료를 뒤로 분사하면서 앞으로 날아가는 것은 작용 반작용을 이용한 것이다.

09 ㄱ. 수레에 작용하는 외력의 크기는 추에 작용하는 중력과 같고 그 힘은 추의 무게에 비례하므로 외력의 크기는 (가)가 (나)의 2배이다.

오답 피하기

ㄴ. 수레와 추는 실로 연결되어 있어 하나의 운동을 하므로 수레와 추의 무게 합은 추에 작용하는 중력을 받아 운동한다. (가)에서 운동 제2법칙에 따라 $3 \times a_{(가)} = 2 \times 10$으로 $a_{(가)} = \frac{20}{3}$ (m/s^2)이고, (나)에서 $3 \times a_{(나)} = 1 \times 10$으로 $a_{(나)} = \frac{10}{3}$ (m/s^2)이다. 따라서 가속도의 크기는 (가)가 (나)의 2배이다.
ㄷ. (가)에서 수레에 작용하는 알짜힘 $F_{(가)} = 1 \times \frac{20}{3} = \frac{20}{3}$ (N), (나)에서 수레에 작용하는 알짜힘 $F_{(나)} = 2 \times \frac{10}{3} = \frac{20}{3}$ (N)이다. 따라서 알짜 힘의 크기는 (가)와 (나)가 같다.

10 ㄱ. (가)에서 A의 속도가 변하는 순간이 2초이므로 A와 B가 충돌하는 시각은 2초이다.
ㄷ. A와 B가 충돌하며 서로에게 작용하는 충격량은 작용 반작용 관계로 크기가 같고 방향은 반대이다.

A가 받은 충격량은 $I_A = \varDelta p_A = (-1) \times 2 - 2 \times 3 = -8$ (kg·m/s)이고, B가 받은 충격량은 $I_B = \varDelta p_B = 4 \times 2 - 0 = 8$ (kg·m/s)이다.

오답 피하기

ㄴ. 외력이 작용하지 않는다면 충돌 과정에서 운동량이 보존된다. $2\text{ kg} \times 3\text{ m/s} + m_B \times 0 = 2\text{ kg} \times (-1\text{ m/s}) + m_B \times 2\text{ m/s}$이므로 $m_B = 4$ kg이다.

11 ㄷ. 물체는 등가속도 직선 운동을 하므로 $2as = v^2 - v_0^2$에 의해 $v = \sqrt{2as}$이므로 가속도가 $\frac{1}{2}$배가 되면 속력은 $\frac{1}{\sqrt{2}}$배이다.

오답 피하기

ㄱ. 물체의 질량이 2배이면 가속도는 $\frac{1}{2}$배가 된다.

ㄴ. 철수가 물체에 작용한 알짜힘의 크기가 F이므로 물체가 철수에게 작용한 힘은 크기는 같고 방향이 반대인 F이다.

12 ㄴ. A가 받은 평균 힘 $F_A = \frac{I}{t}$, B가 받은 평균 힘 $F_B = \frac{I}{2t}$이다. 그러므로 $F_A : F_B = 2 : 1$이다.

ㄷ. 운동량의 변화량은 충격량과 같다. 그러므로 A는 $-3mv = m(-V_A - v)$, $V_A = 2v$이고, B는 $-3mv = m(-V_B - 2v)$, $V_B = v$이다. (이때, 처음 운동 방향을 (+)라 한다.)

오답 피하기

ㄱ. 그림 (나)에서 그래프 A, B의 아랫부분 넓이가 같은 것은 퍽이 받는 충격량의 크기가 같다는 것을 의미한다.

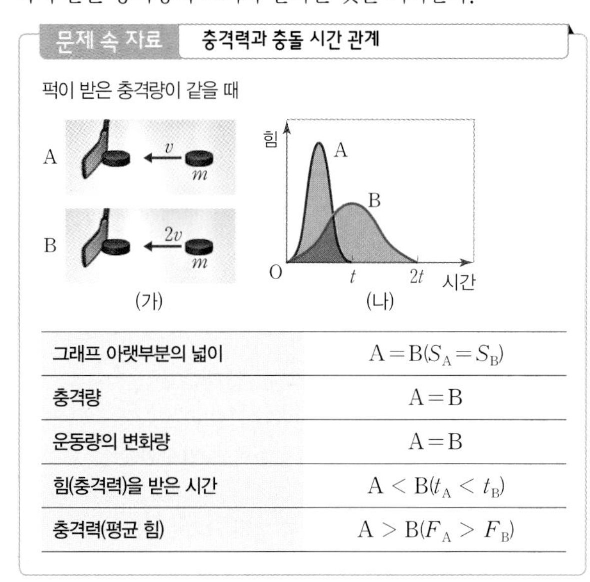

그래프 아랫부분의 넓이	A=B($S_A = S_B$)
충격량	A=B
운동량의 변화량	A=B
힘(충격력)을 받은 시간	A < B($t_A < t_B$)
충격력(평균 힘)	A > B($F_A > F_B$)

13 ㄴ. 두 공이 충돌할 때 받는 힘은 작용 반작용이므로 크기가 같고 힘을 받는 시간도 같으므로 두 공이 받는 충격량의 크기는 같다.

ㄷ. A가 받은 충격량은 A의 운동량의 변화량과 같다. (가)에서 $I_A = 2m - 5m = -3m$, (나)에서 $I_A = 2.5m - 5m = -2.5m$이므로 A가 받은 충격량의 크기는 (가)가 (나)보다 크다.

오답 피하기

ㄱ. (가)에서 운동량 보존 법칙을 적용하면 $5 \times m + 0 = v_A \times m + 3 \times m$, $v_A = 2$ (m/s)이다.

14 ㄱ. A와 B에 작용하는 힘은 B의 무게와 같으므로 A와 B를 한 덩어리로 생각하면 가속도의 크기는

$a = \frac{m_B g}{m_A + m_B} = \frac{1 \times 10}{5} = 2(\text{m/s}^2)$이다.

ㄴ. 실이 B를 당기는 힘의 크기는 A에 작용하는 알짜힘의 크기와 같다. 따라서 실이 B를 당기는 힘의 크기는 8 N이다.

오답 피하기

ㄷ. B가 등가속도 직선 운동을 하므로 2 m 내려간 순간의 속력은 $2as = v^2 - v_0^2$에 의해 $2 \times 2\text{ m/s}^2 \times 2\text{ m} = v^2$에서 $v = 2\sqrt{2}$ m/s이다.

문제 속 자료 두 물체가 도르래에 연결되어 운동할 때

A와 B가 한 덩어리로 움직이는 상황으로 생각하면, A, B 사이에 주고받는 힘 T는 소거되고, 한 덩어리($m_A + m_B$)에 $m_B g$의 힘이 작용한 경우로 생각하여 가속도의 크기를 구한다.

$$a = \frac{m_B}{(m_A + m_B)} g$$

15 ㄱ. 운동량의 변화량은
$\varDelta p = p - p_0 = 0.5 \times 4 - 0 = 2$ (kg·m/s)이다.

오답 피하기

ㄴ. 4초일 때 공이 등속도 운동을 하고 있다. 그러므로 공에 작용하는 알짜힘은 0이다.

ㄷ. 공과 발이 서로에게 작용하는 힘의 크기가 같고, 작용한 시간이 같으므로 충격량의 크기가 같다. 공이 발에 작용하는 충격량의 크기는 공의 운동량의 변화량과 같으므로 2 kg·m/s이다.

16 ㄴ. 철수가 농구공에 작용한 힘과 농구공이 철수에게 작용한 힘의 크기는 같다. 그러므로 질량이 작은 농구공의 속도 변화량이 철수보다 크다.

ㄷ. 속도-시간 그래프에서 기울기는 가속도를 의미하므로 농구공을 던질 때 농구공에 작용한 힘의 크기는 $\frac{m(v_2 - v_1)}{t_2 - t_1}$이다.

오답 피하기

ㄱ. 농구공을 던지는 동안 농구공의 속력이 빨라졌으므로 철수가 농구공에 작용한 힘의 방향은 운동 방향과 같다. 반대로 농구공이 철수에게 작용한 힘은 운동 방향과 반대 방향이므로 철수의 속력은 느려진다.

2. 에너지와 열

01 | 역학적 에너지와 보존

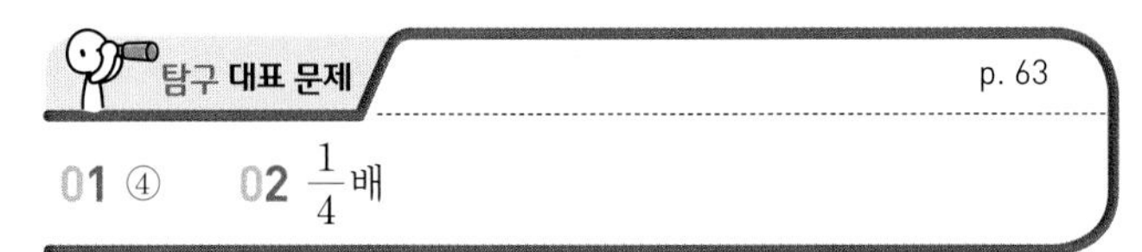

01 공기를 주입한 경우에도 열에너지가 발생한다. 그러나 공기를 주입하지 않은 경우에 비해 마찰이 줄어서 1회 진동하였을 때 발생하는 열에너지는 줄어든다. 따라서 활차가 좀 더 오랫동안 운동할 수 있다.

오답 피하기

탄성 퍼텐셜 에너지는 물체의 질량과 무관하다. 활차가 공중에 떠서 움직이더라도 결국 멈추는 것은 역학적 에너지가 보존되지 않기 때문이다.

02 용수철의 역학적 에너지는 용수철이 기준점에서 최대로 있을 때의 퍼텐셜 에너지와 같다. 용수철을 6 cm 잡아당겼을 때 역학적 에너지는 $\frac{1}{2}k(6)^2$이고 최대 진동 폭이 3 cm로 줄었을 때 역학적 에너지는 $\frac{1}{2}k(3)^2$이다. 따라서 처음의 $\frac{1}{4}$로 감소하였다.

기초 탄탄 문제 p. 65

01 ① 02 210 J 03 ③ 04 ③ 05 ② 06 ③

01 물체에 작용하는 힘이 15 N이고, 힘이 작용한 방향과 반대 방향으로 마찰력이 10 N 작용하고 있으므로, 알짜힘은 15 N − 10 N = 5 N이다. 즉, 이 물체는 5 N의 힘으로 5 m 이동하였으며, 이때 알짜힘이 한 일 W = 5 N × 5 m = 25 J이다.
알짜힘이 한 일은 운동 에너지 변화량과 같다.

02 힘 − 이동 거리 그래프에서 그래프 아랫부분의 넓이는 힘이 물체에 한 일이다. 따라서 15 m를 이동하는 동안 물체에 한 일 W = 6 m × 20 N + 9 m × 10 N = 210 J이다.

03 힘 F가 한 일은 물체를 2 m 올렸을 때 중력 퍼텐셜 에너지와 같으므로, 3 kg × 10 m/s² × 2 m = 60 J이다.

04 '최대 변위에서 탄성 퍼텐셜 에너지 = 각 점에서 역학적 에너지'이므로 최대 변위 A에서 탄성 퍼텐셜 에너지는 $\frac{1}{2}A$인 지점에서 '탄성 퍼텐셜 에너지 + 운동 에너지'와 같다.

따라서 $\frac{1}{2}kA^2 = E_k + \frac{1}{2}k\left(\frac{A}{2}\right)^2$이므로 $E_k = \frac{3}{8}kA^2$이다.

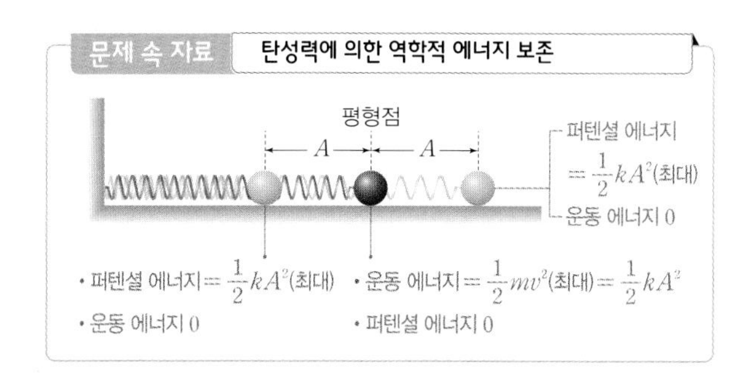

05 '높이 30 m에서 퍼텐셜 에너지 = 높이 10 m에서 퍼텐셜 에너지 + 운동 에너지'이다. 물체의 질량을 m이라 할 때,

m × 10 m/s² × 30 m = $\frac{1}{2}$ × m × v^2 + m × 10 m/s² × 10 m에서 속력 v = 20 m/s이다.

06 ③ 마찰과 공기 저항을 무시하면 나무 도막과 충돌하기 전까지 쇠구슬의 퍼텐셜 에너지와 운동 에너지의 합인 역학적 에너지는 보존된다. 즉, 역학적 에너지는 A, B, C에서 모두 같다.

오답 피하기

①, ②, ④ 쇠구슬은 아래로 내려오면서 속력이 점점 빨라지므로 운동 에너지는 증가하며, 높이가 낮아지므로 퍼텐셜 에너지는 감소한다. 속력은 운동 에너지가 클수록 크다.
⑤ 쇠구슬을 B에 놓으면 A에 놓았을 때보다 퍼텐셜 에너지가 작으므로 쇠구슬이 나무 도막에 하는 일의 양이 줄어든다.

내신 만점 문제 p. 66~69

01 ⑤	02 ③	03 ①	04 ③	05 ①	06 ⑤
07 ②	08 ③	09 ⑤	10 ⑤	11 ③	12 ②
13 ③	14 ③	15 ①	16 ④	17 ④	18 ②

19~20 해설 참조

01 ㄱ. B에서 운동 에너지 $E_k = \frac{1}{2}$ × 1 kg × (4 m/s)² = 8 J이다.
ㄴ. '운동 에너지 증가량 = 알짜힘이 한 일'이므로, F × 10 m = 8 J에서 F = 0.8 N이다.
ㄷ. 물체가 등가속도 운동을 하므로 A에서 B까지 평균 속력은 $\frac{0 + 4\text{ m/s}}{2}$ = 2 m/s, 걸린 시간 $t = \frac{10\text{ m}}{2\text{ m/s}}$ = 5초이다.

02 ㄱ. 0 m~2 m 동안 힘이 한 일은 그래프 아래 삼각형의 면적이므로 $\frac{1}{2}$ × 2 m × 10 N = 10 J이다.
ㄴ. 4 m 지점까지 힘이 한 일은 $\frac{1}{2}$ × 2 m × 10 N + 2 m × 10 N = 30 J이고, 이만큼 물체의 에너지가 증가한다.

오답 피하기

ㄷ. 힘이 물체에 한 일은 2 m~4 m에서 10 N × 2 m = 20 J이고, 4 m~8 m에서 5 N × 4 m = 20 J로 같다.

03 ㄴ. 물체에는 연직 아래쪽으로 중력이 20 N 크기로 작용하고 있다. 2 m~4 m 구간에서 물체에 작용하는 힘은 연직 위로 15 N이고, 중력이 반대 방향으로 작용하므로, 알짜힘은 연직 아래로 5 N이다.

오답 피하기

ㄱ. 0~2 m 구간에서 물체에 연직 위쪽으로 30 N의 힘이 작용하고, 중력이 20 N이므로 알짜힘은 연직 위쪽으로 10 N 크기로 작용한다. 따라서 2 m 높이에서 물체의 운동 에너지 E_k = 작용한 힘 × 이동 거리 = 10 N × 2 m = 20 J이다.

ㄷ. 2~4 m까지 감소한 운동 에너지가 10 J(−5 N × 2 m)이다. 그런데 2 m 높이에서 운동 에너지가 20 J이므로 4 m 높이에서도 물체는 계속 위쪽으로 운동한다. 따라서 2~4 m 구간에서 물체의 퍼텐셜 에너지는 증가한다.

문제 속 자료 힘–이동 거리 그래프 분석하기

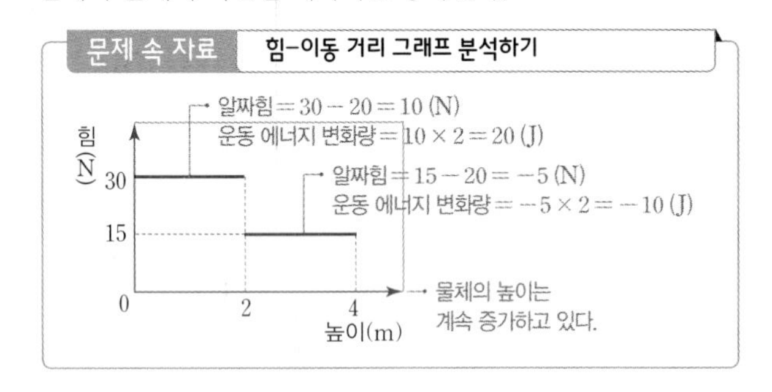

04 2 m 높이에서 물체의 운동 에너지가 20 J이므로

$20\ \text{J} = \frac{1}{2} \times 2\ \text{kg} \times v^2$에서 속력은 $v = 2\sqrt{5}$ m/s이다.

05 (가)에서 A의 운동 에너지 $E_0 = \frac{1}{2}m(3v)^2 = \frac{9}{2}mv^2$이고, (나)에서 A, B 전체의 운동 에너지 $E = \frac{1}{2}(3m)v^2 = \frac{3}{2}mv^2 = \frac{1}{3}E_0$이다.

06 물체를 일정한 속력으로 들어 올렸으므로, 물체에 작용한 알짜힘은 0이다. 이 물체에는 중력(mg)이 아래로 작용하며, 그와 반대 방향으로 같은 크기의 힘을 작용하여 물체를 들어 올렸다.

ㄱ. 물체를 들어 올렸으므로 중력 퍼텐셜 에너지는 증가하였다.

ㄴ. 중력 퍼텐셜 에너지는 물체를 기준점에서 일정한 높이까지 무게와 같은 크기의 힘으로 들어 올리는 데 한 일과 같다.

ㄷ. 기준점에서 위치가 h만큼 증가하면 mgh만큼 중력 퍼텐셜 에너지가 증가하며, 이는 물체가 높이 h에서 자유 낙하 하면서 할 수 있는 일의 양과도 같다.

07 ㄴ. A는 등가속도 운동을 하므로 A에 작용하는 알짜힘은 0이 아니며, 등가속도 운동이므로 속력은 점점 증가한다. 따라서 운동 에너지 $\frac{1}{2}mv^2$ 역시 증가한다.

오답 피하기

ㄱ. A가 등가속도 운동을 하여 올라가므로 F의 크기는 물체의 무게보다 크다.

ㄷ. F가 한 일만큼 A의 속력이 증가하고(운동 에너지 증가), 위치가 높아진다(퍼텐셜 에너지 증가). 따라서 F가 한 일의 양은 A의 역학적 에너지 증가량과 같다.

08 ㄱ. 탄성 퍼텐셜 에너지는 $\frac{1}{2}kx^2$이며, A와 B는 평형점 O로부터의 거리가 같으므로 탄성 퍼텐셜 에너지도 같다.

ㄴ. 마찰이 없을 때 역학적 에너지는 모든 점에서 일정하다.

오답 피하기

ㄷ. 추의 운동 에너지는 O에서 최대이고, 탄성 퍼텐셜 에너지는 A, B에서 최대이다. 따라서 추가 O점을 지나 A로 향할 때 추의 운동 에너지는 감소하고, 퍼텐셜 에너지는 증가한다.

09 ㄱ. 빗면 위의 물체가 가진 퍼텐셜 에너지는 빗면을 내려온 후 모두 운동 에너지로 전환된다. 물체가 마찰이 없는 수평면에서 등속 운동하므로, 수평면에서 물체가 가진 운동 에너지는 물체가 높이 5 m인 빗면 위에 있을 때 물체가 가진 퍼텐셜 에너지가 전환된 것이다. 빗면의 높이가 5 m이므로, 물체의 퍼텐셜 에너지는 $mgh = 1\ \text{kg} \times 10\ \text{m/s}^2 \times 5\ \text{m} = 50$ J이다.

ㄴ. 물체가 빗면을 내려오는 동안 중력이 물체에 한 일은 물체가 5 m 높이에 있을 때의 퍼텐셜 에너지와 같다.

ㄷ. 평면에서 물체의 운동 에너지는 용수철이 최대로 압축되었을 때의 탄성 퍼텐셜 에너지와 같다. 즉, $50\ \text{J} = \frac{1}{2}kx^2 = \frac{1}{2} \times 100\ \text{N/m} \times x^2$, 용수철이 최대 압축된 길이는 1 m이다.

10 ㄱ. 마찰이 없을 때 역학적 에너지는 모든 위치에서 보존되므로, 빗면을 내려오는 동안 역학적 에너지는 일정하다.

ㄴ, ㄷ. '수평면에서 운동 에너지 = 최고점에서 퍼텐셜 에너지'이므로, $\frac{1}{2}mv^2 = mgh$가 성립한다. $v^2 = 2gh$이므로 수평면에서의 속력 $v = \sqrt{2gh}$이다.

11 ㄱ. 마찰이 없으므로 5 m 높이의 물체가 가진 중력 퍼텐셜 에너지는 지면에 도달하면 운동 에너지로 전환된다. 물체의 중력 퍼텐셜 에너지는 $mgh = 2\ \text{kg} \times 10\ \text{m/s}^2 \times 5\ \text{m} = 100$ J이고, 이것은 지면에서 물체의 운동 에너지와 같다.

ㄴ. 중력이 일을 하여 빗면 위의 물체가 내려왔다. 따라서 중력이 물체에 한 일은 물체의 운동 에너지 변화량과 같다.

오답 피하기

ㄷ. 지면에서 운동 에너지 $100\ \mathrm{J} = \frac{1}{2} \times 2\ \mathrm{kg} \times v^2$이므로 지면에서 물체의 속력 $v = 10\ \mathrm{m/s}$이다.

12 빗면을 내려온 후 물체의 운동 에너지는 최고점에서 퍼텐셜 에너지와 같으므로 $mgh = 2\ \mathrm{kg} \times 10\ \mathrm{m/s^2} \times 3\ \mathrm{m} = 60\ \mathrm{J}$이다. 물체가 마찰면을 지난 후 속력이 $6\ \mathrm{m/s}$가 되었으므로, 물체의 운동 에너지는 $\frac{1}{2}mv^2 = \frac{1}{2} \times 2\ \mathrm{kg} \times (6\ \mathrm{m/s})^2 = 36\ \mathrm{J}$이다. 따라서 운동 에너지 감소량은 $60\ \mathrm{J} - 36\ \mathrm{J} = 24\ \mathrm{J}$이다.

13 역학적 에너지가 보존되므로 감소한 퍼텐셜 에너지는 증가한 운동 에너지와 같다. 즉, $m \times 10\ \mathrm{m/s^2} \times 2.4\ \mathrm{m} = \frac{1}{2}m(2v_0)^2 - \frac{1}{2}mv_0^2$에서 $v_0 = 4\ \mathrm{m/s}$이다.

14 ㄱ. q에서 물체 A의 운동 에너지는 $\frac{1}{2} \times 0.4\ \mathrm{kg} \times (2\ \mathrm{m/s})^2 = 0.8\ \mathrm{J}$이다.

ㄴ. 실이 A를 당기는 힘(장력)이 한 일은 A의 운동 에너지 변화량(q에서 A의 운동 에너지)과 같다.

오답 피하기

ㄷ. 두 물체가 실로 연결되어 운동하므로, A, B의 속도와 가속도 값은 같고, 두 물체에 작용하는 알짜힘은 B에 작용하는 중력이다. 두 물체의 가속도를 a라 하면, $v^2 - v_0^2 = 2as$에서 $(2\ \mathrm{m/s})^2 - 0^2 = 2 \times a \times 1\ \mathrm{m}$이므로 $a = 2\ \mathrm{m/s^2}$이다. $(m_A + m_B)a = m_B g$에서 $(0.4\ \mathrm{kg} + m_B) \times 2\ \mathrm{m/s^2} = m_B \times 10\ \mathrm{m/s^2}$이므로 B의 질량은 $m_B = 0.1\ \mathrm{kg}$이다.

15 힘-이동 거리 그래프에서 힘이 한 일은 그래프 아랫부분의 넓이와 같다. 전동기가 물체 A, B를 끌어당기고 있으므로 힘 F가 한 일만큼 A와 B의 역학적 에너지가 증가한다.

ㄱ. 0~3 m까지 전동기는 15 N의 힘을 작용하여 물체를 3 m 이동시켰다. 따라서 한 일은 $15\ \mathrm{N} \times 3\ \mathrm{m} = 45\ \mathrm{J}$이다.

오답 피하기

ㄴ. 일 · 운동 에너지 정리에서 물체에 작용한 알짜힘이 한 일은 물체의 운동 에너지 변화량과 같다. 0~3 m까지 물체 A, B에는 전동기가 작용하는 힘 15 N과 중력 10 N이 서로 반대 방향으로 작용하고 있으며, 물체에 작용하는 알짜힘은 5 N이다. 이 5 N의 힘이 물체를 3 m 이동시켰으므로 0~3 m까지 A, B 전체의 증가한 운동 에너지는 $5\ \mathrm{N} \times 3\ \mathrm{m} = 15\ \mathrm{J}$이며, 이것은 A와 B의 운동 에너지 증가량과 같다. 두 물체의 속력이 같으므로, 운동 에너지 비는 질량 비와 같고 A의 증가한 운동 에너지는 $15\ \mathrm{J} \times \frac{3}{4} = \frac{45}{4}\ \mathrm{J}$이다. 0~3 m까지 증가한 B의 퍼텐셜 에너지는 $1\ \mathrm{kg} \times 10\ \mathrm{m/s^2} \times 3\ \mathrm{m} = 30\ \mathrm{J}$이다.

ㄷ. 3~6 m까지 물체가 계속 올라가므로 전동기가 한 일은 0보다 크다. 따라서 A, B의 역학적 에너지의 합은 증가한다.

문제 속 자료 도르래로 연결된 물체의 운동

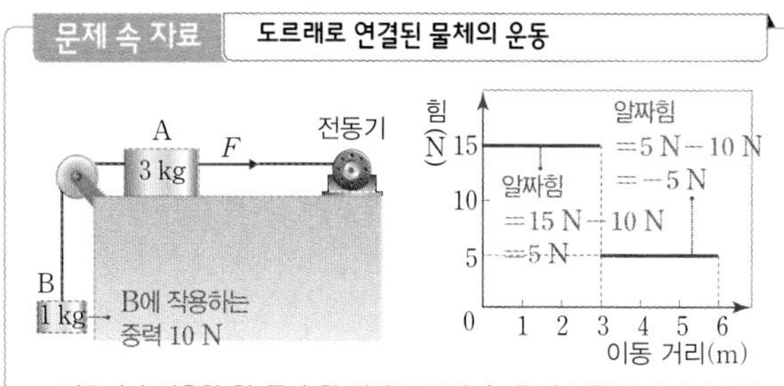

- 전동기가 작용한 힘 F가 한 일만큼 물체 A, B의 역학적 에너지가 증가한다. ➡ $F \times s =$ A의 운동 에너지 증가량 + B의 운동 에너지 증가량 + B의 퍼텐셜 에너지 증가량
- 두 물체에 작용하는 알짜힘
  = A를 잡아당기는 힘 F − B에 작용하는 중력
  = (A의 질량 + B의 질량) × 가속도

16 각 점에서 운동 에너지는 감소한 중력 퍼텐셜 에너지와 같다. A에서 운동 에너지는 0이고, B에서는 높이가 1 m 줄어든 만큼 퍼텐셜 에너지가 운동 에너지로 전환된다. 즉, 운동 에너지는 $mg \times (3-2)\ \mathrm{m}$이다. C에서는 위치가 1 m 더 낮아졌으므로, 운동 에너지는 $mg \times (3-1)\ \mathrm{m}$이다. 즉, C에서 운동 에너지는 $2mg$이고, 이것은 B의 2배이다.

17 B점에서 물체의 운동 에너지는 최고점에서의 퍼텐셜 에너지와 같다. 물체에 30 N의 힘을 주어 2 m 이동시켰으므로 한 일 $W = 30\ \mathrm{N} \times 2\ \mathrm{m} = 60\ \mathrm{J}$이고, 이것은 B점에서 물체의 운동 에너지와 같다. 따라서 높이 h에서의 퍼텐셜 에너지는 $3\ \mathrm{kg} \times 10\ \mathrm{m/s^2} \times h = 60\ \mathrm{J}$, 따라서 h는 2 m이다.

18 ㄴ. 역학적 에너지가 일정하게 보존되므로 감소한 퍼텐셜 에너지는 증가한 운동 에너지와 같다. 따라서 A에서 C까지 감소한 퍼텐셜 에너지는 C에서의 운동 에너지와 같다.

오답 피하기

ㄱ. 공기 저항과 마찰이 없으므로 역학적 에너지가 보존된다.

ㄷ. $m \times 10\ \mathrm{m/s^2} \times (h - 5\ \mathrm{m}) = \frac{1}{2} \times m \times (10\ \mathrm{m/s})^2$에서 $h = 10\ \mathrm{m}$이다.

19 운동량 보존 법칙에서 $m_A v_A = m_B v_B$이다. $m_A : m_B = 1 : 2$이므로 $v_A : v_B = 2 : 1$이다.

[모범 답안] (1) 2 : 1 (2) A의 질량을 m이라 하면 B는 $2m$이고, A의 속력을 $2v$라 하면 B의 속력은 v이다.
A와 B의 운동 에너지 비는 $m \times (2v)^2 : (2m) \times v^2 = 2 : 1$이며, 이것은 중력 퍼텐셜 에너지의 비와 같다.
즉, $mgh_A : (2m)gh_B = 2 : 1$이며, $h_A = 4h_B$이므로 $h_A : h_B = 4 : 1$이다.

20 [모범 답안] (1) 역학적 에너지는 최고점에서 중력 퍼텐셜 에너지와 같으므로 $mgh = 80\ \text{kg} \times 10\ \text{m/s} \times 20\ \text{m} = 16000\ \text{J}$이다. 수면에 닿기 직전에는 처음 역학적 에너지가 모두 운동 에너지로 변하므로 $16000\ \text{J} = \frac{1}{2} \times 80\ \text{kg} \times v^2$에서 수면에 닿기 직전의 속력 $v = 20\ \text{m/s}$이다.
(2) 구하려는 지점의 높이를 h_1이라 하면 h_1에서 중력 퍼텐셜 에너지는 mgh_1, 운동 에너지는 $3mgh_1$이고, 역학적 에너지는 $4mgh_1$이 된다. 역학적 에너지 보존 법칙에서 h_1에서의 역학적 에너지는 최고점에서의 중력 퍼텐셜 에너지와 같으므로, $4mgh_1 = m \times g \times 20\ \text{m}$, $h_1 = 5\ \text{m}$이다.

02 | 내부 에너지와 열역학 제1법칙

기초 탄탄 문제 p. 75

01 ① 02 ④ 03 ② 04 ③ 05 ③ 06 ③
07 ②

01 이상 기체는 분자의 크기가 매우 작고 분자 사이의 인력을 무시할 수 있는 이상적인 기체를 말한다. 분자 사이의 인력을 무시하므로 퍼텐셜 에너지는 0이고 운동 에너지만 가진다. 단열 팽창하면 기체의 온도는 내려가고, 등적 과정일 때는 온도가 증가해도 외부에 일을 하지 않는다.

02 기체는 압력이 일정한 상태에서 부피가 증가했으므로 등압 과정(열 흡수)으로 변하였다. 등압 과정에서 기체는 열을 흡수하여 온도가 상승하고 부피가 늘어난다.

03 기체가 외부에 한 일은 '압력 × 부피 변화량'이며,
부피 변화량 $= \frac{\text{한 일}}{\text{압력}} = \frac{2 \times 10^3\ \text{J}}{10^5\ \text{N/m}^2} = 0.02\ \text{m}^3$이다.

04 기체가 외부에 한 일은 압력과 부피 변화량의 곱으로 구할 수 있다. $W = 2 \times 10^5\ \text{N/m}^2 \times 0.05\ \text{m}^3 = 10^4\ \text{J}$

05 기체의 내부 에너지는 온도에만 영향을 받는다. 따라서 온도가 일정하면 내부 에너지도 변하지 않는다.

06 등온 과정은 온도 변화가 없으므로 내부 에너지 변화량은 0이다($Q = 0 + W$). 기체를 압축했으므로 기체는 일을 받았고 ($W < 0$), 따라서 $Q < 0$이므로 열을 방출하였다. 즉, 기체는 열 방출, 압력 증가, 부피 감소하였고, 온도가 일정하므로 내부 에너지나 기체 분자의 평균 속력은 변하지 않았다.

07 공기가 상승하면 공기에 작용하는 외부의 압력이 줄어들므로 공기의 부피가 늘어난다. 이 과정은 빠르게 일어나 외부와 열 출입이 없다. 즉, 공기가 단열 팽창하며 부피가 증가하므로 외부에 일을 하고, 내부 에너지는 감소하고 온도가 내려간다.

내신 만점 문제 p. 76~79

01 ① 02 ⑤ 03 ③ 04 ④ 05 ④ 06 ③
07 ⑤ 08 ③ 09 ④ 10 ④ 11 ② 12 ①
13 ① 14 ④ 15 ⑤ 16 ④ 17 ⑤ 18 ②
19~20 해설 참조

01 온도가 낮을수록 분자 운동이 둔해지며, 열은 항상 온도가 높은 곳에서 낮은 곳으로 이동한다.

02 열은 온도가 높은 B에서 온도가 낮은 A로 이동하여 열평형 상태에 도달한다. 열평형 상태에서 A, B의 온도는 같고, 같은 종류의 물질이므로 분자의 평균 운동 에너지도 같다.

03 부피가 증가하는 A→B에서 기체는 외부로 일을 하고, 부피가 감소하는 C→D에서는 외부에서 일을 받는다. 이와 같은 순환 과정에서 기체가 한 일은 그래프로 둘러싸인 부분의 넓이이며, 2회 순환하였으므로 2배가 된다. 따라서 기체가 외부로 한 일은 $2 \times (400 - 200)\ \text{N/m}^2 \times 2\ \text{m}^3 = 800\ \text{J}$이다.

04 기체가 한 일 $W = P\Delta V = 10^5\ \text{N/m}^2 \times (2 \times 10^{-3})\ \text{m}^2 \times 0.2\ \text{m} = 40\ \text{J}$이다. 그리고 가한 열은 한 일과 내부 에너지 증가량의 합과 같다. 즉, $450\ \text{J} = 40\ \text{J} +$ 내부 에너지 증가량, 따라서 내부 에너지는 410 J 증가하였다.

05 ㄱ, ㄴ. 열은 온도가 높은 풍선 속 기체에서 온도가 낮은 액체 질소로 이동하며, 풍선 속 기체는 부피가 감소하고 온도가 내려갔다. 따라서 내부 에너지도 감소하였다.
오답 피하기
ㄷ. 풍선의 부피가 줄어들었으므로, 풍선 속의 기체는 외부에서 일을 받았다.

06 ㄷ. 열역학 제1법칙은 열이 일과 내부 에너지로 전환되어 보존된다는 것을 나타낸다.
오답 피하기
ㄱ. 등온 과정일 때는 기체에 열을 가해도 온도가 변하지 않으므로 내부 에너지도 변하지 않는다.
ㄴ. 등적 과정에서는 열이 방출되어도 부피는 일정하다.

07 압력이 일정하므로 등압 과정이고, 부피가 증가했으므로 외부에 일을 하였다. 등압 과정에서는 기체가 열을 받아 온도가 올라간다. 그래프에서 색칠한 부분의 넓이는 기체가 한 일이고, $Q = \Delta U + W$, $W > 0$, $\Delta U > 0$이므로 기체가 흡수한 열은 기체가 한 일(색칠한 부분의 넓이)보다 크다.

08 ㄱ, ㄷ. 피스톤이 고정되어 있으므로 등적 과정이다. 등적 과정에서 기체가 열을 받으면 기체 분자의 운동 에너지가 증가하면서 내부 에너지가 증가, 온도가 상승하고, 압력이 높아진다.

오답 피하기

ㄴ. 등적 과정에서는 기체가 한 일이 0이므로 기체가 받은 열은 모두 내부 에너지 증가에 사용되었다.

09 ㄴ, ㄷ. 부피가 변하지 않았으므로 등적 과정이다. 부피 변화가 없으므로 기체는 외부에 일을 하지 않았고, 따라서 가해 준 열량이 모두 내부 에너지 증가에 사용되었다.

오답 피하기

ㄱ. 기체의 온도는 '압력 × 부피'에 비례한다. 그래프에서 부피는 일정하지만 압력이 증가하였으므로 온도는 증가하였다.

10 (가)는 등적 과정, (나)는 등압 과정이다.

ㄴ. 온도는 B > A이므로 내부 에너지도 B > A이다.

ㄷ. A에 비해 B는 압력이 증가하고, C는 부피가 증가하였다. 즉, B와 C는 모두 A에 비해 '압력 × 부피' 값이 증가하였으므로 온도가 상승하였다.

오답 피하기

ㄱ. (가)는 부피 변화가 없으므로 외부에 일을 하지 않았다.

문제 속 자료 열역학 그래프 해석

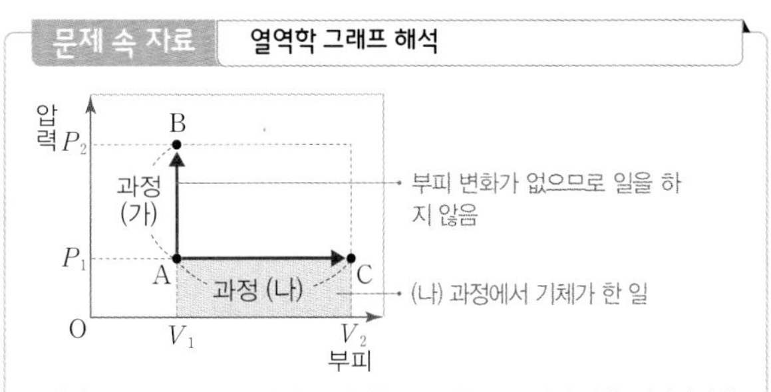

• (가): 부피는 V_1로 일정하고 압력은 $P_1 \rightarrow P_2$로 증가하였다. 따라서 (가)는 등적 과정이며, 온도가 상승하였으므로 열을 흡수하였다.
• (나): 부피는 $V_1 \rightarrow V_2$로 증가하였고 압력은 P_1로 일정하다. 따라서 (나)는 등압 과정이며, 온도가 상승하였으므로 열을 흡수하였고, 부피가 증가하였으므로 외부에 일을 해 주었다.

11 ㄴ. 피스톤에 일정한 무게의 추가 놓인 상태에서 기체의 부피가 변하므로, 압력이 일정한 등압 과정이다. 등압 과정에서 열을 받으면 기체는 외부에 일을 하고 내부 에너지가 증가한다.

오답 피하기

ㄱ. 기체의 압력은 (가)와 (나)에서 같다.

ㄷ. $Q = \Delta U + W$이고, $\Delta U > 0$, $W > 0$이므로 가한 열은 내부 에너지 증가와 외부로 한 일에 사용되었다.

12 ㄱ. 높새바람이 불 때 공기는 단열 과정을 거치게 된다. 공기가 산을 타고 올라갈 때는 단열 팽창하고, 산을 타고 내려올 때는 단열 압축한다. A→B는 단열 팽창 과정으로, 부피가 팽창하면서 기체가 외부에 일을 한다.

오답 피하기

ㄴ. A→B→C 과정은 단열 과정으로 외부와 열 출입 없이 부피 변화에 의해 기체의 온도가 변한다.

ㄷ. B→C는 단열 압축 과정으로 기체는 외부에서 일을 받아 부피가 압축되고, 내부 에너지가 증가하여 온도가 높아진다.

13 단열 팽창은 열 출입이 없는 상태에서 기체의 부피가 팽창하면서 외부에 일을 하고, 이때 내부 에너지를 사용하므로 기체의 온도는 내려간다. 따라서 기체의 압력, 기체 분자의 평균 속력, 내부 에너지는 모두 감소하고, 기체의 부피는 증가한다.

14 ㄱ. 기체의 온도는 '압력 × 부피'에 비례한다. A→B에서 기체의 압력과 부피가 모두 증가하므로 기체의 온도 역시 높아진다.

ㄷ. 순환 과정에서 기체가 한 일은 그래프로 둘러싸인 부분의 넓이이다. 따라서 $W = \frac{1}{2} \times 3\ \mathrm{m^3} \times 30\ \mathrm{N/m^2} = 45\ \mathrm{J}$이다.

오답 피하기

ㄴ. C→A 과정은 압력이 일정하므로 등압 과정이며, 열을 방출하여 부피가 줄어들고, 내부 에너지가 감소한다.

15 ㄱ. A→B는 등압 과정이므로 기체가 열을 흡수하여 외부에 일을 하고 내부 에너지가 증가되었다.

ㄴ. B→C는 등온 과정으로, 온도가 일정하므로 내부 에너지는 변함 없고, 흡수한 열은 모두 외부로 한 일에 사용되었다.

ㄷ. C→D는 등적 과정으로, 외부에 한 일이 0이므로 흡수한 열량은 모두 내부 에너지 증가에 사용되었다.

문제 속 자료 열역학 그래프 해석

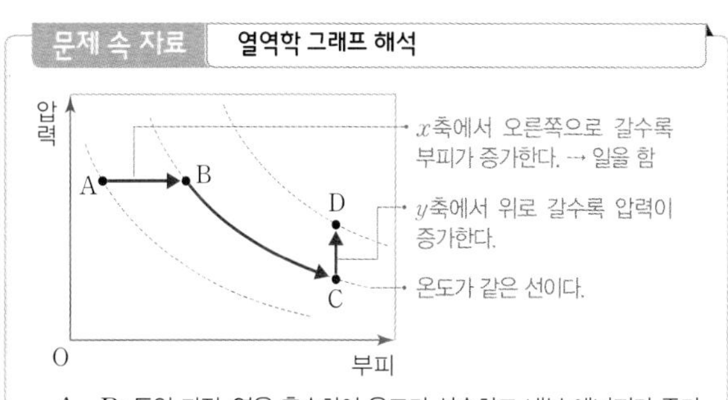

• A→B: 등압 과정. 열을 흡수하여 온도가 상승하고 내부 에너지가 증가하였으며, 외부에 일을 해 주었다. ($Q = \Delta U + W$)
• B→C: 등온 과정. 외부에서 열을 흡수하였지만 온도가 일정하므로 내부 에너지는 변하지 않았다. ($Q = W$, $\Delta U = 0$)
• C→D: 등적 과정. 외부에서 열을 흡수하여 온도가 상승하였고, 내부 에너지가 증가하였다. 외부에 한 일이 0이다. ($Q = \Delta U$, $W = 0$)

16 ㄱ. A→B는 등압 과정이고, 기체의 부피가 증가하였으므로 기체는 외부에 일을 하였다.

ㄴ. B→C은 단열 팽창 과정으로, 내부 에너지를 사용하여 부피가 팽창한다. 따라서 기체의 내부 에너지는 감소한다.

오답 피하기

ㄷ. C→D는 등온 과정으로, 기체의 온도는 변하지 않지만 외부와 열 출입은 있다. 즉, 기체는 외부로 열을 방출하고, 외부에서 일을 받아 부피가 줄어들었다.

17 ㄱ. 열을 흡수하면 분자 운동이 활발해지면서 압력이 증가한다. 이때 A가 B와 경계를 맞대고 있으므로 등압 과정이 아닌 것에 주의하자. 즉, A와 B는 피스톤을 사이에 두고 서로 밀고 있으므로 압력이 같으며, A는 B에 의해 등압으로 팽창하지 못하고 압력이 증가한다.

ㄴ. B는 단열 압축으로, 외부에서 일을 받아 부피가 압축되면서 내부 에너지가 증가하여 온도가 높아진다.

ㄷ. 기체가 한 일 $W=P\Delta V$이고 A, B는 압력과 부피 변화가 같으므로 'A가 한 일=B가 받은 일'이다. B는 단열 과정으로 $\Delta U=-W$이므로, 기체 A가 기체 B에 한 일의 양은 기체 B의 내부 에너지 증가량과 같다.

18 ㄴ. (가)는 등압 과정으로, 열을 받으면 온도가 상승하므로 기체 A의 온도는 처음보다 높아지며, (나)에서는 (가)의 기체가 단열 압축되므로 온도가 (가)보다 더 높아진다. 따라서 (나)의 온도는 (가)보다 높다.

오답 피하기

ㄱ. (가)는 등압 과정이므로 압력이 일정하다.

ㄷ. 기체가 한 일 $W=P\Delta V$이다. (가)와 (나)에서 기체의 부피 변화는 같다. (가)는 등압 과정이므로 처음 상태와 압력이 같고, (나)는 단열 압축이므로 부피가 압축되면서 압력이 증가한다. 즉, 기체의 압력은 (나)가 (가)보다 크다. 따라서 (가)에서 기체가 한 일보다 (나)에서 기체가 받은 일의 양이 크다.

19 **[모범 답안]** (1) B>A=C. 내부 에너지는 온도에 비례하는데, 온도가 가장 높은 곳이 B, 온도가 가장 낮은 곳이 A와 C이기 때문이다.

(2) B→C 과정에서 외부로 한 일과 같다. 단열 과정이므로 내부 에너지 감소량은 외부로 한 일과 같다.

20 **[모범 답안]** (1) 기체가 한 일 $W=P\Delta V=10^5\ \mathrm{N/m^2}\times0.2\ \mathrm{m}\times0.1\ \mathrm{m^2}=2000\ \mathrm{J}$이다. $Q=\Delta U+W$이므로 내부 에너지 증가량은 $6000\ \mathrm{J}-2000\ \mathrm{J}=4000\ \mathrm{J}$이다.

(2) 등압 과정에서는 기체의 부피가 증가하면서 외부로 일을 하므로 가해 준 열량 중 외부로 한 일을 뺀 나머지가 내부 에너지 증가로 쓰여 온도를 상승시킨다. 그러나 등적 과정에서는 외부로 한 일이 0이므로 가한 열량이 모두 내부 에너지 증가로 사용되어 기체의 온도가 더 많이 증가한다.

03 | 열기관과 열역학 제2법칙

기초 탄탄 문제 p. 84

01 ⑤ 02 ③ 03 ③ 04 ① 05 ⑤ 06 ④

01 진자가 진공에서 운동할 때는 마찰이나 공기 저항이 없으므로 스스로 원래 상태로 돌아올 수 있는 가역 과정이다. 진자가 공기 중에서 운동할 때는 진자의 운동 에너지가 주변 공기에 전달되므로 진자가 운동하다가 멈추는 비가역 과정이다. 비가역 과정도 열역학 제1법칙을 만족한다.

02 열역학 제2법칙은 자발적으로 일어나는 비가역 현상에 방향성이 있음을 나타내는 법칙으로, 자연 현상은 질서 있는 배열 상태에서 무질서한 배열 상태 방향으로 일어난다.

03 열기관이 한 일은 '흡수한 열량−방출한 열량'이고, 열효율은 $\frac{W}{Q_1}=1-\frac{Q_2}{Q_1}$이다. 따라서 한 일은 $4Q-3Q=Q$이고, 열효율 $e=\frac{Q}{4Q}=0.25$이다.

04 열효율은 $\frac{Q_1-Q_2}{Q_1}$이므로 A의 열효율은 $\frac{(200-160)\ \mathrm{J}}{200\ \mathrm{J}}=0.2$이고, B의 열효율은 $\frac{(250-125)\ \mathrm{J}}{250\ \mathrm{J}}=0.5$이다.

05 A→B는 등적 과정(열 흡수), B→C는 등온 과정(열 흡수), C→D는 등적 과정(열 방출), D→A는 등온 과정(열 방출)이다.

오답 피하기

⑤ 열기관은 한번 순환하여 다시 원래 상태가 되므로 온도가 처음과 같아지고, 따라서 내부 에너지도 변하지 않는다.

06 열효율 $e=\frac{W}{Q_1}=\frac{Q_1-Q_2}{Q_1}=1-\frac{Q_2}{Q_1}$이므로 Q_2가 0이면 열효율은 1(100 %)이 된다. 그러나 이것은 열역학 제2법칙에 어긋나므로 열효율이 1인 열기관은 존재하지 않는다.

오답 피하기

④ 카르노 기관은 열효율이 가장 높은 이상적인 열기관이지만 Q_2를 0으로 만들 수는 없다.

내신 만점 **문제** p. 85~87

01 ②	02 ①	03 ②	04 ①	05 ③	06 ③
07 ④	08 ②	09 ②	10 ②	11 ①	12 ②

13~14 해설 참조

01 미지근한 물이 찬물과 더운물로 저절로 나뉘지 않는 것은 열역학 제2법칙으로 설명할 수 있다. 역학적 에너지가 보존되는 것은 에너지의 형태가 바뀌어도 그 양은 보존된다는 열역학 제1법칙으로 설명할 수 있다. 잉크가 물에 퍼지는 것은 비가역 과정의 방향성을 나타내는 열역학 제2법칙으로 설명할 수 있다.

02 열역학 제2법칙은 자연에서 일어나는 물질의 변화가 방향성을 가지고 일어난다는 것이다.

오답 피하기

ㄷ. 에너지가 전환될 때 모든 에너지의 총합이 보존된다는 것은 에너지 보존에 대한 열역학 제1법칙으로 설명할 수 있다.
ㄹ. 외부에서 에너지를 공급받지 않고 작동하는 장치를 만드는 것은 불가능한데, 이것은 에너지의 형태가 바뀌어도 보존된다는 열역학 제1법칙에 위배되기 때문이다.

03 기체 분자는 칸막이를 통해 양쪽 칸에 골고루 퍼지며, 아무리 시간이 지나도 한쪽으로 다시 모이지 않는다. 따라서 이것은 비가역 과정이며, 엔트로피가 증가하였다.

오답 피하기

ㄴ, ㄷ. B가 진공 상태이므로 기체가 B로 팽창할 때 외부로 힘을 가하지 않았으며, 따라서 일을 하지 않았다. 또한 기체는 단열된 상태에서 운동하므로 외부와 열 출입이 없었다.
$Q=\Delta U+W$에서 $Q=0$, $W=0$이므로 내부 에너지도 변하지 않는다. 한쪽 칸에 모여 있던 기체가 양쪽으로 퍼지므로 기체의 부피는 커지고 압력은 감소한다.

04 ㄱ. 잉크 방울은 저절로 물 전체로 퍼지지만 퍼진 잉크 방울이 한곳에 스스로 모이지 않으므로 비가역 과정이다.
ㄴ. 열역학 제2법칙은 비가역 과정에 방향성이 있음을 나타낸 것으로, 잉크 방울이 한곳에 모이지 않는 까닭을 설명한다.

오답 피하기

ㄷ. 잉크가 물에 퍼지면 비커 전체의 무질서도는 증가한다.
ㄹ. 잉크가 물에 퍼져 있을 확률은 잉크가 한곳에 모여 있을 확률에 비해 매우 높다.

05 열효율은 $\dfrac{W}{Q_1}$이므로 $0.25=\dfrac{W}{2000\text{ J}}$, $W=0.25\times2000\text{ J}=500\text{ J}$이다. '한 일 = 흡수한 열량 − 방출한 열량'이므로 방출되는 열량은 $2000\text{ J}-500\text{ J}=1500\text{ J}$이다.

06 ㄱ. 이 열기관은 $10Q$의 열량을 흡수하여 $8Q$의 열량을 방출하므로 열효율 $e=1-\dfrac{Q_2}{Q_1}=1-\dfrac{8Q}{10Q}=0.2$, 즉 20 %이다.
ㄴ. 열기관이 한 일은 '흡수한 열량 − 방출한 열량'이므로 $10Q-8Q=2Q$이다.

오답 피하기

ㄷ. 열효율이 2배인 열기관은 열효율이 0.4이므로 $10Q$의 열을 흡수하면 $4Q$의 일을 하고 저열원으로 $6Q$의 열을 방출한다.

07 ㄱ, ㄴ. 열기관이 한 일은 그래프로 둘러싸인 면적이다.
$W=(2\times10^5)\text{ N/m}^2\times(3\times10^{-3})\text{ m}^3=600\text{ J}$이고, 공급받은 열량이 3000 J이므로 열효율은 $\dfrac{W}{Q_1}=\dfrac{600\text{ J}}{3000\text{ J}}=0.2$, 즉 20 %이다.

오답 피하기

ㄷ. 기체는 순환 과정을 거쳐 처음 상태로 돌아왔다. 즉, 온도가 처음과 같은 상태이므로 내부 에너지는 변화 없다.

08 ㄱ. 카르노 기관에서 열기관은 B→C 과정에서 열을 흡수하고, D→A 과정에서 열을 방출한다.
ㄷ. 카르노 기관의 열효율 $e_{카}=1-\dfrac{T_2}{T_1}$이므로 열효율을 높이려면 고열원의 온도 T_1을 높이거나 저열원의 온도 T_2를 낮추어야 한다.

오답 피하기

ㄴ. 그래프에서 ABCD로 둘러싸인 부분의 면적은 열기관이 한 번 순환할 때 열기관이 한 일이다.
ㄹ. 열기관은 순환 후 다시 처음 상태로 되돌아온다. 즉, 처음과 온도가 같으므로 열기관의 내부 에너지는 변하지 않는다.

문제 속 자료 카르노 기관의 압력-부피 그래프

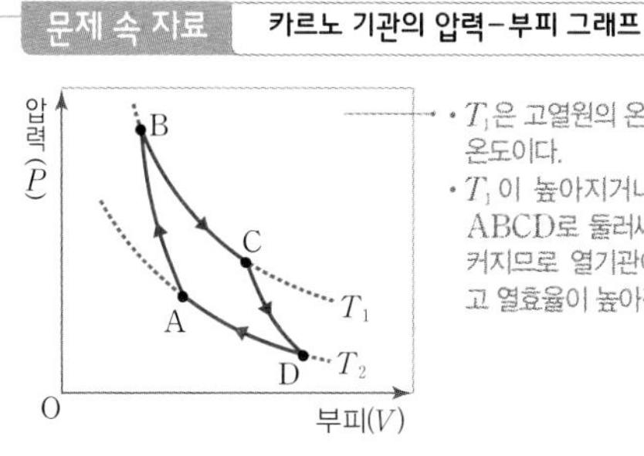

- T_1은 고열원의 온도, T_2는 저열원의 온도이다.
- T_1이 높아지거나 T_2가 낮아지면 ABCD로 둘러싸인 부분의 면적이 커지므로 열기관이 한 일이 늘어나고 열효율이 높아진다.

- B→C: 등온 과정. 외부에서 열을 흡수하였지만 내부 에너지는 변하지 않았다. 흡수한 열은 모두 외부로 한 일에 사용되었다.
- C→D: 단열 팽창 과정. 외부와 열 출입 없이 부피가 팽창하여 온도가 내려간다. 부피가 팽창하므로 외부에 일을 하였으며, 온도가 내려갔으므로 내부 에너지는 감소하였다.
- D→A: 등온 과정. 외부로 열을 방출하였지만 내부 에너지는 변하지 않았다. 기체는 외부에서 일을 받아 부피가 감소하였다.
- A→B: 단열 압축 과정. 외부와 열 출입 없이 부피가 압축되어 온도가 올라간다. 부피가 줄어들었으므로 외부에서 일을 받았으며, 온도가 높아졌으므로 내부 에너지는 증가하였다.

09 실제 열기관의 열효율은 흡수한 열량과 방출한 열량으로 구한다. $e=1-\frac{Q_2}{Q_1}=1-\frac{700\ \mathrm{J}}{1000\ \mathrm{J}}=0.3$이다.

이상적인 최대 열효율은 카르노 기관의 열효율 $1-\frac{T_2}{T_1}$로 구한다. 따라서 $e_{카}=1-\frac{400\ \mathrm{K}}{800\ \mathrm{K}}=0.5$이다.

10 ㄴ. 열효율이 가장 높은 이상적인 열기관은 카르노 기관이다. 카르노 기관의 열효율은 고열원과 저열원의 절대 온도로 구할 수 있다. $e_{카}=\frac{T_1-T_2}{T_1}=1-\frac{T_2}{T_1}$

오답 피하기

ㄱ. 공급된 열을 모두 일로 바꾸는 장치, 즉 열효율이 100 %인 열기관은 열역학 제2법칙에 위배되므로 존재할 수 없다.

ㄷ. 열기관이 한 일은 '고열원에서 흡수한 열량 − 저열원으로 방출한 열량'이다. 즉, 흡수한 열량이 방출한 열량보다 커야 열기관이 일을 할 수 있다.

11 ㄱ. 열량을 흡수하는 과정인 A→B의 온도가 고열원의 온도이고, 열량을 방출하는 과정인 C→D의 온도가 저열원의 온도이다. 카르노 기관의 열효율은 $1-\frac{T_2}{T_1}=1-\frac{300\ \mathrm{K}}{400\ \mathrm{K}}=0.25$이다. 그래프에서 점선은 등온선을 나타낸다.

오답 피하기

ㄴ. 열기관이 한 일은 그래프에서 ABCD로 둘러싸인 부분의 면적이며, 열기관이 A→B→C 과정에서 한 일에서 C→D→A 과정에서 받은 일을 뺀 값과 같다.

ㄷ. D→A는 단열 과정이므로 외부와 열출입을 하지 않는다. 저열원으로 Q_2를 방출하는 과정은 C→D이다.

12 카르노 기관에서 흡수한 열량은 I에서 흡수한 열량 a이고, 방출한 열량은 III에서 방출한 열량 b이다. 이때 표에서 $-b$로 되어 있는 것은 크기가 b인 열량을 방출했다는 의미이다. 따라서 열효율 $e=\frac{a-b}{a}$이다.

13 **[모범 답안]** (1) 외부로 일을 하는 과정은 B→C이며, 이때 온도 변화가 없으므로 내부 에너지는 변하지 않는다.

(2) 열을 방출하는 과정은 C→D→A이다. C→D 과정에서는 부피 변화 없이 온도가 내려갔으므로(내부 에너지 감소), $Q=\Delta U+W$에서 $\Delta U<0$, $W=0$이므로 $Q<0$이 되어 기체가 외부로 열을 방출한 것이다. D→A 과정은 온도 변화 없이(내부 에너지 일정) 부피가 줄어들었으므로(외부에서 일을 받음), $Q=\Delta U+W$에서 $\Delta U=0$, $W<0$이므로 $Q<0$이 되어 열이 외부로 빠져나갔다.

14 **[모범 답안]** (1) 열기관이 한 일은 $10\ \mathrm{kJ}-6\ \mathrm{kJ}=4\ \mathrm{kJ}$이고 열효율은 $\frac{W}{Q_1}=\frac{4\ \mathrm{kJ}}{10\ \mathrm{kJ}}=0.4$이다.

(2) 열역학 제2법칙에서 일은 모두 열로 바꿀 수 있지만, 열을 모두 일로 바꿀 수는 없다. 열효율이 1인 열기관은 받은 열량이 모두 일로 전환되어야 하는데, 이는 열역학 제2법칙에 위배되므로 열효율이 1인 열기관은 만들 수 없다.

단원 마무리하기

p. 90 ~ 93

01 ③	02 ④	03 ②	04 ⑤	05 ③	06 ⑤
07 ③	08 ①	09 ③	10 ③	11 ⑤	12 ⑤
13 ②	14 ①	15 ②	16 ②	17 ③	18 ⑤

01 ㄱ. 힘 − 이동 거리 그래프에서 그래프 아랫부분의 넓이는 힘이 한 일을 의미하므로 7 m를 이동하는 동안 힘이 한 일은 $(8\ \mathrm{N}\times4\ \mathrm{m})+(6\ \mathrm{N}\times3\ \mathrm{m})=50\ \mathrm{J}$이다.

ㄷ. 힘이 한 일만큼 운동 에너지가 증가하므로

$50\ \mathrm{J}=\frac{1}{2}mv^2=\frac{1}{2}\times1\ \mathrm{kg}\times v^2$에서 $v=10\ \mathrm{m/s}$이다.

오답 피하기

ㄴ. 일 · 운동 에너지 정리에서 알짜힘이 한 일은 물체의 운동 에너지 변화량이고, 물체는 처음에 정지 상태이므로 처음 운동 에너지는 0이다. 따라서 7 m를 이동한 후 물체의 운동 에너지는 50 J이다.

02 4 m에서의 속력을 v_1이라 하면 $\frac{1}{2}\times1\ \mathrm{kg}\times v_1^2=32\ \mathrm{J}$에서 $v_1=8\ \mathrm{m/s}$이므로 $v_1 : v_2=8\ \mathrm{m/s} : 10\ \mathrm{m/s}=4 : 5$이다.

03 이 물체에 작용하는 알짜힘의 크기가 $20\ \mathrm{N}-10\ \mathrm{N}=10\ \mathrm{N}$이므로, 가속도의 크기 $a=\frac{10\ \mathrm{N}}{2\ \mathrm{kg}}=5\ \mathrm{m/s^2}$이고, 알짜힘이 한 일은 $W=10\ \mathrm{N}\times10\ \mathrm{m}=100\ \mathrm{J}$이다.

04 ㄱ. 힘 − 이동 거리 그래프에서 그래프 아래의 넓이는 한 일을 의미하므로 전동기가 물체를 당기는 힘이 한 일 $W=(120\ \mathrm{N}\times0.5\ \mathrm{m})+(100\ \mathrm{N}\times0.5\ \mathrm{m})=110\ \mathrm{J}$이다.

ㄴ. 0.5 m 높이까지 들어 올리는 동안 물체에 연직 위쪽으로 작용하는 힘이 120 N이고, 중력이 100 N이므로 알짜힘은 연직 위쪽으로 20 N이다. 따라서 0.5 m 높이에서 물체의 운동 에너지는 $20\ \mathrm{N}\times0.5\ \mathrm{m}=10\ \mathrm{J}$이다.

ㄷ. 0.5 m에서 1 m까지 전동기가 물체를 당기는 힘은 중력과 평형을 이룬다. 따라서 물체는 등속 운동을 한다.

05 ㄱ. 전동기가 줄을 당기는 힘이 한 일은 $W=12\ \text{N}\times0.8\ \text{m}=9.6\ \text{J}$이다.

ㄴ. 물체에 작용하는 중력이 연직 아래 방향으로 10 N이므로 중력이 물체에 한 일의 크기는 $10\ \text{N}\times0.8\ \text{m}=8\ \text{J}$이다. 이때 중력이 한 일과 전동기가 한 일은 서로 반대 방향이다.

오답 피하기

ㄷ. 역학적 에너지 증가량은 줄이 물체를 당기는 힘이 한 일과 같으므로 물체의 역학적 에너지 증가량은 9.6 J이다.

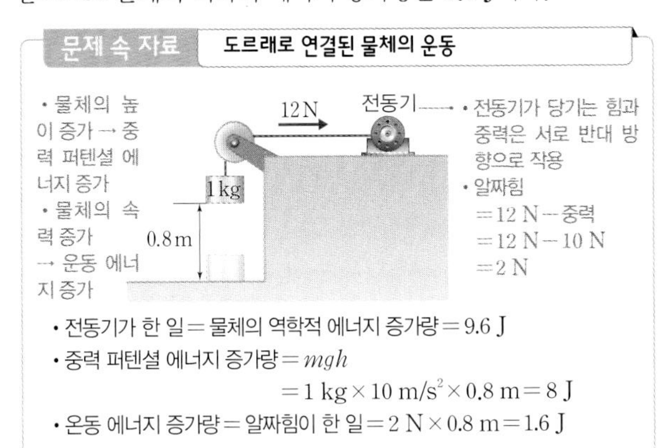

문제 속 자료
도르래로 연결된 물체의 운동
• 물체의 높이 증가 → 중력 퍼텐셜 에너지 증가
• 물체의 속력 증가 → 운동 에너지 증가
12 N
전동기
1 kg
0.8 m
• 전동기가 당기는 힘과 중력은 서로 반대 방향으로 작용
• 알짜힘 =12 N−중력 =12 N−10 N =2 N
• 전동기가 한 일 = 물체의 역학적 에너지 증가량 = 9.6 J
• 중력 퍼텐셜 에너지 증가량 = mgh = 1 kg × 10 m/s² × 0.8 m = 8 J
• 운동 에너지 증가량 = 알짜힘이 한 일 = 2 N × 0.8 m = 1.6 J

06 ㄴ. A에서 B까지 물체의 위치(수직 높이)는 5 m 감소하였다. 따라서 A에서 B까지 물체에 작용하는 중력이 한 일 $W=2\ \text{kg}\times10\ \text{m/s}^2\times5\ \text{m}=100\ \text{J}$이다.

ㄷ. A에서 물체의 운동 에너지가 $\frac{1}{2}mv^2=\frac{1}{2}\times2\ \text{kg}\times(5\ \text{m/s})^2=25\ \text{J}$이고, 중력이 한 일만큼 운동 에너지가 증가하므로 B에서 물체의 운동 에너지는 125 J이다.

오답 피하기

ㄱ. A에서 물체의 중력 퍼텐셜 에너지는 $mgh=2\ \text{kg}\times10\ \text{m/s}^2\times6\ \text{m}=120\ \text{J}$이고, 운동 에너지는 25 J이다. 따라서 A에서는 운동 에너지가 중력 퍼텐셜 에너지보다 작다.

07 ㄱ. 수레는 빗면을 내려오는 동안 위치가 점점 낮아진다. 즉, 수레의 중력 퍼텐셜 에너지가 운동 에너지로 전환된다.

ㄷ. 수레의 처음 위치가 높을수록 수레의 중력 퍼텐셜 에너지는 커진다. 수레의 역학적 에너지가 보존되므로 아래로 내려왔을 때의 운동 에너지는 처음 위치의 중력 퍼텐셜 에너지와 같다. 즉, 수레의 위치가 높을수록 바닥에 도달했을 때의 운동 에너지가 커지고, 수레는 수평면에 있는 나무 도막에 더 많은 일을 할 수 있으므로 나무 도막의 이동 거리 L이 커진다.

오답 피하기

ㄴ. 수레가 빗면을 내려오는 동안에는 역학적 에너지가 보존된다. 그러나 수레가 나무 도막에 부딪히면, 수레의 역학적 에너지가 나무 도막을 미는 일을 하게 되므로 역학적 에너지는 일로 전환되어 보존되지 않는다.

08 역학적 에너지가 보존되므로 용수철의 탄성 퍼텐셜 에너지의 최댓값은 운동 에너지의 최댓값과 같다. 즉, $\frac{1}{2}kx^2=\frac{1}{2}mv^2$이므로 $\frac{1}{2}\times200\ \text{N/m}\times(0.1)^2=\frac{1}{2}\times2\ \text{kg}\times v^2$, $v=1\ \text{m/s}$이다.

09 마찰이 없는 곳에서 운동하는 물체의 역학적 에너지는 보존된다. 즉, P점에서 물체를 가만히 놓아 물체가 Q를 통과할 때 줄어든 퍼텐셜 에너지는 운동 에너지로 전환된다.

Q에서의 운동 에너지는 $mg\times(h-\frac{1}{3}h)=\frac{2}{3}mgh$이다. R은 위치가 0이므로 P에서의 중력 퍼텐셜 에너지가 모두 운동 에너지로 전환되었다. 즉 R에서 운동 에너지는 mgh이다. 따라서 $E_Q:E_R=\frac{2}{3}mgh:mgh=2:3$이다.

10 ㄱ. 기체의 내부 에너지는 기체의 절대 온도가 높을수록 크며 기체의 온도는 '압력 × 부피'에 비례한다. 따라서 기체의 온도는 B > C > A > D이다.

ㄴ. A→B는 압력이 일정한 등압 과정이며, 등압 과정에서 기체가 흡수한 열량은 기체의 내부 에너지 증가량과 기체가 외부로 한 일의 합이다.

오답 피하기

ㄷ. 기체가 한 번 순환할 때 한 일은 그래프 선으로 둘러싸인 부분의 면적으로, $(2P-P)\times(3V-V)=2PV$이다.

11 열역학 제1법칙에서 $Q=\Delta U+W$이다. 이때 등적 과정은 부피 변화가 없으므로 $W=0$이므로, $Q=\Delta U$이고, 등온 과정은 온도 변화가 없으므로 $\Delta U=0$이므로 $Q=W$이다. 즉, 흡수한 열량이 같을 때 등온 과정은 흡수한 열량이 한 일과 같으며, 등적 과정은 흡수한 열량이 모두 내부 에너지 증가에 사용된다. 등압 과정은 흡수한 열량이 내부 에너지 증가와 외부로 일을 하는데 사용된다.

12 온도 차이가 같으면 내부 에너지의 변화량은 같다. 단열 팽창에서는 외부로 한 일이 내부 에너지의 감소량과 같다.

13 A는 등적 과정이고, B는 등압 과정이다.

ㄷ. 등적 과정은 부피 변화가 없으므로 기체가 한 일은 0이다. 따라서 흡수한 열량은 모두 내부 에너지 증가에 사용된다.

오답 피하기

ㄱ, ㄴ. B에서 흡수한 열량은 내부 에너지 증가와 외부로 한 일에 사용되고, A에서는 모두 내부 에너지 증가에 사용된다. 따라서 기체의 온도와 내부 에너지 증가량은 A가 B보다 높다.

14 ㄱ. 높새바람이 불 때 공기는 A→B에서 단열 팽창하고 B→C에서 단열 압축한다. 따라서 A→B에서 공기는 단열 팽창하여 부피가 증가하므로 외부로 일을 한다.

오답 피하기

ㄴ. A→B에서 공기는 단열 팽창하므로 온도가 내려가 내부 에너지가 감소하고, B→C에서는 단열 압축하므로 온도가 올라가고 내부 에너지는 증가한다. 이때 높새바람은 산을 넘어오면서 고온 건조해지므로 산을 넘기 전보다 온도가 높다. 즉, 공기의 내부 에너지 크기는 B < A < C이다.

15 ㄷ. 구슬이 든 상자를 흔들면 구슬은 양쪽 칸으로 흩어지지만, 흩어진 구슬이 한쪽 칸에 다시 모이는 일은 생기지 않는다. 이것은 열역학 제2법칙에 따라 자연 현상에 방향성이 있기 때문이다. 일은 모두 열로 바뀌지만 열은 모두 일로 바뀔 수 없는 것 역시 열역학 제2법칙의 다른 의미이다.

오답 피하기

ㄱ. 기체가 확산된 후 다시 모이는 것은 열역학 제2법칙에 어긋나므로 실제로 일어나지 않는다.

ㄴ. 역학적 에너지가 보존되는 것은 열역학 제1법칙으로 설명할 수 있다.

16 ㄴ. 최대 열효율은 카르노 기관의 열효율이고, $e_{카} = \frac{T_1 - T_2}{T_1} = 1 - \frac{T_2}{T_1}$로 구한다.

오답 피하기

ㄱ. 열효율은 항상 1(= 100 %)보다 작다.

ㄷ. 열기관이 한 일은 '고열원에서 흡수한 열량 − 저열원으로 방출한 열량'이다.

17 $Q_2 = 4W$이면 $Q_1 = W + Q_2$에서 $Q_1 = 5W$이다. 따라서 열효율 $e = \frac{W}{5W} = 0.2$(20 %)이다. 에너지의 형태를 바뀌어도 그 양이 보존된다는 에너지 보존 법칙은 언제나 성립한다.

18 ㄱ. $Q_1 = W + Q_2$이므로 A에서 (가)는 $4Q - Q = 3Q$이고, B에서 (나)는 $6Q - 3Q = 3Q$이다.

ㄷ. A의 열효율이 0.25, B가 0.5이므로 A, B가 1의 열을 흡수하면 각각 0.75와 0.5의 열을 방출한다. 즉, Q_1이 같을 때 Q_2는 A가 B의 1.5배이다.

오답 피하기

ㄴ. A의 열효율은 $\frac{Q}{4Q} = 0.25$이고, B의 열효율은 $\frac{3Q}{6Q} = 0.5$이므로, B의 열효율은 A의 2배이다.

3. 특수 상대성 이론

01 | 특수 상대성 이론

기초 탄탄 문제 p. 100

01 ① 02 ④ 03 ① 04 ④ 05 ④ 06 ②

01 배 A와 B가 같은 방향으로 이동하고 있으므로 A가 본 B의 상대 속도는 속도의 크기의 차이다. 따라서 $v_{AB} = v_B - v_A = 8\ m/s - 5\ m/s = 3\ m/s$이다.

02 마이컬슨 · 몰리 실험은 빛을 전달해 주는 물질인 에테르의 존재를 확인하기 위한 실험으로, 실험 결과 에테르는 없으며 빛의 속력은 항상 일정하다는 것을 알게 되었다.

①, ② 주변에서 나타나는 소리, 물결파, 탄성파와 같은 파동은 매질을 통해서 전달된다. 맥스웰이 빛이 전자기파라는 사실을 발견한 후, 과학자들은 빛도 매질이 필요할 것이라 생각하고, 이 가상의 매질을 에테르라고 불렀다.

⑤ 빛의 속력이 어느 방향으로 측정하여도 같았기 때문에 에테르는 존재하지 않는다고 결론 내렸다.

오답 피하기

④ 아인슈타인은 이 실험에 대한 해석으로 빛의 속력은 관찰자의 운동에 관계없이 일정하다고 가정하여 특수 상대성 이론을 전개하였다.

03 ② 상대성 원리: 특수 상대성 이론에서는 동일한 운동을 어떤 관성 좌표계에서 관찰하여도 물리 법칙은 동일하게 성립한다고 가정하였다.

③, ⑤ 광속 불변의 원리: 진공에서 빛의 속력은 모든 관성계에서 같다고 가정하였다.

④ 한 관성 좌표계에 대해 일정한 속력으로 움직이는 좌표계는 모두 관성 좌표계이다. 상대성 원리에서 관성 좌표계를 전제하에 가설을 정하였다.

오답 피하기

① 시간 지연은 특수 상대성 이론의 결과로 해석된 것이다. 상대적으로 빠르게 운동하는 관성 좌표계에서 다른 관성 좌표계의 운동을 관찰하면 상대방의 시간이 느리게 흐르는 것으로 관찰된다.

04 고유 시간은 관찰자와 사건이 발생하는 좌표 사이의 거리가 변하지 않을 때, 같은 위치에서 발생한 두 사건 사이의 간격이다.

① 고유 시간은 관찰자와 사건이 일어나는 장소 사이의 거리가 일정하게 유지될 때, 관찰자는 두 사건이 같은 위치에서 일어난 것으로 보게 된다.

② 고유 시간은 한 장소에서 발생한 두 사건 사이의 시간 간격이다.

③ 특수 상대성 이론의 시간 지연 현상 때문에 등속도 운동하는 관성 좌표계에서의 시계는 정지한 관성 좌표계에서의 시간보다 느리게 흐른다.

⑤ 입자와 함께 움직이는 좌표계에서 측정한 시간이 고유 시간이다.

오답 피하기

④ 정지한 관찰자가 측정한 시간은 두 사건이 서로 다른 위치에서 발생할 수 있으므로 고유 시간이 아니다.

05 ① 한 관찰자에게 동시에 발생한 두 사건은 상대적으로 등속도 운동하는 관찰자에게는 동시에 발생한 사건으로 보이지 않는다. 이것을 동시성의 상대성이라고 한다.

② 정지한 행성에서 빠르게 날아가는 시계를 보면 시간이 자신의 시계보다 느리게 흐른다. 이것을 시간 지연이라고 한다.

③ 우주선을 타고 빠르게 날아가면서 우주선 밖의 물체의 길이를 재면 날아가는 방향의 길이는 길이 수축으로 짧게 측정되고 수직 방향의 길이는 고유 길이 그대로 측정된다.

⑤ 뮤온이 지표면에서 발견될 수 있는 것은 시간 지연과 길이 수축에 의한 것으로, 특수 상대성 이론의 증거가 된다.

오답 피하기

④ 빛의 속력은 빛을 발사하는 발사체의 속력이나 관찰자에 관계없이 항상 일정하다.

06 지상의 관찰자가 보면 시간 지연이 일어나 뮤온의 수명이 고유 수명(2.2×10^{-6} s)보다 길어지기 때문에 뮤온이 지상에 도달한다.

오답 피하기

① 공기와의 충돌은 뮤온의 수명과 관련이 없다.

③ 지상의 관찰자가 보면 뮤온의 이동 거리는 고유 길이를 이동한다.

④ 지구의 중력은 뮤온의 수명 연장에 영향을 줄 정도로 크지 않다.

⑤ 공기의 밀도는 뮤온의 이동 거리에 영향을 주지 않는다. 오히려 밀도가 크면 조금이라도 뮤온의 이동 거리가 짧아질 것이다.

내신 만점 문제 p. 101~103

01 ④	02 ⑤	03 ②	04 ④	05 ③	06 ④
07 ③	08 ①	09 ①	10 ③	11~12 해설 참조	

01 아인슈타인은 특수 상대성 이론에서 모든 관성 좌표계에서는 물리 법칙이 동일하게 성립한다고 가정하였다.(상대성 원리)
보기 중 관성 좌표계는 힘이 작용하지 않을 때 물체가 계속 정지해 있거나 등속 직선 운동을 하는 좌표계를 나타낸 ㄱ, ㄷ이다.

오답 피하기

ㄴ. 비관성 좌표계(가속 좌표계)는 속도가 변하는 좌표계이다. 등속 원운동하는 우주선은 속력이 일정하여도 속도의 방향이 시시각각 바뀌기 때문에 속도가 변한다.

02 ㄱ. 우주에 에테르가 가득 차 있다고 가정하고 빛은 에테르를 통해 전파한다고 생각하여 실험하였다.

ㄴ. 지구가 빠르게 공전과 자전을 하므로 에테르는 정지해 있어도 지구에 설치한 실험 장치에서 볼 때는 에테르는 상대적으로 빠른 속력으로 흐른다.

ㄷ. 에테르가 있다면, 에테르의 흐름과 나란한 방향으로 왕복한 빛의 왕복 시간이 에테르의 흐름과 수직인 방향보다 더 클 것으로 가정하였다.

문제 속 자료 **마이컬슨·몰리 실험**

- 지구는 약 30 km/s의 속력으로 공전하고 있다.
- 지구에서 볼 때 에테르가 한쪽 방향으로 흐르고 있다.
- 빛의 진행 방향이 변하면 빛의 속력이 달라질 것이다.

[실험 과정]
- 광원에서 빛을 쏘면, 반거울에 의해 빛이 수직으로 나뉘어 진행한 후 반거울로부터 같은 거리에 있는 두 거울에서 반사되어 다시 반거울을 통해 빛 검출기에 도달한다.

[실험 결과]
- 회전 원판을 회전시켜 빛의 진행 방향이 달라져도 빛의 속력은 모든 방향에서 같다.

[결론]
- 빛이 검출기에 도달하는 시간이 같으므로 빛의 속력은 일정하다.
- 에테르는 존재하지 않으므로 빛은 매질없이 전파될 수 있다.

03 ㄷ. 실험 결과로 빛의 속력은 방향에 관계없이 일정하다는 사실을 알아내었다.

오답 피하기

ㄱ. 빛은 파동의 일종이라는 것은 이 실험 이전에도 알고 있었던 사실이다. 이 실험으로 빛은 매질이 필요없는 파동이라는 것을 알게 되었다.

ㄴ. 우주에 에테르가 퍼져 있을 것으로 예상하고 실험하였으나 결론은 에테르가 없다는 것이었다.

04 ㄱ. 행성에서 볼 때 레이저 빛의 속력은 광속 불변의 원리에 의해 항상 c이다.

ㄷ. 우주선에서 볼 때 행성의 상대 속도를 구하면 $0.01c - 0.9c = 0.89c$이다. 따라서 행성은 우주선을 향해 $0.89c$의 속력으로 다가온다.

오답 피하기

ㄴ. 우주선에서 볼 때 레이저의 속력은 $0.1c$가 아니라 항상 c이다(광속 불변 원리).

05 ㄱ. 광속 불변 원리에 의해 영희에게 빨간 빛과 파란 빛의 속력은 같다.

ㄴ. 빛의 속력이 같아도, 영희가 탄 우주선이 빨간 빛 쪽으로 이동하고 있으므로 빨간 빛을 먼저 보게 된다.

오답 피하기

ㄷ. 철수에게 동시에 일어난 사건이지만, 운동하고 있는 영희에게는 빨간 빛이 먼저 도착하고 파란 빛은 나중에 도착하는 것으로 관찰된다. 즉, 동시에 일어난 사건이어도 다른 관성계에서는 동시에 일어나는 사건이 아닐 수 있다.

06 ㄴ. 광속 불변 원리에 따라 우주선에서 볼 때 A, B에서 발생한 빛의 속력은 같다.

ㄷ. 우주선에 오른쪽으로 날아가고 있었으므로 지구에서 볼 때, 빛은 A에서 먼저 발생하여야 우주선에서는 동시에 발생한 것으로 관찰된다.

오답 피하기

ㄱ. 우주선이 오른쪽으로 날아가고 있으므로, A에서 발생한 빛이 우주선까지 진행한 시간이 더 길다.

07 상대 속도의 차이가 클수록 상대방의 시간이 느리게 흐른다.

오답 피하기

ㄷ. 철수를 기준으로 하면 행성 P, Q가 철수에 대해 빠르게 운동하므로, P와 Q 사이의 거리는 길이 수축이 일어난다. 따라서 P와 Q 사이의 거리는 철수의 측정값이 영희의 측정값보다 작다.

문제 속 자료 **시간 지연과 길이 수축**

- 시간 지연: 영희는 자신이 정지해 있고 철수가 행성 Q로 운동하고 있는 것으로 관측하지만, 철수는 자신이 정지해 있고 영희가 행성 P로 운동하고 있는 것으로 관측한다.
  따라서 상대방이 서로 자신에 대해 상대 운동을 하고 있으므로 상대방의 시간이 지연된다.
- 길이 수축: 영희가 정지해 있는 행성 P, Q 사이의 거리를 측정한 값이 고유 길이가 된다. 철수가 빠른 속도로 운동하고 있기 때문에 철수가 측정한 거리는 수축된다.

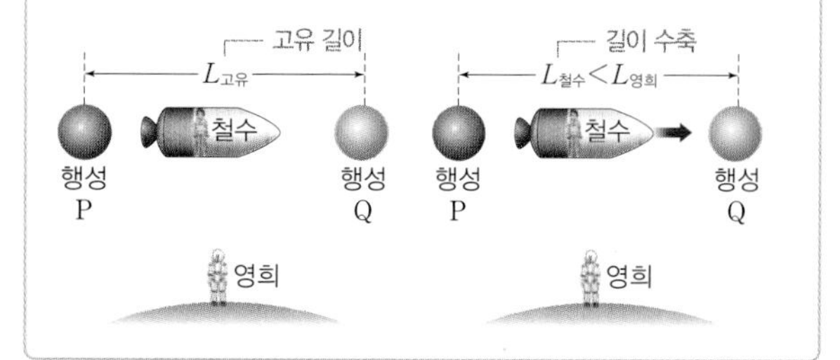

08 ㄱ. O점에 정지한 관찰자가 본 자의 길이는 운동하는 방향과 x축 방향으로 나란하게 길이 수축되어 보인다.

오답 피하기

ㄴ, ㄷ O점에 정지한 관찰자가 본 y, z축 방향의 자의 길이는 운동 방향과 수직이므로 길이 수축이 일어나지 않는다.

ㄹ. 우주선에 타고 있는 관찰자가 본 x축 방향의 자의 길이는 상대 속도가 0이므로 고유 길이로 측정된다.

09 ㄱ. 우주선 B의 속력이 더 빠르므로 길이 수축 정도가 더 크다. 그럼에도 불구하고 A, B의 길이가 같다는 것은 실제로는 B의 고유 길이가 더 길다는 것이다. 즉, $L_A < L_B$이다.

오답 피하기

ㄴ. B에서 본 빛의 속력과 C에서 본 빛의 속력은 같다.

ㄷ. 우주선 B의 속력이 더 빠르기 때문에 B에게는 우주선 A는 왼쪽으로 $0.6c$의 속력으로 날아가는 것과 같다. 또한, 우주선 A와 함께 a, b도 같이 왼쪽으로 이동하고 있고 빛이 양쪽에 동시에 도달한 것으로 B는 관측하였다. 따라서 광원에서 a까지의 거리가 광원에서 b까지의 거리보다 멀어야 광원에서 발사된 빛이 동시에 도착하게 된다.

10 정지한 관찰자에게는 뮤온의 시간(수명)이 지연되고, 뮤온과 함께 움직이는 좌표계에서는 길이가 수축된다. 특수 상대성 이론에서는 두 관찰자가 모두 뮤온이 지상에 도달할 수 있는 것으로 설명한다.

ㄷ. 뮤온과 함께 움직이는 좌표계에서 볼 때 지표면까지의 거리가 줄어들기 때문에 뮤온의 고유 수명(2.2×10^{-6} s)으로 지상까지 진행할 수 있는 것이다.

오답 피하기

ㄱ. 특수 상대성 이론에서는 지상의 관찰자가 볼 때 뮤온의 수명이 2.2×10^{-6} s보다 늘어나기 때문에(시간 지연) 뮤온이 실제 거리 660 m($= 2.2 \times 10^{-6}\text{s} \times 3 \times 10^{8}$ m/s)보다 긴 거리를 이동할 수 있다.

ㄴ. 뮤온과 함께 움직이는 좌표계에서 볼 때 뮤온의 수명은 고유 수명이지만, 상공에서 지표면까지의 길이 수축 때문에 지표면에 도달할 수 있다.

11 (1) 우주선 안의 관찰자가 본 시간(고유 시간)은 실제 왕복 시간인 t_0과 같다. 그런데 우주선 밖의 정지한 관찰자가 볼 때는 빛이 우주선의 운동에 따라 대각선으로 움직이므로 $t_2 > t_1$이다.

[모범 답안] $t_1 = t_0$, $t_2 > t_1$

(2) 우주선 안에서는 빛이 위아래로 d의 길이로 이동하지만, 우주선 밖의 정지한 관찰자가 볼 때는 빛이 대각선으로 이동하고 있는 것으로 보인다.

[모범 답안] 대각선으로 이동한다.

문제 속 자료 **우주선 밖에서 정지한 관찰자가 본 빛의 이동 거리**

$\frac{x}{2}$ $\frac{x}{2}$ d vt

우주선 밖에서는 빛이 대각선 형태(빨간색 직선 경로)로 이동한다.

아래쪽 거울이 vt만큼 이동하고 빛이 대각선으로 x만큼 이동한다고 할 때 피타고라스의 정리에 의해 다음 식이 성립한다.

$\left(\frac{x}{2}\right)^2=d^2+\left(\frac{vt}{2}\right)^2$, $x=\sqrt{(2d)^2+(vt)^2}$ 이다.

즉, 우주선 밖에서 빛을 관찰할 때 빛이 이동하는 거리는 우주선 안의 철수가 관측한 것보다 길어진다.

12 [모범 답안] (1) $L > L_{영희}$(거리 수축), 빠른 속도로 움직이는 영희에게 길이 수축이 일어난다.

(2) $t_2 < t_1$, 영희가 보는 거리가 철수가 보는 고유 거리 L보다 수축되었으므로 영희는 t_1보다 빨리 지구에서 행성 A까지 이동할 수 있다.

02 | 질량-에너지 등가성

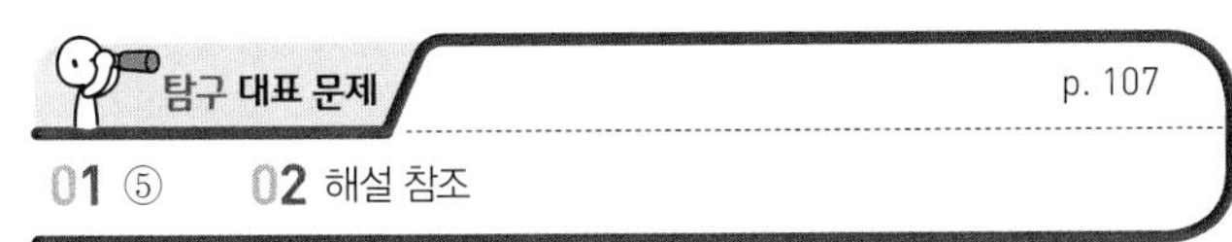

탐구 대표 문제 p. 107

01 ⑤ 02 해설 참조

01 핵반응 후 핵반응 전보다 줄어든 질량은 0.0186 u이며, 이것은 에너지로 환산하면 $0.0186 \times 1.66 \times 10^{-27} \times (3 \times 10^8)^2$ J $= 17.3$ MeV이다. 이때 줄어든 질량은 에너지로 변환된다.

④ 반응 전과 후에는 전체 질량이 감소하고(질량 결손) 질량수는 보존된다. 즉, 반응 전후 원자핵의 양성자수와 중성자수 합은 일정하다.

오답 피하기

⑤ 무거운 원자핵이 두개의 가벼운 원자핵으로 분열되는 핵분열 반응이다.

02 핵반응 과정에서 반응 후 질량의 합은 반응 전 질량의 합보다 줄어든다. 이때 발생한 질량 결손은 에너지로 전환된다.

기초 탄탄 문제 p. 108

01 ⑤ 02 ② 03 ① 04 ② 05 ④ 06 ④

01 1 g의 질량 결손에 의해 방출되는 에너지는 다음과 같다.

$\Delta E = \Delta mc^2 = (1 \times 10^{-3}\ \text{kg}) \times (3 \times 10^8\ \text{m/s})^2 = 9 \times 10^{13}\ \text{J}$

02 반응 전후의 양성자수와 질량수가 각각 같아야 한다.

X의 양성자수 $= 9 - 8 = 1$, X의 질량수 $= 18 - 17 = 1$이므로 ${}^1_1\text{X}$는 양성자이다.

03 2개의 중수소 원자핵의 질량은 2×2.0141 u, 1개의 헬륨 원자핵의 질량은 4.0026 u이다. 따라서 총 질량의 차이는

$2 \times 2.0141\ \text{u} - 4.0026\ \text{u} = 0.0256\ \text{u}$이다.

04 2.6×10^{-4} kg의 질량 결손에 의해 방출되는 에너지는

$\Delta E = \Delta mc^2 = (2.6 \times 10^{-4}\ \text{kg}) \times (3 \times 10^8\ \text{m/s})^2$

$= 2.34 \times 10^{13}$ J이다.

05 핵반응을 할 때에는 핵을 이루는 입자들의 수와 질량을 포함한 총 에너지는 보존된다. 총 질량이 감소하고 이때의 질량 결손이 열에너지 등으로 변한다.

06 원자력 발전소에서는 우라늄의 핵분열로 발생하는 에너지를 이용한다. 헬륨이 생기는 핵반응은 태양에서 수소 핵융합 과정의 일부이다. 태양에서 일어나는 수소들의 핵융합 과정에서 불안정한 헬륨 ${}^3_2\text{He}$보다 안정한 ${}^4_2\text{He}$로 변하면서 에너지를 방출한다.

오답 피하기

① 반응 전후의 양성자수는 각각 4로 같다.

② 반응 전후의 질량수는 각각 6으로 같다.

③ ${}^4_2\text{He}$이 ${}^3_2\text{He}$보다 중성자수가 많아서 안정된 원소이다. 양성자수가 같을 때는 중성자수가 많을수록 더 안정된 원소이다.

⑤ 핵반응에서 질량 결손에 의해 에너지가 발생한다.

내신 만점 문제 p. 109~111

01 ① 02 ④ 03 ⑤ 04 ⑤ 05 ① 06 ③

07 ② 08 ④ 09 ② 10 ⑤ 11 ③

12~13 해설 참조

01 ㄱ. 특수 상대성 이론에서 속력이 증가하면 질량도 증가하므로 더 이상 물질 고유의 양이라고 할 수 없다.

오답 피하기

ㄴ.속력이 0일 때 물체의 질량이 가장 작고, 속력이 증가할수록 질량이 증가한다.

ㄷ.물체의 속력이 빛의 속력에 도달하면 질량은 거의 무한대에 가까워진다.

02 질량은 속력에 정비례하지 않는다. 물체의 속력이 빛의 속력에 가까워지면 질량은 매우 크게 증가한다.

ㄴ. 속력이 증가하면 질량도 증가하며, 속력이 광속에 가까워질수록 질량 증가가 급격히 일어난다.

ㄷ. 속력이 빛의 속력에 가까울수록 질량 증가율이 더 크다.

오답 피하기

ㄱ. 속력이 작을 때는 질량의 증가량은 작지만 조금씩 증가한다.

03 ㄱ. 빛이 전자와 양전자로 변하는 현상은 에너지가 질량으로 변하는 쌍생성이다.

ㄴ. 원자력 발전소에서 사용하는 핵에너지는 우라늄의 질량이 줄어들면서 에너지가 발생하는 것이다.

ㄹ. 수소와 수소가 반응하여 헬륨이 될 때는 핵의 질량이 줄어들고 핵융합 에너지가 발생한다.

오답 피하기

ㄷ. 탄소의 연소는 양성자 또는 중성자의 변화가 일어나는 것이 아니라 원소들이 모인 분자들이 결합하여 일어나는 변화이다. 이때 질량은 보존되며 분자들의 결합에 의한 에너지의 차이가 열에너지로 발생되는 것이다.

04 필요한 우라늄의 질량을 m이라고 하면, $\frac{0.2m}{1000} = \frac{m}{5000}$의 질량 결손이 생기고 이 때 생기는 열에너지는

$\Delta E = \Delta mc^2 = \frac{m}{5000} \times (3 \times 10^8\,\mathrm{m/s})^2 = 9 \times 10^4\,\mathrm{kJ}$이다.

따라서 $m = \frac{9 \times 10^7 \times 5000}{9 \times 10^{16}} = 5 \times 10^{-6}\,(\mathrm{kg})$이다.

05 ㄱ. 반응 후 질량 결손은 $(4.033\,\mathrm{u} - 4.0026\,\mathrm{u}) = 0.0304\,\mathrm{u}$이다.

오답 피하기

ㄴ. 반응 전후에 총 질량은 감소하였으나 질량수는 보존된다.

$2{}^1_1\mathrm{p} + 2{}^1_0\mathrm{n} \longrightarrow {}^4_2\mathrm{He}$

ㄷ. 발생한 에너지 $\Delta E = \Delta mc^2$으로 '반응 후 줄어든 질량 × (광속)^2'이다.

06 원자로에서 우라늄(${}^{235}_{92}\mathrm{U}$)이 핵분열하는 과정이다. 우라늄(${}^{235}_{92}\mathrm{U}$)에 중성자(${}^1_0\mathrm{n}$)가 충돌하여 크립톤(${}^{92}_{36}\mathrm{Kr}$)과 바륨(${}^{141}_{56}\mathrm{Ba}$)으로 분열하여 200 MeV의 에너지가 발생한다.

${}^{235}_{92}\mathrm{U} + {}^1_0\mathrm{n} \longrightarrow {}^{92}_{36}\mathrm{Kr} + {}^{141}_{56}\mathrm{Ba} + 3{}^1_0\mathrm{n} + 200\,\mathrm{MeV}$

ㄱ. 큰 원자핵인 우라늄이 작은 원자핵인 크립톤과 바륨으로 분열하였다.

ㄷ. 우라늄 핵분열의 연쇄 반응에서 발생하는 고속 중성자를 감속재를 사용하여 속도를 늦춰 저속 중성자로 바꿔준다.

오답 피하기

ㄴ. 핵분열 과정에서 질량이 결손되었다. 결손된 질량은 에너지로 방출하였다.

07 ㄴ. 충돌로 핵이 분열하면서 질량이 줄어든다.

오답 피하기

ㄱ. ${}^7_3\mathrm{Li} + (\quad) = 2{}^4_2\mathrm{He}$에서 ( ) 안은 ${}^1_1\mathrm{p}$(또는 ${}^1_1\mathrm{H}$)이어야 한다. 리튬 ${}^7_3\mathrm{Li}$에 충돌시킨 입자는 양성자이다.

ㄷ. 충돌에 의해 17.3 MeV의 운동 에너지가 증가하였다.

문제 속 자료 핵반응식 계산하기

${}^7_3\mathrm{Li} + (\mathrm{X}) = 2{}^4_2\mathrm{He}$에서 핵반응 전후에 전하량과 질량수는 보존된다. 먼저 질량수를 구하면, 헬륨($2{}^4_2\mathrm{He}$)의 총 질량수는 8, 리튬(${}^7_3\mathrm{Li}$)은 7이므로, $8 + (\quad) = 7$에서 구하고자 하는 X의 질량수는 1이다. 원자 번호는 양성자수를 나타내므로 같은 방법으로 구하면, $4 - 3 = 1$이 된다. X는 양성자 (${}^1_1\mathrm{p}$ 또는 ${}^1_1\mathrm{H}$)임을 알 수 있다.

08 ㄴ. 핵반응 전에 양성자수는 2, 중성자수도 2이며, 핵반응 후에도 양성자수는 2, 중성자수도 2이다.

ㄷ. 핵반응 전과 후에 양성자수와 중성자수는 같지만 질량은 감소하고, 감소한 질량을 에너지로 환산하면 반응 전후의 총 에너지는 보존된다. 즉, 질량을 포함한 총 에너지는 보존된다.

오답 피하기

ㄱ. 핵반응 전과 후는 질량수가 2로 같다. 그러나 핵의 결합 에너지가 다르므로 질량은 다르다.

문제 속 자료 핵반응 전후의 보존 관계

① 질량 결손

입자	질량(u)
양성자	1.0078
중성자	1.0087
헬륨 원자핵	4.0026

핵반응 전후에 질량수, 전하량은 보존되지만, 질량은 감소한다.

- 반응 전 총 질량: $1.0078 \times 2 + 1.0087 \times 2 = 4.033\,(\mathrm{u})$
- 반응 후 총 질량: $4.0026\,(\mathrm{u})$

→ 반응 전에 비해 반응 후의 총 질량이 $4.033 - 4.0026 = 0.0304(\mathrm{u})$만큼 결손이 생겼다. 질량 결손에 의한 에너지는 $E = 0.0304 \times 1.66 \times 10^{-27}\,\mathrm{kg} \times (3 \times 10^8\,\mathrm{m/s})^2 = 4.54 \times 10^{-12}\,\mathrm{J}$가 된다.

② 질량수 보존

$2{}^1_1\mathrm{p} + 2{}^1_0\mathrm{n} \longrightarrow {}^4_2\mathrm{He}$

- 핵반응 전 질량수: $2 \times 1 + 2 \times 1 = 4$, 핵반응 후 질량수: 4 (보존)
- 핵반응 전 양성자수: $2 \times 1 + 2 \times 0 = 2$, 핵반응 후 양성자수: 2 (보존)

09 ㄴ. $2{}^{3}_{2}\mathrm{He} \longrightarrow 2{}^{1}_{1}\mathrm{H} +$ (가)에서 (가)에는 양성자수 2, 질량수 4인 원소가 들어간다. 따라서 (가)에 들어갈 원소는 ${}^{4}_{2}\mathrm{He}$이다.

오답 피하기

ㄱ. 핵반응 전후의 질량은 보존되지 않고 결손이 생긴다.

ㄷ. ${}^{3}_{2}\mathrm{He}$는 (가)의 원소보다 불안정하기 때문에 에너지를 방출하고 ${}^{4}_{2}\mathrm{He}$로 변하는 것이다. 중성자가 많을수록 안정적이다.

10 ㄱ. ${}^{235}_{92}\mathrm{U}$과 ${}^{238}_{92}\mathrm{U}$은 양성자수는 92로 같지만 질량수는 각각 235, 238로 3 차이가 난다. 따라서 ${}^{238}_{92}\mathrm{U}$은 ${}^{235}_{92}\mathrm{U}$보다 중성자가 3개 더 많다.

ㄴ. 중성자수가 더 크면 핵은 더 안정적이다. 따라서 ${}^{238}_{92}\mathrm{U}$의 핵이 ${}^{235}_{92}\mathrm{U}$의 핵보다 더 안정적이다.

ㄷ. 대부분의 핵발전소는 핵분열 반응을 일으켜 에너지를 얻고, 이 에너지는 이용하여 전기를 생산한다.

11 (가)의 핵반응식은 $4{}^{1}_{1}\mathrm{H} \longrightarrow (\mathrm{B}) + 2\mathrm{e}^{+} + 26\ \mathrm{MeV}$에서 (B)는 양성자수가 2, 질량수가 4이므로 ${}^{4}_{2}\mathrm{He}$이다.

(나)의 핵반응식은 ${}^{3}_{1}\mathrm{H} + (\mathrm{C}) \longrightarrow {}^{4}_{2}\mathrm{He} + {}^{1}_{0}\mathrm{n} + 17.6\ \mathrm{MeV}$에서 C는 양성자수가 1, 질량수가 2이므로 ${}^{2}_{1}\mathrm{H}$이다.

즉, A는 ${}^{3}_{1}\mathrm{H}$, B는 ${}^{4}_{2}\mathrm{He}$, C는 ${}^{2}_{1}\mathrm{H}$이다.

ㄱ. A와 C는 양성자수가 같으므로 서로 동위 원소이다.

ㄷ. (나)는 (가)의 식 중 일부 과정이다. 태양 중심부와 같은 초고온 상태에서 일어나는 핵융합 반응이다.

오답 피하기

ㄴ. B는 ${}^{4}_{2}\mathrm{He}$ 원자핵이다.

12 **[모범 답안]** (1) ${}^{3}_{1}\mathrm{H}$, 양성자수와 질량수 보존에 의해 (가)의 양성자수는 1, 질량수는 3이다. 양성자수는 같고 질량수가 다른 원소인 삼중수소이다(동위 원소).

(2) 핵융합과 핵분열을 하면 질량이 감소한다. 이때 감소된 질량에 해당하는 에너지를 외부로 방출한다.

13 (1) 3000 MW 중에서 900 MW가 전기 에너지로 전환되었으므로 $\dfrac{900\ \mathrm{MW}}{3000\ \mathrm{MW}} \times 100\ (\%) = 30\ \%$이다.

[모범 답안] 30 %

(2) 질량-에너지 등가 원리에 의하면 $E = \Delta mc^2$ 이므로

$$\Delta m = \frac{E}{c^2} = \frac{3.0 \times 10^{9}\ \mathrm{J}}{(3 \times 10^{8}\ \mathrm{m/s})^2} = 3.3 \times 10^{-8}\ \mathrm{kg}$$

$= 3.3 \times 10^{-5}\ \mathrm{g}$이다.

[모범 답안] 3.3×10^{-5} g

단원 마무리하기 p. 114 ~ 117

01 ②	02 ④	03 ⑤	04 ⑤	05 ③	06 ④
07 ④	08 ②	09 ⑤	10 ⑤	11 ②	12 ④
13 ⑤	14 ⑤	15 ③	16 ②	17 ①	18 ①

01 실험 결과 에테르의 흐름과 나란하게 진행한 빛과 수직으로 진행한 빛의 왕복 시간은 같았다. 따라서 에테르의 흐름을 생각할 수 없었으며, 빛의 속력은 항상 같다고 가정하게 된다. 이후 이러한 빛의 진행에 대한 이론은 옳다는 것이 증명된다.

02 ㄱ. (가)에서 지상의 관찰자가 본 화살의 속도는 120 km/h와 150 km/h의 합인 270 km/h가 된다.

ㄷ. 특수 상대성 이론에서 가정한 것은 관성 좌표계에서 빛의 속도는 항상 c로 일정하다는 것이다.

오답 피하기

ㄴ. (나)에서 지상의 관찰자가 본 빛의 속도는 120 km/h가 더해지는 것이 아니라 기차에 타고 있는 관찰자가 보아도 c이고, 지상에 서 있는 관찰자가 보아도 c로 같다.

03 ㄱ. 공이 손을 떠난 후에 공에 작용하는 힘은 중력뿐이다.

ㄴ. 상대성 원리는 모든 관성 좌표계에서 물리 법칙은 동일하게 성립한다는 것이다. (가)와 (나)는 관성 좌표계이며 물리 법칙은 동일하다.

ㄷ. 관측하는 좌표계가 등속도 운동을 하는 (가)에서 공의 운동은 $F = ma$라는 뉴턴 운동 제2법칙으로 설명할 수 있고, 정지한 좌표계인 (나)에서도 공의 운동은 $F = ma$라는 뉴턴 운동 제2법칙으로 설명할 수 있다. 즉, 물체의 운동을 설명하는 물리 법칙은 같다.

04 ㄱ. 우주선이 오른쪽으로 운동하고 있으므로 빛의 속력은 일정한데 P까지 진행한 거리가 짧아진다. 따라서 광원에서 발생한 빛은 P에 가장 먼저 도달한다.

ㄴ. P에서 R까지의 거리는 철수가 측정할 때는 고유 길이가 되고 영희가 측정할 때는 길이 수축이 일어난다.

ㄷ. 영희가 측정할 때, 광원에서 발생한 빛이 Q에 도달하려면 빛이 비스듬히 앞으로 진행해야 한다. 따라서 철수가 측정한 진행 시간 t_0보다 길다.

문제 속 자료 우주선 안의 빛의 경로

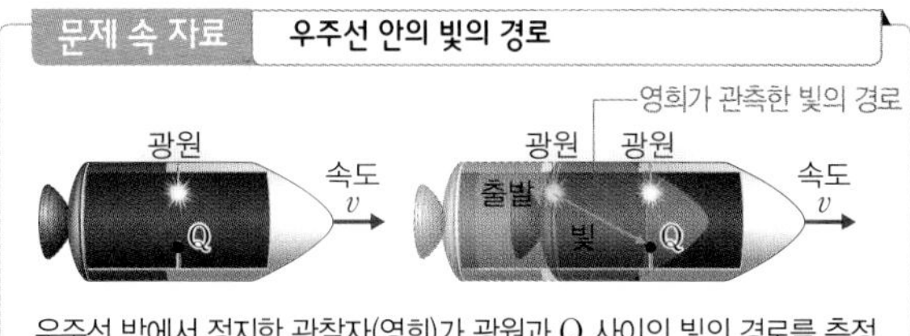

우주선 밖에서 정지한 관찰자(영희)가 광원과 Q 사이의 빛의 경로를 측정하면, 오른쪽으로 진행하는 우주선 안에서 비스듬히 진행하는 빛의 경로로 측정되고, 고유 시간보다 길어진다.

05 ㄷ. 영희가 측정한 기차의 길이는 길이 수축이 일어나 철수가 측정한 기차의 길이보다 짧아진다.

오답 피하기

ㄱ. 영희가 빛이 왕복하는 시간을 측정하면 시간 지연 효과에 의해 t_0보다 길다. 빛의 속력은 일정하지만, 표적 거울이 기차가 운동하는 방향으로 움직이기 때문이다.

ㄴ. 영희가 측정한 빛의 속력과 철수가 측정한 빛의 속력은 항상 같다. 관성 좌표계에서 관측자의 운동에 관계없이 빛의 속력은 일정하다.

06 우주선 안에서 측정한 빛의 왕복 시간은 $\frac{2l}{c}$이고, 이를 고유 시간이라고 한다. 정지한 관찰자가 빛의 경로를 관측하면 빛이 대각선으로 가는 것으로 보이고, 시간이 더 많이 걸려서 시간 지연이 일어난다.

ㄱ. (가)에서 측정한 빛의 왕복 시간은 이동 거리 $2l$를 속력 c로 나눈 값인 $\frac{2l}{c}$이다.

ㄷ. 우주선의 속력이 빛의 속력에 비해 매우 느리면 시간 지연 효과는 매우 작기 때문에 (가)와 (나)에서 측정한 빛의 왕복 시간은 비슷하다.

오답 피하기

ㄴ. (나)의 관찰자(영희)에게는 우주선 안의 시간은 시간 지연이 일어난다. 따라서 우주선 안의 시계가 느리게 가는 것으로 관측하게 된다.

07 ㄱ. 행성 B에 대해 철수가 속력 $0.8c$로 운동하므로 철수가 측정할 때 B는 속력 $0.8c$로 다가온다.

ㄷ. 철수가 측정할 때 A에서 B까지 이동하는 데 걸린 시간은 고유 시간이므로 영희의 측정값은 시간 지연이 일어나 고유 시간 t보다 길다.

오답 피하기

ㄴ. A와 B 사이의 거리는 영희의 측정값이 고유 길이이므로 영희의 측정값은 길이 수축된 철수의 측정값 L보다 크다.

문제 속 자료 고유 시간과 고유 길이

- 고유 시간: 등속 운동하는 관찰자가 측정한 시간이므로 철수가 측정한 시간이다.
- 고유 길이: 관찰자가 정지 상태에서 동시에 물체의 앞과 뒤를 측정한 값이므로, 영희가 측정한 거리이다.

08 ㄱ. 빛의 속력은 일정하고 영희가 측정한 시간은 지연되어 빛이 이동한 거리는 길어진다. 따라서 우주선 안의 철수가 측정한 빛의 경로 $L_{철수}$보다 $L_{영희}$가 더 길다.

ㄴ. 영희는 빠른 속도로 등속 운동하는 우주선을 보고 있으므로 영희가 측정하면 시간 지연이 일어난다.

오답 피하기

ㄷ. 빛의 속력은 어떤 관찰자가 측정해도 항상 c로 일정하다.

09 ㄱ. 물체의 속력이 느릴 때는 수축 비율이 1에 가깝다. 즉, 수축 정도가 작다.

ㄴ. 그래프에서 물체의 속력이 $0.5c$일 때 $\frac{L}{L_0}$은 0.8이므로 0.5보다 크다.

ㄷ. 길이 수축은 아인슈타인이 특수 상대성 이론에서 예견하였다.

10 세 학생은 모두 상대적으로 운동하고 있으므로 시간 지연, 길이 수축이 일어난다.

ㄱ. 영희가 우주 정거장의 y축 길이를 측정하면 운동 방향과 길이가 수직 방향이므로 길이 수축이 일어나지 않고 민수가 측정한 고유 길이인 L_0과 같다.

ㄴ. 철수가 측정하였을 때 영희의 우주선은 자신에 대해 운동하고 있는 관성계이므로 시간 지연이 일어나고 영희의 시간이 자신의 시간보다 느리게 간다.

ㄷ. 민수가 측정하였을 때 철수의 우주선 길이는 매우 빠른 속도로 움직이고 있으므로 길이 수축이 일어나고, 우주선이 정지하였을 때 측정한 길이보다 짧아 보인다.

11 ㄴ. B는 매우 빠르게 움직이므로 시간 지연이 일어난다. 즉, 관찰자가 측정한 B의 수명은 t_0보다 길다.

오답 피하기

ㄱ. 두 뮤온 중에서 하나만 도달하였다면 속도가 빠른 뮤온이 지면에 도달한다. 즉, 지면에 도달하는 뮤온은 속도가 빠른 B이다.

ㄷ. 관찰자가 측정할 때 뮤온의 시간은 뮤온의 비행 시간 t_0보다 길어지고 '$0.9c \times$ 길어진 시간'이 h와 같다.

12 질량은 속력에 정비례하지 않으며, 증가율도 속력의 크기에 따라 다르다.

ㄴ. 우주선 질량의 증가율은 처음에는 매우 작지만 우주선의 속력이 빛의 속력에 가까워지면 급격히 커진다.

ㄷ. 특수 상대성 이론에 의하면, 질량-에너지 등가성은 질량과 에너지가 $E=mc^2$의 관계로 상호 전환될 수 있다는 것이다. 우주선의 질량 증가가 에너지 증가에 사용된다.

오답 피하기

ㄱ. 우주선의 속력이 2배 증가하면 질량은 $\sqrt{2}$배가 아니라 $\frac{1}{\sqrt{1-4v^2/c^2}}$배 증가한다.

13 ㄱ. 정지해 있을 때에도 질량에 의한 에너지가 있다. 정지 질량이 m_0인 물체의 에너지는 m_0c^2이다.
ㄴ. 속력 v가 빛의 속력에 가까울수록 물체의 에너지는 커진다.
ㄷ. 속력이 0에서 v로 될 때, 물체의 질량이 운동할 때가 정지 상태일 때보다 크다.

14 ㄱ. X의 질량수는 $226-222=4$이다.
ㄴ. 핵분열 전후 전하량의 합은 보존된다.
ㄷ. X는 양성자 2개와 중성자 2개로 구성되어 있다.

문제 속 자료 핵반응식

$${}^{226}_{88}\mathrm{Ra} \longrightarrow {}^{222}_{86}\mathrm{Rn} + {}^{A}_{Z}\mathrm{X}$$

	반응 전	반응 후
질량수	226	$222+A$
양성자수	88	$86+Z$

➡ 핵반응 전후의 전하량 보존 법칙에 의해 X의 질량수 A는 4이고, X의 양성자수 Z는 2이다.

15 발생한 에너지는 $200\ \mathrm{MeV}=200\times1.6\times10^{-13}\ \mathrm{J}$이고, $E=mc^2$에서

$$m=\frac{E}{c^2}=\frac{3.2\times10^{-11}}{(3\times10^8)^2}=3.6\times10^{-28}\ (\mathrm{kg})$$이다.

16 질량 결손은 $2\times2.0136\ \mathrm{u}-3.0150\ \mathrm{u}-1.0087\ \mathrm{u}=0.0035\ \mathrm{u}$이고, 이 질량 결손에 의해 발생하는 에너지는 $E=mc^2$이므로

$E=0.0035\times1.66\times10^{-27}\times(3\times10^8)^2=5.2\times10^{-13}\ (\mathrm{J})$이다.

17 수소 핵융합 반응에서 질량 결손은 $(1.0078\times4-4.0026)\ \mathrm{u}=0.0286\ \mathrm{u}$이다. $0.0286\ \mathrm{u}$를 에너지로 환산하면 $0.0286\times1.5\times10^{-10}\ \mathrm{J}=4.3\times10^{-12}\ \mathrm{J}$이다.

18 질량 결손 $\Delta m=1.6749\times10^{-27}\ \mathrm{kg}-1.6729\times10^{-27}\ \mathrm{kg}-0.0009\times10^{-27}\ \mathrm{kg}=1.1\times10^{-30}\ \mathrm{kg}$이다. 처음 운동 에너지는 0이고, 질량 결손에 의한 에너지는 모두 운동 에너지로 전환되었다면

$E=1.1\times10^{-30}\ \mathrm{kg}\times(3\times10^8\ \mathrm{m/s})^2=9.9\times10^{-14}\ \mathrm{J}$이므로 약 $10^{-13}\ \mathrm{J}$이다.

Ⅱ 물질과 전자기장

1. 전기

01 | 전자의 에너지 준위

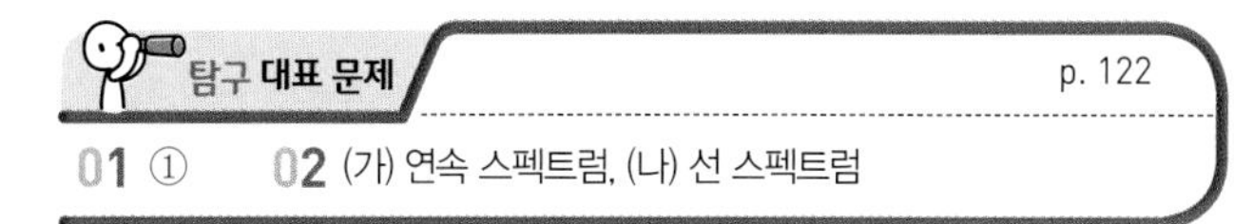

탐구 대표 문제 p. 122

01 ① 02 (가) 연속 스펙트럼, (나) 선 스펙트럼

01 오답 피하기
② 선 스펙트럼에서 선의 위치에 따라 빛의 파장이 다르다.
③ 수은과 네온의 선 스펙트럼에서 선의 위치가 다르므로 수은과 네온의 에너지 준위는 다르다.
④ 헬륨 전등에서 방출되는 빛의 스펙트럼은 여러 개의 선이 나타나는 선 스펙트럼이다.
⑤ 네온 전등에서 방출되는 빛의 선 스펙트럼은 대부분 노란색과 주황색이다.

02 빛이 스펙트럼에서 여러 색이 연속적으로 나타나는 것을 연속 스펙트럼, 특정한 색의 선이 나타나는 것을 선 스펙트럼이라고 한다.

기초 탄탄 문제 p. 126

01 ② 02 ② 03 ① 04 ③ 05 ① 06 ③
07 ② 08 ③

01 오답 피하기
① 전기력의 크기는 거리의 제곱에 반비례한다.
③ 전기력의 크기는 두 전하의 전하량 곱에 비례한다.
④ 두 전하가 멀리 떨어져 있어도 전기력이 작용한다.
⑤ 같은 종류의 전하 사이에는 서로 밀어내는 방향으로 작용하고, 다른 종류의 전하 사이에는 서로 당기는 방향으로 작용한다.

02 오답 피하기
① 전자는 원자핵 주위를 원운동한다.
③ 원자핵은 (+)전하를 띤다.
④ 원자 질량의 대부분은 원자 중심에 있는 원자핵이 차지한다.
⑤ 원자핵은 원자 중심에 있으며 원자의 대부분의 공간은 비어 있다.

03 오답 피하기

② 수소 원자의 에너지 준위는 불연속적이고, 특정한 값만을 가질 수 있다.

③ 바닥상태는 전자의 에너지가 가장 낮은 상태이며 원자핵에서 가장 가까운 궤도를 돌 때이다.

④ 전자가 안정된 궤도를 돌 때에는 전자기파를 방출하지 않는다.

⑤ 전자가 $n=1$인 상태에 있을 때를 바닥상태라고 한다.

04 오답 피하기

① 빛의 에너지는 진동수에 비례한다.

② 빛의 파장과 진동수는 반비례하므로 파장이 클수록 진동수는 작다.

④ 파란색 빛의 에너지가 빨간색 빛의 에너지보다 크다. 따라서 파장은 파란색 빛이 빨간색 빛보다 작다.

⑤ 노란색 빛의 진동수가 초록색 빛의 진동수가 작으므로 에너지는 초록색 빛이 노란색 빛보다 크다.

05 오답 피하기

② 원자핵에 가까울수록 작은 에너지를 갖는다.

③ 에너지를 흡수하면 양자수가 작은 에너지 준위에서 큰 에너지 준위로 전이한다.

④ 전자가 전이될 때 두 궤도의 에너지 차이만큼의 에너지를 방출 혹은 흡수한다.

⑤ 전자가 전이하며 방출되는 빛은 자외선, 가시광선, 적외선이다.

06 오답 피하기

① 전자가 빛을 방출하면 양자수가 큰 에너지 준위에서 작은 에너지 준위로 전이한다.

② 전이하는 에너지 준위 차이만큼의 에너지를 갖는 빛을 방출 혹은 흡수한다.

④ 기체 종류가 다르면 선 스펙트럼도 다르다.

⑤ 전자가 전이하며 방출한 빛의 에너지는 알 수 있다.

07 오답 피하기

① 가시광선과 자외선 영역에 속한다.

③ 라이먼 계열의 빛보다 파장이 길다.

④ 전이하며 발생한 빛은 눈으로 일부만 관찰할 수 있다.

⑤ 선 스펙트럼을 갖는다.

08 오답 피하기

① 백열등은 연속 스펙트럼이 나타난다.

② 가열된 기체가 방출하는 빛은 선 스펙트럼으로 나타난다.

④ 선 스펙트럼을 통해 전자의 에너지가 양자화되어 있음을 알 수 있다.

⑤ 태양의 흡수 스펙트럼은 연속 스펙트럼을 갖는 햇빛이 태양의 대기를 통과하며 흡수된 에너지가 선 스펙트럼으로 나타나므로 태양 대기 구성 원소를 알 수 있다.

내신 만점 문제 p. 127~131

01 ④	02 ⑤	03 ④	04 ⑤	05 ④	06 ③
07 ④	08 ①	09 ④	10 ①	11 ②	12 ①
13 ①	14 ①	15 ⑤	16 ③	17 ①	18 ④
19~20 해설 참조					

01 A: A와 B 사이에는 척력, A와 C 사이에는 인력이 작용하지만 두 전하 사이에 작용하는 전기력의 크기는 거리 제곱에 반비례하므로 B와 C로부터 A가 받는 전기력의 방향은 ←이다.
B: B와 A 사이에는 척력, B와 C 사이에는 인력이 작용하므로 B가 받는 전기력의 방향은 →이다.
C: C와 B 사이에는 인력, C와 A 사이에도 인력이 작용하므로 C가 받는 전기력의 방향은 ←이다.

02 ①, ②, ③ 톰슨은 음극선에 전기장을 걸어 주었을 때 (+)극 쪽으로 휘어지며 자기장에도 반응하는 것을 통해 음극선을 이루는 입자가 (−)전하를 띤 전자의 흐름임을 알게 되었다.

오답 피하기

⑤ 음극선은 전자의 흐름이므로 자기장을 걸어 주면 자기력을 받아 음극선이 휘어진다.

문제 속 자료 **톰슨의 음극선 실험**

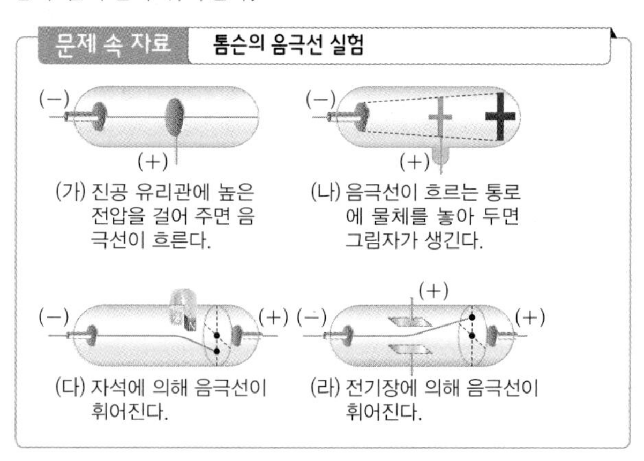

(가) 진공 유리관에 높은 전압을 걸어 주면 음극선이 흐른다.
(나) 음극선이 흐르는 통로에 물체를 놓아 두면 그림자가 생긴다.
(다) 자석에 의해 음극선이 휘어진다.
(라) 전기장에 의해 음극선이 휘어진다.

03 ㄴ. 연속 스펙트럼에 불연속적인 검정색 띠가 나타나 있는 흡수 스펙트럼으로 전자가 특정한 에너지 준위, 즉 에너지 준위가 양자화되어 있음을 알 수 있다.
ㄷ. 태양 대기를 통과한 태양 빛을 관찰하면 연속 스펙트럼 위에 검은 선이 불연속적으로 보이는 흡수 스펙트럼이 나타난다.

이는 태양의 대기 속 원소들이 에너지를 흡수하며 나타난 것이다. (다)에서 흡수 스펙트럼을 보면 수소 기체를 통과한 흡수 스펙트럼 선이 포함되어 있으므로 태양의 대기를 구성하는 원소들 중 수소 기체가 포함되어 있음을 알 수 있다.

오답 피하기

ㄱ. (나), (다)와 같이 연속 스펙트럼에 검정색 선이 불연속적으로 띄엄띄엄 관찰되는 스펙트럼을 흡수 스펙트럼이라고 한다.

문제 속 자료 햇빛의 흡수 스펙트럼

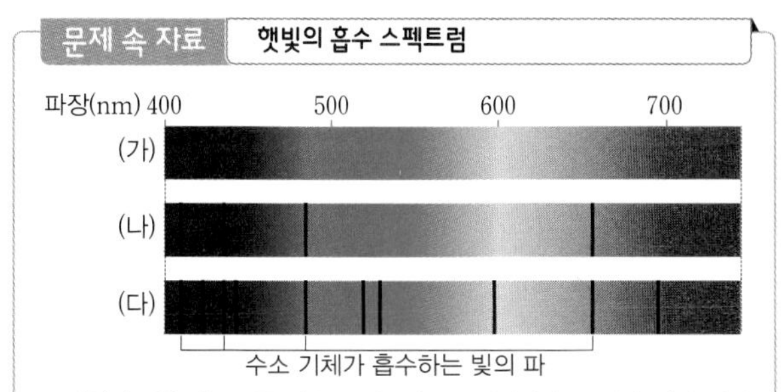

- 태양이 방출하는 빛은 연속 스펙트럼으로 나타난다. 그러나 빛이 태양 대기와 지구 대기를 통과하면서 대기중 기체에 흡수되는 빛의 파장이 흡수선으로 나타난다.
- 별빛의 흡수 스펙트럼을 관찰하면 별의 대기에 포함된 기체 성분을 알 수 있다.

04 ㄱ. 수소 원자의 에너지 준위는 불연속적으로 양자화되어 있다.

ㄴ. a에서 방출되는 광자 1개의 에너지는 전자가 $n=3$인 궤도에서 $n=1$인 궤도로 전이하며 방출된 것이므로 두 궤도의 에너지 준위 차이만큼의 에너지를 갖는다. $E_a=|E_3-E_1|=|-1.51-(-13.6)|=12.09\,(eV)$에 의해 a에서 방출하는 광자 1개의 에너지는 12.09 eV이다.

ㄷ. 전자가 전이하면서 방출하는 빛의 에너지는 두 에너지 준위 차이만큼의 값을 갖는데, 양자수가 커질수록 두 에너지 준위 차이 값이 작아지므로 b가 c보다 큰 에너지 값을 갖는다. 또한 진동수는 에너지와 비례하므로 b일 때가 c일 때보다 크다.

05 ㄴ. 원자핵으로부터 멀어질수록 전자의 에너지 준위는 높아진다.

ㄷ. 원자핵은 양(+)전하를 띠고 전자는 음(−)전하를 띠므로 두 전하 사이에는 인력의 전기력이 발생한다.

오답 피하기

ㄱ. 전자는 원자핵을 중심으로 특정 궤도에서 원운동을 한다.

06 ㄱ. 선 스펙트럼이 불연속적으로 나타난 것은 전자가 원자 내 특정 에너지 준위에 존재하며 전자의 에너지 준위는 양자화되어 있기 때문이다.

ㄴ. 빛의 진동수는 파장에 반비례하므로 파장이 작은 P의 진동수가 Q의 진동수보다 크다.

오답 피하기

ㄷ. 원자에 따라 전자가 갖는 에너지 준위가 다르므로 선 스펙트럼에서 선의 위치는 기체가 가열되는 온도와 상관없이 원자의 종류에 따라 다르다.

07 ㄱ. a는 전자가 에너지 준위가 높은 상태에서 낮은 상태로 전이하는 과정이므로 전자의 에너지는 감소한다.

ㄷ. a 과정에서 에너지 준위 차이는 b, c 과정에서 에너지 준위 차이의 합과 같다. 즉, $E_a=E_b+E_c$이다. 광자 1개의 에너지는 $E=hf=\frac{hc}{\lambda}$이므로 $\frac{1}{\lambda_a}=\frac{1}{\lambda_b}+\frac{1}{\lambda_c}$이다.

오답 피하기

ㄴ. 수소 원자는 양자수가 클수록 에너지 준위 사이의 간격이 작아지므로 $E_c > E_b$이다.

문제 속 자료 원자 모형 Vs 에너지 준위

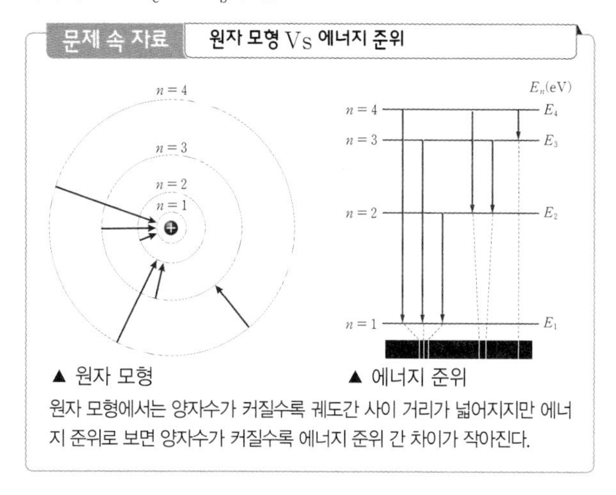

▲ 원자 모형 ▲ 에너지 준위

원자 모형에서는 양자수가 커질수록 궤도간 사이 거리가 넓어지지만 에너지 준위로 보면 양자수가 커질수록 에너지 준위 간 차이가 작아진다.

08 ㄱ. c 과정에서 에너지 준위 차이는 a, b 과정에서 에너지 준위 차이의 합과 같으므로 $f_c=f_a+f_b$이다.

오답 피하기

ㄴ. 빛의 에너지는 c가 b보다 크고 $E=\frac{hc}{\lambda}$이므로 파장은 b가 c보다 크다.

ㄷ. c는 $n=3$인 상태에서 $n=1$인 상태로 전이할 때 방출하는 빛이므로 c를 흡수하면 $n=1$인 상태에서 $n=3$인 상태로 바로 전이한다.

09 원자를 구성하는 대부분의 공간은 비워져 있고 원자 중심에는 매우 작은 크기의 (+)전하를 띤 원자핵이 존재한다. 때문에 대부분의 알파 입자는 원자를 통과하지만 원자핵 근처를 통과하는 매우 적은 수의 알파 입자는 원자핵으로부터 전기력(척력)을 받아 경로가 휘어진다.

오답 피하기

④ 원자핵의 부피는 원자에 비해 매우 작지만 원자핵의 질량은 원자의 질량에 대부분을 차지한다.

10 ㄱ. 선 스펙트럼이 불연속적으로 나타난 것은 전자가 원자 내 특정 에너지 준위에 존재하며 전자의 에너지 준위는 양자화 되어 있기 때문이다.

오답 피하기

수소 원자에서 전자가 $n=2$인 상태로 전이할 때 높은 궤도의 에너지 준위가 높아질수록 큰 에너지를 방출한다. 즉 $E_3 \to E_2$ 전이 과정보다 $E_4 \to E_2$ 전이 과정에서 방출되는 빛의 에너지가 더 큰 값을 갖는다. 또한 $E=hf$이므로 에너지는 진동수와 비례한다.

ㄴ. 빛의 스펙트럼에서 f_A는 가장 작은 값을 가지므로 $E_3 \to E_2$ 전이 과정에서 방출된 빛의 에너지임을 알 수 있다. 즉 $hf_A = E_3 - E_2$이다.

ㄷ. 진동수 A와 B는 각각 $f_A = \dfrac{E_3 - E_2}{h}$, $f_B = \dfrac{E_4 - E_2}{h}$ 이므로 $f_B - f_A = \dfrac{E_4 - E_3}{h}$이다.

11 ㄷ. 파장이 λ_1인 빛은 c에서 방출되는 빛으로 $n=2$인 에너지 준위에 있는 전자가 파장이 λ_1인 빛을 흡수하면 $n=5$인 에너지 준위로 전이한다.

오답 피하기

ㄱ. 방출 되는 빛의 파장은 빛의 에너지와 반비례한다. 따라서 $\lambda_1 < \lambda_2 < \lambda_3$이다.

ㄴ. 양자수가 커질수록 에너지 준위 사이의 차이가 작아진다. 즉 $n=4$인 에너지 준위와 $n=3$인 에너지 준위 차이보다 $n=5$인 에너지 준위와 $n=4$인 에너지 준위의 차이가 더 작다. 그림 (가)에서 파장 사이의 거리를 보아 λ_1과 λ_2의 사이가 λ_2와 λ_3의 사이보다 작으므로 c를 통해 방출되는 파장은 λ_1이다. 따라서 각 전이 과정에서 방출되는 파장은 a는 λ_3, b는 λ_2, c는 λ_1이다.

12 ㄱ. 빛의 에너지는 파장에 반비례하므로 광자 1개의 에너지는 파장이 작은 a가 b보다 크다.

오답 피하기

ㄴ. 수소 원자의 선 스펙트럼에서 가시광선은 들뜬상태의 전자가 $n=2$인 상태로 전이할 때 방출한다.

ㄷ. 수소와 헬륨의 스펙트럼에서 선의 위치가 다르므로 수소와 헬륨의 에너지 준위 사이 간격이 다르다.

13 대전된 도체 A 옆에 대전된 도체 B를 놓으면 B에 작용하는 전기력의 크기는 F이다. 전기력의 크기는 거리 제곱에 반비례하므로 처음 거리의 2배만큼 띄었을 때 전기력의 크기는 처음의 $\dfrac{1}{2^2}$배로 줄어든다.

14 ㄱ. 수소 원자에서 양자수가 클수록 에너지 준위가 높다.

오답 피하기

ㄴ. a는 발머 계열에서 2번째로 파장이 긴 빛이므로 전자가 $n=4$인 상태에서 $n=2$인 상태로 전이할 때 방출하는 빛이다. 따라서 광자 1개의 에너지는 $E_4 - E_2$이다.

ㄷ. b는 발머 계열에서 파장이 가장 길므로 에너지가 가장 작은 빛이다. 즉 전자가 $n=3$인 상태에서 $n=2$인 상태로 전이할 때 방출하는 빛이다.

문제 속 자료 발머 계열

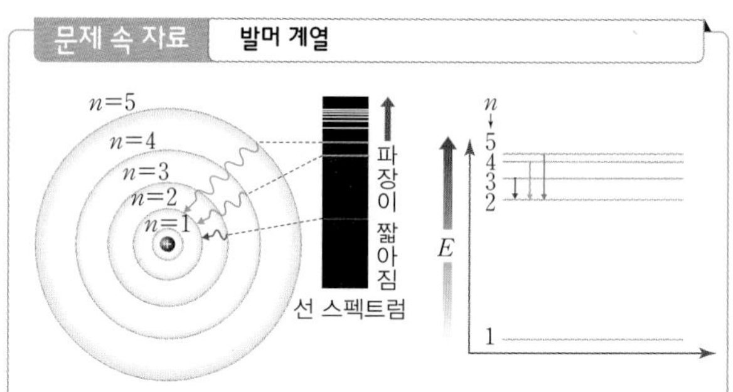

들뜬상태($n > 2$)의 전자가 $n=2$인 궤도로 전이할 때 방출하는 빛 중 에너지가 가장 작은 4가지 빛($n=3 \to n=2$, $n=4 \to n=2$, $n=5 \to n=2$, $n=6 \to n=2$)은 가시광선으로 관찰된다. 스펙트럼 중 가장 먼저 발견되었다.

15 ㄱ. p는 전자가 b(높은 궤도)에서 c(낮은 궤도)로 전이하는 과정이므로 빛을 방출한다.

ㄴ. 원자핵으로부터 거리가 멀수록 에너지 준위가 높다.

ㄷ. 빛의 파장은 에너지에 반비례한다. 에너지 준위 차이가 클수록 흡수 또는 방출하는 빛의 에너지가 크므로 빛의 파장은 에너지가 작은 빛이 방출되는 p가 에너지가 큰 빛을 흡수하는 q보다 크다.

16 ㄱ. $n=1$인 상태에 있던 전자가 a를 흡수하여 $n=2$인 상태로 전이하므로 a의 에너지는 $n=1$인 상태와 $n=2$인 상태의 에너지 준위 차이만큼의 에너지를 갖는다. 따라서 a의 에너지는 10.2eV이다.

ㄴ. b는 $n=2$인 상태와 $n=3$인 상태의 에너지 준위 차이만큼의 에너지인 1.9eV의 에너지를 갖는다. 빛의 진동수는 에너지에 비례하므로 진동수는 a가 b보다 크다.

오답 피하기

ㄷ. 전자가 $n=3$인 상태에서 $n=1$인 바닥상태로 전이할 때는 두 에너지 준위의 차이만큼의 에너지인 12.1eV의 에너지를 갖는 빛을 방출한다. 만약 전자가 $n=3$인 상태에서 $n=2$인 상태를 거쳐 $n=1$인 바닥상태로 전이할 때는 에너지가 1.9eV인 빛을 먼저 방출하고, 이어서 에너지가 10.2eV인 빛을 방출한다.

17 ㄱ. 바닥상태에서 흡수한 에너지와 들뜬상태에서 두 번의 전이 과정으로 바닥상태로 내려간 전자가 방출한 에너지의 합은 같다. 즉 $hf_0 = hf_1 + hf_2$이므로 $f_0 > f_1$이다.

오답 피하기

ㄴ. 바닥상태의 전자가 진동수가 f_0인 빛을 흡수하면 전자는 바닥상태보다 에너지가 hf_0만큼 높은 에너지 준위로 전이한다. 즉, 전이하는 에너지 준위의 차이가 hf_0이다.

ㄷ. 들뜬상태에서 바닥상태로 전이할 때 진동수가 f_1, f_2인 빛을 순서대로 방출하였으므로 바닥상태에서 들뜬상태로 전이할 때는 진동수가 f_2, f_1인 빛을 순서대로 흡수하여야 한다.

문제 속 자료 전자 전이와 빛의 흡수, 방출

- 진동수가 f_0인 빛을 흡수하여 $n=1$인 상태에서 $n=a$인 상태로 전이
- 진동수가 f_1인 빛을 방출하며 $n=a$인 상태에서 $n=b$인 상태로 전이
- 진동수가 f_2인 빛을 방출하며 $n=b$인 상태에서 $n=1$인 상태로 전이

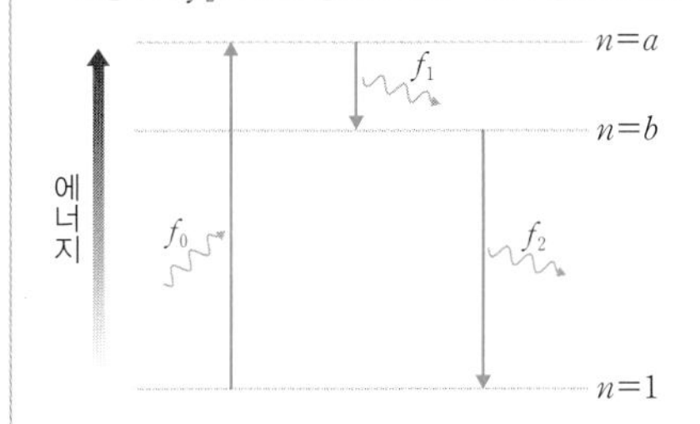

- $n=1$인 에너지 준위보다 $E=hf_1$만큼 높은 에너지 준위가 없음.
  → $n=1$인 상태에 있던 전자는 진동수가 f_1인 빛을 흡수할 수 없음.

18 ㄴ. C의 에너지는 A, B의 에너지의 합이므로 $hf_C = hf_A + hf_B$이다. 따라서 $hf_B = hf_C - hf_A$이고, 에너지는 10.2eV이다.
ㄷ. 빛의 에너지와 진동수는 비례하므로 C의 에너지가 B의 에너지보다 크다.

오답 피하기

ㄱ. 수소 원자의 에너지 준위가 불연속적이므로 방출되는 빛은 선 스펙트럼으로 나타난다.

19 [모범 답안] (1) a는 $n=6$에서 $n=2$로 전이하는 과정에서 방출하는 빛이고, b는 $n=2$에서 $n=3$으로 전이하는 과정에서 흡수하는 빛이다.

해설 a는 파장이 작으므로 방출되는 빛 중 에너지가 큰 빛이다. 따라서 a는 $n=6$에서 $n=2$로 전이하는 과정에서 방출하는 빛이다. b는 흡수하는 빛 중 파장이 크므로 에너지가 작은 빛이다. 따라서 b는 $n=2$에서 $n=3$으로 전이하는 과정에서 흡수하는 빛이다.

(2) 수소 원자의 에너지 준위가 불연속적이다라는 것을 알 수 있다.

서술형 Tip

빛을 흡수하는 경우와 방출하는 경우를 구분하고, 파장과 에너지 관계를 고려한다.

20 [모범 답안] (1) 1.6

해설 수소 원자가 방출하는 빛의 에너지는 $E = \frac{hc}{\lambda} = E_0(\frac{1}{2^2} - \frac{1}{n^2})$이다. 또 가시광선 영역은 $n=3, 4, 5, 6$에서 $n=2$로 전이할 때 방출하는 빛이므로 $\frac{hc}{\lambda_{max}} = E_0(\frac{1}{4} - \frac{1}{9})$, $\frac{hc}{\lambda_{min}} = E_0(\frac{1}{4} - \frac{1}{36})$이다. 여기서 $\lambda_{max} = \frac{36hc}{5E_0}$, $\lambda_{min} = \frac{36hc}{8E_0}$이므로 $\frac{\lambda_{max}}{\lambda_{min}} = \frac{8}{5} = 1.6$이다.

(2) 발머 계열이 가시광선 영역에 해당하는 빛을 포함하기 때문이다.

02 | 고체의 에너지띠와 전기 전도성

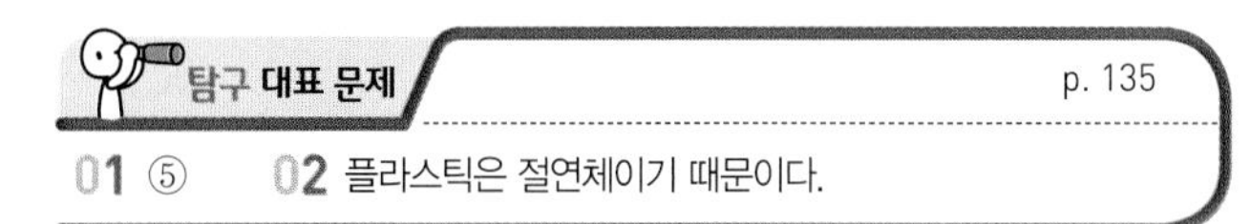

탐구 대표 문제
p. 135
01 ⑤ 02 플라스틱은 절연체이기 때문이다.

01 **오답 피하기**

① 전기 전도도는 비저항의 역수이다.
② 전압계는 측정하고자 하는 물체에 병렬로 연결한다.
③ 전기 전도도는 도체가 절연체보다 크다.
④ 연필심의 비저항이 절연체보다 작다.

02 절연체는 띠 간격이 매우 넓어 큰 에너지를 받아도 전자가 전이하지 못한다. 따라서 전기 전도도가 매우 작고 전류가 거의 흐르지 않는다.

기초 탄탄 문제 p. 136

01 ⑤ 02 ④ 03 ③ 04 ④ 05 ③ 06 ③

01 **오답 피하기**

① 자유 전자는 전도띠에 존재한다.
② 고체에서는 에너지 준위가 미세하게 나뉘어 부분적으로 연속적인 에너지띠를 이룬다. 그러나 전자가 모든 에너지를 다 가질 수 있는 것은 아니다. 전자가 가질 수 있는 에너지띠를 허용된 띠라고 하며, 허용된 띠 사이를 금지된 띠라고 한다.
③ 원자가 띠는 절대 온도 0 K에서 전자가 채워진 가장 높은 에너지띠이며, 그 위의 에너지띠를 전도띠라고 한다.
④ 띠 간격은 원자가 띠와 전도띠 사이의 에너지 간격이다.

02 기체 원자의 에너지 준위는 불연속적인 값만 갖는다. 그러나 고체에서는 연속적인 에너지띠를 이룬다.

03 오답 피하기

① 양공은 전자의 빈 자리이므로 이웃한 전자가 이동할 수 있다.

② 양공으로 전자가 이동할 수 있으므로 양공도 전류 흐름에 기여한다.

④ 전류가 흐를 때 전자는 (+)극으로, 양공은 (−)극으로 이동한다.

⑤ 원자가 띠의 전자가 전도띠로 이동하여 생긴 빈 자리가 양공이다.

04 고체의 에너지띠에서 전자가 채워진 가장 높은 에너지띠를 원자가 띠라 하고, 그 위의 에너지띠를 전도띠라고 한다. 또 원자가 띠와 전도띠 사이의 에너지 간격을 띠 간격이라 하며 띠 간격에는 전자가 존재할 수 없다.

05 오답 피하기

① 반도체의 띠 간격은 절연체의 띠 간격보다 보다 작다.

② 온도가 낮을수록 전기 전도성이 낮다.

④ 원자가 띠에 존재하는 전자의 에너지는 모두 다르다.

⑤ 띠 간격 이하의 에너지에서는 전자가 전이되지 않아 외부 전압을 걸어 줘도 전류가 흐르지 않는다.

06 (가)는 띠 간격이 가장 크므로 절연체이고, (나)는 전도띠와 원자가 띠가 일부 겹쳐 있으므로 도체이다. (다)는 띠 간격이 작으므로 반도체이다.

내신 만점 문제 p. 137~139

01 ⑤	02 ②	03 ⑤	04 ①	05 ⑤	06 ⑤
07 ⑤	08 ④	09 ①	10 ③		

11~12 해설 참조

01 ㄴ. 고체는 수많은 원자가 인접하여 서로의 에너지 준위에 영향을 미친다. 그 결과 에너지 준위가 미세하게 나뉘어 연속적인 에너지띠를 이룬다.

ㄷ. 고체에서 전자가 존재할 수 있는 영역을 허용된 띠라고 한다.

오답 피하기

ㄱ. A는 불연속적인 에너지 준위를 가지므로 기체이다.

02 오답 피하기

① 반도체의 에너지띠 구조이다.

③ (나)에는 전자가 채워져 있다.

④ A가 작을수록 전기 전도성이 좋다.

⑤ 온도가 높아질수록 (가)에 자유 전자 수는 증가한다.

03 ㄱ. 스위치를 열면 B만 연결된다. 이때는 전류가 흐르지 않으므로 B는 절연체이다. 스위치를 닫으면 A를 통해 전류가 흐르므로 A는 도체이다.

ㄴ. B는 절연체이므로 전도띠와 원자가 띠의 띠 간격이 크다.

ㄷ. A는 도체이므로 전도띠에 자유 전자가 많고 B는 절연체이므로 전도띠에 자유 전자가 거의 없다.

04 ㄱ. 고체는 기체와 달리 수많은 원자들이 가까이 위치하기 때문에 에너지 준위가 나뉘어 겹쳐져 연속적인 에너지띠를 이룬다.

오답 피하기

ㄴ. 허용된 띠 중 전자가 채워진 가장 높은 띠를 원자가 띠라 하고, 원자가 띠 위의 띠를 전도띠라고 한다.

ㄷ. 원자가 띠와 전도띠 사이의 띠 간격이 작을수록 전기 전도성이 좋다. 따라서 띠 간격이 작은 B가 A보다 전기 전도성이 좋다.

05 오답 피하기

⑤ 원자핵에 가까워질수록 에너지 준위 사이의 간격이 넓어진다.

06 ㄴ. 다이아몬드가 절연체이기는 하지만 띠 간격인 5.33 eV보다 큰 에너지를 흡수하면 원자가 띠의 전자가 전도띠로 전이한다.

ㄷ. 띠 간격이 작을수록 전기 전도성이 좋다. 따라서 규소가 다이아몬드보다 전기 전도성이 좋다.

오답 피하기

ㄱ. 빛의 파장은 에너지에 반비례한다. 전도띠에 있던 전자가 원자가 띠로 전이할 때 방출하는 빛 중 에너지가 가장 작은 것이 1.14 eV이므로, 파장이 가장 긴 빛의 에너지가 1.14 eV이다.

07 ㄱ. (가)는 전도띠와 원자가 띠 사이에 띠 간격이 존재하지 않으므로 에너지띠 내에서 전자의 이동이 자유롭기 때문에 전기 전도성이 높고 (나)는 띠 간격이 크므로 전기 전도성이 낮다.

ㄴ. 띠 간격이 좁을수록 원자가 띠의 전자가 전도띠로 전이하기 쉬우므로 (나)는 (다)에 비해 전자 이동이 어렵다.

ㄷ. 규소(Si)는 반도체로 반도체의 띠 간격은 절연체 보다 좁다.

문제 속 자료 도체, 절연체, 반도체의 에너지띠 비교

구분	도체	절연체	반도체
띠 간격	없음.	큼.	작음.
전도띠 전자	많음.	없음.	0 K에서는 없음 상온에서 존재
전기 전도성	좋음.	나쁨.	중간

08 ㄴ, ㄷ. 반도체의 띠 간격은 절연체보다 작아 띠 간격 이상의 적당한 에너지를 받으면 원자가 띠의 전자가 전도띠로 전이하여 전도성이 좋아진다. 즉 반도체는 온도가 높아질수록 열에너지로 인한 전자 전이로 전기 저항이 낮아지고 전기 전도성이 좋아진다.

오답 피하기

ㄱ. A는 전도띠와 원자가 띠가 겹쳐 있으므로 도체의 에너지 띠 구조이다.

문제 속 자료 온도에 따른 비저항과 전기 전도성

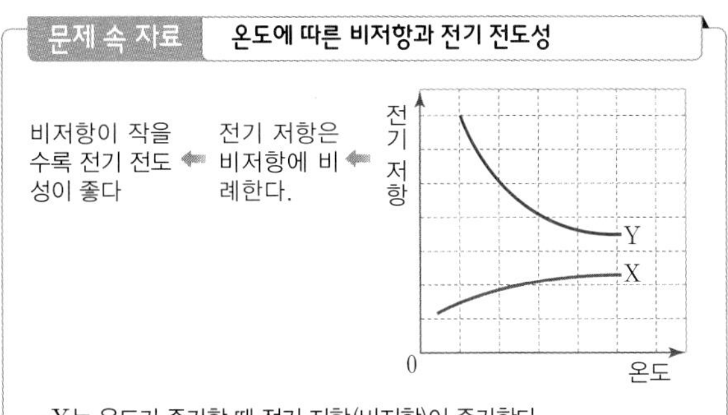

비저항이 작을수록 전기 전도성이 좋다
전기 저항은 비저항에 비례한다.
전기 저항
Y
X
0
온도

- X는 온도가 증가할 때 전기 저항(비저항)이 증가한다.
  ➡ 온도가 증가할 때 전기 전도성이 나빠진다.
- Y는 온도가 증가할 때 전기 저항(비저항)이 감소한다.
  ➡ 온도가 증가할 때 전기 전도성이 좋아진다.
- X는 도체, Y는 반도체의 그래프이다.

09 ㄱ. 절대 온도 0 K에서 반도체의 전도띠에는 전자가 존재하지 않는다. 하지만 온도가 높아질수록 전자는 열에너지를 흡수하여 원자가 띠에서 전도띠로 전이한다. 이때 원자가 띠에는 전이한 전자의 빈 자리인 양공이 발생한다.

오답 피하기

ㄴ. 전도띠에 존재하는 전자는 외부 전기장의 반대 방향으로 이동한다.

ㄷ. (가)에서 전도띠에 전자가 없으므로 $T_1=0$ K이다. 또한 반도체는 온도가 높아질수록 열에너지로 인한 전자 전이가 일어난다. 따라서 $T_1 < T_2$이다.

10 ㄱ. 스위치를 닫기 전과 닫은 후에 저항에 흐르는 전류의 세기가 같으므로 A는 도체, B는 절연체이다. 따라서 A는 X로 만들어졌다.

ㄴ. 띠 간격은 전자가 존재할 수 없는 영역이다.

오답 피하기

ㄷ. B는 절연체인 Y로 만들어졌다. 스위치를 닫았을 때 전류의 세기가 변하지 않았으므로, 스위치를 닫아도 B의 전도띠에는 전자가 존재하지 않는다.

11 **[모범 답안]** (1) 2개

해설 원자 사이의 거리가 점점 가까워지면 원자 사이의 상호 작용에 의해 에너지 준위에 변화가 생기게 된다. 2개의 원자가 가까워지는 경우 파울리 배타 원리에 의해 하나의 전자는 하나의 양자 상태에 있어야 한다. 따라서 원자에 대한 각각의 에너지 준위들은 2개의 에너지 준위로 미세하게 나뉘어져 존재한다.

(2) 하나의 전자는 하나의 양자 상태에 있어야 하므로 3개 이상의 원자가 가까워지면 전자의 에너지 준위가 원자 2개일 때보다 더욱 미세하게 차이를 두고 분포한다. 고체와 같이 많은 원자가 밀집하는 경우 에너지띠를 이룬다.

12 **[모범 답안]** (1) 상온에서 원자가 띠의 전자가 띠 간격 이상의 열에너지를 받아 전도띠로 전이하였기 때문이다.

(2) 반도체는 온도가 상승할수록 열에너지를 흡수하여 원자가 띠에서 전도띠로 전이하는 전자가 많아지므로 전기 전도성이 좋아진다.

해설 반도체는 띠 간격이 작아 약간의 에너지로도 원자가 띠의 전자가 전도띠로 전이할 수 있다. 온도가 높아질수록 열에너지로 인한 전자 전이가 많이 발생하여 전도띠에는 전자가 원자가 띠에는 양공이 많아진다.

03 | 반도체 소자

탐구 대표 문제 p. 143

01 ④ **02** A: p형 반도체 (+)극, B: n형 반도체 (−)극

01 **오답 피하기**

① 다이오드에 순방향 바이어스가 걸리면 큰 전류가 흐를 수 있으므로 꼭 저항을 연결해야 한다.

② 다이오드는 p형 반도체와 n형 반도체를 각각 1개씩 접합하여 만든다.

③ 다이오드와 LED에 전류가 흐르게 하려면 p형 반도체에 (+)극을 연결해야 한다.

⑤ 다이오드와 LED를 서로 반대 방향으로 연결하면 한쪽에는 순방향 바이어스, 다른 쪽에는 역방향 바이어스가 걸려 전류가 흐르지 못한다.

02 다이오드에서 회색 띠가 있는 쪽이 n형 반도체이므로 B가 n형 반도체이고 A는 p형 반도체이다. 다이오드에 전류가 흐르게 하려면 순방향 바이어스가 걸려야 하므로 p형 반도체인 A에 전원의 (+)극을 연결하고, n형 반도체인 B에 전원의 (−)극을 연결해야 한다.

기초 탄탄 문제 p. 145

01 ⑤ 02 ③ 03 ② 04 ⑤ 05 ③ 06 ②

01 오답 피하기

⑤ 상온에서 p형 반도체에는 원자가 띠의 양공과 전도띠의 전자가 모두 존재한다. 이때 양공 중 일부는 전도띠로 전이한 전자의 빈 자리이고 일부는 원자가 전자가 3개인 불순물을 첨가하여 생긴 에너지띠로 원자가 띠의 전자가 전이하며 생긴 빈 자리이다. 따라서 원자가 띠의 양공이 전도띠의 전자보다 많으므로 양공이 주요 전하 운반체이다. 하지만 p형 반도체는 양공과 전자가 모두 전류 흐름에 기여한다.

02 오답 피하기

① 불순물이 섞여 있지 않은 반도체이다.
② 이웃한 원자들 사이에 공유 결합을 한다.
④ 순수 반도체는 절연체와 성질이 비슷하다. 따라서 외부 전기장에 의해 전류가 거의 흐르지 않는다.
⑤ 불순물을 많이 첨가할수록 전류가 잘 흐른다.

03 오답 피하기

① 여분의 전자가 발생하므로 n형 반도체이다.
③ 전자가 양공보다 많다.
④ p-n 접합 다이오드에서 순방향 바이어스를 걸어 주기 위해서는 n형 반도체와 (−)극이 연결되어야 한다.
⑤ 바이어스를 연결했을 때 주로 전자가 이동하여 전류가 흐르지만, 양공도 움직인다.

04 오답 피하기

⑤ 다이오드는 한 방향으로만 전류를 흐르게 하므로 정류 회로에 활용된다.

05 오답 피하기

① A는 p형 반도체이다.
② 상온에서 B에는 양공도 존재한다.
④ 순방향 바이어스가 걸렸을 때 A에서는 양공이 주로 움직이지만 전자도 움직인다.
⑤ 역방향 바이어스가 걸렸을 때 A에서 양공은 바이어스가 걸린 쪽으로 이동한다.

06 오답 피하기

① 접합면에서 전자가 양공과 재결합하며 빛을 방출한다.
③ 전류 흐름에 방향성이 있다.
④ p-n 접합 다이오드와 같은 구조를 가지고 있다.
⑤ 불순물 반도체로 발광 다이오드를 만들 수 있다.

내신 만점 문제 p. 146~149

01 ② 02 ⑤ 03 ⑤ 04 ③ 05 ④ 06 ③
07 ④ 08 ③ 09 ④ 10 ③ 11 ④ 12 ③
13 ③ 14 ⑤ 15~16 해설 참조

01 ㄴ. 이 반도체는 원자가 전자가 3개인 불순물이 첨가된 p형 반도체이므로 양공이 전자보다 많다.

오답 피하기

ㄱ. 저마늄 원자와 공유 결합을 한 전자들 중 한 쌍에서 한 자리가 비어있는 것으로 보아 A는 원자가 전자가 3개인 원자이다.
ㄷ. 원자가 전자가 3개인 불순물이 첨가되는 경우 주요 전하 운반체는 양공이 되고 양공은 원자가 띠에 존재한다.

02 ㄱ. p-n 접합 다이오드에 바이어스를 걸었을 때 전류가 흐르는 것으로 보아 순방향 바이어스가 걸렸다는 것을 알 수 있다. p형 반도체에는 (+)극이 n형 반도체에는 (−)극이 연결되었을 때 순방향 바이어스가 걸리므로 A는 p형 반도체이고, p형 반도체에서 주요 전하 운반체는 양공이다.
ㄴ. p-n 접합 다이오드에 순방향 바이어스가 걸리는 경우 p형 반도체에서는 양공이, n형 반도체에서는 전자가 접합면으로 이동하여 재결합을 한다.
ㄷ. 전지의 극을 반대로 연결하면 다이오드에 역방향 바이어스가 걸려 전류가 흐르지 않는다.

03 ㄱ. A는 순수 반도체 내 저마늄 원자와 첨가된 불순물 비소와 공유 결합 후 남은 전자이다. A(전자)는 전도띠로 전이하여 주요 전하 운반체 역할을 한다.
ㄴ. 원자가 전자가 3개인 인듐을 불순물로 첨가하는 경우 전자가 부족한 자리가 생기는데 이는 양공이다.
ㄷ. 공유 결합 후 여분의 전자가 생긴 반도체는 n형 반도체라고 한다.

문제 속 자료 p형 반도체와 n형 반도체

구분	p형 반도체	n형 반도체
도핑 원소	• 13족 원소 • B, Al, Ga, In	• 15족 원소 • P, As, Sb
공유 결합	• 전자 부족	• 전자 남음
전하 운반	• 양공이 전자보다 많음 • 양공이 주요 전하 운반체	• 전자가 양공보다 많음 • 전자가 주요 전하 운반체

04 ㄱ. A 주위에 공유 결합에 참여하지 못하고 남은 전자가 있으므로 A의 원자가 전자는 5개이다.

ㄷ. P가 n형 반도체이고 Q가 p형 반도체이므로 스위치를 b에 연결하면 다이오드에 순방향 바이어스가 걸린다.

오답 피하기

ㄴ. P가 n형 반도체이고 Q가 p형 반도체이므로 스위치를 a에 연결하면 다이오드에 역방향 바이어스가 걸려 전류가 흐르지 않는다.

05 ㄴ. 비소(As)는 공유 결합에 참여하지 못하는 전자가 남아 있으므로 비소의 원자가 전자는 5개이다.

ㄷ. A가 p형 반도체, B가 n형 반도체이므로 A에 (+)극을, B에 (−)극을 연결하면 다이오드에 순방향 바이어스가 걸려 전류가 흐른다.

오답 피하기

ㄱ. A는 공유 결합에서 전자가 부족하여 양공이 있으므로 양공이 전자보다 많다.

06 ㄱ. 전압−전류 특성 그래프를 보아 같은 전압을 걸어 주었을 때 A가 B보다 더 큰 전류가 흐르므로 A의 전기 전도성이 더 좋다.

ㄴ. p−n 접합 다이오드에 순방향 전압을 걸어 주는 경우 전류의 흐름이 생긴다.

오답 피하기

ㄷ. 원자가 띠에서 전도띠로 전자가 전이를 많이 할수록 전기 전도성이 좋아지는데 띠 간격이 작을수록 전자 전이가 쉽게 이루어진다. 즉 띠 간격이 작을수록 전기 전도성이 좋아지므로 띠 간격은 A가 B보다 작다.

문제 속 자료 다이오드 전류−전압 특성 곡선

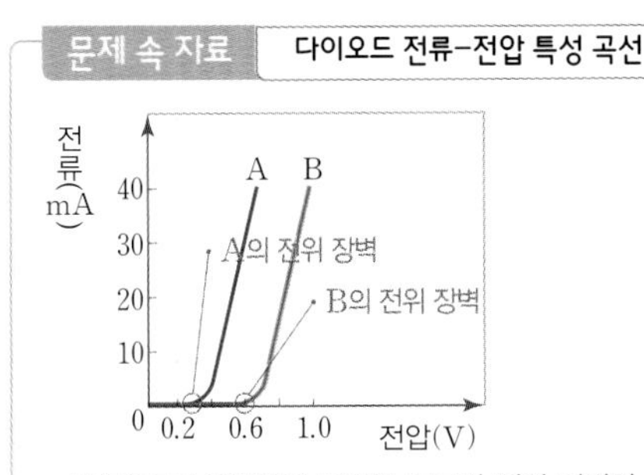

- 다이오드를 접합하면 접합면 부근에 전위 장벽이 생긴다. 그래프에서 전위 장벽은 A가 B보다 작다.
- 전위 장벽 이상의 전압을 걸어주면 다이오드에 흐르는 전류가 급격하게 증가한다.
- 그래프에서 같은 전압을 걸었을 때 다이오드에 흐르는 전류의 세기가 A가 B보다 크다.
- 전기 전도성은 A가 B보다 크다.

07 발광 다이오드는 소모 전력이 작고 소형으로 제작할 수 있어 TV나 모니터, 휴대 전화 화면 등 각종 영상 장치, 리모컨, 조명 장치에 활용된다. 반도체 레이저 다이오드는 진동수와 위상이 같은 빛을 방출하며, 광통신을 비롯한 여러 분야에서 광원으로 사용된다.

08 ㄱ. ㉠ 주변에 공유 결합에 참여하지 못하는 전자가 있으므로 ㉠을 첨가한 반도체는 n형 반도체이다. n형 반도체는 전자가 주요 전하 운반체이다.

ㄴ. ㉠을 첨가한 반도체에 전지의 (+)극이 연결되어 있으므로 스위치를 닫으면 다이오드에 역방향 바이어스가 걸린다.

오답 피하기

ㄷ. 스위치를 닫으면 다이오드에 역방향 바이어스가 걸려 ㉡의 양공이 접합면에서 멀어진다.

09 ㄱ. 전원을 연결했을 때 전구에 켜진 것으로 보아 회로에는 전류가 흐르고 p−n 접합 다이오드에는 순방향 바이어스가 걸려 있다.

ㄷ. p−n 접합 다이오드에 순방향 바이어스가 걸리는 경우 p형 반도체에서는 양공이, n형 반도체에서는 자유 전자가 접합면으로 이동하여 재결합한다.

오답 피하기

ㄴ. 전류는 (+)극에서 (−)극으로 흐르므로 전구에서는 a 방향으로 전류가 흐른다.

문제 속 자료 p형 반도체와 n형 반도체의 전자와 양공

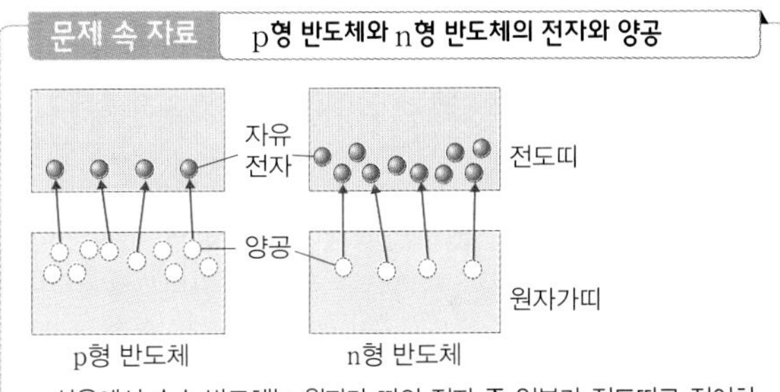

- 상온에서 순수 반도체는 원자가 띠의 전자 중 일부가 전도띠로 전이하고, 원자가 띠에는 전자의 빈 자리인 양공이 형성된다. 이렇게 형성된 자유 전자와 양공의 개수는 같다.
- p형 반도체는 원자가 전자가 3개인 원소를 도핑하므로 공유 결합에 참여할 전자가 부족하여 양공이 형성된다.
- n형 반도체는 원자가 전자가 5개인 원소를 도핑하므로 공유 결합에 참여하지 못하는 전자가 남는다.

➡ p형 반도체는 양공이 자유 전자보다 많고, n형 반도체는 자유 전자가 양공보다 많다.

10 ㄱ. LED에서 빛이 방출되고 있으므로 LED에는 순방향 바이어스가 걸려 전류가 흐른다.

ㄴ. LED에 순방향 바이어스가 걸리면 접합면에서 전도띠의 전자가 원자가 띠로 전이하며 에너지를 잃는다. 이때 이 에너지가 빛으로 방출된다.

오답 피하기

ㄷ. 전이 과정에서 전자가 잃는 에너지가 클수록 파장이 짧은 빛이 방출된다. 파란색 빛의 파장이 빨간색 빛의 파장보다 짧으므로 전자가 잃는 에너지는 (나)가 (가)보다 크다.

11 ㄴ. 전압이 (−)일 때만 전류가 흐르므로 B는 p형 반도체이다.

p형 반도체는 양공이 주요 전하 운반체이다.
ㄷ. 다이오드는 순방향 바이어스일 때만 전류가 흐른다.

오답 피하기

ㄱ. 전압이 (−)일 때만 전류가 흐르므로 A는 n형 반도체이다.

12 ㄱ. LED에서 빛이 방출되므로 순방향 바이어스가 걸려 있다.
ㄴ. X는 p형 반도체이므로 양공은 LED의 접합면으로 이동하고, 전자들은 전원으로 이동하여 지속적으로 양공을 형성한다.

오답 피하기

ㄷ. Y는 n형 반도체이므로 전자가 양공보다 많다.

13 ㄱ. 다이오드에 걸리는 전압이 전위 장벽보다 작으면 전류가 흐르지 않는다. 즉, LED에 공급하는 에너지가 전위 장벽보다 작으면 빛을 방출하지 않는다. X는 빛을 방출하였고 Y는 빛을 방출하지 않았으므로 X의 전위 장벽이 Y보다 작다. 따라서 X에서 방출하는 빛은 빨간색이다.
ㄴ. X에서 빛이 방출되었으므로 X에는 순방향 바이어스가 걸려 있다. 따라서 전원의 (−)극에 연결된 B는 n형 반도체이다.

오답 피하기

ㄷ. B가 n형 반도체이므로 Y에도 순방향 바이어스가 걸려 있다. 다만 Y에 걸리는 전압이 Y의 전위 장벽보다 작아 전류가 흐르지 않는다.

문제 속 자료 띠 간격에 따른 전자 전이

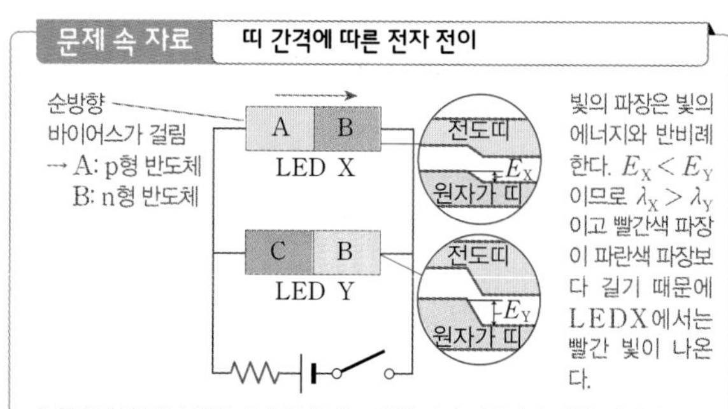

LED에서 빛이 방출되기 위해서는 전위 장벽 이상의 순방향 바이어스가 걸려야 한다. X에 빛이 발생하는 것으로 보아 순방향 바이어스가 걸려 있으므로 Y 역시 순방향 바이어스가 걸려 있다. 하지만 Y에 빛이 방출 되지 않는 까닭은 전원에서 공급되는 에너지가 전위 장벽 보다 작기 때문이다.

14 ㄱ. 상온에서 반도체인 저마늄은 원자가 띠의 전자 중 일부가 열에너지를 흡수하여 전도띠로 전이한다. 이때 원자가 띠에는 전이한 전자의 빈 자리인 양공이 형성된다.
ㄴ. (나)에서 a 주변에 공유 결합에 참여하지 못한 전자가 있으므로 a의 원자가 전자는 5개이다.
ㄷ. n형 반도체에서 공유 결합에 참여하지 못한 전자는 전도띠로 전이하여 외부 전기장에 따라 쉽게 이동할 수 있다.

15 **[모범 답안]** (1) 다이오드에 순방향 바이어스가 걸려 있으므로 p형 반도체에 연결된 a는 (+)극이다.
(2) p형 반도체의 양공과 n형 반도체의 전자는 접합면 쪽으로 이동하여 재결합한다.

해설 다이오드에 순방향 바이어스가 걸리면 p형 반도체의 양공과 n형 반도체의 자유 전자가 계속 공급되어 접합면에서 재결합이 일어나고 전류가 흐른다.

16 **[모범 답안]** (1) Q
(2) 교류 전원에서 전류가 흐르는 방향과 상관 없이 저항에는 항상 위에서 아래 방향으로 전류가 흐른다.

해설 A 방향으로 전류가 흐르면 D_1과 Q에 순방향 바이어스가 걸린다. 또 반대로 전류가 흐르면 D_2와 P에 순방향 바이어스가 걸린다. 따라서 교류 전원의 전류 방향과 상관 없이 저항에는 위에서 아래 방향으로 전류가 흐른다.

서술형 Tip
정류 회로의 역할을 생각하며 서술한다.

단원 마무리하기 p. 152 ~ 155

01 ④	02 ④	03 ⑤	04 ④	05 ①	06 ③
07 ⑤	08 ②	09 ①	10 ④	11 ②	12 ③
13 ④	14 ④	15 ⑤	16 ③		

01 ㄱ. q가 음(−)전하일 경우 (+)전하인 Q_1과 음(−)전하인 Q_2로부터 받는 전기력의 방향은 모두 왼쪽이다.
ㄴ. 전하들 사이에 작용하는 전기력의 크기는 전하량에 비례하므로, 전하량이 커지면 전기력이 커진다.

오답 피하기

ㄷ. q가 양(+)전하이면 전기력이 0이 되기 위해서는 양(+)전하 Q_1과 음(−)전하 Q_2으로부터 받는 힘의 방향이 반대여야 한다. 하지만 C가 A와 B의 사이에서 받는 전기력 방향은 항상 같으므로 전기력의 세기가 0이 될 수 없다.

문제 속 자료 전하 사이의 전기력

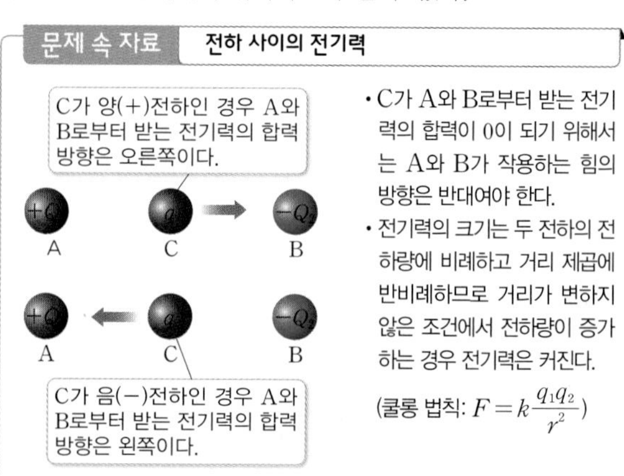

C가 양(+)전하인 경우 A와 B로부터 받는 전기력의 합력 방향은 오른쪽이다.
A
C
B
C가 음(−)전하인 경우 A와 B로부터 받는 전기력의 합력 방향은 왼쪽이다.

• C가 A와 B로부터 받는 전기력의 합력이 0이 되기 위해서는 A와 B가 작용하는 힘의 방향은 반대여야 한다.
• 전기력의 크기는 두 전하의 전하량에 비례하고 거리 제곱에 반비례하므로 거리가 변하지 않은 조건에서 전하량이 증가하는 경우 전기력은 커진다.
(쿨롱 법칙: $F = k\frac{q_1q_2}{r^2}$)

02 ㄱ. 빛의 파장은 에너지에 반비례한다. $E_2 > E_1$이므로 파장은 (가)에서가 (나)에서보다 크다.

ㄷ. (나)에서 전자가 들뜬상태에서 에너지가 E_2인 빛을 방출하며 바닥상태로 전이하였으므로, 바닥상태의 전자는 에너지가 E_2인 빛을 흡수하면 들뜬상태로 전이할 수 있다.

오답 피하기

ㄴ. 전자가 전이할 때 방출하는 빛의 에너지는 에너지 준위의 차이와 같다. $E_2 > E_1$이므로 전이하기 전 들뜬상태의 에너지는 (나)에서가 (가)에서보다 크다. 따라서 들뜬상태의 양자수는 (나)에서가 (가)에서보다 크다.

03 ㄴ. 다이아몬드는 띠 간격이 큰 절연체이다.

ㄷ. 저마늄의 띠 간격이 0.67 eV이므로 원자가 띠의 전자가 1 eV의 에너지를 흡수하면 전도띠로 전이할 수 있다.

오답 피하기

ㄱ. 규소는 반도체이므로 원자가 띠와 전도띠 사이에 띠 간격이 있다.

04 ㄴ. 전자가 a를 방출한 후 b를 방출하며 전이할 때와 c를 방출하고 전이할 때 에너지 준위 차이가 같으므로 a, b의 광자 1개의 에너지의 합은 c의 광자 1개의 에너지와 같다.

ㄷ. $f_1 > f_2$이고 파장은 진동수에 반비례하므로 b의 파장은 진동수가 f_1인 빛의 파장보다 크다.

오답 피하기

ㄱ. $f_1 > f_2$이므로 진동수가 f_1인 빛의 에너지가 b의 에너지보다 크다. 따라서 f_1은 c의 진동수이다.

05 ㄱ. 수소 원자 스펙트럼에서 가시광선은 들뜬상태의 전자가 $n=2$인 상태로 전이하며 방출하는 중 에너지가 제일 작은 4개의 빛이다. A는 가시광선 중 에너지가 가장 작은 빛이므로 $n=3$인 상태에서 $n=2$인 상태로 전이하며 방출하는 빛이다.

오답 피하기

ㄴ. 발머 계열의 빛은 $n=1$인 상태와 $n=2$인 상태의 에너지 준위 차이보다 작다. 따라서 $n=1$인 상태에 있던 전자는 발머 계열의 빛을 흡수하여 전이할 수 없다.

ㄷ. 빛의 에너지는 파장에 반비례하므로 빛의 에너지는 C가 B보다 크다.

06 ㉠은 전자가 전이하며 에너지를 흡수하는 과정이고 ㉡은 에너지를 방출하는 과정이다. 흡수 스펙트럼에서 파장이 짧은 c가 d보다 에너지가 크므로 ㉠에 해당하는 스펙트럼 선은 c이다. 방출 스펙트럼에서 파장이 긴 b가 a보다 에너지가 작으므로 ㉡에 해당하는 스펙트럼 선은 b이다.

07 ㄱ. 상온에서 전기 전도성이 가장 좋고 온도가 올라갈수록 전기 전도성이 떨어지는 고체는 도체이다. 그러므로 A는 도체이고 대부분 도체에서 원자가 띠와 전도띠는 일부 겹쳐 있다.

ㄴ. 도체와 반대로 온도가 올라갈수록 전기 전도성이 좋아지는 고체는 반도체이다. 그러므로 B는 반도체이다.

ㄷ. 상온에서 전기 전도성은 도체인 A가 반도체인 B보다 좋다.

08 ㄷ. 기체의 종류에 따라 에너지 준위가 달라 흡수하는 빛의 파장이 다르므로 흡수선의 위치가 다르다.

오답 피하기

ㄱ. 빛의 에너지는 파장에 반비례하므로 파장이 짧은 b가 a보다 에너지가 크다.

ㄴ. 기체가 흡수하는 빛과 방출하는 빛의 파장은 같다. 따라서 기체 A를 가열하면 파장이 600 nm, 500 nm인 빛을 방출할 수 있고, 파장이 550 nm인 빛은 방출할 수 없다.

09 ㄴ. 스위치를 S_2에 연결하면 A에는 역방향 바이어스가 걸려 회로에 전류가 흐르지 않으므로 B에서 빛이 방출되지 않는다.

오답 피하기

ㄱ. X는 양공이 있으므로 p형 반도체이다. 스위치를 S_1에 연결했을 때 B에서 빛이 방출되었으므로 전원 장치의 아래쪽이 (+)극이다. 스위치를 S_2에 연결하면 A에는 역방향 바이어스가 걸린다.

ㄷ. B에 전류가 흐르지 않으므로 전자와 양공은 재결합하지 않는다.

문제 속 자료 다이오드 회로

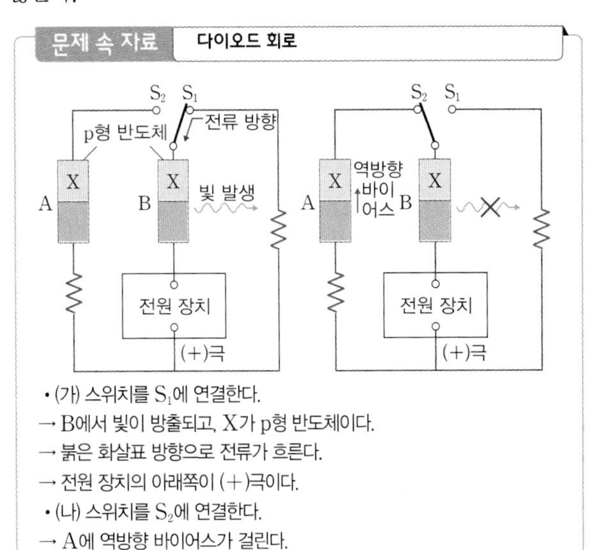

- (가) 스위치를 S_1에 연결한다.
  → B에서 빛이 방출되고, X가 p형 반도체이다.
  → 붉은 화살표 방향으로 전류가 흐른다.
  → 전원 장치의 아래쪽이 (+)극이다.
- (나) 스위치를 S_2에 연결한다.
  → A에 역방향 바이어스가 걸린다.
  → 전류가 흐르지 않는다.
  → B에서 빛이 방출되지 않는다.

10 ㄴ. B와 C는 모두 p형 반도체이므로 양공이 주요 전하 운반체이다.

ㄷ. D의 전도띠에 있는 전자는 접합면에서 에너지를 잃고 원자가 띠로 전이하여 양공과 재결합한다.

오답 피하기

ㄱ. LED에서 빛이 방출되므로 p-n 접합 다이오드에 순방향 전류가 흐른다. 전원 장치의 (+)극에 p형 반도체가 연결되어야 하므로 A는 n형 반도체이다.

11 ㄴ. (나)에는 공유 결합에 참여하지 못하는 전자가 있으므로 n형 반도체이다.

오답 피하기

ㄱ. 상온에서 순수한 반도체는 양공과 자유 전자의 수가 같다.
ㄷ. 순수한 반도체에 불순물을 첨가하면 전기 전도성이 좋아진다. 따라서 전기 전도성은 (나)가 (가)보다 좋다.

12 ㄱ. 반도체는 절대 온도 0 K에서 전도띠에 전자가 없지만 온도가 올라가면 열에너지를 흡수한 원자가 띠의 전자가 전도띠로 전이한다. 따라서 이 고체는 반도체이다.
ㄴ. T_2일 때가 T_1일 때보다 전도띠에 자유 전자가 많으므로 $T_2 > T_1$이다.

오답 피하기

ㄷ. 전도띠에 자유 전자가 많으면 전기 전도성이 좋고 비저항이 작다. 따라서 비저항은 T_1일 때가 T_2일 때보다 크다.

13 4개의 다이오드를 이용한 정류 회로에서는 교류 전원의 전압 방향에 상관 없이 저항에 한 방향으로 전류가 흐른다.

문제 속 자료 다이오드를 이용한 정류 회로

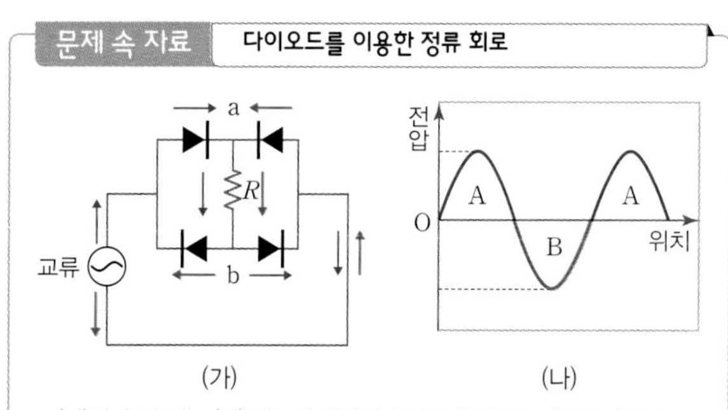

• (나)의 A일 때는 (가) 회로에 빨간색 화살표 방향으로 전류가 흐른다.
• (나)의 B일 때는 (가) 회로에 파란색 화살표 방향으로 전류가 흐른다.
• 저항(R)에는 항상 a에서 b로 전류가 흐른다.

14 ㄴ. 반도체는 온도가 올라가면 전도띠로 전이하는 전자가 많아지고, 원자가 띠에는 양공이 많아진다.
ㄷ. 상온에서 전기 전도성은 도체인 (가)가 절연체인 (나)보다 좋다.

오답 피하기

ㄱ. 반도체의 띠 간격은 절연체의 띠 간격보다 작다. 따라서 반도체의 에너지띠 구조는 (다)이다.

15 ㄱ, ㄴ. LED에서 빛이 방출되고 있으므로 LED에 순방향 바이어스가 걸린다. p형 반도체에 연결된 a는 (+)극이다.
ㄷ. LED에 순방향 바이어스가 걸릴 때 p형 반도체의 양공은 접합면으로 이동하여 전자와 재결합한다.

16 ㄱ, ㄴ. A에 순방향 바이어스가 걸릴 때 전류는 A → 저항 → D로 흐르며, A에 역방향 바이어스가 걸릴 때 전류는 B → 저항 → C로 흐른다. 따라서 저항에 흐르는 전류의 방향은 항상 같다.

오답 피하기

ㄷ. C에 전류가 흐를 때는 P에 화살표 방향으로 전류가 흐르고, 이때 D에는 역방향 바이어스가 걸리므로 전류가 흐르지 않는다.

2. 자기

01 | 전류에 의한 자기장

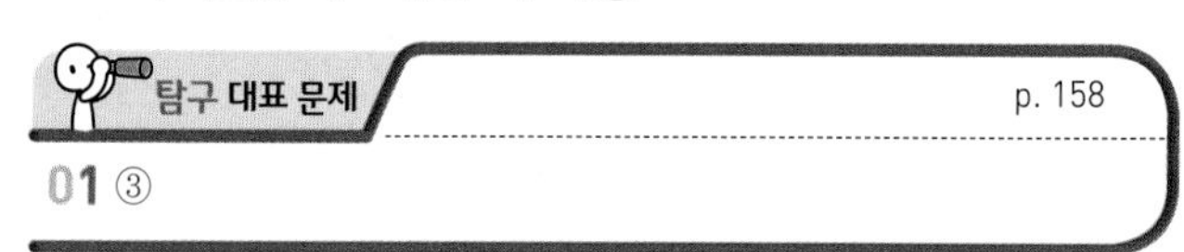

01 ③ 전류에 의한 자기장은 도선과의 거리에 반비례한다.

오답 피하기

① 저항값을 크게 하면, 전류의 세기가 감소하여 전류에 의한 자기장의 세기도 감소한다. (옴의 법칙 $V=IR$에 의해 저항과 전류의 세기가 반비례 관계임을 알 수 있다.)
② 전류의 세기가 증가하면 전류에 의한 자기장 세기도 증가한다.
④ 전류의 방향을 반대 방향으로 바꾸면 나침반의 N극이 회전하는 방향이 반대가 된다.
⑤ 전류의 세기가 증가하면 나침반 바늘의 회전 각도는 증가한다.

기초 탄탄 문제 p. 162

01 ② **02** ② **03** ① **04** ③ **05** ③ **06** ⑤

01 지구 자기장의 방향은 북쪽이며, 나침반의 N극은 자기력에 의해 북쪽을 향한다.

오답 피하기

② 자석의 N극 주변에서는 자기력선이 나오고, S극 주변에서는 자기력선이 모여 들어가는 모양이다.

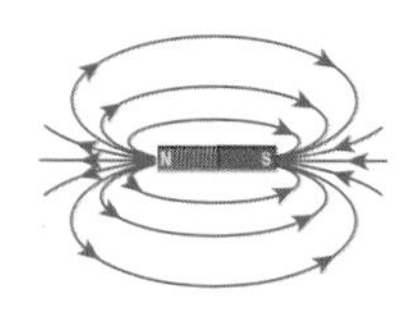

02 ② 자기장의 세기는 도선에 흐르는 전류의 세기에 비례한다.

오답 피하기

① 직선 도선 주위의 자기장은 도선을 중심으로 하는 시계 또는 반시계 방향이다.

③ 도선으로부터 멀수록 자기장의 세기가 감소한다.

④ 도선 주변의 자기장 방향은 도선을 중심으로 동심원 모양이므로 나침반의 N극이 가리키는 방향도 동심원을 이루는 방향이다.

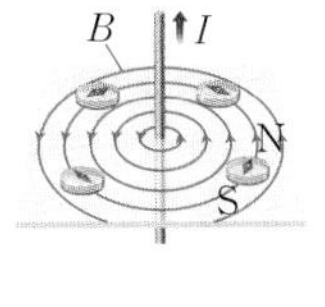

⑤ 전류가 일정하면 자기장의 세기도 일정하다.

03 도선의 위쪽 방향으로 전류가 흐르면 도선을 중심으로 자기장이 시계 반대 방향으로 형성되고, 도선의 아래쪽 방향으로 전류가 흐르면 도선을 중심으로 자기장이 시계 방향으로 형성된다. 자기장의 방향은 나침반의 N극이 가리키는 방향이다.

04 원형 도선의 중심에 형성되는 자기장은 전류의 방향에 따라 수직으로 나오는 방향이거나 수직으로 들어가는 방향이다. 원형 도선 중심에 형성되는 자기장의 세기는 전류의 세기에 비례하고 도선이 만드는 원의 반지름에 반비례한다. ($B \propto \frac{I}{r}$)

05 솔레노이드 내부에는 전류에 의해 왼쪽 방향으로 자기장이 형성된다.

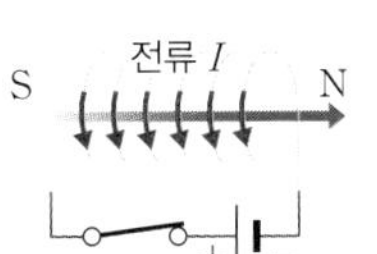

오답 피하기

③ 솔레노이드에 의한 자기장의 세기는 단위길이당 감은 수와 전류의 세기에 비례한다. ($B \propto nI$)

06 발광 다이오드는 p형 반도체와 n형 반도체를 접합시킨 전기 소자로, 한쪽 방향으로 전류가 흐를 때 빛을 발생시키는 원리를 이용한 것이다.

내신 만점 문제 p. 163 ~ 165

01 ① 02 ③ 03 ④ 04 ③ 05 ① 06 ②
07 ⑤ 08 ② 09 ⑤ 10 ⑤ 11 ④
12~13 해설 참조

01 ㄱ. 지구 자기장의 방향은 북쪽, 전류에 의한 자기장 방향은 동쪽이며, 이들이 합성되어 북동쪽으로 자기장이 형성된다. 따라서 나침반의 N극은 북동쪽을 향한다.

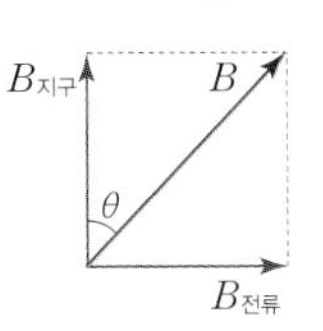

오답 피하기

ㄴ. 도선 아래쪽에서 전류에 의한 자기장의 방향이 동쪽 방향이기 때문에 전류의 방향은 남쪽이다.

ㄷ. 전류의 방향이 반대가 되면 전류에 의한 자기장이 서쪽이 된다. 지구 자기장인 북쪽과 합성되어서 나침반의 N극은 북서쪽을 가리킨다.

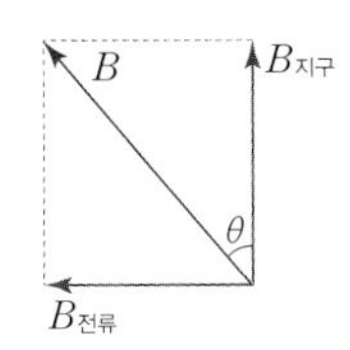

02 ㄱ. R에서 수직으로 들어가는 방향의 자기장이 나타나려면 B에 흐르는 전류의 방향이 $+y$가 되어야 한다.

ㄴ. Q점은 A 도선과 더 멀리 있지만 Q에서 A, B 도선에 의한 자기장의 합은 0이다. 즉, 도선에 흐르는 전류의 세기는 A>B이다.

오답 피하기

ㄷ. P에서 A에 의한 자기장의 방향은 ⊗, B에 의한 자기장의 방향은 ⊙이며, 자기장의 세기는 A>B이다. 따라서 P점에서 자기장의 방향은 수직으로 들어가는 방향이다.

문제 속 자료 두 직선 전류에 의한 자기장 합성

	P	Q	R
B_A	⊗	⊗	⊗
B_B	⊙	⊙	⊗

- 자기장의 방향이 Q점에서 서로 반대가 되어 상쇄되므로 두 도선에 흐르는 전류의 방향이 같다.
- Q에서 A, B 도선까지의 거리는 각각 $2d$, d이다. Q에서 자기장의 세기가 0이므로 전류의 세기는 A가 B의 2배이다.

03 직선 도선에 흐르는 전류에 의한 자기장은 전류의 세기에 비례하고 도선으로부터의 거리에 반비례한다. A, B, C점은 도선으로부터 떨어진 거리의 비가 1 : 1 : 2 이므로 자기장의 세기의 비는 2 : 2 : 1이다.

04 종이면에서 직선 도선에 위쪽 방향으로 전류가 흐르고 있으므로 A는 수직으로 나오는 방향이고, B와 C는 수직으로 들어가는 방향이다.

05 xy 평면에서 수직으로 나오는 전류에 의한 자기장은 반시계 방향을 형성한다.

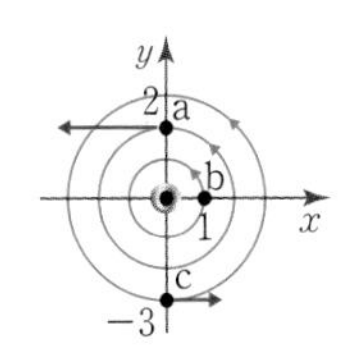

ㄱ. a 지점에서 형성되는 자기장의 방향은 $-x$ 방향이다.

오답 피하기

ㄴ. 자기장의 세기와 도선과의 거리는 반비례 관계이므로 거리가 가장 가까운 b에서 자기장의 세기가 가장 세다.

ㄷ. 자기장의 방향은 a에서는 $-x$, c에서는 $+x$방향이다.

06 원형 도선 중심에서 자기장의 세기는 전류의 세기에 비례하고 도선이 만드는 원의 반지름에 반비례한다.

ㄴ. 전류의 세기가 2배가 되면 자기장의 세기도 2배가 된다.

오답 피하기

ㄱ. 원형 도선의 전류가 시계 방향으로 흐르므로 중심에서 자기장의 방향은 지면에 수직으로 들어가는 방향이다.

ㄷ. 원형 전류에 의한 자기장의 세기는 도선이 만드는 원의 반지름에 반비례하므로 반지름이 2배 증가하면 자기장의 세기는 $\frac{B_0}{2}$가 된다.

07 A에서 원형 전류에 의한 자기장의 방향은 수직으로 들어가는 방향이고 세기는 B_0이다.

ㄱ. P의 전류의 세기가 I_0일 때, A에서 P와 Q에 의한 자기장이 0이므로 A에서의 P에 의한 자기장의 세기는 B_0이고 방향은 수직으로 나오는 방향이므로 P의 전류의 방향은 $-y$이다.

ㄴ, ㄷ. P의 전류의 세기가 $2I_0$이고 전류의 방향이 $+y$가 되면 A에서의 P에 의한 자기장의 세기는 $2B_0$이므로 P와 Q에 의한 자기장의 세기는 $3B_0$가 된다.

08 원형 도선 중심에서 전류에 의한 자기장의 세기는 전류의 세기에 비례한다. 두 원형 도선은 하나로 이어진 도선으로, 흐르는 전류의 세기는 같지만, 두 원형 도선의 반지름이 달라 O에서 두 원형 도선이 만드는 자기장의 세기와 방향은 다르다.

오답 피하기

ㄱ. O에서 자기장의 방향은 수직으로 들어가는 방향이다.

ㄴ. 전류의 세기를 증가시키면 O에서 자기장의 세기도 증가한다.

문제 속 자료 원형 전류에 의한 자기장

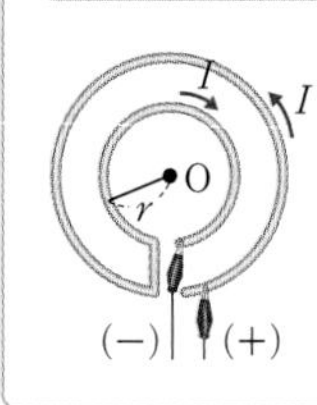

안쪽 원형 도선에는 시계 방향으로 전류가 흐르고, 바깥쪽 원형 도선에는 반시계 방향으로 전류가 흐른다. 전류의 세기는 일정하지만, O에서 자기장의 세기는 도선의 반지름에 반비례하므로 안쪽 원형 도선이 형성하는 자기장의 세기가 더 세다.

09 솔레노이드 A와 B의 중심축에서 자기장의 방향은 왼쪽 방향이다. 따라서 A와 B에 형성되는 자극은 그림과 같다.

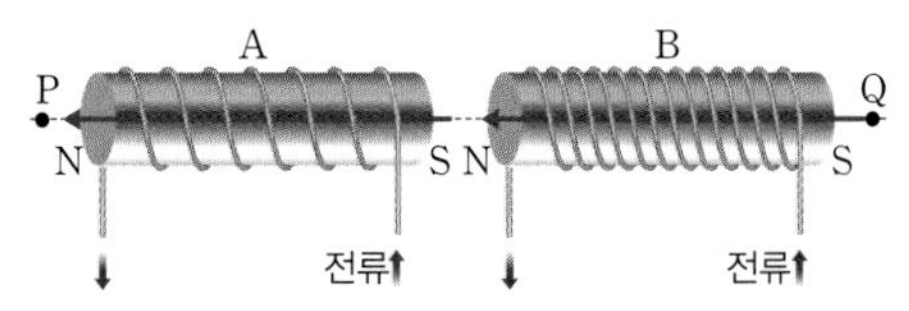

P에서 자기장의 방향이 왼쪽이므로 나침반의 N극도 왼쪽 방향을 가리킨다. A와 B는 서로 반대 극이 마주보고 있으므로 인력이 작용하고, 감은 수는 B가 A의 2배이므로 B가 형성하는 자기장의 세기가 A가 형성하는 자기장의 세기보다 더 세다.

10 스피커의 코일에 전류가 흐르면 코일이 자기장을 형성하여 전자석이 되고, 코일과 영구 자석 사이의 상호 작용에 의한 자기력으로 진동판이 진동하게 된다. 코일에 흐르는 전류가 반대 방향이 되면 코일에 의한 전자석의 자극이 반대 방향이 되어 자석과 반대 방향으로 자기력이 작용한다.

11 ㄱ, ㄴ. 전류에 의한 자기장과 자석에 의한 자기장이 상호 작용하여 도선이 자기력을 받아 회전한다. 전동기는 도선에 흐르는 전기 에너지를 도선이 회전하는 운동 에너지로 전환시킨다.

오답 피하기

ㄷ. 전류의 방향이 바뀌면 자기력의 방향도 바뀐다.

문제 속 자료 자기력

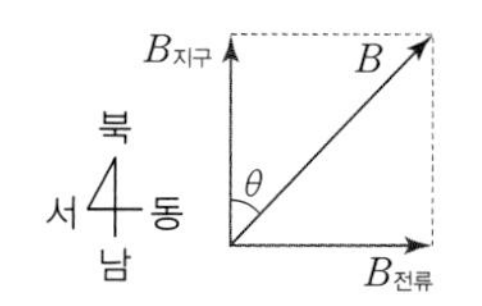

사각형 도선에 흐르는 전류는 세기와 방향이 주기적으로 변하는 교류이다. 자기장의 방향은 N극에서 S극으로 향하고, 도선 AB와 CD가 받는 힘(F)은 방향은 반대이고 크기가 같다.

12 (1) 나침반 자침의 N극이 북동쪽을 가리키려면 전류에 의한 자기장의 방향이 동쪽이어야 하므로 전류의 방향은 아래 방향이다.

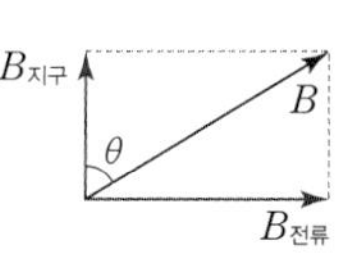

북 서 동 남

[모범 답안] 아래 방향, 나침반에 전류에 의한 자기장이 동쪽 방향이기 때문이다.

(2) 전류에 의한 자기장의 세기는 전류의 세기에 비례하고 도선과의 거리에 반비례한다$\left(B \propto \frac{I}{r}\right)$. 전류의 세기가 증가하면 전류에 의한 자기장도 세진다.

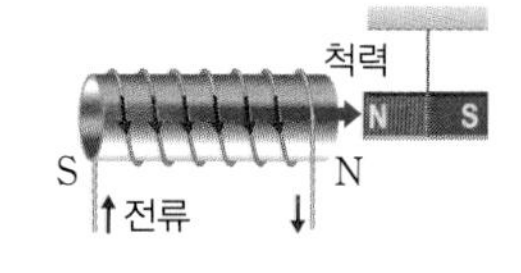

[모범 답안] 전류의 세기를 증가시킨다.
나침반의 위치를 도선에 가까이 한다.

13 (1) 스위치를 닫으면 솔레노이드 내부에서의 자기장 방향은 오른쪽 방향이므로 솔레노이드는 왼쪽이 S극, 오른쪽이 N극을 형성한다.

척력 N S S N 전류

따라서 솔레노이드와 자석은 서로 밀어내는 척력이 작용한다.

[모범 답안] 오른쪽 방향, 서로 밀어내는 힘이 작용한다.

(2) 솔레노이드의 자기장을 강하게 하면 솔레노이드와 자석 사이의 자기력을 증가시킬 수 있다. 솔레노이드의 자기장을 증가시키는 방법은 코일의 감은 수를 증가시키거나 코일에 흐르는 전류를 증가시킨다.

[모범 답안] 코일의 감은 수를 증가시킨다. 코일에 흐르는 전류를 증가시킨다.

02 | 물질의 자성

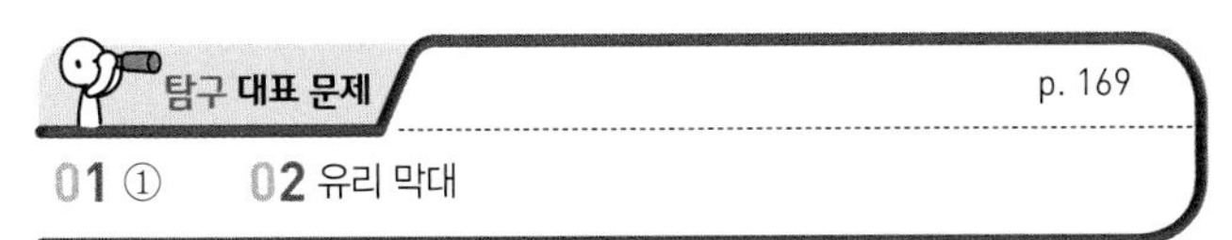

01 알루미늄 포일은 상자성체이며, 외부 자기장을 가하였을 때 외부 자기장의 방향으로 약하게 자기화된다.

오답 피하기

③ 오이가 자석에 밀려난 것은 반자성 물질인 물이 포함되어 있기 때문이다.

④ 유리 막대는 반자성체이므로 네오디뮴 자석의 자기장 방향과 반대 방향으로 자기화된다.

⑤ 상자성체와 반자성체는 자석을 제거하면 자성을 잃어버리므로 자성이 사라진다.

02 외부 자기장을 가까이 하였을 때 외부 자기장의 반대 방향으로 자화되고, 제거하였을 때 자성이 사라지는 물질은 반자성체인 유리 막대이다. 쇠못은 강자성체, 알루미늄 포일은 상자성체이다.

기초 탄탄 문제 p. 170

01 ① 02 ① 03 ⑤ 04 ① 05 ② 06 ②

01 전자의 궤도 운동: 전자가 원자핵 주위를 궤도 운동하므로 자기장이 형성된다.
전자의 스핀: 전자의 회전 운동으로 인해 자기장이 형성된다.

오답 피하기

① 원자핵 자체가 운동하는 것이 아니라 원자 속 전자의 궤도 운동과 스핀으로 원자가 자성을 띨 수 있다.

02 ③ 강자성체는 자기화된 상태를 오랫동안 유지하지만 영구히 유지되는 것은 아니다. 시간이 지날수록 자기화된 자기 구역이 다시 흐트러진다.

⑤ 전자석은 코일 속에 강자성체인 철심을 넣어 강한 자기장을 형성할 수 있다. 자기 테이프는 강자성체를 이용하여 정보를 저장한다.

오답 피하기

① 강자성체는 외부 자기장과 같은 방향으로 자화되므로 자석과 인력이 작용한다.

03 자성체 중 외부 자기장의 방향과 반대로 자기화되는 물질은 반자성체이다.
니켈과 코발트는 강자성체이고, 알루미늄과 종이는 상자성체, 구리는 반자성체이다.

04 상자성체는 외부 자기장의 방향과 같은 방향으로 자기화되며, 자석과 인력이 작용한다.

05 액체 자석은 강자성체를 이용하므로 외부 자기장의 방향으로 자화되며, 외부 자기장이 제거되어도 오랫동안 자성을 유지한다. 이러한 성질을 이용하여 지폐의 위조 방지, MRI의 조영제 등에 이용된다.

오답 피하기

② 액체 자석은 강자성체 분말을 이용한다. 강자성체 분말을 이용해야 외부 자기장이 사라진 상태에서도 오랫동안 자성을 유지할 수 있다.

06 헤드에 흐르는 전류의 방향에 따라 강자성 물질의 자화 방향이 다르게 형성된다.

오답 피하기

① 하드 디스크의 플래터 표면에는 강자성 물질이 들어 있다.

③ 하드 디스크의 플래터는 강자성체의 자화 방향을 이용하여 정보를 저장한다. 전원을 차단해도 강자성체가 자화 방향을 유지하는 성질 때문에 저장된 정보가 그대로 유지된다.

④ 디스크 모터가 디스크를 회전시킨다. 회전 속도가 빠를수록 정보 읽기 성능이 좋다.

⑤ 플래터 표면의 작은 구역을 자기장 방향이 서로 다르게 하여 디지털 정보를 저장한다.

내신 만점 문제 p. 171 ~ 173

01 ① 02 ① 03 ⑤ 04 ② 05 ② 06 ①
07 ④ 08 ③ 09 ① 10 ③ 11~12 해설 참조

01 ㄴ. 알루미늄 조각이 자석에 끌려가기 위해서는 a의 반대편이 S극이어야 한다. 따라서 a에는 N극이 형성된다.

오답 피하기

ㄱ. 알루미늄 조각이 자석과 인력이 작용하므로 알루미늄 조각은 반자성체가 아니다.

ㄷ. 자석의 S극이어도 알루미늄 조각은 자석의 자기장 방향으로 자화되므로 자석에 끌려가게 된다.

02 ㄱ. 샤프심이 자석에서 밀려나고 있으므로 반자성체이다.

오답 피하기

ㄴ. 반자성체는 자석(외부 자기장)의 자기장의 방향과 반대 방향으로 자기화된다.

ㄷ. 자석의 극성에 관계없이 반자성체는 자석의 자기장의 방향과 반대 방향으로 자화되며 자석에서 밀려난다.

03 강자성체는 그림 (가)와 같이 외부 자기장이 가해졌을 때 외부 자기장의 방향으로 자화되고, 그림 (나)와 같이 외부 자기장을 제거하였을 때 자화된 상태를 오래 유지하는 물질이다.

04 상자성체는 그림 (가)와 같이 외부 자기장이 가해졌을 때 외부 자기장의 방향으로 약하게 자화되고, 그림 (나)와 같이 외부 자기장을 제거하였을 때 자성이 사라지는 물질이다.

오답 피하기

ㄱ. 상자성체이다.

ㄴ. 그림 (가)에서 외부 자기장의 방향과 물질에 형성된 자기장의 방향이 같다.

05 강자성체는 자석과 인력이 작용하고, 반자성체는 자석과 척력이 작용한다. 솔레노이드에 전류의 방향이 바뀌어 반대 방향의 자기장이 형성되어도 강자성체(Q)는 외부 자기장과 같은 방향으로, 반자성체(P)는 외부 자기장과 반대 방향으로 자기화되므로 (A)와 (B) 모두 왼쪽 방향이다.

오답 피하기

ㄱ. P는 척력에 의해 왼쪽으로 운동하였으므로 반자성체이고, Q는 인력에 의해 왼쪽으로 운동하였으므로 강자성체이다.

ㄴ. P의 오른쪽 면에는 N극이 형성된다.

문제 속 자료 전류에 의한 자기장과 자성체의 자기화

스위치를 a에 연결하면 전류의 방향이 아래 그림과 같으므로 솔레노이드의 왼쪽 면에 N극이 형성된다. 실험에서 P가 왼쪽으로 운동하였으므로 P의 오른쪽 면에는 솔레노이드의 왼쪽 면을 밀어내는 극인 N극이 형성된다.

스위치를 b에 연결하면 a와 반대 방향으로 전류가 흘러 자기장의 방향도 반대로 형성된다.

P가 밀려나므로 척력이 작용하고 있다.

06 물체 A에 아래 방향으로 중력, 위 방향으로 자기력이 작용하고 두 힘의 크기가 같아 알짜힘이 0인 상태로 떠서 정지해 있다. A는 자석과 척력이 작용하므로 반자성체이다.

오답 피하기

ㄴ. 반자성체는 자석에서 멀리 하면 자성이 약해지거나 사라진다.

ㄷ. 반자성체는 자석의 자기장 방향과 반대로 자화된다.

07 저울의 측정값은 저울의 표면을 누르는 힘이 커지면 증가하고, 작아지면 감소한다. 물체 A에 의해 저울의 측정값이 감소하였으므로 물체 A는 자석을 당기는 힘을 작용하고, 물체 B에 의해 저울의 측정값이 증가하였으므로 물체 B는 자석을 누르는 힘을 작용한다.

ㄱ. 물체 A는 자석을 당기므로 상자성체이고 자기화 방향은 자석의 자기장 방향과 같다.

ㄷ. A에 의해 저울의 측정값이 0.004 N 감소하였으므로 A가 자석을 당기는 힘은 0.004 N이다. B에 의해 저울의 측정값이 0.002 N 증가하였으므로 B가 자석을 누르는 힘은 0.002 N이다.

오답 피하기

ㄴ. B는 반자성체이므로 자석의 자기장 방향과 반대 방향으로 자기화된다. 따라서 B의 아랫면은 자석의 윗면과 같은 극인 N극이다.

08 상자성 막대와 강자성 막대는 솔레노이드에 의한 자기장과 같은 오른쪽 방향으로 자기화된다.

오답 피하기

ㄷ. 강자성 막대는 솔레노이드에 의한 자기장이 사라져도 자기화를 유지하므로 a점에서는 자기장이 오른쪽 방향으로 존재한다.

문제 속 자료 솔레노이드 안 강자성체와 상자성체

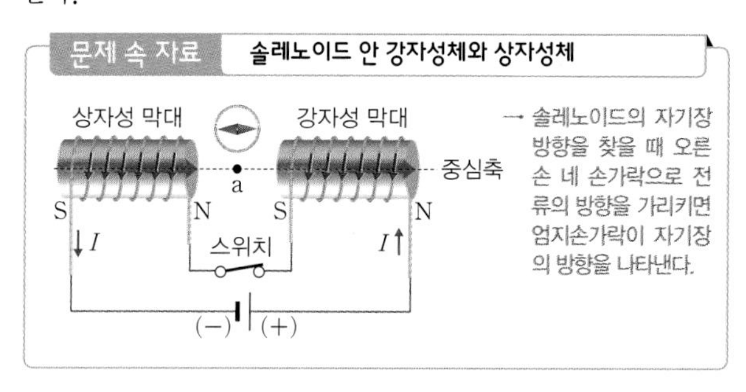

09 ㄱ. 상자성체는 솔레노이드에 의한 자기장의 방향으로 자기화되므로, A와 B의 자극은 N극이다.

오답 피하기

ㄴ. a점에서는 오른쪽 방향으로 자기장의 방향이 존재하므로 자기장의 세기도 존재한다.

ㄷ. 상자성체는 외부 자기장이 사라지면 자기화가 사라진다. 따라서 상자성 막대 사이에는 자기력이 작용하지 않는다.

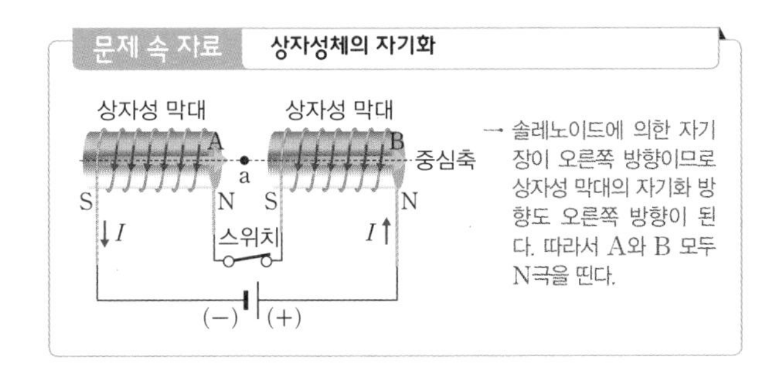

10 코일에 흐르는 전류의 방향에 의해 자기장의 방향이 결정되고, 그 방향으로 하드 디스크의 플래터에 들어 있는 강자성체가 자기화된다. 코일에 흐르는 전류의 방향이 바뀌면 코일에 형성되는 자기장의 방향이 바뀌므로 정보 저장 물질인 강자성체의 자기화 방향이 바뀌고 이를 이용하여 정보를 저장한다.

오답 피하기

ㄷ. 플래터의 정보 저장 물질은 강자성체이다.

11 (1) **[모범 답안]** A: S극, B: N극, 솔레노이드 내부에 형성되는 자기장의 방향은 오른쪽 방향이다.

(2) **[모범 답안]** 물체가 솔레노이드에서 밀려나므로 P는 S극이고, P에 S극을 형성하기 위해서는 자석의 윗면이 S극이어야 한다.

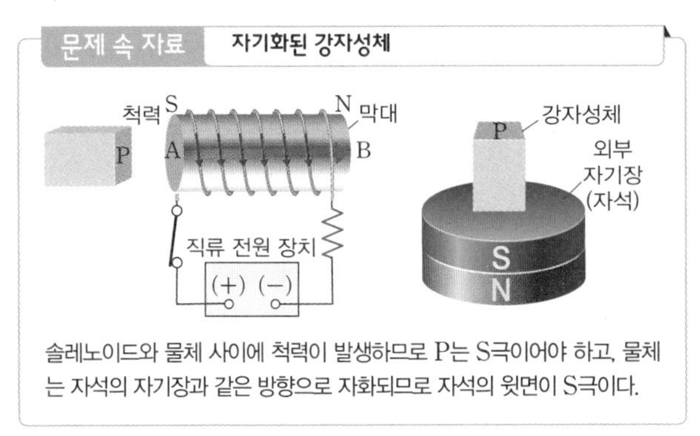

12 a가 (−)극, b가 (+)극일 때 솔레노이드에 흐르는 전류에 의한 자기장의 방향은 왼쪽 방향이 된다.

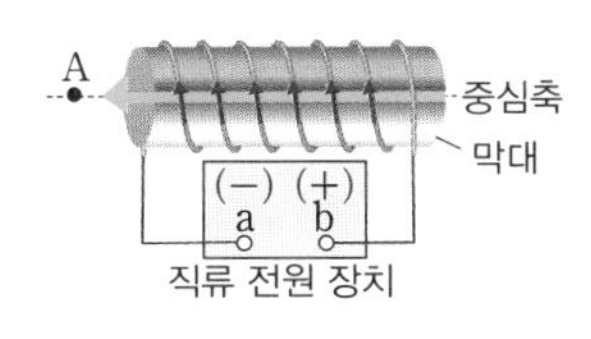

[모범 답안] (1) 왼쪽 방향

(2) 자기장의 세기: 강자성 막대>상자성 막대>반자성 막대, 강자성체는 솔레노이드의 자기장 방향으로 강하게 자기화되고, 상자성체는 약하게 자기화되고, 반자성체는 반대 방향으로 자기화된다.

따라서 A점에서 자기장의 세기는 강자성체를 사용할 때가 가장 강하고 반자성체를 사용할 때가 가장 약하다.

03 | 전자기 유도

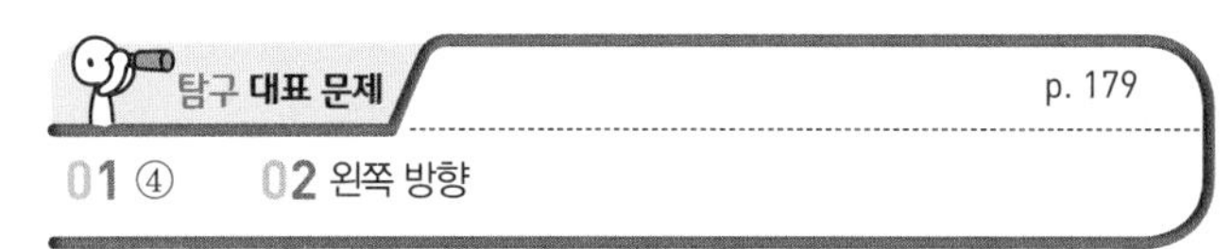

01 N극을 멀리 할 때와 S극을 가까이 할 때 전류의 방향은 같다.

오답 피하기

① 솔레노이드와 자석의 상대적 운동이 0이면 유도 전류가 흐르지 않는다.

② 자석을 느리게 움직이면 전류의 세기가 감소한다.

③ 자석의 세기가 강할수록 전류의 세기가 증가한다.

⑤ 자석의 S극을 솔레노이드에 가까이 할 때와 멀리 할 때 솔레노이드에 흐르는 전류의 방향은 반대이다.

02 솔레노이드에 N극을 가까이 할 때 흐르는 유도 전류의 방향과 S극을 멀리 할 때 흐르는 유도 전류의 방향은 같다.

기초 탄탄 **문제** p. 180

01 ① 02 ③ 03 ④ 04 ⑤ 05 ② 06 ②

01 솔레노이드를 통과하는 자기 선속이 변할 때 솔레노이드에 전류가 유도되는 현상을 전자기 유도라 하고, 이때 흐르는 전류를 유도 전류라고 한다.

오답 피하기

④ 정전기 유도란 대전체에 의해 물체의 한쪽이 (+)극, 반대쪽이 (−)극을 띠게 되는 현상을 말한다. 자기 전류라는 표현은 존재하지 않는다.

⑤ 피뢰침과 같이 땅으로 연결된 전선을 통해 흐르는 전류를 접지 전류라 한다.

02 전자기 유도 현상은 코일을 통과하는 자기 선속이 변할 때 유도 전류가 흐르는 현상으로, 유도 전류의 세기는 시간당 자기 선속의 변화량에 비례한다.

오답 피하기

③ 코일 속에 자석을 넣고 정지해 있으면 코일 속 시간당 자기 선속의 변화량이 0이므로 유도 전류가 흐르지 않는다.

03 코일과 자석이 상대적으로 운동할 때 코일에 유도 전류가 흐른다. 코일과 자석이 함께 일정한 간격을 유지하며 운동하면 서로의 상대 속도는 0이므로 유도 전류가 흐르지 않는다.

04 ① 자석의 N극에서는 나오는 방향의 자기장이 형성되므로 자석의 N극을 아래 방향으로 하고 솔레노이드에 접근시키면 솔레노이드에는 아래 방향의 자기 선속이 증가한다.
② 솔레노이드에는 변화를 방해하는 방향으로 유도 전류가 흐르므로 자석의 N극을 접근시키면 유도 전류가 형성하는 자기장의 방향은 위 방향이다.
③ 전자기 유도 현상의 변화를 방해하는 성질에 의해 자석이 가까이 접근하면 접근하지 못하게 하는 방향으로 자기력이 작용한다.
④ 강한 자석을 사용하면 자기력선의 수가 많아지므로 자기 선속의 시간적 변화율이 커진다. 따라서 유도 전류의 세기는 자석의 세기에 비례한다.

오답 피하기

⑤ 자석이나 솔레노이드를 빠르게 움직일수록 유도 전류의 세기가 세진다. 자석의 N극을 더 빠르게 가까이 하였으므로 검류계 바늘은 a방향으로 더 크게 움직인다.

05 솔레노이드에 N극을 가까이 할 때 흐르는 전류의 방향을 기준으로, N극을 멀리 할 때와 S극을 가까이 할 때 흐르는 전류의 방향이 반대이고, S극을 멀리 할 때 흐르는 전류의 방향은 같다.

오답 피하기

①, ⑤ 솔레노이드에 자석을 넣고 가만히 있으면 솔레노이드에 전류가 흐르지 않는다.
③ 솔레노이드를 자석의 N극에 가까이 할 때와 자석의 N극을 솔레노이드에 가까이 할 때는 같은 상황이다.
④ 자석은 계속해서 잘라도 N극과 S극으로 분리되지 않고 항상 N극과 S극이 쌍으로 존재한다. 따라서 자석을 작게 잘라도 각각이 작은 자석이 되기 때문에 검류계 바늘은 a방향으로 움직인다.

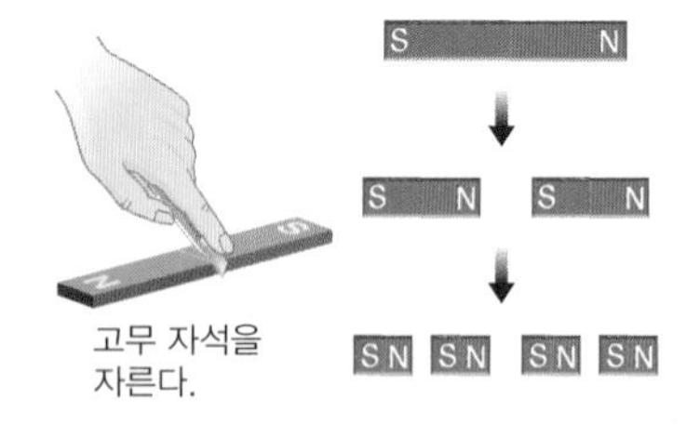

06 전동기는 전류에 의한 자기 작용을 이용한 장치이다.

문제 속 자료 발전기와 전동기의 차이

발전기는 운동 에너지를 전기 에너지로, 전동기는 전기 에너지를 운동 에너지로 전환한다.
발전기는 코일을 회전시키면 전자기 유도에 의해 유도 전류가 흐르는 원리로 킥보드의 발광 바퀴, 자전거의 전조등용 발전기 등에 이용된다.
전동기는 전류가 흐르면 코일이 자석 사이에서 자기력을 받아 회전하는 원리로 선풍기, 세탁기, 무인 조정 비행기, 전동휠 등에 이용된다.

내신 만점 문제 p. 181 ~ 183

01 ⑤	02 ①	03 ⑤	04 ⑤	05 ④	06 ④
07 ④	08 ③	09 ①	10 ⑤	11 ②	

12~13 해설 참조

01 코일을 아래 방향으로 통과하는 자기 선속이 감소하므로 코일은 아래 방향으로 유도 자기장을 형성하고 이때 흐르는 전류의 방향은 a가 된다. 전자기 유도 현상에 의해 자석의 운동을 방해하는 방향으로 자기력이 작용한다.

문제 속 자료 유도 전류의 형성

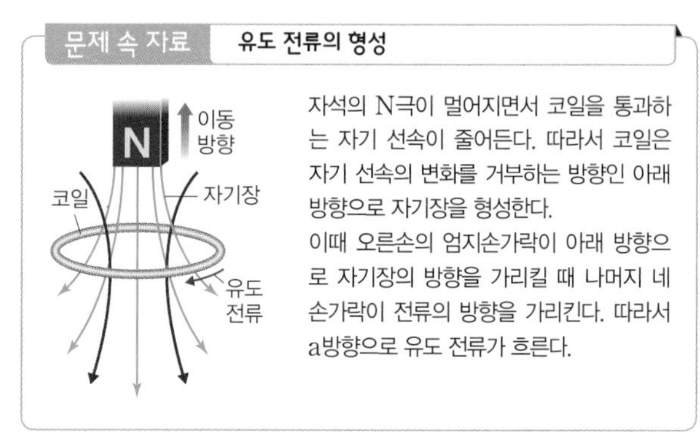

자석의 N극이 멀어지면서 코일을 통과하는 자기 선속이 줄어든다. 따라서 코일은 자기 선속의 변화를 거부하는 방향인 아래 방향으로 자기장을 형성한다.
이때 오른손의 엄지손가락이 아래 방향으로 자기장의 방향을 가리킬 때 나머지 네 손가락이 전류의 방향을 가리킨다. 따라서 a방향으로 유도 전류가 흐른다.

02 전자기 유도 현상은 자석의 운동을 방해하는 방향으로 나타난다. 따라서 자석이 코일에 다가올 때는 다가오지 못하게, 멀어질 때는 멀어지지 못하게 자기력이 작용하므로 자석이 운동하는 폭이 감소하여 최대 각도 θ는 감소한다.

오답 피하기

ㄴ. 코일 앞에 자석의 S극이 가까워지거나 멀어지므로 전류의 방향이 바뀐다.

03 ㄱ. 코일 A의 중심에는 전류에 의한 자기장의 방향이 오른쪽 방향이다.
ㄴ. 전원 장치의 전압이 증가하면 코일 A에 흐르는 전류가 증가하여 오른쪽 방향의 자기장이 증가한다. 이 자기장의 영향으로 코일 B를 통과하는 오른쪽 방향의 자기 선속이 증가하므로 코일 B는 왼쪽 방향으로 자기장을 형성하며 유도 전류가 흐른다.

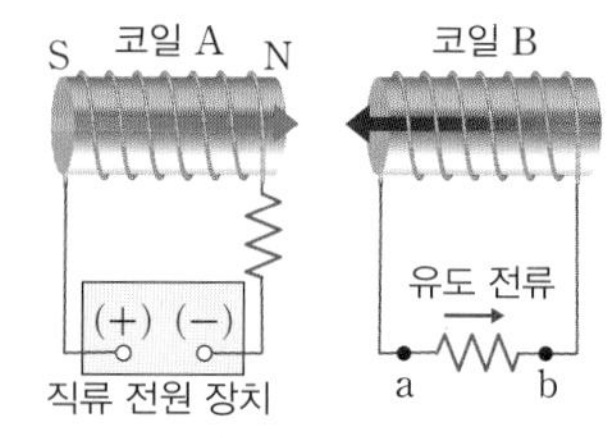

ㄷ. 전원 장치의 전압이 감소하면 코일 A에 흐르는 전류가 감소하여 오른쪽 방향의 자기장이 감소한다. 코일 B는 오른쪽 방향으로 자기장을 형성하며 유도 전류가 흐른다. 따라서 코일 A와 B는 서로 인력이 작용한다.

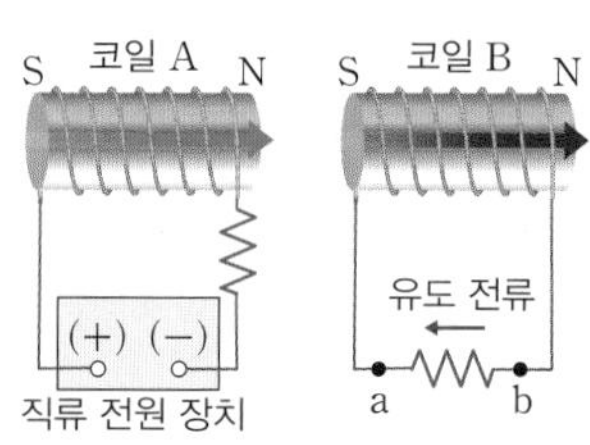

04 ㄱ. 0~2초까지 원형 도선은 자석의 N극에서 멀어지고 있으므로 도선에 흐르는 유도 전류에 의한 자기장은 위 방향이다. 따라서 유도 전류의 방향은 시계 반대 방향이다.

ㄴ. 2~4초 동안 원형 자석과 원형 도선이 일정한 거리가 유지되므로 원형 도선에 자기 선속의 변화가 없어 유도 전류가 흐르지 않는다.

ㄷ. 4~6초 동안 원형 도선과 원형 자석이 가까워지므로 자기력의 방향은 서로 밀어내는 방향이다.

문제 속 자료 전자기 유도 현상의 그래프 분석

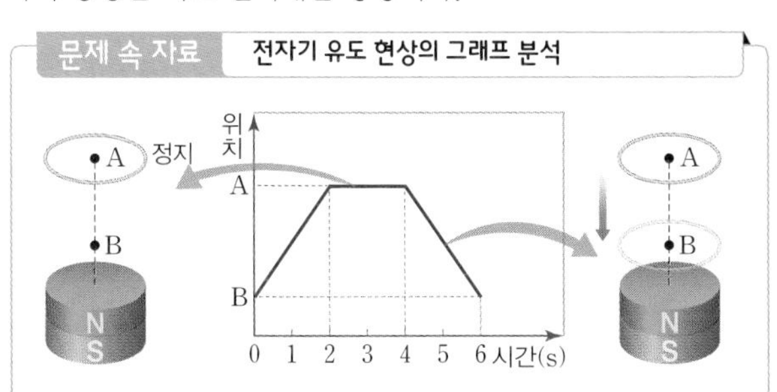

그래프에서 2~4초일 때 원형 도선의 위치가 A에서 변함이 없다. 가만히 있으면 자기 선속의 변화가 없으므로 유도 전류가 흐르지 않는다. 4~6초일 때 원형 도선의 위치가 A에서 B로 가까워지면 자기력은 도선에 자기 선속의 변화가 커져 위로 작용한다.

05 자석의 N극에서는 아래 방향의 자기장이 형성되므로 코일 내부에는 아래 방향의 자기장이 증가한다. 단, 이때의 유도 자기장의 방향은 위 방향으로 형성된다.

바늘의 움직인 각 θ는 유도 전류의 세기에 비례하므로, 자기장의 세기가 더 센 막대자석을 사용하면 유도 전류가 세져 각 θ가 증가한다.

오답 피하기

ㄴ. 막대자석의 속력이 빠를수록 회로에 흐르는 유도 전류의 세기가 증가하므로 각 θ도 증가한다.

06 ㄴ. 자석이 q를 지날 때, 자석의 S극이 솔레노이드에서 멀어지고 있어 솔레노이드에 형성되는 자기장의 방향은 오른쪽 방향이므로 유도 전류는 b → 저항 → a 방향으로 흐른다.

ㄷ. 전자기 유도 현상에 의해 자기력은 운동을 방해하는 방향으로 작용한다. p와 q에서 자기력은 왼쪽 방향으로 같다.

오답 피하기

ㄱ. 자석이 솔레노이드에 가까워지므로 자석은 전자기 유도 현상에 의해 솔레노이드로부터 운동 방향의 반대 방향으로 자기력을 받는다.

07 플라스틱관에서는 자석을 낙하시켜도 전자기 유도 현상에 의한 자기력이 작용하지 않기 때문에 자석은 A와 같은 자유 낙하 운동을 한다. 구리관에서는 전자기 유도에 의한 자기력에 의해 자석의 낙하 시간이 길어진다.

08 A와 B는 작용하는 힘이 중력뿐이므로 알짜힘이 중력인 자유 낙하 운동을 한다. C에는 전자기 유도에 의해 자기력이 운동을 방해하는 위 방향으로 나타난다.

오답 피하기

ㄴ. 플라스틱관에서는 전자기 유도 현상이 일어나지 않는다.

문제 속 자료 구리관을 통과하는 자석

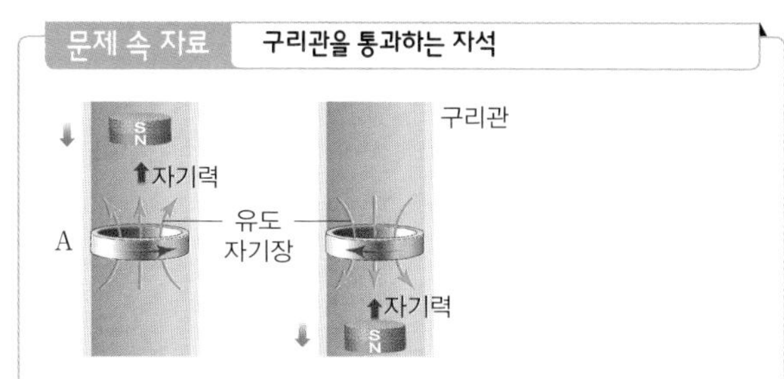

구리관에서는 전자기 유도 현상이 일어난다. 자석이 A지점에 가까워지면 위 방향으로 자기력이 발생한다. A지점에서 멀어지면 떨어지고 있는 자석을 잡아당기는 방향으로 자기력이 발생하여 낙하 시간이 길어진다.

09 교통 카드는 전자기 유도 현상에 의한 유도 전류를 이용하여 정보를 처리한다.

오답 피하기

ㄱ. 교통 카드 속 코일에 유도 전류가 흐르기 위해서는 단말기에서 변하는 자기장이 발생해야 한다.

ㄷ. 교통 카드는 내장된 전원 장치가 존재하지 않고 유도 전류를 이용하여 정보를 처리한다.

10 ㄱ. 도선 고리가 회전하면 도선 고리를 통과하는 자기 선속이 변하므로 유도 전류가 흘러 전구에 불빛이 들어온다.

ㄴ. 고리가 회전하지 않으면 도선 고리를 통과하는 자기 선속의 변화가 없으므로 전구에는 불빛이 들어오지 않는다.

ㄷ. 고리를 빠르게 회전시키면 고리를 통과하는 시간당 자기 선속의 변화량이 커지므로 유도 전류가 증가하여 전구의 불빛이 밝아진다.

11 무선 충전기에서 발생하는 변화하는 자기장이 휴대 전화에 유도 전류를 흐르게 하여 배터리를 충전시킨다.

오답 피하기

ㄱ. 코일 속 위 방향의 자기장이 감소하면 코일에 흐르는 유도 전류는 위 방향의 자기장을 형성하기 위해 b방향으로 흐른다.

ㄴ. 자기장이 일정하면 코일에는 유도 전류가 흐르지 않으므로 전기 에너지를 생산하지 못한다.

12 (1) 코일에 자석의 N극이 다가올 때 흐르는 전류의 방향과 멀어질 때 흐르는 전류의 방향은 반대 방향이다.

[모범 답안] 바늘이 움직이는 방향은 자석의 N극을 가까이 할 때와 멀리 할 때가 서로 반대 방향이 된다.

(2) 코일에 흐르는 유도 전류는 시간당 자기 선속의 변화량에 비례하고 코일의 감은 수에 비례한다. 따라서 자석의 속력을 증가시키고, 강한 자석을 사용하면 시간당 자기 선속의 변화량을 증가시켜 유도 전류의 세기를 증가시킬 수 있다.

[모범 답안] 자석을 빠른 속력으로 이동시킨다. 강한 자석을 사용한다. 코일의 감은 수를 증가시킨다.

13 (1) 소리의 진동에 의해 진동판이 진동하면서 코일과 자석이 상대적으로 운동하게 되어 진동하는 유도 전류가 발생한다. 마이크에서는 소리의 진동이 전류의 진동으로 바뀌면서 소리 신호가 전기 신호로 전환된다.

[모범 답안] 소리의 진동에 의해 진동판에 연결된 코일이 진동하면서 자석과의 전자기 유도 현상에 의해 유도 전류가 흐른다.

(2) 마이크의 신호 전환의 핵심 원리는 전자기 유도이므로 전자기 유도 현상이 이용된 기기를 찾아야 한다.

[모범 답안] 교통 카드, 발전기, 무선 충전, 전기 기타 등

단원 마무리하기 p. 186 ~ 189

01 ③ 02 ④ 03 ⑤ 04 ⑤ 05 ③ 06 ④
07 ④ 08 ③ 09 ③ 10 ③ 11 ③ 12 ①
13 ⑤ 14 ③ 15 ③

1 ㄱ. 나침반의 N극이 북동쪽을 가리키려면 전류의 자기장이 동쪽 방향이어야 하므로 전류는 북 → 남으로 흐른다.

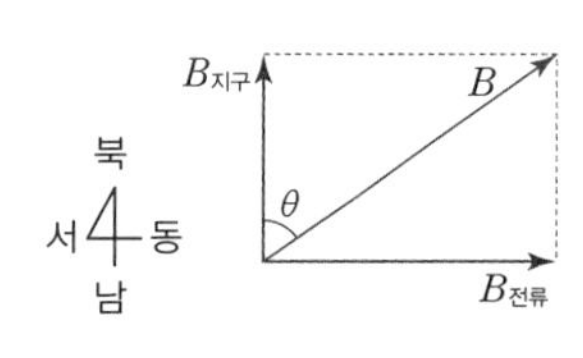

ㄴ. 가변 저항의 크기를 증가시키면 전류의 세기가 감소하고 전류에 의한 자기장도 감소하여 θ도 감소한다.

오답 피하기

ㄷ. 전류의 방향이 남쪽에서 북쪽 방향으로 되면 전류에 의한 자기장의 방향은 서쪽 방향이 되므로 나침반의 N극은 북서쪽을 향한다.

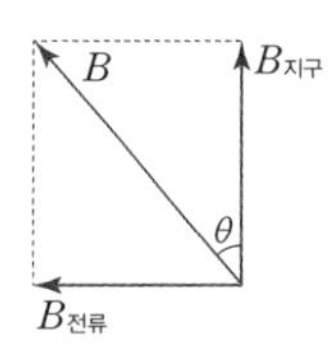

2 ㄴ. a, b와 도선의 간격을 d, 수직으로 들어가는 방향의 자기장을 (+)로 표현할 때, $B \propto \frac{I}{r}$의 식을 사용하면

a에서 자기장은 $\frac{I}{d} - \frac{2I}{d} + \frac{3I}{3d} = 0$

b에서 자기장은 $\frac{I}{3d} + \frac{2I}{d} + \frac{3I}{d} = \frac{16I}{3d}$이다.

따라서 a에서보다 b에서 자기장의 세기가 세다.

ㄷ. A의 전류가 I일 때 a에서 자기장이 0이므로 A의 전류를 $2I$로 바꾸면 A의 자기장이 증가하여 수직으로 들어가는 방향이 된다.

오답 피하기

ㄱ. a에서 자기장은 0이고, b에서 자기장은 수직으로 들어가는 방향이다.

문제 속 자료 전류에 의한 자기장의 방향

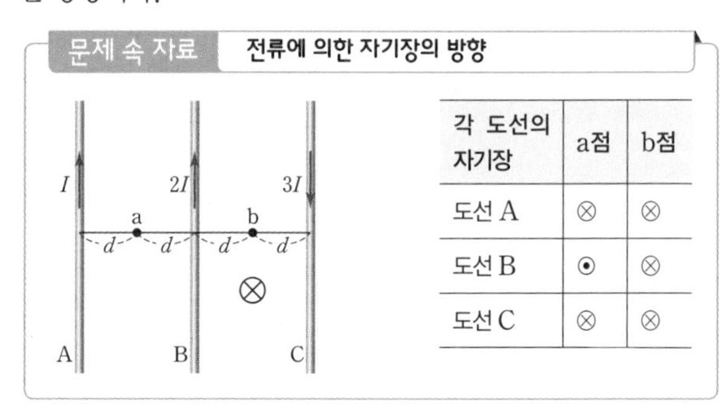

각 도선의 자기장	a점	b점
도선 A	⊗	⊗
도선 B	⊙	⊗
도선 C	⊗	⊗

3 O점에서 자기장이 0이므로 O점에서 직선 도선에 의한 자기장과 원형 도선에 의한 자기장은 세기가 같고 방향이 반대이다. O점에 직선 도선이 형성하는 자기장의 방향은 수직으로 들어가는 방향이므로 원형 도선은 수직으로 나오는 방향의 자기장을 형성해야 한다.

ㄱ. 원형 도선에 흐르는 전류의 방향이 시계 반대 방향이어야 원형 도선이 O점에 형성하는 자기장이 수직으로 나오는 방향이다.

ㄴ. I_2를 증가시키면 원형 도선에 의한 자기장이 증가하므로 O점에서 자기장의 방향은 수직으로 나오는 방향이다.

ㄷ. 직선 도선이 O점과 가까워지면 O점에서 직선 도선에 의한 자기장의 세기가 증가하므로 O점에서 자기장의 방향은 수직으로 들어가는 방향이다.

4 q에서 자기장이 0이므로 A에 의한 자기장(B_A)과 B에 의한 자기장(B_B)은 세기가 같고 방향이 반대이다. A에 의한 자기장이 아래 방향이므로 B의 자기장은 위 방향이다.

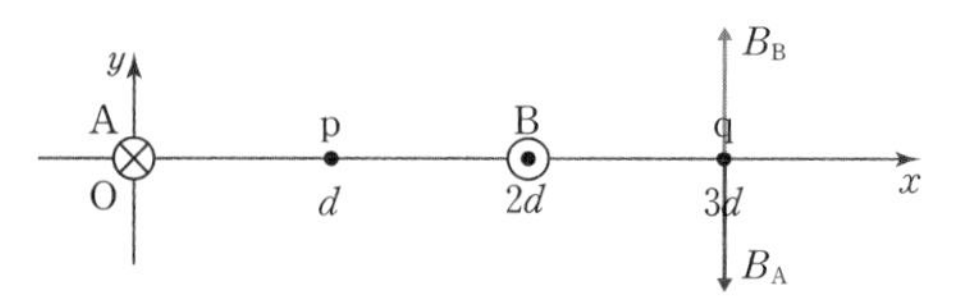

ㄱ. q에서 A와 B에 의한 자기장이 반대 방향이므로 A에 흐르는 전류의 방향과 B에 흐르는 전류의 방향은 반대이다.

ㄴ. q에서 A의 자기장이 $B_A = k\frac{I}{3d}$(k는 상수)이고 B의 자기장과 같아야 하므로 B의 전류는 $\frac{1}{3}I$이다.

ㄷ. p에서 A의 자기장과 B의 자기장은 $-y$로 같은 방향이다.

5 a와 b의 위치는 대칭이므로, 두 직선 도선에 의한 a와 b에서의 자기장은 세기가 같고 방향이 반대이다. a에서 두 직선 도선에 의한 자기장의 방향이 지면에서 나오는 방향이고 세기가 B이므로, b에서 두 직선 도선에 의한 자기장의 방향은 지면으로 들어가는 방향이고 세기는 B이다. 따라서 b에서 두 직선 도선과 원형 도선에 의한 자기장은 지면에서 나오는 방향이고, 세기는 $2B$이려면, 원형 도선에 의한 자기장은 지면에 들어가는 방향으로 세기는 $3B$이어야 한다.

c에서 두 직선 도선에 의한 자기장은 0이므로 원형 도선에 의한 자기장이 c에서의 자기장과 같다.

문제 속 자료 직선 전류와 원형 전류에 의한 자기장

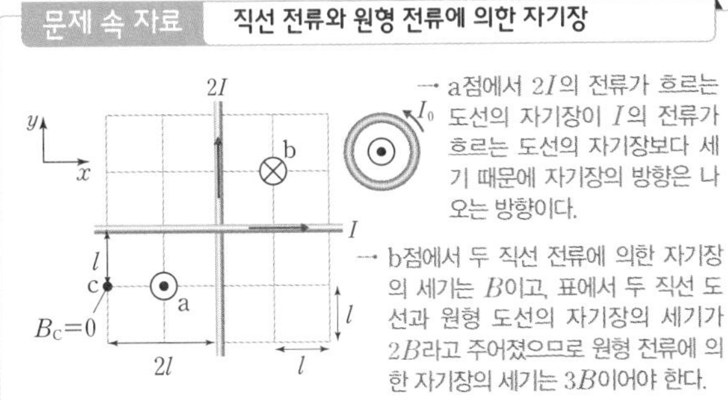

2I
y
x
b
I
l
c
a
Bc=0
2l
l
l
I_0
→ a점에서 2I의 전류가 흐르는 도선의 자기장이 I의 전류가 흐르는 도선의 자기장보다 세기 때문에 자기장의 방향은 나오는 방향이다.
→ b점에서 두 직선 전류에 의한 자기장의 세기는 B이고, 표에서 두 직선 도선과 원형 도선의 자기장의 세기가 2B라고 주어졌으므로 원형 전류에 의한 자기장의 세기는 3B이어야 한다.

직선 전류에 의한 자기장의 세기는 전류의 세기에 비례하고, 거리에 반비례한다. 오른손 법칙을 사용하여 도선에서 오른손 엄지손가락이 전류의 방향을 가리키고 나머지 네 손가락으로 도선을 감아쥐어 자기장의 방향을 찾는다.

6 A는 강자성체이므로 솔레노이드의 자기장 방향으로 자기화되고, B는 반자성체이므로 솔레노이드의 자기장 방향의 반대 방향으로 자기화된다.

ㄴ. 솔레노이드와 B는 척력이 작용하므로 B에 작용하는 자기력은 위 방향이다.
(척력: 같은 극끼리 밀어내는 힘)

ㄷ. C는 아래 방향으로 중력과 자기력(인력)을 받으므로 실에 걸리는 힘은 중력과 자기력의 합이다.
(인력: 끌어당기는 힘)

오답 피하기

ㄱ. A의 아랫면은 S극, 윗면은 N극으로 자기화된다.

문제 속 자료 솔레노이드에 의한 자기장

솔레노이드에 흐르는 전류의 방향에 의한 자기장의 방향은 위 방향이다. 따라서 솔레노이드의 위쪽으로 N극이 형성된다.

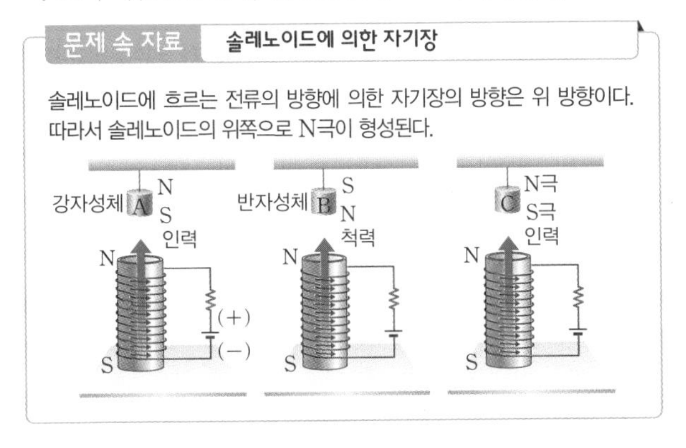

7 마그네틱 카드는 강자성체를 이용하여 정보를 저장하고, 전자기 유도 현상을 이용하여 저장된 정보를 읽어낸다.

ㄴ. 마그네틱 선에 강한 자석을 가까이 하면 강자성체의 자기화 방향이 바뀌게 되어 저장된 정보가 사라진다.

ㄷ. 판독기가 마그네틱 선에 저장된 정보를 읽는 원리는 전자기 유도이다.

오답 피하기

ㄱ. 마그네틱 선에 있는 강자성체의 자기화 방향을 이용하여 판독기가 저장된 정보를 읽는다.

8 실험 (가)의 결과를 바탕으로 알루미늄 포일이 강자성체 또는 상자성체임을 알 수 있고, 실험 (나)의 결과를 바탕으로 상자성체임을 알 수 있다. 만약 알루미늄 포일이 강자성체라면 실험 (나)에서 나침반 바늘이 움직여야 한다.

오답 피하기

ㄷ. 하드 디스크의 정보 저장 물질은 강자성체를 이용한다.

9 원형 도선이 직선 도선에 접근하는 동안 평면에 수직으로 들어가는 방향의 자기 선속이 증가하게 되는데, 이를 방해하는 방향으로 유도 자기장이 형성되어 원형 도선에는 시계 반대 방향의 유도 전류가 흐른다.

ㄷ. 직선 도선의 자기장은 거리에 반비례하므로 거리가 가까워지면 자기장의 세기가 세져 원형 도선의 유도 전류의 세기가 증가한다.

오답 피하기

ㄴ. 원형 도선에 유도되는 자기장의 방향이 평면에서 수직으로 나오는 방향이고 유도 전류의 방향은 시계 반대 방향이다.

10 하드 디스크는 강자성체의 자기 배열을 통해 정보를 저장한다. 또한, 헤드에 있는 코일에 흐르는 전류에 의한 자기장의 방향으로 정보 저장 물질이 자기화된다.

오답 피하기

ㄷ. 정보 저장 물질인 강자성체의 자기 배열이 다르면 헤드의 코일에 흐르는 유도 전류의 방향이 변한다.

11 (가)에서 자기화된 물체를 (나)의 솔레노이드에 접근시켜 유도 전류가 'a → 저항 → b' 방향으로 흘렀으므로 유도 전류가 형성하는 자기장은 오른쪽 방향이다. 따라서 A는 S극이다.

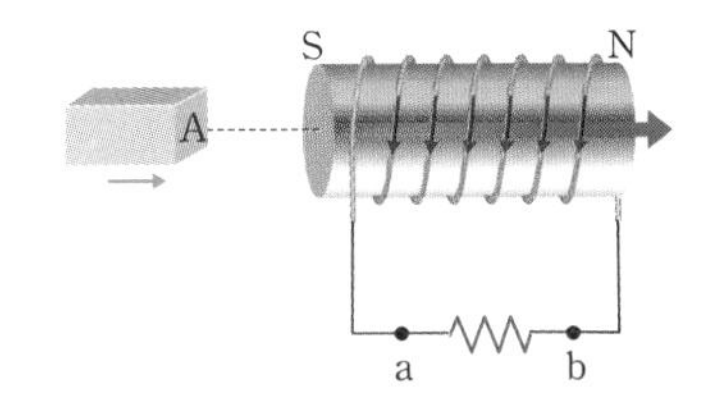

ㄴ. 물체는 그림 (가)에서 자기화된 상태에서 자성을 오랫동안 유지되는 성질을 가진 강자성체이고, 자석의 자기장 방향으로 물체가 자화되므로 자석의 윗면이 S극이 된다.

오답 피하기

ㄷ. 그림 (나)에서 물체와 솔레노이드는 같은 S극으로 마주보게 되므로 서로 밀어내는 자기력(척력)이 작용한다.

12 유도 전류의 세기는 시간당 자기 선속의 변화량에 비례한다.
ㄱ. 5초일 때와 20초일 때 시간당 자기 선속의 변화량이 동일하므로 유도 전류의 세기도 같다.

오답 피하기

ㄴ. 8초일 때와 13초일 때 정사각형 금속 고리 P를 통과하는 자기장의 세기가 변하지 않으므로 P에 흐르는 유도 전류의 세기는 0으로 같다.
ㄷ. 15초일 때 P에 흐르는 유도 전류가 형성하는 자기장(유도 자기장)의 방향은 수직으로 들어가는 방향이므로 유도 전류의 방향은 시계 방향이다.

13 마이크는 소리의 진동에 의해 진동판이 진동하며 코일과 자석이 상대적 운동을 한다. 마이크는 전자기 유도에 의해 소리 신호를 전기 신호로 전환하고, 스피커는 코일과 자석 사이의 자기력에 의해 진동판이 진동한다.

14 도선의 회전에 의해 도선을 통과하는 자기장의 세기가 변하므로 전자기 유도에 의한 유도 전류가 흐른다. 자기장의 방향에 대한 도선의 각도에 따른 유도 전류의 세기는 아래 그래프와 같다.

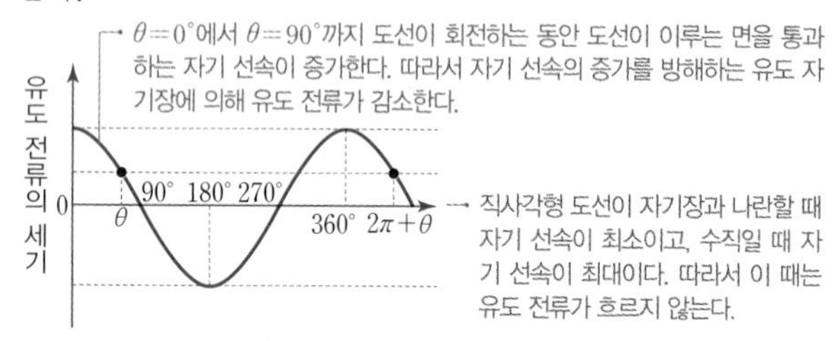

$\theta=0°$에서 $\theta=90°$까지 도선이 회전하는 동안 도선이 이루는 면을 통과하는 자기 선속이 증가한다. 따라서 자기 선속의 증가를 방해하는 유도 자기장에 의해 유도 전류가 감소한다.
유도 전류의 세기
0
θ
90° 180° 270°
360° $2\pi+\theta$
직사각형 도선이 자기장과 나란할 때 자기 선속이 최소이고, 수직일 때 자기 선속이 최대이다. 따라서 이 때는 유도 전류가 흐르지 않는다.

ㄴ. $\theta=90°$ 전후로 전류의 방향이 바뀌므로 $\theta=90°$에서 유도 전류는 0이다.

오답 피하기

ㄷ. $\theta=100°$를 지날 때 도선 속 자기장의 세기가 감소하므로 도선에 흐르는 전류에 의한 자기장은 오른쪽 방향으로 형성되고 유도 전류는 'c → b → a' 방향이다.

15 ㄱ. 솔레노이드는 전류에 의해 왼쪽 방향으로 자기장을 형성하므로 강자성 막대는 A면이 N극, B면이 S극이 된다.

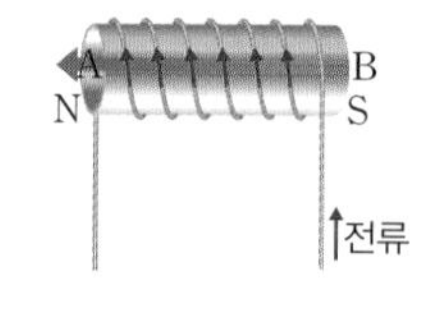

ㄴ. 막대가 고리를 통과하여 멀어지게 되면 고리에서는 왼쪽 방향의 자기장이 감소하므로 고리에는 a방향으로 유도 전류가 흐른다.

오답 피하기

ㄷ. 막대가 고리를 통과하는 동안 전기 에너지가 생산되므로 역학적 에너지가 감소한다.

파동과 정보 통신

1. 파동

01 | 파동의 성질

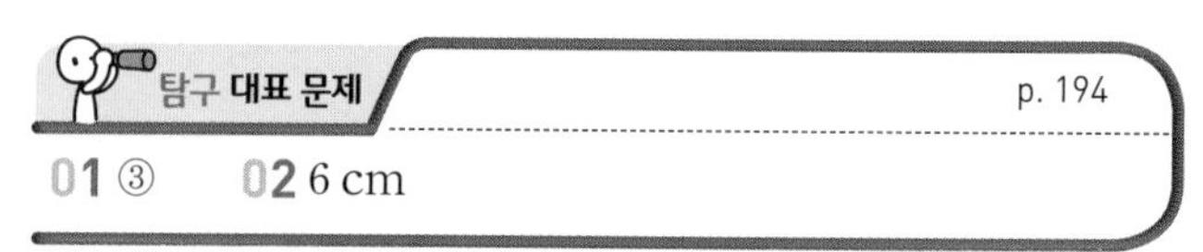

01 ③ 과정 ❸에서는 종파가 발생하므로 파동의 진행 방향과 매질의 진동 방향이 서로 나란하다.

오답 피하기

① 과정 ❷에서는 횡파가 발생한다.
② 과정 ❷에서는 용수철의 마루와 골이 있다.
④ 과정 ❸에서는 이웃한 밀한 부분과 밀한 부분 사이의 거리로 파장을 구할 수 있다.
⑤ 과정 ❷와 ❸에서 공통으로 리본은 제자리에서 이동할 뿐 파동과 함께 앞으로 이동하지는 않는다.

02 파장은 위상이 동일한 이웃한 두 지점 사이의 거리이다. 마루와 마루 사이의 거리가 눈금 6칸이므로 파장은 6 cm이다.

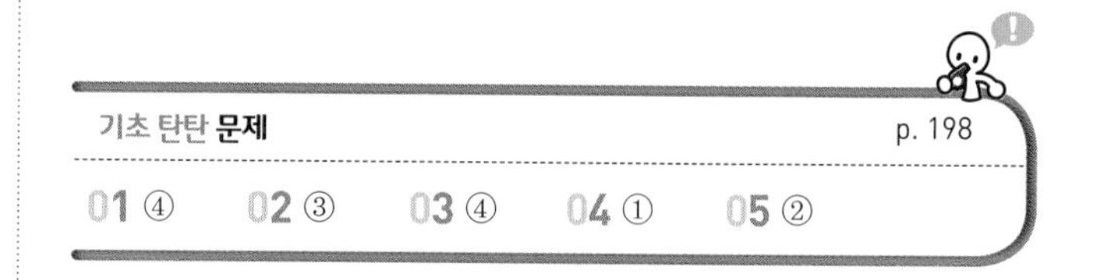

01 파동의 주기는 2초이고, 파장은 4 m이므로 파동의 속력은
속력$=\dfrac{\text{파장}}{\text{주기}}=\dfrac{4\text{ m}}{2\text{ s}}=2\text{ m/s}$이다.

02 파동이 오른쪽으로 진행하므로, $\frac{1}{4}$주기 후 파동의 모습은 그림의 점선과 같다. 따라서 $\frac{1}{4}$주기 후 변위가 5 cm보다 큰 점은 B′과 F′이므로 변위가 5 cm보다 큰 점은 B와 F이다.

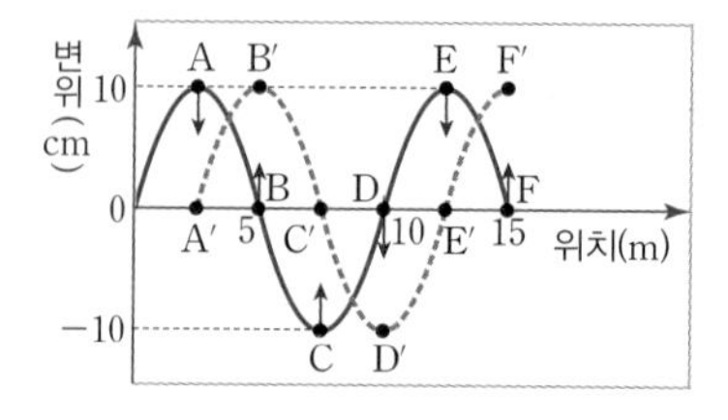

03 ㄴ. 파동의 속력은 파장과 진동수의 곱이다. 물결파의 파장은 매질 I에서가 매질 II에서보다 작으므로, 물결파의 속력은 매질 I에서보다 매질 II에서 빠르다.

ㄷ. 물결파의 속력은 물의 깊이가 깊을수록 빠르다. 매질 Ⅱ에서의 속력이 Ⅰ에서보다 빠르므로 물의 깊이도 더 깊다.

오답 피하기

ㄱ. 물결파의 진동수는 물결파가 진행하는 동안 매질이 바뀌어도 변하지 않는다.

문제 속 자료 물결파의 굴절

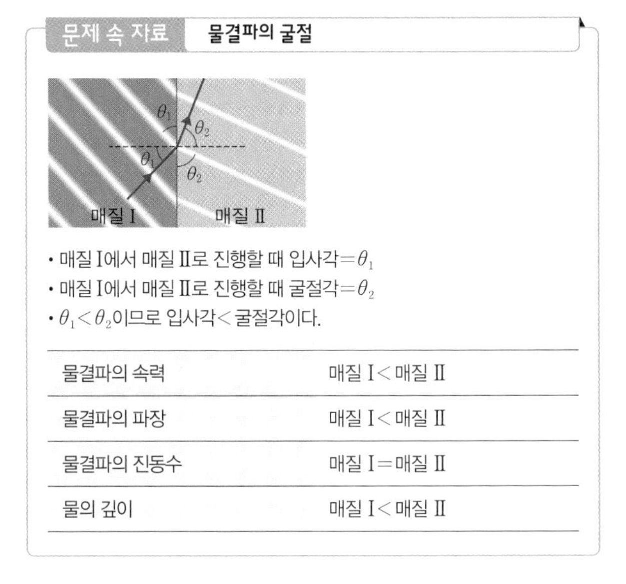

• 매질 Ⅰ에서 매질 Ⅱ로 진행할 때 입사각 $=\theta_1$
• 매질 Ⅰ에서 매질 Ⅱ로 진행할 때 굴절각 $=\theta_2$
• $\theta_1 < \theta_2$이므로 입사각 < 굴절각이다.

물결파의 속력	매질 Ⅰ < 매질 Ⅱ
물결파의 파장	매질 Ⅰ < 매질 Ⅱ
물결파의 진동수	매질 Ⅰ = 매질 Ⅱ
물의 깊이	매질 Ⅰ < 매질 Ⅱ

04 ㄴ. (나)에서 입사각보다 굴절각이 작으므로, 빛의 속력은 공기에서보다 매질 2에서 더 느리다.

오답 피하기

ㄱ. 굴절각은 법선과 굴절 광선이 이루는 각도이므로 (가)에서가 (나)에서보다 크다.

ㄷ. 매질의 경계를 지날 때 빛의 속력이 더 많이 변할수록 입사각과 굴절각의 차이가 크다. 매질 3에서가 매질 1에서보다 굴절각이 더 작으므로 속력이 더 느려지고 파장이 더 짧다는 것을 알 수 있다.

문제 속 자료 입사각과 굴절각

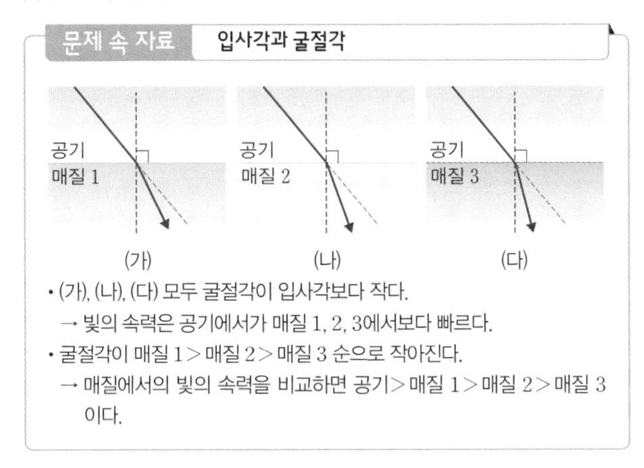

• (가), (나), (다) 모두 굴절각이 입사각보다 작다.
→ 빛의 속력은 공기에서가 매질 1, 2, 3에서보다 빠르다.
• 굴절각이 매질 1 > 매질 2 > 매질 3 순으로 작아진다.
→ 매질에서의 빛의 속력을 비교하면 공기 > 매질 1 > 매질 2 > 매질 3 이다.

05 빛이 진행하는 중에 매질의 종류나 온도, 밀도 등이 달라지면 속력이 변하여 진행 방향이 꺾이므로 굴절한다.

오답 피하기

② 비눗방울에서 무지갯빛 무늬가 관찰되는 것은 비눗방울의 얇은 막에서 빛이 간섭하기 때문이다.

내신 만점 문제 p. 199 ~ 201

01 ② 02 ③ 03 ② 04 ② 05 ③ 06 ②
07 ② 08 ④ 09 ③ 10 ⑤ 11~12 해설 참조

01 ㄴ. 나뭇잎이 물결파의 골에 위치하고 있고, 2초 후에 다시 골이 되므로, 주기는 2초이다.

오답 피하기

ㄱ. 물결파의 진폭은 진동 중심에서 마루까지의 수직 거리이므로, 마루와 골 사이의 수직 거리의 $\frac{1}{2}$인 15 cm이다.

ㄷ. 나뭇잎은 제자리에서 진동할 뿐 파동과 함께 이동하지 않는다.

02 ㄱ. 파동의 진행 방향이 오른쪽이므로, $t=0$초 이후에 A의 변위가 증가한다.

ㄴ. 0.5초는 $\frac{1}{4}$주기이므로, A는 마루에 위치하게 된다.

오답 피하기

ㄷ. 한 주기(2초) 후 다시 원래의 위치로 돌아오므로, 이때 A의 변위는 0이다.

문제 속 자료 파동을 나타내는 그래프

(가) 어느 한 순간 위치에 따른 매질의 변위 그래프
(나) 매질 위의 한 점(A)의 시간에 따른 변위 그래프

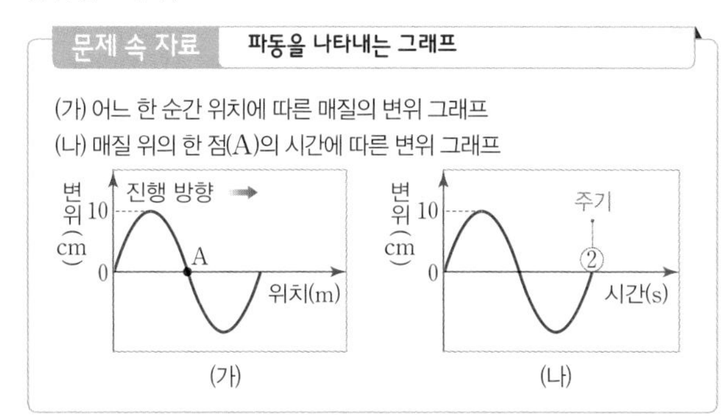

03 ㄴ. (가)의 파장은 0.5 m, (나)의 파장은 2 m, (다)의 파장은 1 m로, (나)가 가장 길다.

오답 피하기

ㄱ. (가)~(다)는 모두 주기가 1초로 같으므로 주기의 역수인 진동수도 같다.

ㄷ. 파동의 속도는 $\frac{\text{파장}}{\text{주기}}$인데, 주기가 1초로 모두 같으므로 파동의 속도는 파장에 비례한다. 따라서 (나)의 속도는 (다)의 2배이다.

04 매질은 파동이 진행함에 따라 위아래로 진동 운동을 한다. 그림의 순간 P는 골에 위치하며, 운동 방향이 아래쪽에서 위쪽으로 바뀌기 때문에 순간적으로 정지한다.(②, ③번 그래프만 해당됨) 이 순간 이후에 파동이 오른쪽으로 진행하므로 매질은 위쪽으로 운동하여 (+) 속도를 갖게 된다.

05 파동의 속력이 8 m/s이고 파장이 8 m이므로, 파동의 주기는 $\frac{파장}{속력}=\frac{8\text{ m}}{8\text{ m/s}}=1$초이다. 주기가 1초인 그래프는 ②와 ③이다. 0초일 때 $x=6$ m인 곳은 변위가 0이고, 다음 순간 변위가 아래 방향이므로 적절한 그래프는 ③이다.

06 ㄷ. 파동의 속력은 $\frac{파장}{주기}$이다. Ⅰ과 Ⅱ에서 주기가 동일하므로 파동의 속력의 비는 파장의 비와 같다. 파장의 비가 $d_1 : d_2$이므로 속력의 비도 $d_1 : d_2$이다.

오답 피하기

ㄱ. 파면은 파동에서 위상이 동일한 지점들을 연결한 선 또는 면으로, 파면 사이의 간격은 파장과 같다. 따라서 d_1, d_2는 각각 Ⅰ과 Ⅱ에서의 물결파의 파장이다.

ㄴ. 물결파의 진동수는 매질이 바뀌어도 변하지 않는다. 따라서 Ⅰ과 Ⅱ에서 물결파의 주기가 같다.

07 빛이 진행하는 매질이 바뀔 때 빛의 속력이 느려지면 입사각보다 굴절각이 작고, 빛의 속력이 빨라지면 입사각보다 굴절각이 크다. (가)에서 입사각보다 굴절각이 크므로 빛의 속력은 매질 2에서가 1에서보다 빠르다.($v_2>v_1$) (나)에서 입사각보다 굴절각이 크므로 빛의 속력은 매질 3에서가 2에서보다 빠르다.($v_3>v_2$) 따라서 $v_3>v_2>v_1$이다.

문제 속 자료 **빛의 속력 비교**

파동이 매질 1에서 매질 2로 입사할 때, 입사각(i), 굴절각(r), 속력(v), 파장(λ) 사이에는 다음과 같은 관계가 성립한다.

$$\frac{\sin i}{\sin r}=\frac{v_1}{v_2}=\frac{\lambda_1}{\lambda_2}$$

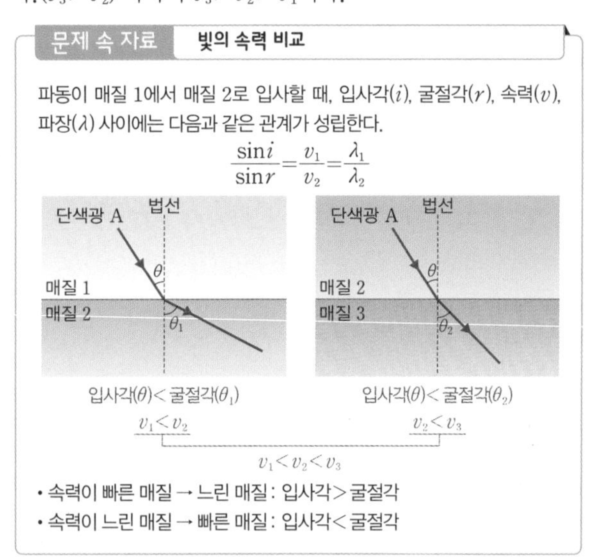

입사각(θ)< 굴절각(θ_1) 입사각(θ)< 굴절각(θ_2)

$v_1<v_2$ $v_2<v_3$

$v_1<v_2<v_3$

- 속력이 빠른 매질 → 느린 매질: 입사각 > 굴절각
- 속력이 느린 매질 → 빠른 매질: 입사각 < 굴절각

08 ㄱ. 빛의 속력은 물에서보다 공기에서 더 빠르다.

ㄷ. 물고기에서 지민이의 눈으로 빛이 진행할 때, 굴절이 일어나지만 지민이는 빛이 직진했다고 인식한다. 따라서 지민이에게는 실제 위치보다 얕은 곳에 물고기가 있는 것처럼 보인다.

오답 피하기

ㄴ. 물고기에서 반사된 빛이 물에서 공기로 입사할 때, 속력이 빨라지므로 입사각보다 굴절각이 크다.

09 ㄱ. 돋보기에 사용하는 렌즈는 빛을 모으는 볼록 렌즈(가)이다.

ㄴ. 빛의 속력은 공기보다 렌즈에서 느리므로 빛이 공기에서 렌즈로 들어갈 때는 입사각이 굴절각보다 크다.

오답 피하기

ㄷ. 빛이 공기 중과 렌즈 내부를 진행할 때 진동수는 변하지 않지만, 속력과 파장은 변한다. '빛의 속력=진동수×파장'이며, 빛이 공기에서 렌즈로 입사할 때 빛의 속력이 느려지므로 파장이 짧아진다.

10 소리가 위로 굴절하므로 낮에 자동차 경적 소리의 굴절 경로를 나타낸 것이다.

ㄱ. 파동이 진행하면서 전파되는 면적이 점점 커지므로, 소리의 진폭이 작아진다.

ㄴ. 위쪽으로 올라갈수록 굴절각이 작아지므로 지면에서 위로 올라갈수록 공기의 온도가 낮아진다는 것을 알 수 있다.

ㄷ. 진동수가 일정할 때 공기의 온도가 낮을수록 음파의 속력이 느려지므로, '속력=진동수×파장'에 의해 소리의 파장이 짧아진다.

문제 속 자료 **소리의 굴절**

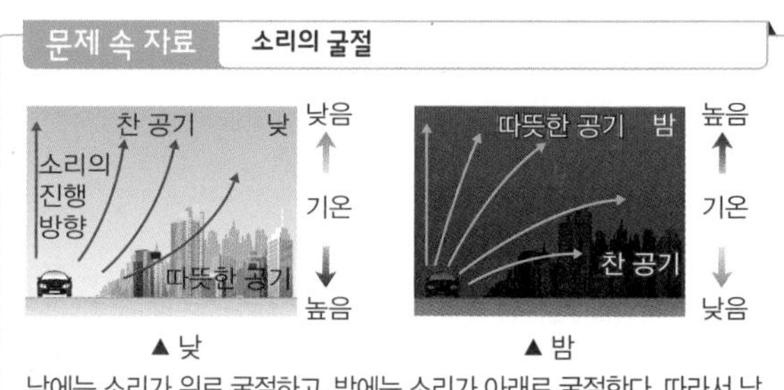

▲ 낮 ▲ 밤

낮에는 소리가 위로 굴절하고, 밤에는 소리가 아래로 굴절한다. 따라서 낮보다 밤에 소리가 더 멀리까지 전달된다.

- 낮: 태양 복사열에 의해 지면에 가까운 쪽의 기온이 상층 쪽의 기온보다 높기 때문에 음원에서 나온 소리는 지면에서의 속력이 빨라져서 위로 향하여 연속적으로 굴절하면서 나간다.
- 밤: 지면이 냉각되어 지면에 접한 공기가 상층의 공기보다 온도가 낮게 되어 소리의 속력은 상층이 빠르고 지면 쪽이 느리게 된다. 따라서 소리는 지면 쪽으로 굴절하므로 밤에는 먼 곳의 소리도 잘 들린다.

11 (1) '초음파의 속력=진동수×파장'인데, 물질이 달라짐에 따라 파장은 달라지지만 진동수는 변하지 않는다. 따라서 초음파의 속력이 빠른 매질일수록 파장이 길다.

[모범 답안] 뼈 > 근육 > 젤 > 지방 > 공기

(2) 초음파 스캐너와 피부 사이에 공기층이 생기면 공기와 피부에서의 초음파의 속력 차이가 크기 때문에 피부 표면에서 굴절하거나 반사하여 인체 내부의 모습을 관찰하는 것을 방해한다. 피부와 굴절률이 비슷한 젤을 이용하면 초음파 스캐너에서 발생한 초음파가 피부 안쪽으로 잘 전달되어 선명한 영상을 얻을 수 있다.

[모범 답안] 초음파 스캐너와 피부 사이에 공기층이 생기면 속력 차이 때문에 초음파가 피부 표면에서 굴절하여 인체 내부 모습을 관찰하는 것을 방해하기 때문이다.

12 (1) 파동이 공기층의 경계를 지날 때마다 입사각보다 굴절각이 큰 방향으로 꺾이고 있다. 파동의 속력이 느린 매질에서 빠른 매질로 진행할 때 입사각보다 굴절각이 커진다. 따라서 위쪽 공기층으로 갈수록 파동의 속력이 빨라진다. 공기의 온도가 높을수록 빛이나 소리의 속력이 빨라지므로, $t_1<t_2<t_3$임을 알 수 있다.

[모범 답안] $t_1<t_2<t_3$

(2) 공기층의 온도가 지면에서 낮고, 위로 올라감에 따라 높아질 때 일어나는 파동의 굴절 현상의 예를 찾으면 된다. 차가운 해수면 근처에서 발생하는 신기루 현상은 빛이 이와 같은 공기층에서 굴절하여 발생하는 현상이다. 또한, 소리는 지면이 차갑고 상층의 온도가 상대적으로 높은 밤에 그림과 같은 굴절이 일어난다. 따라서 밤에는 고도가 낮은 곳에서 소리가 더 잘 들리는 현상이 일어난다.

[모범 답안] 차가운 해수면 근처에서 신기루가 발생한다. 밤에는 고도가 낮은 곳에서 소리가 더 잘 들린다.

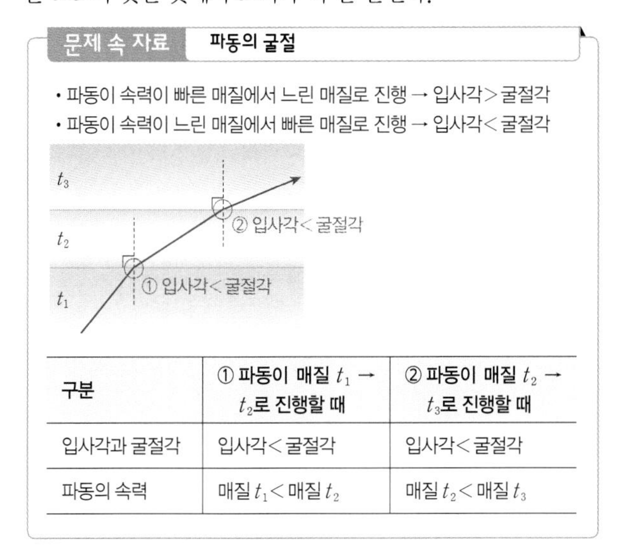
문제 속 자료 **파동의 굴절**

• 파동이 속력이 빠른 매질에서 느린 매질로 진행 → 입사각>굴절각
• 파동이 속력이 느린 매질에서 빠른 매질로 진행 → 입사각<굴절각

구분	① 파동이 매질 t_1 → t_2로 진행할 때	② 파동이 매질 t_2 → t_3로 진행할 때
입사각과 굴절각	입사각<굴절각	입사각<굴절각
파동의 속력	매질 t_1<매질 t_2	매질 t_2<매질 t_3

02 | 전반사와 광통신

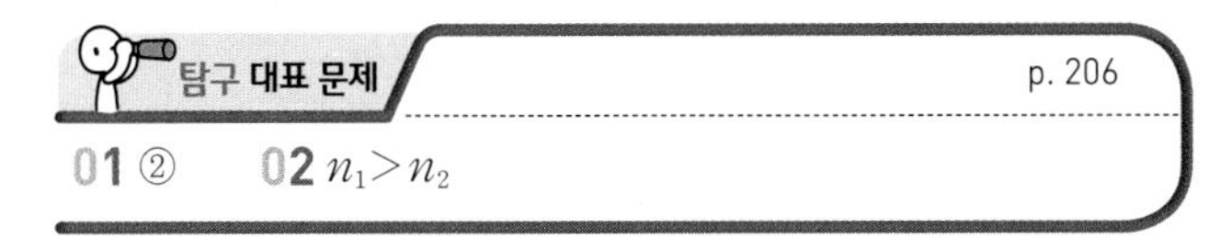
탐구 대표 문제 p. 206

01 ② **02** $n_1>n_2$

01 ② 빛이 유리에서 공기로 진행하는 각도가 임계각보다 크면 굴절이 일어나지 않는 전반사 현상이 나타난다.

오답 피하기

① 굴절각이 90°가 되는 순간의 입사각을 임계각이라고 한다.

③ 전반사가 일어나면 반사와 굴절이 모두 일어날 때보다 반사광의 밝기가 밝다.

④ 굴절률은 유리>물이므로 전반사가 일어나기 시작하는 각도인 임계각은 빛이 유리에서 공기로 진행할 때보다 물에서 공기로 진행할 때가 더 크다.

⑤ 굴절률은 공기보다 유리가 더 크므로 빛이 공기에서 유리로 진행할 때는 전반사가 일어나지 않는다.

02 전반사가 일어나기 위해서는 빛이 굴절률이 큰 매질에서 작은 매질로 입사해야 한다. 따라서 매질 1의 굴절률이 매질 2의 굴절률보다 크다.

기초 탄탄 문제 p. 208

01 ② **02** ② **03** ③ **04** ⑤ **05** ④ **06** ③

01 빛이 매질 A에서 B로 진행할 때 굴절 법칙이 성립한다.
$\frac{\sin 30^\circ}{\sin 45^\circ}=\frac{n_B}{n_A}=\frac{1}{n_A}$에서 A의 굴절률은 $n_A=\sqrt{2}$이다.

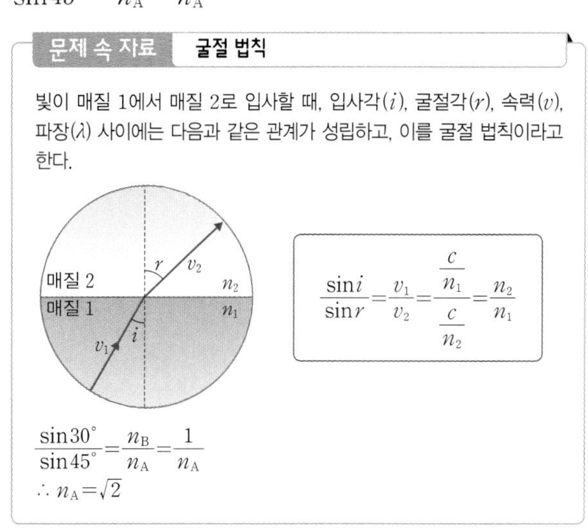
문제 속 자료 **굴절 법칙**

빛이 매질 1에서 매질 2로 입사할 때, 입사각(i), 굴절각(r), 속력(v), 파장(λ) 사이에는 다음과 같은 관계가 성립하고, 이를 굴절 법칙이라고 한다.

$$\frac{\sin i}{\sin r}=\frac{v_1}{v_2}=\frac{\frac{c}{n_1}}{\frac{c}{n_2}}=\frac{n_2}{n_1}$$

$$\frac{\sin 30^\circ}{\sin 45^\circ}=\frac{n_B}{n_A}=\frac{1}{n_A}$$
$\therefore n_A=\sqrt{2}$

02 ㄷ. 전반사가 일어나려면 굴절률이 큰 매질(빛의 속력이 느린 매질)에서 작은 매질(빛의 속력이 빠른 매질)로 빛을 입사시켜야 한다.

오답 피하기

ㄱ. 전반사가 일어나기 위해서는 입사각이 임계각보다 커야 한다.

ㄴ. 전반사가 일어나기 위해서는 굴절률이 큰 매질에서 작은 매질로 빛을 입사시켜야 한다.

03 광케이블형 자연 채광 시스템, 내시경, 밝게 빛나는 다이아몬드, 잠망경은 빛의 전반사를 이용한 예이다.

오답 피하기

③ 지폐에서 위조를 방지하는 특수한 무늬는 빛의 전반사가 아니라 빛의 간섭을 이용한다.

04 ㄱ. 빛이 굴절률이 큰 매질에서 작은 매질로 진행할 때 전반사가 일어나므로 유리의 굴절률이 공기보다 크다.

ㄴ. θ가 작을수록 빛이 유리에서 공기로 입사할 때 입사각이 커진다. 전반사는 입사각이 임계각보다 클 때 일어나므로 θ가 작을수록 전반사가 일어나기 쉽다.

ㄷ. 광섬유는 전반사를 이용하여 빛을 전송한다.

05 ㄱ. 빛은 코어와 클래딩의 경계면에서 전반사하며 진행한다.

ㄷ. 광통신은 여러 가닥의 광섬유로 만든 광케이블을 이용한다.

오답 피하기

ㄴ. 코어의 굴절률이 클래딩의 굴절률보다 커서 빛은 광섬유 내부에서 전반사하며 진행한다.

문제 속 자료 광섬유

- 빛이 진행하다가 매질의 경계면에서 굴절하지 않고 전부 반사하는 것을 전반사라고 한다.
- 전반사는 빛이 '굴절률이 큰 매질 → 굴절률이 작은 매질'로 진행할 때 일어난다.

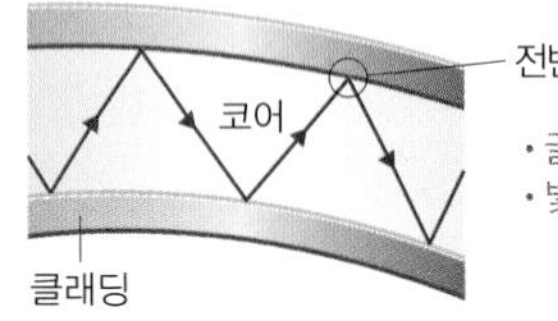

광섬유 내부의 코어로 입사한 빛은 클래딩으로 빠져나오지 못하고 전반사된다.

06 ㄱ. 광섬유를 통해 정보를 멀리까지 보낼 수 있다.

ㄴ. 광통신은 외부 전파에 의한 간섭이나 혼선이 없다.

ㄹ. 광섬유는 화재나 충격에 약하고 한번 끊어지면 연결하기 어렵다.

오답 피하기

ㄷ. 광통신은 전류가 흐르는 도선이 아닌 광섬유를 이용하기 때문에 열로 인한 에너지 손실이 발생하지 않는다.

내신 만점 문제 p. 209 ~ 211

01 ③	02 ⑤	03 ①	04 ④	05 ③	06 ①
07 ③	08 ②	09 ③	10 ⑤	11~12 해설 참조	

01 ㄱ. 빛이 A에서 B로 입사할 때 전반사가 일어났으므로, i는 임계각보다 크다.

ㄷ. 동일한 단색광을 B에서 A로 입사시키면 굴절률이 작은 매질에서 굴절률이 큰 매질로 진행하므로 단색광의 속력이 느려진다.

오답 피하기

ㄴ. A에서 B로 입사할 때 전반사가 일어났으므로, 굴절률은 A가 B보다 크다.

문제 속 자료 전반사가 일어나기 위한 조건

- 조건 1. 빛이 굴절률이 큰 매질에서 굴절률이 작은 매질로 진행해야 한다.
- 조건 2. 입사각이 임계각보다 커야 한다.

02 ㄱ. 굴절과 반사가 모두 일어날 때보다 전반사가 일어날 때 반사광의 세기가 더 세다.

ㄴ. 전반사는 입사각이 임계각보다 클 때 일어나므로 임계각은 θ_1보다는 크고 θ_2보다는 작다.

ㄷ. A에서 B로 입사할 때 전반사가 일어나므로 A의 굴절률이 B보다 크다. B에서 A로 입사하면 입사각보다 굴절각이 작으므로 아무리 입사각을 증가시켜도 전반사가 일어나지 않는다.

03 ㄴ. 빛이 A에서 B로 진행할 때 $\frac{\sin\theta_C}{\sin 90^\circ}=\frac{n_B}{n_A}=\frac{1.5}{3}$에서 임계각 θ_C는 30°이다. 따라서 $\theta_1>30^\circ$일 때 P는 A와 B의 경계면에서 전반사한다.

오답 피하기

ㄱ. P는 굴절률이 큰 매질(A)에서 작은 매질(B)로 입사하므로 입사각보다 굴절각이 더 크다.

ㄷ. Q는 굴절률이 작은 매질(B)에서 큰 매질(A)로 입사하므로 전반사가 일어나지 않는다.

04 ㄴ. A와 B의 경계면과 B와 C의 경계면은 서로 평행하므로 A에서 B로 진행할 때의 굴절각과 B에서 C로 진행할 때의 입사각은 서로 같다.

ㄷ. B와 C의 경계면에서 전반사가 일어나기 위해서는 입사각을 증가시켜야 한다. θ를 증가시키면 A에서 B로 진행할 때의 굴절각이 증가하므로 B에서 C로 진행할 때의 입사각도 증가한다.

오답 피하기

ㄱ. A에서 B로 진행할 때 입사각보다 굴절각이 크므로 굴절률은 A가 B보다 크다. B에서 C로 진행할 때 입사각보다 굴절각이 크므로 굴절률은 B가 C보다 크다. 따라서 굴절률을 비교하면 A>B>C이므로 굴절률이 가장 큰 것은 A이다.

문제 속 자료 굴절률의 비교

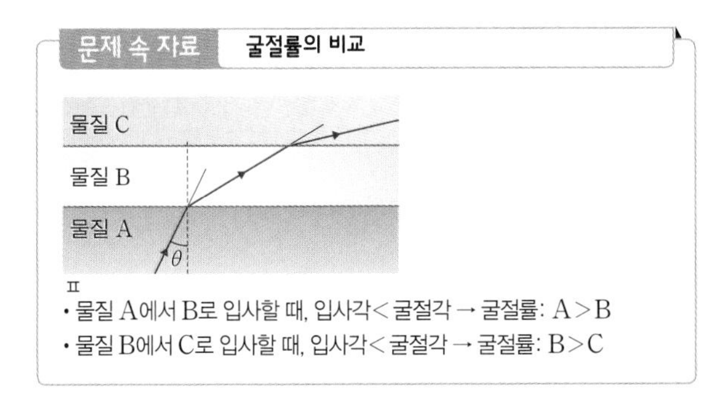

• 물질 A에서 B로 입사할 때, 입사각 < 굴절각 → 굴절률: A > B
• 물질 B에서 C로 입사할 때, 입사각 < 굴절각 → 굴절률: B > C

05 ㄱ. 직각 프리즘에서 공기로 레이저 빛이 진행할 때 전반사가 일어난다. 전반사가 일어나려면 빛이 굴절률이 큰 매질에서 작은 매질로 진행해야 하므로 프리즘의 굴절률이 공기의 굴절률보다 크다.

ㄴ. 레이저 빛의 속력은 공기에서보다 프리즘 내부에서 더 느리다.

오답 피하기

ㄷ. b에서는 빛의 전반사가 일어나므로 빛의 세기가 약해지지 않는다.

문제 속 자료 직각 프리즘에서의 빛의 진행

• 공기에서 프리즘의 수직면으로 빛이 입사할 때(a) : 빛의 속력이 느려지지만 입사각과 굴절각이 모두 90°이므로 진행 방향이 꺾이지 않는다.
• 프리즘의 빗면에서 공기로 빛이 입사할 때(b) : 입사각이 임계각보다 크기 때문에 전반사가 일어난다. 프리즘의 빗면에 대한 입사각이 45°이기 때문에 반사각도 45°가 된다.
• 프리즘의 바닥면에서 공기로 빛이 입사할 때(c) : 빛의 속력이 빨라지지만 입사각과 굴절각이 모두 90°이므로 진행 방향이 꺾이지 않는다.

06 A에서 B로 입사할 때 입사각보다 굴절각이 크므로 A의 굴절률이 B보다 크다.($n_A > n_B$) B에서 C로 입사할 때 전반사가 일어났으므로 B의 굴절률이 C보다 크다.($n_B > n_C$) 따라서 굴절률의 크기를 비교하면 $n_A > n_B > n_C$이다.

문제 속 자료 전반사와 굴절률

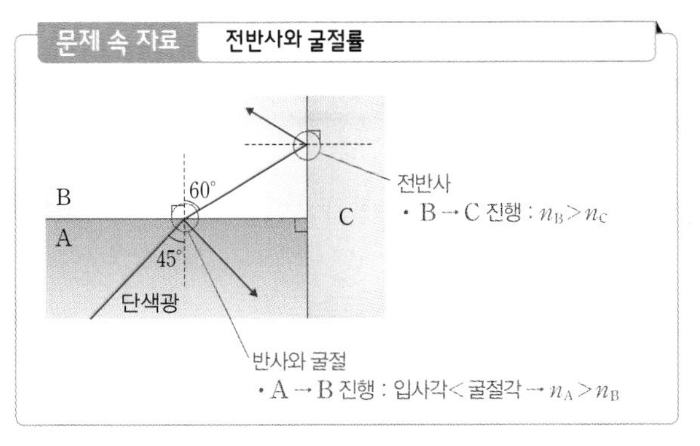

07 ㄱ. 다이아몬드의 굴절률은 공기의 굴절률보다 크다. 따라서 공기에서 다이아몬드로 빛이 입사할 때 입사각보다 굴절각이 작다.

ㄴ. 빛이 공기에서 다이아몬드로 입사할 때 임계각은 24°이므로 b와 c에서 입사각은 임계각보다 크다. 따라서 전반사가 일어난다.

오답 피하기

ㄷ. d에서 입사각은 0°이므로 굴절각도 0°이다. 즉, 빛은 직진한다.

문제 속 자료 다이아몬드에서의 빛의 진행

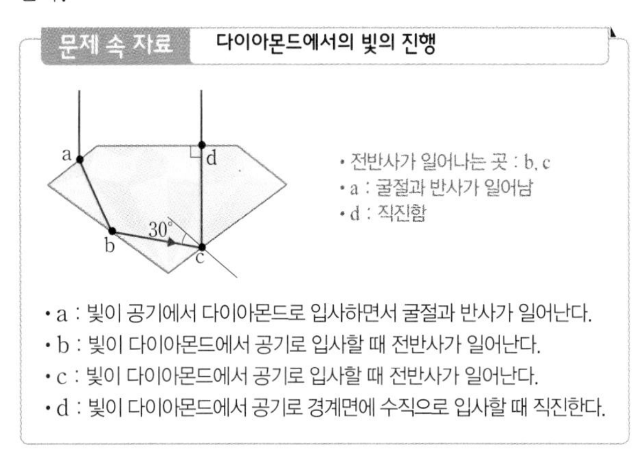

• a : 빛이 공기에서 다이아몬드로 입사하면서 굴절과 반사가 일어난다.
• b : 빛이 다이아몬드에서 공기로 입사할 때 전반사가 일어난다.
• c : 빛이 다이아몬드에서 공기로 입사할 때 전반사가 일어난다.
• d : 빛이 다이아몬드에서 공기로 경계면에 수직으로 입사할 때 직진한다.

08 ㄷ. 전반사를 이용하는 (가)는 도선에 흐르는 전류를 이용하는 (나)보다 에너지 손실이 적다.

오답 피하기

ㄱ. (가)는 빛 신호를, (나)는 전기 신호를 전달한다.

ㄴ. 케이블이 끊어졌을 때 광케이블은 수리하기 어렵다.

09 ㄱ. P에서는 전반사가 일어나고 Q에서는 전반사가 일어나지 않았으므로 P에서의 입사각은 임계각보다 크고, Q에서의 입사각은 임계각보다 작다. 따라서 P에서의 입사각은 Q에서보다 크다.

ㄷ. P에서는 전반사가 일어나므로 반사광의 세기가 입사광의 세기와 같다. Q에서는 반사와 굴절이 모두 일어나므로 반사광의 세기가 입사광의 세기보다 약하다.

오답 피하기

ㄴ. P에서 전반사가 일어나므로 A의 굴절률이 B의 굴절률보다 크다. 단색광의 속력은 굴절률이 작은 B에서가 A에서보다 빠르다.

10 ㄱ. 광섬유 내부에서 전반사가 일어나기 위해서는 코어의 굴절률이 클래딩보다 커야 한다. B로 클래딩을 만들면 B보다 굴절률이 큰 C로 코어를 만들어야 한다.

ㄴ. 코어를 A, 클래딩을 B로 만들면 클래딩의 굴절률이 코어보다 커서 전반사가 일어나지 않는다.

ㄷ. θ는 임계각이다. 임계각은 두 물질의 굴절률 차이가 클수록 작아진다. θ가 최소가 되려면 두 물질의 굴절률 차이가 가장 커야 하므로 굴절률이 가장 큰 C로 코어를, 굴절률이 가장 작은 A로 클래딩을 만들어야 한다.

문제 속 자료 광섬유

광섬유는 빛을 전송할 수 있는 섬유 모양의 관으로, 굴절률이 큰 중앙의 코어를 굴절률이 작은 클래딩이 감싸고 있다.

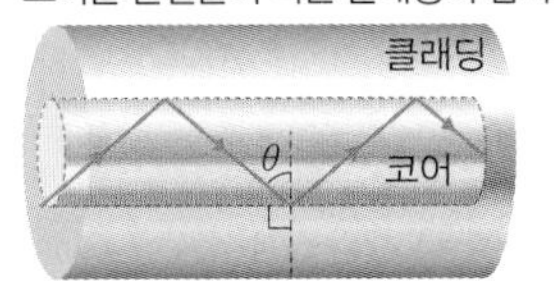

물질	굴절률
A	1.33
B	1.50
C	2.42

굴절률의 차이가 가장 큼 → θ: 최소

• 굴절률 : 코어 > 클래딩
• 코어와 클래딩의 굴절률 차이가 클수록 임계각이 작아진다.

11 (1) 발신기와 수신기에서 신호 전환 과정은 반대이다.
[모범 답안] 발신기에서는 음성 및 영상 정보를 담은 전기 신호가 빛 신호로 변환되고, 수신기에서는 빛 신호가 전기 신호로 변환된다.
(2) 빛의 전반사를 통해 정보를 전달하는 광통신에서는 신호를 먼 곳까지 전달시킬 수 있다.
[모범 답안] • 광섬유 내부에서 빛의 전반사가 잘 일어날 수 있도록 빛을 광섬유의 축과 최대한 평행한 각도로 입사시킨다.
• 굴절률 차이가 큰 물질을 사용하여 광섬유 내부에서 전반사가 일어나기 위한 임계각을 작게 한다.
• 매우 먼 거리를 전달해야 할 때는 중간에 광 증폭기를 사용한다.

12 컵과 컵 사이에 공기층이 있으면 전반사가 일어나고, 컵과 컵 사이에 물이 채워지면 전반사가 일어나지 않는다.
[모범 답안] (1) ㉠의 경우 B에 그린 그림만 보이고 ㉡의 경우 A와 B에 그린 그림이 겹쳐진 모습이 보인다.
(2) ㉠의 경우 A와 B 사이에 공기층이 있어서 물과 공기의 경계면인 컵 B에서 전반사가 일어나기 때문에 A에 그려진 그림이 보이지 않는다. ㉡의 경우 A와 B 사이의 공기층이 사라지고 물로 채워지므로 굴절률 차이가 없어서 전반사가 일어나지 않는다. 빛이 컵 A까지 도달하고 다시 반사되어 눈에 들어오므로 A와 B에 그려진 그림이 모두 보인다.

03 | 전자기파의 종류와 이용

기초 탄탄 문제 p. 216

01 ② 02 ⑤ 03 ③ 04 ③ 05 ① 06 ②

01 전자기파는 매질의 진동을 통해 전달되는 파동이 아니다. 진동하는 전기장과 자기장이 서로를 유도하며 공간을 퍼져 나가는 파동이며, 매질이 없는 진공에서도 진행할 수 있다.

02 사람의 눈에 감지되는 가시광선에 대한 설명으로, 사람의 눈에는 파장에 따라 다른 색으로 보인다.

03 전자기파의 파장이 짧은 것부터 긴 순으로 나열하면 다음과 같다.
γ선 → X선 → 자외선 → 가시광선 → 적외선 → 마이크로파 → 라디오파

04 γ선은 원자핵 내부에서 핵반응이 일어날 때 발생한다.
①은 마이크로파, ②는 라디오파, ④는 X선, ⑤는 자외선, 가시광선, 적외선의 발생 원리이다.

05 적외선은 온도계, 리모컨, 카메라 등에 이용된다.
공항 검색대는 X선, 기상 레이더는 마이크로파, 휴대 전화 통신은 라디오파, 형광등은 자외선을 이용한다.

06 (가)는 라디오파, (나)는 X선이다.
ㄴ. 고속의 전자를 금속에 충돌시킬 때 발생하는 것은 X선이므로, (나)이다.
오답 피하기
ㄱ. (가)는 라디오파이다.
ㄷ. X선이 라디오파보다 투과력이 좋으므로 (나)는 (가)보다 투과력이 좋다.

내신 만점 문제 p. 217 ~ 219

01 ③ 02 ③ 03 ⑤ 04 ② 05 ② 06 ④
07 ① 08 ① 09 ③ 10 ④ 11~12 해설 참조

01 ㄱ. 전기장의 진동 방향은 진행 방향과 항상 수직이다.
ㄴ. 전기장과 자기장의 진동 방향은 항상 서로 수직이다.
오답 피하기
ㄷ. A는 이웃한 마루와 마루 사이의 거리로, 전자기파의 파장에 해당한다. 전파의 파장은 가시광선보다 길다.

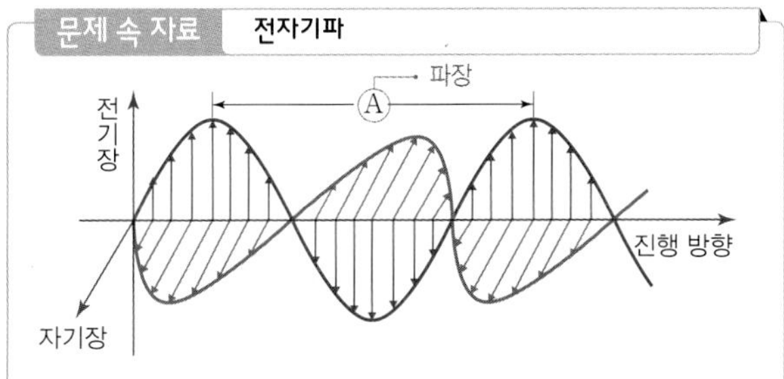

- 전기장과 자기장의 진동 방향, 전자기파의 진행 방향은 서로 수직이다.
➡ 횡파이다.
- 매질이 없는 진공에서도 진행할 수 있다.
- 전자기파의 속력은 진공에서는 모두 광속과 같다.

02 전자레인지에는 마이크로파를 사용한다.
ㄱ. 마이크로파의 파장은 가시광선보다 길다.
ㄷ. 전자레인지에 사용하는 마이크로파의 진동수는 물 분자의 고유 진동수와 같아서 음식물 속의 물 분자를 진동시켜 열을 발생시킨다.

오답 피하기

ㄴ. 전자기파의 진공에서의 속력은 종류와 관계없이 모두 같다.

03 A. 식기를 소독하는 데는 자외선을 이용한다.
B. 공항 수하물 검색에는 X선을 이용한다.
C. TV 화면에서 나오는 것은 가시광선이다.
파장이 가시광선, 자외선, X선 순으로 갈수록 짧아지므로 $\lambda_C > \lambda_A > \lambda_B$이다.

04 눈은 가시광선을 감지하고, 디지털카메라는 가시광선 영역뿐만 아니라 적외선 영역의 일부도 감지할 수 있다.
ㄴ. 적외선(A)의 파장은 마이크로파보다 짧다.

오답 피하기

ㄱ. A는 눈에 감지되지 않기 때문에 가시광선이 아니라 적외선이다.
ㄷ. 휴대 전화에서 정보를 전송하는 데 이용되는 것은 라디오파이다.

05 ② (가)는 전파를, (나)는 X선을 이용하는 망원경이므로 진동수는 (나)가 (가)보다 크다.

오답 피하기

①, ③ 전파는 X선보다 파장이 길고, 진동수가 작고, 에너지가 작다.
④ X선은 전파보다 투과력이 좋다.
⑤ 파장이 짧은 X선은 대기에 의해 산란되기 때문에 지상에서는 관측하기 어렵다.

06 ㄱ, ㄷ. 전자기파 A는 γ선이다. γ선은 방사성 붕괴 과정에서 발생하며, 투과력이 매우 크다.

오답 피하기

ㄴ. γ선은 에너지가 매우 크기 때문에 인체에 노출되면 매우 위험하다.

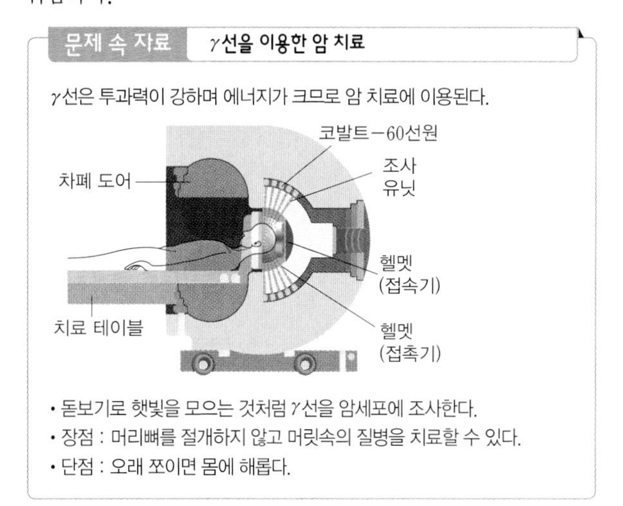

문제 속 자료 γ선을 이용한 암 치료
γ선은 투과력이 강하며 에너지가 크므로 암 치료에 이용된다.
코발트-60선원
차폐 도어
조사 유닛
헬멧 (접속기)
치료 테이블
헬멧 (접촉기)

- 돋보기로 햇빛을 모으는 것처럼 γ선을 암세포에 조사한다.
- 장점 : 머리뼈를 절개하지 않고 머릿속의 질병을 치료할 수 있다.
- 단점 : 오래 쪼이면 몸에 해롭다.

07 (가)는 적외선을 이용한 카메라로 사람을 촬영한 사진이다. (나)는 자외선을 이용한 전등으로 지폐를 관찰한 것이다.
ㄴ. 자외선(B)에 피부가 오래 노출되면 노화가 촉진된다.

오답 피하기

ㄱ. 전자레인지에 이용되는 것은 적외선(A)이 아니라 마이크로파이다.
ㄷ. 전자기파의 진동수는 자외선(B)이 적외선(A)보다 크다.

08 A는 X선, B는 가시광선, C는 마이크로파이다.
ㄱ. 진동수는 X선(A)이 가시광선(B)보다 크다.

오답 피하기

ㄴ. 진공에서의 속력은 전자기파의 파장에 관계없이 광속으로 모두 같다.
ㄷ. (가)와 같은 레이더에서 이용하는 전자기파는 마이크로파인 C이다.

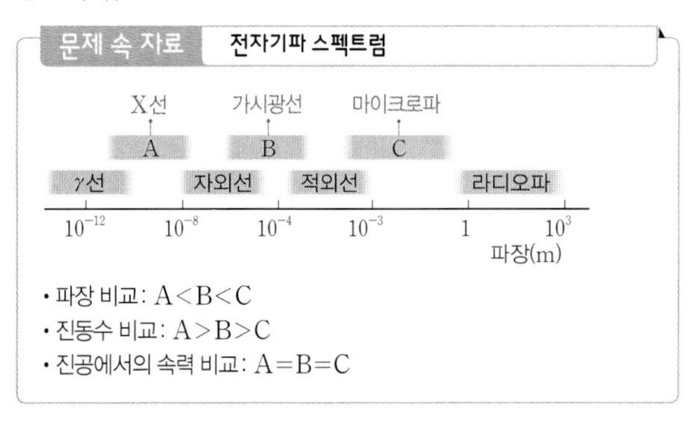

- 파장 비교: A<B<C
- 진동수 비교: A>B>C
- 진공에서의 속력 비교: A=B=C

09 A는 라디오파, B는 γ선, C는 자외선이다.

ㄱ. 라디오파(A)는 라디오, 텔레비전 등에서 정보를 전달하는 데 이용된다.

ㄴ. 파장을 비교하면 라디오파(A)>자외선(C)>γ선(B)이다. 따라서 자외선(C)은 라디오파(A)보다 파장이 짧다.

오답 피하기

ㄷ. 자외선은 살균 작용을 하므로 C에 해당하고, B는 γ선이다.

10 A는 γ선, B는 가시광선, C는 X선이다. 파장을 비교하면 가시광선>X선>γ선이고, 진동수를 비교하면 γ선>X선>가시광선이다.

ㄴ. 가시광선(B)은 X선(C)보다 진동수가 작다.

ㄷ. X선(C)은 공항 수하물 검색에 이용된다.

오답 피하기

ㄱ. γ선(A)은 전자기파 중 파장이 가장 짧다.

11 **[모범 답안]** (1) 마이크로파

(2) 전자레인지, 음식물 속의 물 분자의 고유 진동수와 같은 진동수의 마이크로파를 발생시키면, 물 분자의 진동으로 열이 발생한다.

12 **[모범 답안]** (1) 전자기파의 파장은 길어지고, 진동수와 에너지는 감소한다.

(2) (가)는 자외선이고, 식기 소독기, 형광등, 위조지폐 감별 등에 이용된다. (나)는 라디오파이고, 휴대 전화, 라디오, 텔레비전 등에서 정보를 전송하는 데 이용된다.

문제 속 자료 전자기파

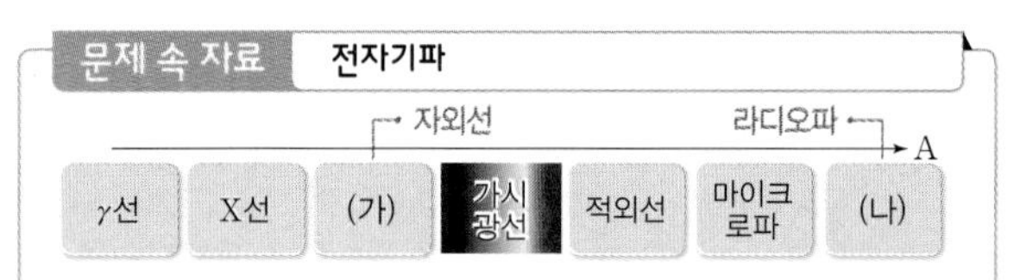

- 파장 : γ선<X선<자외선<가시광선<적외선<마이크로파<라디오파
- 진동수 : 라디오파<마이크로파<적외선<가시광선<자외선<X선<γ선
- 전자기파가 전달하는 에너지는 진동수가 클수록(파장이 짧을수록) 크다.

04 | 파동의 간섭

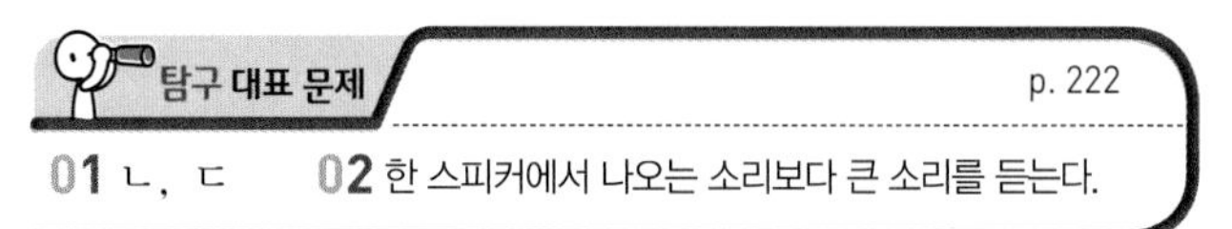
탐구 대표 문제 p. 222

01 ㄴ, ㄷ **02** 한 스피커에서 나오는 소리보다 큰 소리를 듣는다.

01 ㄴ, ㄷ. (나)에서 두 스피커의 중앙 지점에서는 두 스피커로부터의 거리가 같아 보강 간섭이 일어나 소리가 커진다.

오답 피하기

ㄱ. 과정 ❶에서 하나의 스피커에서 나오는 소리의 세기는 거리가 멀어질수록 작아질 뿐 커졌다 작아졌다를 반복하지는 않는다.

02 두 스피커에서 나오는 소리가 같은 위상으로 만나 보강 간섭을 하므로 한 스피커에서 나오는 소리보다 큰 소리를 듣는다.

기초 탄탄 **문제** p. 226

01 ③ **02** ⑤ **03** ④ **04** ① **05** ②

01 ㉠ 보강 간섭은 두 파동이 같은 위상으로 중첩되어 진폭이 증가하는 현상이다.

㉡ 한 파동의 골과 다른 파동의 골이 만나면 변위의 방향이 같아서 변위의 크기가 증가한다.

㉢ 동일한 두 파동이 보강 간섭을 하면 진폭이 원래 파동의 2배가 된다.

02 ⑤ 헤드폰에서 소음과 상쇄 간섭을 일으키는 음파를 발생시키면 소음이 줄어든다.

오답 피하기

① 소음이 헤드폰을 투과하여 소음 제거 회로가 없다면 헤드폰을 쓴 사람에게도 소음이 들리게 된다.

② 헤드폰에서 재생되는 음악은 소음과 상쇄 간섭을 한다.

③ 헤드폰에서 소음보다 매우 큰 소리를 재생하는 것은 아니다.

④ 주변 소음의 진동수는 사람이 들을 수 있는 가청 주파수이다.

03 악기에서 선명하고 큰 소리가 나는 현상, 공작의 깃털이 선명하고 아름다운 색을 띠는 현상, 여객기 내부에서 엔진의 소음이 들리지 않는 현상, 지폐에 적힌 숫자가 보는 각도에 따라 다른 색깔로 보이는 현상은 파동의 간섭에 의한 것이다.

오답 피하기

④ 태양 빛을 프리즘에 통과시킬 때 무지갯빛이 나타나는 것은 빛의 파장에 따른 굴절률 차이로 인해 태양 빛이 프리즘에서 굴절되는 각도가 달라서 분산되기 때문이다.

04 두 스피커에서 나온 소리가 보강 간섭을 하는 경우 큰 소리가 들리고 상쇄 간섭을 하는 경우 소리가 거의 들리지 않는다.

문제 속 자료 소리의 간섭

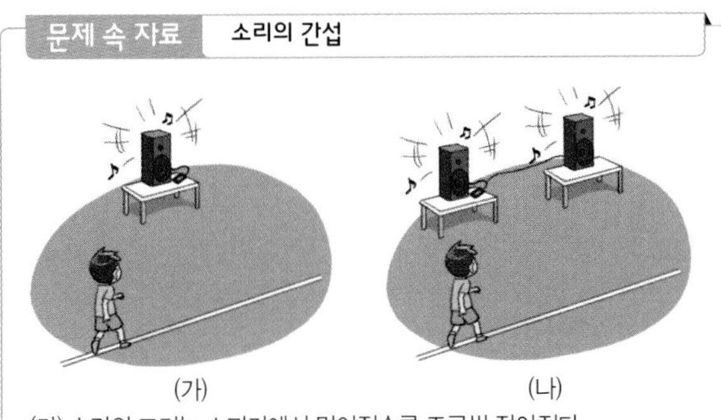

(가) 소리의 크기는 스피커에서 멀어질수록 조금씩 작아진다.
(나) • 두 스피커로부터 같은 거리만큼 떨어진 중앙 지점에서는 큰 소리가 들린다.
• 중앙에서 조금씩 이동을 하면 소리의 크기가 점점 작아지다가 거의 들리지 않는 지점에 이른다.
• 중앙에서 조금씩 이동함에 따라 큰 소리가 들리는 지점과 작은 소리가 들리는 지점이 반복된다.

05 P는 두 파동의 마루와 마루가 만나고, Q는 골과 골이 만난다. 같은 위상으로 만나므로 보강 간섭을 한다. R는 마루와 골이 만나는 지점으로 상쇄 간섭이 일어난다.

문제 속 자료 두 점파원에서 발생한 파동의 중첩

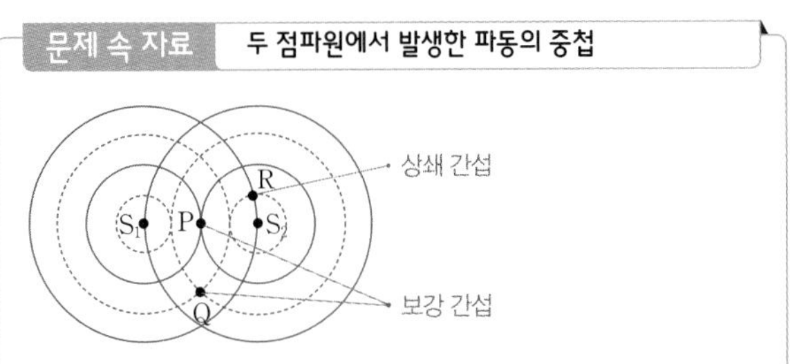

• P : S_1에서 나온 파동의 마루와 S_2에서 나온 파동의 마루가 만나 보강 간섭을 한다.
• Q : S_1에서 나온 파동의 골과 S_2에서 나온 파동의 골이 만나 보강 간섭을 한다.
• R : S_1에서 나온 파동의 마루와 S_2에서 나온 파동의 골이 만나 상쇄 간섭을 한다.

내신 만점 문제

p. 227 ~ 229

01 ①	02 ③	03 ④	04 ④	05 ①	06 ③
07 ⑤	08 ④	09 ③	10 ①	11~12 해설 참조	

01 ㄱ. A, B는 변위의 방향이 반대이므로 합성파의 변위는 각 파동의 변위보다 감소하는 상쇄 간섭을 한다.

오답 피하기

ㄴ. A, B는 변위의 방향이 반대이므로 합성파의 변위는 각 파동의 변위보다 감소한다.

ㄷ. 파동의 독립성 때문에 A, B는 중첩된 이후에도 원래 진행하던 방향으로 계속 진행한다. 중첩된 이후 A는 진행 방향이 오른쪽으로 그대로 유지된다.

02 $t=\frac{3}{4}$초인 순간의 모습은 그림에서 각 파동이 3 m씩 이동한 모습이다. $x=3$ m와 $x=5$ m에서는 두 파동의 변위가 0인 점이 만나 합성파의 변위도 0이다. $x=4$ m인 점에서는 두 파동의 골이 만나서 합성파의 변위가 −가 된다.

문제 속 자료 파동의 모습

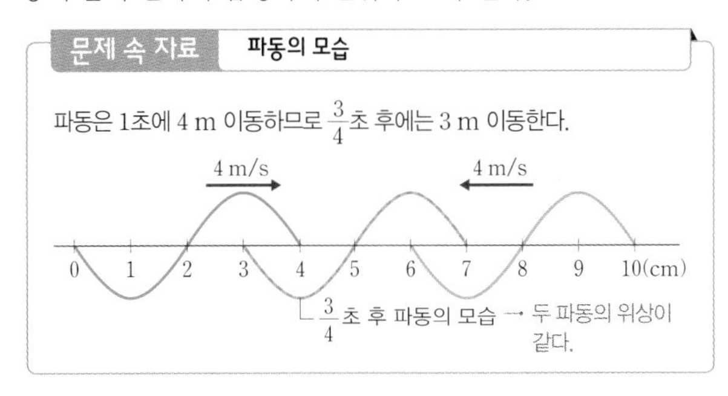

03 ㄱ. P에서는 두 파동의 마루와 마루가 만나고, Q에서는 골과 골이 만나고, R에서는 마루와 골이 만난다.

ㄷ. 세 점에서 수면의 높이는 P>R>Q 순이다.

오답 피하기

ㄴ. 같은 위상으로 만나는 P와 Q에서는 보강 간섭이 일어나고, 반대 위상으로 만나는 R에서는 상쇄 간섭이 일어난다.

04 ㄱ. A 지점에서는 두 스피커에서 나온 소리가 같은 위상으로 만나 보강 간섭을 하여 소리의 세기가 커진다.

ㄷ. 소리의 진동수를 증가시키면 소리의 파장이 짧아지므로, 소리가 크게 들리는 이웃한 두 지점 사이의 거리가 짧아진다.

오답 피하기

ㄴ. B 지점에서는 두 스피커에서 나온 소리가 반대 위상으로 만나 중첩되어 상쇄 간섭을 한다.

05 ㄱ. (가)에서 A와 B의 파장은 각각 2 m이다.

오답 피하기

ㄴ. A와 B는 $x=0$에서 같은 변위로 만나 중첩하므로, 합성파의 진폭은 각 파동의 진폭의 2배이다. (나)에서 합성파의 진폭이 20 cm이므로 A와 B의 진폭은 각각 10 cm이다.

ㄷ. $x=0$의 위치에서 $t=0$일 때 0 cm의 변위로 만나고 마루, 골을 거쳐 $t=4$ s일 때 다시 0 cm의 변위로 만난다. 즉, 주기는 4초이고 진동수는 $\frac{1}{4\text{ s}}=0.25$ Hz이다.

06 ㄱ. 보는 각도에 따라 잉크의 표면에서 반사하는 빛과 잉크와 종이의 경계에서 반사하는 빛이 보강 간섭 되는 빛의 파장이 달라지기 때문에 나타나는 현상이다.

ㄴ. (가)에서 글자가 노란색으로 보였으므로 노란색 빛이 보강 간섭을 한다.

오답 피하기

ㄷ. (나)에서 글자가 초록색으로 보였으므로 초록색 빛이 보강 간섭을 한다.

문제 속 자료 지폐의 위조 방지

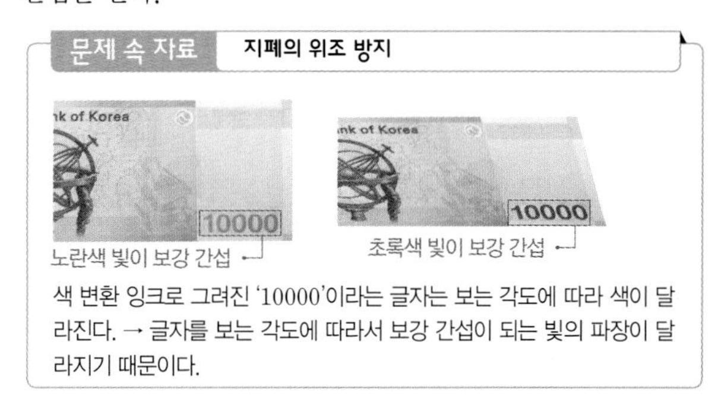

색 변환 잉크로 그려진 '10000'이라는 글자는 보는 각도에 따라 색이 달라진다. → 글자를 보는 각도에 따라서 보강 간섭이 되는 빛의 파장이 달라지기 때문이다.

07 ㄴ. 반사 방지막을 코팅한 렌즈는 반사하는 빛이 없기 때문에 코팅하지 않은 렌즈보다 빛이 잘 투과한다.

ㄷ. 태양 전지에 반사 방지막을 코팅하면 태양 전지에 도달하는 빛의 세기가 증가하여 더 많은 전기 에너지를 생산할 수 있다.

오답 피하기

ㄱ. A와 B가 반대 위상으로 중첩하여 상쇄 간섭을 하기 때문에 반사하는 빛이 제거된다.

문제 속 자료 반사 방지막을 코팅한 렌즈와 태양 전지

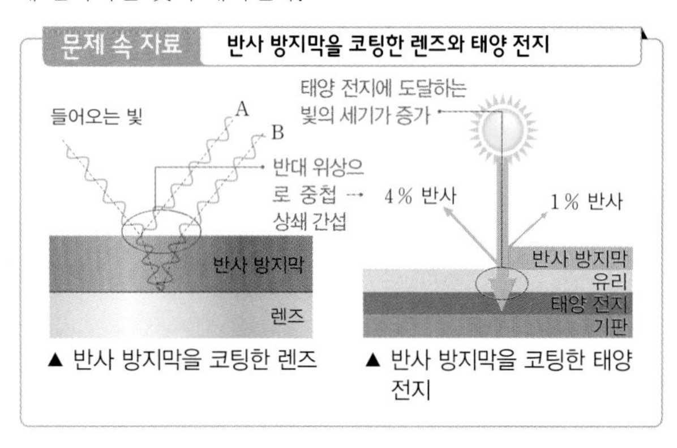

▲ 반사 방지막을 코팅한 렌즈 ▲ 반사 방지막을 코팅한 태양 전지

08 (가)는 같은 위상으로 중첩하는 보강 간섭, (나)는 반대 위상으로 중첩하는 상쇄 간섭을 나타낸다.

ㄱ. 모르포 나비의 날개가 파란색을 띠는 까닭은 파란색 빛이 보강 간섭을 하기 때문이다.

ㄷ. 악기에서 일어나는 공명은 파동이 보강 간섭을 하여 진폭이 매우 커지는 현상이다.

오답 피하기

ㄴ. 마디선은 물결파가 상쇄 간섭을 하여 수면의 높이가 변하지 않는 지점이다.

09 ㄱ. P점은 x축상의 지점이고, 두 스피커의 y좌표는 절댓값이 같으므로 P점에서 각 스피커까지의 거리가 같아 보강 간섭이 일어난다.

ㄴ. Q점에서는 두 스피커에서 온 소리가 상쇄 간섭을 하여 소리의 세기가 가장 작게 들린다.

오답 피하기

ㄷ. x축상의 점들은 모두 각 스피커까지의 거리가 같아서 보강 간섭이 일어난다.

문제 속 자료 두 스피커에서 나온 소리의 간섭

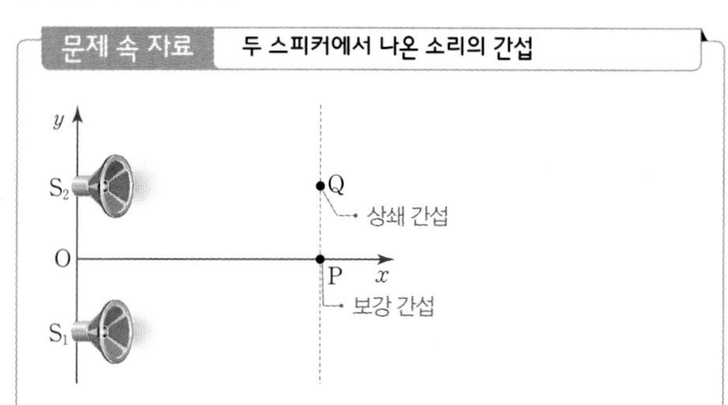

• P점 : 각 스피커에서 P점까지의 거리가 같다. 두 소리가 같은 위상으로 만나서 보강 간섭을 한다.
• Q점 : 각 스피커에서 Q점까지의 거리의 차이가 반파장의 홀수 배일 때, 두 소리가 반대 위상으로 만나서 상쇄 간섭을 한다.

10 ㄱ. 통로 l_1이 l_2보다 길므로 l_1로 진행하는 소리가 l_2로 진행하는 소리보다 긴 거리를 이동한다.

오답 피하기

ㄴ. B점에서 상쇄 간섭이 일어나야 배기음이 제거된다.

ㄷ. 상쇄 간섭이 일어나기 위해서는 l_1-l_2는 $\frac{\lambda}{2}$의 홀수 배가 되도록 설계해야 한다.

11 (1) 두 스피커에서 A까지의 거리는 각각 3λ, B까지의 거리는 각각 4λ, 2.5λ이다.

[모범 답안] A : 0, B : 1.5λ

(2) 두 스피커에서 A까지의 거리의 차이는 0이므로 두 스피커에서 나온 소리가 같은 위상으로 만나 보강 간섭이 일어난다. 소리의 진폭이 커지므로 큰 소리가 들린다.

두 스피커에서 B까지의 거리의 차이는 반파장의 홀수 배이므로 두 스피커에서 나온 소리가 반대 위상으로 만나 상쇄 간섭이 일어난다. 소리의 진폭이 0이 되므로 소리가 거의 들리지 않는다.

[모범 답안] A에서는 보강 간섭이 일어나 큰 소리가 들린다. B에서는 상쇄 간섭이 일어나 소리가 거의 들리지 않는다.

12 소음 제거 헤드폰이나 자동차의 소음기, 무반사 코팅 렌즈 등은 상쇄 간섭의 원리를 이용한다.

[모범 답안] (1) 주변에서 들리는 소음과 위상이 반대인 파동을 발생시켜 그 파동과 소음이 상쇄 간섭을 하게 한다.

(2) 자동차의 엔진에서 발생하는 소리를 줄이기 위해 상쇄 간섭을 이용한 소음기를 사용한다. 무반사 코팅 렌즈를 끼운 안경에서는 코팅막의 윗면에서 반사된 빛과 아랫면에서 반사된 빛이 상쇄 간섭을 일으켜 물체를 선명하게 볼 수 있다.

단원 마무리하기					p. 232 ~ 235
01 ②	02 ①	03 ②	04 ②	05 ⑤	06 ⑤
07 ③	08 ②	09 ④	10 ③	11 ①	12 ②
13 ①	14 ②	15 ②	16 ④		

1 ㄴ. (나)에서 주기는 1초이므로 파동의 속력은 $\frac{\text{파장}}{\text{주기}}=\frac{40\text{ cm}}{1\text{ s}}=0.4\text{ m/s}$이다.

오답 피하기

ㄱ. (가)에서 파장은 40 cm이다.

ㄷ. a와 b는 모두 파동의 진폭으로 같다.

문제 속 자료 파동 그래프

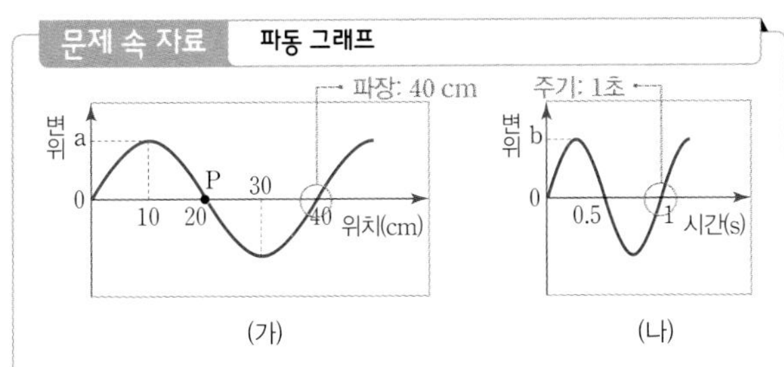

(가) (나)

(가) 변위-위치 그래프 : 어느 한 순간 매질의 변위를 위치에 따라 나타낸 그래프이다.
→ 파장과 진폭을 알 수 있다.
(나) 변위-시간 그래프 : 매질 위의 한 점(P)의 변위를 시간에 따라 나타낸 그래프이다.
→ 진동수와 주기, 진폭을 알 수 있다.

2 ㄱ. 눈금 한 칸이 10 cm인데, 진폭은 2칸에 해당하므로 20 cm이다.

오답 피하기

ㄴ. 1주기 동안 파동은 8칸을 이동하는 데 1초 동안 파동이 1칸을 이동했으므로 $\frac{1}{8}$ 주기를 이동한 것이고 주기는 8초이다. 따라서 진동수는 $\frac{1}{8\text{ s}}=0.125\text{ Hz}$이다.

ㄷ. 주기가 8초이고 파장은 80 cm이므로 파동의 속력은 $\frac{\text{파장}}{\text{주기}}=\frac{80\text{ cm}}{8\text{ s}}=0.1\text{ m/s}$이다.

3 물결파의 속력은 물의 깊이가 깊을수록 빠르다. 매질의 성질이 바뀌어도 파동의 진동수는 바뀌지 않는다. 파동의 속력은 파장과 진동수의 곱이다.

ㄱ. 파장은 A에서가 B에서보다 길다.

ㄷ. 물결파의 속력은 물의 깊이가 깊은 A에서가 B에서보다 빠르다.

오답 피하기

ㄴ, ㄹ. 진동수는 같은 값을 가지고 주기는 진동수의 역수이므로 A와 B에서 같은 값을 갖는다.

4 굴절률은 '매질 1 > 매질 2 > 매질 3'이고, 빛의 속력은 '매질 1 < 매질 2 < 매질 3'이다. 매질이 달라져도 빛의 진동수는 변하지 않으므로 빛의 파장은 '매질 1 < 매질 2 < 매질 3'이다.

ㄷ. 빛의 속력은 매질 1에서가 매질 3에서보다 느리다.

오답 피하기

ㄱ. 매질 1에서 2로 입사할 때 입사각보다 굴절각이 더 크다.

ㄴ. 빛의 파장은 매질 2에서가 매질 3에서보다 짧다.

문제 속 자료 파동의 굴절

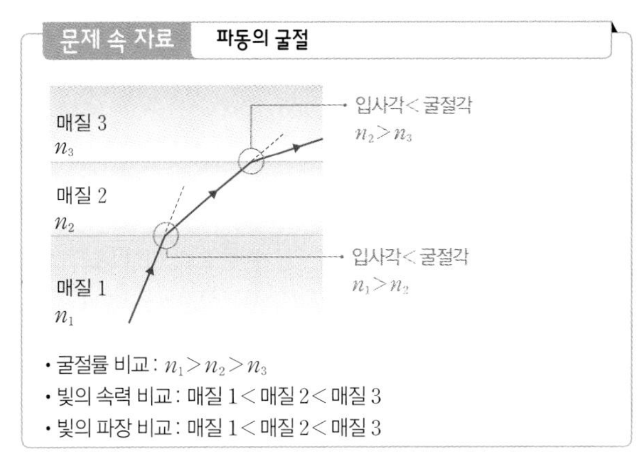

• 굴절률 비교 : $n_1 > n_2 > n_3$
• 빛의 속력 비교 : 매질 1 < 매질 2 < 매질 3
• 빛의 파장 비교 : 매질 1 < 매질 2 < 매질 3

5 ㄴ. 직각 프리즘에서 공기로 입사할 때 전반사가 일어났으므로 직각 프리즘의 굴절률이 공기보다 크다.

ㄷ. 직각 프리즘은 잠망경이나 쌍안경에 이용된다.

오답 피하기

ㄱ. 그림에서 레이저 빛이 직각 프리즘 내부에서 공기로 입사하는 각도는 45°이다. 이때 전반사가 일어났으므로, 직각 프리즘의 임계각은 45°보다 작다.

6 ㄷ, ㄹ은 빛의 전반사와 관련된 현상이다.

오답 피하기

ㄱ, ㄴ은 빛의 굴절과 관련된 현상이다.

7 ㄱ. A에서 B로 진행할 때 입사각이 굴절각보다 크므로, B의 굴절률이 A보다 크다($n_B > n_A$). B에서 C로 입사할 때 입사각보다 굴절각이 크므로 B의 굴절률이 C의 굴절률보다 크다($n_B > n_C$). 따라서 A, B, C 중 굴절률이 가장 큰 것은 B이다.

ㄴ. A에서 B로 입사할 때의 굴절각을 θ라고 하면, B에서 C로 입사할 때의 입사각도 θ이다. 따라서 $\frac{\sin\theta_1}{\sin\theta}=\frac{n_B}{n_A}$이고, $\frac{\sin\theta}{\sin\theta_2}=\frac{n_C}{n_B}$이다. 두 식을 곱하면 $\frac{\sin\theta_1}{\sin\theta_2}=\frac{n_C}{n_A}$이다. $\theta_1<\theta_2$이므로 $\frac{\sin\theta_1}{\sin\theta_2}=\frac{n_C}{n_A}<1$이다. A의 굴절률이 C보다 크므로 단색광의 속력은 A에서가 C에서보다 느리다.

오답 피하기

ㄷ. $\frac{\sin\theta_1}{\sin\theta_2}=\frac{n_C}{n_A}$로 일정하므로 θ_1이 감소하면 θ_2도 감소한다.

문제 속 자료 매질 A, B, C에서 빛의 경로

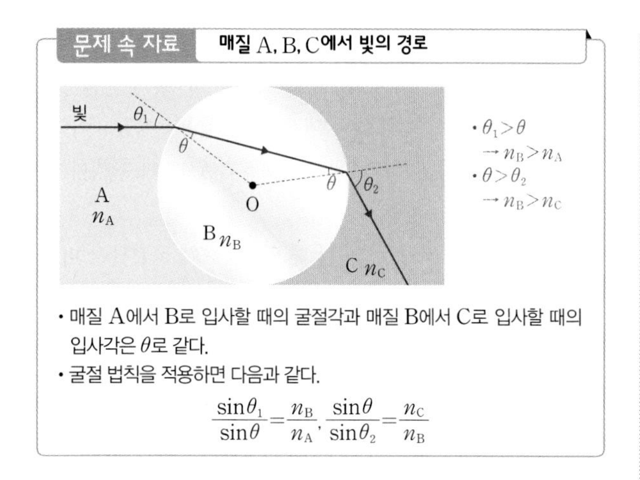

• 매질 A에서 B로 입사할 때의 굴절각과 매질 B에서 C로 입사할 때의 입사각은 θ로 같다.
• 굴절 법칙을 적용하면 다음과 같다.

$$\frac{\sin\theta_1}{\sin\theta}=\frac{n_B}{n_A},\ \frac{\sin\theta}{\sin\theta_2}=\frac{n_C}{n_B}$$

8 마이크는 ㉠ 소리 신호를 ㉡ 전기 신호로 변환하고, 스피커는 전기 신호를 소리 신호로 변환한다. 발신기는 전기 신호를 ㉢ 빛 신호로 전환하고, 광 수신기는 빛 신호를 전기 신호로 변환한다. 광섬유는 빛 신호를 전달한다.

문제 속 자료 광통신

• 송신부: 정보 신호를 전기 신호로 변환한 후 다시 빛 신호로 바꾸어 광섬유로 보낸다.
• 수신부: 빛 신호를 수신하여 전기 신호로 바꾼 후 컴퓨터 등과 같은 장치로 재생한다.

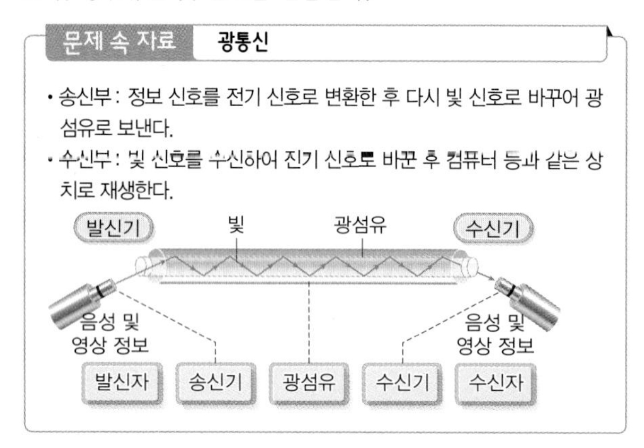

9 A는 X선, B는 가시광선, C는 적외선이다.
ㄴ. 가시광선과 적외선은 진공에서의 속력이 같다.
ㄷ. 적외선은 온도계에 이용된다.

오답 피하기
ㄱ. X선의 파장은 가시광선보다 짧다.

10 (가)는 라디오파, (나)는 γ선, (다)는 마이크로파이다. 진동수가 큰 순서대로 나열하면 γ선(나)-마이크로파(다)-라디오파(가)이다.

11 A는 X선, B는 자외선, C는 적외선이다.
ㄱ. X선은 공항의 수하물 검색에 이용된다.

오답 피하기
ㄴ. 적외선은 자외선보다 진동수가 작다.
ㄷ. 물을 가열하는 성질이 있어서 전자레인지에 이용되는 것은 마이크로파이다.

문제 속 자료 전자기파의 스펙트럼

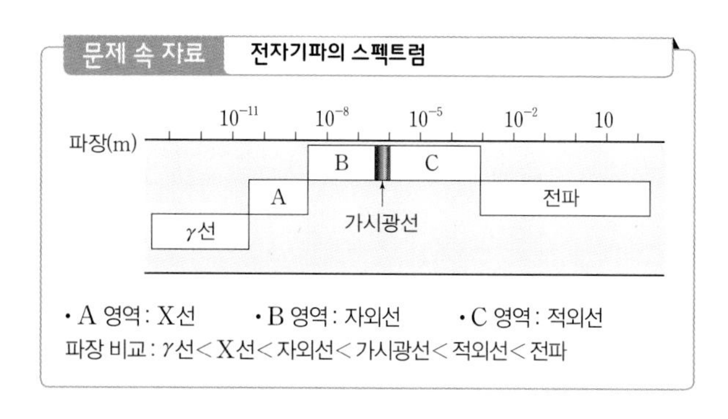

• A 영역: X선 • B 영역: 자외선 • C 영역: 적외선
파장 비교: γ선 < X선 < 자외선 < 가시광선 < 적외선 < 전파

12 A는 자외선이고 (나) 영역에 속한다. B는 X선이고 (가) 영역에 속한다. C는 전파이고 (다) 영역에 속한다.

13 합성파의 변위는 두 파동의 변위의 합과 같다. 파동 1과 파동 2의 변위의 방향이 반대이므로 합성파의 변위는 2 cm와 −2 cm 사이에서 반복된다. 따라서 합성파의 진폭은 2 cm이다.

14 (가) 물이 담긴 컵 속에 넣은 젓가락이 꺾여 보인다. - 굴절
(나) 비눗방울에 무지갯빛 무늬가 나타난다. - 간섭
(다) 더운 여름날 고속도로에서 신기루가 생긴다. - 굴절
(라) 연못이나 수영장 바닥이 실제보다 얕아 보인다. - 굴절
(마) 신용카드의 홀로그램은 보는 각도에 따라 다른 무늬가 보인다. - 간섭
(가), (다), (라)는 빛의 굴절과 관련된 현상이고, (나), (마)는 빛의 간섭과 관련된 현상이다.

15 ㄷ. S_1에서 B까지의 거리는 2λ이고, S_2에서 B까지의 거리는 λ이므로 거리의 차는 λ이다.

오답 피하기
ㄱ. A에서는 상쇄 간섭이 일어나므로 소리가 거의 들리지 않는다.
ㄴ. 밀한 부분(실선)과 밀한 부분(실선) 사이의 거리가 λ이므로 S_1과 S_2 사이의 거리는 2λ이다.

문제 속 자료 상쇄 간섭

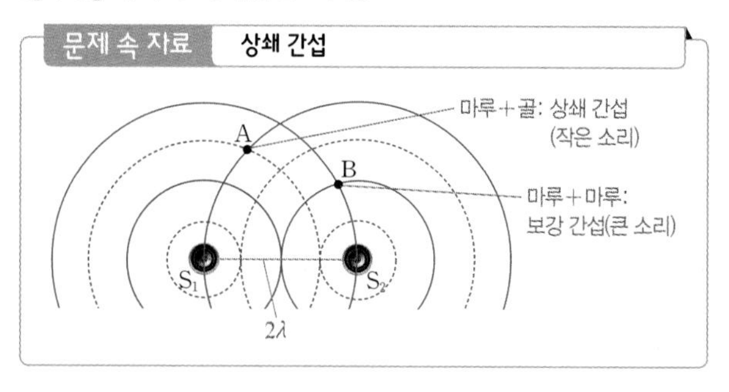

16 자동차 내부에 설치한 ㉠ 마이크가 소음을 감지하고, 소음과 진동수는 같고 위상이 ㉡ 반대인 소리를 발생시키면 ㉢ 상쇄 간섭이 일어나서 소음이 제거된다.

2. 빛과 물질의 이중성

01 | 빛의 이중성

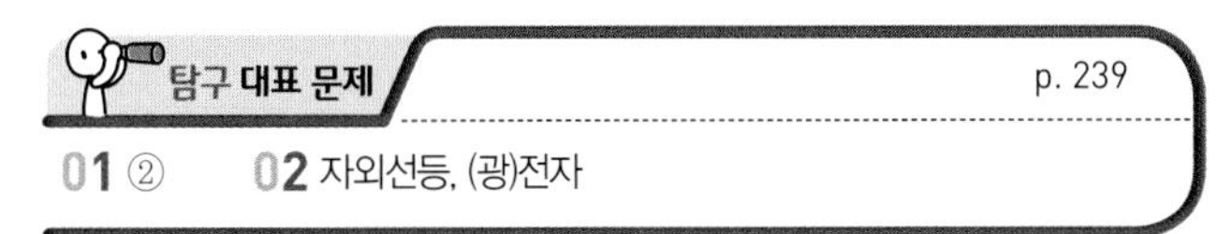

01 ② 털가죽에 마찰시킨 에보나이트 막대는 음(−)전하로 대전되고, 이 에보나이트 막대에 접촉된 검전기의 아연판과 금속박은 모두 음(−)전하로 대전된다.

오답 피하기

① 털가죽에 마찰시킨 에보나이트 막대는 음(−)전하로 대전된다.
③ 아연판과 형광등의 거리를 매우 가깝게 해도 빛의 진동수는 아연판의 문턱 진동수보다 작으므로 금속박의 벌어진 각도는 변하지 않는다.
④ 자외선등을 비추면 광전자가 방출되므로 금속박의 벌어진 각도는 줄어든다.
⑤ 빛의 입자성으로 실험의 결과를 설명할 수 있다.

02 둘 중 하나에서만 금속박이 벌어졌으므로 하나는 문턱 진동수보다 빛의 진동수가 크고, 다른 하나는 문턱 진동수보다 빛의 진동수가 작다. 빛의 진동수는 형광등 빛의 진동수보다 자외선등 빛의 진동수가 크므로 금속박이 벌어지게 한 것은 자외선등이다. 이때 금속판에서 튀어 나온 것은 (광)전자이다.

기초 탄탄 문제 p. 241

01 ② 02 ④ 03 ⑤ 04 ⑤ 05 ③

01 영희: 광전 효과는 빛의 입자성을 증명하는 현상으로 빛은 광자 한 개의 에너지가 진동수에 비례하는 입자의 흐름이라는 것을 보여준다.

오답 피하기

철수: 광전 효과는 빛의 입자성으로 설명할 수 있다.
민수: 빛의 진동수가 문턱 진동수보다 커야 금속 표면에서 광전자가 튀어 나올 수 있다.

02 ㄱ. 빛의 진동수가 아연판의 문턱 진동수보다 클 때 광전자가 방출된다.
ㄷ. 자외선의 진동수는 아연판의 문턱 진동수보다 크므로 오랫동안 비추면 방출되는 광전자 수가 증가한다. 따라서 금속박이 오므라들다가 양(+)전하로 대전되면서 다시 벌어진다.

오답 피하기

ㄴ. 빛의 세기를 증가시키면 방출되는 광전자 수가 증가한다.

03 광양자설은 빛을 진동수에 비례하는 에너지를 갖는 광자라는 입자들의 흐름으로 보는 이론이다.

04 ㄱ, ㄴ. 광 다이오드는 p형 반도체와 n형 반도체가 접합되어 있는 구조로, 빛에 의해 접합면 부근에서 양공과 전자가 생성되어 한쪽 방향으로 전류를 흐르게 한다.
ㄷ. 광 다이오드는 광전 효과를 이용하는 장치로, 작동 원리를 빛의 입자성으로 설명할 수 있다.

05 ㄱ. 마이크로 렌즈는 빛을 모아 색 필터를 통과하는 빛의 세기를 증가시킨다.
ㄴ. 빛의 색에 따라 색 필터를 통과하는 빛의 세기가 달라지므로, 이를 이용하여 빛의 색을 구분한다.

오답 피하기

ㄷ. 광 다이오드는 빛의 세기만을 측정하여 빛을 전기 신호로 전환한다.

내신 만점 문제 p. 242~243

01 ① 02 ⑤ 03 ② 04 ② 05 ⑤ 06 ①
07~09 해설 참조

01 ㄱ. 단색광의 진동수가 A의 문턱 진동수보다 작기 때문에 (가)에서 전자가 튀어 나오지 않고, B의 문턱 진동수보다 크기 때문에 (나)에서 전자가 튀어 나온다. 따라서 A의 문턱 진동수가 B의 문턱 진동수보다 크다.

오답 피하기

ㄴ. 단색광의 진동수는 A의 문턱 진동수보다 작으므로 단색광의 세기를 증가시켜도 광전자는 방출되지 않는다.
ㄷ. 단색광의 진동수를 감소시켜 B의 문턱 진동수보다 작아지면 광전자는 방출되지 않는다.

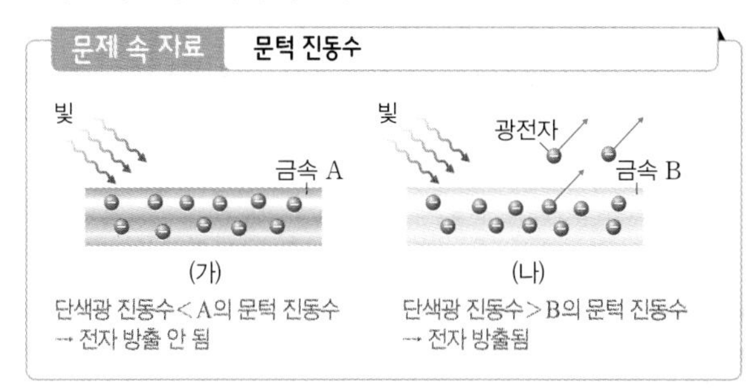

02 hf의 에너지를 가지는 광자가 일함수 W인 금속 표면의 전자와 충돌하면 전자를 방출시키는 데 에너지의 일부가 사용되고, 남은 에너지는 광전자의 운동 에너지(E_k)가 된다.

$$E_k = \frac{1}{2}mv^2 = hf - W = hf_1 - hf_0$$

03 아연판에 형광등을 비추었을 때 검전기의 금속박에 아무런 변화가 없으므로 광전자가 방출되지 않는다. 따라서 형광등의 진동수는 아연판의 문턱 진동수보다 작다.

ㄷ. 적외선등의 진동수는 형광등의 진동수보다 작으므로 광전자가 방출되지 않는다.

오답 피하기

ㄱ. 형광등의 진동수는 아연판의 문턱 진동수보다 작으므로 형광등을 가까이 가져가도 광전자는 방출되지 않아 금속박은 아무런 변화가 없다.

ㄴ. 형광등의 진동수는 아연판의 문턱 진동수보다 작으므로 형광등을 비추는 시간을 길게 하여도 광전자는 방출되지 않아 금속박은 아무런 변화가 없다.

04 B를 비추었을 때 광전자가 방출되지 않았으므로 B의 진동수는 금속판의 문턱 진동수보다 작고, C를 비추었을 때 광전자가 방출되었으므로 C의 진동수는 금속판의 문턱 진동수보다 크다.

ㄷ. 광전자의 최대 운동 에너지는 단색광의 진동수가 클수록 크다.

오답 피하기

ㄱ. A의 진동수는 B의 진동수보다 작으므로 광전자가 방출되지 않는다.

ㄴ. B는 광전자를 방출시키지 않으므로 B와 C를 동시에 비추어도 C에 의해서만 광전자가 방출된다. 따라서 광전자의 수는 C만 비추었을 때와 같다.

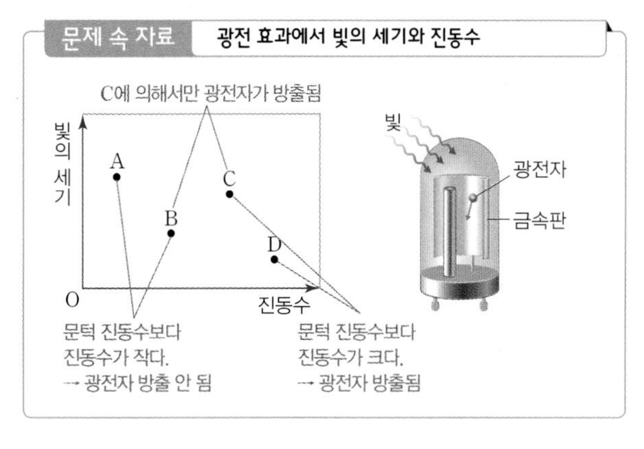

05 ㄱ. 빛의 간섭과 회절은 빛의 파동성에 의해 나타나는 현상이다. 따라서 (가)는 빛의 파동성을 증명한다.

ㄴ. 광전 효과는 빛이 입자의 성질을 가진 광자라는 것을 증명한다.

ㄷ. (가)는 빛의 파동성을, (나)는 빛의 입자성을 증명하므로 (가)와 (나)를 통해 빛이 파동성과 입자성을 동시에 가지고 있다는 빛의 이중성을 설명할 수 있다.

06 ㄴ. CCD는 빛을 전기 신호로 전환시킨다.

오답 피하기

ㄱ. 빛이 렌즈를 통과하면서 굴절하는 현상은 빛의 입자성으로도 설명할 수 있고, 파동성으로도 설명할 수 있다.

ㄷ. CCD는 빛의 색을 색 필터를 이용해서 구분한다.

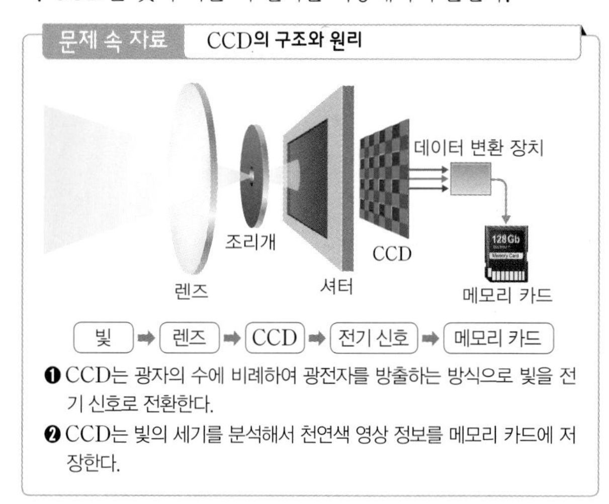

문제 속 자료
CCD의 구조와 원리
데이터 변환 장치
조리개
CCD
렌즈
셔터
메모리 카드
빛 ➡ 렌즈 ➡ CCD ➡ 전기 신호 ➡ 메모리 카드
❶ CCD는 광자의 수에 비례하여 광전자를 방출하는 방식으로 빛을 전기 신호로 전환한다.
❷ CCD는 빛의 세기를 분석해서 천연색 영상 정보를 메모리 카드에 저장한다.

07 X는 A와 B에서 광전자를 방출시키지 않았으므로 X의 진동수는 A와 B의 문턱 진동수보다 작다. Y는 A와 B에서 광전자를 방출시키므로 Y의 진동수는 A와 B의 문턱 진동수보다 크다. Z는 A에서만 광전자를 방출시키므로 Z의 진동수는 A의 문턱 진동수보다는 크고 B의 문턱 진동수보다는 작다. 따라서 진동수의 크기는 X<Z<Y이고 빛의 진동수는 빨강<초록<파랑이므로 X가 빨강, Z가 초록, Y가 파랑이다.

[모범 답안] 빨강-X, 초록-Z, 파랑-Y, X의 진동수는 A와 B의 문턱 진동수보다 작고, Y의 진동수는 A와 B의 문턱 진동수보다 크고, Z는 A의 문턱 진동수보다는 크고 B의 문턱 진동수보다는 작다. 따라서 빛의 진동수는 X<Z<Y이다.

08 A의 문턱 진동수를 f_A, B의 문턱 진동수를 f_B라 할 때 진동수의 대소 관계는 $f_X < f_A < f_Z < f_B < f_Y$이다.

[모범 답안] B, A의 문턱 진동수는 초록(Z)과 파랑(Y)의 진동수보다는 작지만 B의 문턱 진동수는 초록(Z)의 진동수보다는 크고 파랑(Y)의 진동수보다 작다.

09 X와 Z의 진동수는 B의 문턱 진동수보다 작으므로 X와 Z에 의해 광전자는 방출되지 않는다.

[모범 답안] 옳지 않다. X는 B의 금속판의 문턱 진동수보다 작은 진동수의 빛이므로 X의 세기를 증가시켜도 광전자가 방출되지 않기 때문이다.

02 | 물질의 이중성

탐구 대표 문제 p. 246

01 ① 02 레이저 빛, 빛의 파동성

01 ㄱ. 모래의 물질파 파장이 레이저 빛의 파장보다 훨씬 짧기 때문에 파동성이 거의 나타나지 않는다. 따라서 스크린에는 이중 슬릿과 같은 2개의 무늬가 나타난다.

오답 피하기

ㄴ. 모래를 슬릿의 틈이 한 개인 슬릿에 통과시키면 스크린에는 1개의 무늬를 나타낸다.

ㄷ. 레이저 빛에 의한 스크린 무늬의 모습은 빛의 파동성 때문이다.

02 이중 슬릿을 통과하는 레이저 빛은 회절과 간섭에 의해 여러 개의 무늬가 관측된다. 하지만 모래는 입자성 때문에 이중 슬릿을 통과한 2개의 무늬만 관측된다.

기초 탄탄 문제 p. 247

01 ③ 02 ③ 03 ① 04 ② 05 ③

01 철수, 민수 : 물질파는 드브로이파라고도 하며, 물질파의 파장은 물체의 질량과 속력의 곱에 반비례한다.

오답 피하기

영희 : 질량이 m, 속력이 v인 물질파의 파장은 $\lambda=\frac{h}{mv}$이다.

02 ㄱ, ㄴ. 스크린의 무늬는 빛의 이중 슬릿 실험에 의한 간섭무늬와 유사하다. 이것은 전자의 파동성 때문이다.

오답 피하기

ㄷ. 모래는 입자성이 크고 파동성이 매우 작기 때문에 스크린에 간섭무늬와 유사한 무늬가 만들어지지 않는다.

03 ① 물질파는 물질(입자)도 파동성을 가진다는 것을 보여 준다.

오답 피하기

② 야구공은 질량이 크기 때문에 물질파의 파장이 매우 짧다. 따라서 파동성을 관측하기 어렵다.

③ 운동하는 물질의 위치와 속도를 동시에 정확히 측정하기 어렵다는 이론은 불확정성 원리이다.

④ 관성 질량과 중력 질량이 같다는 개념은 물질의 이중성과 관계가 적다.

⑤ 시간 지연과 길이 수축은 특수 상대성 이론에 의한 결과이다.

04 질량이 m, 속력이 v인 물질파의 파장은 $\lambda=\frac{h}{mv}$의 관계로 표현된다. 따라서 파장과 속력은 반비례 관계이다.

05 전자선의 파장이 가시광선의 파장보다 짧아서 가시광선의 파장보다 크기가 작은 물체를 볼 수 있다.

내신 만점 문제 p. 248~249

01 ③ 02 2 : 1 : 1 03 ⑤ 04 ① 05 ③ 06 ① 07~08 해설 참조

01 ㄱ. A는 전자의 입자성이 클 때 나타나는 무늬이고, B는 전자의 파동성이 클 때 나타나는 무늬이다. 따라서 전자가 입자성만 있다면 A가 관측된다.

ㄴ. B가 발생하는 까닭은 전자의 파동성 때문이다.

오답 피하기

ㄷ. B는 간섭무늬로, 전자의 물질파에 의한 간섭무늬이다.

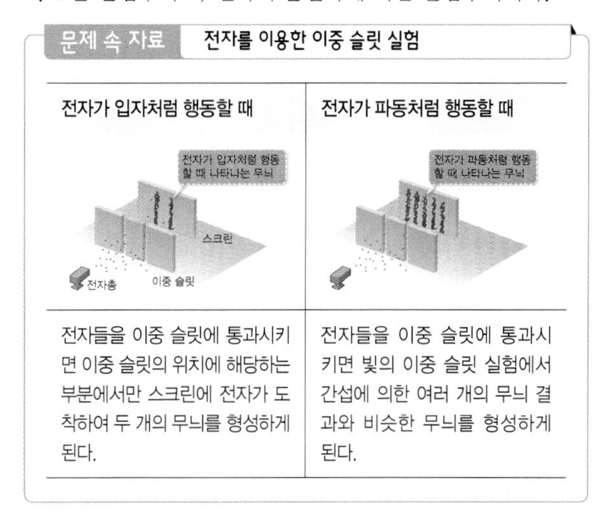

문제 속 자료
전자를 이용한 이중 슬릿 실험
전자가 입자처럼 행동할 때
전자가 파동처럼 행동할 때
전자가 입자처럼 행동할 때 나타나는 무늬
전자가 파동처럼 행동할 때 나타나는 무늬
스크린
전자총
이중 슬릿
전자들을 이중 슬릿에 통과시키면 이중 슬릿의 위치에 해당하는 부분에서만 스크린에 전자가 도착하여 두 개의 무늬를 형성하게 된다.
전자들을 이중 슬릿에 통과시키면 빛의 이중 슬릿 실험에서 간섭에 의한 여러 개의 무늬 결과와 비슷한 무늬를 형성하게 된다.

02 물질파의 파장 $\lambda=\frac{h}{mv}=\frac{h}{\sqrt{2mE_k}}$이다.

A : $\lambda=\frac{h}{\sqrt{2mE}}$

B : $\lambda=\frac{h}{\sqrt{2\times 2m\times 2E}}=\frac{h}{2\sqrt{2mE}}$

C : $\lambda=\frac{h}{\sqrt{2\times 4m\times E}}=\frac{h}{2\sqrt{2mE}}$

따라서 A, B, C의 파장의 비 $\lambda_A : \lambda_B : \lambda_C=2:1:1$이다.

03 ㄱ. X선의 회절 무늬는 X선의 파동의 성질 때문에 나타난다.

ㄴ. 전자선 실험에서 회절 무늬가 나타났으므로 전자선이 회절한 결과이다.

ㄷ. 회절 무늬는 파동의 성질 때문에 나타나는 현상이다. 전자선에 의해 회절 무늬가 나타난 결과로 보아 전자선이 파동의 성질을 가지고 있음을 알 수 있다.

04 ㄱ. 특정 각도인 $\theta=50°$에서 도달한 전자 수가 최대인 결과는 보강 간섭의 효과로 설명할 수 있다. 간섭은 파동의 성질이므로 전자선이 파동성을 가진다는 물질파 이론으로 설명할 수 있다.

오답 피하기

ㄴ. $\theta=50°$에서 전자선의 물질파가 보강 간섭을 한 결과로 해석할 수 있다.

ㄷ. $\lambda=\frac{h}{mv}=\frac{h}{\sqrt{2mE_k}}$이므로 전자의 운동 에너지를 변화시키면 전자의 물질파 파장이 달라진다. 따라서 보강 간섭이 일어나는 각도도 달라진다.

05 물질파의 파장은 $\lambda=\frac{h}{p}=\frac{h}{mv}=\frac{h}{\sqrt{2mE_k}}$이다.

ㄱ. 속력이 v_0일 때 물질파의 파장이 A가 B보다 크므로 질량은 A가 B보다 작다.

ㄴ. $\lambda=\frac{h}{p}$이므로 물질파의 파장이 같으면 운동량이 같다.

오답 피하기

ㄷ. $p=mv$에서 속력은 같고 질량은 B가 A보다 크므로 입자의 운동량은 B가 A보다 크다.

다른 풀이 $\lambda=\frac{h}{p}$에서 입자의 속력이 v_0일 때 물질파의 파장이 A가 B보다 크므로 입자의 운동량은 B가 A보다 크다.

문제 속 자료 물질파의 파장과 속력

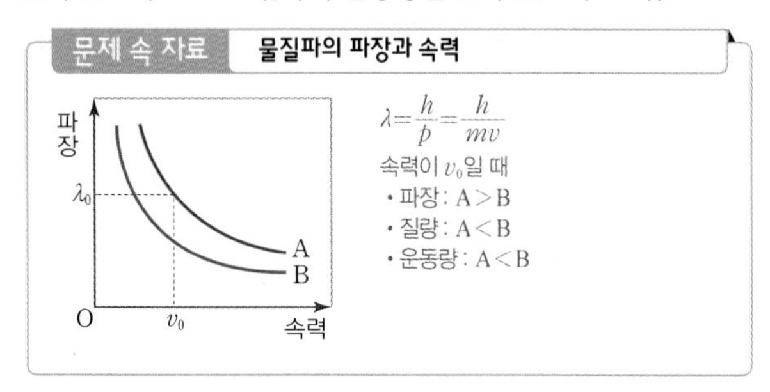

06 ㄱ. 전자 현미경을 사용하는 까닭은 가시광선 영역의 파장보다 작은 물질을 관찰하기 위해서이다. 따라서 전자 현미경에서 사용되는 전자선의 파장은 가시광선 영역의 파장보다 짧다.

오답 피하기

ㄴ. 분해능은 파장이 짧을수록 좋으므로 (나)가 (가)보다 좋다.

ㄷ. 전자 현미경은 가시광선 영역의 빛을 사용하지 않으므로 물질의 색을 구분할 수 없다.

07 (1) 전자가 파동처럼 간섭을 일으켜서 간섭무늬를 형성하였다고 할 수 있다.

[모범 답안] 파동성

(2) 간섭무늬는 파동의 성질 때문에 나타나는 현상이므로 입자의 파동성에 의한 결과이다.

[모범 답안] 입자가 파동의 성질을 지니기 때문이다.

문제 속 자료 전자가 만드는 간섭무늬

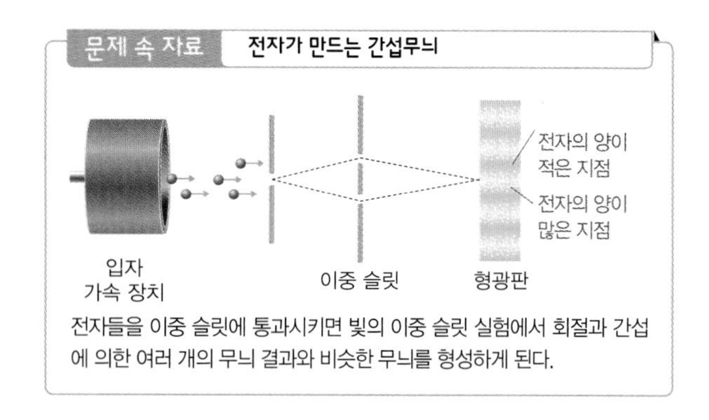

전자들을 이중 슬릿에 통과시키면 빛의 이중 슬릿 실험에서 회절과 간섭에 의한 여러 개의 무늬 결과와 비슷한 무늬를 형성하게 된다.

08 (1) $E_k=\frac{1}{2}mv^2=\frac{p^2}{2m}$에서

$p=\sqrt{2mE_k}$이므로 A의 운동량 $p_A=\sqrt{2m\times E_0}$이고, B의 운동량 $p_B=\sqrt{2m\times 4E_0}=2\sqrt{2m\times E_0}$이다.

[모범 답안] $p=\sqrt{2mE_k}$이므로

$p_A : p_B=\sqrt{2mE_0} : \sqrt{2m\times 4E_0}=1 : 2$이다.

(2) $\lambda=\frac{h}{p}=\frac{h}{mv}=\frac{h}{\sqrt{2mE_k}}$에 의해 $\lambda_A=\frac{h}{\sqrt{2mE_0}}$이고, $\lambda_B=\frac{h}{2\sqrt{2mE_0}}$이다.

[모범 답안] $\lambda=\frac{h}{p}$에서 A와 B의 운동량이 1 : 2이므로

$\lambda_A : \lambda_B=2 : 1$이다.

단원 마무리하기 p. 252 ~ 255

01 ②	02 ①	03 ③	04 ④	05 ①	06 ①
07 ④	08 ④	09 ②	10 ④	11 ①	12 ②
13 ⑤	14 ②	15 ③	16 ①		

01 아연판과 금속박이 음(−)전하로 대전되어 있으므로 금속박이 벌어져 있다. 빛의 진동수가 아연판의 문턱 진동수보다 크면 아연판에서 광전자가 방출되면서 금속박의 음(−)전하가 감소하여 금속박이 오므라든다.

ㄷ. (라)에서 금속박이 더 빨리 오므라드는 것은 단위 시간당 방출되는 광전자의 수가 (라)에서가 (다)에서보다 많기 때문이다.

오답 피하기

ㄱ. 네온등 빛의 진동수가 아연판의 문턱 진동수보다 작기 때문에 네온등을 비추었을 때 광전자가 방출되지 않아 금속박이 오므라들지 않았다.

ㄴ. 금속박이 오므라드는 것은 광전자의 방출 때문으로 빛의 진동수가 아연판의 문턱 진동수보다 크기 때문이다. 빛의 세기가 크면 방출되는 광전자의 수가 증가하고 이것은 (다)와 (라)의 결과를 통해 확인할 수 있다.

02 ㄱ. 광전 효과에 의해 A와 B에서 광전자가 방출되어 A와 B 모두 양(+)전하로 대전되었다. 따라서 서로 밀어내는 전기력에 의해 두 금속구가 멀어진 것이다.

오답 피하기

ㄴ. 단색광의 세기를 증가시키면 방출되는 광전자 수가 증가하여 두 금속구에는 상대적으로 양(+)전하가 많아진다. 따라서 두 금속구 사이의 전기력은 증가하여 더 벌어진다.

ㄷ. 진동수가 $2f_0$인 빛을 비추어도 광전자는 방출되므로 금속구는 멀어진다.

03 ㄱ. 문턱 진동수가 f_0이므로 빛의 진동수가 f_0보다 크면 광전자가 방출되고 작으면 광전자가 방출되지 않는다. A는 진동수가 문턱 진동수보다 작으므로 광전자가 방출되지 않는다.

ㄴ. B와 C는 문턱 진동수보다 큰 진동수를 갖고 있으므로 광전자가 방출되고, 빛의 세기가 같으므로 방출되는 광전자 수는 같다.

오답 피하기

ㄷ. 광전자의 최대 운동 에너지는 $E_k=hf-hf_0$이므로 빛의 진동수가 클수록 크다. E의 진동수가 D의 진동수보다 크므로 광전자의 최대 운동 에너지는 E가 D보다 크다.

문제 속 자료 광전 효과에서 빛의 세기와 진동수

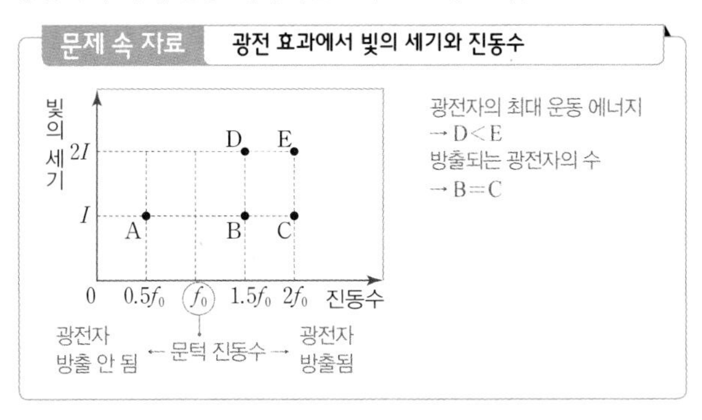

04 ㄴ. (가)의 결과를 통해 B에서만 광전 효과가 일어남을 알 수 있다. 따라서 (나)에서도 (가)와 동일한 결과가 나타난다.

ㄷ. B에서 광전 효과가 일어나므로 진동수 f는 B의 문턱 진동수보다 크다.

오답 피하기

ㄱ. (가)의 도선에서 전자의 이동 방향이 A에서 B이므로 광전 효과에 의해 B에서 광전자가 방출되어 A에서 B로 전자가 이동하고 있다는 것을 알 수 있다.

05 B에서 광전자가 방출되지 않으므로 f_2는 광전관의 문턱 진동수보다 작다. C에 비춰지는 L_2의 진동수는 f_2이므로 f_2에 의해 광전자는 방출되지 않는다. E에서 광전자가 방출되므로 f_3의 진동수는 광전관의 문턱 진동수보다 크다. 따라서 L_3이 비춰지는 D에서도 f_3에 의해 광전자는 방출된다.

ㄴ. f_2는 광전관의 문턱 진동수보다 작고, f_3은 광전관의 문턱 진동수보다 크다.

오답 피하기

ㄱ. C에서는 광전자가 방출되지 않고, D에서는 광전자가 방출된다.

ㄷ. L_1에서 방출되는 f_1은 광전관의 문턱 진동수보다 작다. 따라서 빛의 세기를 증가시켜도 광전자는 방출되지 않는다.

06 보어의 수소 원자 모형에서 전자가 궤도 전이할 때 전자의 에너지 준위 차이만큼 빛에너지가 방출된다. 방출되는 빛에너지는 a가 가장 작고 c가 가장 크므로, 빛의 진동수는 a가 가장 작고 c가 가장 크다.

ㄱ. 빛의 파장은 빛의 진동수와 반비례한다. 따라서 빛의 파장은 a가 가장 길고 c가 가장 작다.

오답 피하기

ㄴ. c 과정에서 발생한 빛이 광전자를 방출시키지 못하였으므로, c보다 진동수가 작은 b도 광전자를 방출시키지 못한다.

ㄷ. 광전 효과는 빛의 입자성으로 설명할 수 있다.

07 광전 효과는 빛의 진동수가 금속의 문턱 진동수보다 클 때 광전자가 방출되는 현상이다.

④ t_3~t_4 동안 빛의 진동수는 문턱 진동수 f_0보다 크므로 광전자가 방출되고, 빛의 세기가 일정하므로 방출되는 광전자 수도 일정하다.

오답 피하기

① 0~t_1 동안 문턱 진동수(f_0)보다 빛의 진동수가 작으므로 광전자가 방출되지 않는다.

② t_1~t_2 동안 빛의 진동수가 문턱 진동수보다 크고, 빛의 진동수가 증가하면 방출되는 광전자의 최대 운동 에너지는 증가한다.

③ t_2~t_3 동안 빛의 진동수가 문턱 진동수보다 크므로 광전자는 방출된다.

⑤ t_4~t_5 동안 빛의 진동수가 문턱 진동수보다 작으므로 광전자는 방출되지 않는다.

문제 속 자료 광전 효과와 빛의 진동수, 세기의 관계

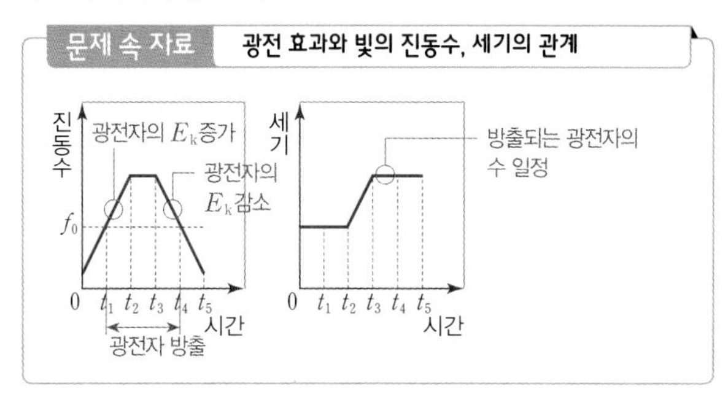

08 ㄴ. 색 필터를 통해 빛의 색을 구분하고, 통과한 빛의 세기에 따라 전기 신호의 세기가 결정된다.

ㄷ. CCD 속의 광 다이오드는 광전 효과에 의해 빛을 전기 신호로 전환한다. 광전 효과는 빛의 입자성을 증명하는 현상이다.

오답 피하기

ㄱ. 빛의 세기는 빛의 밝기에 비례하고, 빛의 진동수는 빛의 에너지에 비례한다.

09 빛의 진동수가 f, 금속의 문턱 진동수가 f_0일 때 광전 효과에 의해 방출되는 광전자의 최대 운동 에너지는 $E_k = hf - hf_0$이다.

ㄷ. 광전자의 최대 운동 에너지가 클수록 빛에너지는 크다.

오답 피하기

ㄱ. 단색광의 진동수가 클수록 광전자의 최대 운동 에너지가 크다. 따라서 빛의 진동수는 b와 c가 같고, a가 가장 작다.

ㄴ. 단색광의 세기는 방출되는 광전자 수와 비례한다. 따라서 빛의 세기는 a와 c가 같고 b가 가장 작다.

10 물질파의 파장은 $\lambda = \frac{h}{p} = \frac{h}{mv} = \frac{h}{\sqrt{2mE_k}}$이다.

ㄴ. b와 c의 운동 에너지가 같으므로 물질파의 파장도 같다.

ㄷ. a의 운동 에너지가 가장 작으므로 물질파의 파장은 A가 가장 길다.

오답 피하기

ㄱ. 운동량은 $p = \sqrt{2mE_k}$이므로 운동 에너지가 클수록 운동량이 크다. 따라서 운동량은 b가 a보다 크다.

11 ㄱ. 이중 슬릿을 통과한 입자들이 간섭무늬를 만든 까닭은 입자가 파동의 성질을 가지기 때문이다.

오답 피하기

ㄴ, ㄷ. 입자의 물질파 파장이 길수록 파동성은 커진다. 물질파의 파장 $\lambda = \frac{h}{p} = \frac{h}{mv}$에서 속력이 일정할 때 질량이 작아지면 파장이 길어지고, 질량이 일정할 때 속력이 느려지면 파장이 길어진다. 파장이 길어지면 파동성이 커지므로 간섭무늬가 나타난다.

12 ㄷ. $\theta = 50°$에서 전자 수가 가장 많은 현상은 전자의 파동성에 의한 보강 간섭 현상으로 설명할 수 있다

오답 피하기

ㄱ. 전자선은 전자의 연속적인 흐름이고, 전자기파는 빛의 형태이다.

ㄴ. 실험 결과는 전자(입자)의 파동성 때문에 나타나는 현상이고, 광전 효과는 빛의 입자성을 증명하는 실험이다.

13 ㄱ. X선에 의한 회절 무늬와 전자선에 의한 회절 무늬의 모양과 크기가 같으므로 X선의 파장과 전자선의 물질파 파장이 같다.

ㄴ. 파장 $\lambda = \frac{h}{p} = \frac{h}{mv}$에서 파장이 같으면 운동량도 같다.

ㄷ. 회절 무늬는 파동의 성질 때문에 나타나는 현상이다.

14 X선의 파장과 전자선의 물질파 파장이 동일하므로 $\lambda = \frac{h}{mv}$의 관계가 성립한다. 따라서 $v = \frac{h}{m\lambda}$이다.

15 ㄱ. 운동량 보존 법칙에 의해 $2mv = 2m \times 0.5v + m \times v_B$이므로 충돌 후 B의 속력 $v_B = v$이다.

ㄴ. 물질파의 파장 $\lambda = \frac{h}{p} = \frac{h}{mv}$의 관계에 의해 충돌 후 A와 B의 운동량이 같으므로 물질파의 파장도 같다.

오답 피하기

ㄷ. $\lambda = \frac{h}{p} = \frac{h}{mv}$의 관계에 의해 A의 충돌 전 물질파 파장은 $\frac{h}{2mv}$이고, 충돌 후 물질파 파장은 $\frac{h}{2m \times 0.5v} = \frac{h}{mv}$이므로 A의 충돌 전 물질파 파장은 충돌 후의 $\frac{1}{2}$배이다.

16 (가)가 (나)보다 분해능(선명도)이 좋으므로 (가)가 전자 현미경, (나)가 광학 현미경으로 관찰한 모습이다.

ㄱ. 전자 현미경은 내부가 진공이고, 광학 현미경은 내부가 공기이다.

오답 피하기

ㄴ. 광학 현미경은 가시광선을 이용하여 관찰하고, 전자 현미경은 전자선을 이용하여 관찰한다. 전자 현미경의 분해능이 광학 현미경보다 좋은 까닭은 전자선의 물질파 파장이 가시광선 영역의 파장보다 짧기 때문이다.

ㄷ. 전자 현미경은 자기렌즈를 이용하고, 광학 현미경은 유리 렌즈를 이용하므로 자기렌즈를 이용한 것은 (가)이다.

문제 속 자료 **광학 현미경과 전자 현미경의 차이점**

구분	광원	렌즈 형태	현미경 내부	배율
광학 현미경	빛	유리(광학) 렌즈	공기	약 1000배 ~ 1500배
전자 현미경	전자선	자기렌즈	진공	100000배 이상

개념을 쌓아가는 **기본서**

고등 셀파

BOOK 1

개념 기본서 | 정답과 해설

물리학 I

개념을 쌓아가는 **기본서**

고등 셀파

미래를 바꾸는 긍정의 한마디

나는 똑똑한 것이 아니라 단지 문제를 더 오래 연구할 뿐이다.

알베르트 아인슈타인(Albert Einstein)

어떤 목표를 이루려 할 때 가장 중요한 것은 무엇이라고 생각하나요? 천부적인 재능, 타이밍, 조력자의 도움··· 다양한 것들이 있지만 가장 중요한 것은 바로 '노력'입니다. 우리가 흔히 천재라고 생각하는 아인슈타인과 에디슨, 빌 게이츠와 같은 사람들도 수많은 실수를 하였지만 포기하지 않고 끊임없이 노력한 끝에 목표를 이룰 수 있었단 것을 잊지 마세요.

포기하지 않는 마음, 성취의 첫걸음입니다.

개념을 쌓아가는 **기본서**

고등 셀파

BOOK 1

개념 기본서

물리학 I

고등 셀파

물리학 I

김명하·김태은·강태욱·남벽우·조봉제

BOOK 2

문제 기본서

천재교육

BOOK 2

문제 기본서

물리학 I

개념을 쌓아가는 **기본서**

고등 셀파

문제서 | 구성과 특징

STRUCTURE

S · H · E · R · P · A

고등 셀파 물리학Ⅰ 문제 기본서의 52유형은 다음과 같은 과정을 거쳐 최근 10년간 기출 문제 중에서 선정하였습니다.
시험에 잘 나오는 유형을 학습하고 학교 시험에 대비하도록 합시다.

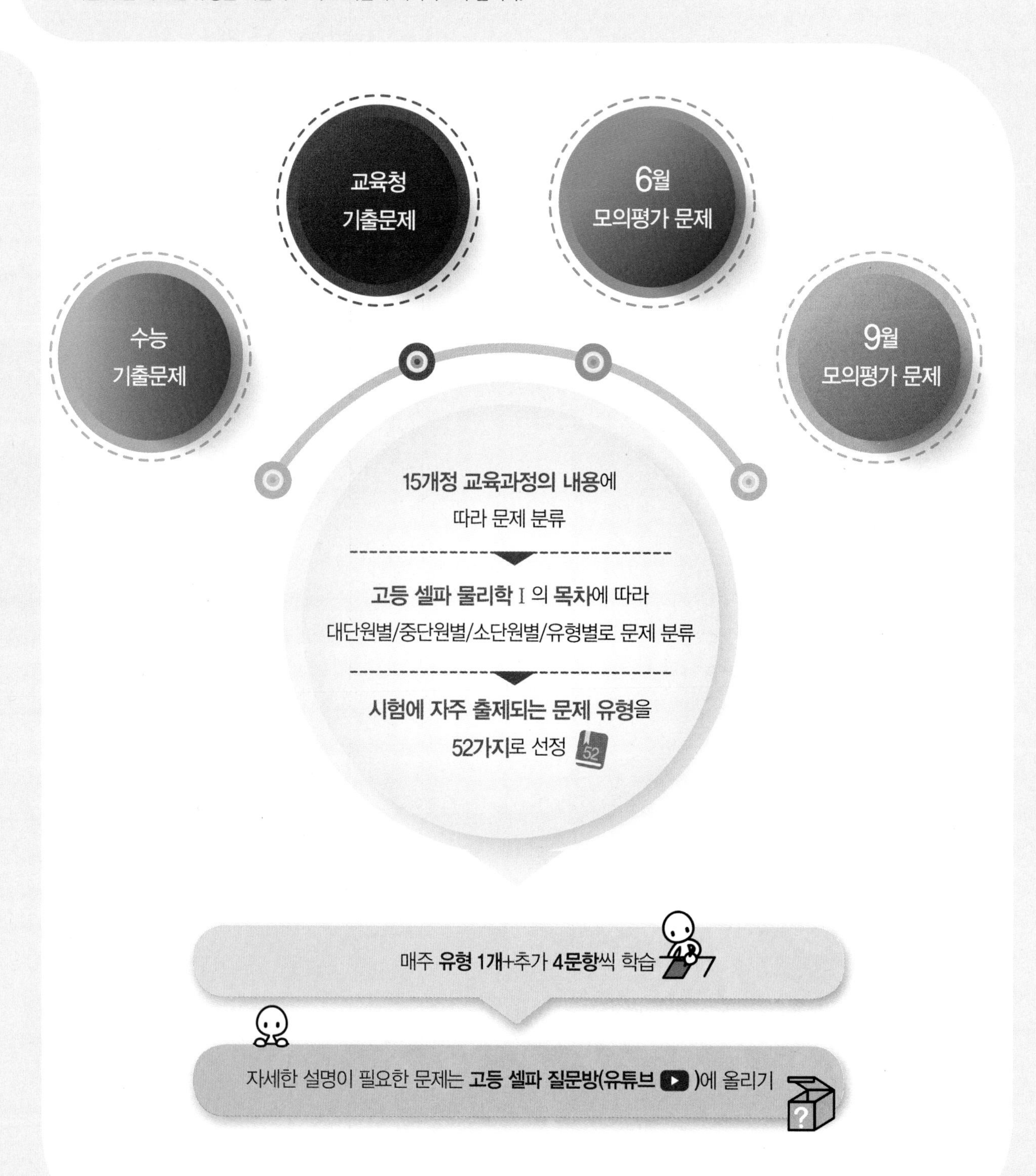

교육청 기출문제
6월 모의평가 문제
수능 기출문제
9월 모의평가 문제
15개정 교육과정의 내용에 따라 문제 분류
고등 셀파 물리학Ⅰ의 목차에 따라 대단원별/중단원별/소단원별/유형별로 문제 분류
시험에 자주 출제되는 문제 유형을 52가지로 선정
52
매주 유형 1개+추가 4문항씩 학습
자세한 설명이 필요한 문제는 고등 셀파 질문방(유튜브)에 올리기
?

52

유형 | 한눈에 짚어보기

기출 분석

01 유형

출제 의도

물체의 시간에 따른 위치를 표현한 그래프를 보고 이동 거리, 속력, 평균 속력을 알 수 있는지를 묻는 문제이다.

이렇게 대비하자!

이동 거리와 변위의 다른 점을 이해하고 평균 속력과 평균 속도를 구해 보자.

■ **연관 기출 문제 키워드**

#속력 #평균 속력 #이동 거리

문제 분석

❶ 철수와 강아지는 서로 9 m 떨어진 곳에서 마주보며 걸어오고 있다.

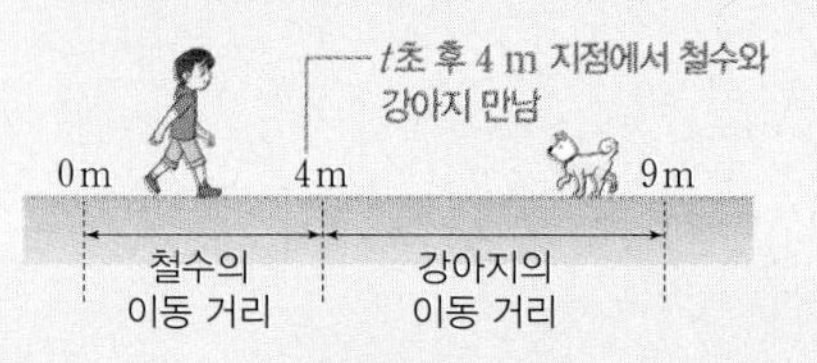

❷ 속력 $= \frac{\text{이동 거리}}{\text{시간}}$이며, 그래프에서는 기울기가 속력을 나타낸다.

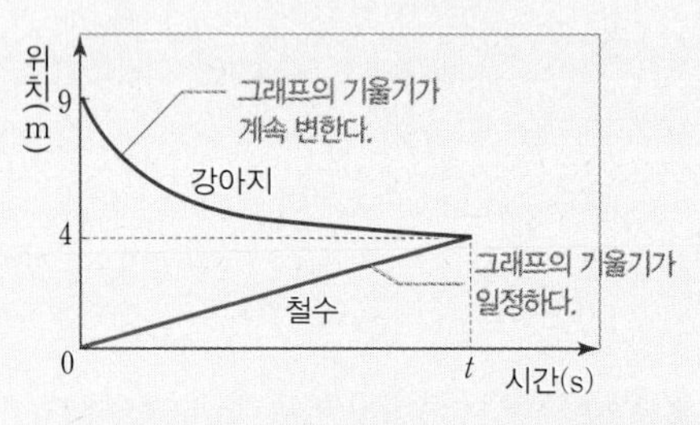

• 철수: 단위 시간당 이동한 거리가 일정하므로 속력이 일정하다.(기울기 일정)

• 강아지: 단위 시간당 이동한 거리가 점점 작아지므로 속력이 시간이 지날수록 감소한다.(기울기 점점 감소)

그림은 동일 직선상에서 철수와 강아지가 운동하는 모습을, 그래프는 철수와 강아지의 위치를 시간에 따라 나타낸 것이다.

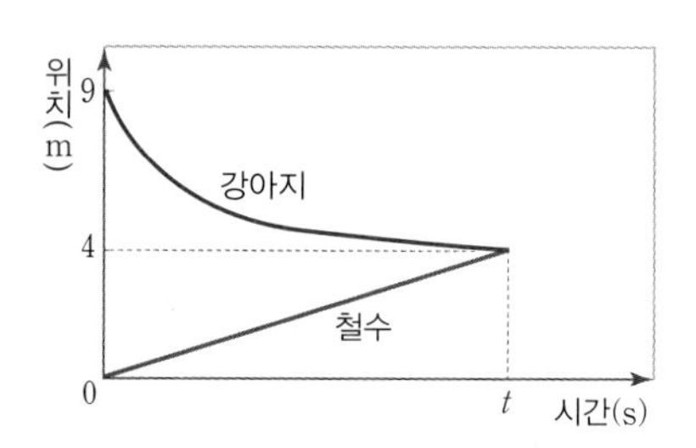

0초부터 t초까지, 철수와 강아지의 운동에 대한 설명으로 옳은 것만을 〈보기〉에서 있는 대로 고른 것은?

| 보기 |

ㄱ. 철수의 속력은 일정하다.

ㄴ. 강아지의 이동 거리는 5 m이다.

ㄷ. 철수의 평균 속력과 강아지의 평균 속력은 같다.

① ㄱ ② ㄷ ③ ㄱ, ㄴ ④ ㄴ, ㄷ ⑤ ㄱ, ㄴ, ㄷ

■ **문항별 해설**

ㄱ. 철수의 이동 거리는 0초부터 t초까지 일정한 비율로 증가하므로 속력은 일정하다. (○)

ㄴ. 강아지의 처음 위치는 9 m이고 나중 위치는 4 m이므로 이동 거리는 5 m이다. (○)

ㄷ. 같은 시간 동안 철수의 이동 거리는 4 m이고 강아지의 이동 거리는 5 m이므로 강아지의 평균 속력이 철수의 평균 속력보다 크다. (×)

답 ③

■ **오류 피하기**

⋯› 철수와 강아지의 운동 방향은 반대이지만 평균 속력과 이동 거리는 방향과 관련 없는 물리량이기 때문에 움직인 거리만 고려하면 된다. 만약 철수와 강아지의 변위를 구한다고 하면 철수가 이동하는 방향을 (+)로 정할 때, 철수는 +4 m, 강아지는 −5 m가 되지만 이동 거리는 부호 없이 각각 4 m와 5 m이다.

기출 문제

정답과 해설 3쪽

001 그림은 직선 운동하는 물체의 위치를 시간에 따라 나타낸 것이다.

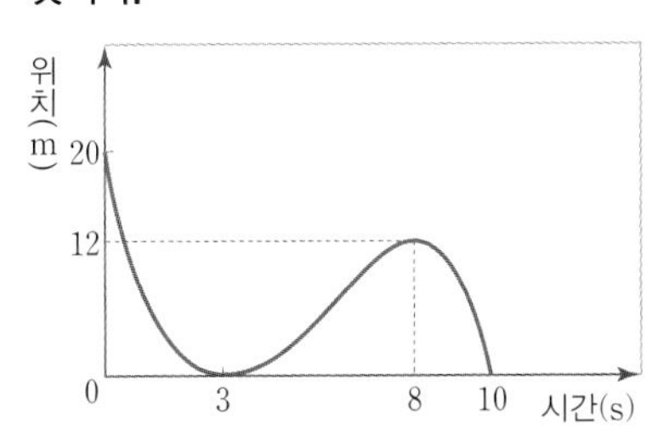

이에 대한 설명으로 옳은 것은?

① 0초부터 3초까지 속력은 일정하다.
② 0초부터 10초까지 이동한 거리는 44 m이다.
③ 0초부터 10초까지 변위는 0이다.
④ 0초부터 10초까지 운동 방향이 세 번 바뀐다.
⑤ 2초일 때의 운동 방향은 6초일 때와 같다.

002 그림은 직선상에서 운동하는 어떤 물체의 위치를 시간에 따라 나타낸 것이다.

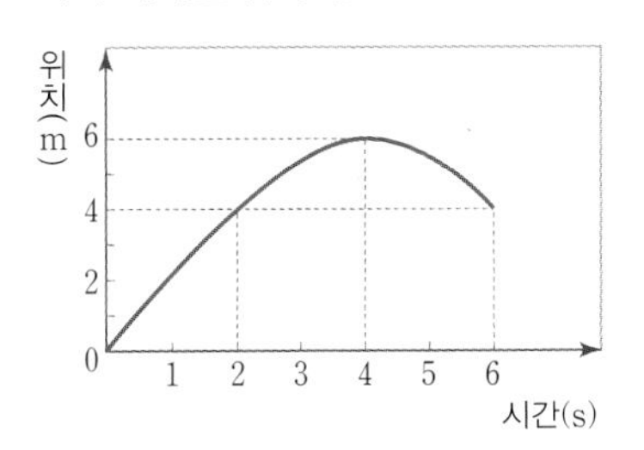

이 물체의 운동에 대한 설명으로 옳은 것만을 〈보기〉에서 있는 대로 고른 것은?

보기

ㄱ. 0~4초까지 이동 거리와 변위의 크기는 같다.
ㄴ. 0~6초까지 평균 속력과 평균 속도의 크기는 같다.
ㄷ. 3초일 때와 5초일 때의 운동 방향은 같다.

① ㄱ ② ㄴ ③ ㄱ, ㄴ
④ ㄱ, ㄷ ⑤ ㄴ, ㄷ

003 그림 (가)는 직선으로 운동하는 영희와 강아지의 모습을, (나)는 강아지가 영희의 뒤에 있는 순간부터 영희가 본 강아지의 위치를 시간에 따라 나타낸 것이다. 영희는 2 m/s의 일정한 속력으로 운동한다.

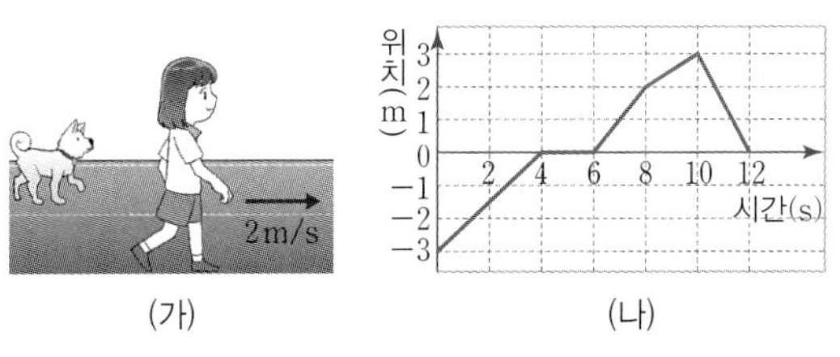

이에 대한 설명으로 옳은 것만을 〈보기〉에서 있는 대로 고른 것은? [3점]

보기

ㄱ. 0초부터 12초까지 평균 속력은 강아지가 영희보다 크다.
ㄴ. 0초부터 12초까지 강아지의 이동 거리와 변위는 같다.
ㄷ. 4초부터 6초까지 강아지는 가장 느리게 운동한다.

① ㄱ ② ㄴ ③ ㄷ
④ ㄱ, ㄴ ⑤ ㄱ, ㄷ

004 그림은 동일 직선상에서 운동하는 두 물체 A, B의 위치를 시간에 따라 나타낸 것이다.

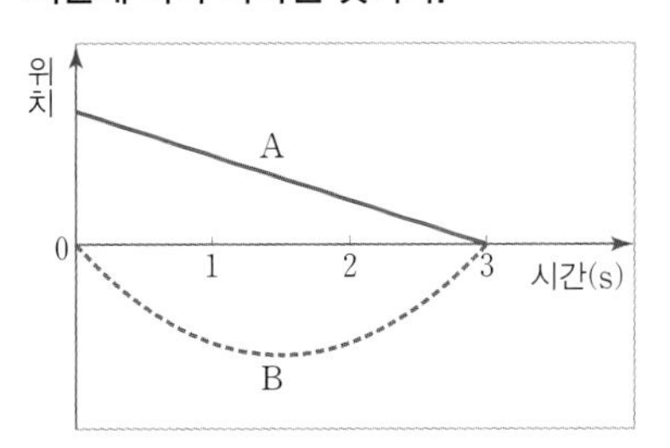

A, B의 운동에 대한 설명으로 옳은 것만을 〈보기〉에서 있는 대로 고른 것은?

보기

ㄱ. 0초부터 3초까지 A의 속력은 감소한다.
ㄴ. 2초일 때, A의 운동 방향과 B의 운동 방향은 반대이다.
ㄷ. 0초부터 3초까지 A에 대한 B의 속도는 일정하다.

① ㄱ ② ㄴ ③ ㄷ
④ ㄱ, ㄴ ⑤ ㄴ, ㄷ

기출 분석

02 유형

출제 의도

물체의 속도-시간 그래프를 보고 변위, 속력, 평균 속력, 가속도를 구할 수 있는지를 묻는 문제이다.

이렇게 대비하자!

속도-시간 그래프에서 기울기가 가속도이고, 그래프 선과 x축 사이의 면적이 이동 거리임을 알아 두자.

■ 연관 기출 문제 키워드

#변위 #평균 속력 #가속도

그림 (가)는 직선 운동하는 자동차 A와 B가 기준선을 각각 1 m/s, 3 m/s의 속도로 통과하는 순간을, (나)는 기준선을 통과한 순간부터 A와 B의 속도를 시간에 따라 나타낸 것이다.

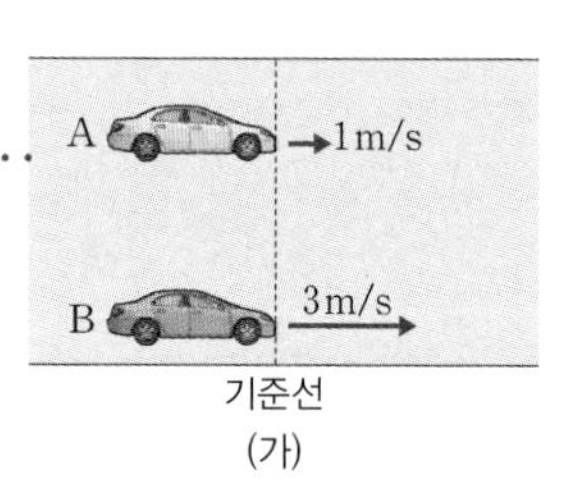

(가)

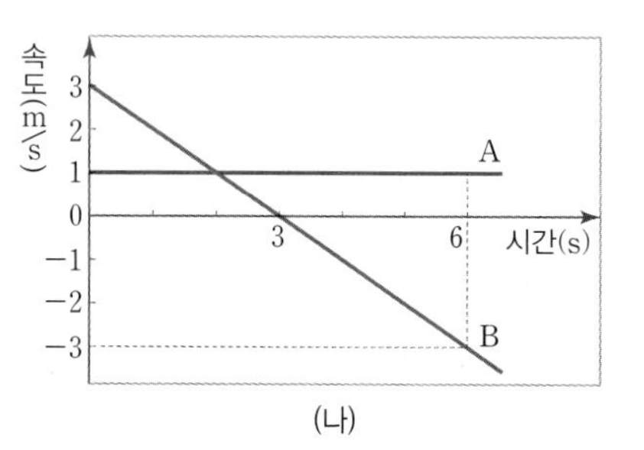

(나)

이에 대한 설명으로 옳은 것만을 〈보기〉에서 있는 대로 고른 것은? (단, A와 B의 크기는 무시한다.) [3점]

보기

ㄱ. 0초에서 6초까지 변위의 크기는 A가 B보다 크다.

ㄴ. 0초에서 6초까지 평균 속력은 A가 B보다 크다.

ㄷ. B의 가속도의 크기는 $1\ m/s^2$이다.

① ㄱ ② ㄴ ③ ㄱ, ㄴ ④ ㄱ, ㄷ ⑤ ㄴ, ㄷ

문제 분석

❶ A는 시간에 따라 속도가 1 m/s로 일정한 등속 직선 운동을 한다.

➡ 가속도 0

❷ 자동차 B의 운동 방향은 속도의 부호가 바뀌는 3초일 때 바뀐다.

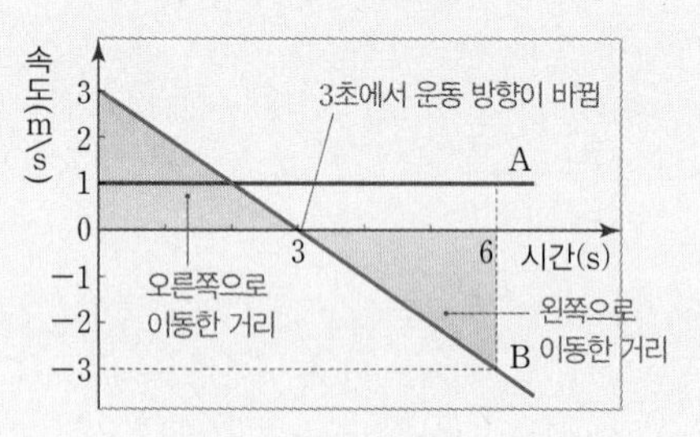

이때 B 자동차가 이동한 거리는 그래프에서 빗금친 두 부분의 합과 같다.

$$\frac{1}{2}(3\times3)+\frac{1}{2}(3\times3)=9\ (m)$$

그러나 B 자동차의 변위는 움직인 방향을 고려하여 구한다.

$$\frac{1}{2}(3\times3)-\frac{1}{2}(3\times3)=0\ (m)$$

└ 반대 방향으로 움직였으므로 (−) 부호가 된다.

즉, B 자동차는 오른쪽으로 움직였다가 다시 왼쪽으로 움직여 제자리로 돌아왔다.

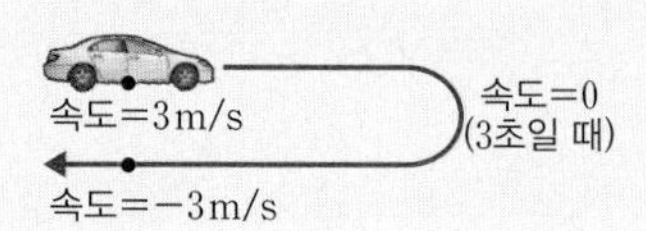

■ **문항별 해설**

ㄱ. 자동차 A의 변위는 $1\ m/s\times6\ s=6\ m$이고, 자동차 B의 변위는 $\frac{1}{2}(3\ m/s\times3\ s)+\frac{1}{2}(-3\ m/s\times3\ s)=0\ m$이다. (○)

ㄴ. 평균 속력은 $\frac{\text{이동 거리}}{\text{시간}}$이므로 자동차 A의 평균 속력은 $\frac{6\ m}{6\ s}=1\ m/s$이고, 자동차 B의 평균 속력은 $\frac{\frac{1}{2}(3\ m/s\times3\ s)+\frac{1}{2}(3\ m/s\times3\ s)}{6\ s}=1.5\ m/s$이다. 그러므로 0~6초까지 평균 속력은 B가 A보다 크다. (×)

ㄷ. 속도-시간 그래프에서 가속도는 기울기이므로 B의 가속도는 $\frac{\text{나중 속도}-\text{처음 속도}}{\text{시간}}$ $=\frac{-3\ m/s-(3\ m/s)}{6\ s}=-1\ m/s^2$이다. 가속도의 크기는 부호를 뺀 크기만을 나타내는 것이므로 $1\ m/s^2$이다. (○)

답 ④

■ **오류 피하기**

⋯➝ 평균 속력은 이동 거리와 관련된 값이고 평균 속도는 변위와 관련된 값이다.

기출 문제

정답과 해설 3쪽

005 그래프는 일직선상에서 운동하는 물체의 속도를 시간에 따라 나타낸 것이다.

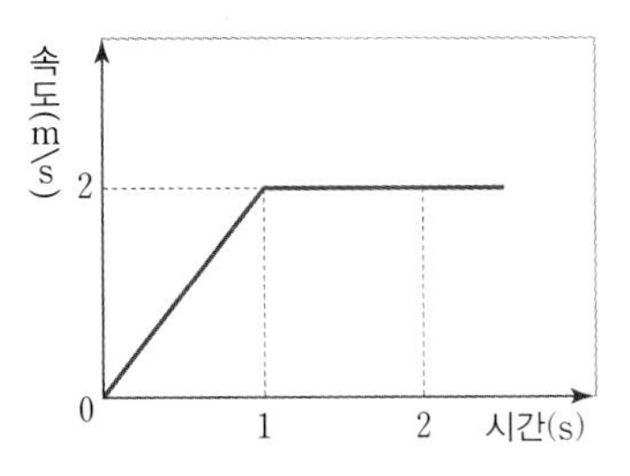

이 물체의 운동에 대한 옳은 설명만을 〈보기〉에서 있는 대로 고른 것은?

보기
ㄱ. 0초부터 1초까지 가속도의 크기는 $2\ m/s^2$이다.
ㄴ. 1초부터 2초까지 등속도 운동을 한다.
ㄷ. 0초부터 2초까지 이동 거리는 3 m이다.

① ㄱ ② ㄷ ③ ㄱ, ㄴ
④ ㄴ, ㄷ ⑤ ㄱ, ㄴ, ㄷ

006 그림은 두 자동차 A, B가 가속도의 크기가 각각 a_A, a_B인 등가속도 직선 운동을 할 때의 속도를 시간에 따라 나타낸 것이다. 0초에서 10초까지 이동 거리는 A가 B보다 100 m만큼 크다.

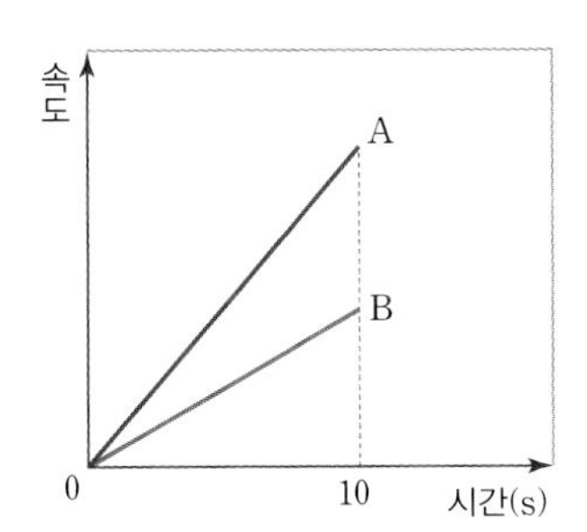

$a_A - a_B$는? [3점]

① $2\ m/s^2$ ② $4\ m/s^2$ ③ $6\ m/s^2$
④ $8\ m/s^2$ ⑤ $10\ m/s^2$

007 그림과 같이 스케이트 선수 A는 10 m/s로 등속 직선 운동하고, 스케이트 선수 B는 등가속도 운동한다. 그래프는 0초부터 6초까지 A에 대한 B의 속도를 시간에 따라 나타낸 것이다.

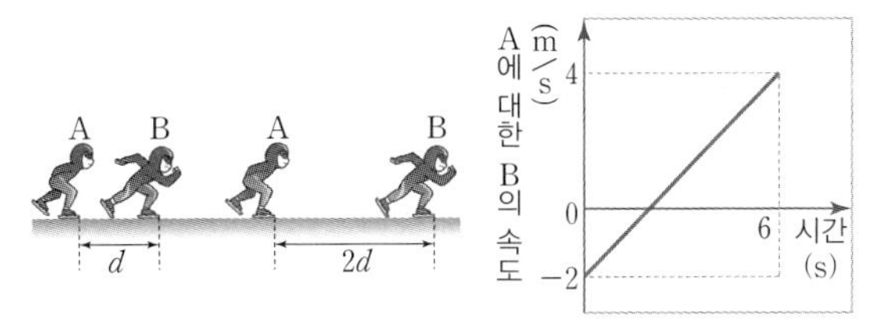

A와 B 사이의 거리가 0초일 때 d, 6초일 때 $2d$이다. 이때 d는? (단, A와 B의 크기는 무시한다.) [3점]

① 4 m ② 6 m ③ 8 m
④ 10 m ⑤ 12 m

008 그림 (가)는 지면에 대하여 2 m/s의 속력으로 움직이는 무빙워크 위에서 영희는 서 있고, 철수는 무빙워크의 운동 방향과 같은 방향으로 걷고 있는 모습을 나타낸 것이다. 그림 (나)는 영희가 본 철수의 속도를 시간에 따라 나타낸 것이다. 0초일 때 철수는 영희보다 앞선 위치에 있고 철수와 영희는 일직선상에서 운동한다.

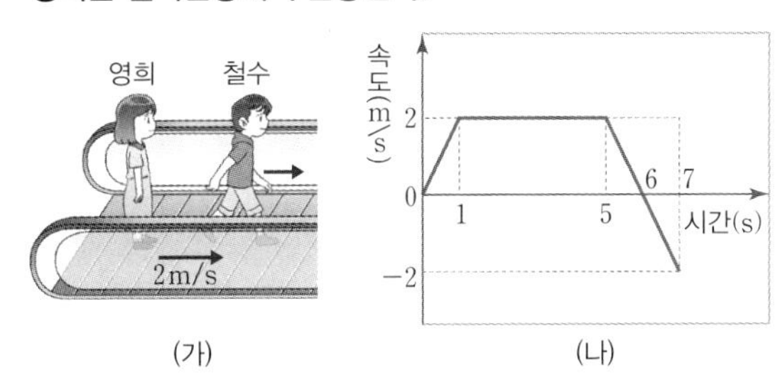

(가) (나)

이에 대한 설명으로 옳은 것만을 〈보기〉에서 있는 대로 고른 것은? (단, 무빙워크의 운동 방향을 (+)방향으로 한다.) [3점]

보기
ㄱ. 3초일 때 지면에 대한 철수의 속력은 4 m/s이다.
ㄴ. 5초일 때 철수와 영희 사이의 거리가 가장 멀다.
ㄷ. 6초일 때 철수의 가속도의 크기는 $4\ m/s^2$이다.

① ㄱ ② ㄷ ③ ㄱ, ㄴ
④ ㄴ, ㄷ ⑤ ㄱ, ㄴ, ㄷ

기출 분석

03 유형

? 출제 의도

물체가 등속도 혹은 등가속도 운동을 할 때 그 운동이 갖는 위치–시간, 속도–시간, 가속도–시간 그래프를 묻는 문제이다.

이렇게 대비하자!

위치–시간, 속도–시간, 가속도–시간 그래프를 해석하여 물체의 운동을 이해할 수 있어야 한다.

■ 연관 기출 문제 키워드

#일정한 시간 간격 #등가속도

그림은 어두운 실험실에서 일정한 시간 간격으로 빛을 비추는 조명 장치를 켜놓고 빗면을 미끄러져 내려가는 나무 도막을 촬영한 사진을 나타낸 것이다.

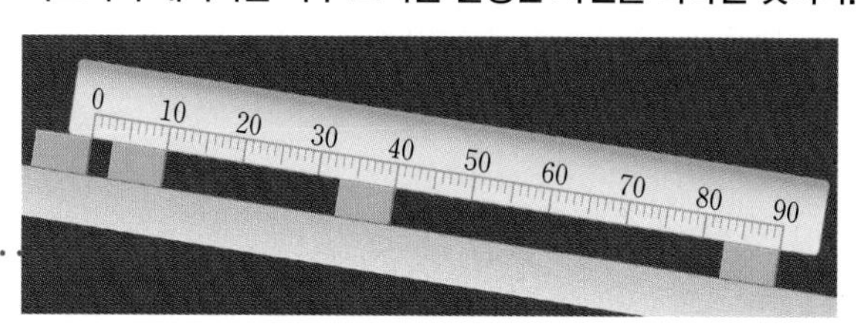

이 나무 도막의 운동을 나타낸 그래프로 가장 적절한 것은?

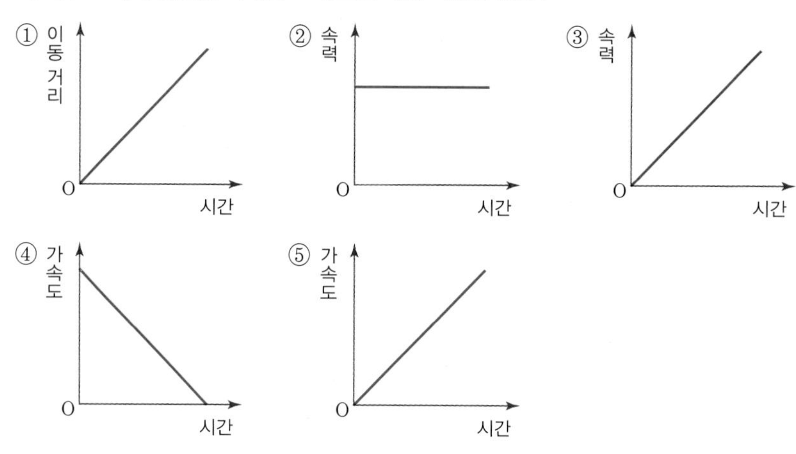

문제 분석

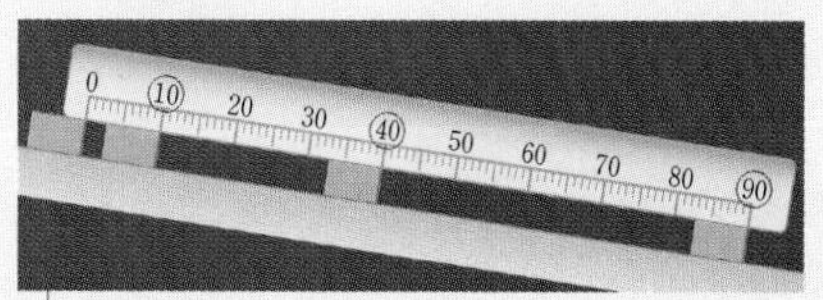

사진은 같은 시간 간격으로 촬영하였으므로 물체 사이에 걸린 시간은 같다.

위의 운동을 표로 작성해 보자.

시간	0	t	$2t$	$3t$
거리	0	10	40	90
평균 속력	$\frac{10}{t}$	$\frac{30}{t}$	$\frac{50}{t}$	
가속도		$\frac{20}{t^2}$	$\frac{20}{t^2}$	

• 나무 도막은 등가속도 운동을 한다.

➡ 속력은 일정하게 증가

➡ 가속도는 일정

배경 지식

직선 운동: 한 방향으로 직선 운동하는 물체는 속력과 속도는 같은 값을 갖는다.

속력$=\dfrac{\text{이동 거리}}{\text{시간}}$, $v=\dfrac{s}{t}$ (단위 : m/s)

가속도$=\dfrac{\text{나중 속도}-\text{처음 속도}}{\text{시간}}$,

$a=\dfrac{v-v_0}{t}$ (단위 : m/s^2)

■ 문항별 해설

나무 도막에 작용하는 중력으로 나무 도막은 등가속도 운동을 하며, 등가속도 운동의 그래프는 다음과 같다.

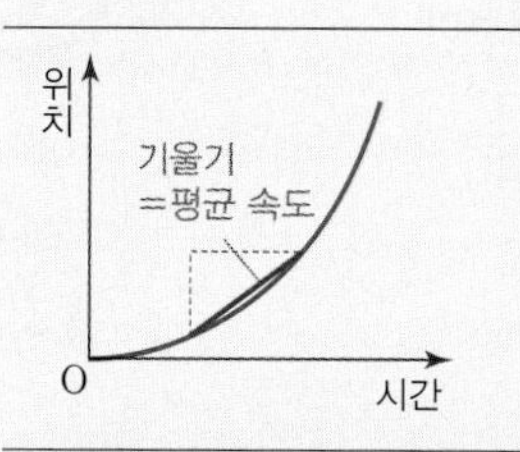	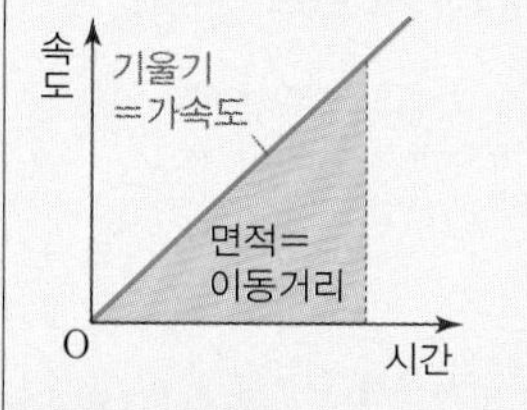	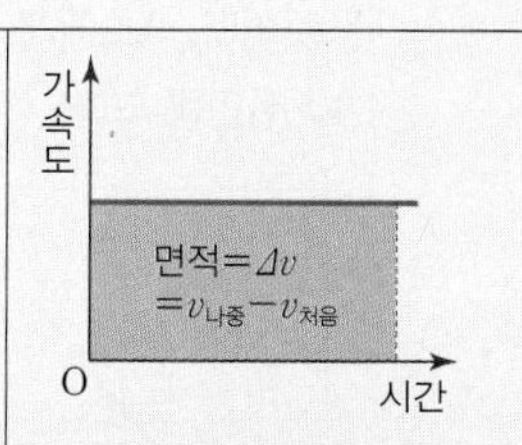
• 직선의 기울기는 두 점 사이의 평균 속도이고, 접선의 기울기는 그 점에서의 순간 속도이다. ➡ 나무 도막의 속도가 점점 증가하므로 접선의 기울기가 증가한다.	• 넓이는 변위 또는 이동 거리이다. • 기울기는 가속도이다. ➡ 나무 도막은 속도가 점점 증가하는 등가속도 운동을 하므로 일정한 기울기(가속도>0)를 갖는다.	• 넓이는 속도 증가량이다. ➡ 나무 도막의 속력은 단위 시간당 일정한 크기로 증가하므로 등가속도 운동을 한다.

답 ③

기출 문제

정답과 해설 4쪽

009 그림은 공기 부상 궤도 장치(무마찰 실험 장치)에서 직선 운동하는 물체의 위치를 시간에 따라 나타낸 것이다. 이와 같은 실험 결과를 얻을 수 있는 실험 모습으로 옳은 것만을 〈보기〉에서 있는 대로 고른 것은? (단, 공기의 저항은 무시하며, 점선은 수평면이다.)

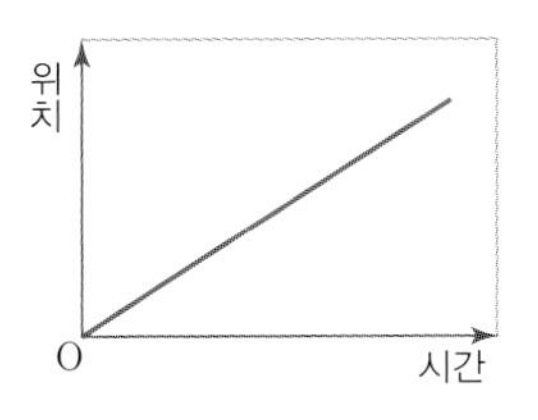

보기

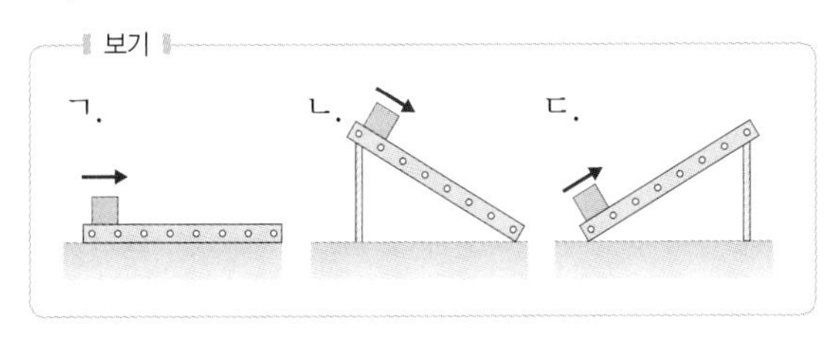

① ㄱ ② ㄴ ③ ㄷ
④ ㄱ, ㄴ ⑤ ㄱ, ㄷ

010 표는 등가속도 직선 운동을 하는 물체의 위치를 1초 간격으로 나타낸 것이다.

시간(s)	0	1	2	3	4
위치(m)	0	3	4	3	0

이 물체의 운동을 나타낸 그래프로 옳은 것만을 〈보기〉에서 있는 대로 고른 것은? [3점]

보기

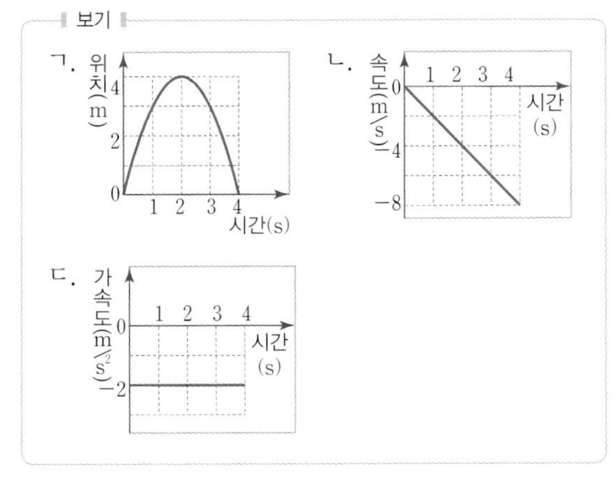

① ㄱ ② ㄴ ③ ㄱ, ㄷ
④ ㄴ, ㄷ ⑤ ㄱ, ㄴ, ㄷ

011 그림과 같이 다리 위에서 자동차가 등가속도 직선 운동을 하고 있다. 자동차가 이웃한 교각 사이의 구간을 지나는 데 걸린 시간은 모두 같다.

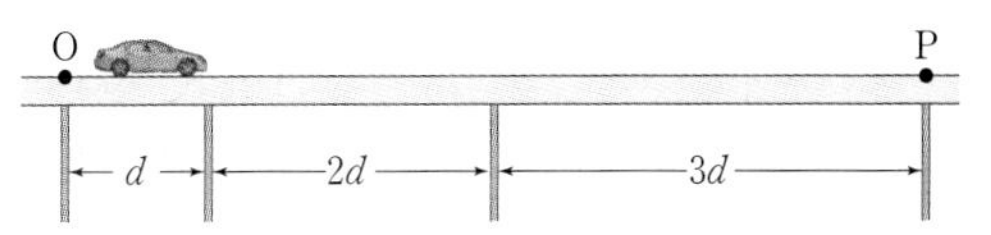

점 O에서 점 P까지 자동차의 속력을 위치에 따라 나타낸 그래프로 가장 적절한 것은? (단, 자동차의 크기는 무시한다.)

①
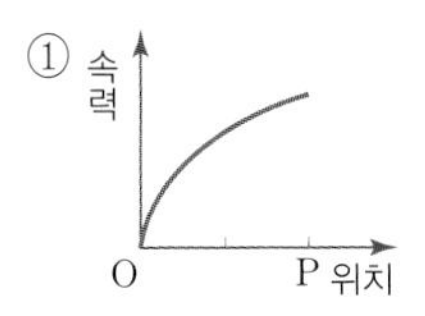

②
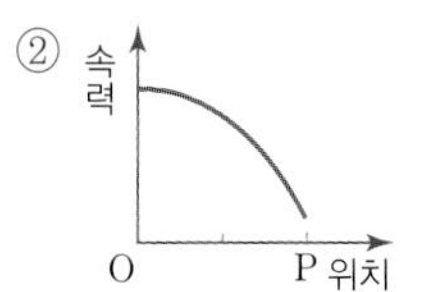

③
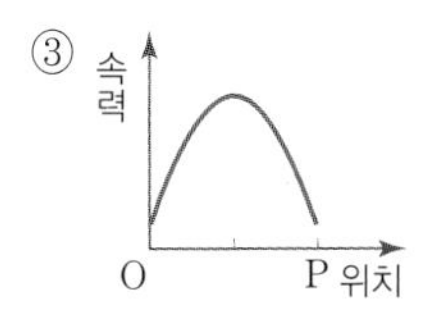

④
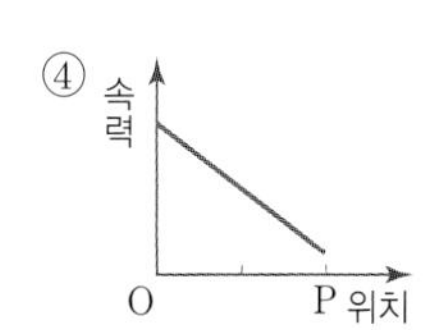

⑤
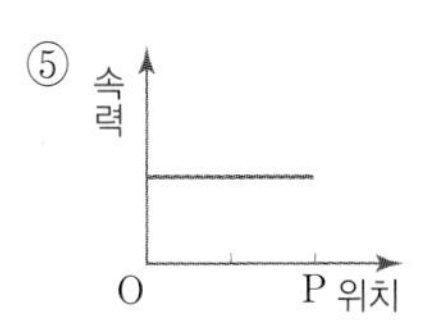

012 그림은 공이 자유 낙하하여 지면에 충돌한 후 튀어 오르는 것을 모식적으로 나타낸 것이다. 이 공의 속도를 시간에 따라 나타낸 그래프로 옳은 것은? (단, 아래쪽 방향을 (+)로 하고, 공기 저항은 무시한다.)

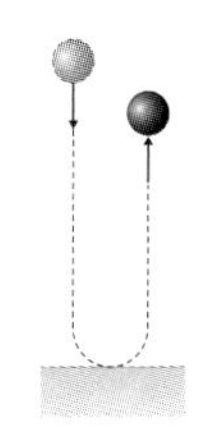

①
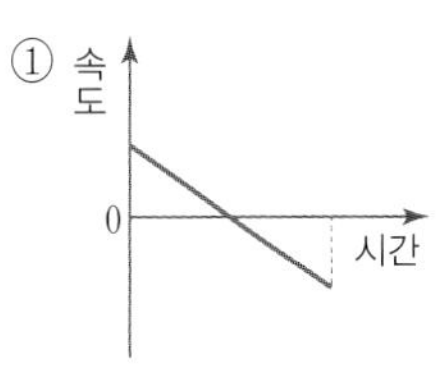

②
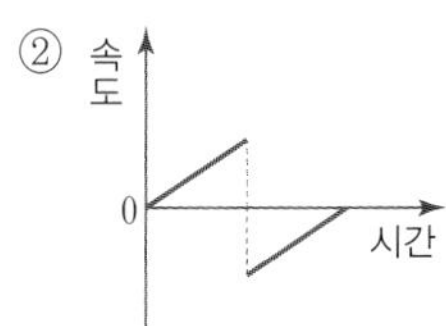

③
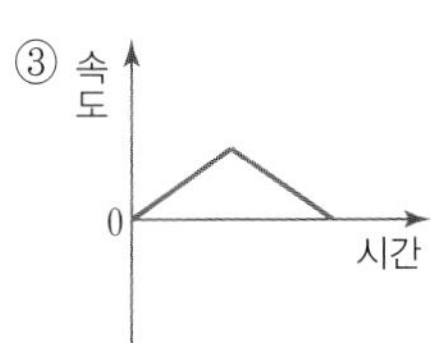

④
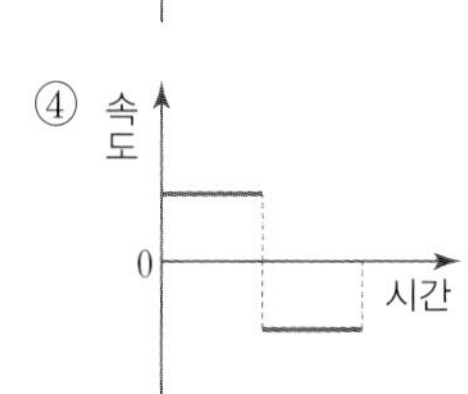

⑤
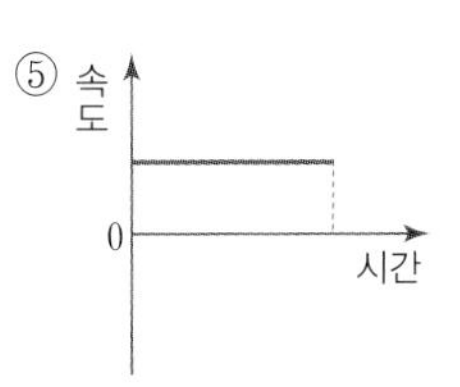

기출 분석 04 유형

출제 의도
등가속도 직선 운동 식을 이용해 등가속도 직선 운동을 하는 물체의 구간별 속도, 가속도 등을 계산할 수 있는지를 묻는 문제이다.

이렇게 대비하자!
등가속도 직선 운동을 하는 물체의 운동에 등가속도 직선 운동 식을 적용할 수 있어야 한다.

■ 연관 기출 문제 키워드
#등가속도 직선 운동 #속력

그림과 같이 직선 도로에서 자동차 A, B가 기준선 P를 동시에 통과한 후, 도로와 나란하게 운동하여 기준선 R에 동시에 도달한다. A는 P에서 기준선 Q까지 20 m/s의 속력으로 등속도 운동을 한 후, Q에서 R까지 가속도의 크기가 a_A인 등가속도 운동을 한다. B는 P에서 Q까지 10 m/s의 속력으로 등속도 운동을 한 후, Q에서 R까지 가속도의 크기가 a_B인 등가속도 운동을 한다. R에 도달하는 순간 A는 정지하고, B의 속력은 v_B이다. P와 Q 사이, Q와 R 사이의 거리는 각각 40 m, 60 m이다.

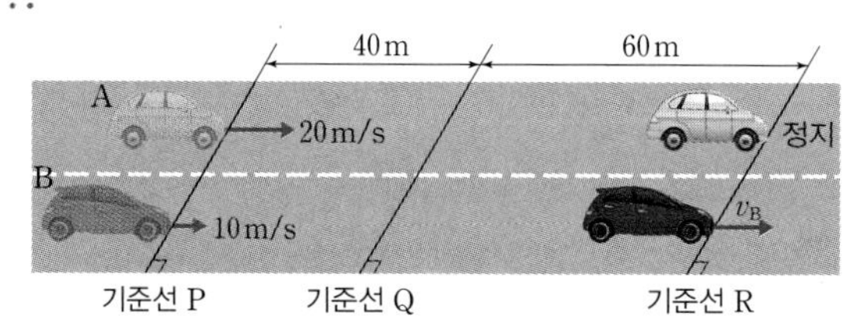

이에 대한 설명으로 옳은 것만을 〈보기〉에서 있는 대로 고른 것은? (단, A, B의 크기는 무시한다.) [3점]

보기
ㄱ. A가 Q를 통과한 순간부터 2초 후에 B가 Q를 통과한다.
ㄴ. v_B는 20 m/s이다.
ㄷ. $a_A : a_B = 4 : 3$이다.

① ㄱ ② ㄷ ③ ㄱ, ㄴ ④ ㄴ, ㄷ ⑤ ㄱ, ㄴ, ㄷ

문제 분석

❶ Q 점에서의 운동 상태를 확인한다.
A, B는 모두 등속도 운동이므로 PQ 구간을 이동하는 데 걸리는 시간은 속력 $=\dfrac{\text{이동 거리}}{\text{시간}}$로 알 수 있다.

❷ 정보가 다 주어진 자동차 A의 운동을 먼저 분석한다.
A가 QR 구간을 움직이는 동안 등가속도 운동을 하므로 $2as=v^2-v_0^2$에 의해 가속도를 구할 수 있다.

❸ A가 QR 구간을 이동하는 데 걸린 시간은 $v=v_0+at$으로 알 수 있다.

■ 문항별 해설

ㄱ. 자동차 A, B는 PQ 구간에서 등속도 운동을 하므로 '걸린 시간$=\dfrac{\text{이동 거리}}{\text{속도}}$'이다.
자동차 A는 $\dfrac{40\text{ m}}{20\text{ m/s}}=2$ s가 걸리고, 자동차 B는 $\dfrac{40\text{ m}}{10\text{ m/s}}=4$ s가 걸리므로 A가 Q를 통과한 순간부터 2초 후에 B가 Q를 통과한다. (○)

ㄴ. QR 구간에서 A의 가속도는 $2a_A\times 60\text{ m}=v^2-v_0^2=0^2-20^2 \Rightarrow a_A=-\dfrac{10}{3}\text{ m/s}^2$이고, 이동하는데 걸린 시간은 $v=v_0+a_At_A$에 의해 $0=20+(-\dfrac{10}{3})t_A$이므로 t_A는 6초이다. 두 자동차가 동시에 R을 통과하므로 전체 걸린 시간은 같고, A가 R을 통과하는데 8(2+6)초가 걸리므로 B가 QR구간에 통과하는 데 걸린 시간은 4(8−4)초이다. 따라서 가속도는 $s=v_0t+\dfrac{1}{2}a_Bt_B^2$에 의해 $60=10\times4+\dfrac{1}{2}a_B\times4^2 \Rightarrow a_B=\dfrac{5}{2}\text{ m/s}^2$이고, 속력은 $v_B=v_0+a_Bt_B$에 의해 $v_B=10+\dfrac{5}{2}\times4=20\text{ m/s}$이다. (○)

ㄷ. ㄴ에서 $a_A=\dfrac{10}{3}$, $a_B=\dfrac{5}{2}$이므로, $a_A : a_B=4:3$이다. (○)

답 ⑤

또다른 풀이
자동차가 등가속도 운동을 하는 경우
평균 속력$=\dfrac{v+v_0}{2}=\dfrac{\text{이동 거리}}{\text{시간}}$에 의해
$\dfrac{10\text{ m/s}+v_B}{2}=\dfrac{60\text{ m}}{4\text{ s}}$로 구할 수 있다.
$\Rightarrow v_B=20\text{ m/s}$

기출 문제

정답과 해설 4쪽

013 그림은 정지해 있던 자동차가 등가속도 직선 운동을 하여 5초일 때 속력이 20 m/s인 것을 나타낸 것이다.

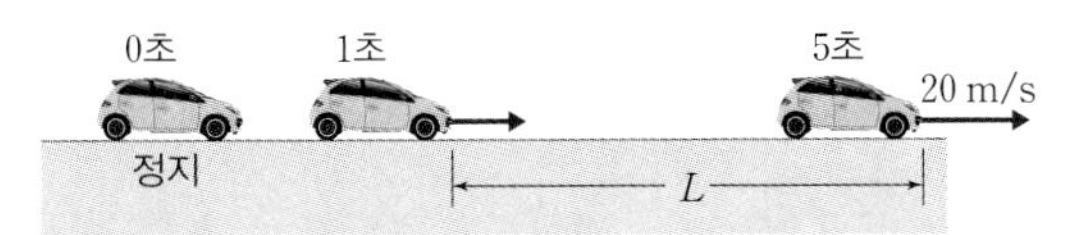

자동차가 1초부터 5초까지 이동한 거리 L은?

① 18 m ② 32 m ③ 48 m
④ 60 m ⑤ 100 m

014 그림은 직선 도로에서 각각 15 m/s, 25 m/s의 일정한 속력으로 운동하던 자동차 A, B가 기준선에서 100 m, 150 m 떨어진 지점부터 기준선을 통과할 때까지 각각 등가속도 운동하는 모습을 나타낸 것이다. 기준선을 통과하는 A, B의 속력은 5 m/s로 같다.

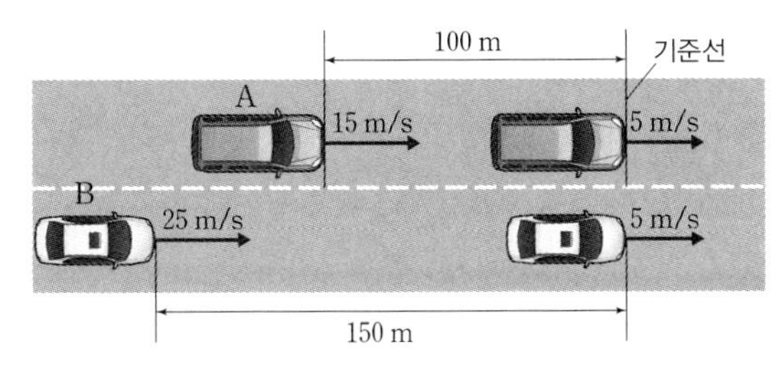

등가속도 운동을 하는 동안, 가속도의 크기는 B가 A의 몇 배인가? [3점]

① $\frac{1}{2}$배 ② 1배 ③ 2배
④ 4배 ⑤ 6배

015 그림과 같이 직선 도로에서 자동차 A, B가 기준선 P를 각각 v, 5 m/s의 속력으로 동시에 통과한 후, 각각 속력이 증가하는 등가속도 운동을 하여 동시에 기준선 Q를 통과한다. 가속도의 크기는 A가 B의 2배이고, Q에서 A의 속력은 $5v$이다.

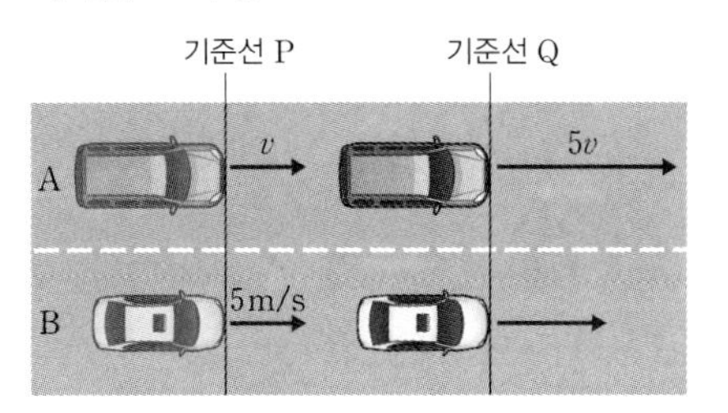

B가 Q를 지나는 순간의 속력은? (단, A, B의 크기는 무시한다.) [3점]

① 7.5 m/s ② 10 m/s ③ 12.5 m/s
④ 15 m/s ⑤ 17.5 m/s

016 그림은 직선 도로 위의 출발선에 정지해 있던 자동차 A, B가 동시에 출발하는 순간의 모습을 나타낸 것이다. A, B는 직선 운동을 하며, 출발선과 도착선 사이의 거리는 16 m이다.

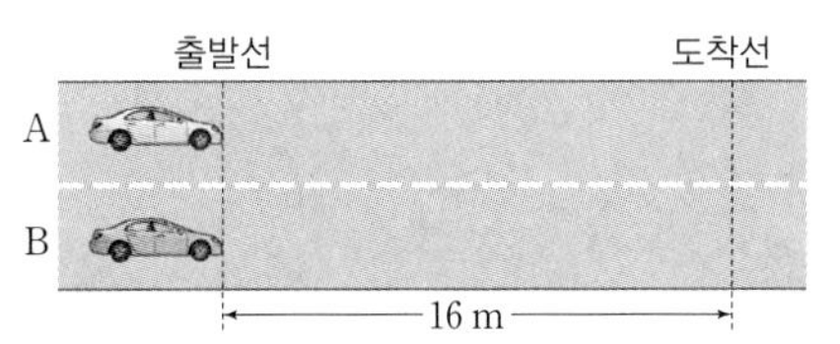

그래프 (가)는 시간에 따른 A의 가속도를, 그래프 (나)는 시간에 따른 B의 속력을 나타낸 것이다.

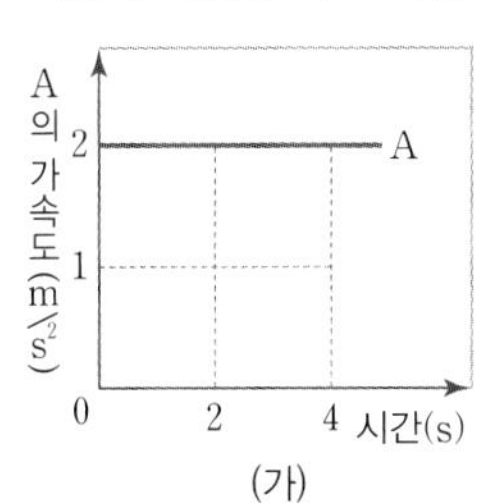

(가)

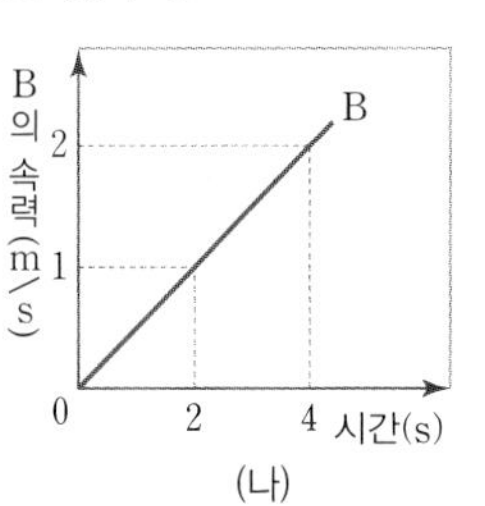

(나)

A, B의 운동에 대한 옳은 설명만을 <보기>에서 있는 대로 고른 것은? (단, A, B의 크기는 무시한다.) [3점]

보기

ㄱ. 0초부터 2초까지 A의 평균 속력은 2 m/s이다.
ㄴ. 0초부터 4초까지 B의 이동 거리는 8 m이다.
ㄷ. 도착선을 통과할 때 A의 속력은 8 m/s이다.

① ㄱ ② ㄴ ③ ㄱ, ㄷ
④ ㄴ, ㄷ ⑤ ㄱ, ㄴ, ㄷ

017

그림과 같이 직선 도로에서 자동차 A가 기준선 P를 속력 v_0으로 통과하는 순간, P에서 정지해 있던 자동차 B가 출발하여 두 자동차가 도로와 나란하게 각각 등가속도 직선 운동하고 있다. A가 기준선 R를 통과하는 순간, B는 기준선 Q를 속력 $3v_0$으로 통과한다. P와 Q 사이, Q와 R 사이의 거리는 각각 L로 같다.

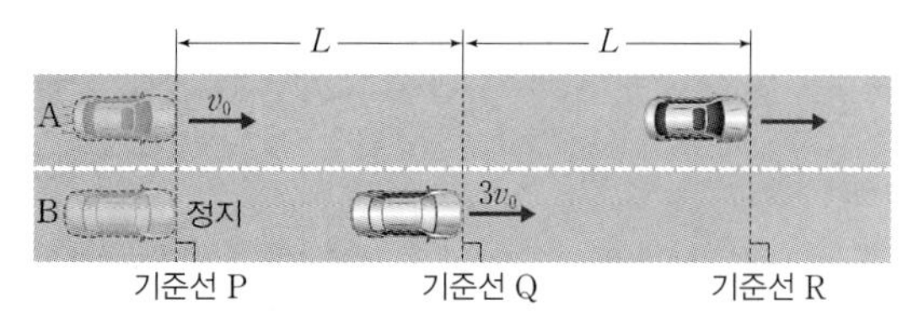

이에 대한 설명으로 옳은 것만을 <보기>에서 있는 대로 고른 것은? (단, A, B의 크기는 무시한다.) [3점]

보기

ㄱ. A가 P를 통과한 순간부터 R를 통과하는 순간까지 운동하는 데 걸린 시간은 $\frac{2L}{3v_0}$이다.
ㄴ. A가 R를 통과하는 순간, A의 속력은 $5v_0$이다.
ㄷ. 가속도의 크기는 A가 B보다 크다.

① ㄱ ② ㄷ ③ ㄱ, ㄴ
④ ㄴ, ㄷ ⑤ ㄱ, ㄴ, ㄷ

018

그림 (가)는 자동차 A, B가 평행한 직선 경로를 따라 각각 가속도 운동과 등속도 운동을 하는 모습을 나타낸 것이다. 0초일 때, A, B의 속력은 모두 10 m/s이고, B는 A보다 L만큼 앞에 있다. 6초일 때 A, B는 기준선을 동시에 통과한다. 그림 (나)는 A의 가속도를 시간에 따라 나타낸 것이다.

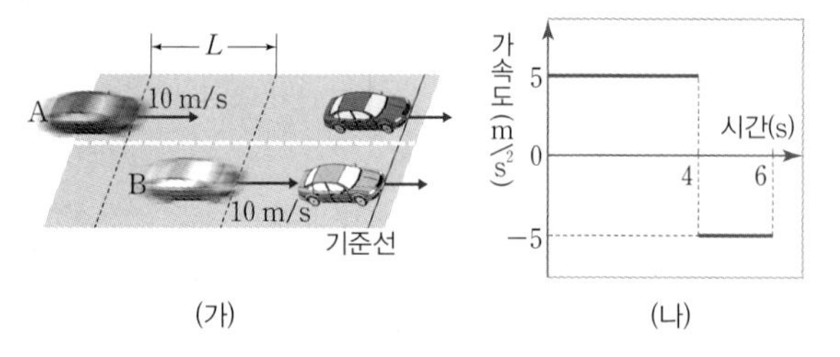

(가) (나)

L은? (단, A, B의 크기는 무시한다.)

① 60 m ② 70 m ③ 90 m
④ 100 m ⑤ 130 m

019

그림은 출발선에 정지해 있던 눈썰매가 등가속도 직선 운동하는 모습을 나타낸 것이다. 눈썰매의 평균 속력은 P에서 Q까지와 Q에서 R까지 이동하는 동안 각각 10 m/s, 15 m/s이다.

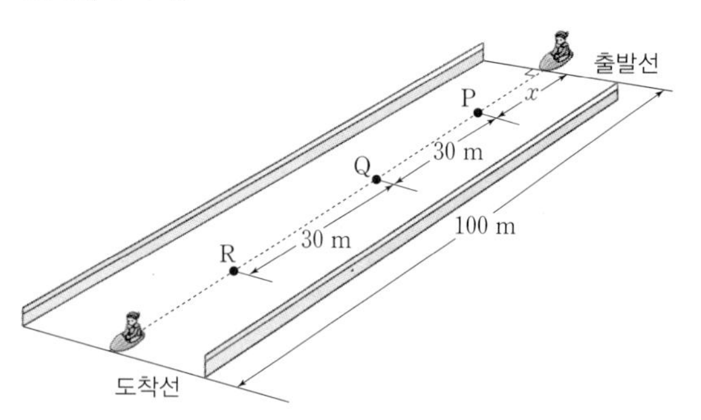

이에 대한 설명으로 옳은 것만을 <보기>에서 있는 대로 고른 것은?

보기

ㄱ. 가속도의 크기는 4 m/s²이다.
ㄴ. 출발선에서 P까지의 거리 x는 12 m이다.
ㄷ. 도착선에 도달하는 순간의 속력은 20 m/s이다.

① ㄱ ② ㄴ ③ ㄷ
④ ㄱ, ㄴ ⑤ ㄴ, ㄷ

020

그림과 같이 직선 도로에서 자동차 A가 기준선을 속력 10 m/s로 통과하는 순간, 기준선에 정지해 있던 자동차 B가 출발하여 두 자동차가 도로와 나란하게 운동하고 있다. A와 B의 속력이 v로 같은 순간, A는 B보다 20 m 앞서 있다. A와 B는 속력이 증가하는 등가속도 운동을 하고, A와 B의 가속도의 크기는 각각 a, $2a$이다.

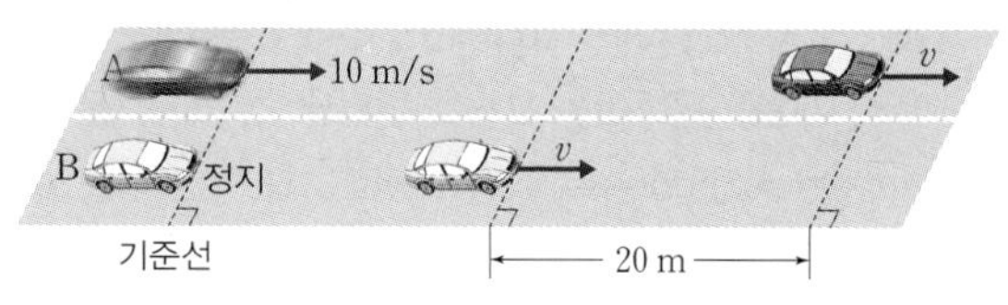

이에 대한 설명으로 옳은 것만을 <보기>에서 있는 대로 고른 것은?

보기

ㄱ. $a = 2\ \mathrm{m/s^2}$이다.
ㄴ. $v = 30$ m/s이다.
ㄷ. 두 자동차가 기준선을 통과한 순간부터 속력이 v로 같아질 때까지 걸린 시간은 4초이다.

① ㄱ ② ㄷ ③ ㄱ, ㄴ
④ ㄱ, ㄷ ⑤ ㄴ, ㄷ

021 그림 (가)는 직선 운동을 하는 자동차의 모습을 나타낸 것이며, 0초일 때 점 P에서 자동차의 속력은 4 m/s이고, 6초일 때 점 Q에서 자동차의 속력은 6 m/s이다. 그림 (나)는 자동차의 가속도를 시간에 따라 나타낸 것이다.

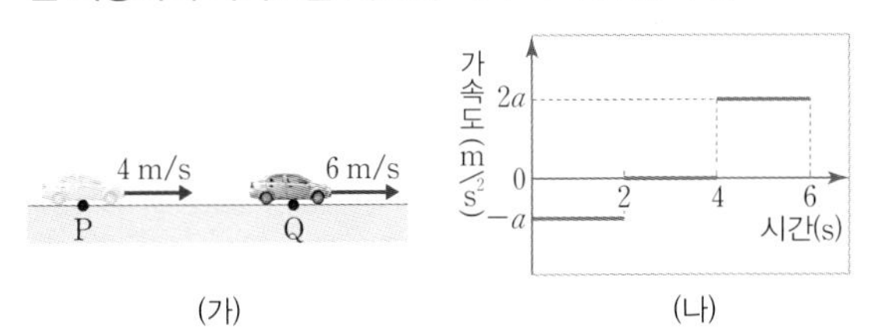

(가) (나)

자동차의 운동에 대한 설명으로 옳은 것만을 〈보기〉에서 있는 대로 고른 것은?

보기

ㄱ. 1초일 때 가속도의 크기는 1 m/s²이다.
ㄴ. 3초일 때 속력은 2 m/s이다.
ㄷ. 0초부터 6초까지 평균 속력은 3 m/s이다.

① ㄱ ② ㄷ ③ ㄱ, ㄴ
④ ㄴ, ㄷ ⑤ ㄱ, ㄴ, ㄷ

022 그림과 같이 2 m/s로 등속도 운동하는 무빙워크 위에 서 있는 영희가 $t=0$일 때 기준선 P를 통과하는 순간 P에 정지해 있던 철수가 등가속도 직선 운동을 시작한다. 이후, 철수와 영희는 P에서 40 m 떨어진 기준선 Q를 동시에 통과한다.

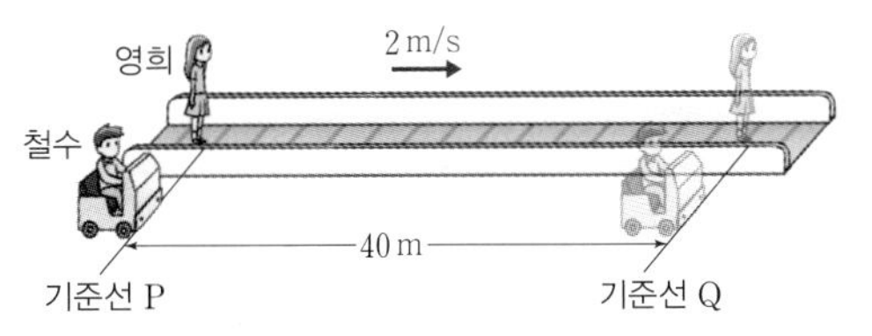

이에 대한 설명으로 옳은 것만을 〈보기〉에서 있는 대로 고른 것은? [3점]

보기

ㄱ. 철수의 가속도의 크기는 0.4 m/s²이다.
ㄴ. $t=0$부터 $t=10$초까지 이동한 거리는 영희가 철수의 2배이다.
ㄷ. $t=10$초일 때 철수의 속력은 2 m/s이다.

① ㄱ ② ㄴ ③ ㄷ
④ ㄱ, ㄴ ⑤ ㄴ, ㄷ

023 그림과 같이 직선 도로에서 센서 A를 30 m/s의 속력으로 통과한 자동차가 등가속도 직선 운동하여 10초 후 센서 B를 통과한다. A에서 B까지 자동차의 평균 속력은 25 m/s이다.

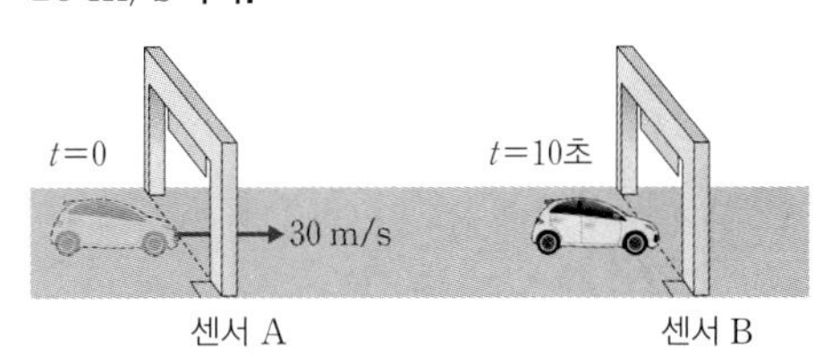

A에서 B까지 자동차의 운동에 대한 설명으로 옳은 것만을 〈보기〉에서 있는 대로 고른 것은? (단, 자동차 크기는 무시한다.)

보기

ㄱ. 이동 거리는 250 m이다.
ㄴ. B를 통과할 때 속력은 20 m/s이다.
ㄷ. 가속도의 방향은 운동 방향과 같다.

① ㄱ ② ㄷ ③ ㄱ, ㄴ
④ ㄴ, ㄷ ⑤ ㄱ, ㄴ, ㄷ

024 그림 (가)는 직선 도로에서 0초일 때 자동차 A가 기준선을 v_0의 속력으로 통과하고, 자동차 B는 정지 상태에서 A와 같은 방향으로 출발하는 모습을 나타낸 것이다. 0초에서 4초까지 A, B의 이동 거리는 서로 같다. 그림 (나)는 A, B의 가속도를 시간에 따라 나타낸 것이다.

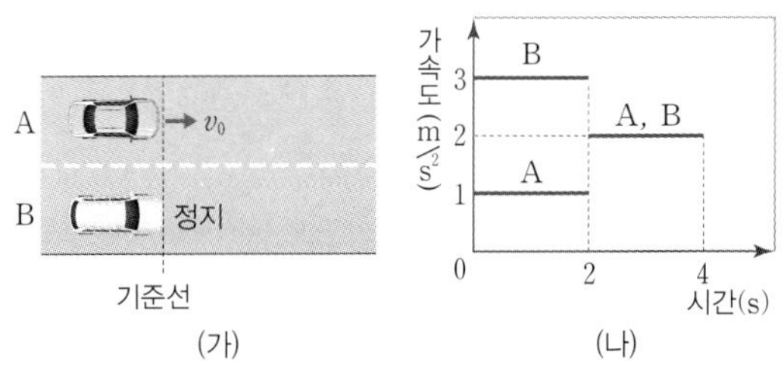

(가) (나)

v_0은? (단, A, B는 도로와 평행한 직선 경로를 따라 운동한다.) [3점]

① 1 m/s ② 2 m/s ③ 3 m/s
④ 4 m/s ⑤ 5 m/s

기출 분석

05 유형

I. 역학과 에너지 | 1. 힘과 운동 힘, 가속도, 질량의 관계

출제 의도
시간-속력 그래프를 해석하여 실로 연결되어 운동하는 세 물체의 운동을 알아내는 문제이다.

이렇게 대비하자!
물체에 작용하는 합력에 따라 물체의 운동이 달라지는 것을 이해하고, 각 물체에 작용하는 알짜힘을 구해 보자.

■ 연관 기출 문제 키워드

#등가속도 운동 #알짜힘 #장력 #합력

문제 분석

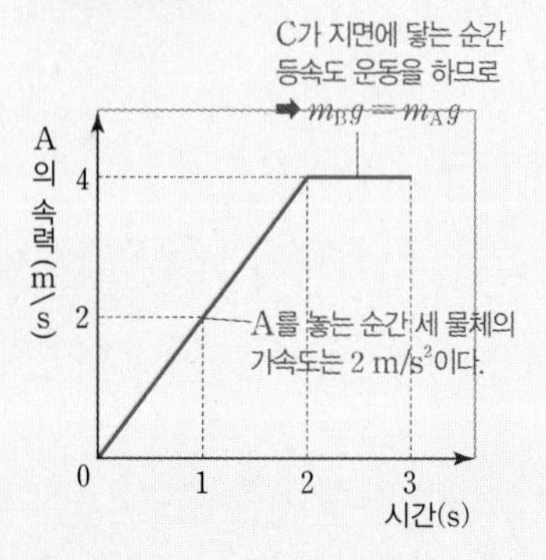

도르래를 기준으로 왼쪽에 작용하는 힘을 (−), 오른쪽에 작용하는 힘을 (+)라고 할 때 다음과 같은 관계식을 얻을 수 있다.

❶ F를 작용할 때 세 물체가 정지해 있으므로 세 물체에 작용하는 알짜힘은 0이다.

$m_Bg+m_Cg-F-m_Ag=0$

❷ A를 놓는 순간 세 물체는 등가속도 운동을 한다. (0~2초)

➡ 세 물체에 작용하는 알짜힘의 크기는 0이 아니다.

$(m_B+m_C-m_A)\times g$
$=(m_B+m_C+m_A)\times 2\text{ m/s}^2$ (그래프에서 기울기=가속도)

❸ C가 지면에 닿고 B가 C와 닿기 전까지 등속 운동을 한다. (2~3초)

➡ A, B에 작용하는 알짜힘의 크기는 0, 따라서 $m_Bg-m_Ag=0$이다.

그림 (가)는 물체 A, B, C를 실 p, q로 연결한 후, 손이 A에 연직 방향으로 일정한 힘 F를 가해 A, B, C가 정지한 모습을 나타낸 것이다. 그림 (나)는 (가)에서 A를 놓은 순간부터 물체가 운동하여 C가 지면에 닿고 이후 B가 C와 충돌하기 전까지 A의 속력을 시간에 따라 나타낸 것이다.

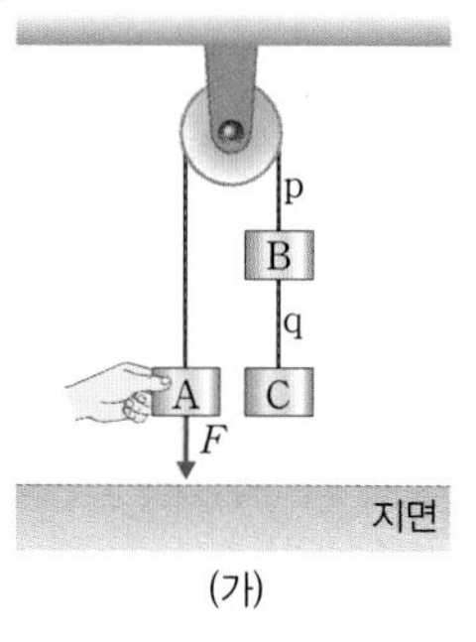

(가)

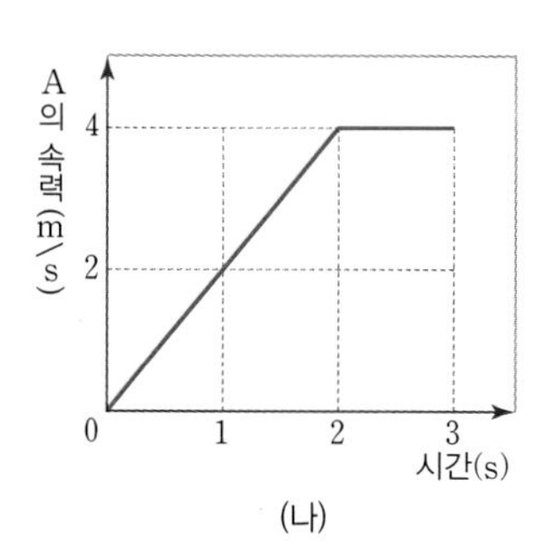

(나)

이에 대한 설명으로 옳은 것만을 〈보기〉에서 있는 대로 고른 것은? (단, 중력 가속도는 10 m/s²이고, 모든 마찰과 공기 저항은 무시한다.) [3점]

보기

ㄱ. F의 크기는 C에 작용하는 중력의 크기와 같다.
ㄴ. 질량은 A가 C의 2배이다.
ㄷ. 1초일 때, p가 B를 당기는 힘의 크기는 q가 B를 당기는 힘의 크기보다 크다.

① ㄱ ② ㄷ ③ ㄱ, ㄴ ④ ㄴ, ㄷ ⑤ ㄱ, ㄴ, ㄷ

■ 문항별 해설

ㄱ. C가 지면에 닿은 후 A와 B는 등속 운동을 하므로 A와 B는 질량이 같다.(A에 작용하는 중력과 B에 작용하는 중력의 크기가 같다.)
또한, F를 작용할 때 세 물체가 정지해 있는 것으로 보아 $F+m_Ag=(m_B+m_C)\times g$ 관계를 가지므로 F의 크기는 C에 작용하는 중력의 크기와 같다. (○)

ㄴ. 0~2초까지 세 물체에 작용하는 알짜힘은 C에 작용하는 중력과 같고, A는 2 m/s²의 크기로 등가속도 운동한다. 따라서 $m_Cg=(m_A+m_B+m_C)\times 2\text{ m/s}^2$이다. A와 B의 질량은 같으므로 $m_A=2m_C$이다. (○)

ㄷ. p가 B를 당기는 힘의 크기를 T_p, q가 B를 당기는 힘의 크기를 T_q라고 할 때 0~2초까지 물체 B에 작용하는 힘은 $T_q+m_Bg-T_p=m_Ba_B$
➡ $T_p=T_q+(m_Bg-m_B\cdot 2\text{ m/s}^2)=T_q+8\cdot m_B$이므로 T_p가 T_q 보다 크다. (○)

답 ⑤

기출 문제

정답과 해설 7쪽

025 그림 (가)는 마찰이 없는 수평면에 정지해 있는 물체에 방향이 일정한 힘 F가 수평면과 나란하게 작용하기 시작하는 것을, (나)는 F를 시간에 따라 나타낸 것이다.

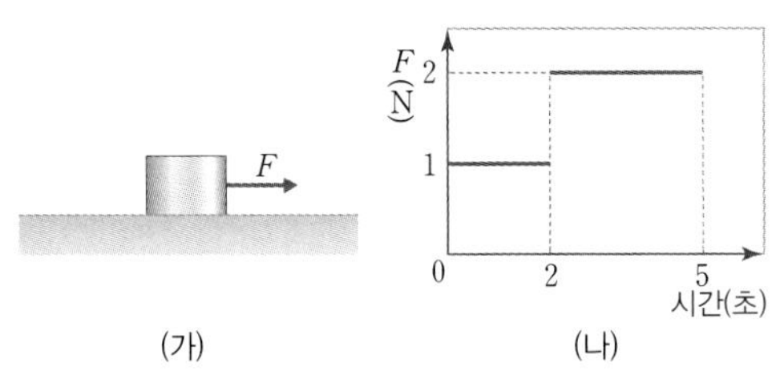

(가) (나)

0초부터 5초까지 이 물체의 운동에 대한 설명으로 옳은 것은? (단, 공기 저항은 무시한다.)

① 0초부터 2초까지 물체의 속력은 일정하다.
② 속력은 1초일 때와 3초일 때가 같다.
③ 운동 방향은 1초일 때와 3초일 때가 서로 반대이다.
④ 가속도의 크기는 1초일 때가 3초일 때보다 크다.
⑤ 3초부터 4초까지 가속도의 크기는 일정하다.

026 그림 (가)와 같이 질량이 각각 m, 2 kg인 물체 A, B를 실로 연결한 후, A를 가만히 놓았더니 A가 0.5 m 이동하였을 때 실이 끊어졌다. 그림 (나)는 A가 움직이는 순간부터 A의 가속도를 이동 거리에 따라 나타낸 것이다.

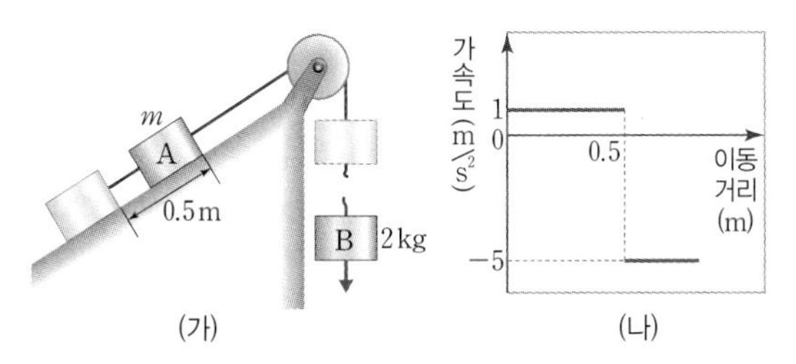

(가) (나)

m은? (단, 중력 가속도는 $10\ m/s^2$이고, 실의 질량, 모든 마찰 및 공기 저항은 무시한다.) [3점]

① 1 kg ② 1.5 kg ③ 2 kg
④ 2.5 kg ⑤ 3 kg

027 그림 (가)는 물체 A와 질량이 3 kg인 물체 B를 실로 연결한 후, A에 일정한 크기의 힘 F를 연직 아래로 작용하였더니 B가 올라가는 모습을 나타낸 것이다. F는 1초까지만 작용하였다. 그림 (나)는 B의 속도를 시간에 따라 나타낸 것이다.

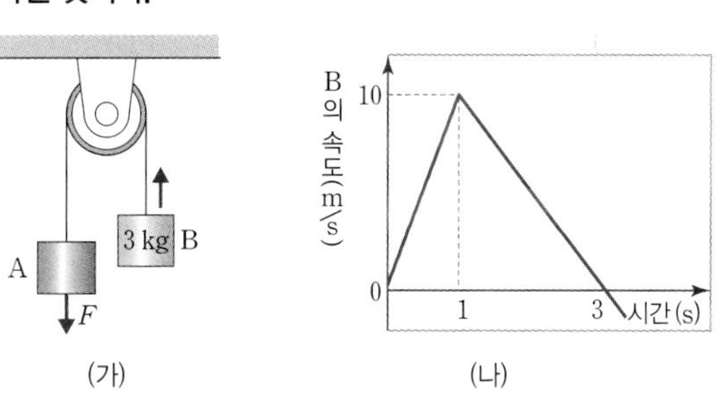

(가) (나)

이에 대한 설명으로 옳은 것만을 〈보기〉에서 있는 대로 고른 것은? (단, 중력 가속도는 $10\ m/s^2$이고, 실의 질량, 모든 마찰과 공기 저항은 무시한다.)

보기

ㄱ. A의 질량은 1 kg이다.
ㄴ. 2초일 때, 실이 B를 당기는 힘의 크기는 10 N이다.
ㄷ. $F=60$ N이다.

① ㄱ ② ㄴ ③ ㄱ, ㄷ
④ ㄴ, ㄷ ⑤ ㄱ, ㄴ, ㄷ

028 그림 (가)는 수평면 위에 질량이 각각 1 kg, 2 kg인 물체 A와 B를 실로 연결하여 B에 일정한 크기의 힘 F를 수평 방향으로 작용하는 것을, (나)는 B의 속력을 시간에 따라 나타낸 것이다.

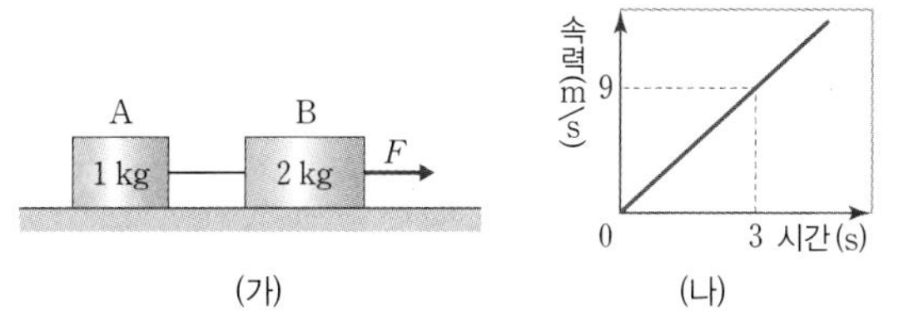

(가) (나)

이에 대한 설명으로 옳은 것만을 〈보기〉에서 있는 대로 고른 것은? (단, 모든 마찰과 실의 질량은 무시한다.)

보기

ㄱ. A의 가속도의 크기는 $3\ m/s^2$이다.
ㄴ. F의 크기는 9 N이다.
ㄷ. 실이 B에 작용하는 힘의 크기는 6 N이다.

① ㄱ ② ㄷ ③ ㄱ, ㄴ
④ ㄴ, ㄷ ⑤ ㄱ, ㄴ, ㄷ

기출 분석

06 유형

출제 의도

실로 연결되어 도르래에 매달린 물체에 작용하는 힘들의 합력과 운동을 분석하고 물체의 질량과 가속도 사이의 관계를 알아낼 수 있는지를 묻는 문제이다.

이렇게 대비하자!

두 개 이상의 물체가 실로 연결되어 같은 운동을 할 때 물체 사이에 작용하는 장력을 고려하여 물체의 운동을 해석할 수 있어야 한다.

■ 연관 기출 문제 키워드

#도르래 #알짜힘 #장력 #합력

그림 (가)는 물체 B와 실 p로 연결한 물체 A를 일정한 힘 F로 당기는 동안, A가 윗방향으로 등속도 운동하는 모습을 나타낸 것이다. A, B의 질량은 m으로 같다. 그림 (나)는 (가)에서 B를 물체 C로 바꾸어 F로 당길 때, A가 등가속도 운동하는 모습을 나타낸 것이다. 이때, A의 가속도는 윗방향으로 $\frac{1}{3}g$이다.

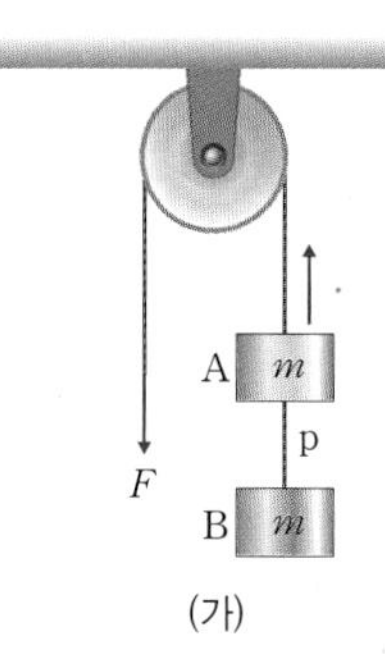

(가)

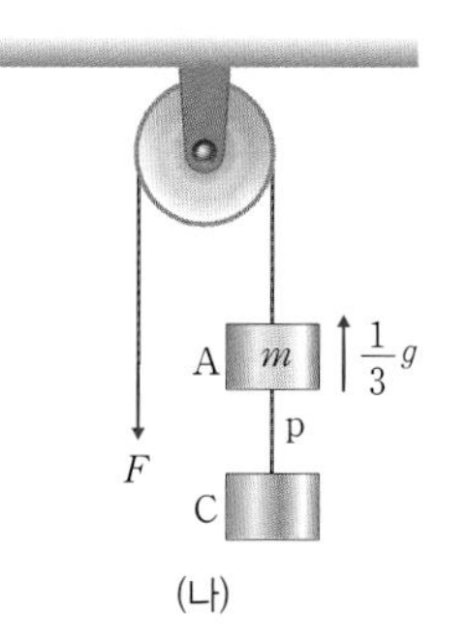

(나)

이에 대한 설명으로 옳은 것만을 〈보기〉에서 있는 대로 고른 것은? (단, 중력 가속도는 g이고, 실의 질량, 마찰, 공기 저항은 무시한다.) [3점]

보기

ㄱ. (가)에서 F의 크기는 A에 작용하는 중력의 크기보다 크다.

ㄴ. C의 질량은 $\frac{1}{2}m$이다.

ㄷ. p가 A를 당기는 힘의 크기는 (가)에서가 (나)에서보다 크다.

① ㄱ ② ㄷ ③ ㄱ, ㄴ ④ ㄴ, ㄷ ⑤ ㄱ, ㄴ, ㄷ

문제 분석

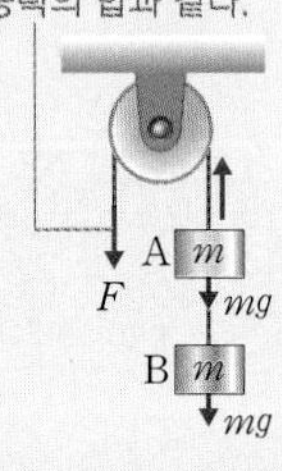

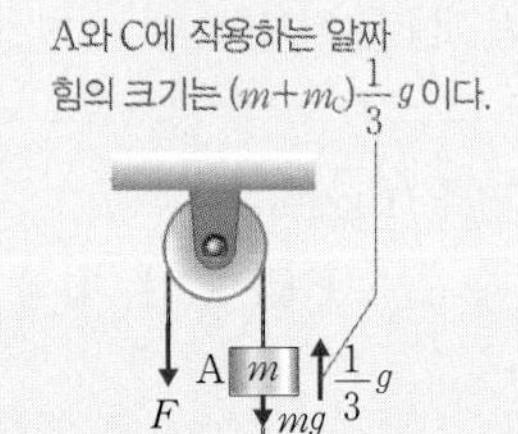

❶ (가)에서 물체가 등속도 운동을 하므로 물체에 작용하는 알짜힘은 0이다.

➡ $F=$ A에 작용하는 중력 + B에 작용하는 중력

$=m_A\times g+m_B\times g=2mg$

❷ (나)에서 물체가 $\frac{1}{3}g$로 가속도 운동을 하므로 알짜힘은 0이 아니다.

➡ $F-$(A에 작용하는 중력 + C에 작용하는 중력)

$=F-(m_A\times g+m_C\times g)$

$=mg-m_Cg$ ← 물체에 작용하는 알짜힘

$=(m+m_C)\times\frac{1}{3}g$ ← 등가속도 운동

➡ $m_C=\frac{1}{2}m$

❸ A에는 중력과 장력이 작용한다. 이 힘의 합력은 A를 일정한 가속도로 움직이게 하는 힘과 같다.

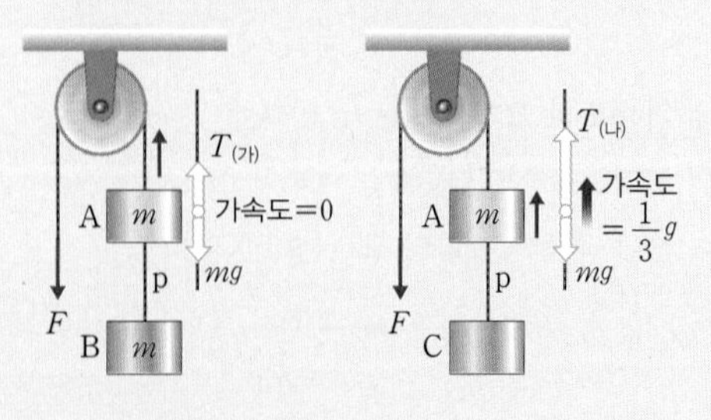

■ 문항별 해설

힘의 방향은 도르래를 기준으로 오른쪽이 (−), 왼쪽이 (+)이다.

ㄱ. (가)에서 F의 크기는 A에 작용하는 중력과 B에 작용하는 중력의 합력($F=(m+m)\times g$)이므로 F의 크기는 A에 작용하는 중력의 크기보다 크다. (○)

ㄴ. (나)에서 물체에 작용하는 알짜힘은 F와 A, C에 작용하는 중력의 합력이며, 이 힘은 A와 C를 $\frac{1}{3}g$의 가속도로 움직이게 하는 힘과 같다. 따라서 $F-(m_A+m_C)\times g=(m_A+m_C)\times\frac{1}{3}g$이다. (가)에서 $F=2mg$이므로 C의 질량은 $\frac{1}{2}m$이다. (○)

ㄷ. A에는 중력과 장력이 서로 반대 방향으로 작용하며, A는 (가)에서는 등속 운동(가속도$=0$), (나)에서는 $\frac{1}{3}g$의 가속도로 운동한다. 이를 운동 방정식으로 쓰면 다음과 같다.

(가): $F-m_Ag-T_{(가)}=m_Aa_A=0$(가속도가 0이므로), 즉 $T_{(가)}=mg$이다.

(나): $F-m_Ag-T_{(나)}=m_A\times\frac{1}{3}g$이므로 $T_{(나)}=\frac{2}{3}mg$이다. (○)

답 ⑤

기출 문제

정답과 해설 8쪽

029 그림은 전동기로 두 물체 A, B를 두 줄 p, q를 이용하여 끌어올리는 모습을 나타낸 것이다. A와 B의 질량은 각각 1 kg이고, 가속도는 모두 $1\ m/s^2$이다. 이에 대한 설명으로 옳은 것만을 〈보기〉에서 있는 대로 고른 것은? (단, 모든 마찰과 줄의 질량은 무시하고, 중력 가속도는 $10\ m/s^2$이다.) [3점]

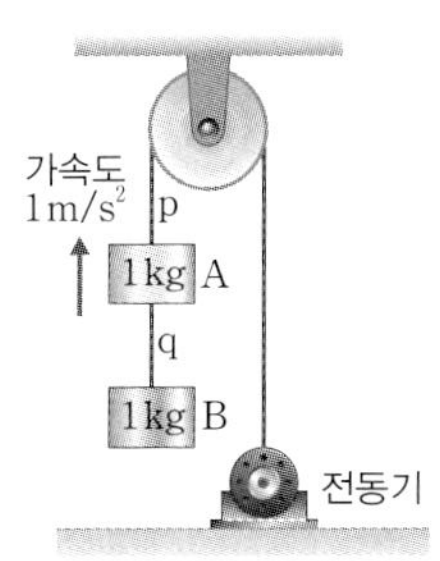

보기

ㄱ. p가 A를 당기는 힘의 크기는 q가 A를 당기는 힘의 크기와 같다.

ㄴ. q가 A를 당기는 힘의 크기는 A가 q를 당기는 힘의 크기와 같다.

ㄷ. B에 작용하는 합력의 크기는 1 N이다.

① ㄱ ② ㄴ ③ ㄱ, ㄷ
④ ㄴ, ㄷ ⑤ ㄱ, ㄴ, ㄷ

030 그림과 같이 마찰이 없는 수평면에 놓여 있는 물체 A에 물체 B, C를 도르래를 통해 실로 연결하여 가만히 놓았더니, A, B, C는 같은 크기의 가속도로 운동한다. A, B, C의 질량은 각각 m, m, $3m$이다.

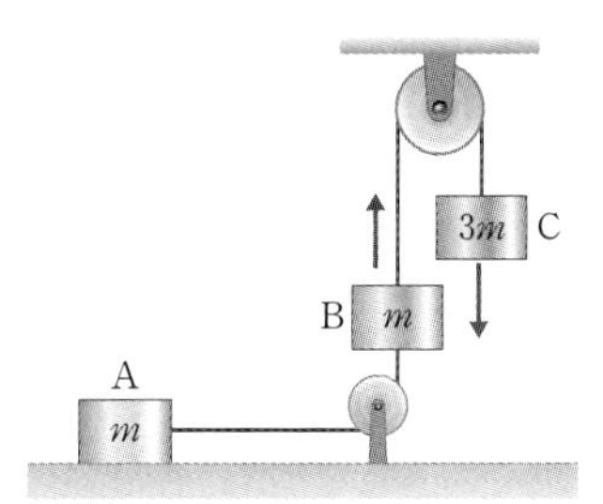

B에 작용하는 합력의 크기는? (단, 중력 가속도는 g이고, 공기 저항, 물체의 크기, 실의 질량, 모든 마찰은 무시한다.)

① $\frac{2}{5}mg$ ② $\frac{1}{2}mg$ ③ $\frac{3}{5}mg$
④ mg ⑤ $2mg$

031 그림 (가)는 질량 m인 물체 A가 물체 B와 실로 연결되어 가속도의 크기가 $\frac{g}{2}$인 등가속도 운동하는 모습을, (나)는 A가 지면에 가만히 놓여 있는 B와 실로 연결되어 정지해 있는 모습을 나타낸 것이다.

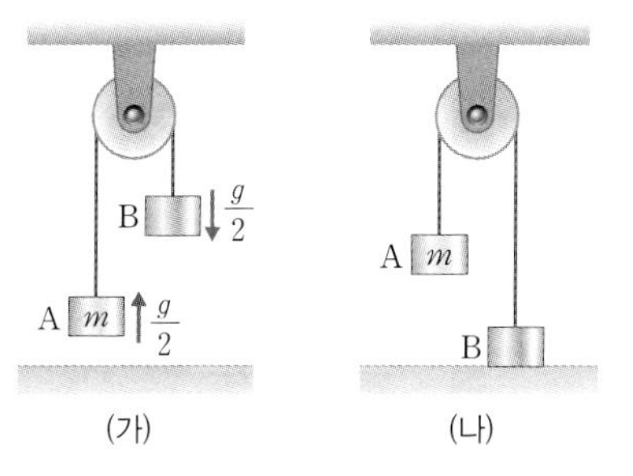

이에 대한 설명으로 옳은 것만을 〈보기〉에서 있는 대로 고른 것은? (단, 중력 가속도는 g이고, 도르래의 마찰, 공기 저항은 무시한다.)

보기

ㄱ. B의 질량은 $2m$이다.

ㄴ. (나)에서 B가 지면을 누르는 힘의 크기는 $2mg$이다.

ㄷ. 실이 A를 당기는 힘의 크기는 (가)에서가 (나)에서보다 크다.

① ㄴ ② ㄷ ③ ㄱ, ㄴ
④ ㄱ, ㄷ ⑤ ㄴ, ㄷ

032 그림과 같이 물체 A와 B를 실 a, b로 연결하고 도르래에 걸친 후, 실의 한쪽 끝을 F의 힘으로 잡아 당겼더니 두 물체가 정지해 있었다.
실을 당기는 힘을 $2F$로 하였을 때, 이에 대한 설명으로 옳은 것만을 〈보기〉에서 있는 대로 고른 것은? (단, 중력 가속도의 크기는 g이고, 실의 질량, 도르래의 마찰, 공기 저항은 무시한다.) [3점]

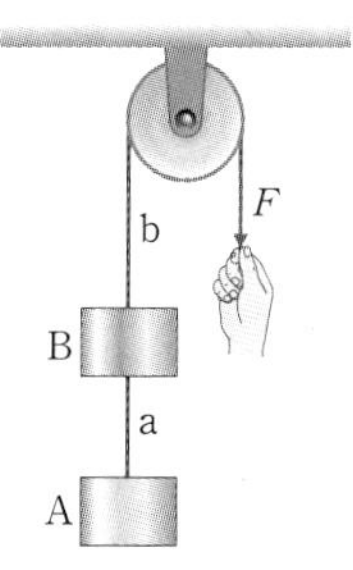

보기

ㄱ. B의 가속도의 크기는 g이다.

ㄴ. a가 B를 당기는 힘의 크기와 b가 B를 당기는 힘의 크기는 같다.

ㄷ. a가 A를 당기는 힘의 크기는 A에 작용하는 중력 크기의 2배이다.

① ㄱ ② ㄴ ③ ㄱ, ㄷ
④ ㄴ, ㄷ ⑤ ㄱ, ㄴ, ㄷ

기출 분석

07 유형

출제 의도

다른 형태로 연결되어 함께 운동하는 물체의 합력과 운동 모습을 분석하고 물체의 질량과 가속도 사이의 관계를 묻는 문제이다.

이렇게 대비하자!

한 물체가 다른 물체에게 힘을 가하면 동시에 다른 물체도 반대 방향으로 같은 크기의 힘을 작용함을 알아 두자.

■ 연관 기출 문제 키워드

#등가속도 운동 #알짜힘 #장력 #합력

그림 (가), (나)와 같이 물체 A, B가 실로 연결되어 각각 등가속도 운동을 하고 있다. A, B의 질량은 각각 m, $2m$이고, (가)에서 A는 마찰이 없는 수평면에서 운동한다.

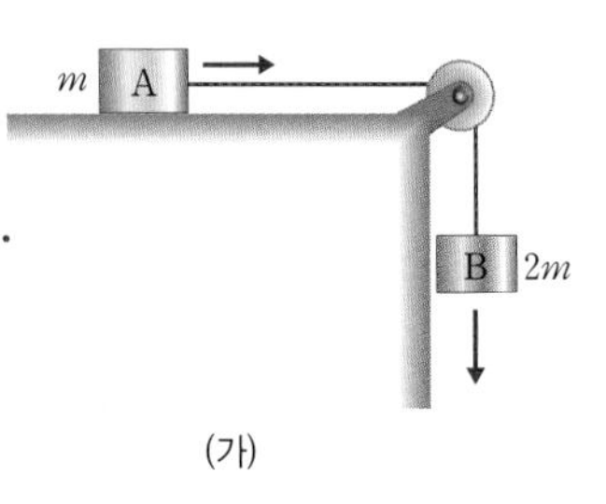

(가)

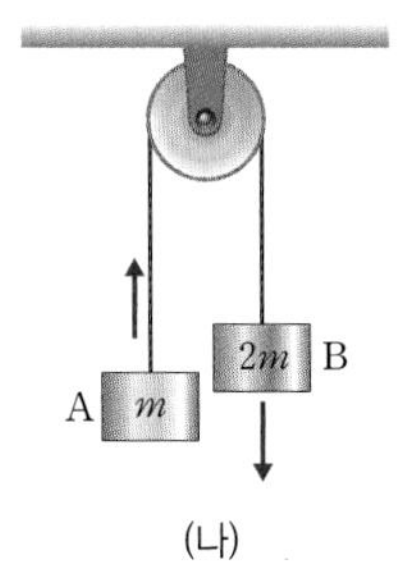

(나)

이에 대한 설명으로 옳은 것만을 〈보기〉에서 있는 대로 고른 것은? (단, 중력 가속도는 g이고, 실의 질량, 도르래의 마찰과 공기 저항은 무시한다.) [3점]

보기

ㄱ. A의 가속도의 크기는 (가)에서가 (나)에서의 2배이다.

ㄴ. B가 받는 알짜힘의 크기는 (가)에서가 (나)에서의 2배이다.

ㄷ. (가)에서 실이 B를 당기는 힘의 크기는 $2mg$이다.

① ㄱ ② ㄷ ③ ㄱ, ㄴ ④ ㄴ, ㄷ ⑤ ㄱ, ㄴ, ㄷ

문제 분석

(가) 운동 분석

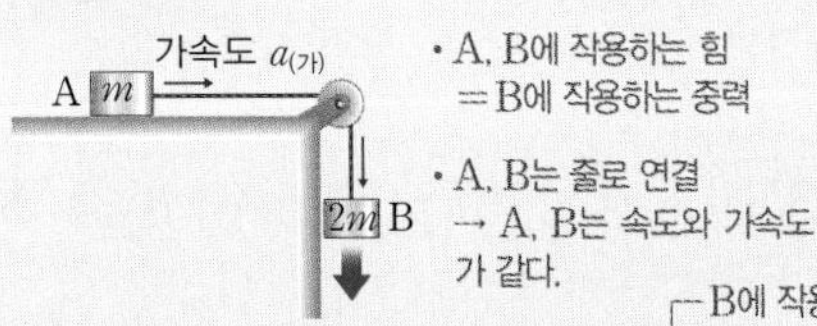

- A, B에 작용하는 힘 = B에 작용하는 중력
- A, B는 줄로 연결 → A, B는 속도와 가속도가 같다.

- 두 물체에 작용하는 힘 $F_{(가)} = 2mg$ (B에 작용하는 중력) $= (m + 2m) \times a_{(가)}$ (A, B가 가속도 $a_{(가)}$로 움직이므로)
- B에 작용하는 알짜힘은 B에 작용하는 중력과 실이 B를 당기는 힘인 장력(T)의 차이이다.

A에 작용하는 알짜힘은 실의 장력 T와 같고 $m_A \times a_{(가)}$이다.

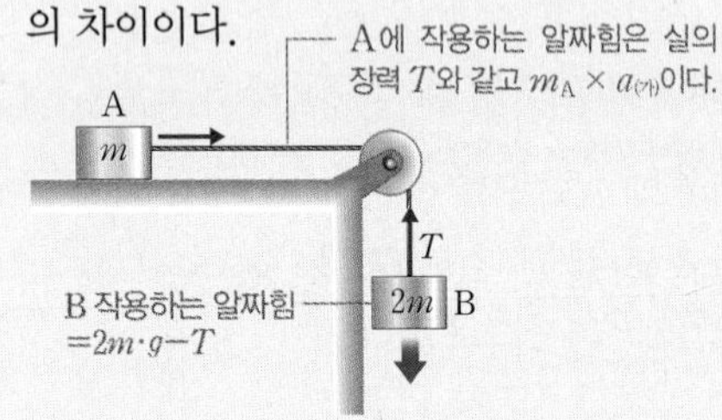

$m_B \times a_{(가)} = m_B \times g - T$

(나) 운동 분석

- A, B에 작용하는 힘은 A의 중력과 B의 중력의 차이이다.

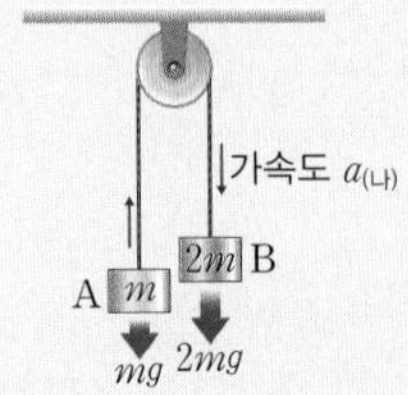

- A, B에 작용하는 힘 = B의 중력 − A의 중력
- A, B는 실로 연결 → A, B는 속도와 가속도가 같다.

- 두 물체에 작용하는 힘

$F_{(나)} = (2m - m)g$ (중력의 차이) $= (m + 2m) \times a_{(나)}$ (A, B가 가속도 $a_{(나)}$로 움직이므로)

■ 문항별 해설

ㄱ. (가)에서 두 물체에 작용하는 알짜힘은 B에 작용하는 중력과 같고, (나)에서 두 물체에 작용하는 알짜힘은 물체 A와 B에 작용하는 중력의 차이다. 두 물체는 같은 크기의 가속도로 함께 운동하므로 (가)에서 가속도의 크기는 $a_{(가)} = \frac{m_B g}{(m_A + m_B)} = \frac{2}{3}g$이고, (나)에서 가속도의 크기는 $a_{(나)} = \frac{(m_B - m_A)}{(m_A + m_B)}g = \frac{1}{3}g$이므로 가속도 크기는 (가)에서가 (나)에서의 2배이다. (○)

ㄴ. B가 받는 알짜힘의 크기는 B의 가속도와 질량을 곱한 값이므로 B가 받는 알짜힘의 크기는 (가)에서가 (나)에서의 2배이다. (○)

ㄷ. B에 작용하는 알짜힘은 B에 작용하는 중력과 실이 B를 당기는 힘(T)의 합력이다.

$2m \times g - T = 2m \times a_{(가)}$

➡ $T = 2m \times g - 2m \times \frac{2}{3}g = \frac{2}{3}mg$ (×)

답 ③

기출 문제

정답과 해설 8쪽

033 그림 (가)는 수평면에 놓인 물체 A를 물체 B와 실로 연결한 모습을, (나)는 (가)의 A를 물체 C와 실로 연결한 모습을 나타낸 것이다. A와 B의 질량은 m이고, 화살표는 가속도의 방향이다.

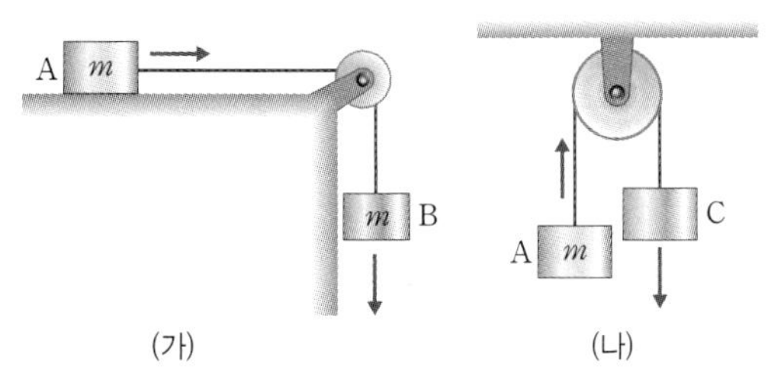

(가)와 (나)에서 A의 가속도의 크기가 같을 때, C의 질량은? (단, 실의 질량 및 모든 마찰은 무시한다.) [3점]

① m ② $2m$ ③ $3m$
④ $4m$ ⑤ $5m$

034 그림 (가), (나)와 같이 물체 A, B가 용수철저울과 실로 연결되어 운동을 하고 있다. (가)에서 A는 등속 직선 운동을, (나)에서 A는 수평면에서 등가속도 직선 운동을 한다.

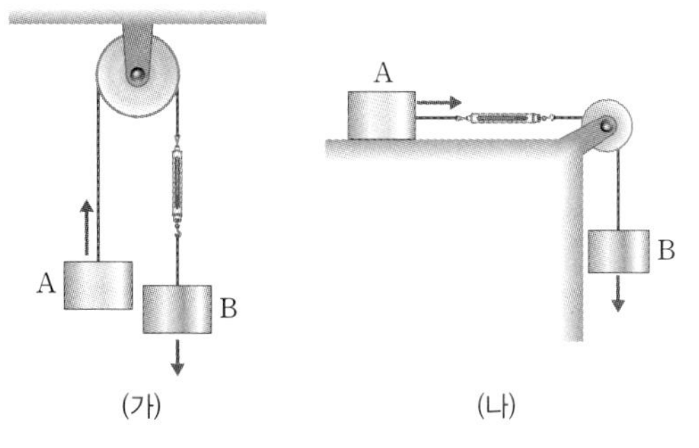

(가)와 (나)에서 용수철저울에 나타나는 힘의 크기를 각각 $F_{(가)}$, $F_{(나)}$라고 할 때, $F_{(가)} : F_{(나)}$는? (단, 용수철저울과 실의 질량, 모든 마찰 및 공기 저항은 무시한다.) [3점]

① 1 : 1 ② 1 : 2 ③ 2 : 1
④ 2 : 3 ⑤ 3 : 1

035 그림 (가)는 질량이 각각 4 kg, 1 kg인 물체 A, B가 도르래를 통해 실로 연결되어 운동하는 모습을 나타낸 것이고, 그림 (나)는 A, B를 도르래를 통해 실로 연결한 후, B에 연직 아래 방향으로 일정한 힘 F를 계속 가하는 모습을 나타낸 것이다. (가)에서 B와 (나)에서 A는 각각 수평면에서 운동한다.

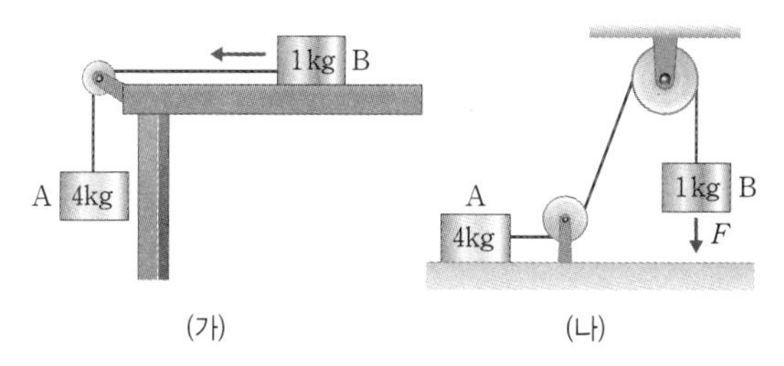

(가)와 (나)에서 A의 가속도의 크기가 같을 때, F의 크기는? (단, 중력 가속도는 $10\ m/s^2$이고, 실의 질량, 공기 저항 및 모든 마찰은 무시한다.)

① 20 N ② 30 N ③ 40 N
④ 50 N ⑤ 60 N

036 그림 (가)는 물체 A와 B가 용수철저울과 실로 연결되어 정지해 있는 모습을, (나)는 수평한 책상면 위에 놓인 A가 B와 용수철저울과 실로 연결되어 등가속도 운동을 하는 모습을 나타낸 것이다. A, B의 질량은 각각 m이다.

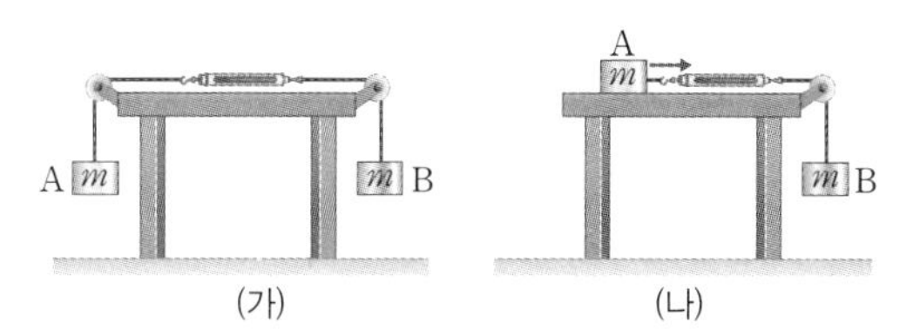

이에 대한 설명으로 옳은 것만을 〈보기〉에서 있는 대로 고른 것은? (단, 중력 가속도는 g이고, 실과 용수철저울의 질량, 마찰과 공기 저항은 무시한다.) [3점]

보기

ㄱ. (가)에서 용수철저울로 측정한 힘의 크기는 $2mg$이다.

ㄴ. (나)에서 A의 가속도의 크기는 $\frac{1}{2}g$이다.

ㄷ. (나)에서 용수철저울로 측정한 힘의 크기는 $\frac{1}{2}mg$이다.

① ㄱ ② ㄴ ③ ㄱ, ㄷ
④ ㄴ, ㄷ ⑤ ㄱ, ㄴ, ㄷ

❓ 출제 의도

각 물체에 작용하는 알짜힘을 구하고 운동 법칙을 적용할 수 있는지 묻는 문제이다.

이렇게 대비하자!

두 물체가 실로 연결되어 있을 때 실이 물체를 잡아당기는 방향으로 장력이 작용하고 두 물체에 같은 크기의 장력이 작용함을 알아두자.

■ **연관 기출 문제 키워드**

#가속도 #등가속도 #알짜힘 #장력 #도르래

그림 (가)는 물체 A, B, C를 실 p, q로 연결한 후, A에 수평면과 나란한 방향으로 일정한 크기의 힘 F를 가해 A, B, C가 정지한 모습을 나타낸 것이다. 그림 (나)는 (가)에서 p가 끊어진 후 A, C가 같은 크기의 가속도로 각각 등가속도 운동하는 모습을 나타낸 것이다. A, C의 질량은 각각 $2m$, m이다.

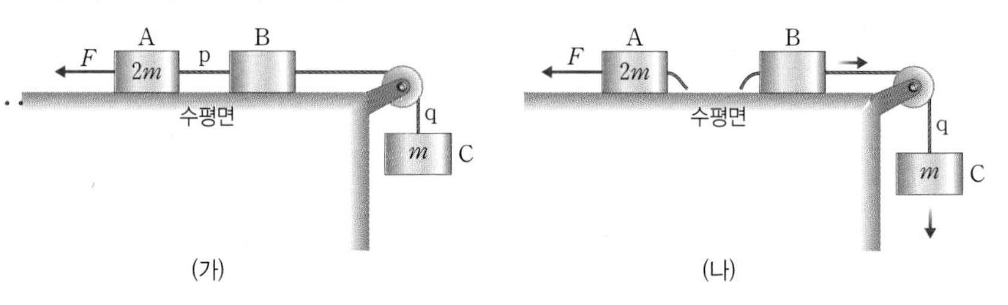

이 실험에 대한 설명으로 옳은 것만을 〈보기〉에서 있는 대로 고른 것은? (단, 중력 가속도는 g이고, 실의 질량, 모든 마찰과 공기 저항은 무시한다.) [3점]

보기

ㄱ. (나)에서 A의 가속도의 크기는 $\frac{1}{3}g$이다.

ㄴ. B의 질량은 m이다.

ㄷ. q가 C를 당기는 힘의 크기는 (가)에서가 (나)에서보다 작다.

① ㄱ　② ㄴ　③ ㄷ　④ ㄱ, ㄴ　⑤ ㄴ, ㄷ

문제 분석

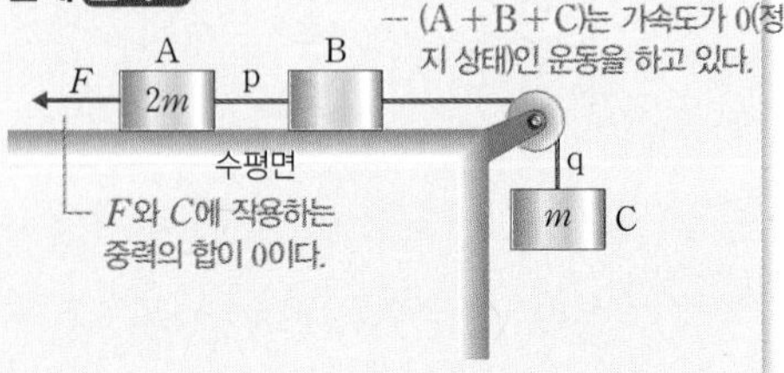

❶ F가 작용할 때 세 물체가 정지해 있으므로 세 물체에 작용하는 알짜힘은 0이다.

$m_Cg - F = (m_A + m_B + m_C)\cdot 0 = 0$

➡ $F = m_Cg$

❷ (가)에서 q가 m_C를 잡아당기는 힘을 $T_{(가)}$라고 할 때 C에 작용하는 힘의 합력은

$m_Cg - T_{(가)} = 0$

➡ $T_{(가)} = m_Cg$

❸ (나)에서 q가 m_C를 잡아당기는 힘을 $T_{(나)}$라고 할 때 C에 작용하는 힘의 합력은 $m_Cg - T_{(나)} = m_Ca$이다.

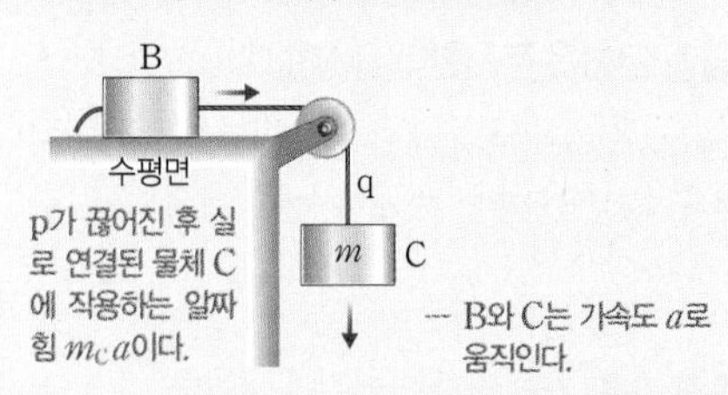

■ **문항별 해설**

ㄱ. (가)에서 A, B, C에 작용하는 알짜힘의 크기는 0이므로 F는 mg이다. (나)에서 줄이 끊어진 후 A에는 F의 힘만 작용하므로 A에 작용하는 가속도를 a_A라 하면 $F = (2m) \times a_A = mg$에서 A의 가속도는 $\frac{1}{2}g$이다. (×)

ㄴ. (나)에서 B, C의 가속도를 a라 하면 $mg = (m_B + m) \times a$, 즉, C의 가속도는 $\frac{mg}{m_B + m}$고, A와 C가 같은 가속도로 운동하므로 B의 질량은 m이다. (○)

ㄷ. (가)에서 q에 작용하는 장력은 $T_{(가)} = mg$이다. C의 가속도는 $\frac{1}{2}g$이므로 C에 작용하는 힘을 식으로 나타내면 $mg - T_{(나)} = \frac{1}{2}mg$이다. 이 식을 정리하면 $T_{(나)} = \frac{1}{2}mg$이다. 즉, q에 작용하는 장력은 (가)에서가 (나)에서보다 크다. (×)

답 ②

기출 문제

정답과 해설 9쪽

037 그림과 같이 물체 A, B, C가 실 p, q로 연결하여 등가속도 운동을 한다. A, B, C의 질량은 각각 m, m, $2m$이고, B는 마찰이 없는 수평면에서 운동한다.

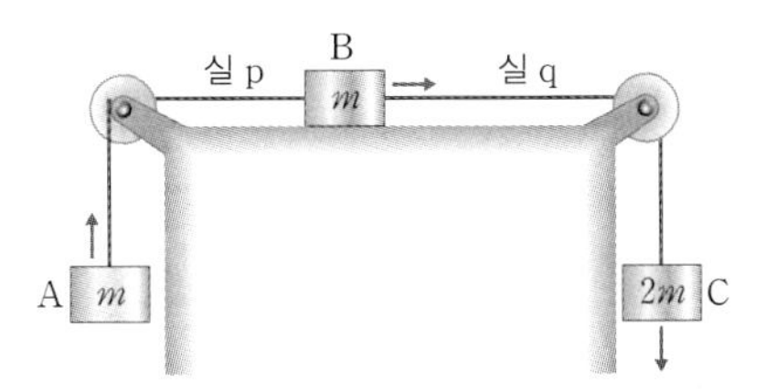

이에 대한 설명으로 옳은 것만을 〈보기〉에서 있는 대로 고른 것은? (단, 중력 가속도는 g이고, 모든 마찰과 공기 저항은 무시한다.) [3점]

보기

ㄱ. p가 B를 당기는 힘의 크기는 q가 B를 당기는 힘의 크기와 같다.

ㄴ. A가 받는 알짜힘의 크기는 B가 받는 알짜힘의 크기와 같다.

ㄷ. C의 가속도의 크기는 $\frac{1}{4}g$이다.

① ㄱ ② ㄴ ③ ㄷ ④ ㄱ, ㄷ ⑤ ㄴ, ㄷ

038 그림 (가), (나)는 물체 A, B가 실로 연결하여 일정한 가속도로 운동하고 있는 모습을 나타낸 것이다. A, B가 운동하는 동안 B의 가속도의 크기는 (가)에서가 (나)에서의 2배이고, (가), (나)에서 실이 A를 당기는 힘의 크기는 각각 T_1, T_2이다.

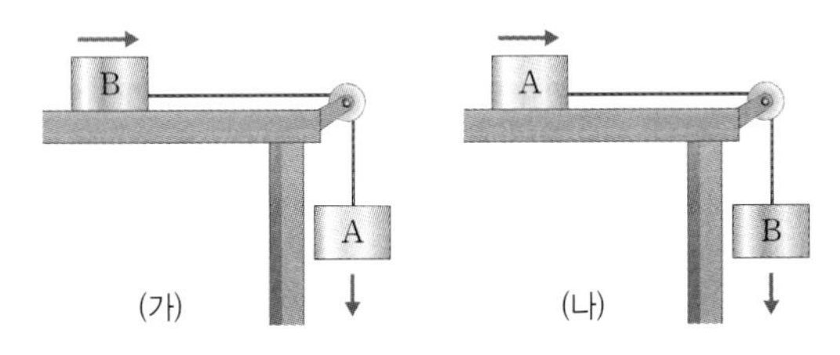

$T_1 : T_2$는? (단, 실의 질량과 모든 마찰은 무시) [3점]

① 3 : 1 ② 2 : 1 ③ 1 : 1 ④ 1 : 2 ⑤ 1 : 3

039 그림 (가)와 같이 물체 A, B, C가 실 p, q로 연결되어 등가속도 운동한다. 그림 (나)는 (가)에서 q가 끊어진 후 A, B는 등가속도 운동하고 C는 등속도 운동하는 모습을 나타낸 것이다. A의 가속도의 크기는 (나)에서가 (가)에서의 2배이고 A, C의 질량은 각각 m, $2m$이다.

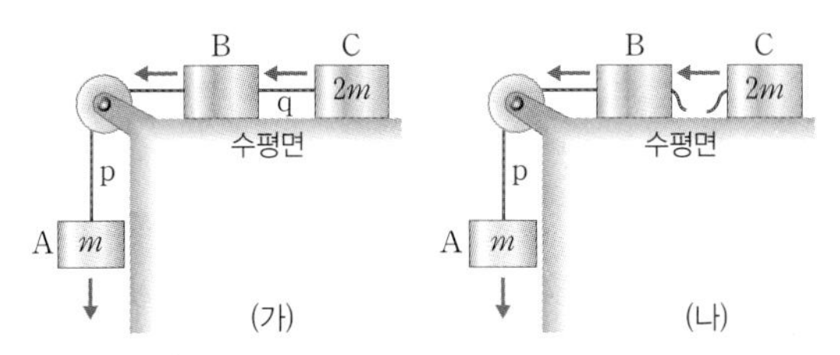

이에 대한 설명으로 옳은 것만을 〈보기〉에서 있는 대로 고른 것은? (단, 실의 질량, 모든 마찰과 공기 저항은 무시한다.) [3점]

보기

ㄱ. B의 질량은 $2m$이다.

ㄴ. (나)에서 C에 작용하는 알짜힘은 0이다.

ㄷ. p가 A를 당기는 힘의 크기는 (가)에서가 (나)에서보다 작다.

① ㄱ ② ㄴ ③ ㄱ, ㄴ ④ ㄱ, ㄷ ⑤ ㄴ, ㄷ

040 그림 (가)와 같이 물체 A와 실로 연결된 질량 m인 물체 B가 수평 방향으로 당기는 힘 F에 의해 정지해 있다. 그림 (나)는 (가)에서 F가 작용하는 실이 끊어진 후, B가 수평면에서 가속도의 크기가 $\frac{1}{3}g$인 등가속도 운동하는 모습을 나타낸 것이다.

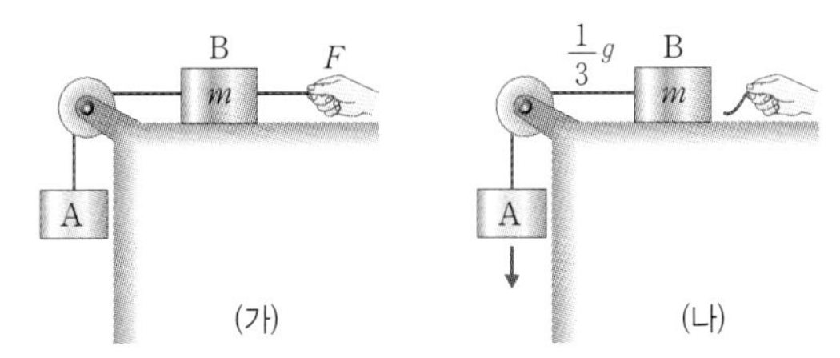

이에 대한 설명으로 옳은 것만을 〈보기〉에서 있는 대로 고른 것은? (단, 중력 가속도는 g이고, 실의 질량, 모든 마찰과 공기 저항은 무시한다.) [3점]

보기

ㄱ. A의 질량은 $2m$이다.

ㄴ. (가)에서 F의 크기는 $\frac{1}{2}mg$이다.

ㄷ. 실이 A를 당기는 힘의 크기는 (가)와 (나)에서 같다.

① ㄱ ② ㄴ ③ ㄷ ④ ㄱ, ㄴ ⑤ ㄴ, ㄷ

기출 분석

09 유형

I. 역학과 에너지 | 1. 힘과 운동 **작용 반작용과 힘의 평형**

출제 의도
정지하고 있는 두 물체 사이에 상호 작용하는 두 힘, 즉 작용 반작용 관계를 알고 있는지 묻는 문제이다.

이렇게 대비하자!
두 물체 사이에 작용 반작용과 한 물체에 작용하는 두 힘의 평형을 구별하여 이해하고 적용할 수 있어야 한다.

■ 연관 기출 문제 키워드

#중력 #자기력 #작용 반작용 #힘의 평형

문제 분석

• A, B에 작용하는 힘은 다음과 같다.

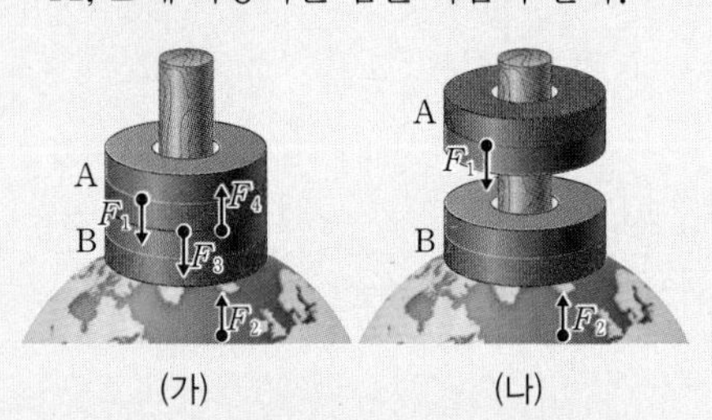

(가) (나)

F_1: 지구가 A를 잡아당기는 힘(중력)
F_2: A가 지구를 잡아당기는 힘
F_3: A가 B를 누르는 힘
F_4: B가 A를 떠받치는 힘

(가)와 (나)에서 자석 A와 B는 정지해 있으므로 자석에 작용하는 알짜힘은 0인 상태이다. 여기서 아래 방향을 (+), 위 방향을 (−)라 하고 자석 사이에 작용하는 자기력은 B이다.

• 자석 A에 작용하는 힘
(가): $F_1 + B$(인력) $- F_4 = 0$
➡ $F_1 + B$(인력) $= F_4$ – 평형 관계이다.
(나): $F_1 - B$(척력) $= 0$
➡ $F_1 = B$ 평형 관계이다.

참고 사항

작용 반작용 관계에 있는 힘 찾기
한 물체 A가 다른 물체 B에 힘을 가할 때, 이 힘의 반작용은 B가 A에게 가하는 힘이다. 즉, 'A가 B에게'의 반작용은 'B가 A에게'라는 형태로 표시된다. 예를 들면 태양이 지구를 당기는 힘의 반작용은 지구가 태양을 당기는 힘이다.

그림 (가)는 수평면에 자석 A와 B를 다른 극끼리 마주보게 하여 놓은 것을, (나)는 A와 B를 같은 극끼리 마주보게 하였을 때 A가 떠 정지해 있는 것을 나타낸 것이다.

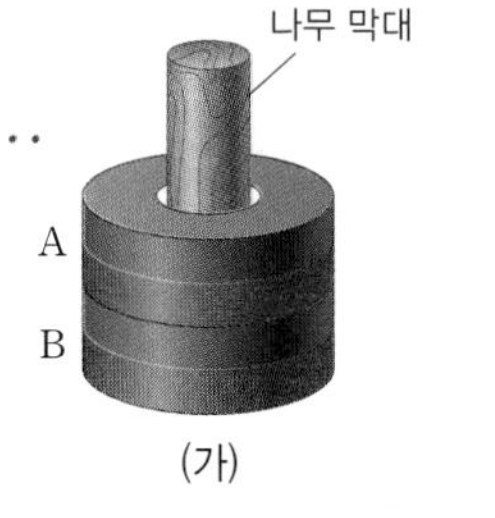

(가)

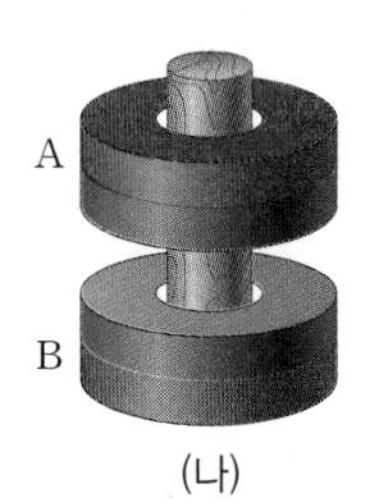

(나)

이에 대한 설명으로 옳은 것만을 〈보기〉에서 있는 대로 고른 것은? (단, 수평면에 수직으로 세워진 나무 막대와 자석 사이의 마찰은 무시한다.) [3점]

보기
ㄱ. (가)에서 B가 A를 떠받치는 힘의 크기는 A에 작용하는 중력의 크기와 같다.
ㄴ. (나)에서 A에 작용하는 중력과 B가 A에 작용하는 자기력은 작용 반작용 관계이다.
ㄷ. (가)와 (나)에서 수평면이 B를 떠받치는 힘의 크기는 서로 같다.

① ㄱ ② ㄷ ③ ㄱ, ㄴ ④ ㄱ, ㄷ ⑤ ㄴ, ㄷ

■ 문항별 해설

ㄱ. (가)에서 B가 A를 떠받치는 힘의 크기는 A에 작용하는 중력과 자기력(인력)의 합이다. (×)
ㄴ. (나)에서 A에 작용하는 중력과 B가 A에 작용하는 자기력은 힘의 평형 관계이다. (×)
ㄷ. 수평면이 B를 떠받치는 힘의 크기는 A와 B의 무게 합이므로 (가)와 (나)에서 같다. (○)

■ 오류 피하기

답 ②

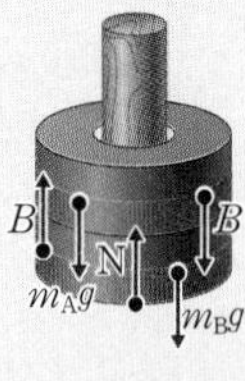

(가)

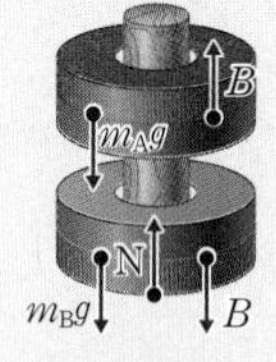

(나)

⋯▸ 자석 B에 작용하는 힘(여기서 아래 방향을 (+), 위 방향을 (−)라 하고 자석 사이에 작용하는 자기력은 B이다.)

F_1와 작용 반작용 관계로 크기가 같다.

(가): $F_3 + m_B g - B$(인력) $- N$(수직 항력) $= 0$
➡ $(F_1 + B) + m_B g - B - N = m_A g + m_B g - N = 0$
$m_A g$
(나): B(척력) $+ m_B g - N$(수직 항력) $= 0$ (자기력은 자석 A의 무게와 같다.)
➡ $F_1 + m_B g - N = m_A g + m_B g - N = 0$
∴ 수평면이 B를 떠받치는 힘은 A와 B의 무게 합이다.

기출 문제

정답과 해설 10쪽

041 그림과 같이 물체 A를 물체 B, C 위에 놓았더니 A, B, C가 정지해 있다. 이에 대한 설명으로 옳은 것만을 〈보기〉에서 있는 대로 고른 것은? [3점]

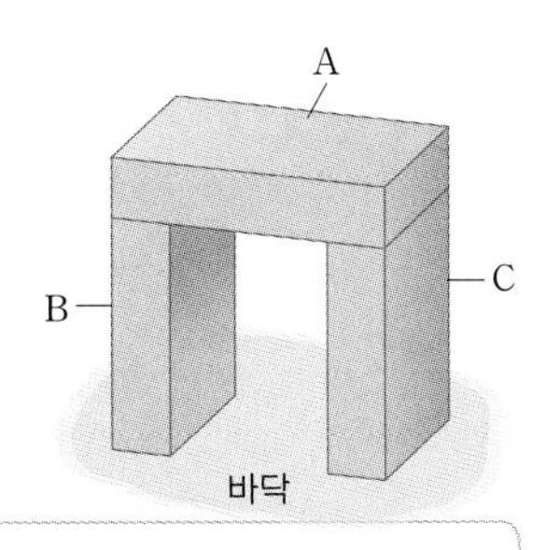

보기

ㄱ. A에 작용하는 중력과 B가 A를 떠받치는 힘은 작용 반작용 관계이다.

ㄴ. B에 작용하는 알짜힘은 0이다.

ㄷ. 바닥이 C를 떠받치는 힘의 크기는 C의 무게와 같다.

① ㄱ ② ㄴ ③ ㄷ
④ ㄱ, ㄷ ⑤ ㄱ, ㄴ, ㄷ

042 그림은 배팅 티 위에 올려 놓은 공이 정지해 있는 모습을 나타낸 것이다. 이에 대한 설명으로 옳은 것만을 〈보기〉에서 있는 대로 고른 것은? [3점]

보기

ㄱ. 공에 작용하는 알짜힘은 0이다.

ㄴ. 배팅 티가 공을 떠받치는 힘과 공에 작용하는 중력은 작용과 반작용의 관계이다.

ㄷ. 수평면이 배팅 티를 떠받치는 힘의 크기는 배팅 티에 작용하는 중력의 크기와 같다.

① ㄱ ② ㄷ ③ ㄱ, ㄴ
④ ㄱ, ㄷ ⑤ ㄴ, ㄷ

043 다음은 어떤 스피커에 대한 기사의 일부이다.

일부가 공중에 떠 작동하는 스피커가 가전 전시회에서 공개되었다. 수평인 탁자에 놓여 있는 스피커 A 안에는 전자석이 있어, 같은 극끼리 밀어내는 자기력을 이용해 스피커 B를 공중에 띄운다.

이에 대한 설명으로 옳은 것만을 〈보기〉에서 있는 대로 고른 것은? [3점]

보기

ㄱ. B에는 중력이 작용하고 있다.

ㄴ. A가 B에 작용하는 힘의 크기는 B가 A에 작용하는 힘의 크기와 같다.

ㄷ. 탁자가 A를 떠받치는 힘의 크기는 A에 작용하는 중력의 크기와 같다.

① ㄱ ② ㄴ ③ ㄷ
④ ㄱ, ㄴ ⑤ ㄱ, ㄷ

044 그림은 수평면에 놓여 있는 공 위에 영희가 누워 정지해 있는 모습을 나타낸 것이다.

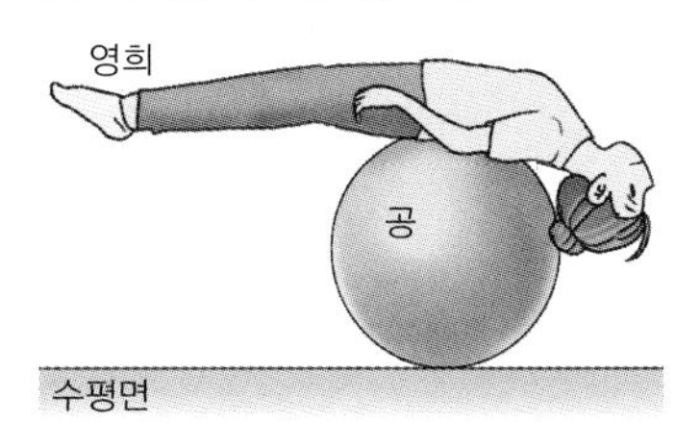

이에 대한 설명으로 옳은 것만을 〈보기〉에서 있는 대로 고른 것은? [3점]

보기

ㄱ. 공에 작용하는 알짜힘은 0이다.

ㄴ. 공이 영희에게 작용하는 힘과 공이 수평면에 작용하는 힘은 작용 반작용 관계이다.

ㄷ. 영희가 공에 작용하는 힘의 크기는 수평면이 공에 작용하는 힘의 크기보다 작다.

① ㄱ ② ㄴ ③ ㄷ
④ ㄱ, ㄷ ⑤ ㄴ, ㄷ

기출 분석

10 유형

■ 연관 기출 문제 키워드

#충격량 #운동량 변화량 #평균 충격력 #충돌 시간

? 출제 의도

운동량과 충격량의 관계를 이해하고 시간에 따른 충격력과 충격량의 관계를 알고 있는지를 묻는 문제이다.

이렇게 대비하자!

물체에 작용하는 충격량을 힘-시간 그래프에서 구할 수 있고 시간에 따른 충격력의 크기를 해석할 수 있어야 한다.

그림 (가)는 달걀이 마룻바닥에 떨어져 깨진 모습을, (나)는 동일한 달걀이 같은 높이에서 푹신한 방석에 떨어져 깨지지 않은 모습을 나타낸 것이다.

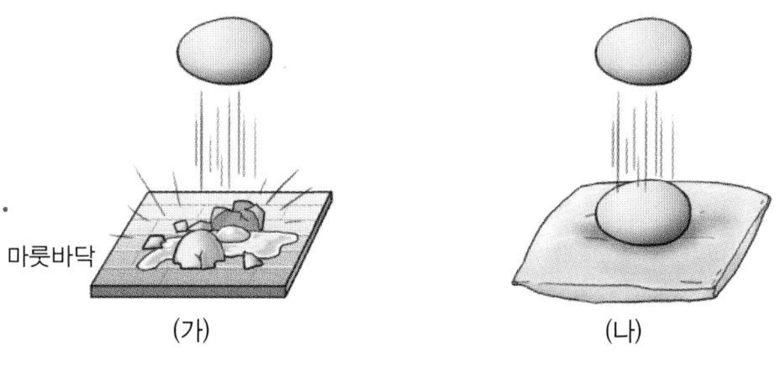

이에 대한 설명으로 옳은 것만을 <보기>에서 있는 대로 고른 것은?

보기

ㄱ. (가)와 (나)에서 충격량의 크기는 같다.
ㄴ. (가)에서의 충돌 시간이 (나)에서보다 짧다.
ㄷ. (가)에서의 평균 충격력의 크기는 (나)에서보다 작다.

① ㄱ ② ㄴ ③ ㄷ ④ ㄱ, ㄴ ⑤ ㄱ, ㄷ

문제 분석

같은 높이에서 떨어진 달걀은 마룻바닥 혹은 방석에 충돌 직전의 속도가 같고, 충돌 후 모두 $v=0$이 된다.

➡ 두 달걀의 운동량의 변화량(충격량)은 같다.

(가)와 (나)를 힘-시간 그래프로 나타내면 다음과 같다. 이때 충격량이 같으므로 $S_{(가)}$과 $S_{(나)}$의 그래프 면적도 같다.

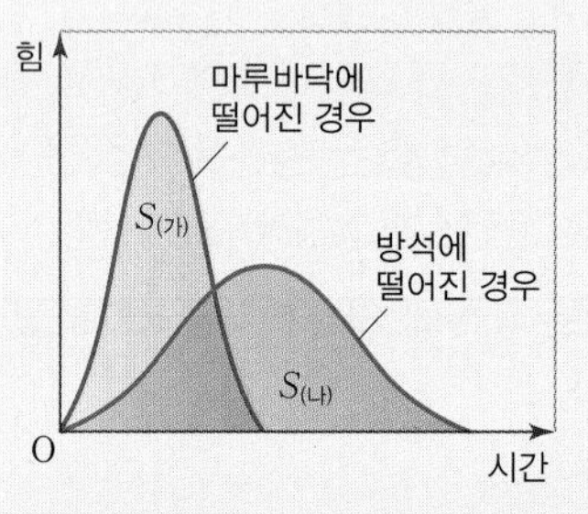

그래프 넓이	$S_{(가)}=S_{(나)}$
충격량(운동량의 변화량)	(가)=(나)
힘(충격력)을 받는 시간	(가) < (나)
충격력(평균 힘 $F_{(가)}$, $F_{(나)}$)	(가) > (나)

'충격량 = 평균 힘 × 힘을 받은 시간'이므로 방석과 같이 충격력을 받는 시간이 길어질 경우 달걀이 받는 충격력이 작아진다.

■ **문항별 해설**

ㄱ. 달걀이 마룻바닥 혹은 방석에 충돌 전후 속도가 같으므로 (가)와 (나)의 충격량(운동량의 변화량)의 크기는 같다. (○)

ㄴ. (가)와 같이 딱딱한 마룻바닥에 떨어질 때가 (나)와 같이 푹신한 방석에 떨어질 때보다 충돌 시간이 짧다. (○)

ㄷ. 평균 충격력은 충격량이 같다는 조건에서 시간에 반비례한다. 따라서 (가)에서의 평균 충격력의 크기는 (나)에서보다 크다. (×)

답 ④

■ **오류 피하기**

⋯➜ 충격량 Vs 충격력

- 충격량은 물체가 받은 충격의 정도를 나타내고 충격력은 단위 시간 동안 물체의 운동량 변화량과 같다.
- 충격량이 같은 상황에서 시간에 따른 충격력의 관계와 충격력이 같은 상황에서 시간에 따른 충격량의 관계를 혼동하지 말아야 한다.
- 힘-시간 그래프에서 그래프 아랫부분의 넓이는 충격량이다.

기출 문제

정답과 해설 10쪽

045 그림은 줄을 타고 내려오는 사람의 모습으로, 도착 지점에서는 충격 완화를 위해 설치된 쿠션에 충돌하여 멈추게 된다.

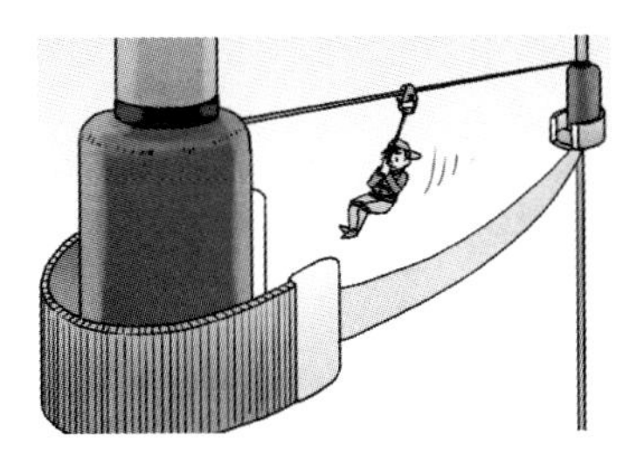

이에 대해 옳게 설명한 사람만을 〈보기〉에서 있는 대로 고른 것은? (단, 줄의 길이는 변하지 않고, 모든 마찰은 무시한다.)

보기
- 철수: 충돌 직전 속력은 사람의 질량과는 상관없어.
- 영희: 쿠션은 사람이 받는 충격량을 줄이는 역할을 해.
- 민수: 쿠션에 충돌하는 순간 사람과 쿠션이 주고받는 힘은 작용 반작용의 관계야.

① 철수 ② 영희 ③ 철수, 민수
④ 영희, 민수 ⑤ 철수, 영희, 민수

046 그림은 공을 던지고 받는 영상을 보며 철수, 영희, 민수가 대화하는 모습을 나타낸 것이다.

옳게 말한 사람만을 있는 대로 고른 것은?

① 철수 ② 민수 ③ 철수, 영희
④ 영희, 민수 ⑤ 철수, 영희, 민수

047 그림 (가), (나)는 야구 선수가 운동량이 같은 공을 각각 야구 장갑으로 받아 정지시키는 것과 야구 방망이로 날아오던 방향과 정반대 방향으로 쳐 내는 것을 나타낸 것이다. (가)에서 공과 야구 장갑이 충돌한 시간은 (나)에서 공과 야구 방망이가 충돌한 시간보다 길다.

공이 각각 야구 장갑과 야구 방망이에 충돌하는 동안, 물리량의 크기가 (나)에서가 (가)에서보다 큰 것만을 〈보기〉에서 있는 대로 고른 것은? (단, 공의 크기는 무시한다.) [3점]

보기
ㄱ. 공의 운동량 변화량의 크기
ㄴ. 공에 작용한 충격량의 크기
ㄷ. 공에 작용한 평균 힘의 크기

① ㄴ ② ㄷ ③ ㄱ, ㄴ
④ ㄱ, ㄷ ⑤ ㄱ, ㄴ, ㄷ

048 그림과 같이 인라인 스케이트를 신고 서 있던 철수와 영희가 서로 미는 동안 동일 직선상에서 반대 방향으로 운동한다.

철수와 영희가 서로 미는 동안, 이에 대한 설명으로 옳은 것만을 〈보기〉에서 있는 대로 고른 것은?

보기
ㄱ. 철수가 영희에 작용하는 힘과 영희가 철수에 작용하는 힘은 작용과 반작용의 관계이다.
ㄴ. 가속도의 방향은 철수와 영희가 서로 반대이다.
ㄷ. 철수가 영희로부터 받은 충격량의 크기는 영희가 철수로부터 받은 충격량의 크기와 같다.

① ㄱ ② ㄷ ③ ㄱ, ㄴ
④ ㄴ, ㄷ ⑤ ㄱ, ㄴ, ㄷ

기출 분석

11 유형

I. 역학과 에너지 | 1. 힘과 운동 충돌에서 힘-시간 그래프

출제 의도
물체가 충돌하며 받은 충격량에 따라 물체 운동량의 변화를 이해하고 힘-시간 그래프를 해석할 수 있는지를 묻는 문제이다.

이렇게 대비하자!
힘-시간 그래프의 면적 혹은 충격량을 알고 있을 때, 충돌 시간에 따른 평균 힘의 관계를 이해하자.

■ **연관 기출 문제 키워드**

#운동량 #힘 #시간

그림 (가)는 수평면 위에 정지해 있던 물체 A, B를 각각 수평 방향으로 스틱으로 쳤더니 A, B가 각각 수평면을 따라 속력 v로 등속도 운동하는 모습을 나타낸 것이다. 그림 (나)는 (가)에서 A, B가 각각 스틱으로부터 받은 힘의 크기를 시간에 따라 나타낸 것이다. 시간 축과 각 곡선이 만드는 면적은 A가 B의 2배이다.

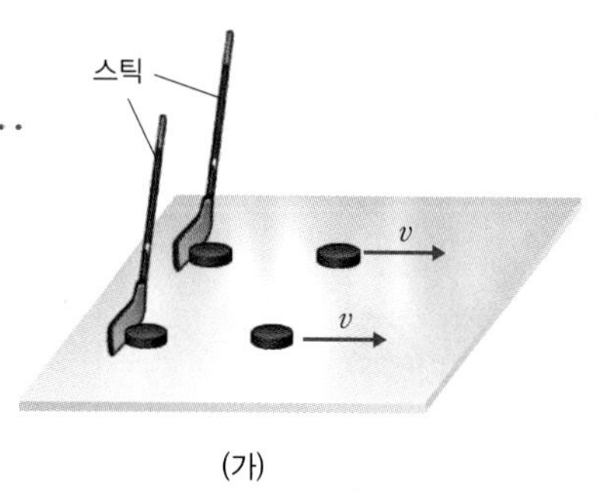

(가)

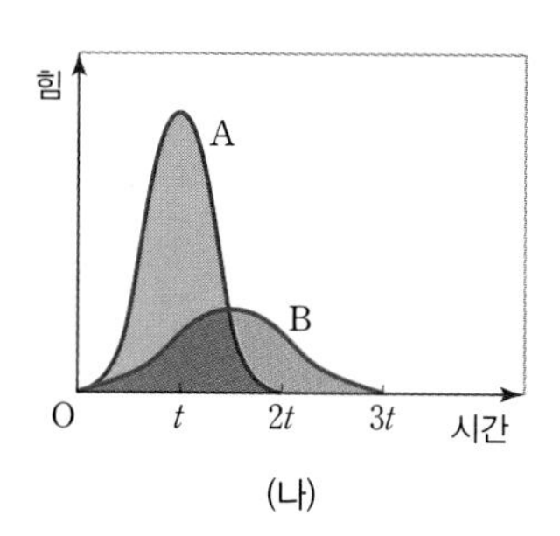

(나)

이에 대한 설명으로 옳은 것만을 <보기>에서 있는 대로 고른 것은? (단, A, B의 크기는 무시한다.) [3점]

보기

ㄱ. (가)에서 A, B가 등속도 운동하는 동안, 운동량의 크기는 A가 B의 2배이다.
ㄴ. 질량은 B가 A의 2배이다.
ㄷ. 스틱으로 치는 동안, 스틱으로부터 받은 평균 힘의 크기는 A가 B의 3배이다.

① ㄱ ② ㄷ ③ ㄱ, ㄴ ④ ㄱ, ㄷ ⑤ ㄴ, ㄷ

문제 분석

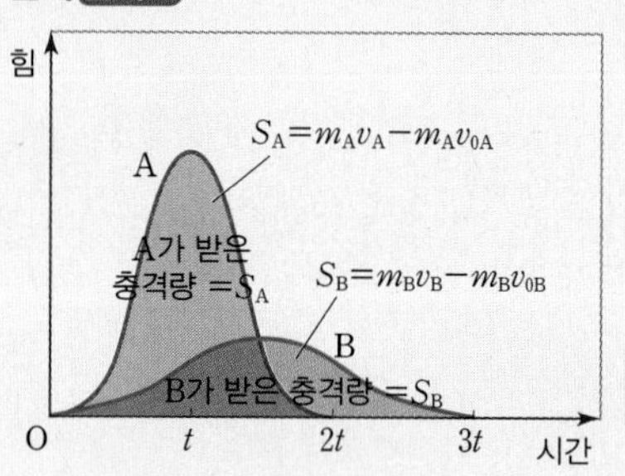

- 힘-시간 그래프에서 그래프 아랫부분의 면적은 충격량과 같고 충격량은 운동량의 변화량과 같다.
- 힘을 받는 시간 동안 물체가 받는 힘은 평균 힘은 $\frac{\text{충격량}}{\text{충돌한 시간}}$이다.

■ **문항별 해설**

그래프에서 면적은 물체가 받은 충격량 혹은 물체의 운동량 변화량과 같다. 여기서 그래프 면적이 A가 B의 2배이므로 A의 운동량 변화량은 B의 운동량 변화량의 2배가 된다.
즉, $S_A = 2S_B$이므로 $m_Av - m_Av_{0A} = 2(m_Bv - m_Bv_{0B})$이고, 처음이 정지 상태이므로 $v_{0A}(=v_{0B})$는 0이다. ➡ $m_A = 2m_B$

ㄱ. 스틱과 충돌 후 두 물체의 속도가 같고 질량은 A가 B의 2배이므로 운동량의 크기(mv)는 A가 B의 2배이다. (○)
ㄴ. 힘-시간 그래프에서 면적은 물체의 운동량 변화량이다. A 면적이 B 면적에 2배이므로 질량은 A가 B의 2배임을 알 수 있다. (×)
ㄷ. 물체에 작용한 평균 힘은 $\frac{\text{충격량}}{\text{충돌한 시간}}$이다. 그래프로 둘러싸인 부분의 면적이 충격량이고 $S_A = 2S_B$이므로 (평균 힘$_A$)$=\frac{S_A}{2t}=\frac{S_B}{t}$이고, (평균 힘$_B$)$=\frac{S_B}{3t}$이므로 스틱으로 치는 동안 스틱으로부터 받은 평균 힘의 크기는 A가 B의 3배이다. (○)

답 ④

배경 지식

- **충격력**: 물체에 작용한 힘으로, 단위 시간 동안의 운동량의 변화량과 같다.

$$F = \frac{\Delta p}{\Delta t} = \frac{mv - mv_0}{\Delta t}$$

- **충격량**: 물체가 받은 충격의 정도로, 작용한 힘과 힘이 작용한 시간을 곱한 것이다.

$$I = F \times \Delta t = mv - mv_0$$

기출 문제

정답과 해설 11쪽

049 그림 (가)와 같이 수평면에서 질량이 $3m$인 공 A가 정지해 있는 질량이 m인 핀 B를 향해 등속도 운동한다. 그림 (나)는 A, B가 충돌하는 동안 B가 A로부터 받은 힘의 크기를 시간에 따라 나타낸 것이다. A와 B의 충돌 시간은 T이고, 시간 축과 곡선이 만드는 면적은 S이다.

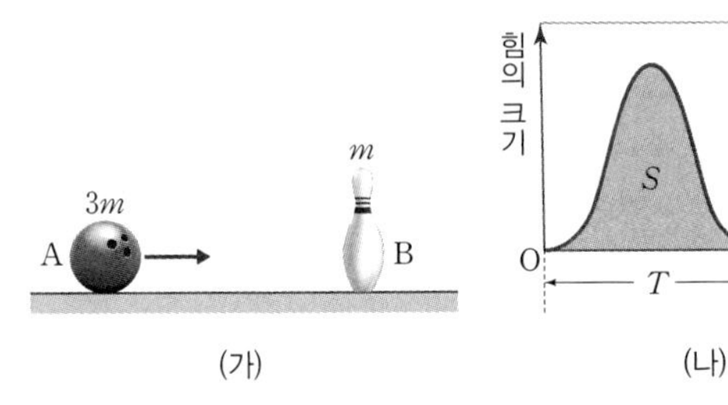

(가) (나)

이에 대한 설명으로 옳은 것만을 〈보기〉에서 있는 대로 고른 것은? (단, 충돌 후 A, B는 충돌 전 A의 운동 방향과 같은 방향으로 운동하고, A, B의 크기, 모든 마찰과 공기 저항은 무시한다.)

보기

ㄱ. 충돌하는 동안, A가 B로부터 받은 충격량의 크기는 B가 A로부터 받은 충격량의 크기보다 크다.

ㄴ. 충돌 직후 B의 속력은 $\frac{S}{m}$이다.

ㄷ. 충돌하는 동안, A가 B에 작용한 평균 힘의 크기는 $\frac{S}{2T}$이다.

① ㄱ ② ㄴ ③ ㄷ
④ ㄱ, ㄴ ⑤ ㄴ, ㄷ

050 그림 (가)는 동일한 인형과 자동차 A, B를 이용한 충돌 실험을 나타낸 것이다. 자동차가 벽에 충돌하는 순간 A, B의 속도는 같고, A는 에어백이 작동하였으나, B는 작동하지 않았다. 그림 (나)는 두 인형이 충돌 순간부터 정지할 때까지 받는 힘을 시간에 따라 나타낸 것이고, 그래프 a, b 아래의 넓이 S_1, S_2는 서로 같다.

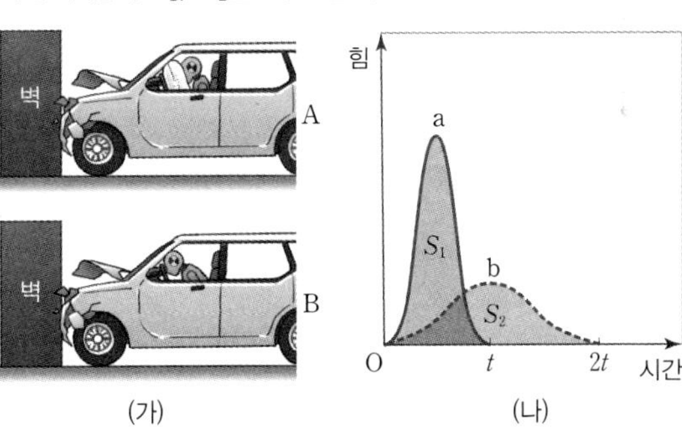

(가) (나)

충돌 순간부터 정지할 때까지, 이에 대한 설명으로 옳은 것만을 〈보기〉에서 있는 대로 고른 것은?

보기

ㄱ. A의 인형이 받는 힘을 나타낸 그래프는 a이다.

ㄴ. 두 인형이 받는 충격량의 크기는 같다.

ㄷ. 두 인형의 운동량의 변화량의 크기는 같다.

① ㄱ ② ㄴ ③ ㄱ, ㄷ
④ ㄴ, ㄷ ⑤ ㄱ, ㄴ, ㄷ

051 그림 (가)는 용수철이 연결된 질량 m인 수레가 v의 속력으로 벽면을 향해 운동하는 모습으로, 벽면에 충돌 후 v의 속력으로 튕겨져 나온다. 그림 (나)는 충돌 과정에서 수레가 용수철로부터 받은 힘의 크기를 시간에 따라 나타낸 것이다.

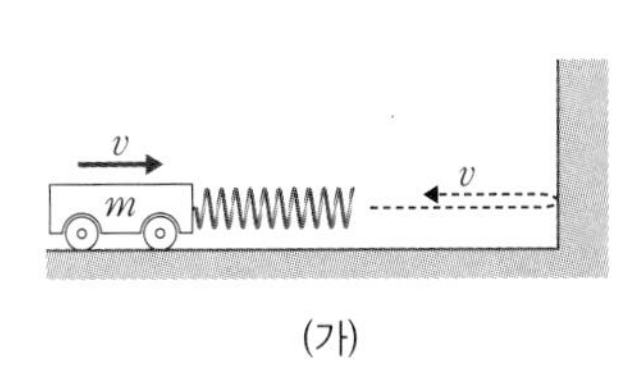

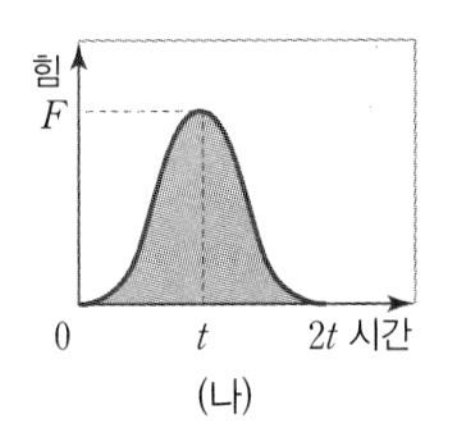

(가) (나)

이에 대한 설명으로 옳은 것만을 〈보기〉에서 있는 대로 고른 것은? (단, 용수철의 질량은 무시한다.)

보기

ㄱ. 수레가 용수철로부터 받은 충격량의 크기는 $2Ft$이다.

ㄴ. 용수철이 최대로 압축되는 시간은 t이다.

ㄷ. (나)에서 빗금 친 부분의 면적은 $2mv$이다.

① ㄱ ② ㄴ ③ ㄷ
④ ㄱ, ㄴ ⑤ ㄴ, ㄷ

기출 분석 12 유형

❓ 출제 의도

물체의 운동량-시간 그래프를 보고 물체가 받는 힘과 충격량 등을 해석할 수 있는지를 묻는 문제이다.

이렇게 대비하자!

물체의 운동량-시간 그래프를 해석하여 물체에 작용한 힘을 구할 수 있어야 한다.

■ **연관 기출 문제 키워드**

#운동량 #운동량 변화량 #충격량

그림은 정지 상태에서 출발한 질량 $2\ \mathrm{kg}$인 물체의 운동량을 시간에 따라 나타낸 것이다.

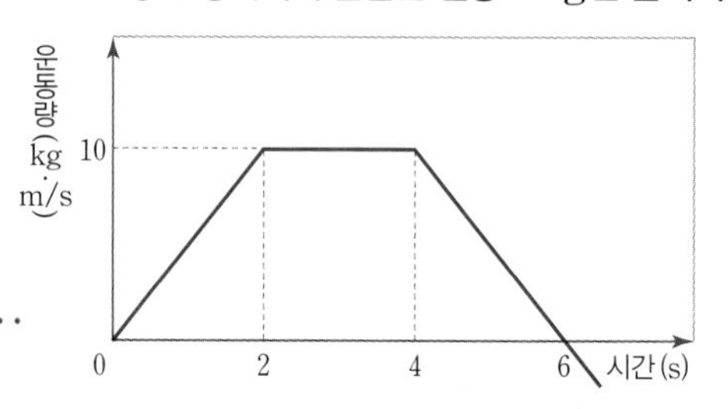

이에 대한 설명으로 옳은 것은?

① 0초부터 2초까지 물체가 받는 합력의 크기는 5 N이다.

② 2초부터 4초까지 물체가 받은 충격량의 크기는 20 N·s이다.

③ 2초부터 6초까지 운동량 변화량의 크기는 30 kg·m/s이다.

④ 4초부터 6초까지 물체는 등속 운동을 한다.

⑤ 5초일 때 물체의 운동 방향과 합력의 방향은 같다.

문제 분석

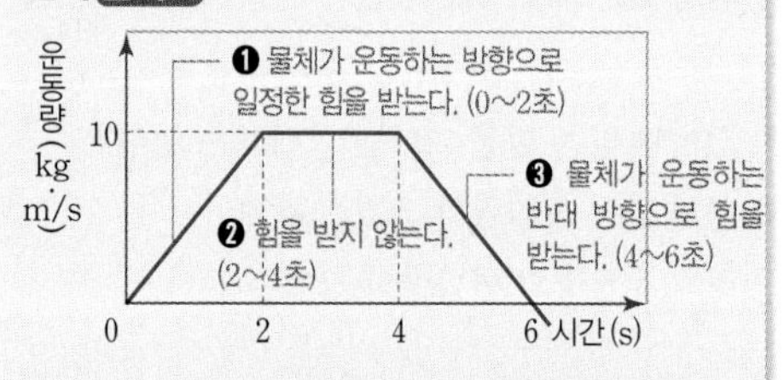

운동량-시간 그래프에서 그래프의 기울기는 물체가 받은 알짜힘이다.

그래프 기울기 $= \dfrac{m\Delta v}{\Delta t} = ma = F$

각 구간에서 물체가 받은 힘

❶ 0초~2초: $\dfrac{10\ \mathrm{kg\cdot m/s}}{2\ \mathrm{s}} = 5\ \mathrm{N}$

➡ 운동 방향으로 5 N의 힘을 일정하게 받으면서 등가속도 운동을 한다.

❷ 2초~4초: 0 N

➡ 물체에 작용하는 알짜힘이 0이므로 물체는 힘을 받지 않고, 운동하던 방향으로 등속도 운동을 한다.

❸ 4초~6초: $-\dfrac{10\ \mathrm{kg\cdot m/s}}{2\ \mathrm{s}} = -5\ \mathrm{N}$

➡ 운동 방향의 반대로 5 N의 힘을 받아 등가속도 운동을 한다.

• 6초 이후: 운동량이 (−)가 되므로 물체의 운동 방향이 반대가 된다.

■ **문항별 해설**

① 운동량-시간 그래프에서 기울기는 물체가 받은 힘을 의미하므로 0초부터 2초까지 물체가 받는 합력의 크기는 5 N이다. (○)

② 물체가 받은 충격량의 크기는 '나중 운동량-처음 운동량'이며, 운동량은 그래프에서 y축의 값이다. 2~4초 동안 운동량의 변화량은 $10\ \mathrm{kg\cdot m/s} - 10\ \mathrm{kg\cdot m/s} = 0\ \mathrm{N\cdot s}$이다. (×)

③ 2초부터 6초까지 운동량 변화량의 크기는 $0\ \mathrm{kg\cdot m/s} - 10\ \mathrm{kg\cdot m/s} = -10\ \mathrm{N\cdot s}$이다. (×)

④ 4초부터 6초까지 물체의 속도가 일정한 비율로 감속하므로 등가속도 운동이다. (×)

⑤ 5초일 때 물체의 속도가 일정하게 감소하므로 운동 방향과 합력의 방향은 반대이다. (×)

답 ①

■ **오류 피하기**

⋯› 그래프를 해석할 때 y축이 운동량이냐 힘이냐에 따라 해석이 달라지므로 y축이 무엇인지 확인 후 문제를 풀어야 한다.

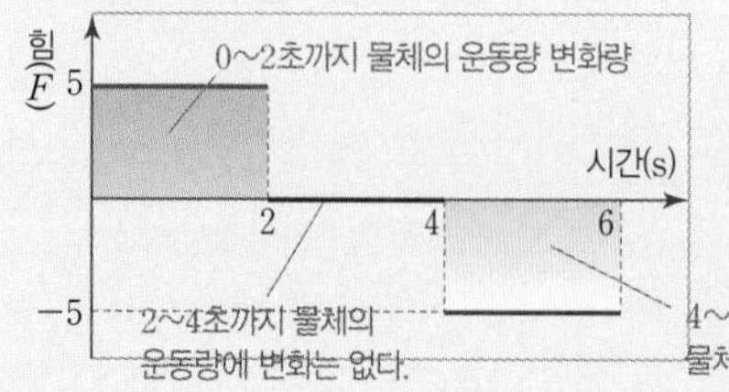

그림은 문제의 그래프를 힘-시간 그래프로 변환한 것이고, 이때 그래프 면적은 운동량의 변화량(= 충격량)을 나타낸다.

기출 문제

정답과 해설 11쪽

052 그림은 질량이 1 kg인 물체가 직선 운동할 때 물체의 운동량을 시간에 따라 나타낸 것이다. 이 물체에 대한 설명으로 옳은 것은?

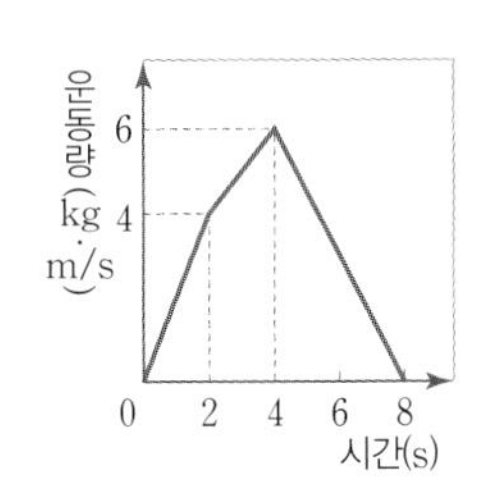

① 0초부터 2초까지 합력의 크기는 2 N이다.
② 0초부터 4초까지 속도의 변화량의 크기는 2 m/s이다.
③ 2초부터 4초까지 물체가 받은 충격량의 크기는 6 kg·m/s이다.
④ 2초인 순간과 6초인 순간의 합력의 방향은 같다.
⑤ 4초부터 8초까지 등속도 운동을 하였다.

053 그림은 수평면 위에서 직선 운동하는 질량 2kg인 물체의 운동량을 시간에 따라 나타낸 것이다. 이 물체의 운동에 대한 설명으로 옳은 것만을 〈보기〉에서 있는 대로 고른 것은? [3점]

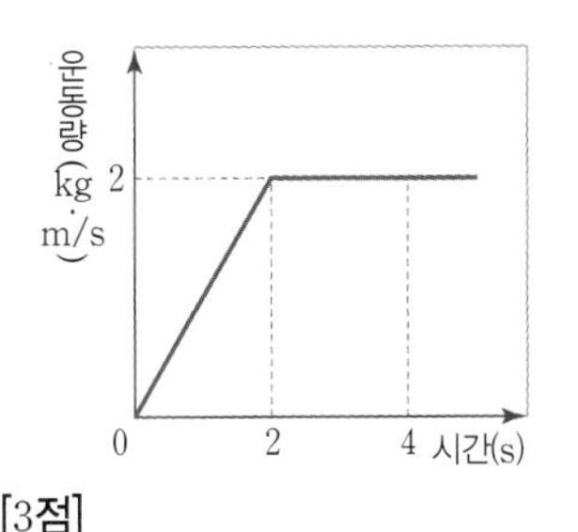

보기
ㄱ. 2초 이후 물체의 속도는 1 m/s이다.
ㄴ. 0초부터 2초까지 물체에 작용한 합력은 1 N이다.
ㄷ. 0초부터 4초까지 물체가 받은 충격량은 2 N·s이다.

① ㄴ ② ㄷ ③ ㄱ, ㄴ
④ ㄱ, ㄷ ⑤ ㄱ, ㄴ, ㄷ

054 그림 (가)는 마찰이 없는 수평면에서 물체 A가 정지해 있는 물체 B를 향해 등속도 운동하는 것을 나타낸 것이다. 그림 (나)는 두 물체가 충돌하기 전부터 충돌한 후까지 A의 운동량을 시간에 따라 나타낸 것이다. 두 물체의 충돌 시간은 0.01초이며, 충돌 전후 동일 직선상에서 운동한다. A, B의 질량은 각각 2 kg, 1 kg이다.

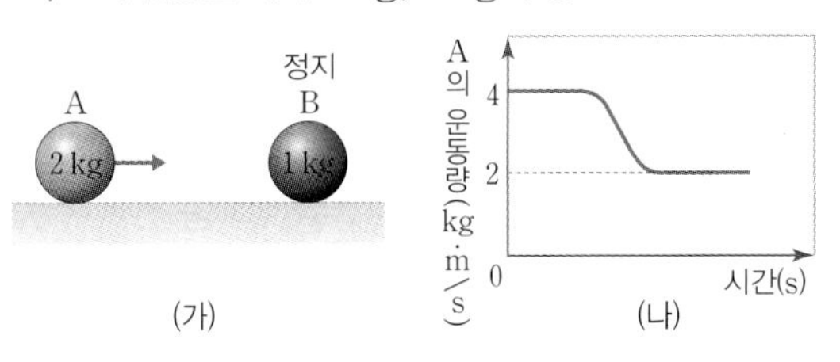

이에 대한 설명으로 옳은 것만을 〈보기〉에서 있는 대로 고른 것은?

보기
ㄱ. 충돌하는 동안 A가 B로부터 받은 충격량의 크기는 2 N·s이다.
ㄴ. 충돌하는 동안 B가 A로부터 받은 평균 힘의 크기는 200 N이다.
ㄷ. 충돌 후 속력은 B가 A의 2배이다.

① ㄱ ② ㄷ ③ ㄱ, ㄴ
④ ㄴ, ㄷ ⑤ ㄱ, ㄴ, ㄷ

055 그림 (가)는 수평면에 정지해 있는 동전 B를 향해 손가락으로 동전 A를 튕기는 모습을 나타낸 것이다. B는 A와 충돌한 후 정지해 있던 동전 C와 충돌한다. 그림 (나)는 이 과정에서 A, B, C의 운동량을 시간에 따라 나타낸 것이다. A와 B의 충돌 시간은 $2T$이고, B와 C의 충돌 시간은 T이다. B의 질량은 C의 2배이다.

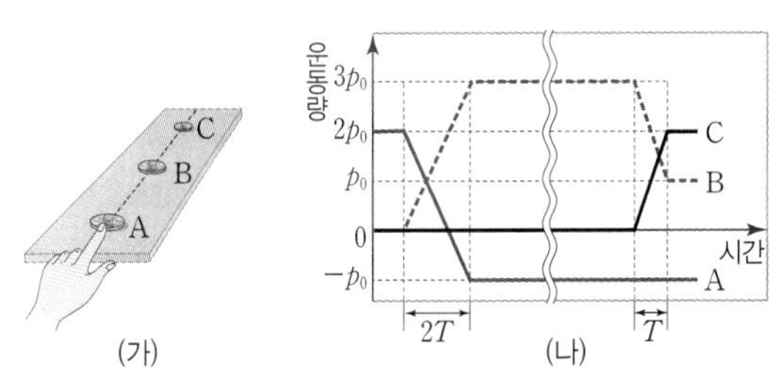

이에 대한 설명으로 옳은 것만을 〈보기〉에서 있는 대로 고른 것은? (단, A~C는 동일 직선상에서 운동한다.) [3점]

보기
ㄱ. A는 B와 충돌 후 충돌 전과 반대 방향으로 움직인다.
ㄴ. B가 C와 충돌한 후, C의 속력은 B의 속력의 2배이다.
ㄷ. B가 받은 평균 힘의 크기는 A와 충돌하는 동안이 C와 충돌하는 동안보다 크다.

① ㄱ ② ㄷ ③ ㄱ, ㄴ ④ ㄱ, ㄷ ⑤ ㄴ, ㄷ

기출 분석

13 유형

? 출제 의도

두 물체가 충돌할 때 작용 반작용과 운동량 보존 법칙을 적용하여 물체의 운동을 알아낼 수 있는지를 묻는 문제이다.

이렇게 대비하자!

운동하는 두 물체가 충돌했을 때 물체가 받은 충격량과, 충돌 전후 물체의 운동량 변화를 해석할 수 있어야 한다.

■ **연관 기출 문제 키워드**

#충격량 #운동량 보존 법칙 #작용 반작용 #운동량의 변화

그림 (가)는 마찰이 없는 수평면에서 장난감 자동차 A와 B가 압축된 용수철로 서로 연결되어 일정한 속도 v로 운동하고 있는 것을, (나)는 A와 B가 분리된 후 동일 직선상에서 운동하고 있는 것을 나타낸 것이다. 분리된 직후, A의 속도는 $\frac{1}{2}v$이고, A에 대한 B의 속도는 v이다.

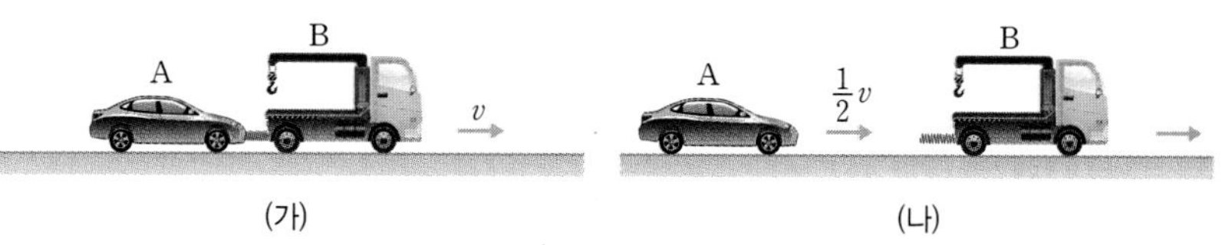

(가) (나)

이에 대한 설명으로 옳은 것만을 〈보기〉에서 있는 대로 고른 것은? (단, 용수철의 질량은 무시한다.) [3점]

보기

ㄱ. 분리되는 동안, A가 받는 충격량 크기는 B가 받는 충격량 크기와 같다.

ㄴ. 분리된 직후 B의 속도는 $2v$이다.

ㄷ. A와 B의 질량은 같다.

① ㄱ ② ㄴ ③ ㄷ ④ ㄱ, ㄴ ⑤ ㄱ, ㄷ

문제 분석

❶ 자동차 A와 자동차 B가 분리되는 과정에서 A, B가 각각 받는 힘은 작용 반작용으로 크기가 같으며 반대 방향으로 작용한다. 힘의 크기가 같고 힘을 받는 시간이 같으므로 충격량의 크기가 같다.

❷ A의 운동량 변화량

$$m_A \Delta v = m_A(\frac{1}{2}v - v) = -\frac{1}{2}m_A v$$

❸ B의 운동량 변화량

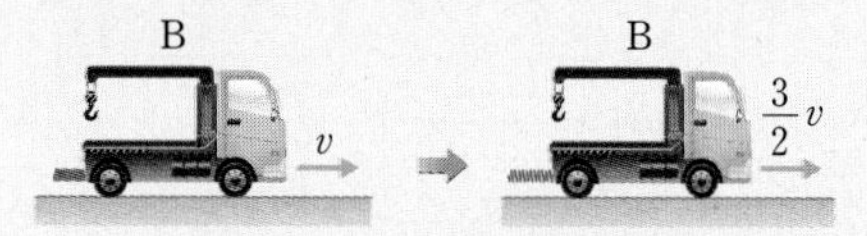

A와 분리된 후 A에 대한 B의 속도가 v이므로 $v_B - v_A = v_B - \frac{1}{2}v = v$에 의해 B의 나중 속도는 $\frac{3}{2}v$가 된다.

$$m_B \Delta v = m_B(\frac{3}{2}v - v) = \frac{1}{2}m_B v$$

■ **문항별 해설**

ㄱ. 두 자동차가 분리되면서 받는 힘과 힘이 작용하는 시간은 A와 B가 모두 같으므로, 충격량의 크기는 같다. (○)

ㄴ. A에 대한 B의 속도가 v라는 것은 A를 기준으로 할 때 B의 속도가 v라는 의미이다. A의 속도가 $\frac{1}{2}v$이므로 분리된 직후 B의 속도는 $\frac{3}{2}v(=\frac{1}{2}v+v)$이다. (×)

ㄷ. 운동량 보존의 법칙에 따라 분리 전 A와 B의 운동량 합과 분리 후 A와 B의 운동량 합이 같다. A, B의 질량을 각각 m_A, m_B라 하고, 분리 전 A, B의 속도는 v, 분리 후 A, B의 속도는 각각 $\frac{1}{2}v$, $\frac{3}{2}v$이므로 $m_A v + m_B v = m_A \cdot \frac{1}{2}v + m_B \cdot \frac{3}{2}v$이고, 이를 정리하면 A와 B의 질량은 같다. (○)

답 ⑤

■ **오류 피하기**

⋯→ 두 물체가 충돌하거나 분리될 때 두 물체 A와 B가 받는 힘은 작용 반작용 법칙에 의해 크기가 같고 방향은 반대이다. 따라서 두 물체가 받은 충격량은 크기가 같고 방향이 반대이다.

$-F_{AB}\Delta t = F_{BA}\Delta t$ (F_{AB}: A가 B를 미는 힘, F_{BA}: B가 A를 미는 힘, Δt: A, B가 충돌한 시간)

기출 문제

정답과 해설 12쪽

056 그림과 같이 마찰이 없는 수평면 위에서 질량 m, $4m$인 물체 A와 B가 v_A, v_B의 속력으로 각각 직선 운동하다가 정지해 있던 질량 $2m$인 물체 C와 충돌한 후 한 덩어리가 되어 운동한다.

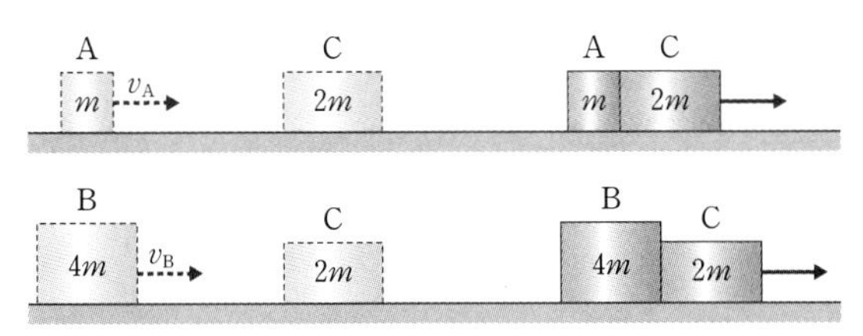

충돌 과정에서 C가 받은 충격량의 크기가 같을 때, $v_A : v_B$는?

① 1 : 1 ② 1 : 2 ③ 1 : 3
④ 2 : 1 ⑤ 4 : 1

057 그림은 마찰이 없는 수평면의 동일 직선상에서 질량이 같은 물체 A, B가 서로 같은 방향으로 운동하는 것을 그래프는 A에 대한 B의 속도를 시간에 따라 나타낸 것이다. 충돌 전 A는 6 m/s의 일정한 속력으로 운동한다.

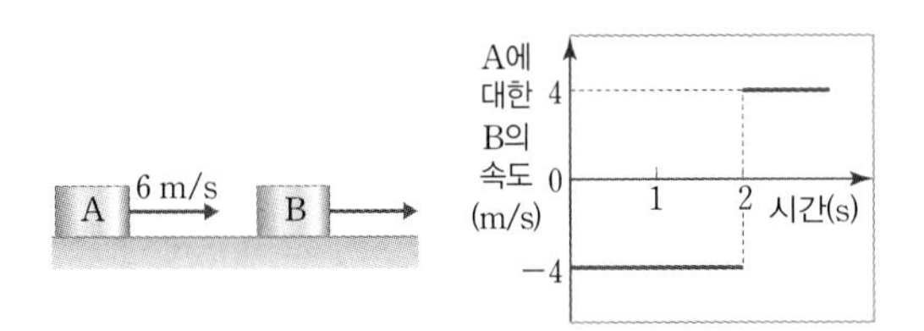

이에 대한 설명으로 옳은 것만을 ⟨보기⟩에서 있는 대로 고른 것은? (단, 공기 저항과 물체의 크기는 무시한다.) [3점]

보기
ㄱ. 1초일 때 A와 B 사이의 거리는 4 m이다.
ㄴ. 충돌 후, 운동량의 크기는 B가 A의 2배이다.
ㄷ. 충돌하는 동안 A가 받은 충격량의 크기와 B가 받은 충격량의 크기는 같다.

① ㄱ ② ㄴ ③ ㄱ, ㄴ ④ ㄱ, ㄷ ⑤ ㄴ, ㄷ

058 그림 (가), (나), (다)는 마찰이 없는 수평면에서 질량이 각각 m, m, $2m$이고 속도가 v, $2v$, v인 세 물체 A, B, C가 질량 m인 정지한 물체를 향해 운동하는 모습을 나타낸 것으로, 충돌 후 각각 한 덩어리가 되어 운동한다.

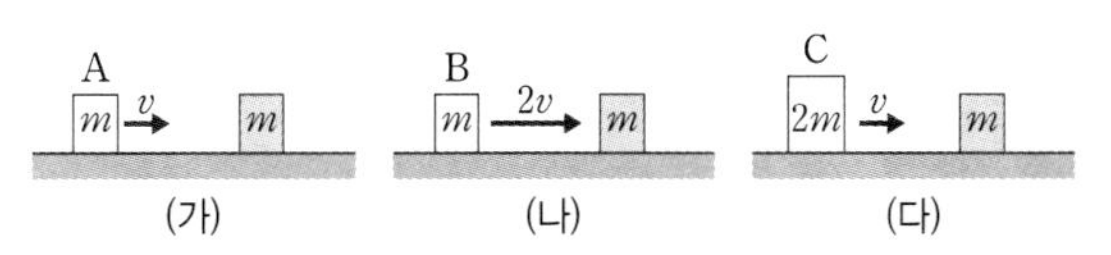

이에 대한 설명으로 옳은 것만을 ⟨보기⟩에서 있는 대로 고른 것은? [3점]

보기
ㄱ. (가)에서 두 물체의 운동량의 합은 충돌 전과 후가 같다.
ㄴ. 충돌 후 속도의 크기는 C가 A의 2배이다.
ㄷ. 충돌 후 속도의 크기는 B와 C가 같다.

① ㄱ ② ㄷ ③ ㄱ, ㄴ
④ ㄱ, ㄷ ⑤ ㄴ, ㄷ

059 그림은 마찰이 없는 수평면에서 오른쪽으로 3 m/s의 속력으로 운동하는 질량 2 kg인 물체 A가 정지해 있던 물체 B와 충돌한 후, A와 B가 오른쪽으로 각각 1 m/s, 4 m/s의 속력으로 운동하는 모습을 나타낸 것이다.

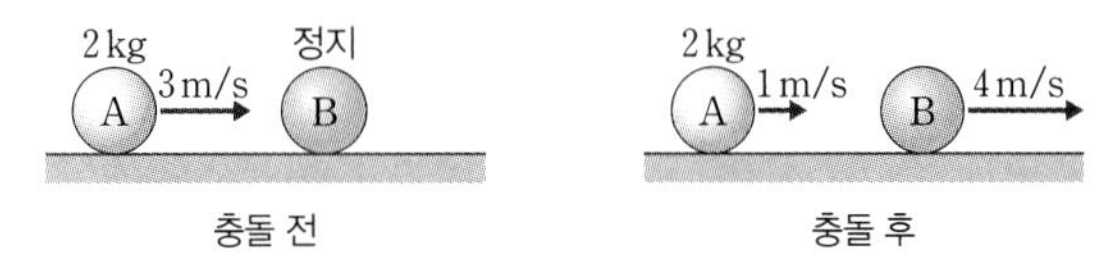

이에 대한 옳은 설명만을 ⟨보기⟩에서 있는 대로 고른 것은?

보기
ㄱ. A가 받은 충격량의 크기는 4 N·s이다.
ㄴ. 운동량 변화량의 크기는 A가 B보다 크다.
ㄷ. B의 질량은 1 kg이다.

① ㄱ ② ㄴ ③ ㄱ, ㄴ
④ ㄱ, ㄷ ⑤ ㄴ, ㄷ

기출 분석

14 유형

출제 의도

일 · 운동 에너지 정리를 이용하여 물체의 운동 에너지 변화가 물체에 해 준 일과 같음을 알고 있는지를 묻는 문제이다.

이렇게 대비하자!

일과 에너지 관련 문제를 풀 때는 뉴턴의 운동 법칙($F=ma$), 힘의 합력 등 힘과 운동에 관한 내용을 알고, 이를 함께 적용하여 문제를 해석해야 한다.

■ 연관 기출 문제 키워드

#일 · 운동 에너지 정리 #알짜힘이 한 일
#도르래로 연결된 두 물체에 작용하는 알짜힘

그림과 같이 수평면에 있는 물체 A와 도르래 아래의 물체 B를 줄로 연결한 후 가만히 놓았더니, A와 B가 등가속도 운동을 한다. A, B의 질량은 각각 $2m$, m이다.

B가 정지 상태에서 h만큼 낙하한 순간 B의 운동 에너지는? (단, 중력 가속도는 g이며, 줄의 질량과 모든 마찰은 무시한다.) [3점]

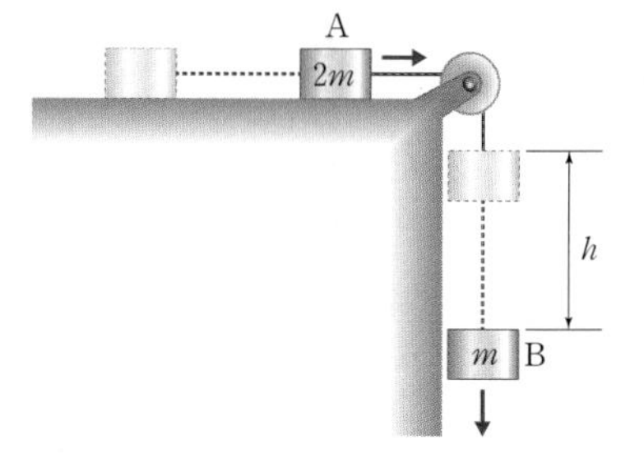

① $\frac{1}{3}mgh$ ② $\frac{1}{2}mgh$ ③ $\frac{2}{3}mgh$ ④ $\frac{3}{4}mgh$ ⑤ mgh

문제 분석

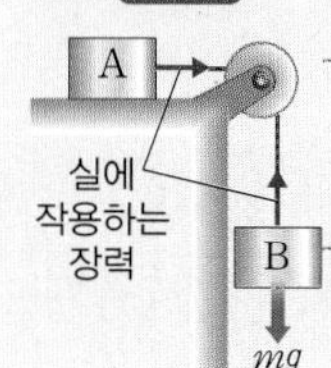

→ A, B가 한 줄에 연결되어 움직이므로 두 물체의 속력, 가속도는 같고 등가속도 운동을 한다.

→ 실로 연결된 두 물체를 움직이게 하는 힘은 중력이고, 이 힘의 크기는 중력 방향으로 움직이는 물체 B에 작용하는 중력의 크기인 mg와 같다.

❶ 도르래에 연결된 두 물체에 작용하는 알짜힘의 크기를 찾는다. 문제에서 물체에 작용하는 힘은 중력뿐이다.

❷ $F=ma$를 이용하여 두 물체의 가속도를 구한다.

❸ B의 질량과 과정 ❷에서 구한 가속도를 곱하여 B에 작용하는 알짜힘의 크기를 구한다.

❹ $W=Fs$를 이용하여 알짜힘이 한 일을 구한다.

❺ 일 · 운동 에너지 정리에 따라 물체에 한 일은 운동 에너지 변화량과 같다.

배경 지식

일 · 운동 에너지 정리: 물체에 작용한 알짜힘(F)이 한 일(W)은 운동 에너지 변화량($\varDelta E_k$)과 같다.

$$W=Fs=\varDelta E_k$$
$$=\frac{1}{2}mv^2-\frac{1}{2}mv_0^2$$

■ 문항별 해설

• 두 물체에 작용하는 가속도 구하기: 두 물체가 도르래에 매달려 있고 두 물체에 작용하는 힘은 물체 B에 작용하는 중력과 같다. 즉, 'B에 작용하는 중력의 크기 $=(\text{A}+\text{B})$에 작용하는 알짜힘'이 되므로 두 물체의 가속도를 a라 하면

$$mg=(2m+m)a$$
$$\Rightarrow a=\frac{mg}{3m}=\frac{g}{3}$$

• 각 물체에 작용하는 알짜힘의 크기는 '물체의 질량 × 가속도'이므로, 이를 이용해 각 물체에 작용하는 알짜힘의 크기를 구한다.

A에 작용하는 알짜힘의 크기 $=2m\times\frac{g}{3}$

B에 작용하는 알짜힘의 크기 $=m\times\frac{g}{3}$

• 알짜힘이 B에 한 일의 크기는 '알짜힘의 크기 × 이동 거리'로 구한다.

$$W=m\times\frac{g}{3}\times h$$

• 물체에 한 일은 운동 에너지 변화량과 같고, 물체가 정지 상태에서 움직인 것이므로 처음 운동 에너지는 0이다. 즉, '알짜힘이 B에 한 일 = B의 운동 에너지 $=\frac{1}{3}mgh$'이다.

답 ①

■ 오류 피하기

⋯→ B가 h만큼 내려갔다고 해서 B에 한 일이 B의 중력 퍼텐셜 에너지 변화량인 mgh가 되는 것은 아니다. B에는 중력만 작용하는 것이 아니라 A와 실로 연결되어 있어 나타나는 실의 장력이 작용한다.

실의 장력은 물체 B에서는 위쪽 방향으로 작용하기 때문에 B에 작용하는 알짜힘은 mg가 아니라 '$mg-$장력'이 된다. 따라서 B에 한 일은 '$(mg-$장력$)\times h$'가 된다.

기출 문제

정답과 해설 13쪽

060 그림 (가)와 (나)는 수평면에 정지해 있던 질량 2 kg인 물체에 각각 수평 방향과 연직 방향으로 30 N의 힘이 작용하여 물체가 이동한 모습을 나타낸 것이다.

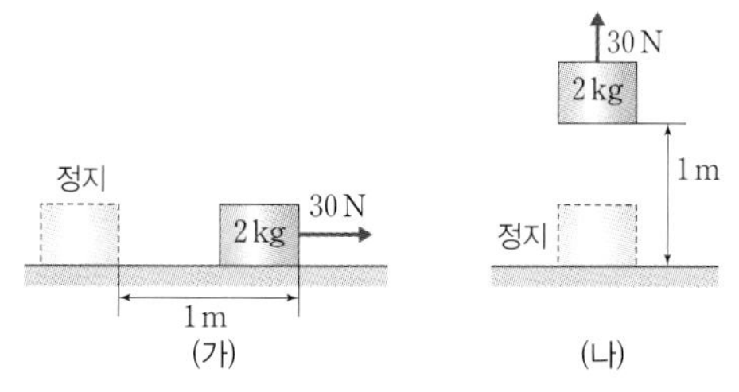

정지해 있던 물체가 1 m 이동할 때까지에 대한 설명으로 옳은 것만을 <보기>에서 있는 대로 고른 것은? (단, 중력 가속도는 10 m/s^{2}이고, 모든 마찰과 공기 저항은 무시한다.) [3점]

보기

ㄱ. (가)에서 물체가 받은 일은 30 J이다.
ㄴ. (나)에서 물체의 운동 에너지는 10 J 증가한다.
ㄷ. (가)와 (나)에서 물체의 역학적 에너지 변화량은 같다.

① ㄱ ② ㄷ ③ ㄱ, ㄴ
④ ㄴ, ㄷ ⑤ ㄱ, ㄴ, ㄷ

061 그림 (가)는 마찰이 없는 수평면에 정지해 있던 질량 2 kg인 물체에 수평 방향으로 힘이 작용하는 모습을, (나)는 물체에 작용한 힘을 시간에 따라 나타낸 것이다.

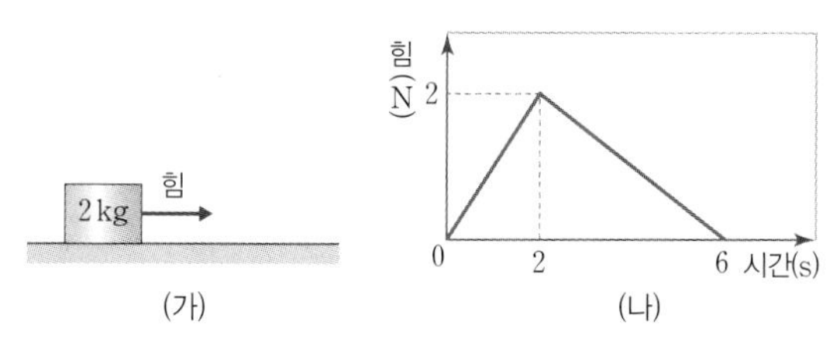

0~6초 동안 힘이 물체에 한 일은? [3점]

① 3 J ② 9 J ③ 18 J
④ 27 J ⑤ 36 J

062 그림과 같이 마찰이 없는 수평면에서 질량이 m인 두 물체 A, B에 힘 F_A, F_B를 각각 수평 방향으로 작용하였다. 그래프는 A, B의 속도를 시간에 따라 나타낸 것이다.

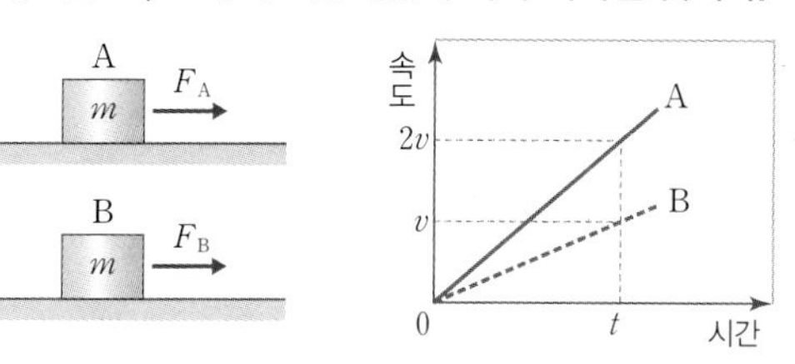

0에서 t까지 F_A, F_B가 각각 물체에 한 일의 비 $W_A : W_B$는? [3점]

① 1 : 4 ② 1 : 2 ③ 1 : 1
④ 2 : 1 ⑤ 4 : 1

063 그림과 같이 전동기가 경사각이 일정하고 마찰이 있는 빗면 위의 물체를 일정한 속력으로 1초 동안 3 m 이동시켰더니, 물체의 높이가 1 m 올라갔다. 물체의 질량은 1 kg이고, 물체와 빗면 사이의 운동 마찰력의 크기는 2 N이다.

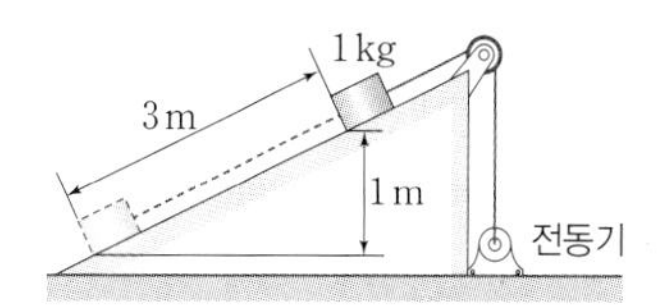

물체를 이동시킨 1초 동안, 전동기가 물체를 당기는 힘이 한 일은? (단, 중력 가속도는 10 m/s^{2}이고, 줄의 질량과 도르래의 마찰, 공기 저항은 무시한다.) [3점]

① 10 J ② 16 J ③ 20 J
④ 24 J ⑤ 30 J

064 그림 (가)는 전동기가 물체 B와 연결된 물체 A를 수평면과 나란한 방향으로 끌어당기는 모습을, (나)는 A의 속력을 시간에 따라 나타낸 것이다. 1초인 순간 전동기와 A를 연결한 실이 끊어졌다. A의 질량은 2 kg이다.

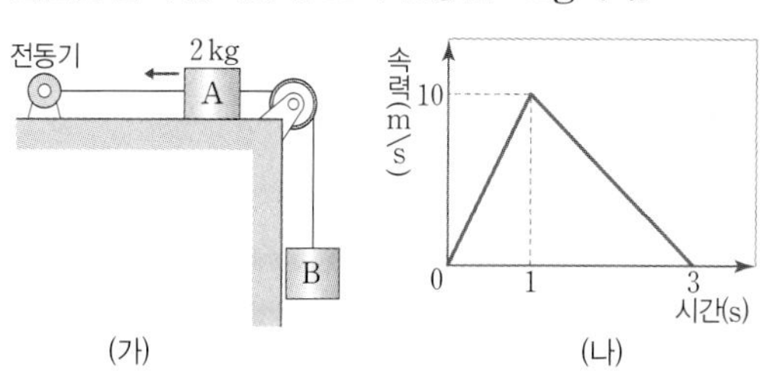

0초에서 1초까지 전동기가 한 일은? (단, 중력 가속도는 10 m/s^{2}이고, 실의 질량, 공기 저항과 모든 마찰은 무시한다.) [3점]

① 300 J ② 350 J ③ 400 J
④ 450 J ⑤ 500 J

기출 분석

15 유형

출제 의도

도르래에 연결된 두 물체의 퍼텐셜 에너지와 운동 에너지의 변화를 설명할 수 있는지를 묻는 문제이다.

이렇게 대비하자!

물체에 중력이 작용하여 움직일 때 중력 퍼텐셜 에너지와 운동 에너지가 서로 전환된다는 것을 기억하며 역학적 에너지의 변화를 분석할 수 있어야 한다.

■ **연관 기출 문제 키워드**

#중력 퍼텐셜 에너지 #운동 에너지 #역학적 에너지 #에너지 전환

그림과 같이 두 물체 A, B를 실로 연결하고 A를 수평면에서 가만히 놓았더니 A가 등가속도 운동을 하였다. B가 h만큼 내려갔을 때, B의 속력은 v가 되었다. B의 높이가 h만큼 감소하는 동안 B의 중력 퍼텐셜 에너지 감소량이 B의 운동 에너지 증가량의 2배일 때, 이에 대한 설명으로 옳은 것만을 〈보기〉에서 있는 대로 고른 것은? (단, 중력 가속도는 g이고, 실의 질량과 모든 마찰은 무시한다.) [3점]

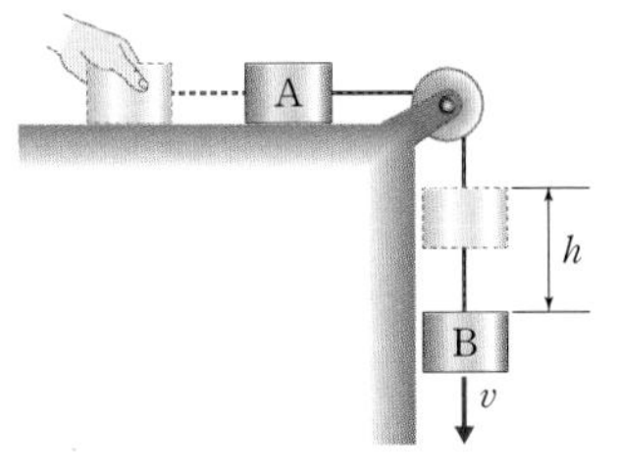

보기

ㄱ. A의 운동 에너지 증가량은 B의 역학적 에너지 감소량과 같다.

ㄴ. A와 B의 질량은 서로 같다.

ㄷ. $v=\sqrt{gh}$이다.

① ㄴ ② ㄷ ③ ㄱ, ㄴ ④ ㄱ, ㄷ ⑤ ㄱ, ㄴ, ㄷ

문제 분석

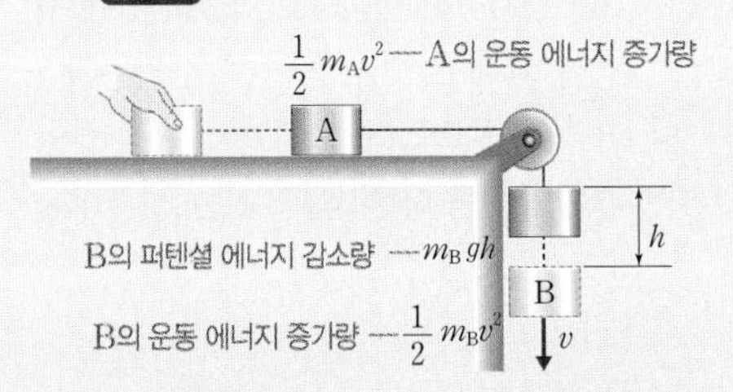

❶ 도르래로 연결된 두 물체를 가만히 놓아 두 물체가 등가속도 운동을 할 때, 이 물체에 작용하는 힘은 도르래에 수직으로 매달린 물체 B에 작용하는 중력이다.

❷ 도르래에 연결된 두 물체 A, B가 중력이 작용하여 움직일 때 역학적 에너지는 보존된다.
'A, B의 증가된 운동 에너지 = B의 감소된 퍼텐셜 에너지'가 성립한다.

❸ 도르래에 연결된 두 물체를 전동기로 끌어당기는 경우에는 전동기가 한 일만큼 두 물체의 역학적 에너지는 증가한다.

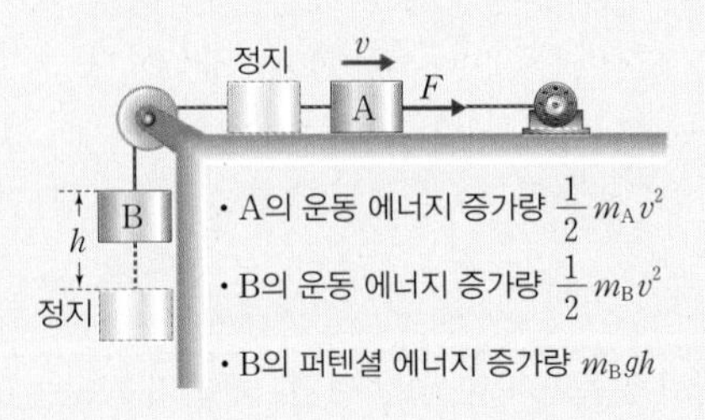

■ **문항별 해설**

⋯› A, B는 실로 연결되어 운동하므로, 이동 거리, 속력, 가속도는 같다. 즉, B가 h만큼 이동하여 v의 속력이 되었으므로, A의 이동 거리와 속력도 각각 h와 v이다.

⋯› 두 물체는 중력에 의해 운동하며, 중력 외에 다른 힘이 작용하지 않으므로 역학적 에너지는 보존된다. 즉, 'A, B의 증가된 운동 에너지 = B의 감소된 퍼텐셜 에너지'이다.

ㄱ. A는 운동 에너지가 증가하였고, B는 운동 에너지는 증가하고 퍼텐셜 에너지는 감소하였다. 즉, B의 역학적 에너지(운동 에너지 + 퍼텐셜 에너지)는 감소하였다. 두 물체의 역학적 에너지는 보존되므로 A의 운동 에너지 증가량과 B의 역학적 에너지 감소량은 같다. (○)

ㄷ. 문제에서 'B의 중력 퍼텐셜 에너지 감소량 = 2 × (B의 운동 에너지 증가량)'이므로

$m_Bgh=2\times\frac{1}{2}m_Bv^2$ ➡ $v=\sqrt{gh}$이다. (○)

ㄴ. 감소된 B의 중력 퍼텐셜 에너지 = 증가된 A의 운동 에너지 + 증가된 B의 운동 에너지,

$m_Bgh=\frac{1}{2}m_Av^2+\frac{1}{2}m_Bv^2=\frac{1}{2}v^2(m_A+m_B)$이고, $v=\sqrt{gh}$이므로

$m_Bgh=\frac{1}{2}\cdot gh\cdot(m_A+m_B)$이다. ➡ $m_A=m_B$ (○)

답 ⑤

■ **오류 피하기**

⋯› A, B가 서로 연결되어 있으므로 A와 B 전체의 역학적 에너지가 보존됨을 기억하자. 즉, A와 B 각각은 역학적 에너지가 보존되지 않는다. (A는 역학적 에너지 증가, B는 역학적 에너지 감소)

기출 문제

정답과 해설 14쪽

065 그림은 질량이 각각 $2m$, $2m$, m인 물체 A, B, C가 실로 연결된 채 운동을 하다가 A와 B를 연결하고 있던 실이 끊어진 후 A, B, C가 등가속도 운동을 하고 있는 것을 나타낸 것이다.

B가 점 P에서 점 Q까지 이동하는 동안, 이에 대한 설명으로 옳은 것만을 〈보기〉에서 있는 대로 고른 것은? (단, 모든 마찰과 공기 저항은 무시한다.) [3점]

보기

ㄱ. 가속도의 크기는 A가 B의 2배이다.
ㄴ. C의 역학적 에너지는 증가한다.
ㄷ. B의 운동 에너지 감소량은 C의 중력에 의한 퍼텐셜 에너지 증가량과 같다.

① ㄱ ② ㄴ ③ ㄷ
④ ㄱ, ㄷ ⑤ ㄴ, ㄷ

066 그림과 같이 질량이 같은 두 물체 A와 B를 실로 연결하고 빗면의 점 p에 A를 가만히 놓았더니 A와 B는 등가속도 운동을 하여 A가 점 q를 통과하였다.

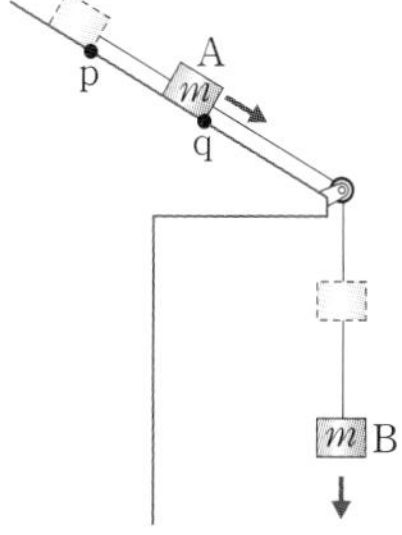

A가 p에서 q까지 이동하는 동안 이에 대한 설명으로 옳은 것만을 〈보기〉에서 있는 대로 고른 것은? (단, 실의 질량, 마찰과 공기 저항은 무시한다.) [3점]

보기

ㄱ. A에 작용하는 알짜힘이 A에 해 준 일과 B에 작용하는 알짜힘이 B에 해 준 일은 같다.
ㄴ. A의 역학적 에너지는 증가한다.
ㄷ. A와 B의 운동 에너지 증가량의 합은 B의 중력 퍼텐셜 에너지 감소량과 같다.

① ㄱ ② ㄴ ③ ㄷ
④ ㄱ, ㄴ ⑤ ㄴ, ㄷ

067 그림은 실로 연결된 질량이 각각 m, $3m$인 물체 A와 B의 높이가 같은 상태에서 B를 가만히 놓았더니 B가 h만큼 낙하한 순간 속력이 v인 것을 나타낸 것이다. 다음은 v를 구하는 과정의 일부이다.

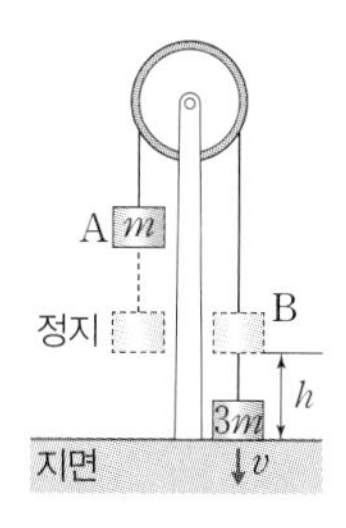

- 지면에서 중력 퍼텐셜 에너지를 0으로 한다.
- B를 놓기 전, A와 B의 운동 에너지의 합은 0이고 중력 퍼텐셜 에너지의 합은 (가)이다.
- B가 h만큼 낙하한 순간, A와 B의 운동 에너지의 합은 (나)이고 중력 퍼텐셜 에너지의 합은 $2mgh$이다.

이에 대한 설명으로 옳은 것만을 〈보기〉에서 있는 대로 고른 것은? (단, 중력 가속도는 g이고, 실의 질량, 물체의 크기, 공기 저항과 모든 마찰은 무시한다.) [3점]

보기

ㄱ. (가)는 $4mgh$이다.
ㄴ. (나)는 $2mv^2$이다.
ㄷ. v는 $\sqrt{gh}$이다.

① ㄱ ② ㄷ ③ ㄱ, ㄴ
④ ㄴ, ㄷ ⑤ ㄱ, ㄴ, ㄷ

068 그림과 같이 질량이 같은 물체 A와 B가 각각 마찰이 없고 도중에 꺾인 경사면을 따라 내려온다. A, B는 각각 동일 수평면으로부터 높이 h인 지점을 동시에 통과하고 같은 거리만큼 이동하여 동시에 수평면에 도달한다. $\theta_1 < 180° < \theta_2$이다.

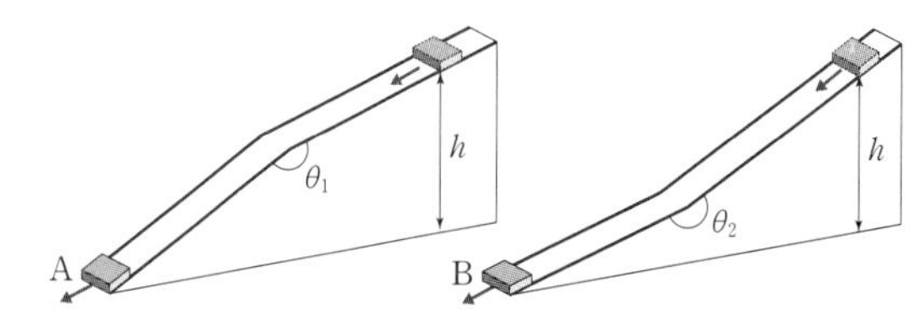

물체가 높이 h인 지점을 지나는 순간부터 수평면에 도달할 때까지, 물체의 운동에 대한 설명으로 옳은 것만을 〈보기〉에서 있는 대로 고른 것은? (단, 수평면에서 중력에 의한 퍼텐셜 에너지는 0이며, 물체는 경사면을 벗어나지 않고, 물체의 크기와 공기 저항은 무시한다.) [3점]

보기

ㄱ. 중력이 한 일은 A와 B가 서로 같다.
ㄴ. 운동 에너지 변화량은 A와 B가 서로 같다.
ㄷ. 역학적 에너지는 A와 B가 서로 같다.

① ㄱ ② ㄷ ③ ㄱ, ㄴ
④ ㄴ, ㄷ ⑤ ㄱ, ㄴ, ㄷ

기출 분석

16 유형

출제 의도
역학적 에너지 보존 법칙을 이해하고, 수식을 활용할 수 있는지를 묻는 문제이다.

이렇게 대비하자!
운동 에너지, 퍼텐셜 에너지, 역학적 에너지의 기본 원리를 이해하고 계산할 수 있어야 한다.

■ **연관 기출 문제 키워드**

#역학적 에너지 보존 #운동 에너지 #중력 퍼텐셜 에너지 #높이 계산

문제 분석

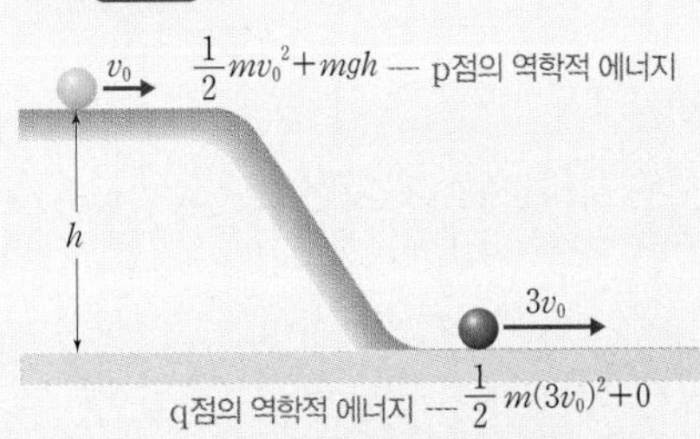

중력이 작용하여 운동하는 물체에서 각 지점의 운동 에너지와 중력 퍼텐셜 에너지의 합은 항상 같다.

$$E=E_k+E_p$$
$$=\frac{1}{2}mv_1^2+mgh_1$$
$$=\frac{1}{2}mv_2^2+mgh_2$$

➡ 모든 위치에서 항상 일정

그림은 점 p에서 속력이 v_0인 쇠구슬이 곡면을 따라 운동하여 점 q를 속력 $3v_0$으로 통과하는 모습을 나타낸 것이다.

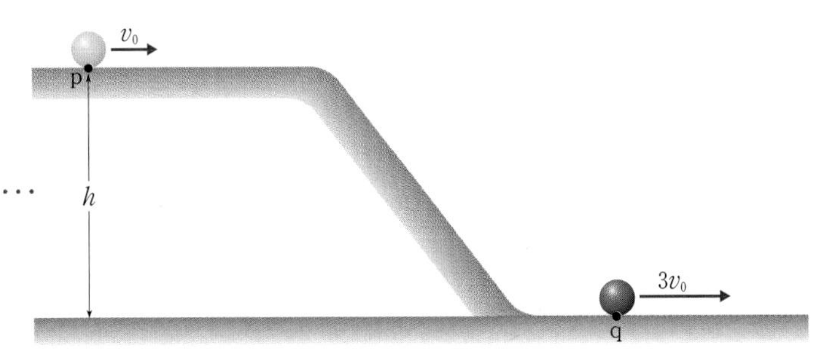

p와 q의 높이 차 h는? (단, 중력 가속도는 g이고, 쇠구슬의 크기와 모든 마찰 및 공기 저항은 무시한다.)

① $\frac{v_0^2}{g}$ ② $\frac{2v_0^2}{g}$ ③ $\frac{3v_0^2}{g}$ ④ $\frac{4v_0^2}{g}$ ⑤ $\frac{9v_0^2}{g}$

■ **문항별 해설**

쇠구슬의 질량을 m으로 놓고, p와 q에서 역학적 에너지를 구한다.

- p에서 역학적 에너지: $\frac{1}{2}mv_0^2+mgh$
- q에서 역학적 에너지: $\frac{1}{2}m(3v_0)^2+0$ (q에서 바닥에 도달하였으므로 높이는 0이다.)

역학적 에너지 보존 법칙에 의해 p와 q에서 쇠구슬의 중력 퍼텐셜 에너지와 운동 에너지의 합인 역학적 에너지는 같다.

$\frac{1}{2}mv_0^2+mgh=\frac{1}{2}m(3v_0)^2$이므로 $h=\frac{4v_0^2}{g}$이다.

답 ④

배경 지식

롤러코스터에서 역학적 에너지 보존: 롤러코스터는 높은 곳에서 아래로 내려갈 때 속력이 점점 빨라진다. 아래로 내려가면서 위치가 낮아지므로 중력 퍼텐셜 에너지가 감소하고, 속력이 증가하므로 운동 에너지는 증가한다. 마찰과 공기 저항이 없을 때 롤러코스터가 가지고 있는 운동 에너지와 중력 퍼텐셜 에너지의 합인 역학적 에너지는 일정하게 보존된다.

■ **오류 피하기**

⋯› 마찰이나 공기 저항이 없으면 역학적 에너지는 일정하게 보존된다. 즉, 물체의 퍼텐셜 에너지가 증가하면 운동 에너지가 감소하고, 운동 에너지가 증가하면 퍼텐셜 에너지가 감소한다.

⋯› 마찰이 있는 경우에는 역학적 에너지가 마찰이나 공기 저항에 의한 열에너지로 전환되므로 역학적 에너지는 보존되지 않는다. 그러나 손실된 에너지를 포함한 에너지의 총량은 보존된다.

기출 문제

정답과 해설 15쪽

069 그림은 수평면의 점 A를 속력 $2v$로 통과한 물체가 점 B, C를 지나 최고점 D에 도달하여 정지한 순간의 모습을 나타낸 것이다. B에서 물체의 속력은 v이고, C의 높이는 h이다. A에서 B까지 물체의 운동 에너지 감소량은 C에서 D까지 물체의 중력에 의한 퍼텐셜 에너지 증가량과 같다.

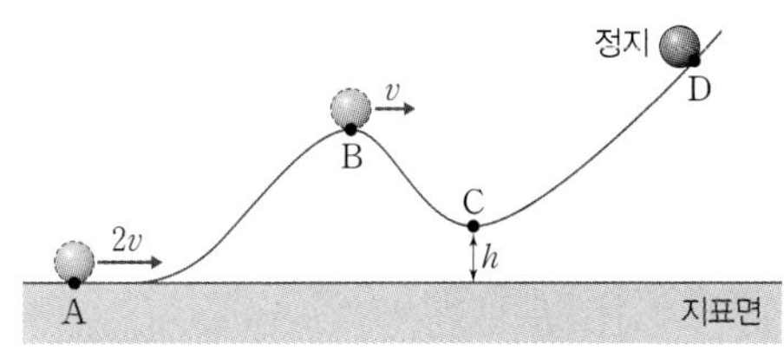

최고점 D의 높이는? (단, 물체는 동일 연직면 상에서 궤도를 따라 운동하고, 물체의 크기, 마찰과 공기 저항은 무시한다.)

① $\frac{7}{2}h$　② $4h$　③ $\frac{9}{2}h$　④ $5h$　⑤ $\frac{11}{2}h$

070 그림은 빗면에 가만히 놓은 물체가 높이차가 h인 점 p, q를 지나 내려오는 모습을 나타낸 것이다. 물체의 속력은 q에서가 p에서의 3배이고, q에서 물체의 운동 에너지는 물체의 중력 퍼텐셜 에너지의 2배이다.

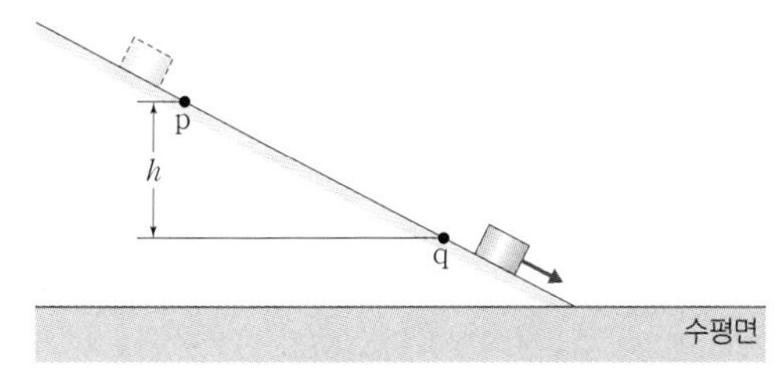

수평면으로부터 q의 높이는? (단, 수평면에서의 중력 퍼텐셜 에너지는 0이며, 물체의 크기, 모든 마찰과 공기 저항은 무시한다.) [3점]

① $\frac{9}{16}h$　② $\frac{5}{8}h$　③ $\frac{11}{16}h$　④ $\frac{3}{4}h$　⑤ $\frac{13}{16}h$

071 그림은 A점에 가만히 놓은 공이 곡면을 따라 운동하는 것을 나타낸 것이다. B점과 D점은 같은 높이이다.

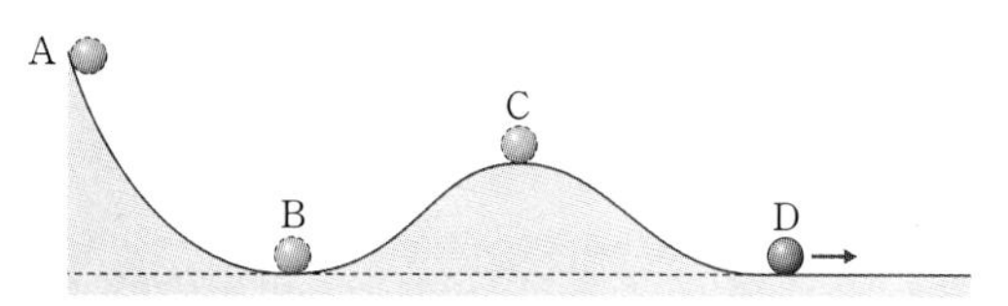

이에 대한 설명으로 옳은 것만을 〈보기〉에서 있는 대로 고른 것은? (단, 모든 마찰과 공기 저항은 무시한다.) [3점]

보기

ㄱ. 역학적 에너지는 B점에서가 C점에서보다 크다.
ㄴ. 운동량의 크기는 B점에서가 D점에서보다 크다.
ㄷ. A점에서 B점으로 운동하는 동안 중력이 한 일은 운동 에너지의 변화량과 같다.

① ㄴ　② ㄷ　③ ㄱ, ㄴ　④ ㄱ, ㄷ　⑤ ㄴ, ㄷ

072 그림과 같이 수평면 위 O지점에 정지해 있던 물체에 수평 방향으로 일정한 힘을 계속 작용시켜 물체가 p지점을 지나는 순간 힘을 제거하였더니 물체가 최대 높이 h까지 올라가 정지하였다. O와 p 사이의 거리는 $2h$이다.

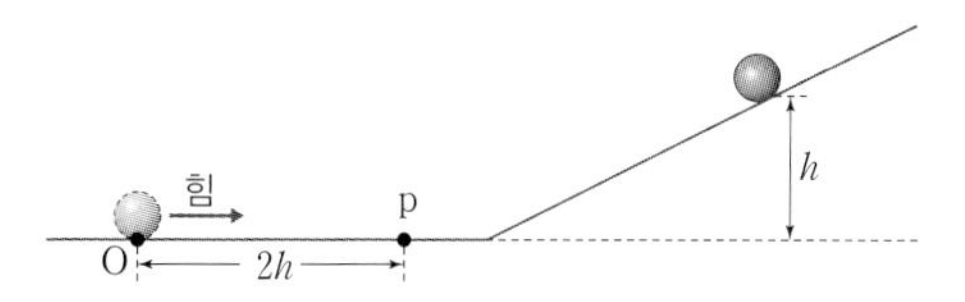

O에서 p까지 운동하는 동안 물체의 가속도의 크기는? (단, 중력 가속도는 g이고, 모든 마찰과 물체의 크기는 무시한다.) [3점]

① $\frac{g}{4}$　② $\frac{g}{2}$　③ g　④ $2g$　⑤ $3g$

073 그림과 같이 높이가 h_1인 점 p에 가만히 놓은 물체가 궤도를 따라 운동하여 수평면 상의 점 r를 지난다. 물체의 속력은 r에서가 점 q에서의 2배이고, q의 높이는 h_2이다.

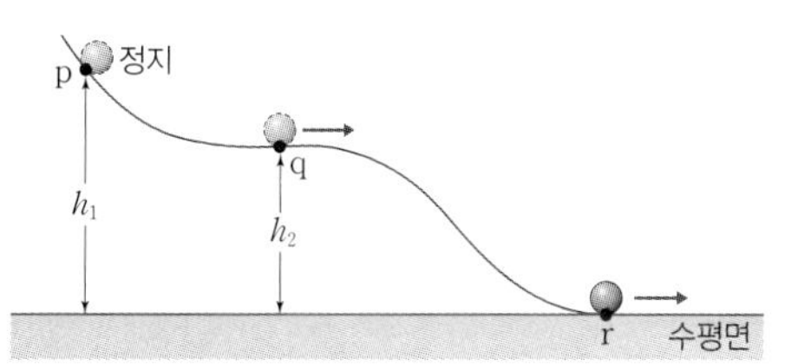

$h_1 : h_2$는? (단, 물체의 크기, 마찰과 공기 저항은 무시한다.) [3점]

① 2 : 1　② 3 : 1　③ 3 : 2　④ 4 : 3　⑤ 5 : 4

기출 분석

17 유형

출제 의도

중력 퍼텐셜 에너지, 운동 에너지와 탄성 퍼텐셜 에너지가 서로 전환되는 것을 이해하고 수식으로 나타낼 수 있는지 묻는 문제이다.

이렇게 대비하자!

용수철이 늘어난 정도에 따라 탄성 퍼텐셜 에너지가 달라지는 것을 알아두고 용수철에서 역학적 에너지가 보존되는 것을 수식으로 나타낼 수 있어야 한다.

■ 연관 기출 문제 키워드

#탄성 퍼텐셜 에너지 #용수철 #탄성력에 의한 역학적 에너지 보존

문제 분석

중력 퍼텐셜 에너지 ➡ A: 운동 에너지 ➡ C: 탄성 퍼텐셜 에너지

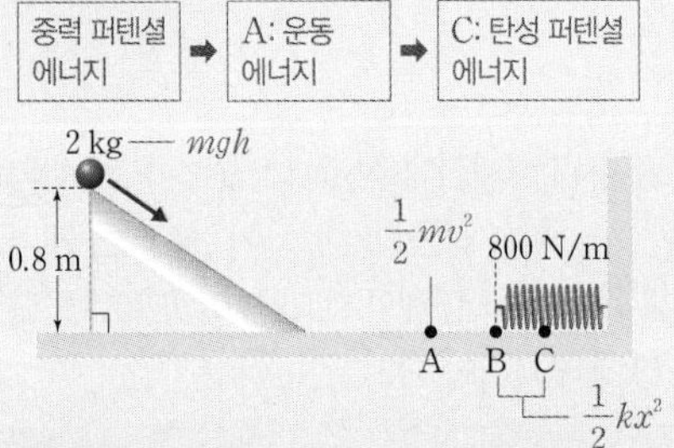

❶ 물체가 수평면에 내려오면서 중력 퍼텐셜 에너지는 모두 운동 에너지로 전환된다.

❷ 물체가 B에서 용수철과 접촉하여 C까지 용수철이 압축되었을 때, 공의 운동 에너지가 용수철을 압축시키는 일을 한 것이다.

그림은 질량 2 kg인 물체를 높이가 0.8 m인 빗면 위에 가만히 놓은 모습을 나타낸 것이다. 내려온 물체는 수평면에 점 A를 지나 점 B에서 용수철과 접촉한 후 점 C까지 용수철을 압축시킨 뒤 튕겨나왔다. 용수철 상수는 800 N/m이다.

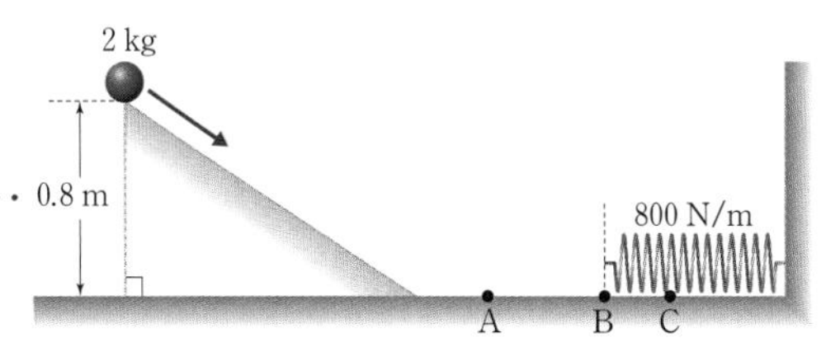

이 물체의 운동 에너지에 대한 설명으로 옳은 것만을 〈보기〉에서 있는 대로 고른 것은? (단, 중력 가속도는 10 m/s^{2}이고, 용수철의 질량과 모든 마찰은 무시하며, 용수철은 탄성 한계 내에서 압축된다.)

보기

ㄱ. A에서 운동 에너지는 16 J이다.
ㄴ. C에서 용수철에 저장된 에너지는 0 J이다.
ㄷ. B와 C 사이의 길이는 0.2 m이다.

① ㄱ ② ㄴ ③ ㄱ, ㄷ ④ ㄴ, ㄷ ⑤ ㄱ, ㄴ, ㄷ

■ 문항별 해설

ㄱ. 높이 0.8 m에서 물체의 중력 퍼텐셜 에너지는 $mgh = 2\text{ kg} \times 10\text{ m/s}^2 \times 0.8\text{ m} = 16\text{ J}$이다. 마찰이나 저항이 없다면 이 값은 A점에서 물체의 운동 에너지와 같다. (○)

ㄴ. B점과 C점 사이의 거리가 용수철이 최대로 압축된 거리이다. 마찰이 없으므로 용수철에 저장된 에너지는 물체가 가진 운동 에너지와 같은 16 J이다. (×)

ㄷ. 용수철이 B점과 C점 사이의 길이만큼 압축되었으므로 B−C 사이의 거리를 x라고 하면 물체의 운동 에너지(0.8 m에서 중력 퍼텐셜 에너지)는 용수철의 탄성 퍼텐셜 에너지와 같다.

$$\frac{1}{2}kx^2 = mgh = 16\text{ J}$$

$$\Rightarrow \frac{1}{2} \times (800\text{ N/m}) \times x^2 = 16\text{ J}$$

B점과 C점 사이의 길이는 0.2 m이다. (○)

답 ③

배경 지식

탄성 퍼텐셜 에너지: 활을 쏠 때 활시위를 힘껏 당길수록 활이 많이 휘게 되고 활의 탄성 퍼텐셜 에너지가 증가하기 때문에 화살이 더 빠르게 날아간다. 마찬가지로 용수철을 잡아 당기거나 압축하면 용수철에 한 일만큼 용수철이 탄성 퍼텐셜 에너지를 가지게 된다. 늘어나거나 압축된 활이나 용수철과 같이 변형된 물체가 가지는 에너지를 탄성 퍼텐셜 에너지라고 한다.

■ 오류 피하기

⋯➡ 물체가 용수철에 접촉하여 C까지 압축한 후 튕겨나갔다. 즉, 물체가 B−C 사이에서 용수철에 한 일만큼 용수철의 탄성 퍼텐셜 에너지가 증가한다.

기출 문제

정답과 해설 16쪽

074 그림과 같이 수평면에서 질량 m인 물체를 용수철 상수 k인 용수철에 접촉시켜 용수철을 x만큼 압축시켰다가 놓았더니, 물체는 마찰이 없는 면을 지나 마찰이 있는 면에서 거리 s만큼 등가속도 운동을 하여 정지하였다.

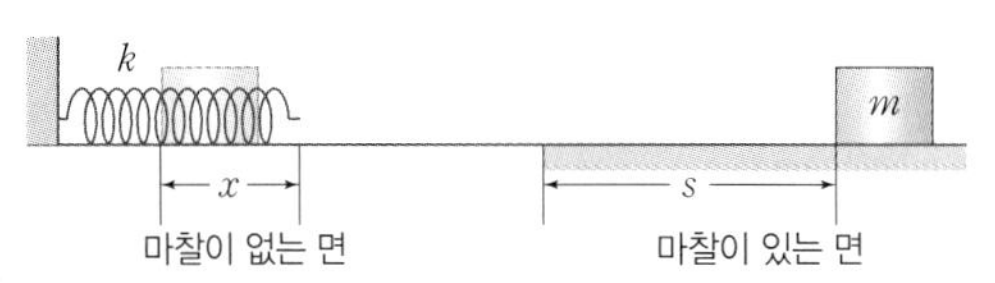

이 물체의 운동에 대한 설명으로 옳은 것만을 〈보기〉에서 있는 대로 고른 것은? (단, 물체의 크기와 공기 저항은 무시한다.) [3점]

보기

ㄱ. 용수철과 분리된 직후 속력은 $2x\sqrt{\frac{k}{m}}$이다.

ㄴ. 용수철과 분리된 직후부터 정지할 때까지 감소한 역학적 에너지는 $\frac{1}{2}kx^2$이다.

ㄷ. 마찰이 있는 면에서 가속도의 크기는 $\frac{kx^2}{2ms}$이다.

① ㄱ　② ㄴ　③ ㄱ, ㄷ　④ ㄴ, ㄷ　⑤ ㄱ, ㄴ, ㄷ

075 그림은 용수철의 위쪽 끝을 천장에 매달고 다른 끝에 물체를 매달고 가만히 놓아 물체가 운동하는 것을 나타낸 것이다.

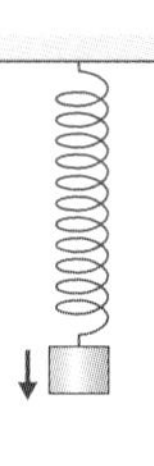

용수철이 늘어나는 동안, 이에 대한 설명으로 옳은 것만을 〈보기〉에서 있는 대로 고른 것은? [3점]

보기

ㄱ. 물체의 중력에 의한 퍼텐셜 에너지는 감소한다.

ㄴ. 탄성력에 의한 퍼텐셜 에너지는 증가한다.

ㄷ. 탄성력에 의한 퍼텐셜 에너지와 물체의 중력에 의한 퍼텐셜 에너지의 합은 일정하다.

① ㄱ　② ㄴ　③ ㄷ　④ ㄱ, ㄴ　⑤ ㄱ, ㄴ, ㄷ

076 그림은 마찰이 없는 수평면 위에서 용수철 상수가 k인 용수철의 한쪽 끝을 벽에 고정하고 다른 한쪽 끝에 질량 m인 물체를 매달아 평형점 O로부터 A만큼 압축시킨 모습을 나타낸 것이다. 잡고 있던 손을 놓은 후 물체가 O로부터 $\frac{A}{2}$ 위치인 P지점을 지날 때 물체의 운동 에너지는 E이었다.

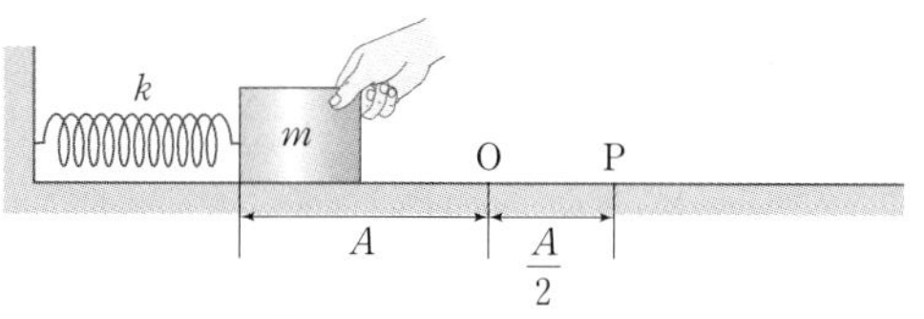

용수철 상수가 $\frac{k}{2}$인 용수철과 질량 $2m$인 물체로 바꾸어 O로부터 A만큼 압축시켜 놓았을 때, P지점에서 물체의 운동 에너지는? (단, 물체의 크기는 무시한다.) [3점]

① $0.5E$　② E　③ $1.5E$　④ $2E$　⑤ $2.5E$

077 그림은 마찰이 없는 수평면에서 용수철에 물체를 연결하여 평형 위치로부터 x만큼 당겼다 놓았을 때 물체가 운동하는 모습을, 그래프는 이 물체의 운동 에너지와 탄성력에 의한 퍼텐셜 에너지의 관계를 나타낸 것이다.

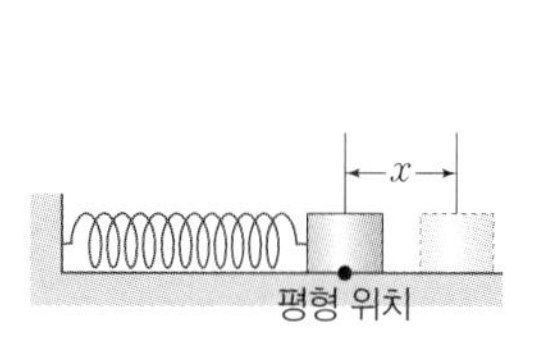

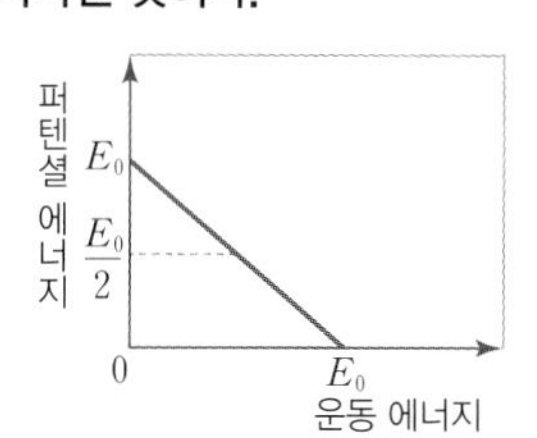

이에 대한 설명으로 옳은 것만을 〈보기〉에서 있는 대로 고른 것은? [3점]

보기

ㄱ. 물체의 역학적 에너지는 $2E_0$이다.

ㄴ. 물체의 운동 에너지가 E_0일 때 물체의 가속도는 0이다.

ㄷ. 물체의 퍼텐셜 에너지가 $\frac{E_0}{2}$일 때 물체는 평형 위치로부터 거리가 $\frac{x}{2}$인 지점을 지난다.

① ㄱ　② ㄴ　③ ㄷ　④ ㄱ, ㄷ　⑤ ㄴ, ㄷ

기출 분석

18 유형

출제 의도

기체에 공급된 열과 기체의 부피 및 압력, 온도 변화를 분석하여 열역학 제1법칙을 적용할 수 있는지를 묻는 문제이다.

이렇게 대비하자!

열역학 제1법칙을 기억하고 기체가 받은 열량, 기체가 한 일, 기체의 내부 에너지 변화량을 찾을 수 있어야 한다.

■ 연관 기출 문제 키워드

#열역학 제1법칙 #기체의 내부 에너지 #기체가 한 일

문제 분석

- 부피 고정 → 등적 과정
- 가열했으므로 기체의 온도 상승 → 내부 에너지 증가
- 기체의 부피 변하지 않음 → 일을 하지 않음

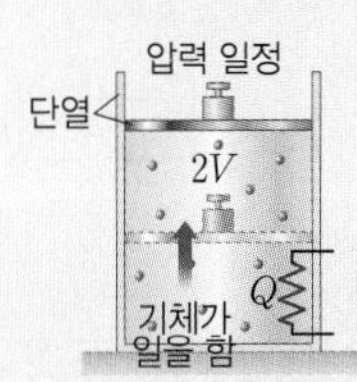

- 압력 일정 → 등압 과정
- 가열했으므로 기체의 온도 상승 → 내부 에너지 증가
- 기체의 부피 증가 → 외부에 일을 함

❶ 열역학 제1법칙을 떠올리자.
공급한 열량
= 내부 에너지 증가량 + 한 일
➡ $Q = \Delta U + W$

❷ 열량을 공급했는지의 여부는 문제를 잘 읽고 확인한다. 문제에서 열량 Q를 공급하였다. ➡ 열이 출입하므로 단열 과정은 아니다.

❸ 기체의 부피 변화를 확인한다.
- 부피 증가 → 외부에 일을 함
- 부피 감소 → 외부에서 일을 받음

❹ 기체의 온도 변화를 확인한다.
- 온도 상승 → 내부 에너지 증가
- 온도 하강 → 내부 에너지 감소

그림 (가)와 (나)는 단열된 실린더에 들어 있는 같은 양의 동일한 이상 기체에 (가)는 부피를, (나)는 압력을 일정하게 유지하면서 각각 동일한 열량 Q를 공급한 모습을 나타낸 것이다. 가열 전 (가)와 (나)에서 기체의 부피와 절대 온도는 각각 V, T로 같고, 가열 후 (나)에서 기체의 부피는 $2V$이다.

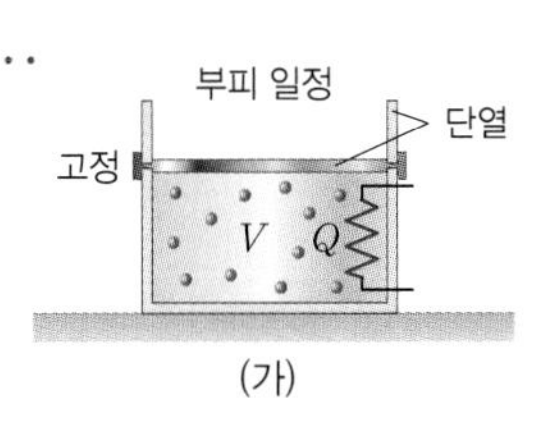

(가)

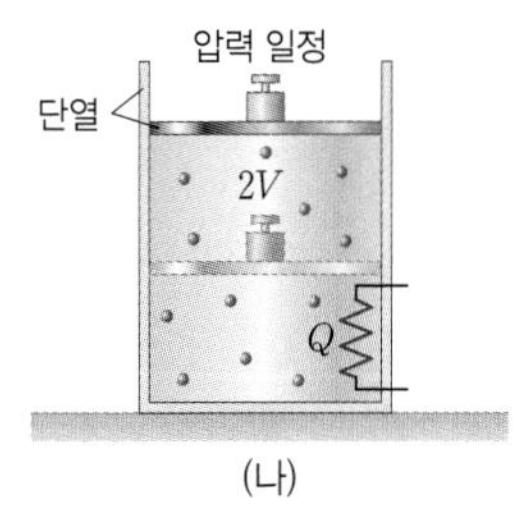

(나)

이 과정에 대한 설명으로 옳은 것만을 〈보기〉에서 있는 대로 고른 것은? (단, 피스톤과 실린더 사이의 마찰은 무시한다.)

보기
ㄱ. 가열 후 (나)에서 기체의 절대 온도는 T이다.
ㄴ. 가열 후 기체의 내부 에너지는 (가)에서가 (나)에서보다 크다.
ㄷ. (나)에서 기체가 외부에 한 일은 (가)에서 기체의 내부 에너지 증가량과 같다.

① ㄱ ② ㄴ ③ ㄷ ④ ㄱ, ㄴ ⑤ ㄴ, ㄷ

■ 문항별 해설

(가)는 등적 과정으로, $Q = \Delta U + W$에서 한 일이 0이므로 $Q = \Delta U$이다. (나)는 등압 과정으로, 기체의 부피가 증가하면서 일을 하였으므로 $Q = \Delta U + P\Delta V$이다.

ㄱ. 등압 과정에서 기체에 열을 가하면 기체의 온도가 높아진다. 따라서 가열 후 (나)에서 기체의 절대 온도는 가열 전 온도인 T보다 높다. (×) — 기체의 온도는 '부피 × 압력'에 비례한다. (나)는 압력은 일정한데 부피가 증가하였다.

ㄴ. (가)와 (나)는 단열된 실린더 안에서 동일한 열량을 공급받았다. 그런데 (가)는 기체가 외부에 일을 하지 않았으므로 공급된 열량이 모두 내부 에너지를 높이는 데 사용되었고($\Delta U = Q$), (나)는 기체가 외부로 일을 하였으므로 내부 에너지 변화량은 공급된 열량에서 외부로 한 일을 뺀 것과 같다. ($\Delta U = Q - W$)
➡ 공급된 열량이 같으므로 기체의 내부 에너지는 (가)에서가 (나)에서보다 크다. (○)

ㄷ. (나)에서 기체가 외부에 한 일 $W_{(나)} = Q - \Delta U_{(나)}$
(가)에서 기체의 내부 에너지 증가량 $\Delta U_{(가)} = Q$
➡ $W_{(나)} = Q - \Delta U_{(나)} = \Delta U_{(가)} - \Delta U_{(나)}$
공급한 열량 Q가 서로 같으므로 (나)에서 기체가 외부에 한 일은 (가)에서 기체의 내부 에너지 증가량에서 (나)에서 기체의 내부 에너지 증가량을 뺀 값과 같다. (×)

답 ②

기출 문제

정답과 해설 17쪽

078 그림과 같이 실린더에 들어 있는 이상 기체에 열 Q를 가했더니 기체의 압력이 P로 일정하게 유지되면서 부피가 증가하였다. 부피가 증가하는 동안에 이상 기체에서 일어나는 현상에 대한 설명으로 옳은 것만을 〈보기〉에서 있는 대로 고른 것은?

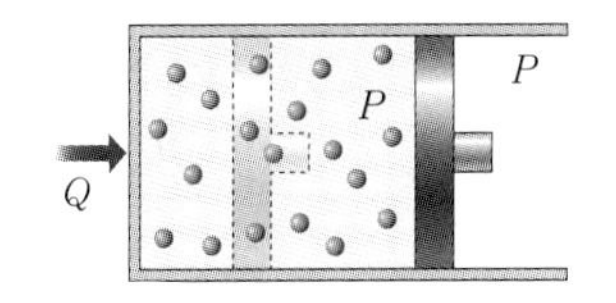

보기

ㄱ. 기체의 온도 변화는 없다.
ㄴ. 기체 분자의 평균 속력은 커진다.
ㄷ. 기체가 흡수한 열량은 기체가 외부에 한 일과 같다.

① ㄴ ② ㄷ ③ ㄱ, ㄴ
④ ㄱ, ㄷ ⑤ ㄴ, ㄷ

079 그림 (가)는 이상 기체 A가 들어 있는 실린더에서 피스톤이 정지해 있는 모습을, (나)는 (가)의 A에 열량 Q를 가하여 피스톤이 이동해 정지한 모습을, (다)는 (나)의 A에 일 W를 하여 피스톤을 이동시킨 후 고정한 모습을 나타낸 것이다. A의 압력은 (가)→(나) 과정에서 일정하고, A의 부피는 (가)와 (다)에서 같다.

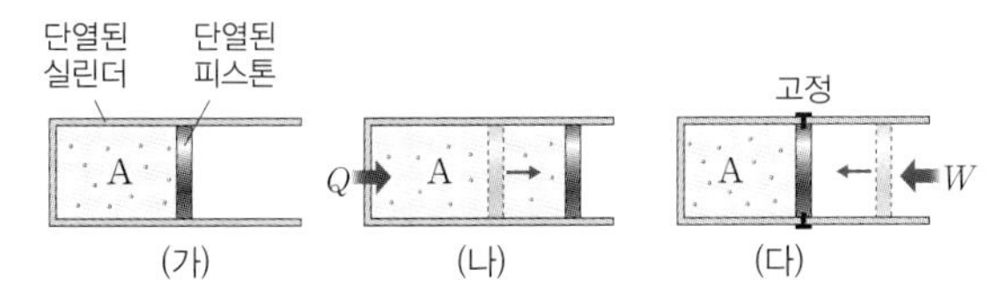

이에 대한 설명으로 옳은 것만을 〈보기〉에서 있는 대로 고른 것은? (단, 피스톤의 마찰은 무시한다.) [3점]

보기

ㄱ. A의 온도는 (가)에서가 (다)에서보다 낮다.
ㄴ. (나)→(다) 과정에서 A의 압력은 일정하다.
ㄷ. (가)→(나) 과정에서 A가 한 일은 (나)→(다) 과정에서 A의 내부 에너지 변화량과 같다.

① ㄱ ② ㄴ ③ ㄱ, ㄷ
④ ㄴ, ㄷ ⑤ ㄱ, ㄴ, ㄷ

080 그림 (가)와 (나)는 단열된 실린더에 들어 있는 온도가 T_1인 같은 양의 동일한 이상 기체에, (가)는 열량 Q_0을 공급한 것과 (나)는 일 W_0을 해 준 것을 나타낸 것이다. (가)의 기체는 압력을 일정하게 유지하며 부피가 증가하여 온도가 T_2가 되었고, (나)의 기체는 부피가 감소하여 온도가 T_2가 되었다.

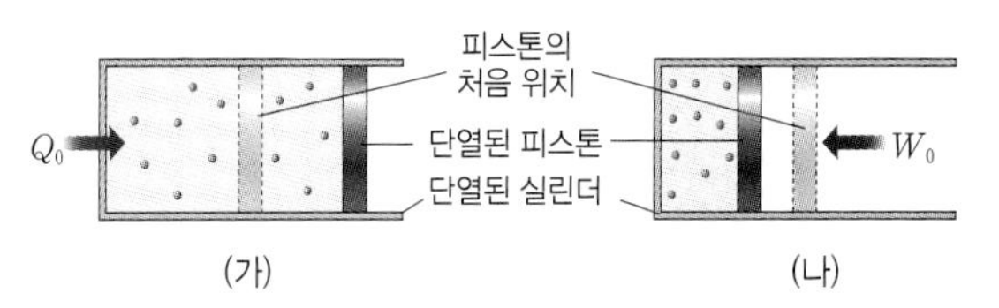

이에 대한 설명으로 옳은 것만을 〈보기〉에서 있는 대로 고른 것은? (단, 피스톤과 실린더 사이의 마찰은 무시한다.) [3점]

보기

ㄱ. $T_2 > T_1$이다.
ㄴ. (나)의 기체가 받은 W_0은 모두 내부 에너지 변화에 사용되었다.
ㄷ. (가)의 기체가 Q_0을 흡수하는 동안 외부에 한 일은 $Q_0 - W_0$이다.

① ㄱ ② ㄷ ③ ㄱ, ㄴ
④ ㄴ, ㄷ ⑤ ㄱ, ㄴ, ㄷ

081 그림 (가)와 (나)는 단열된 용기에 들어 있는 같은 양의 이상 기체를 각각 부피와 압력을 일정하게 유지하면서 가열하는 모습을 나타낸 것이다. (가)와 (나)에서 동일한 열량 Q를 공급하였더니 기체의 내부 에너지가 서로 같아졌다.

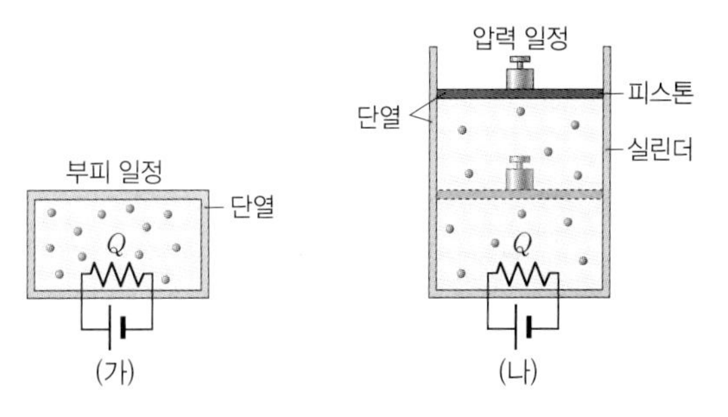

이에 대한 설명으로 옳은 것만을 〈보기〉에서 있는 대로 고른 것은? (단, 피스톤과 실린더 사이의 마찰은 무시한다.)

보기

ㄱ. (가)에서 기체의 내부 에너지 증가량은 Q이다.
ㄴ. (나)에서 기체 분자의 평균 속력은 증가하였다.
ㄷ. 가열 전 기체의 내부 에너지는 (가)가 (나)보다 크다.

① ㄱ ② ㄷ ③ ㄱ, ㄴ
④ ㄴ, ㄷ ⑤ ㄱ, ㄴ, ㄷ

기출 분석

19 유형

출제 의도

기체가 외부에 한 일과 내부 에너지 변화량의 관계를 분석하고 열역학 제1법칙을 설명할 수 있는지를 묻는 문제이다.

이렇게 대비하자!

단열 과정을 이해하고 이때의 부피 변화와 외부에 한 일, 내부 에너지 변화, 온도 변화를 분석해야 한다.

■ **연관 기출 문제 키워드**

#기체가 외부에 한 일 #내부 에너지 변화량 #열역학 제1법칙

그림 (가)와 같이 이상 기체가 들어 있는 단열 실린더가 단열 피스톤에 의해 A, B로 나누어져 있다. 그림 (나)는 (가)에서 A의 기체에 열량 Q를 가했더니 피스톤이 천천히 이동하여 정지한 모습을 나타낸 것이다.

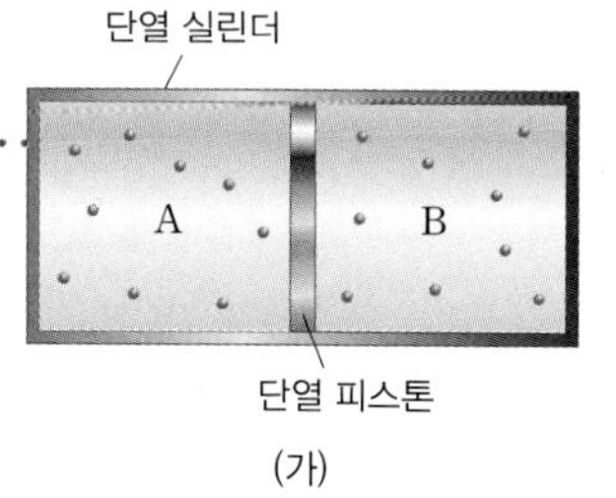

(가)

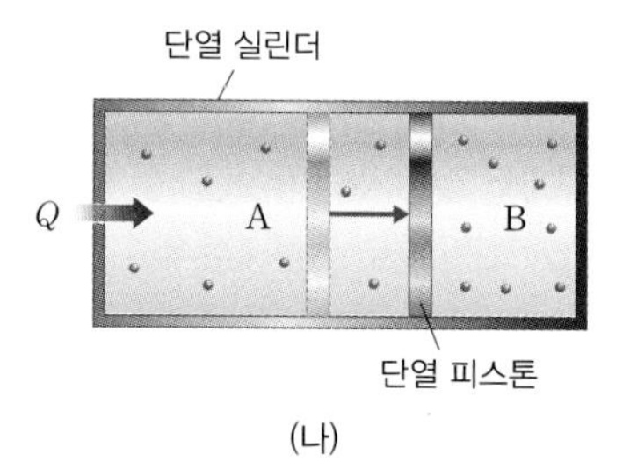

(나)

이에 대한 설명으로 옳은 것만을 〈보기〉에서 있는 대로 고른 것은? (단, 실린더와 피스톤 사이의 마찰은 무시한다.) [3점]

보기

ㄱ. A와 B의 기체 내부 에너지 변화량의 합은 Q이다.

ㄴ. B의 기체가 받은 일은 Q보다 작다.

ㄷ. B의 기체는 온도가 증가하였다.

① ㄱ ② ㄷ ③ ㄱ, ㄴ ④ ㄴ, ㄷ ⑤ ㄱ, ㄴ, ㄷ

문제 분석

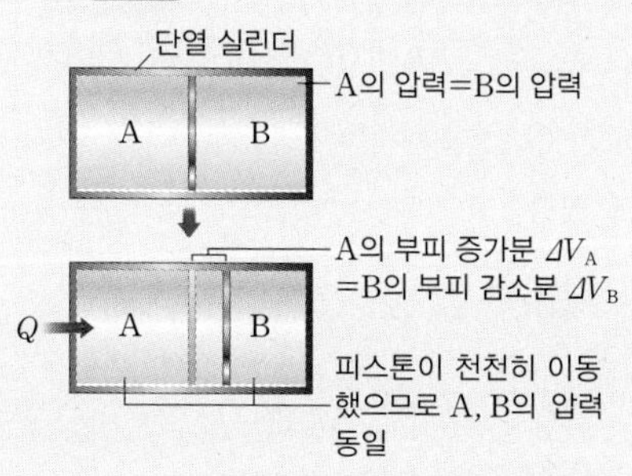

❶ 단열 피스톤으로 A, B가 나뉘어져 있으므로 A에 가한 열이 B로 전달되지 않는다. 즉, B는 외부에서 열을 받지 않는다.

❷ 피스톤이 천천히 이동하여 정지하였으므로 A의 기체가 피스톤을 미는 힘과 B의 기체가 피스톤을 미는 힘이 같다. ➡ 압력 동일

❸ A, B 기체에서 열역학 제1법칙을 적용하면 다음과 같다.

$$\begin{cases} Q = \Delta U_A + W_A \\ 0 = \Delta U_B + W_B \end{cases}$$

❹ 기체가 한 일 $W = P\Delta V$이므로, 기체의 부피와 압력을 확인한다.

■ **문항별 해설**

ㄱ. A는 외부에서 열을 받는 과정이므로 $Q = \Delta U_A + W_A$이고, B는 외부에서 열 출입이 없으므로 $0 = \Delta U_B + W_B$, 즉 $W_B = -\Delta U_B$이다. 이때 기체가 한 일 $W = P\Delta V$인데 피스톤이 천천히 이동하여 정지했으므로 A, B의 압력은 동일하다. 또한 A 기체가 팽창한 만큼 B가 수축하였으므로 ΔV 역시 A, B가 모두 같다. 즉, 기체 A가 한 일은 기체 B가 받은 일과 같다. $W_A = -W_B$이므로 $Q = \Delta U_A + \Delta U_B$. 따라서 A와 B 기체의 내부 에너지 변화량의 합은 Q가 된다. (○)

ㄴ. B의 기체가 받은 일은 A의 기체가 한 일과 같다. A가 한 일 $W_A = Q - \Delta U_A$는 받은 열에서 A의 내부 에너지 변화량을 뺀 값이므로 Q보다 작다. (○)

ㄷ. B 기체는 일을 받은 만큼 내부 에너지가 증가하였으므로 B의 온도는 증가하였다. (○)

답 ⑤

배경 지식

열역학 제1법칙: 기체를 가열했을 때 기체가 흡수한 열량 Q는 기체의 내부 에너지 변화량 ΔU와 기체가 외부에 한 일 W의 합과 같다. 열역학 제1법칙은 열이 일과 내부 에너지로 전환되어 형태가 바뀌더라도 에너지의 총량은 변하지 않는다는 에너지 보존 법칙이다.

■ **오류 피하기**

··› '$Q > 0$'이면 기체가 열을 흡수하고, '$Q < 0$'이면 기체가 열을 방출한 것을 의미한다.

	Q	ΔU	W
(+)	열을 흡수	내부 에너지 증가	외부에 한 일
(−)	열을 방출	내부 에너지 감소	외부로부터 받은 일

기출 문제

정답과 해설 18쪽

082 그림 (가)와 같이 이상 기체 A는 단열된 실린더에, 이상 기체 B는 실린더를 둘러싼 용기에 담겨 단열된 피스톤에 의해 나누어져 있고, 피스톤은 정지해 있다. 그림 (나)는 (가)에서 용기의 밸브를 열어 B의 압력을 서서히 감소시켰더니 피스톤이 천천히 이동하여 정지한 모습이다.

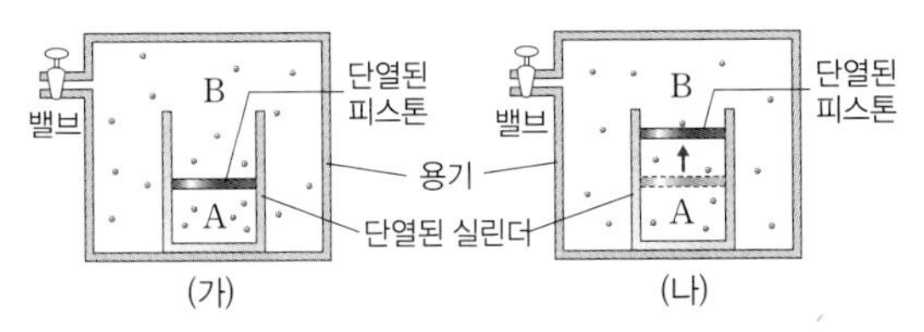

(가)에서 (나)로 변하는 동안, A에 대한 설명으로 옳은 것만을 〈보기〉에서 있는 대로 고른 것은? (단, 피스톤과 실린더 사이의 마찰은 무시한다.)

보기

ㄱ. 압력은 일정하다. ㄴ. 온도는 낮아진다.

ㄷ. 기체 분자의 평균 속력은 작아진다.

① ㄱ ② ㄴ ③ ㄷ ④ ㄱ, ㄷ ⑤ ㄴ, ㄷ

083 그림 (가)는 고정된 칸막이에 의해 두 부분으로 나누어진 실린더 내부에 같은 양의 이상 기체 A, B가 들어 있고 피스톤은 정지해 있는 모습을 나타낸 것이다. 실린더와 피스톤은 단열되어 있다. 그림 (나)는 (가)에서 A에 열량 Q를 가했더니 피스톤이 천천히 이동하여 정지한 모습이다.

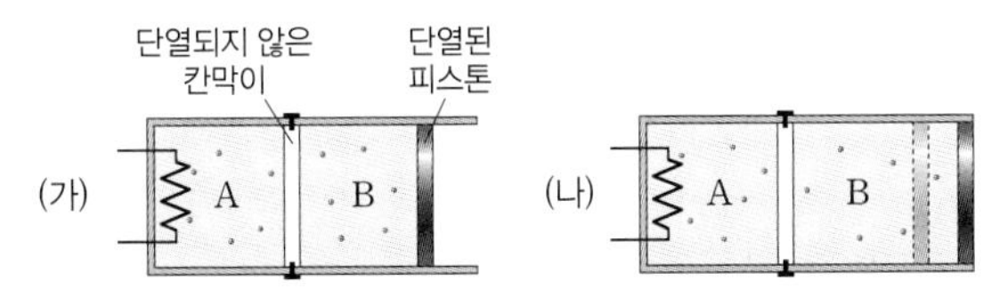

이에 대한 옳은 설명만을 〈보기〉에서 있는 대로 고른 것은? (단, 대기압은 일정하고, 피스톤과 실린더 사이의 마찰은 무시한다.) [3점]

보기

ㄱ. A의 내부 에너지는 (가)보다 (나)에서 Q만큼 크다.

ㄴ. (나)에서 A와 B의 온도는 같다.

ㄷ. B의 온도는 (나)일 때가 (가)일 때보다 높다.

① ㄱ ② ㄴ ③ ㄱ, ㄷ ④ ㄴ, ㄷ ⑤ ㄱ, ㄴ, ㄷ

084 그림 (가)와 같이 두 개의 단열된 실린더에 이상 기체 A, B가 들어 있고, 단면적이 동일한 단열된 두 피스톤이 정지해 있다. 그림 (나)는 (가)의 A에 열량 Q를 공급하였더니 피스톤이 천천히 이동하여 정지한 모습을 나타낸 것이다.

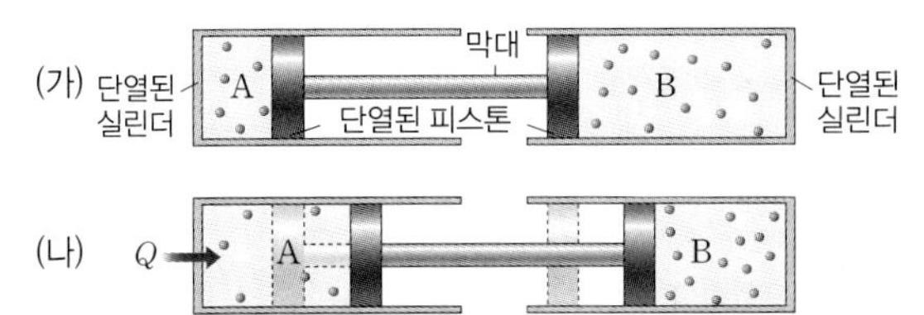

이에 대한 설명으로 옳은 것만을 〈보기〉에서 있는 대로 고른 것은? (단, 실린더는 고정되어 있고, 피스톤의 마찰은 무시한다.) [3점]

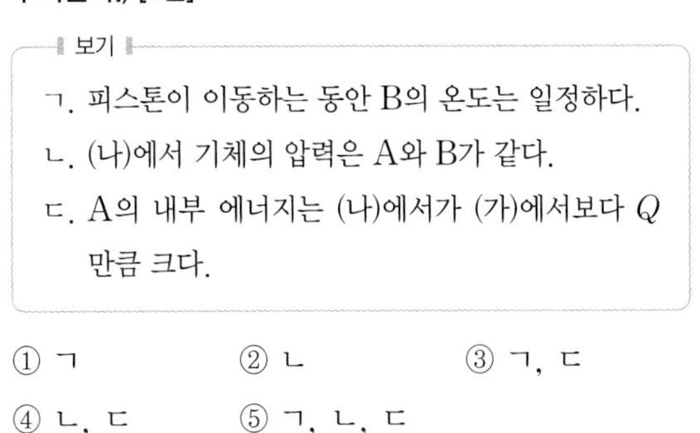

보기

ㄱ. 피스톤이 이동하는 동안 B의 온도는 일정하다.

ㄴ. (나)에서 기체의 압력은 A와 B가 같다.

ㄷ. A의 내부 에너지는 (나)에서가 (가)에서보다 Q 만큼 크다.

① ㄱ ② ㄴ ③ ㄱ, ㄷ

④ ㄴ, ㄷ ⑤ ㄱ, ㄴ, ㄷ

085 그림 (가)와 같이 열전달이 잘되는 고정된 금속판에 의해 분리된 실린더에 같은 양의 동일한 이상 기체 A와 B가 열평형 상태에 있다. A, B의 부피와 압력은 같다. 그림 (나)는 (가)에서 B에 열량 Q를 가했더니 A의 부피가 서서히 증가하여 피스톤이 정지한 모습을 나타낸 것이다.

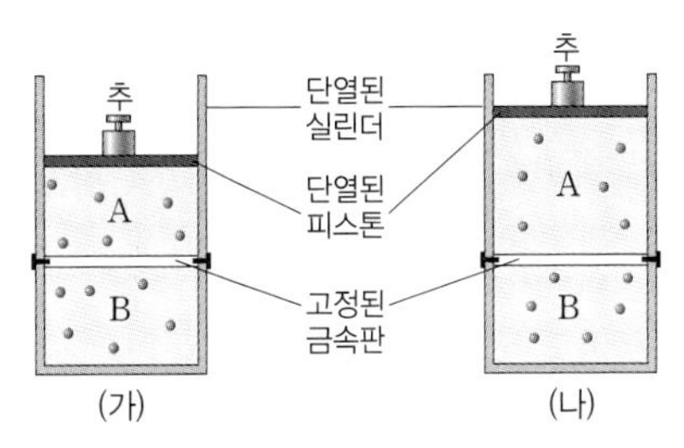

이에 대한 설명으로 옳은 것만을 〈보기〉에서 있는 대로 고른 것은? (단, 피스톤의 질량, 실린더와 피스톤 사이의 마찰, 금속판이 흡수한 열량은 무시한다.)

보기

ㄱ. (나)에서 기체의 압력은 A가 B보다 작다.

ㄴ. (나)에서 기체의 내부 에너지는 A가 B보다 크다.

ㄷ. (가)에서 (나)로 되는 과정에서 A가 흡수한 열량은 $\frac{1}{2}Q$보다 크다.

① ㄱ ② ㄷ ③ ㄱ, ㄴ

④ ㄱ, ㄷ ⑤ ㄴ, ㄷ

기출 분석

■ 연관 기출 문제 키워드

#열역학 과정 #등적 과정 #등압 과정 #등온 과정 #단열 과정

출제 의도

열역학 과정 그래프를 해석할 수 있는지를 묻는 문제이다.

이렇게 대비하자!

열역학 과정 그래프에서 기체의 압력과 부피, 온도 변화를 해석하여 내부 에너지 변화와 기체가 한 일을 알 수 있어야 한다.

그림은 각각 1몰의 단원자 분자 이상 기체의 상태를 A→B→C 과정과 A→D→C 과정을 통해 A에서 C로 변화시킬 때 압력과 부피를 나타낸 것이다.
이에 대한 설명으로 옳은 것만을 〈보기〉에서 있는 대로 고른 것은?

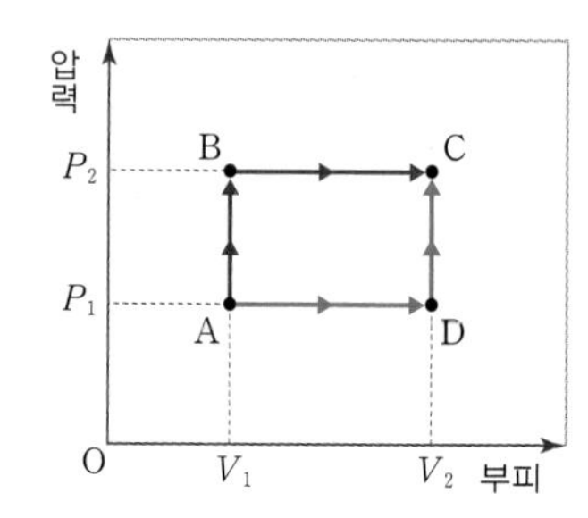

보기

ㄱ. 기체가 한 일은 A→B→C 과정에서가 A→D→C 과정에서보다 크다.
ㄴ. 기체의 내부 에너지 변화량은 A→B→C 과정에서와 A→D→C 과정에서가 같다.
ㄷ. 기체의 온도는 A에서가 C에서보다 높다.

① ㄴ ② ㄷ ③ ㄱ, ㄴ ④ ㄱ, ㄷ ⑤ ㄱ, ㄴ, ㄷ

문제 분석

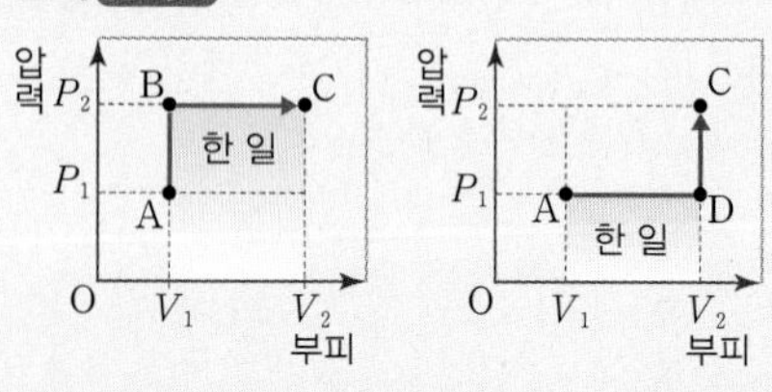

- A→B 과정: 부피가 V_1로 유지되면서 온도와 압력이 높아진다.
- B→C 과정: 압력이 P_2로 유지되면서 부피와 온도가 증가한다.
- A→D 과정: 압력이 P_1로 유지되면서 온도와 부피가 증가한다.
- D→C 과정: 부피가 V_2로 유지되면서 온도와 압력이 증가한다.

■ 문항별 해설

ㄱ. 기체가 한 일은 '압력 × 부피 변화'이며, 기체의 압력-부피 그래프에서 기체가 한 일은 그래프 아랫부분의 면적과 같다.
A→B→C 과정에서 기체가 한 일은 $P_2(V_2-V_1)$이고, A→D→C 과정에서 기체가 한 일은 $P_1(V_2-V_1)$이다. $P_2 > P_1$이므로 기체가 한 일은 A→B→C 과정에서가 A→D→C 과정에서보다 크다. (○)

ㄴ. 기체의 내부 에너지 변화량(ΔU)은 온도의 변화(ΔT)에 비례한다. A→B→C 과정과 A→D→C 과정에서 기체의 상태는 모두 A에서 C로 된 것이므로 온도 변화가 같다. 따라서 기체의 내부 에너지 변화량도 같다. (○)

ㄷ. 기체의 '압력 × 부피'는 기체의 절대 온도에 비례한다. ($PV \propto T$)
A에서의 압력과 부피는 모두 C에서보다 작으므로 기체의 온도는 A $<$ C이다. (×)

답 ③

배경 지식

일정한 온도에서 기체의 압력과 부피의 곱은 일정하다. 즉, 온도가 일정하면 압력과 부피는 서로 반비례 관계이다. 압력과 부피의 곱은 기체의 온도가 높아질수록 커지는데, 기체의 온도가 올라가면 기체의 압력-부피 그래프는 위쪽으로 이동한다.

■ 오류 피하기

⋯→ 기체의 내부 에너지 변화를 나타내는 것은 기체의 온도 변화이고, 기체가 한 일을 나타내는 것은 기체의 부피 변화이다.

기출 문제

정답과 해설 19쪽

086 그림은 일정량의 이상 기체의 상태가 A→B→C→A를 따라 변할 때 부피와 온도의 관계를 나타낸 것이다.
A→B는 등적 과정, B→C는 단열 과정, C→A는 등온 과정이다. 이에 대한 설명으로 옳은 것만을 〈보기〉에서 있는 대로 고른 것은? [3점]

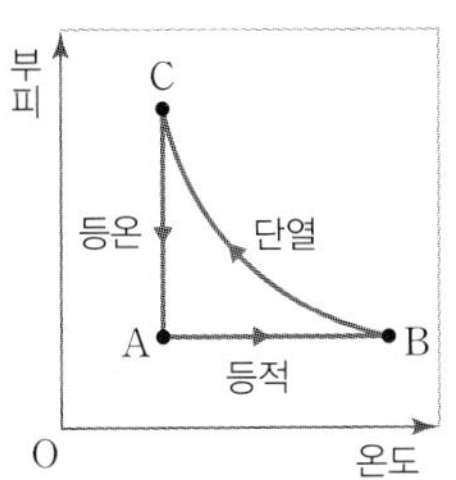

보기

ㄱ. A→B 과정에서 기체는 외부로부터 열을 흡수한다.
ㄴ. B→C 과정에서 기체가 외부에 한 일은 C→A 과정에서 기체가 방출한 열량과 같다.
ㄷ. 기체 분자의 평균 운동 에너지는 B에서가 C에서보다 크다.

① ㄱ ② ㄴ ③ ㄱ, ㄷ
④ ㄴ, ㄷ ⑤ ㄱ, ㄴ, ㄷ

087 그림은 일정량의 이상 기체의 상태가 A→B→C로 변할 때 압력과 부피의 관계를 나타낸 것이다. 이에 대한 설명으로 옳은 것만을 〈보기〉에서 있는 대로 고른 것은? [3점]

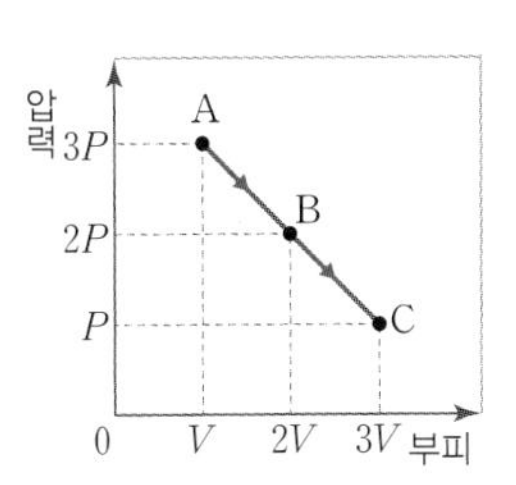

보기

ㄱ. B에서의 온도는 A에서의 온도보다 높다.
ㄴ. 내부 에너지는 A와 C에서 서로 같다.
ㄷ. A→B 과정과 B→C 과정에서 기체가 한 일은 서로 같다.

① ㄱ ② ㄷ ③ ㄱ, ㄴ
④ ㄴ, ㄷ ⑤ ㄱ, ㄴ, ㄷ

088 그림 (가)는 단열된 실린더에 일정량의 이상 기체가 들어 있고 모래가 올려진 단열된 피스톤이 정지해 있는 모습을 나타낸 것이다. 그림 (나)는 (가)에서 피스톤 위의 모래의 양을 조절하거나 기체에 열을 가하여 기체의 상태를 A→B→C를 따라 변화시킬 때, 압력과 부피를 나타낸 것이다. A→B는 단열 과정이고, B→C는 등압 과정이다.

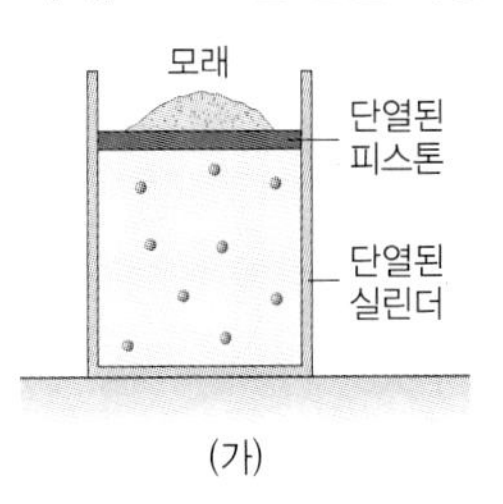

(가)

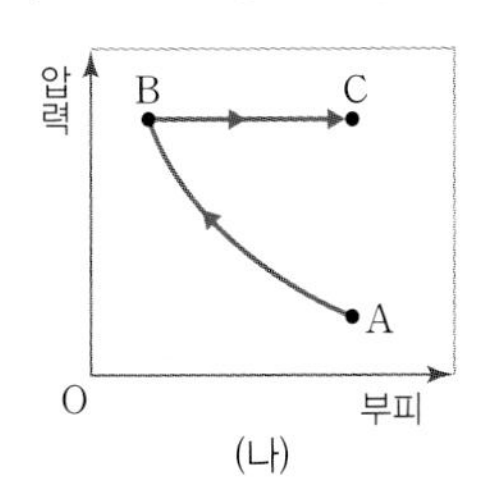

(나)

이에 대한 설명으로 옳은 것만을 〈보기〉에서 있는 대로 고른 것은? (단, 대기압은 일정하고, 실린더와 피스톤 사이의 마찰은 무시한다.)

보기

ㄱ. A→B 과정에서 기체의 온도는 변하지 않는다.
ㄴ. B→C 과정에서 모래의 양을 감소시킨다.
ㄷ. B→C 과정에서 기체는 열을 흡수한다.

① ㄱ ② ㄷ ③ ㄱ, ㄴ
④ ㄴ, ㄷ ⑤ ㄱ, ㄴ, ㄷ

089 그래프는 일정량의 단원자 분자 이상 기체의 상태가 A→B→C→D→A를 따라 변할 때 압력과 부피를 나타낸 것이다. A→B, C→D 과정은 등압 과정이고, B→C, D→A 과정은 단열 과정이다.

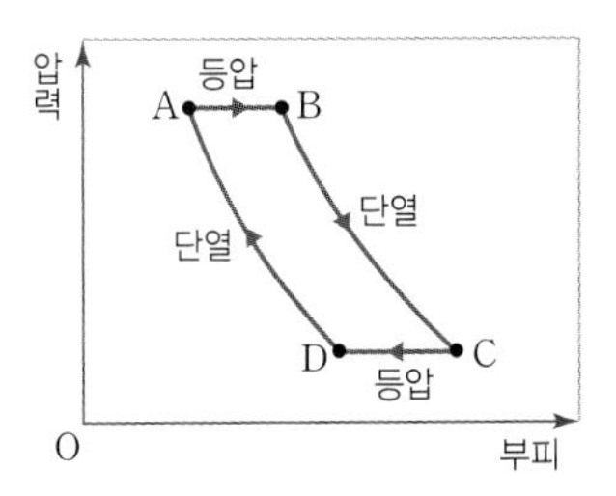

이에 대한 설명으로 옳은 것만을 〈보기〉에서 있는 대로 고른 것은? [3점]

보기

ㄱ. A→B 과정에서 기체가 외부에 한 일은 0이다.
ㄴ. B→C 과정에서 기체의 내부 에너지 감소량은 기체가 외부에 한 일과 같다.
ㄷ. 온도는 B에서가 D에서보다 높다.

① ㄱ ② ㄴ ③ ㄷ
④ ㄱ, ㄷ ⑤ ㄴ, ㄷ

기출 분석

21 유형

출제 의도

열기관과 열역학 과정을 연결하여 이해하고 있는지를 묻는 문제이다.

이렇게 대비하자!

열기관에서 흡수·방출하는 열과 열기관이 한 일, 열효율을 정확히 이해하고 있어야 한다.

■ 연관 기출 문제 키워드

#열기관의 열효율 #열역학 제2법칙 #엔트로피 #열역학 과정

그림 (가)는 1회의 순환 과정에서 고열원으로부터 $5Q$의 열을 흡수하여 외부에 W의 일을 하고 저열원으로 $3Q$의 열을 방출하는 열기관을 모식적으로 나타낸 것이다. 그림 (나)는 (가)의 열기관에 있는 일정량의 이상 기체의 상태가 A→B→C→D→A를 따라 변할 때 압력과 부피의 관계를 나타낸 것이다. A→B와 C→D는 등온 과정, B→C와 D→A는 단열 과정이다.

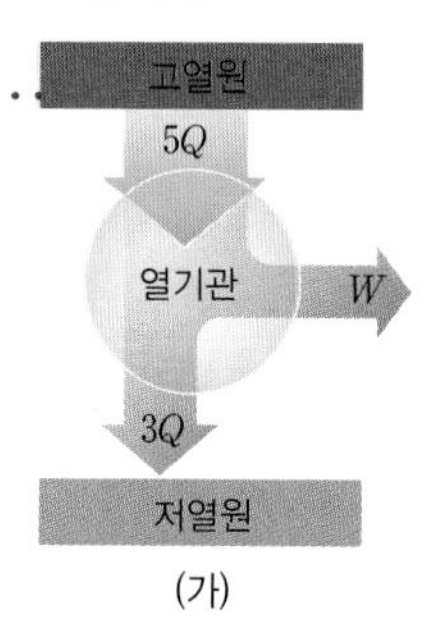

(가)

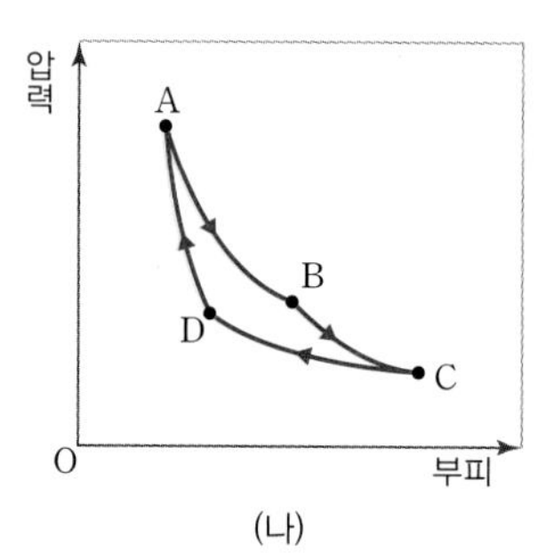

(나)

이에 대한 설명으로 옳은 것만을 <보기>에서 있는 대로 고른 것은?

보기
ㄱ. A→B→C 과정에서 기체가 외부에 한 일은 W이다.
ㄴ. C→D 과정에서 기체가 방출한 열량은 $3Q$이다.
ㄷ. 열기관의 열효율은 60 %이다.

① ㄱ ② ㄴ ③ ㄷ ④ ㄱ, ㄷ ⑤ ㄴ, ㄷ

문제 분석

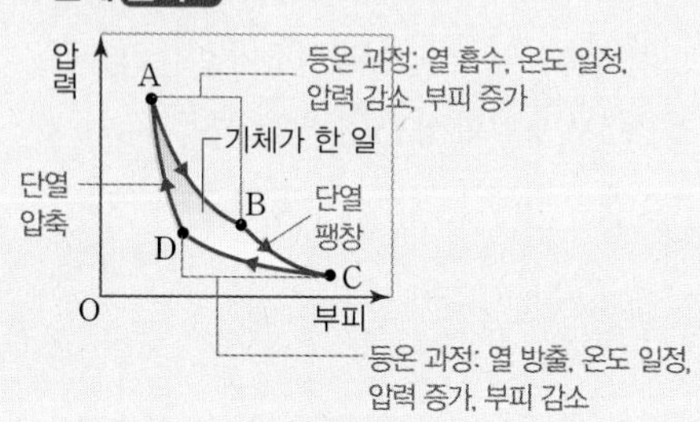

열기관 속 기체가 순환하는 과정을 보면

- A→B: 등온 과정(열 흡수)
- B→C: 단열 과정(팽창)
- C→D: 등온 과정(열 방출)
- D→A: 단열 과정(압축)

이다. 이 열기관은 A에서 열을 흡수하여 B가 되었고, 다시 단열 팽창하여 C에 도달한다. C에서 D로 가는 동안 열을 방출하였으며, D에서 단열 압축하여 다시 처음인 A 상태로 돌아간다.

배경 지식

- **열기관**: 열에너지를 역학적인 일로 바꿔주는 장치
- **열효율**: 고열원에서 흡수한 열량에 대한 열기관이 한 일의 비율. (Q_1: 공급된 열, Q_2: 방출된 열, W: 열기관이 한 일)

  열효율 $e=\frac{W}{Q_1}=1-\frac{Q_2}{Q_1}$
- **열기관의 열효율**: 열효율이 1인 열기관은 없다. 열역학 제2법칙에 따라 흡수한 열을 모두 일로 바꾸는 것은 불가능하다.

■ 문항별 해설

ㄱ. 열기관이 한 일 W는 압력-부피 그래프에서 선으로 둘러싸인 부분의 넓이이다. 문제에서는 A→B→C→D→A로 둘러싸인 부분의 면적이 된다. 이것은 A→B→C 과정에서 기체가 한 일에서 C→D→A 과정에서 기체가 받은 일을 뺀 것과 같다. (×)

ㄴ. 이 열기관은 A→B 과정에서 $5Q$의 열량을 흡수한 후 일을 하고 C→D 과정에서 $3Q$의 열량을 방출한다. (○)

ㄷ. 이 열기관의 열효율은 $e=\frac{W}{Q_1}=\frac{Q_1-Q_2}{Q_1}=1-\frac{Q_2}{Q_1}=1-\frac{3Q}{5Q}=0.4$이므로 40 %이다. (×)

답 ②

■ 오류 피하기

⋯› 단열 과정에서는 열을 흡수하거나 방출하지 않는다. 따라서 열기관이 열을 흡수하거나 방출하는 것은 단열 과정이 아닌 과정에서 일어난다.

기출 문제

정답과 해설 20쪽

090 그림 (가)는 열효율이 0.2인 열기관이 고열원에서 Q_1의 열을 흡수하여 W의 일을 하고 저열원으로 Q_2의 열을 방출하는 것을 모식적으로 나타낸 것이다. 그림 (나)는 (가) 열기관의 작동 과정 중 일부에 대한 기체의 상태 변화를 압력과 부피의 그래프로 나타낸 것이다. A→B 과정은 등적 과정이고, B→C 과정은 단열 과정이다.

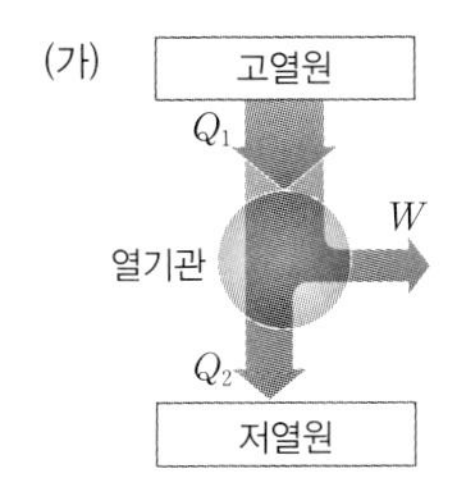

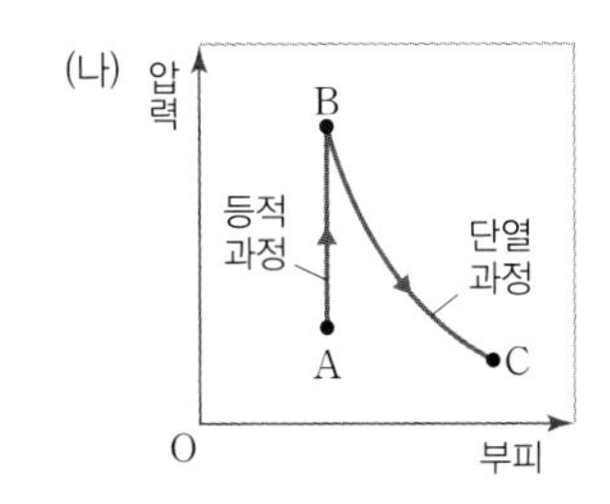

이에 대한 설명으로 옳은 것만을 〈보기〉에서 있는 대로 고른 것은? [3점]

보기
ㄱ. $Q_2=4W$이다.
ㄴ. A→B 과정에서 기체는 열을 흡수한다.
ㄷ. B→C 과정에서 기체가 한 일은 B→C 과정에서 기체의 내부 에너지의 감소량과 같다.

① ㄴ ② ㄷ ③ ㄱ, ㄴ
④ ㄱ, ㄷ ⑤ ㄱ, ㄴ, ㄷ

091 그림은 온도가 T_1인 열원에서 10 kJ의 열을 흡수하여 W의 일을 하고 온도가 T_2인 열원으로 6 kJ의 열을 방출하는 열기관을 나타낸 것이다. 이에 대한 설명으로 옳은 것만을 〈보기〉에서 있는 대로 고른 것은? [3점]

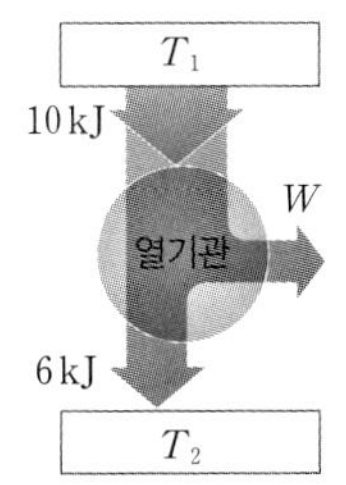

보기
ㄱ. $T_1>T_2$이다. ㄴ. $W=4$ kJ이다.
ㄷ. 열기관의 열효율은 0.6이다.

① ㄴ ② ㄷ ③ ㄱ, ㄴ
④ ㄱ, ㄷ ⑤ ㄱ, ㄴ, ㄷ

092 그림 (가)는 카르노 열기관이 400 K의 열원으로부터 Q_1의 열을 흡수하여 W의 일을 하고 300 K의 열원으로 Q_2의 열을 방출하는 것을 모식적으로 나타낸 것이다. 그림 (나)는 (가)에서 기체의 압력과 부피 관계를 나타낸 것으로 순환 과정으로 만들어진 그래프 내부의 면적은 A이다.

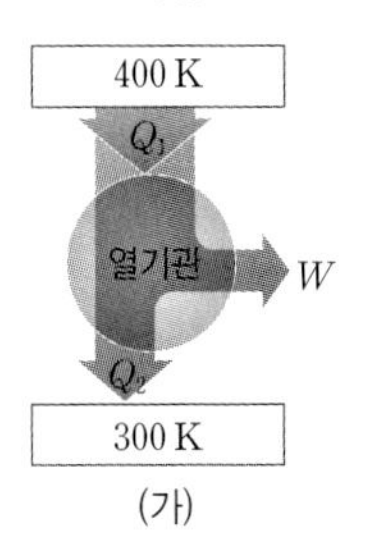

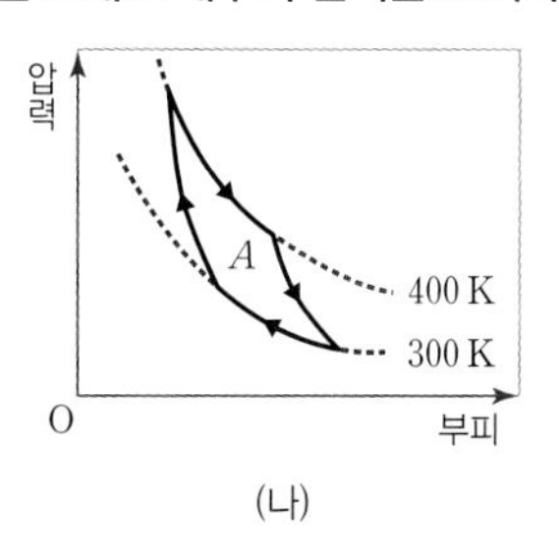

이에 대한 설명으로 옳은 것만을 〈보기〉에서 있는 대로 고른 것은?

보기
ㄱ. Q_1이 100 J이면, A는 25 J이다.
ㄴ. $W=Q_1-Q_2$의 관계가 성립한다.
ㄷ. Q_1이 증가하면 열기관의 열효율도 증가한다.

① ㄱ ② ㄴ ③ ㄷ
④ ㄱ, ㄴ ⑤ ㄱ, ㄴ, ㄷ

093 다음은 열역학 제2법칙에 대한 내용이다.

(가): 열은 온도가 높은 물체에서 온도가 낮은 물체로 저절로 이동한다.

(나): 열은 온도가 낮은 물체에서 온도가 높은 물체로 저절로 이동하지 못한다.
(가), (나)와 같이 강제적인 방법이 없으면 열의 이동 방향이 항상 정해져 있다는 것을 ⓐ열역학 제2법칙으로 설명할 수 있다.

이에 대한 설명으로 옳은 것만을 〈보기〉에서 있는 대로 고른 것은?

보기
ㄱ. 열이 저절로 이동하는 현상은 비가역적이다.
ㄴ. (나)의 이유는 에너지 보존 법칙을 만족하지 못하기 때문이다.
ㄷ. 물에 떨어뜨린 잉크 방울이 물속으로 퍼져 나가는 현상은 ⓐ로 설명할 수 있다.

① ㄱ ② ㄷ ③ ㄱ, ㄴ
④ ㄱ, ㄷ ⑤ ㄴ, ㄷ

기출 분석

22 유형

출제 의도
특수 상대성 이론의 개념을 설명할 수 있는지를 묻는 문제이다.

이렇게 대비하자!
동시성의 상대성, 시간 지연, 길이 수축과 관련된 현상을 해석할 수 있어야 한다.

■ 연관 기출 문제 키워드

#빛의 속력 #동시성의 상대성 #시간 지연 #길이 수축

다음은 특수 상대성 이론에 대한 사고 실험이다.

- 정지해 있는 철수에 대하여 광속에 가까운 속력으로 등속도 운동하는 우주선 안에 영희가 앉아 있다.
- 영희가 측정한 광원 O에서 검출기 A, B까지의 거리는 각각 L_A, L_B이다.
- 철수가 측정할 때, O에서 발생한 빛이 A, B에 동시에 도달한다.

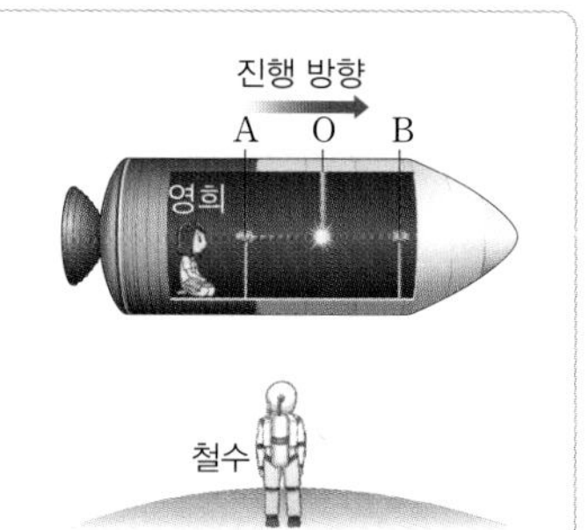

이에 대한 설명으로 옳은 것만을 〈보기〉에서 있는 대로 고른 것은? (단, A, O, B는 우주선의 진행 방향과 나란한 동일 직선 상에 있다.) [3점]

보기

ㄱ. $L_A > L_B$이다.
ㄴ. 철수가 측정할 때, O에서 A까지의 거리와 O에서 B까지의 거리는 같다.
ㄷ. 철수가 측정할 때, A에서 B까지의 거리는 $L_A + L_B$보다 작다.

① ㄱ ② ㄴ ③ ㄱ, ㄷ ④ ㄴ, ㄷ ⑤ ㄱ, ㄴ, ㄷ

문제 분석

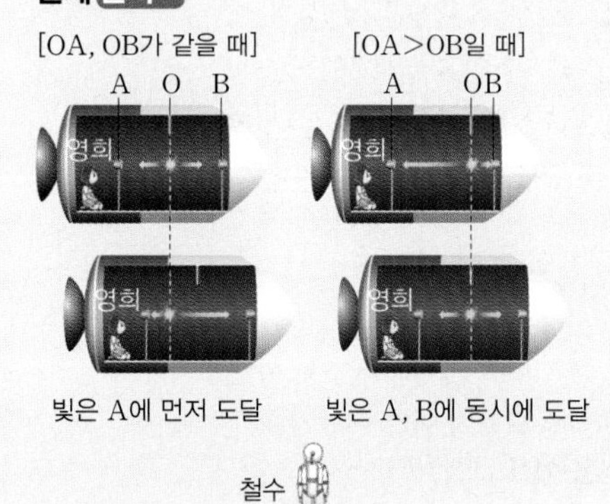

광원 O에서 A, B까지의 거리가 같다면, 우주선 안의 영희에게는 빛이 A, B에 동시에 도달하고, 우주선 밖의 철수에게는 빛이 O점 방향으로 가까워지는 A에 먼저 도달한다.

문제에서 제시된 조건을 잘 따져보자. 일반적인 경우의 조건은 'L_A와 L_B가 같을 때'이고, 이 경우 우주선 밖의 관측자는 빛이 A에 먼저 도달한 것으로 보인다. 그런데 문제에 제시된 조건처럼 철수가 측정할 때 두 빛이 A, B에 동시에 도달하였다면 빛이 A까지 오는 거리가 더 길어야 한다.

■ 문항별 해설

⋯› 우주선이 오른쪽으로 운동하고, 우주선 안에 있는 검출기 A, B도 함께 오른쪽으로 운동한다. 광원 O에서 A, B로 동시에 출발한 빛을 우주선 밖의 철수가 측정할 때 빛이 A, B에 동시에 도달하였다는 것은 OA의 길이가 더 길었다는 것을 의미한다.

⋯› 영희가 측정하였을 때 AB의 길이가 고유 길이이지만, 철수가 측정하였을 때는 이미 길이가 수축되었을 때이므로 영희가 측정한 길이보다 짧다.

ㄱ. 철수가 측정할 때 OA > OB이며, 길이 수축이 일어난 철수의 측정값을 확대하면 영희가 측정한 L_A와 L_B 역시 $L_A > L_B$이어야 한다. (○)

ㄴ. 철수가 측정할 때 O와 A 사이의 거리는 O와 B 사이의 거리보다 길다. (×)

ㄷ. 정지해 있는 철수가 움직이는 우주선을 보면 길이 수축이 일어나므로 A에서 B까지의 거리는 고유 길이인 $L_A + L_B$보다 작다. (○)

답 ③

■ 오류 피하기

⋯› 철수에게 빛이 A, B에 동시에 도달하였을 때의 거리를 측정한 값을 가지고 영희가 측정한 거리를 유추해 내야 하는 문제이다. 혼란스러운 이유는 OA와 OB의 거리가 같다는 조건이 없었기 때문이다.

배경 지식

동시성의 상대성: 한 관성 좌표계에서 동시에 일어난 두 사건은 다른 관성 좌표계에서 볼 때 동시에 일어난 것이 아닐 수 있다. 즉, 등속 운동을 하는 우주선에서 동시에 일어난 사건을 우주선 밖에서 볼 때는 동시가 아닌 것으로 관측될 수 있다는 의미이다.

기출 문제

정답과 해설 21쪽

094 그림은 기차에 탄 영희와 우주선에 탄 철수를 나타낸 것이다. 영희가 보았을 때, 철수가 탄 우주선은 기차와 나란하게 광속에 가까운 일정한 속도로 운동하고 있다. 우주선에서는 우주선의 운동 방향으로 빛을 방출한다. 표는 철수와 영희가 각각 측정한 물리량의 값이다.

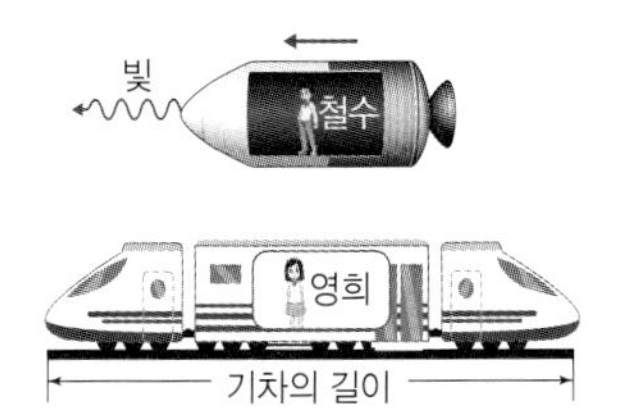

관찰자 / 물리량	철수	영희
빛의 속력	v_1	v_2
기차의 길이	L_1	L_2

v_1과 v_2, L_1과 L_2를 옳게 비교한 것은? [3점]

	빛의 속력	기차의 길이
①	$v_1 < v_2$	$L_1 < L_2$
②	$v_1 = v_2$	$L_1 < L_2$
③	$v_1 = v_2$	$L_1 = L_2$
④	$v_1 = v_2$	$L_1 > L_2$
⑤	$v_1 > v_2$	$L_1 > L_2$

095 그림과 같이 우주선이 $+x$ 방향으로 영희에 대해 $0.7c$의 일정한 속도로 운동한다. a, b는 각각 영희가 관측한 우주선의 x 방향과 y 방향의 길이이다.

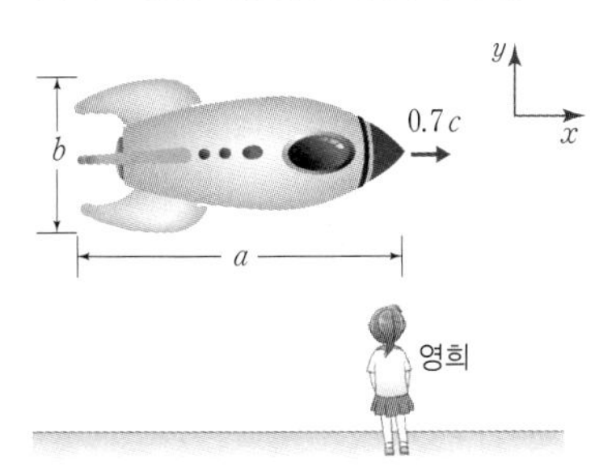

우주선의 x 방향과 y 방향의 고유 길이가 각각 a_0, b_0일 때, 우주선의 길이를 옳게 비교한 것은? (단, c는 빛의 속력이다.)

① $a < a_0$, $b < b_0$　② $a < a_0$, $b = b_0$
③ $a = a_0$, $b < b_0$　④ $a = a_0$, $b > b_0$
⑤ $a > a_0$, $b = b_0$

096 그림은 철수에 대해 $0.9c$의 일정한 속도로 운동하는 우주선 안의 영희, 광원, 검출기 A, B를 나타낸 것이다. 우주선의 운동 방향은 A와 광원을 잇는 직선과 나란하고, 광원에서 B까지의 고유 길이는 L이다. 영희가 측정할 때, 광원에서 발생한 빛은 A, B에 동시에 도달한다.

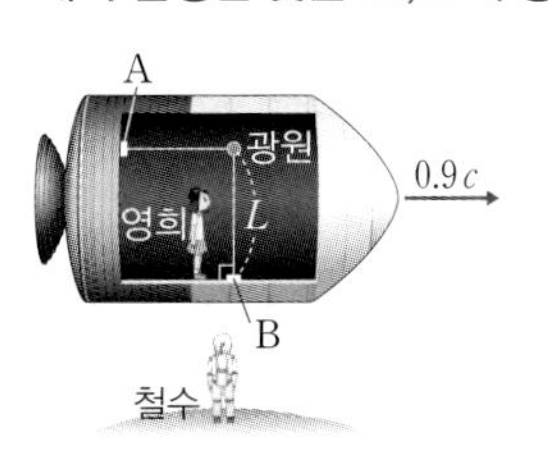

철수가 측정할 때, 이에 대한 설명으로 옳은 것만을 <보기>에서 있는 대로 고른 것은? (단, c는 빛의 속력이다.) [3점]

보기
ㄱ. 광원과 A 사이의 거리는 L이다.
ㄴ. 광원에서 A로 진행하는 빛의 속력과 광원에서 B로 진행하는 빛의 속력은 같다.
ㄷ. 광원에서 발생한 빛이 B에 도달하는 데 걸리는 시간은 $\frac{L}{c}$보다 크다.

① ㄱ　② ㄴ　③ ㄷ
④ ㄱ, ㄴ　⑤ ㄴ, ㄷ

097 그림은 철수가 탄 우주선이 정지해 있는 영희에 대해 구간 A에서 $0.6c$의 속력으로 등속도 운동을 한 후, 속력이 변하여 다시 구간 B에서 등속도 운동을 하는 모습을 나타낸 것이다. 영희가 측정할 때, 철수의 시간은 A에서가 B에서보다 느리게 가고 우주선의 길이는 A, B에서 각각 L_1, L_2이다.

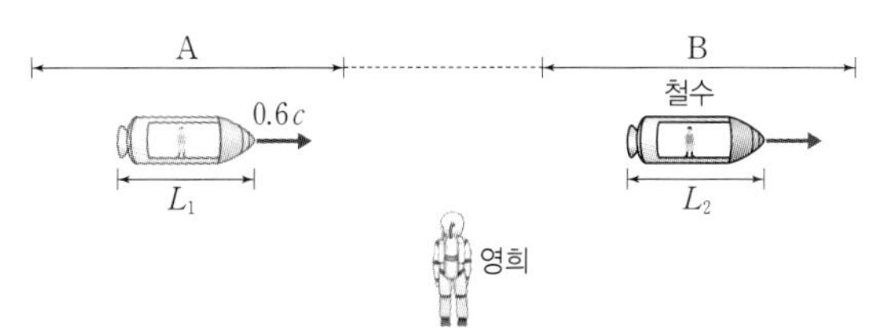

이에 대한 설명으로 옳은 것만을 <보기>에서 있는 대로 고른 것은? (단, c는 빛의 속력이다.) [3점]

보기
ㄱ. 영희가 측정할 때, B에서 우주선의 속력은 $0.6c$보다 크다.
ㄴ. $L_1 < L_2$이다.
ㄷ. 철수가 측정할 때, 영희의 시간은 A에서 측정할 때가 B에서 측정할 때보다 빠르게 간다.

① ㄴ　② ㄷ　③ ㄱ, ㄴ
④ ㄱ, ㄷ　⑤ ㄴ, ㄷ

098 그림과 같이 우주선이 우주 정거장에 대해 $0.8c$의 일정한 속도로 운동하며 우주 정거장을 향해 레이저 빛을 쏘고 있다.

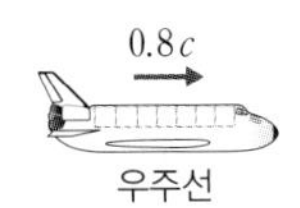

레이저 빛

이에 대한 설명으로 옳은 것만을 〈보기〉에서 있는 대로 고른 것은? (단, c는 빛의 속력이다.)

보기

ㄱ. 우주선에서 측정할 때, 우주 정거장의 속력은 $0.8c$이다.

ㄴ. 우주선에서 측정할 때, 우주 정거장에서의 시간은 우주선에서의 시간보다 느리게 간다.

ㄷ. 우주 정거장에서 측정할 때, 레이저 빛의 속력은 c보다 크다.

① ㄱ ② ㄴ ③ ㄷ ④ ㄱ, ㄴ ⑤ ㄱ, ㄴ, ㄷ

099 다음은 사건의 동시성에 대한 사고 실험을 설명한 것이다.

• 영희는 정지한 열차 안에 있고, 철수는 영희에 대해 빛의 속력에 가깝게 등속 직선 운동하는 열차 안에 있다.

• 영희의 좌표계에서는 광원에서 동시에 발생한 빛이 열차의 양 끝에 있는 빛 검출기 A, B에 동시에 도달한다.

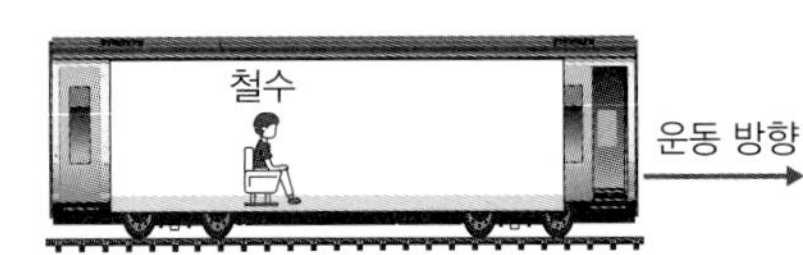

이에 대한 옳은 설명만을 〈보기〉에서 있는 대로 고른 것은? [3점]

보기

ㄱ. 광원에서 B로 이동하는 빛의 속력은 영희의 좌표계와 철수의 좌표계에서 같다.

ㄴ. 영희의 좌표계에서는 광원에서 A까지의 거리와 광원에서 B까지의 거리가 서로 같다.

ㄷ. 철수의 좌표계에서는 광원에서 동시에 발생한 빛이 A보다 B에 먼저 도달한다.

① ㄱ ② ㄷ ③ ㄱ, ㄴ ④ ㄴ, ㄷ ⑤ ㄱ, ㄴ, ㄷ

100 다음은 시간 측정을 통해 공간에 고정된 두 지점 A, B 사이의 거리를 알아내는 실험이다.

[실험 과정]

(가) A에 정지해 있는 관측자 철수는 B에 고정된 거울을 이용하여 빛이 진공의 경로를 따라 A에서 B를 한 번 왕복하는 데 걸린 시간 T_1을 측정한다.

철수
A
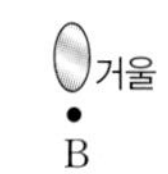

(나) 일정한 속도 $0.7c$로 날아가는 우주선에 탄 관측자 영희는 우주선이 A를 지나는 순간부터 B를 지나는 순간까지 걸린 시간 T_2를 측정한다.

영희 0.7c
A
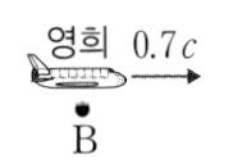

(다) A에 정지해 있는 관측자 민수는 일정한 속도 $0.3c$로 날아가는 우주선이 A를 지나는 시각 t_A를 측정하고, B에 정지해 있는 관측자 민희는 그 우주선이 B를 지나는 시각 t_B를 측정하여 시간 $T_3=t_B-t_A$를 계산한다.

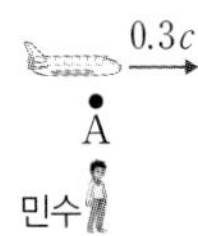

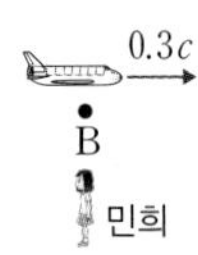

[유의 사항]

• 각 관측자는 자신의 위치에 고정된 시계로 시간을 측정한다.

• (다)에서 민수와 민희의 시계는 A, B를 잇는 선분의 중점에서 보았을 때 서로 같은 시각을 가리키도록 미리 맞춘다.

이에 대한 설명으로 옳은 것만을 〈보기〉에서 있는 대로 고른 것은? (단, c는 진공에서의 빛의 속력이고, 중력에 의한 효과, 관측자, 거울, 우주선의 크기는 무시한다.)

보기

ㄱ. (가)에서 A와 B 사이의 거리는 $0.5cT_1$이다.

ㄴ. (나)에서 A와 B 사이의 거리 $0.7cT_2$는 $0.5cT_1$보다 짧다.

ㄷ. (다)에서 A와 B 사이의 거리 $0.3cT_3$은 A와 B 사이의 고유 길이이다.

① ㄱ ② ㄷ ③ ㄱ, ㄴ ④ ㄴ, ㄷ ⑤ ㄱ, ㄴ, ㄷ

101 그림은 철수가 탄 우주선이 영희에 대하여 광속에 가까운 속력으로 우주선 밖의 광원을 향해 등속 직선 운동하는 모습을 나타낸 것으로, 광원에서 나온 빛은 우주선에 고정된 고리 P, Q를 지난다.

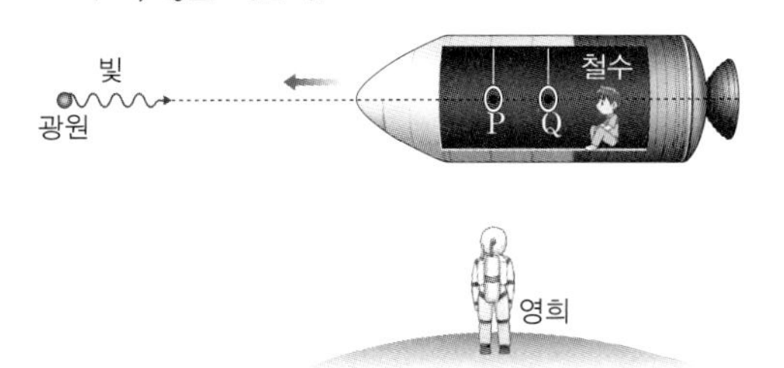

영희가 측정한 값이 철수가 측정한 값보다 작은 물리량만을 〈보기〉에서 있는 대로 고른 것은? [3점]

보기

ㄱ. 빛의 속력

ㄴ. P와 Q 사이의 거리

ㄷ. 빛이 P에서 Q까지 진행하는 데 걸린 시간

① ㄴ ② ㄷ ③ ㄱ, ㄴ
④ ㄱ, ㄷ ⑤ ㄴ, ㄷ

102 그림은 광원, 점 P, Q에 대해 정지해 있는 관측자 C가 보았을 때, 광원에서 멀어지는 우주선 I과 광원을 향해 가는 우주선 II가 서로 수직한 방향으로 각각 등속도 운동하며 P, Q를 지나고 있는 모습을 나타낸 것이다. C가 측정할 때, 광원과 P 사이의 거리는 L이고 광원과 Q 사이의 거리는 $0.8L$이다. I, II에는 각각 관측자 A, B가 타고 있다. A가 측정한 광원과 P 사이의 거리와 B가 측정한 광원과 Q 사이의 거리는 같다.

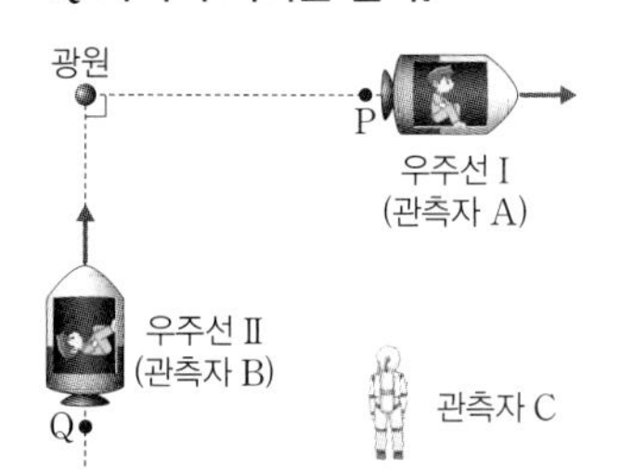

이에 대한 설명으로 옳은 것만을 〈보기〉에서 있는 대로 고른 것은? [3점]

보기

ㄱ. 광원에서 나온 빛의 속력은 A가 측정할 때와 B가 측정할 때가 같다.

ㄴ. A가 측정할 때, 광원과 P 사이의 거리는 L보다 짧다.

ㄷ. C가 측정할 때, A의 시간은 B의 시간보다 더 느리게 간다.

① ㄱ ② ㄷ ③ ㄱ, ㄴ
④ ㄴ, ㄷ ⑤ ㄱ, ㄴ, ㄷ

103 그림과 같이 영희가 탄 우주선 B가 민수가 탄 우주선 A에 대해 일정한 속도 $0.5c$로 운동하고 있다. 민수와 영희가 각각 우주선 바닥에 있는 광원에서 동일한 높이의 거울을 향해 운동 방향과 수직으로 빛을 쏘았다. 민수가 측정할 때 A의 광원에서 빛을 쏘아 거울에 반사되어 되돌아오는 데 걸린 시간은 t_A이고, 영희가 측정할 때 B의 광원에서 빛을 쏘아 거울에 반사되어 되돌아오는 데 걸린 시간은 t_B이다. 확대한 그림은 각각의 우주선 안에서 볼 때의 빛의 진행 경로를 나타낸 것이다.

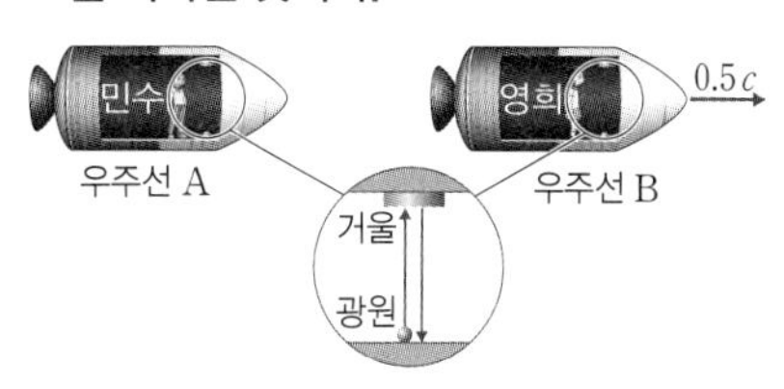

이에 대한 설명으로 옳은 것만을 〈보기〉에서 있는 대로 고른 것은? (단, c는 빛의 속력이다.) [3점]

보기

ㄱ. $t_A = t_B$이다.

ㄴ. 영희가 측정할 때, 민수의 시간은 영희의 시간보다 느리게 간다.

ㄷ. 민수가 측정할 때 t_A 동안 멀어진 A와 B 사이의 거리는 영희가 측정할 때 t_B 동안 멀어진 A와 B 사이의 거리보다 짧다.

① ㄱ ② ㄴ ③ ㄷ
④ ㄱ, ㄴ ⑤ ㄱ, ㄴ, ㄷ

104 그림과 같이 깃대를 든 철수에 대하여 광속에 가까운 속력으로 깃대와 나란하게 등속도 운동하는 우주선에 영희가 타고 있다. 영희가 측정할 때 광원 O에서 나온 빛이 검출기 A, B에 동시에 도달했다. 이에 대한 설명으로 옳은 것만을 〈보기〉에서 있는 대로 고른 것은? [3점]

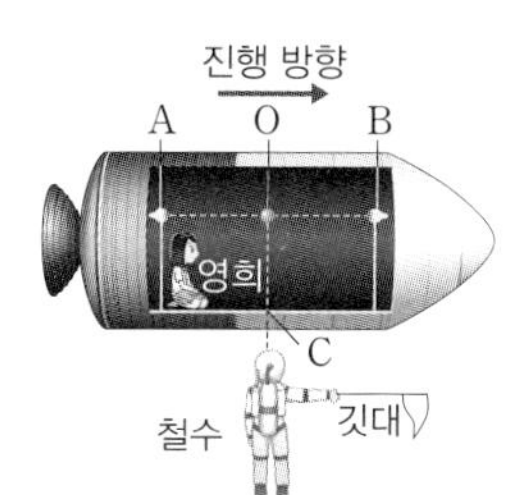

보기

ㄱ. 깃대의 길이는 철수가 측정한 값보다 영희가 측정한 값이 작다.

ㄴ. 철수가 측정할 때 O에서 나온 빛은 A보다 B에 먼저 도달한다.

ㄷ. 빛이 O에서 C까지 진행하는 데 걸린 시간은 영희의 측정값이 철수의 측정값보다 크다.

① ㄱ ② ㄴ ③ ㄷ
④ ㄱ, ㄴ ⑤ ㄱ, ㄷ

기출 분석 23 유형

❓ 출제 의도

특수 상대성 이론에 의해 나타나는 현상인 뮤온을 이해하고 있는지를 묻는 문제이다.

이렇게 대비하자!

뮤온이 지표에서 관측되는 까닭을 시간 지연과 길이 수축으로 구분하여 설명할 수 있어야 한다.

■ 연관 기출 문제 키워드

#뮤온의 수명 #특수 상대성 이론에 의한 현상 #시간 지연 #길이 수축

그림과 같이 점 p에서 생성된 뮤온이 지면에 대하여 $0.9c$의 일정한 속도로 운동하여 지면에서 소멸한다. 지면에 정지한 영희가 관측할 때, p와 지면 사이의 거리는 L이고 뮤온의 수명은 T이다.

뮤온의 좌표계에서 관측할 때, 이에 대한 설명으로 옳은 것만을 ⟨보기⟩에서 있는 대로 고른 것은? (단, c는 빛의 속력이다.) [3점]

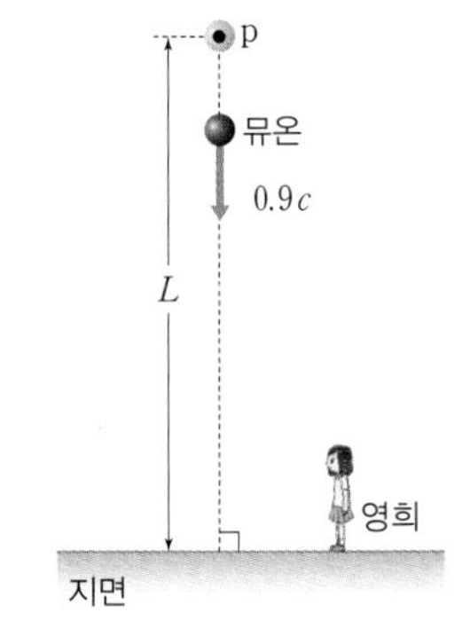

보기

ㄱ. 영희는 정지해 있다.

ㄴ. p와 지면 사이의 거리는 L보다 작다.

ㄷ. 뮤온의 수명은 T보다 짧다.

① ㄱ ② ㄴ ③ ㄷ ④ ㄱ, ㄷ ⑤ ㄴ, ㄷ

문제 분석

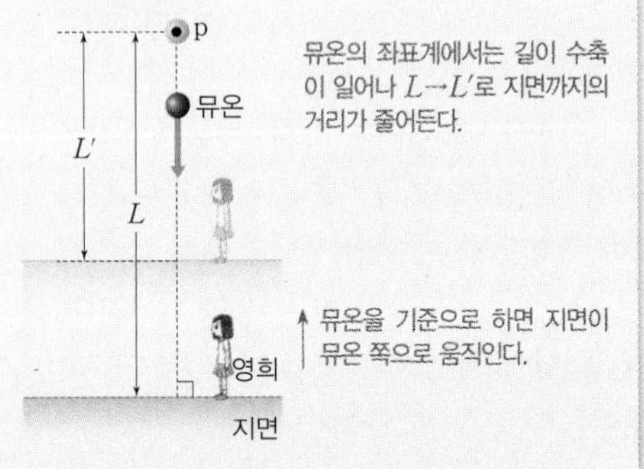

문제에서 '뮤온의 좌표계에서 관측할 때'라고 제시되어 있다. 이 말은 뮤온과 좌표계가 함께 움직이는 것으로 본다는 뜻이고, 뮤온은 정지해 있고 지표가 움직이는 것으로 관측한다는 의미이다. 즉, 뮤온이 정지되어 있고, 관측자인 영희와 지면이 $0.9c$의 속력으로 뮤온 쪽으로 움직이는 것이 된다.

따라서 뮤온을 기준으로 뮤온과 지면 사이의 거리가 수백 m로 줄어든다.

➡ 길이 수축

■ 문항별 해설

ㄱ. 뮤온의 좌표계에서는 좌표계가 뮤온과 함께 움직인다. 즉, 뮤온은 정지해 있고 영희와 지면이 $0.9c$의 일정한 속도로 운동한다. (×)

ㄴ. L은 영희가 관측한 p와 지면 사이의 거리, 즉 영희의 좌표계에서 측정한 값이다. 뮤온의 좌표계에서는 길이 수축이 일어나 p와 지면 사이의 거리가 줄어든다. 따라서 뮤온의 좌표계에서 관측한 p와 지면 사이의 거리는 수축되어 영희가 관측한 고유 길이 L보다 작다. (○)

ㄷ. 영희가 관측할 때 빠르게 움직이는 뮤온의 시간은 천천히 흐른다. 즉, 시간 지연이 일어난다. 그러나 뮤온의 좌표계에서 뮤온은 정지해 있으므로 뮤온의 고유 수명은 영희가 관찰한 뮤온의 수명 T보다 짧게 측정된다. (○)

답 ⑤

배경 지식

뮤온: 강한 에너지를 갖는 우주선(cosmic ray)이 지구 대기권에서 공기와 충돌할 때 발생한다. 뮤온은 빛의 속력의 약 99 %로 운동하며, 뮤온의 수명은 약 $\Delta t_{고유} = 2.2 \times 10^{-6}$s이다. 즉, 뮤온은 수명이 매우 짧아 지표에 도달하기 전에 사라져야 한다. 그런 뮤온이 지표에서 발견되는 것은 시간 지연과 길이 수축으로 설명할 수 있다.

■ 오류 피하기

⋯› 수명이 짧은 뮤온이 지상에서 관측되는 것은 시간 지연과 길이 수축, 두 가지로 설명할 수 있다. 이때 뮤온의 좌표계를 기준으로 하면 길이 수축, 지상의 관측자를 기준으로 하면 시간 지연이다. 지상에 있는 영희는 그림과 같이 뮤온의 수명이 늘어나기 때문에 뮤온이 지표면에 도달한다고 해석한다.

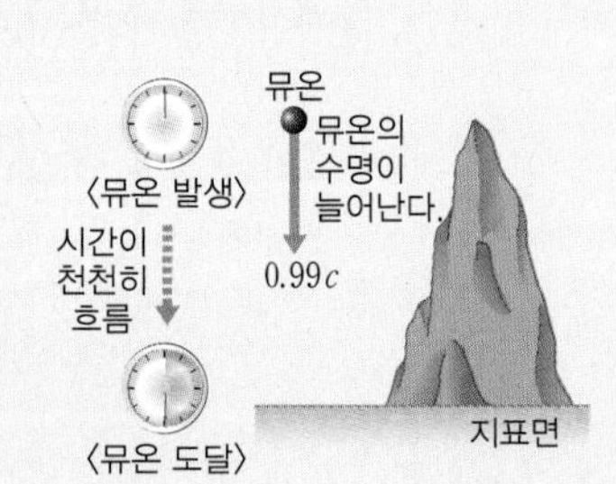

기출 문제

정답과 해설 23쪽

105 그림은 정지해 있는 철수에 대해 영희가 탄 우주선과 뮤온이 수평면과 나란하게 일정한 속력 $0.9c$로 운동하고 있는 어느 순간의 모습을 나타낸 것이다. 빛은 우주선과 반대 방향으로 진행하고 있다.

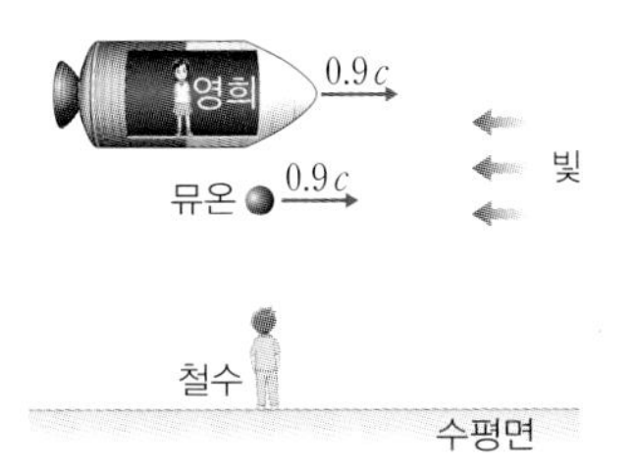

철수가 측정했을 때가 영희가 측정했을 때보다 더 큰 물리량만을 〈보기〉에서 있는 대로 고른 것은? (단, c는 빛의 속력이고, 중력에 의한 효과는 무시한다.) [3점]

보기

ㄱ. 빛의 속력 ㄴ. 우주선의 길이 ㄷ. 뮤온의 수명

① ㄱ ② ㄴ ③ ㄷ
④ ㄱ, ㄷ ⑤ ㄴ, ㄷ

106 그림은 p점에서 생성된 뮤온이 광속에 가까운 속력으로 진행하여 q점에서 붕괴할 때까지의 경로를 나타낸 것이다. p와 q에 대해 정지해 있는 좌표계에서 측정한 p와 q사이의 거리는 L이고, 뮤온의 수명은 T이다. 뮤온과 함께 움직이는 좌표계에서 측정한 p와 q 사이의 거리는 L'이고, 뮤온의 수명은 T'이다.

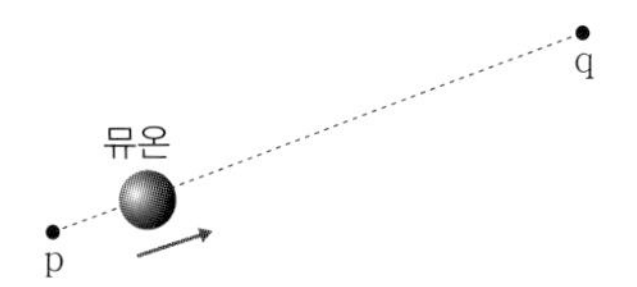

L과 L', T와 T'의 관계를 옳게 짝지은 것은? [3점]

① $L=L'$, $T=T'$
② $L>L'$, $T>T'$
③ $L>L'$, $T<T'$
④ $L<L'$, $T>T'$
⑤ $L<L'$, $T<T'$

107 그림과 같이 지표면에 정지해 있는 관찰자가 측정할 때, 지표면으로부터 높이 h인 곳에서 뮤온 A, B가 생성되어 각각 연직 방향의 일정한 속도 $0.88c$, $0.99c$로 지표면을 향해 움직인다. A, B 중 하나는 지표면에 도달하는 순간 붕괴하고, 다른 하나는 지표면에 도달하기 전에 붕괴한다. 정지 상태의 뮤온이 생성된 순간부터 붕괴하는 순간까지 걸리는 시간은 t_0이다.

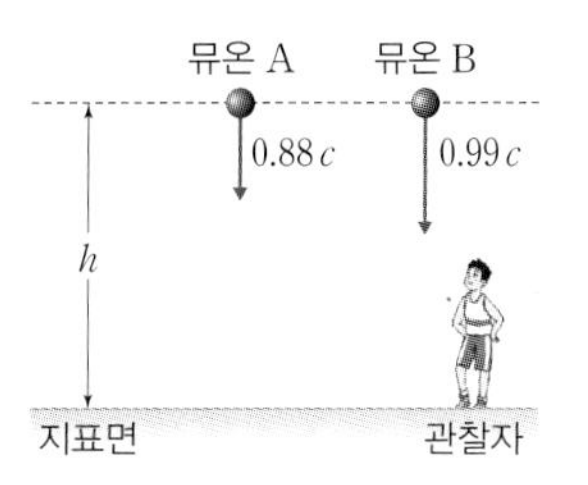

이에 대한 설명으로 옳은 것만을 〈보기〉에서 있는 대로 고른 것은? (단, c는 빛의 속력이다.) [3점]

보기

ㄱ. 관찰자가 측정할 때 A가 생성된 순간부터 붕괴하는 순간까지 걸리는 시간은 t_0이다.
ㄴ. 지표면에 도달하는 순간 붕괴하는 뮤온은 B이다.
ㄷ. 관찰자가 측정할 때 h는 $0.99ct_0$이다.

① ㄱ ② ㄴ ③ ㄱ, ㄷ
④ ㄴ, ㄷ ⑤ ㄱ, ㄴ, ㄷ

108 다음은 뮤온(muon)에 관한 글의 일부분이다.

뮤온은 우주선(cosmic ray)이 지구 대기권에 도달하여 공기와의 충돌로 생긴다. 뮤온은 광속 c의 약 99 %로 이동하고, 고유 수명은 2.2×10^{-6}s로 아주 짧지만 많은 뮤온이 지표면에서 발견된다.

그림은 에베레스트 산 정상 부근에서 발생한 뮤온을 나타낸 것으로, 지표면의 정지 좌표계에서는 운동하는 뮤온의 시간이 (가) 흐르기 때문에 뮤온이 지표면에서 관측된다고 설명할 수 있다. 또한 뮤온과 함께 움직이는 좌표계에서는 정상과 지표면 사이의 거리가 (나) 때문에 뮤온이 지표면에 도달한다고 설명할 수 있다.

빈칸 (가), (나)에 들어갈 알맞은 말을 옳게 짝지은 것은?

	(가)	(나)		(가)	(나)
①	빠르게	길어지기	②	빠르게	짧아지기
③	느리게	길어지기	④	느리게	짧아지기
⑤	느리게	같기			

기출 분석 24 유형

출제 의도

핵반응 전후의 원소를 비교하여 질량과 에너지의 등가성 원리를 설명할 수 있는지 묻는 문제이다.

이렇게 대비하자!

핵분열과 핵융합 반응에서 질량수를 분석하고, 질량 결손에 의해 에너지가 방출됨을 알아야 한다.

■ 연관 기출 문제 키워드

#핵반응 #중성자 #질량 결손 #질량의 에너지 변환

다음은 원자로에서 일어나는 핵분열 반응에 대한 설명이다.

> (가) 중성자($^1_0$n)가 우라늄($^{235}_{92}$U)에 흡수된다.
> (나) ㉠중성자가 흡수된 우라늄이 크립톤($^{92}_{36}$Kr)과 바륨($^{141}_{56}$Ba), 3개의 중성자로 분열되면서 에너지가 방출된다.
> (다) 중성자는 ㉡감속재에 의해 속력이 변하여 다른 우라늄($^{235}_{92}$U)에 흡수된다.

이에 대한 설명으로 옳은 것만을 〈보기〉에서 있는 대로 고른 것은?

보기

ㄱ. ㉠의 질량수는 236이다.
ㄴ. (나)에서 방출된 에너지는 질량 결손에 의한 것이다.
ㄷ. ㉡은 중성자의 속력을 느리게 하는 역할을 한다.

① ㄱ ② ㄷ ③ ㄱ, ㄴ ④ ㄴ, ㄷ ⑤ ㄱ, ㄴ, ㄷ

문제 분석

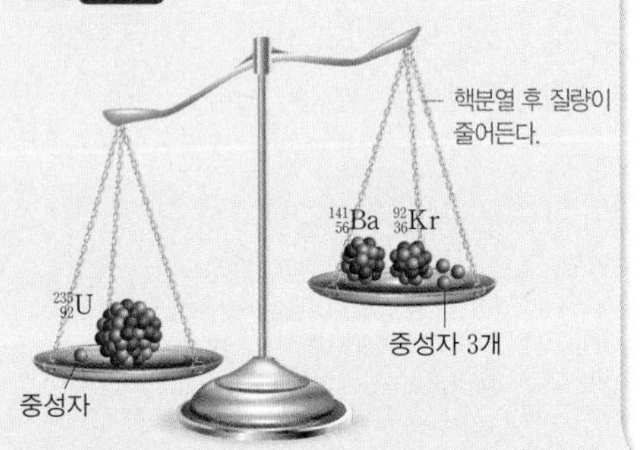

우라늄($^{235}_{92}$U)이 중성자($^1_0$n) 한 개를 흡수하여 크립톤($^{92}_{36}$Kr)과 바륨($^{141}_{56}$Ba), 3개의 중성자로 핵분열할 때, $^{235}_{92}$U의 핵분열 전과 후의 질량을 비교한 것이다. $^{235}_{92}$U가 가벼운 원자핵으로 쪼개질 때 질량 결손에 의해 에너지를 방출한다.

■ 문항별 해설

어떤 원소 X는 다음과 같이 원소 기호, 원자 번호, 질량수로 표기한다.

질량수 — ^A_ZX — 원자 번호, 원소 기호
A: 질량수 = 양성자수 + 중성자수
Z: 원자 번호 = 양성자수

ㄱ. 우라늄의 핵분열 반응식은 다음과 같다.

$^{235}_{92}$U + $^1_0$n → $^{236}_{92}$U → $^{92}_{36}$Kr + $^{141}_{56}$Ba + 3$^1_0$n + 에너지

㉠은 중성자를 흡수한 우라늄이므로, '중성자의 질량수 1 + 우라늄의 질량수 235 = 236', 즉, ㉠의 질량수는 236이다. (○)

ㄴ. 핵분열 반응에서는 질량 결손에 의해 에너지가 방출된다. (○)

ㄷ. 핵분열 반응이 일어나려면 중성자가 우라늄에 흡수되어야 한다. 중성자의 속력이 너무 빠르면 우라늄과 반응하기 어렵다. 감속재는 중성자의 속력을 느리게 하는 역할을 한다. (○)

답 ⑤

배경 지식

- **질량 증가**: 물체의 속력이 증가하면 정지해 있을 때보다 질량이 증가한다.
- **질량-에너지 등가성**: 질량과 에너지는 서로 변환이 가능하다. 가벼운 원자핵들이 핵융합을 하거나 무거운 원자핵이 핵분열을 할 때 질량 결손된 양을 Δm이라고 하면, 질량-에너지 등가성에 따라 방출되는 에너지 E는 다음과 같다.

$$E = \Delta mc^2 \quad (c: \text{빛의 속력})$$

■ 오류 피하기

→ $^{235}_{92}$U가 핵분열을 할 때 전하량(원자 번호)과 질량수는 변하지 않는다. 즉, 분열 후 각 물질의 원자 번호 합, 질량수 합은 각각 $^{235}_{92}$U와 같다. 그러나 질량은 줄어드는 것에 주의하자.

기출 문제

정답과 해설 23쪽

109 다음은 핵융합에 대한 설명이다.

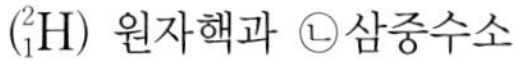
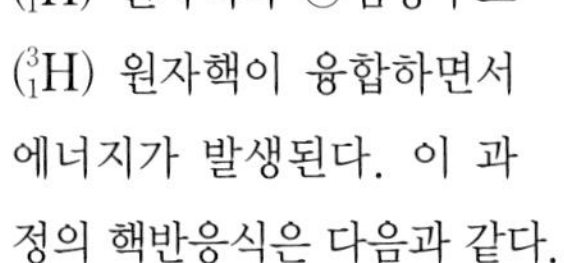

핵융합로에서는 고온의 플라스마 상태인 ㉠중수소($^2_1$H) 원자핵과 ㉡삼중수소($^3_1$H) 원자핵이 융합하면서 에너지가 발생된다. 이 과정의 핵반응식은 다음과 같다.

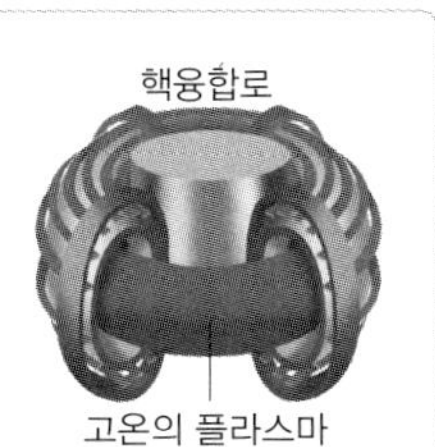

$$^2_1\text{H} + ^3_1\text{H} \longrightarrow \boxed{(가)} + ^1_0\text{n} + 에너지$$

이에 대한 설명으로 옳은 것만을 〈보기〉에서 있는 대로 고른 것은?

보기
ㄱ. ㉠은 ㉡의 동위 원소이다.
ㄴ. (가)의 질량수는 2이다.
ㄷ. 핵반응 전과 후 입자들의 질량의 합은 서로 같다.

① ㄱ ② ㄷ ③ ㄱ, ㄴ
④ ㄱ, ㄷ ⑤ ㄴ, ㄷ

110 그림 (가)와 (나)는 핵융합 반응과 핵분열 반응의 예를 순서 없이 나타낸 것이다.

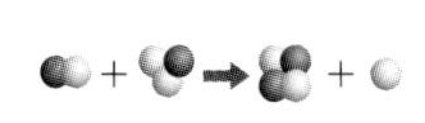

(가)

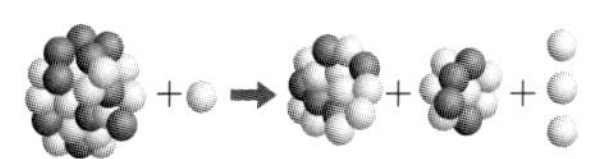

(나)

이에 대한 설명으로 옳은 것만을 〈보기〉에서 있는 대로 고른 것은?

보기
ㄱ. (가)는 핵융합 반응이다.
ㄴ. (가)에서 핵반응 전후 전하량의 합은 같다.
ㄷ. (나)에서 핵반응 전후 질량의 합은 같다.

① ㄱ ② ㄷ ③ ㄱ, ㄴ
④ ㄴ, ㄷ ⑤ ㄱ, ㄴ, ㄷ

111 그림 (가)는 원자로에서 일어나는 핵반응을 모식적으로 나타낸 것이다. 그림 (나)는 (가)의 우라늄(U), 바륨(Ba), 크립톤(Kr)의 양성자수, 질량수를 나타낸 것이다.

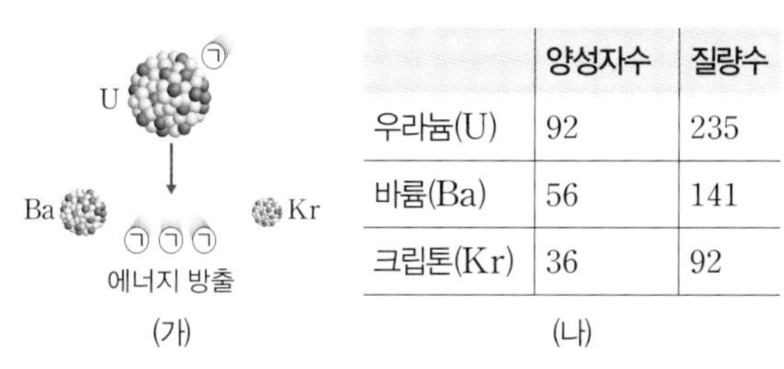

(가)

	양성자수	질량수
우라늄(U)	92	235
바륨(Ba)	56	141
크립톤(Kr)	36	92

(나)

이에 대한 설명으로 옳은 것만을 〈보기〉에서 있는 대로 고른 것은? [3점]

보기
ㄱ. ㉠에 해당하는 입자는 중성자이다.
ㄴ. 중성자수는 바륨(Ba)이 크립톤(Kr)보다 크다.
ㄷ. (가)의 핵반응에서 방출된 에너지는 질량 결손에 의한 것이다.

① ㄱ ② ㄷ ③ ㄱ, ㄴ
④ ㄴ, ㄷ ⑤ ㄱ, ㄴ, ㄷ

112 다음은 핵반응에 대한 내용이다.

에너지를 생성하는 핵반응에는 질량수가 큰 원자핵이 두 개의 새로운 원자핵으로 쪼개지는 [A]과/와 질량수가 작은 원자핵이 융합하여 질량수가 큰 원자핵으로 되는 [B]이/가 있다. 원자로에서는 우라늄의 핵반응 과정에서 방출되는 고속 [C]을/를 느리게 하여 우라늄에 잘 흡수될 수 있도록 감속재를 사용하고, 핵반응에 기여하는 [C]의 수를 줄여 연쇄 반응이 급격히 진행되는 것을 막기 위해 제어봉(흡수재)을 사용한다.

이에 대한 설명으로 옳은 것만을 〈보기〉에서 있는 대로 고른 것은? [3점]

보기
ㄱ. A는 핵분열이다.
ㄴ. B에서 핵의 질량의 합은 반응 후가 반응 전보다 크다.
ㄷ. C는 중성자이다.

① ㄱ ② ㄴ ③ ㄱ, ㄴ
④ ㄱ, ㄷ ⑤ ㄴ, ㄷ

기출 분석

25 유형

■ 연관 기출 문제 키워드

#수소 원자 모형 #전자 전이 #빛에너지 방출 · 흡수 #진동수

? 출제 의도

양자수가 다른 에너지 궤도 사이를 전자가 전이하며 방출 또는 흡수하는 에너지와 진동수, 파장 사이의 관계를 묻는 문제이다.

이렇게 대비하자!

전자는 특정 에너지만 가질 수 있어 불연속적 궤도에 존재하므로 전이를 통해 얻는 스펙트럼도 불연속적임을 알아 두자.

그림은 보어의 수소 원자 모형에서 양자수 n에 따른 에너지 준위와 전자의 전이 A, B를 나타낸 것이다. A, B에서 방출되는 빛의 진동수는 각각 f_A, f_B이다. 표는 A, B에서 방출되는 광자 1개의 에너지를 나타낸 것이다.

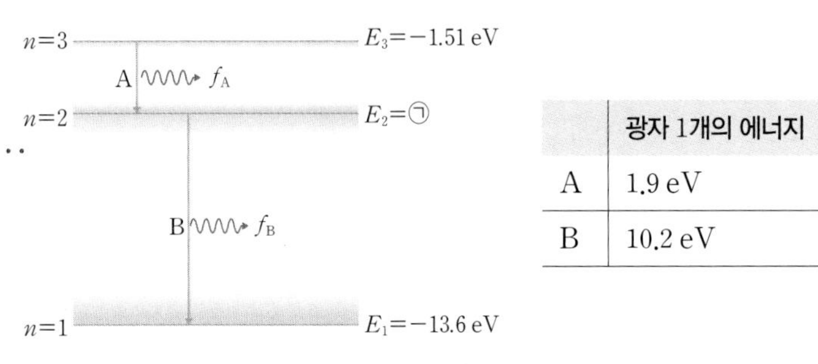

	광자 1개의 에너지
A	1.9 eV
B	10.2 eV

이에 대한 설명으로 옳은 것만을 〈보기〉에서 있는 대로 고른 것은?

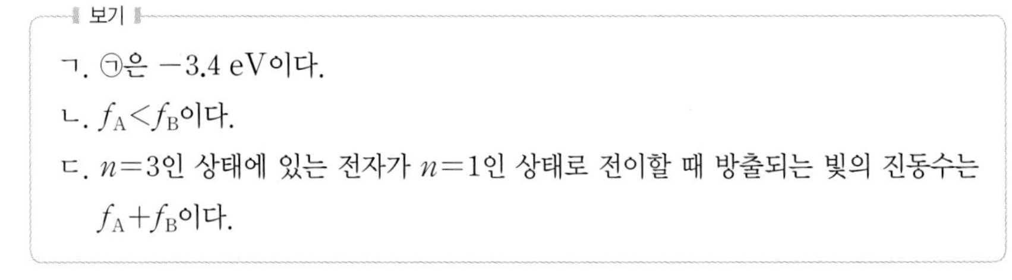

보기

ㄱ. ㉠은 -3.4 eV이다.

ㄴ. $f_A < f_B$이다.

ㄷ. $n=3$인 상태에 있는 전자가 $n=1$인 상태로 전이할 때 방출되는 빛의 진동수는 $f_A + f_B$이다.

① ㄱ ② ㄷ ③ ㄱ, ㄴ ④ ㄴ, ㄷ ⑤ ㄱ, ㄴ, ㄷ

문제 분석

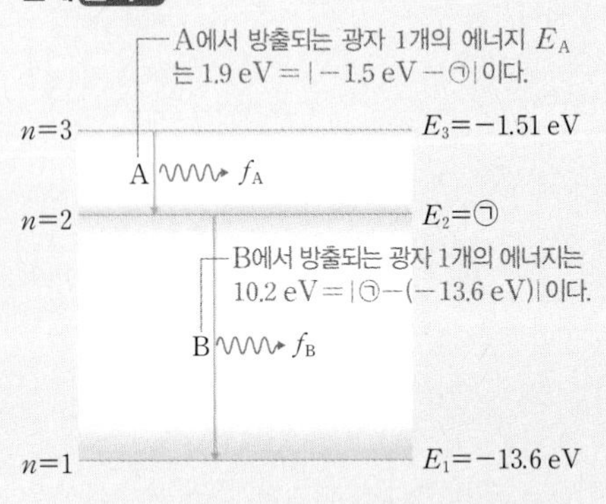

- $n=3$에서 $n=2$로 전이할 때 방출되는 빛의 진동수는 f_A이고, 광자 1개가 갖는 에너지는 $|E_3 - E_2| = E_A$이다.
- $n=2$에서 $n=1$로 전이할 때 방출되는 빛의 진동수는 f_B이고, 광자 1개가 갖는 에너지는 $|E_2 - E_1| = E_B$이다.

■ 문항별 해설

ㄱ. 높은 에너지 준위에서 낮은 에너지 준위로 전자가 전이할 때 빛이 방출되는데, 이때 방출되는 빛의 에너지는 두 준위의 차이만큼의 에너지를 갖는다. A에서 방출되는 빛의 에너지는 E_3에서 E_2로 전이하며 방출되는 빛으로 1.9 eV이므로 $|E_3 - E_2| = |-1.5 \text{ eV} - ㉠| = 1.9$ eV에 의해 ㉠은 -3.4 eV이다. (○)

ㄴ. A와 B에서 방출되는 빛의 에너지는 진동수에 비례한다. 따라서, $f_A < f_B$이다. (○)

ㄷ. 에너지 준위 E_3에서 E_1로 전이할 때 방출되는 빛의 에너지는 E_3에서 E_2로, E_2에서 E_1로 전이할 때 각각 방출되는 빛의 에너지 합과 같다. 즉, $hf_{3\to1} = hf_A + hf_B$이므로 $n=3$인 상태에 있는 전자가 $n=1$인 상태로 전이할 때 방출되는 빛의 진동수는 $f_A + f_B$이다. (○)

답 ⑤

배경 지식

에너지 준위의 부호(−)의 의미

원자 내 전자의 총 에너지는 음(−)의 값을 갖는데, 이는 전자가 원자핵에 속박되어 있다는 의미이다. 원자와 거리가 가까울수록 더 큰 전기력으로 속박되어 있고 이 전자를 들뜬상태(높은 에너지 준위)로 전이하기 위해서는 에너지 흡수가 필요하다.

■ 오류 피하기

⋯▸ 양자수가 m인 에너지 준위에서 n인 에너지 준위로 전자가 전이할 때 흡수 혹은 방출하는 빛의 에너지는 $E_{광자} = |E_m - E_n| = hf$이다.
(여기서, $m < n$이면 흡수, $m > n$이면 방출이고, h는 플랑크 상수이다.)

기출 문제

정답과 해설 24쪽

113 그림은 보어의 수소 원자 모형에서 양자수 n에 따른 에너지 준위와 에너지가 E_1인 준위에 있던 전자가 에너지가 E_2인 준위로 진동수가 f인 단색광에 의해 전이하는 것을 나타낸 것이다. 이에 대한 설명으로 옳은 것만을 〈보기〉에서 있는 대로 고른 것은? (단, h는 플랑크 상수이다.)

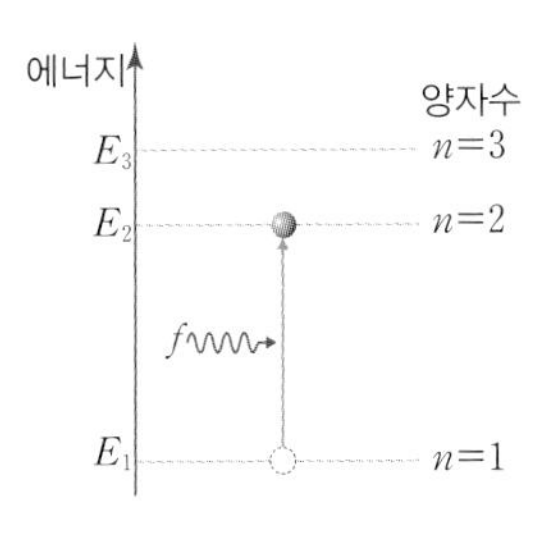

보기

ㄱ. E_2인 준위에 있는 전자는 E_1인 준위에 있는 전자보다 에너지가 hf만큼 크다.

ㄴ. E_2인 준위에 있는 전자에 진동수가 f인 단색광을 비춰 주면 E_3인 준위로 전이할 수 있다.

ㄷ. E_2인 준위에 있는 전자는 진동수가 f보다 작은 단색광을 방출한다.

① ㄱ ② ㄷ ③ ㄱ, ㄴ ④ ㄴ, ㄷ ⑤ ㄱ, ㄴ, ㄷ

114 그림은 수소 원자에서 양자수(n)에 따른 전자의 에너지 준위를 나타낸 것이다. 전자가 $n=2$에서 $n=1$인 상태로, $n=3$에서 $n=2$인 상태로 전이할 때 방출되는 빛의 파장은 각각 λ_1, λ_2이다. 이에 대한 설명으로 옳은 것만을 〈보기〉에서 있는 대로 고른 것은? [3점]

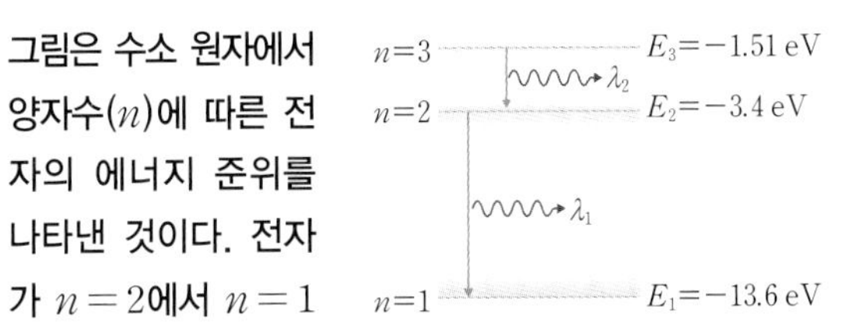

보기

ㄱ. 전자의 에너지 준위는 불연속적이다.

ㄴ. 전자의 에너지는 $n=3$인 상태가 $n=1$인 상태보다 크다.

ㄷ. $\lambda_1 < \lambda_2$이다.

① ㄱ ② ㄴ ③ ㄷ ④ ㄱ, ㄴ ⑤ ㄱ, ㄴ, ㄷ

115 그림은 보어의 수소 원자 모형에서 에너지 준위($n=1, 2, 3, \cdots$) 사이에서 일어나는 전자의 전이 A, B, C를 나타낸 것이다. 표는 A, B, C에서 방출되는 빛의 진동수와 광자 한 개가 갖는 에너지를 나타낸 것이다.

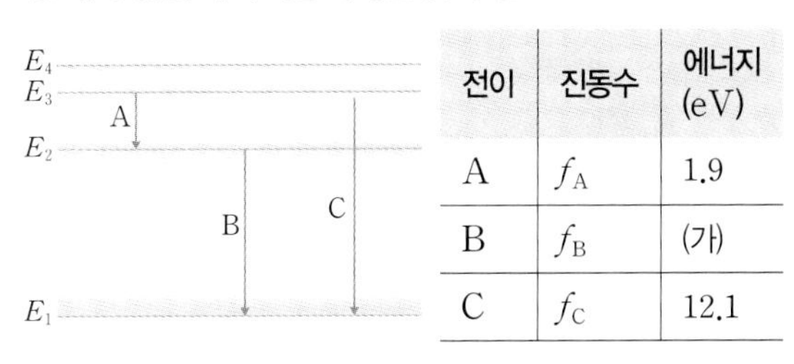

전이	진동수	에너지 (eV)
A	f_A	1.9
B	f_B	(가)
C	f_C	12.1

이에 대한 설명으로 옳은 것만을 〈보기〉에서 있는 대로 고른 것은? [3점]

보기

ㄱ. 수소 원자에서 방출되는 빛의 스펙트럼은 불연속적이다.

ㄴ. $f_A - f_B + f_C$이다.

ㄷ. (가)는 10.2이다.

① ㄱ ② ㄴ ③ ㄱ, ㄷ ④ ㄴ, ㄷ ⑤ ㄱ, ㄴ, ㄷ

116 그림은 보어의 수소 원자 모형에서 양자수 n에 따른 전자의 궤도와 $n=3$인 궤도와 $n=1$인 궤도 사이에서, $n=2$인 궤도와 $n=1$인 궤도 사이에서 일어나는 전자의 전이 A, B를 나타낸 것이다. 표는 A, B에서 방출되는 광자 1개의 에너지를 나타낸 것이다.

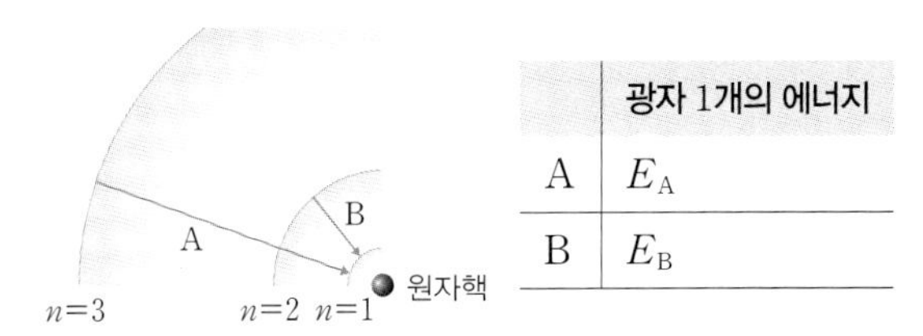

	광자 1개의 에너지
A	E_A
B	E_B

이에 대한 설명으로 옳은 것만을 〈보기〉에서 있는 대로 고른 것은? [3점]

보기

ㄱ. 수소 원자에서 방출되는 빛의 스펙트럼은 불연속적이다.

ㄴ. 방출되는 빛의 진동수는 A에서가 B에서보다 크다.

ㄷ. $n=3$인 궤도에서 $n=2$인 궤도로 전자가 전이할 때 방출되는 광자 1개의 에너지는 $E_A - E_B$이다.

① ㄴ ② ㄷ ③ ㄱ, ㄴ ④ ㄱ, ㄷ ⑤ ㄱ, ㄴ, ㄷ

기출 분석 26 유형

❓ 출제 의도

전자가 전이하며 방출 혹은 흡수하는 빛의 에너지에 따른 파장, 진동수 사이의 관계를 묻는 문제이다.

이렇게 대비하자!

흡수와 방출 스펙트럼의 차이점과 공통점을 이해하고 있어야 한다.

■ **연관 기출 문제 키워드**

#선 스펙트럼 #파장

그림 (가)는 보어의 수소 원자 모형에서 양자수 n에 따른 에너지 준위와 전자의 전이 ㉠, ㉡, ㉢을 나타낸 것이고, (나)는 (가)에서 전자의 전이가 일어날 때 방출되는 빛의 선 스펙트럼을 파장에 따라 나타낸 것이다. a~c는 각각 ㉠, ㉡, ㉢ 중 하나에 의해 나타난 스펙트럼선이다.

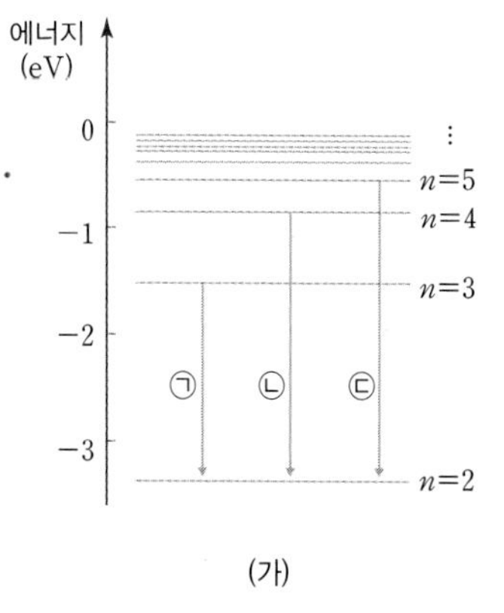

(가)

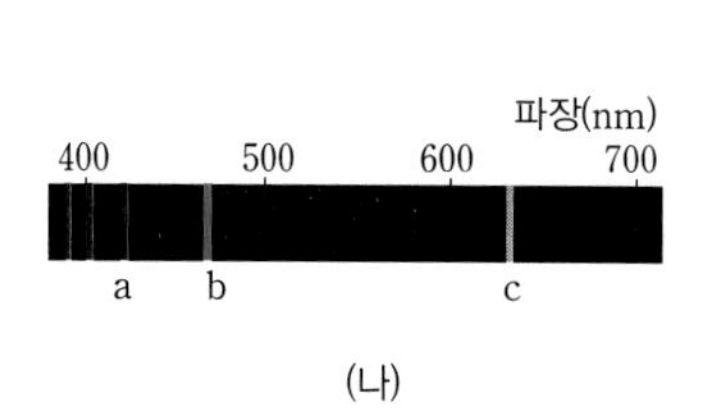

(나)

이에 대한 설명으로 옳은 것만을 〈보기〉에서 있는 대로 고른 것은? [3점]

보기

ㄱ. 광자 한 개의 에너지는 a가 b보다 크다.

ㄴ. a는 ㉠에 의해 나타나는 스펙트럼선이다.

ㄷ. b와 c의 진동수 차는 전자가 $n=5$에서 $n=4$인 상태로 전이할 때 방출되는 빛의 진동수와 같다.

① ㄱ　② ㄴ　③ ㄱ, ㄷ　④ ㄴ, ㄷ　⑤ ㄱ, ㄴ, ㄷ

문제 분석

$n=5$
$n=4$
$n=3$
$n=2$
㉠ ㉡ ㉢

λ_a: $n=5$에서 $n=2$로 전이할 때 방출하는 빛의 파장.

λ_b: $n=4$에서 $n=2$로 전이할 때 방출하는 빛의 파장.

λ_c: $n=3$에서 $n=2$로 전이할 때 방출하는 빛의 파장.

파장(nm) 700 600 500 400
c b a

전자가 전이를 통해 방출하는 빛의 에너지는 두 에너지 준위 차이만큼의 에너지를 갖는다. 따라서 에너지 준위 차이가 클수록 방출되는 빛의 에너지와 진동수는 커지고, 파장은 작아진다.

■ **문항별 해설**

ㄱ. 광자 한 개의 에너지는 파장과 반비례한다. a가 b보다 작은 파장 값을 가지므로 a의 에너지가 b의 에너지보다 크다. (○)

ㄴ. 전자가 $n=2$보다 높은 궤도에서 $n=2$인 궤도로 전이하는 과정에서 방출되는 빛의 에너지는 궤도 사이의 에너지 차이가 클수록 큰 에너지를 갖는다.
(가)에서 전자가 전이하며 방출하는 빛의 에너지 크기의 순서는 ㉠<㉡<㉢이고, (나)에서 선 스펙트럼에 해당되는 파장을 가진 에너지 크기의 순서는 a>b>c이므로 a는 ㉢에 의해 나타나는 스펙트럼선이다. (×)

ㄷ. b의 진동수는 $n=4$에서 $n=2$로 전이하는 빛의 진동수이고, c의 진동수는 $n=3$에서 $n=2$로 전이하는 빛의 진동수이므로 b와 c의 진동수 차는 전자가 $n=4$에서 $n=3$인 상태로 전이할 때 방출되는 빛의 진동수와 같다. (×)

답 ①

배경 지식

전자가 양자수가 m인 궤도에서 n인 궤도로 전이할 때 갖는 에너지는

$E=|E_m-E_n|=hf=\dfrac{hc}{\lambda}$이다.

($m<n$이면 흡수, $m>n$이면 방출이다.)

기출 문제

정답과 해설 24쪽

117 그림은 가열된 기체 A, B가 방출하는 빛을 분광기로 관찰한 결과를 나타낸 것이다. P, Q는 각각 A, B의 스펙트럼선이다.

이에 대한 옳은 설명만을 <보기>에서 있는 대로 고른 것은?

보기

ㄱ. A 원자의 에너지 준위는 불연속적이다.

ㄴ. 전자가 전이한 에너지 준위 차는 P가 방출될 때가 Q가 방출될 때보다 크다.

ㄷ. A와 B는 서로 다른 종류의 기체이다.

① ㄴ ② ㄷ ③ ㄱ, ㄴ

④ ㄱ, ㄷ ⑤ ㄱ, ㄴ, ㄷ

118 그림은 가열된 수소 원자에서 전자가 $n=2$인 궤도로 전이할 때 방출되는 가시광선의 선 스펙트럼을 나타낸 것으로, 이 중에서 a는 파장이 가장 짧은 빛이고 b는 파장이 가장 긴 빛이다.

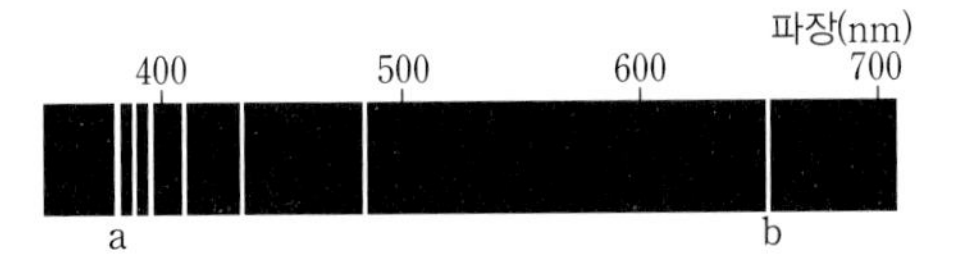

이에 대한 설명으로 옳은 것만을 <보기>에서 있는 대로 고른 것은? (단, n은 양자수이다.)

보기

ㄱ. 방출되는 광자 1개의 에너지는 b가 a보다 크다.

ㄴ. a는 전자가 $n=3$에서 $n=2$로 전이할 때 방출된다.

ㄷ. 수소 원자의 에너지 준위는 불연속적이다.

① ㄴ ② ㄷ ③ ㄱ, ㄴ

④ ㄱ, ㄷ ⑤ ㄱ, ㄴ, ㄷ

119 표는 보어의 수소 원자 모형에서 양자수 n에 따른 에너지 E_n을 나타낸 것이고, 그림은 수소 원자에서 전자가 $n=2$인 궤도로 전이할 때 방출되는 빛의 선 스펙트럼을 진동수에 따라 나타낸 것이다. f_A, f_B는 전자가 각각 $n=3$에서 $n=2$인 궤도로, $n=4$에서 $n=2$인 궤도로 전이할 때 방출되는 빛의 진동수 중 하나이다.

n	E_n
2	E_2
3	E_3
4	E_4

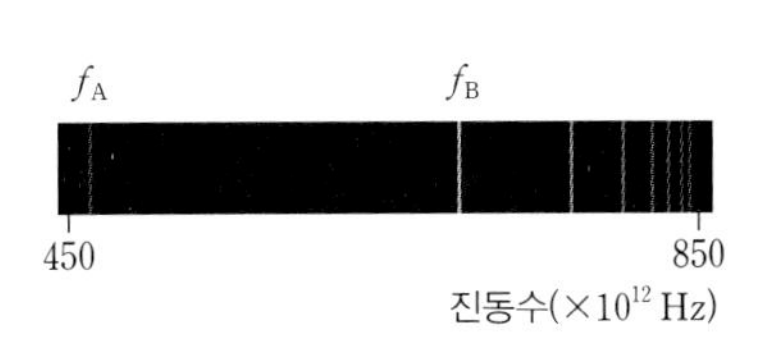

이에 대한 설명으로 옳은 것만을 <보기>에서 있는 대로 고른 것은? (단, h는 플랑크 상수이다.)

보기

ㄱ. 수소 원자의 에너지 준위는 불연속적이다.

ㄴ. f_A는 $n=4$에서 $n=2$인 궤도로 전이할 때 방출되는 빛의 진동수이다.

ㄷ. $f_B-f_A=\dfrac{E_4-E_3}{h}$이다.

① ㄱ ② ㄴ ③ ㄱ, ㄷ

④ ㄴ, ㄷ ⑤ ㄱ, ㄴ, ㄷ

120 그림 (가)는 백열등에서 나오는 빛의 연속 스펙트럼을, (나)는 백열등에서 나오는 빛이 온도가 낮은 수소 기체를 통과한 후의 스펙트럼을, (다)는 태양의 스펙트럼을 나타낸 것이다.

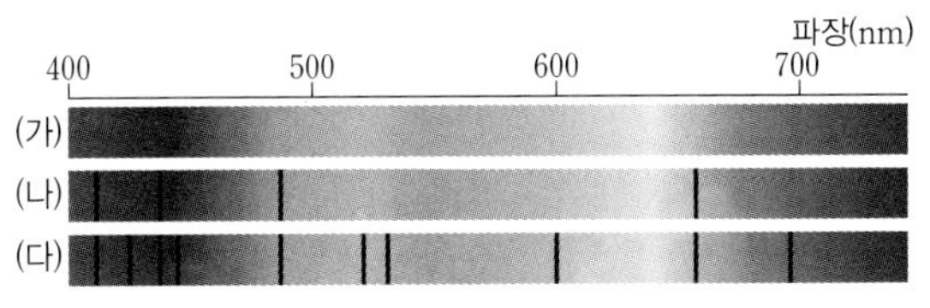

이에 대한 설명으로 옳은 것만을 <보기>에서 있는 대로 고른 것은? (단, 검은 선은 스펙트럼에서 어둡게 나타난 부분이다.) [3점]

보기

ㄱ. (나)는 흡수 스펙트럼이다.

ㄴ. (나)에서 수소 원자의 전자가 가질 수 있는 에너지가 양자화되어 있음을 알 수 있다.

ㄷ. 태양의 성분에는 수소가 있음을 알 수 있다.

① ㄱ ② ㄴ ③ ㄱ, ㄷ

④ ㄴ, ㄷ ⑤ ㄱ, ㄴ, ㄷ

121 그림 (가)는 보어의 수소 원자 모형에서 양자수 n에 따른 에너지 준위를 나타낸 것이고, 그림 (나)는 수소와 헬륨 원자에서 방출되는 가시광선 영역의 선 스펙트럼 일부를 파장에 따라 나타낸 것이다. 빛의 파장은 a가 b보다 짧다.

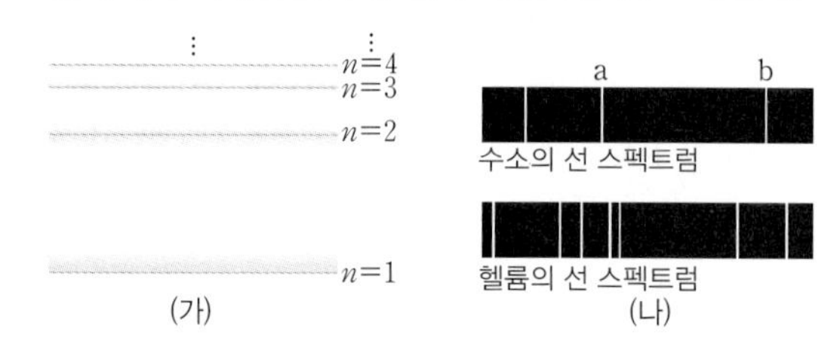

이에 대한 설명으로 옳은 것만을 〈보기〉에서 있는 대로 고른 것은? [3점]

보기

ㄱ. 광자 1개의 에너지는 a가 b보다 크다.

ㄴ. a, b는 전자가 들뜬상태에서 $n=1$인 상태로 전이할 때 방출된다.

ㄷ. 수소와 헬륨 원자의 선 스펙트럼이 다른 이유는 에너지 준위 사이의 간격이 서로 다르기 때문이다.

① ㄱ ② ㄴ ③ ㄱ, ㄷ ④ ㄴ, ㄷ ⑤ ㄱ, ㄴ, ㄷ

122 그림 (가)는 분광기로 수소 기체 방전관에서 나오는 빛, 저온 기체관을 통과한 백열등 빛, 흰색이 표현된 칼라 LCD 화면에서 나오는 빛, 백열등에서 나오는 빛의 스펙트럼을 관찰하는 모습이고, (나)의 A, B, C, D는 (가)의 관찰 결과를 순서 없이 나타낸 것이다. 저온 기체관에는 한 종류의 기체만 들어 있고, 스펙트럼은 가시광선의 전체 영역을 나타낸 것이다.

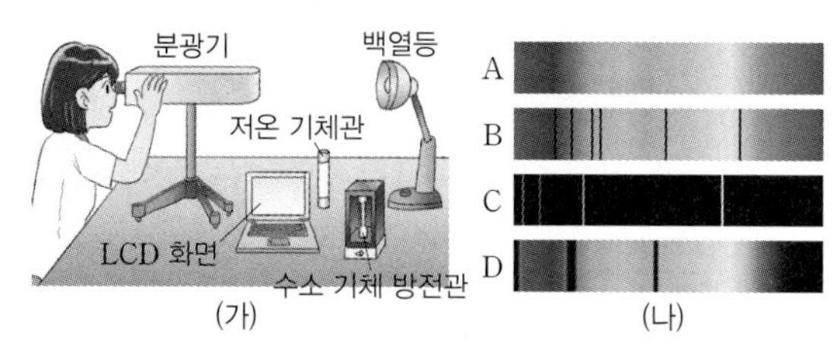

이에 대한 설명으로 가장 적절한 것은? [3점]

① LCD 화면에서 나오는 빛의 스펙트럼은 A이다.

② 수소 기체 방전관에서 나오는 빛의 스펙트럼은 C이다.

③ 백열등에서 나오는 빛의 스펙트럼은 D이다.

④ 저온 기체관에는 수소 기체가 들어 있다.

⑤ 수소 원자의 에너지 준위는 연속적이다.

123 그림 (가)는 보어의 수소 원자 모형에서 양자수 n에 따른 에너지 준위와 전자의 전이 a, b를 나타낸 것이고, (나)는 가열된 수소 원자에서 전자가 $n=2$인 궤도로 전이할 때 방출되는 빛의 선 스펙트럼을 파장에 따라 나타낸 것이다.

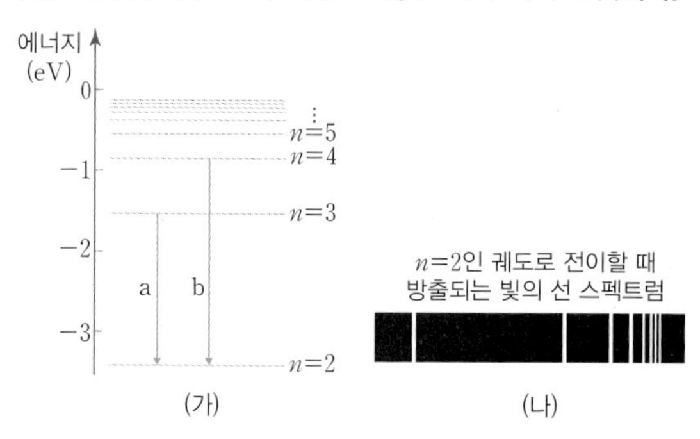

이에 대한 설명으로 옳은 것만을 〈보기〉에서 있는 대로 고른 것은? [3점]

보기

ㄱ. 전자가 $n=2$인 궤도에 머물러 있는 동안에는 빛이 방출되지 않는다.

ㄴ. 방출되는 광자의 에너지는 a에서가 b에서보다 크다.

ㄷ. (나)에서 오른쪽으로 갈수록 파장이 짧다.

① ㄱ ② ㄷ ③ ㄱ, ㄴ ④ ㄱ, ㄷ ⑤ ㄴ, ㄷ

124 그림 (가)는 가열된 수소 기체에서 방출된 선 스펙트럼의 일부로 오른쪽 두 단색광의 파장은 각각 λ_1, λ_2이다. 그림 (나)는 보어의 수소 원자 모형에서 양자수 n에 따른 에너지 준위의 일부를 나타낸 것으로 a, b, c는 (가)의 세 스펙트럼선을 만드는 전자의 전이 과정이다.

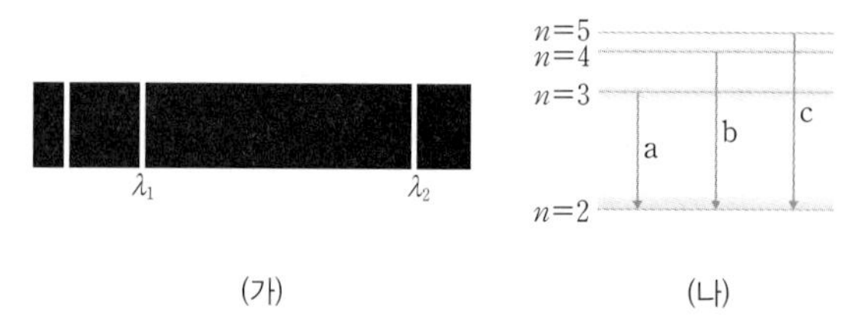

이에 대한 설명으로 옳은 것만을 〈보기〉에서 있는 대로 고른 것은? [3점]

보기

ㄱ. $\lambda_1 > \lambda_2$이다.

ㄴ. c에 의해 방출되는 빛의 파장은 λ_2이다.

ㄷ. $n=2$인 궤도에 있는 전자가 파장 λ_1의 빛을 흡수하면 $n=4$의 궤도로 전이한다.

① ㄱ ② ㄷ ③ ㄱ, ㄴ ④ ㄴ, ㄷ ⑤ ㄱ, ㄴ, ㄷ

125 그림 (가)는 보어의 수소 원자 모형에서 양자수 n에 따른 에너지 준위와 전자의 전이 과정의 일부를 나타낸 것이다. 그림 (나)는 (가)에서 나타나는 방출과 흡수 스펙트럼을 파장에 따라 나타낸 것이다. 스펙트럼선 b는 ㉠에 의해 나타난다.

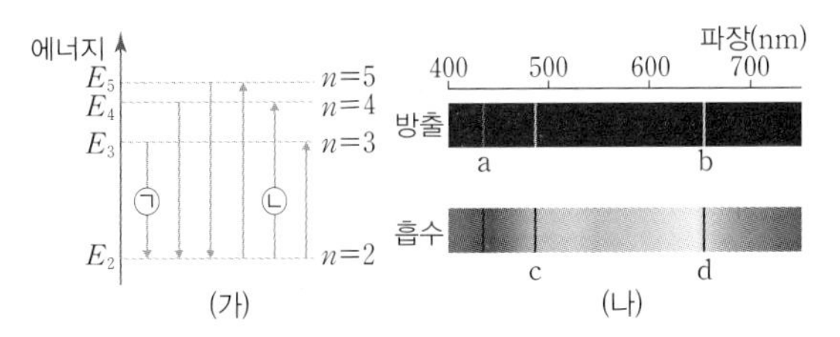

이에 대한 설명으로 옳은 것만을 〈보기〉에서 있는 대로 고른 것은? (단, h는 플랑크 상수이다.)

보기

ㄱ. 광자 한 개의 에너지는 a에서가 b에서보다 크다.
ㄴ. c는 ㉡에 의해 나타난 스펙트럼선이다.
ㄷ. d에서 광자의 진동수는 $\frac{E_5-E_2}{h}$이다.

① ㄱ ② ㄷ ③ ㄱ, ㄴ
④ ㄴ, ㄷ ⑤ ㄱ, ㄴ, ㄷ

126 그림 (가)는 보어의 수소 원자 모형에서 양자수 n에 따른 전자의 궤도와 전자의 전이 과정 A, B, C를 나타낸 것이다. A, C에서 방출되는 빛의 진동수는 각각 f_A, f_C이다. 그림 (나)는 (가)에서 방출된 빛의 선 스펙트럼을 파장에 따라 나타낸 것이다. p, q는 각각 A, C 중 하나에 의해 나타난 스펙트럼선이다.

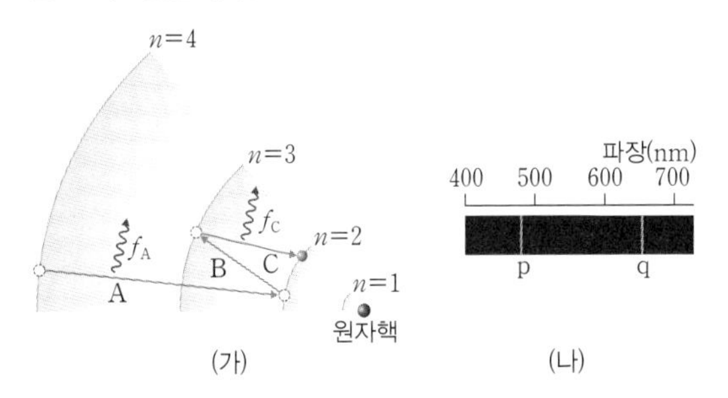

이에 대한 설명으로 옳은 것만을 〈보기〉에서 있는 대로 고른 것은? (단, h는 플랑크 상수이다.)

보기

ㄱ. $f_A > f_C$이다.
ㄴ. p는 A에 의해 나타난 스펙트럼선이다.
ㄷ. B에서 흡수되는 광자 한 개의 에너지는 hf_C와 같다.

① ㄱ ② ㄴ ③ ㄱ, ㄷ
④ ㄴ, ㄷ ⑤ ㄱ, ㄴ, ㄷ

127 그림 (가)는 수소 원자의 에너지 준위를, (나)는 수소 원자가 방출하는 발머 계열의 선 스펙트럼을 나타낸 것이다.

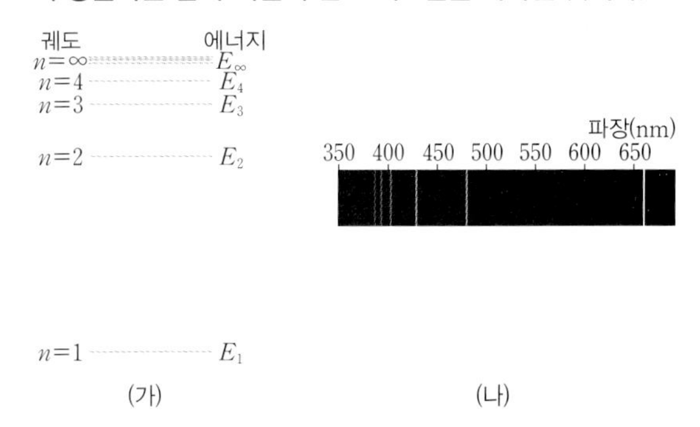

이에 대한 설명으로 옳은 것만을 〈보기〉에서 있는 대로 고른 것은? [3점]

보기

ㄱ. $E_2 > E_3$이다.
ㄴ. (가)에서 바닥상태는 전자가 $n=1$인 궤도에 있는 상태이다.
ㄷ. (나)는 들뜬상태의 전자가 $n=2$인 궤도로 전이할 때 방출하는 스펙트럼이다.

① ㄱ ② ㄴ ③ ㄱ, ㄴ
④ ㄴ, ㄷ ⑤ ㄱ, ㄴ, ㄷ

128 그림 (가)는 저온의 수소 기체를 통과한 백색광을 분광기로 관찰하는 모습을, (나)는 (가)에서 관찰한 스펙트럼을 나타낸 것이다. a, b는 스펙트럼에서 검은 선에 해당하는 파장이다.

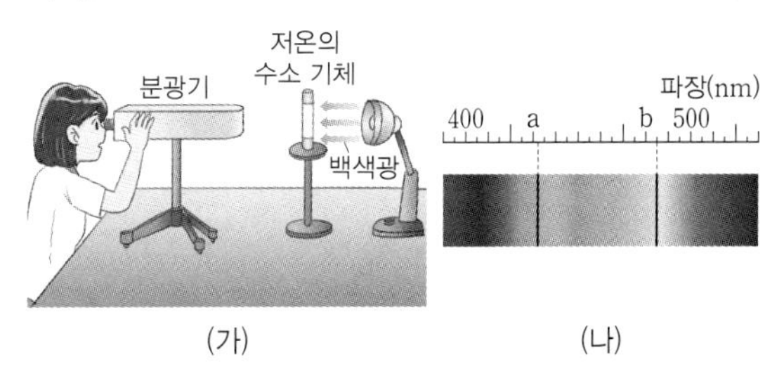

이에 대한 설명으로 옳은 것만을 〈보기〉에서 있는 대로 고른 것은?

보기

ㄱ. (나)는 흡수 스펙트럼이다.
ㄴ. 수소 원자 내 전자의 에너지 준위는 양자화되어 있다.
ㄷ. 광자 한 개의 에너지는 파장이 a인 빛이 파장이 b인 빛보다 작다.

① ㄱ ② ㄷ ③ ㄱ, ㄴ
④ ㄱ, ㄷ ⑤ ㄴ, ㄷ

기출 분석 27 유형

출제 의도

에너지띠 구조와 특성을 이해하고, 전기 전도성과의 관계를 알고 있는지를 묻는 문제이다.

이렇게 대비하자!

고체 원자에서 에너지띠의 구조를 이해하고, 띠 간격에 따라 전기 전도성이 어떻게 달라지는지 알고 있어야 한다.

■ 연관 기출 문제 키워드

#에너지띠 #에너지 준위 #전도띠 #띠 간격 #원자가 띠 #전기 전도성

그림 (가)는 고체 원자들에 의한 에너지띠를 모형으로 나타낸 것이고, (나)는 고체 A, B의 전도띠와 원자가 띠의 간격을 상대적으로 나타낸 것이다.

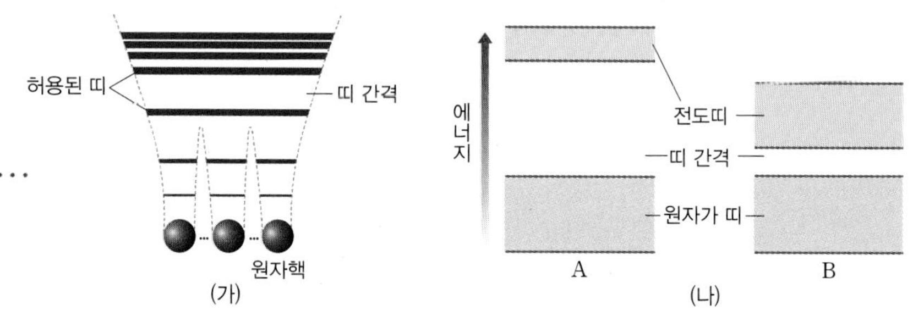

이에 대한 설명으로 옳은 것만을 〈보기〉에서 있는 대로 고른 것은? [3점]

보기

ㄱ. (가)에서 허용된 띠는 인접한 원자의 수가 많아짐에 따라 전자의 에너지 준위가 겹쳐져 형성된 것이다.

ㄴ. (나)에서 A, B의 전자는 띠 간격에 해당하는 에너지를 가질 수 없다.

ㄷ. (나)에서 전기 전도성은 A가 B보다 크다.

① ㄱ ② ㄴ ③ ㄱ, ㄴ ④ ㄱ, ㄷ ⑤ ㄴ, ㄷ

문제 분석

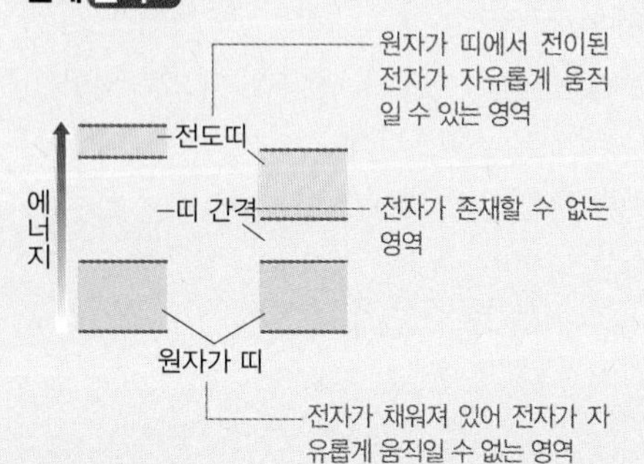

고체 에너지띠에서 띠 간격이 작을수록 띠 간격 이상의 작은 에너지로도 전자가 전도띠로 전이할 수 있다. 전도띠에 전자가 많이 존재할수록 작은 외부 전기장에도 전류가 잘 흐르므로 띠 간격이 좁을수록 전기 전도성이 크다.

■ 문항별 해설

ㄱ. 원자의 에너지띠는 인접한 원자의 수가 많아질수록 에너지 준위가 겹쳐 띠를 형성한다. (○)

ㄴ. 전자는 띠 간격에 해당하는 에너지를 가질 수 없다. (○)

ㄷ. 원자가 띠의 전자가 띠 간격 이상의 에너지를 받으면 전도띠로 전이해 전기 전도성이 커진다. 띠 간격이 클수록 전자가 전이하기 위해 필요한 에너지가 커지므로 전기 전도성이 작아진다. 따라서 전기 전도성은 A가 B보다 작다. (×)

답 ③

배경 지식

전기 전도성: 외부 전기장의 작용으로 고체에서 전자가 자유로이 이동할 수 있는 정도를 말한다.

종류	물질(300 K)	띠 간격(eV)
반도체	규소(0 K)	1.17
	규소	1.11
	저마늄(0 K)	0.744
	저마늄	0.66
절연체	다이아몬드	5.4

▲ 물질에 따른 띠 간격

■ 오류 피하기

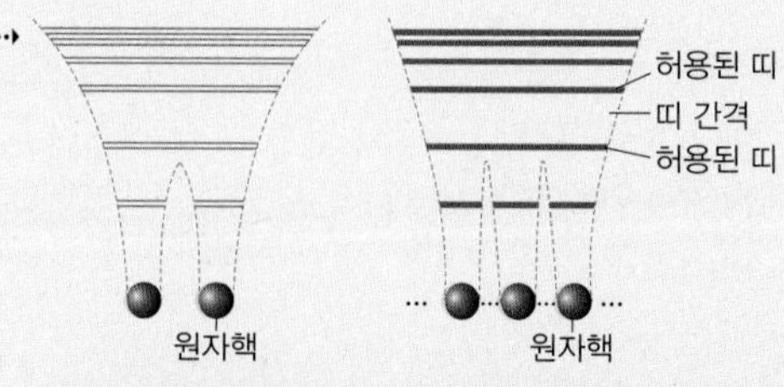

하나의 양자 상태에 2개의 전자가 있을 수 없으므로 여러 개의 원자가 인접하여 존재하는 경우, 전자가 가질 수 있는 에너지 준위가 약간의 차이를 두고 모여 띠의 형태를 갖는다.

기출 문제

정답과 해설 26쪽

129 그림은 어떤 고체의 에너지띠 구조를 나타낸 것이다. A는 원자가 띠와 (가) 사이의 에너지 간격이고, (나)는 원자가 띠보다 에너지가 낮은 에너지띠이다.

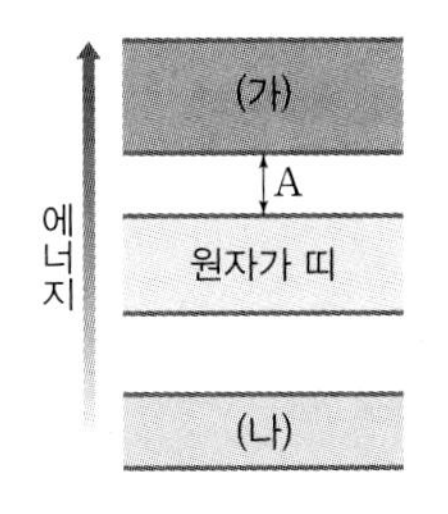

이에 대한 설명으로 옳은 것만을 〈보기〉에서 있는 대로 고른 것은?

보기
ㄱ. (가)에는 전자가 완전히 채워져 있다.
ㄴ. A가 작은 고체일수록 전기 전도성이 좋다.
ㄷ. (나)에 있는 전자의 에너지 준위는 모두 같다.

① ㄱ ② ㄴ ③ ㄷ
④ ㄱ, ㄴ ⑤ ㄴ, ㄷ

130 그림은 어떤 물질의 에너지띠를 나타낸 것이다.

에너지
전도띠
띠 간격
원자가 띠

이에 대한 설명으로 옳은 것만을 〈보기〉에서 있는 대로 고른 것은?

보기
ㄱ. 이 물질은 기체 상태이다.
ㄴ. 원자가 띠에는 한 개의 전자만 존재한다.
ㄷ. 띠 간격이 작을수록 물질의 전기 전도도가 크다.

① ㄱ ② ㄷ ③ ㄱ, ㄴ
④ ㄴ, ㄷ ⑤ ㄱ, ㄴ, ㄷ

131 그림은 고체 A의 에너지의 구조를 절대 온도에 따라 나타낸 것이다. 색칠된 부분은 0 K에서 전자가 차 있는 에너지띠를 나타낸 것이다.

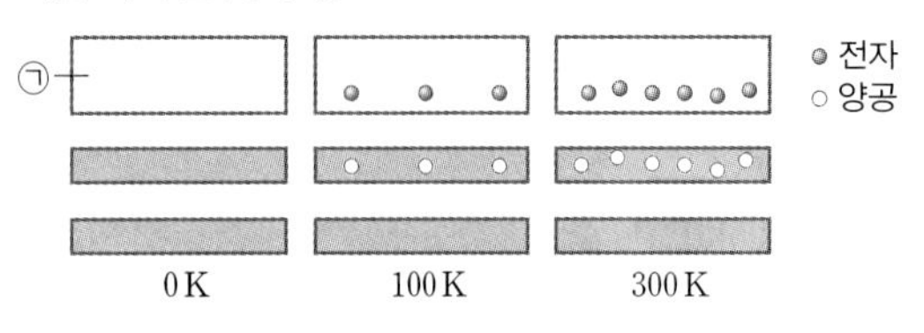

이에 대한 옳은 설명만을 〈보기〉에서 있는 대로 고른 것은?

보기
ㄱ. ㉠은 전도띠이다.
ㄴ. A는 도체이다.
ㄷ. 온도가 높을수록 A의 전기 전도성이 낮아진다.

① ㄱ ② ㄷ ③ ㄱ, ㄴ
④ ㄴ, ㄷ ⑤ ㄱ, ㄴ, ㄷ

132 그림은 고체의 에너지띠 구조를 나타낸 것이고, 표는 그림의 A, B에 대한 설명이다.

에너지
A
띠 간격
B

구분	설명
A	자유 전자가 존재할 수 있는 띠
B	원자가 전자가 있는 띠

이에 대한 설명으로 옳은 것만을 〈보기〉에서 있는 대로 고른 것은?

보기
ㄱ. B의 전자들의 에너지 준위는 모두 같다.
ㄴ. 띠 간격은 전자가 존재할 수 없는 영역이다.
ㄷ. B의 전자가 A로 전이하면 B에 양공이 생긴다.

① ㄱ ② ㄷ ③ ㄱ, ㄴ
④ ㄴ, ㄷ ⑤ ㄱ, ㄴ, ㄷ

기출 분석

28 유형

출제 의도

고체 에너지띠의 띠 간격을 보고 도체, 반도체, 절연체를 구분하고, 그 고체의 전기적 성질을 알고 있는지를 묻는 문제이다.

이렇게 대비하자!

물체의 성질을 보고 도체, 반도체, 절연체인지 구분하고, 그 고체의 에너지띠를 그려 보자.

■ 연관 기출 문제 키워드

#에너지띠 #전도띠 #원자가 띠 #띠 간격 #도체 #절연체 #반도체

문제 분석

고체에서 원자가 띠에 있는 전자가 전도띠로 이동하면 전도띠의 전자와 원자가 띠의 양공으로 인해 전류가 흐른다.

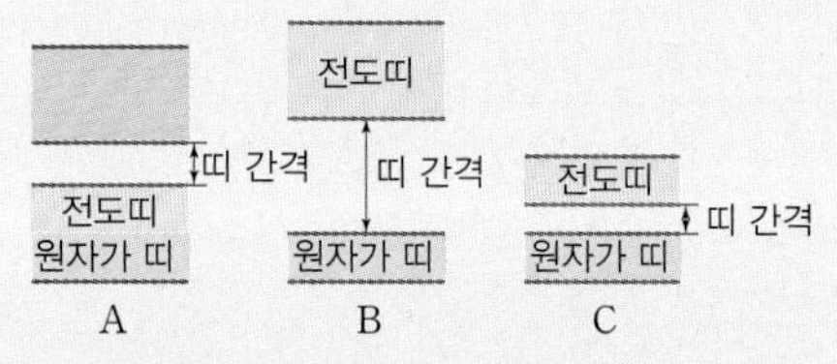

띠 간격의 크기는 '절연체 > 반도체 > 도체' 순이고, 전기 전도성의 크기는 '도체 > 반도체 > 절연체' 순이다.

다음은 도체, 반도체, 절연체의 에너지띠 구조와 활동 사례에 대한 보고서의 일부이다. A, B, C는 도체, 반도체, 절연체를 순서 없이 나타낸 것이다.

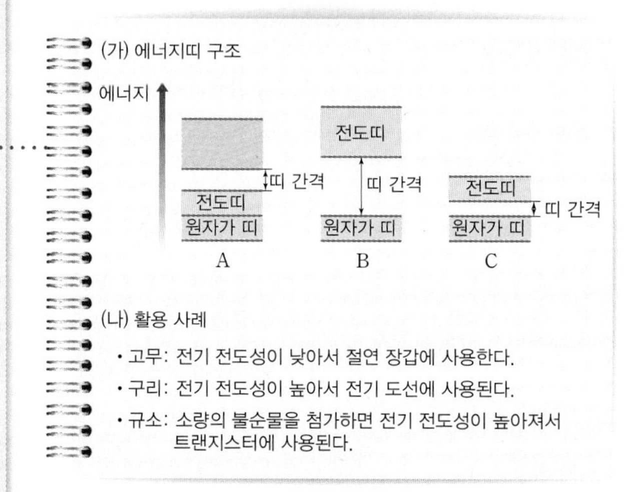

고무, 구리, 규소의 전기적 성질을 A, B, C와 옳게 연결한 것은 [3점]

	고무	구리	규소
①	A	B	C
②	A	C	B
③	B	A	C
④	B	C	A
⑤	C	A	B

■ 문항별 해설

• A는 도체, B는 절연체, C는 반도체의 에너지띠 구조이다.

• 전기 전도성이 낮아 절연 장갑으로 이용되는 고무는 절연체이고, 전기 도선으로 사용되는 구리는 도체이며, 반도체는 불순물을 첨가하면 전기 전도성이 높아진다. **답** ③

	A-도체	B-절연체	C-반도체
띠 간격	전도띠와 원자가 띠가 겹쳐 있거나 원자가 띠 일부가 전자로 채워 져있지 않아 전자가 자유롭게 이동할 수 있다.	고체 에너지띠 중 가장 큰 띠 간격을 가지고 있어 전자의 전이가 거의 불가능하다.	절연체보다 작은 띠 간격을 가지고 있어 적당한 외부 에너지를 흡수하는 경우 전도띠로 전자가 전이하여 자유롭게 이동할 수 있다.
전기 전도성	전기 전도성이 매우 높아 작은 외부 전압으로도 전류가 흐른다.	전기 전도성이 매우 낮아 전류가 거의 흐르지 않는다.	도체와 절연체의 중간 정도의 전기 전도성을 갖는다.
예	은, 구리 등의 금속	다이아몬드, 유리, 나무 등	규소(Si), 저마늄(Ge) 등

배경 지식

불순물 반도체: 순수한 반도체의 경우 절연체와 비슷한 전기 전도성을 가져 전류가 잘 흐르지 않는다. 도핑을 통해 불순물(13족 원소, 15족 원소)을 주입한 불순물 반도체의 경우 전기 전도성이 높아진다.

기출 문제

133 다음은 도체, 반도체, 절연체의 특징을 순서 없이 나타낸 것이다.

> (가) 원자가 띠와 전도띠 사이의 간격이 존재하지 않는다.
> (나) 원자가 띠와 전도띠 사이의 간격이 매우 넓다.
> (다) (나)에 비해 원자가 띠와 전도띠 사이의 간격이 좁아 약간의 에너지만 얻으면 전자가 전도띠로 올라가 전류가 흐를 수 있다.

(가), (나), (다)에 해당하는 것으로 옳은 것은?

	(가)	(나)	(다)
①	도체	반도체	절연체
②	도체	절연체	반도체
③	반도체	도체	절연체
④	반도체	절연체	도체
⑤	절연체	도체	반도체

134 그림 (가)와 같이 (−)전하로 대전된 에보나이트 막대를 물체 A와 B에 가까이 가져갔더니 A는 에보나이트 막대에 끌려와 달라붙었고, B는 끌려와 달라붙은 직후 떨어졌다. 그림 (나)의 a, b, c는 도체, 반도체, 절연체의 에너지띠 구조를 순서 없이 나타낸 것이다.

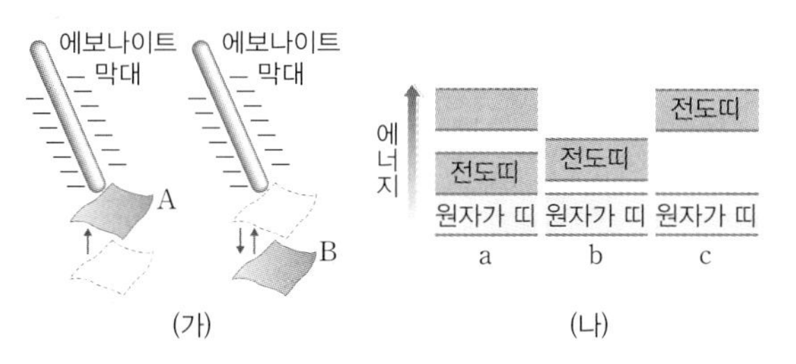

(가) (나)

A의 고체 종류와 B의 에너지띠 구조로 옳은 것은?

	A의 고체 종류	B의 에너지띠 구조
①	도체	a
②	도체	b
③	도체	c
④	절연체	a
⑤	절연체	b

135 그림 (가)는 고체 A, B, C의 에너지띠 구조를, (나)는 교통 카드의 구조를 나타낸 것이다. (가)의 A, B, C는 각각 도체, 반도체, 절연체 중 하나이고, (나)의 금속 도선과 반도체 칩은 각각 A, B, C 중 하나를 이용하여 만든다.

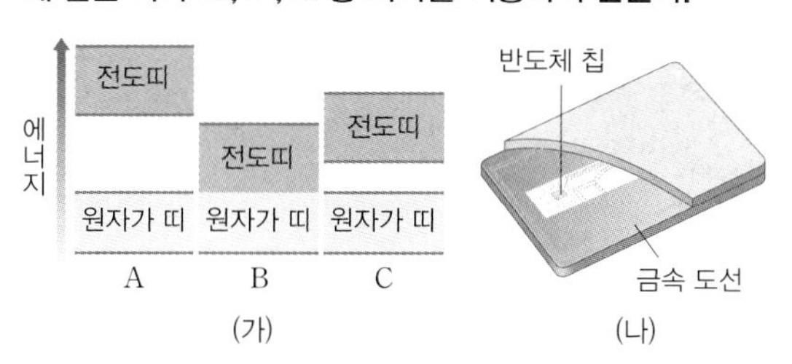

(가) (나)

이에 대한 옳은 설명만을 〈보기〉에서 있는 대로 고른 것은?

> 보기
> ㄱ. A는 절연체이다.
> ㄴ. 금속 도선은 B를 이용하여 만든다.
> ㄷ. 반도체 칩은 불순물을 첨가한 C를 이용하여 만든다.

① ㄱ ② ㄷ ③ ㄱ, ㄴ
④ ㄴ, ㄷ ⑤ ㄱ, ㄴ, ㄷ

136 그림은 고체 A, B, C의 에너지띠 구조를 나타낸 것이다. A, B, C는 도체, 반도체, 절연체를 순서 없이 나타낸 것이다. 색칠한 부분은 에너지띠에 전자가 차 있는 것을 나타낸다.

이에 대한 설명으로 옳은 것만을 〈보기〉에서 있는 대로 고른 것은?

> 보기
> ㄱ. A는 절연체이다.
> ㄴ. 상온에서 전기 전도성은 B가 C보다 좋다.
> ㄷ. 온도가 높을수록 B에서 양공의 수는 줄어든다.

① ㄱ ② ㄴ ③ ㄷ
④ ㄱ, ㄴ ⑤ ㄱ, ㄷ

기출 분석 29 유형

? 출제 의도

불순물 반도체를 전하 운반체에 따라 n형 반도체와 p형 반도체를 구분하고, 그 원리를 알고 있는지 묻는 문제이다.

이렇게 대비하자!

다이오드에 걸어주는 전압의 방향에 따라 반도체 내 전하 운반체의 움직임이 어떻게 달라지는지 알아 두자.

■ 연관 기출 문제 키워드

#p형 반도체 #n형 반도체 #p－n 접합 다이오드 #p－n 접합면

그림 (가)는 반도체 X가 만들어지는 과정을, (나)는 p－n 접합 다이오드 A와 전지를 연결한 회로를 나타낸 것이다. A를 구성하는 X는 p형 반도체와 n형 반도체 중 하나이다.

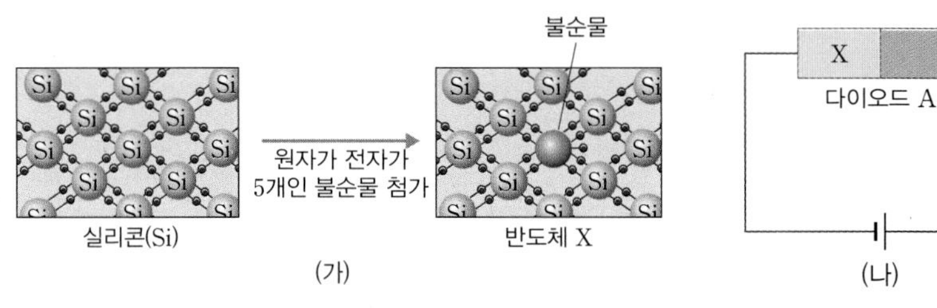

이에 대한 설명으로 옳은 것만을 〈보기〉에서 있는 대로 고른 것은?

보기

ㄱ. X는 n형 반도체이다.
ㄴ. (나)에서 A에 걸리는 전압은 순방향이다.
ㄷ. (나)의 A 내부에서 p형 반도체에 있는 양공은 p－n 접합면 쪽으로 이동한다.

① ㄱ ② ㄷ ③ ㄱ, ㄴ ④ ㄴ, ㄷ ⑤ ㄱ, ㄴ, ㄷ

문제 분석

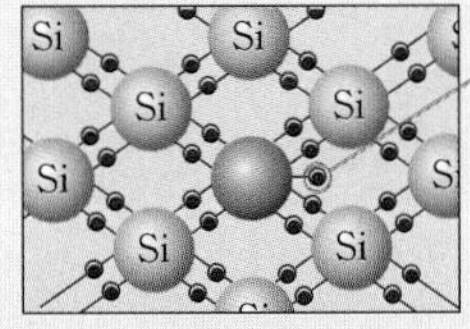

순수 반도체＋원자가 전자 5개
➡ 순수 반도체와 공유 결합 후 여분의 전자가 존재하면 n형 반도체라 한다.

배경 지식

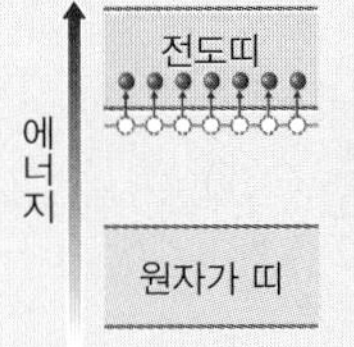

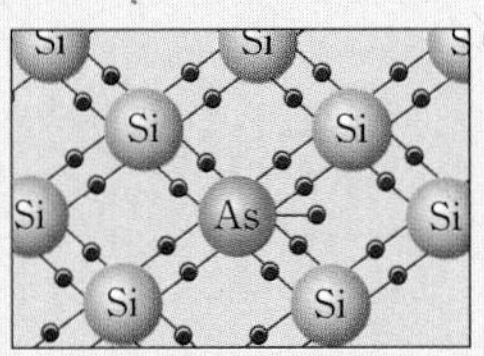

▲ n형 반도체

원자가 전자가 5개(15족)인 P(인), As(비소), Sb(안티모니)를 불순물로 주입하는 경우 이웃 원자(Si(규소))와 공유 결합하지 못한 여분의 전자가 발생하며 전도띠 근처에 에너지띠가 생기며 전도띠로 전자 전이가 쉬워진다.

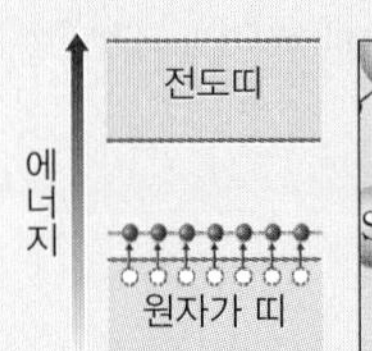

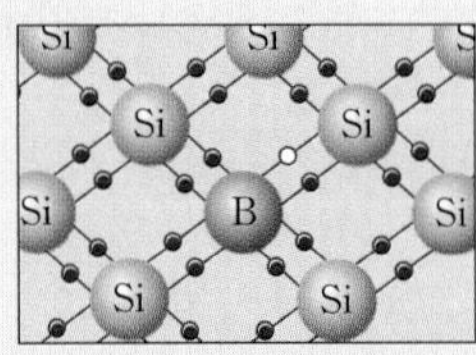

▲ p형 반도체

원자가 전자가 3개(13족)인 B(붕소), Al(알루미늄), Ga(갈륨)을 불순물로 주입하는 경우 이웃 원자(Si(규소))와 공유 결합하지 못한 한 쌍에 여분의 양공이 발생하고 원자가 띠 근처에 에너지띠가 생기며 원자가 띠의 전자 전이가 쉬워진다.

■ 문항별 해설

ㄱ. 순수 반도체인 실리콘에 원자가 전자가 5개인 불순물을 첨가하면 이웃 원자의 전자와 공유 결합하지 못한 전자가 생긴다. 이렇게 불순물 첨가로 여분의 전자가 발생하는 경우를 n형 반도체라고 한다. (○)

ㄴ. 다이오드에서 p형 반도체와 (＋)극이 연결되고, n형 반도체와 (－)극이 연결되는 경우 순방향 전류가 흐른다. n형 반도체인 X와 (－)극이 연결되었으므로 A에 걸리는 전압은 순방향이다. (○)

ㄷ. 다이오드에 순방향 전압이 걸리는 경우, p형 반도체의 양공과 n형 반도체의 전자는 p－n 접합면으로 이동한다. (○)

답 ⑤

■ 오류 피하기

⋯› X가 n형 반도체라면 순방향 바이어스가 걸리므로 회로에는 전류가 흐른다.
⋯› X가 p형 반도체라면 역방향 바이어스가 걸리므로 회로에는 전류가 흐르지 않는다.

기출 문제

정답과 해설 27쪽

137 그림은 각각 순수한 실리콘(Si) 반도체 X와 실리콘에 붕소(B)를 도핑한 반도체 Y의 원자 주변의 전자 배열을 나타낸 것이다.

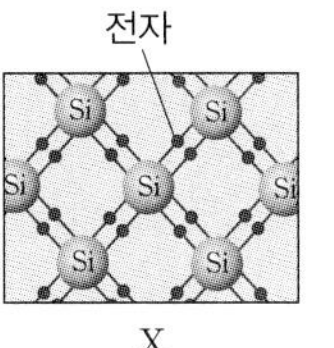

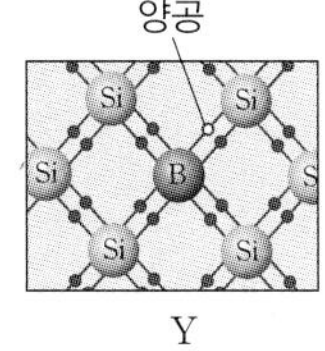

이에 대한 설명으로 옳은 것만을 〈보기〉에서 있는 대로 고른 것은? [3점]

보기
ㄱ. 붕소의 원자가 전자는 5개이다.
ㄴ. Y는 n형 반도체이다.
ㄷ. Y는 X보다 전기 전도성이 좋다.

① ㄱ ② ㄴ ③ ㄷ
④ ㄱ, ㄷ ⑤ ㄴ, ㄷ

138 그림은 불순물을 첨가한 반도체 X, Y를 접합하여 만든 p-n 접합 다이오드 A가 전지에 연결된 회로를 나타낸 것이다. 표는 X, Y에 첨가한 불순물의 원자가 전자 수를 나타낸 것이다.

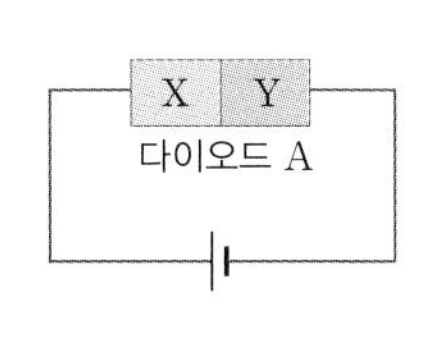

	첨가한 불순물의 원자가 전자 수
X	3
Y	5

이에 대한 설명으로 옳은 것만을 〈보기〉에서 있는 대로 고른 것은?

보기
ㄱ. X는 n형 반도체이다.
ㄴ. Y에서는 주로 양공이 전류를 흐르게 한다.
ㄷ. A에는 순방향 전압이 걸린다.

① ㄱ ② ㄴ ③ ㄷ
④ ㄱ, ㄴ ⑤ ㄴ, ㄷ

139 그림 (가)는 실리콘(Si) 결정의 에너지띠 구조를, (나)는 실리콘에 갈륨(Ga)을 첨가한 반도체와 불순물 a를 첨가한 반도체를 접합한 p-n 접합 다이오드의 원자가 전자의 배열을 나타낸 것이다. (가)의 원자가 띠에는 전자가 가득 차 있다.

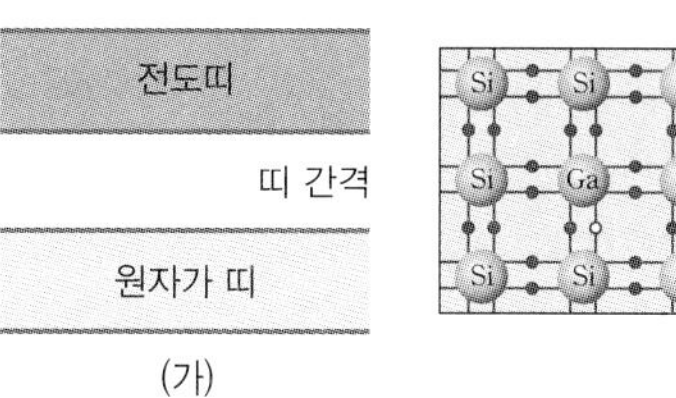

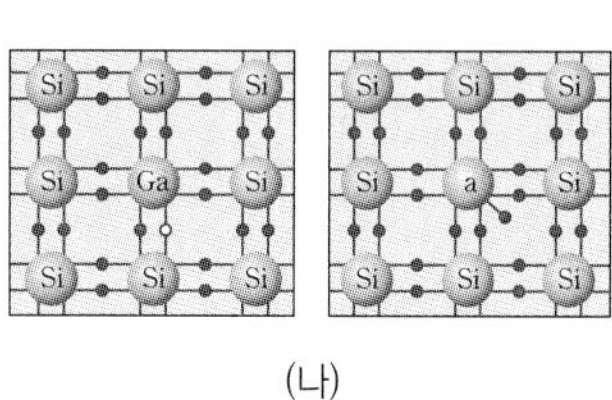

(가) (나)

이에 대한 설명으로 옳은 것만을 〈보기〉에서 있는 대로 고른 것은? [3점]

보기
ㄱ. (가)에서 원자가 띠에 있는 전자의 에너지는 모두 같다.
ㄴ. (나)에서 a의 원자가 전자는 5개이다.
ㄷ. (나)에서 p-n 접합 다이오드에 순방향의 전압을 걸면 p형 반도체에 있는 양공은 p-n 접합면 쪽으로 이동한다.

① ㄱ ② ㄴ ③ ㄱ, ㄷ
④ ㄴ, ㄷ ⑤ ㄱ, ㄴ, ㄷ

140 그림 (가)는 실리콘(Si)에 불순물 a를 첨가한 반도체 A와 불순물 b를 첨가한 반도체 B를 접합하여 만든 p-n접합 다이오드가 연결된 회로를, (나)는 (가)에서 B를 구성하는 원소와 원자가 전자의 배열을 나타낸 것이다.

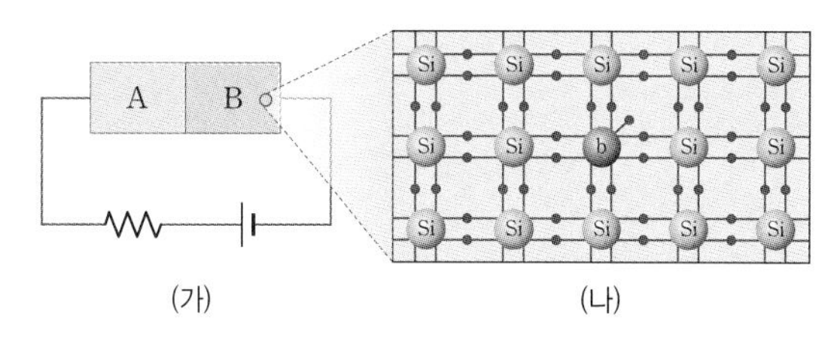

(가) (나)

이에 대한 설명으로 옳은 것만을 〈보기〉에서 있는 대로 고른 것은? [3점]

보기
ㄱ. a의 원자가 전자는 4개보다 적다.
ㄴ. (가)에서 전압은 순방향이다.
ㄷ. A의 내부에서 양공은 접합면에서 멀어진다.

① ㄱ ② ㄷ ③ ㄱ, ㄴ
④ ㄴ, ㄷ ⑤ ㄱ, ㄴ, ㄷ

기출 분석

30 유형

출제 의도

p-n 접합 다이오드에 연결하는 바이어스 방향에 따라 전류 흐름의 특성을 아는지를 묻는 문제이다.

이렇게 대비하자!

빛에너지를 전기 에너지로, 또는 전기 에너지를 빛에너지로 전환하는 기능에 따라 태양 전지와 발광 다이오드를 구분할 수 있어야 한다.

■ 연관 기출 문제 키워드

#p-n 접합 다이오드 #순방향 #역방향

그림과 같이 p-n 접합 다이오드, 직류 전원, 교류 전원, 스위치, 저항을 이용하여 회로를 구성하였다. 스위치를 a에 연결할 때 다이오드에는 순방향 전압이 걸린다. 이에 대한 설명으로 옳은 것만을 〈보기〉에서 있는 대로 고른 것은?

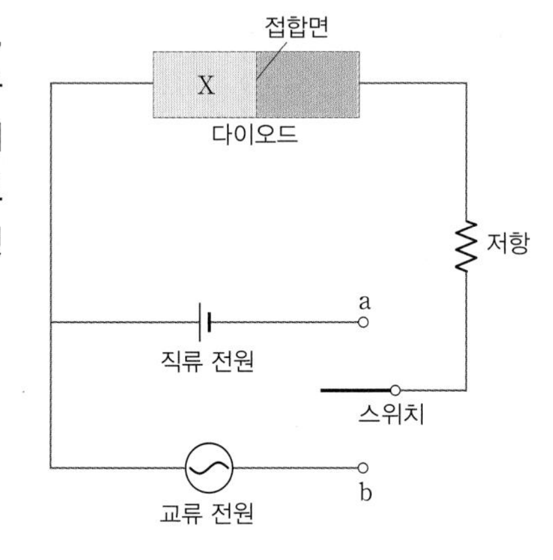

보기

ㄱ. X는 p형 반도체이다.

ㄴ. 스위치를 a에 연결할 때, X의 내부에서 전자는 접합면 쪽으로 이동한다.

ㄷ. 스위치를 b에 연결할 때, 저항에 흐르는 전류의 세기는 일정하다.

① ㄱ ② ㄷ ③ ㄱ, ㄴ ④ ㄴ, ㄷ ⑤ ㄱ, ㄴ, ㄷ

문제 분석

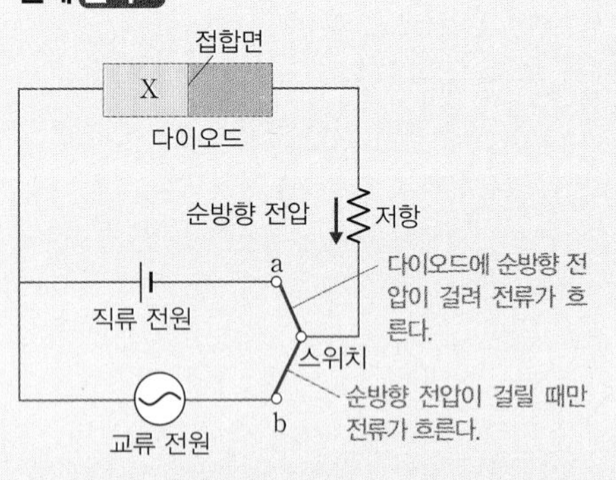

스위치를 a에 연결하면 순방향 전압이 걸리므로 다이오드에는 전류가 흐른다.

➡ p형 반도체에는 (+)극, n형 반도체에는 (−)극을 연결하면 순방향 전류가 흐른다.

■ 문항별 해설

ㄱ. p-n 접합 다이오드를 전원에 연결할 때, p형 반도체에는 (+)극에, n형 반도체에는 (−)극에 연결하면 순방향 전압이 걸린다. 스위치를 a에 연결할 때 다이오드에는 순방향 전압이 걸리므로 X는 p형 반도체이다. (○)

ㄴ. 순방향 전압이 걸렸을 때 p형 반도체에서 양공은 접합면 쪽으로 이동하고 전자는 접합면에서 멀어진다. (×)

ㄷ. 스위치를 b에 연결하면 교류 전원에 연결되는데, 교류 전원은 시간에 따라 방향과 크기가 다른 전류를 만들어낸다. 따라서 교류 전압 중 순방향 전압이 걸릴 때만 전류의 세기가 달라지는 전류가 흐르고 역방향 전압이 걸릴 때는 전류가 흐르지 않는다. (×)

답 ①

배경 지식

• **다이오드의 기호**

• **다이오드의 정류 작용**: 다이오드는 전류를 한쪽 방향(순방향)으로만 흐르게 하는 성질이 있다. 이런 특성을 이용해 교류를 직류로 전환하는 데 이용한다.

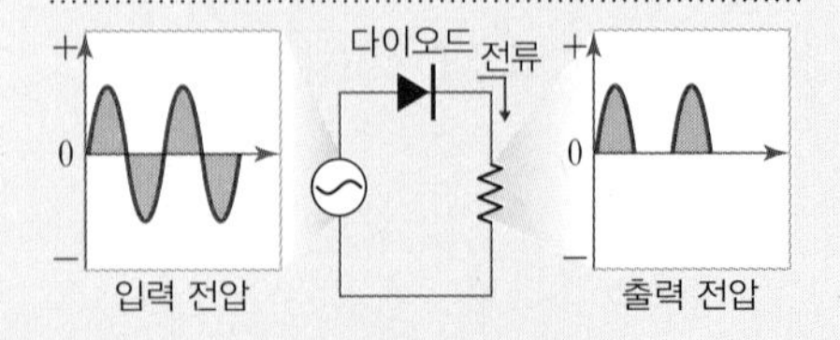

■ 오류 피하기

다이오드에 순방향의 전원이 연결되었을 때

• p형 반도체의 양공은 접합면으로 이동하여 n형 반도체의 전자와 재결합한다.

• n형 반도체의 전자는 접합면으로 이동하여 p형 반도체의 양공과 재결합한다.

기출 문제

정답과 해설 27쪽

141 그림은 주된 전하 운반체가 각각 양공과 전자인 반도체를 접합하여 만든 다이오드 A, B와 저항 R_A, R_B를 전원 장치에 연결한 모습을 나타낸 것이다. 이에 대한 옳은 설명만을 〈보기〉에서 있는 대로 고른 것은?

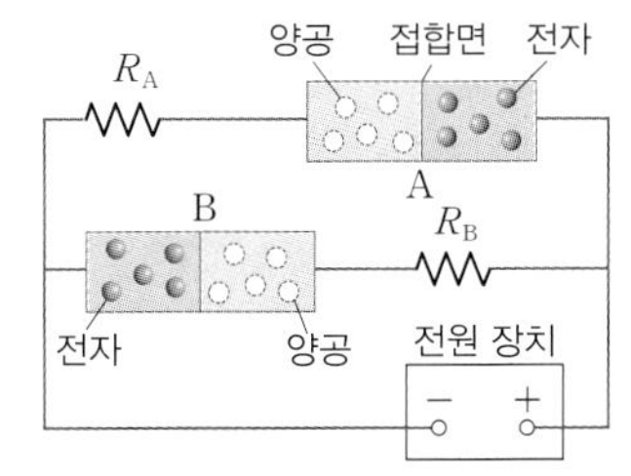

보기

ㄱ. A의 n형 반도체는 전원 장치의 (+)극과 연결되어 있다.

ㄴ. R_B에는 전류가 흐르지 않는다.

ㄷ. A에서 전자와 양공은 접합면 쪽으로 이동한다.

① ㄱ ② ㄷ ③ ㄱ, ㄴ
④ ㄴ, ㄷ ⑤ ㄱ, ㄴ, ㄷ

142 그림 (가)는 신호등에 있는 LED가 켜진 모습을 나타낸 것이고, 그림 (나)는 (가)의 LED를 구성하는 반도체 X, Y 속 양공과 전자를 모식적으로 나타낸 것이다.

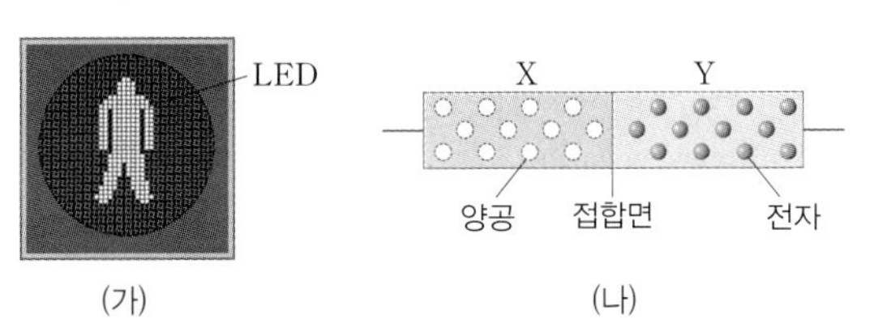

(가) (나)

이에 대한 옳은 설명만을 〈보기〉에서 있는 대로 고른 것은? [3점]

보기

ㄱ. X는 n형 반도체이다.

ㄴ. Y는 최외각 전자(원자가 전자)가 5개인 물질을 도핑하여 만든 것이다.

ㄷ. (가)의 LED에서 X에 있는 양공은 접합면에서 멀어지는 방향으로 이동한다.

① ㄴ ② ㄷ ③ ㄱ, ㄴ
④ ㄱ, ㄷ ⑤ ㄴ, ㄷ

143 그림은 동일한 p−n 접합 발광 다이오드(LED) A, B, C, D에 전지 2개, 저항, 스위치를 연결한 회로를 나타낸 것이다. 스위치를 a에 연결했을 때 A와 D가 켜지고, 스위치를 b에 연결했을 때 B와 C가 켜진다. X와 Y는 각각 p형 반도체와 n형 반도체 중 하나이다.

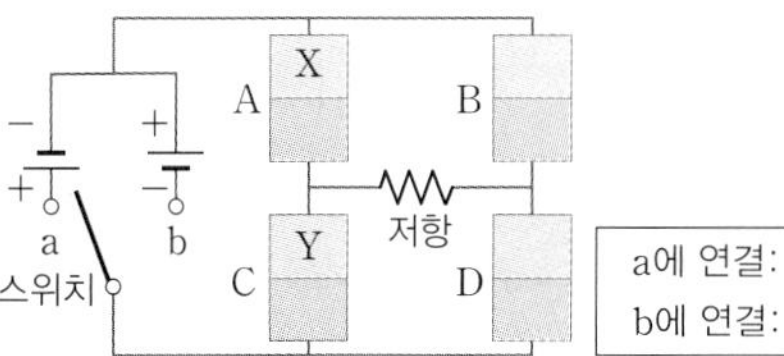

이에 대한 설명으로 옳은 것만을 〈보기〉에서 있는 대로 고른 것은? [3점]

보기

ㄱ. X는 n형 반도체이다.

ㄴ. 스위치를 b에 연결했을 때, Y에서는 주로 양공이 전류를 흐르게 한다.

ㄷ. 스위치를 a에 연결했을 때와 b에 연결했을 때에 저항에 흐르는 전류의 방향은 서로 반대이다.

① ㄱ ② ㄷ ③ ㄱ, ㄴ
④ ㄴ, ㄷ ⑤ ㄱ, ㄴ, ㄷ

144 그림 (가)와 같이 태양 전지와 p−n 접합 다이오드를 이용한 회로에서, 태양 전지에 빛을 비추었더니 다이오드에 순방향 전압이 걸린다. 그림 (나)는 (가)의 다이오드를 직류 전원에 연결한 것을 나타낸 것이다. X는 p형 반도체와 n형 반도체 중 하나이다.

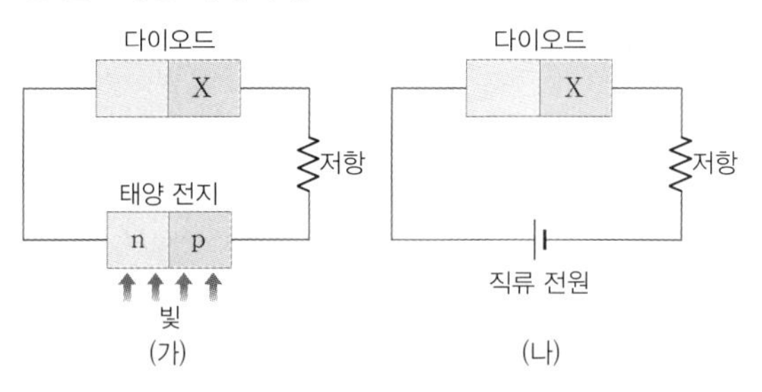

(가) (나)

이에 대한 설명으로 옳은 것만을 〈보기〉에서 있는 대로 고른 것은? [3점]

보기

ㄱ. X는 n형 반도체이다.

ㄴ. (가)의 태양 전지 내부에서는 빛에 의해 전자와 양공의 쌍이 생성된다.

ㄷ. (나)에서 다이오드의 n형 반도체에 있는 전자의 이동 방향은 p−n 접합면에서 멀어지는 방향이다.

① ㄴ ② ㄷ ③ ㄱ, ㄴ
④ ㄱ, ㄷ ⑤ ㄴ, ㄷ

145 그림과 같이 태양 전지, 동일한 p-n 접합 다이오드 A, B로 회로를 구성하여 태양 전지에 빛을 비추었더니 A에 순방향 전압이 걸렸다. X는 p형 반도체와 n형 반도체 중 하나이다.

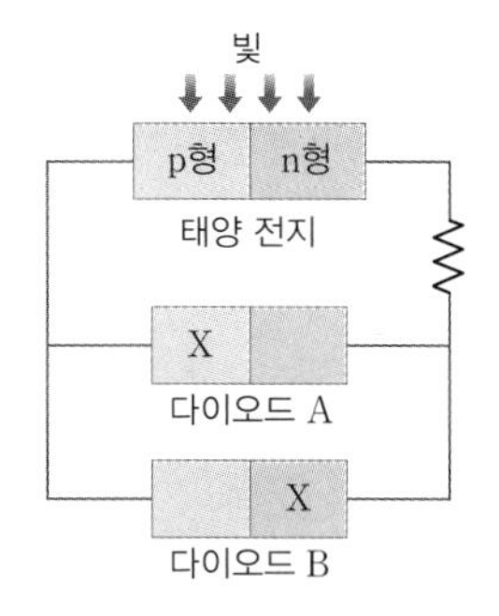

이에 대한 설명으로 옳은 것만을 〈보기〉에서 있는 대로 고른 것은? [3점]

ㄱ. 태양 전지에서는 빛에너지가 전기 에너지로 전환된다.
ㄴ. X는 p형 반도체이다.
ㄷ. B의 내부에서 n형 반도체에 있는 전자는 p-n 접합면 쪽으로 이동한다.

① ㄱ ② ㄷ ③ ㄱ, ㄴ
④ ㄴ, ㄷ ⑤ ㄱ, ㄴ, ㄷ

146 그림 (가)는 LED(발광 다이오드)와 디지털 카메라가 포함된 캡슐(알약)형 내시경의 모습을, (나)는 반도체 A, B를 접합해 만든 LED에서 양공과 전자가 이동하여 전류가 흐르는 모습을 나타낸 것이다.

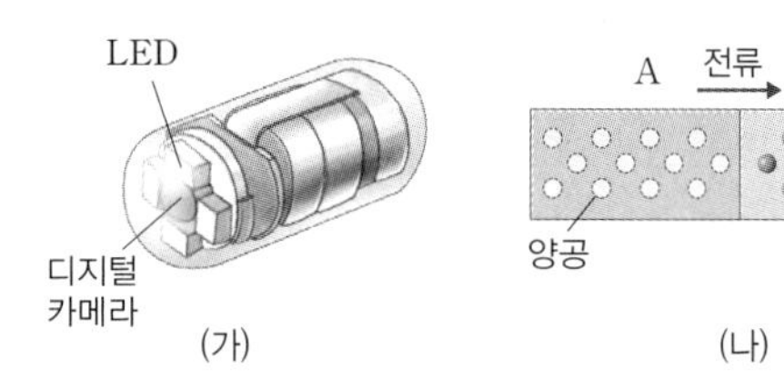

(가) (나)

이에 대한 옳은 설명만을 〈보기〉에서 있는 대로 고른 것은? [3점]

보기

ㄱ. 디지털 카메라에서 빛 신호가 전기 신호로 변환된다.
ㄴ. A는 p형 반도체이다.
ㄷ. B에서 전자의 이동 방향은 전류의 방향과 같다.

① ㄱ ② ㄴ ③ ㄱ, ㄴ
④ ㄱ, ㄷ ⑤ ㄴ, ㄷ

147 그림과 같이 동일한 다이오드 4개와 저항 R를 교류 전원 장치에 연결하였다.

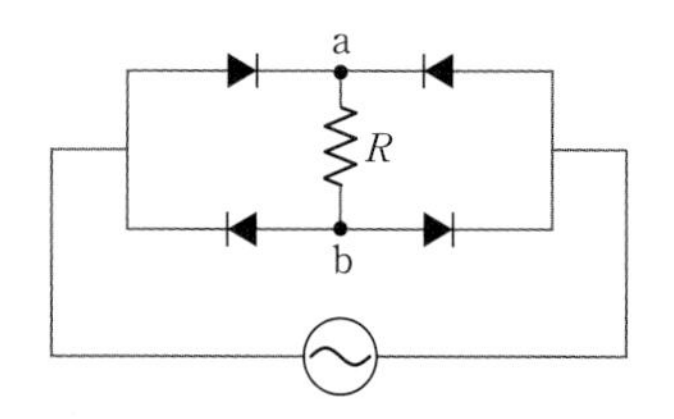

R에 흐르는 전류를 시간에 따라 나타낸 것으로 가장 적절한 것은? (단, R에 흐르는 전류는 a→R→b의 방향을 (+)로 한다.) [3점]

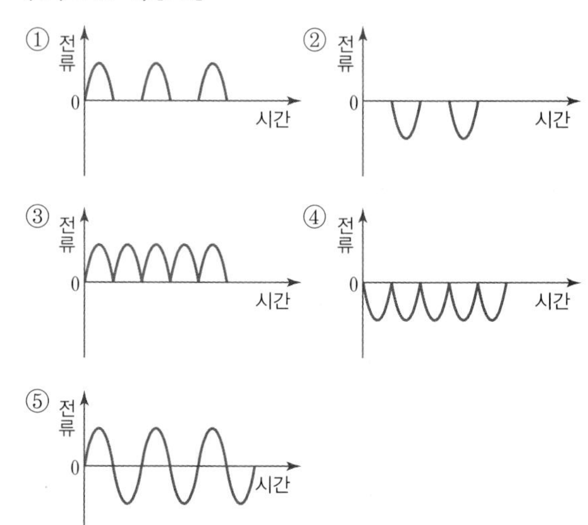

148 그림은 검류계가 연결된 광다이오드에 단색광 A, B를 각각 비추는 모습을 나타낸 것이다. 표는 A, B를 비추었을 때 광전 효과에 의해 전류계에 흐르는 전류를 나타낸 것이다. 광다이오드의 원자가 띠와 전도띠 사이의 띠 간격은 E_0이다.

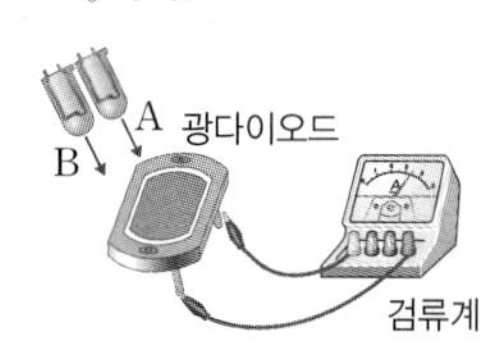

단색광	전류
A	흐름
B	흐르지 않음

보기

ㄱ. A를 비출 때, 광다이오드에서 빛에너지가 전기 에너지로 전환된다.
ㄴ. A의 광자 한 개의 에너지는 E_0보다 작다.
ㄷ. B의 세기를 증가시키면 전류계에 전류가 흐른다.

① ㄱ ② ㄷ ③ ㄱ, ㄴ
④ ㄴ, ㄷ ⑤ ㄱ, ㄴ, ㄷ

149 다음은 다이오드의 특징을 알아보는 실험이다.

[실험 과정]

(가) 반도체 A와 B를 접합하여 만든 다이오드를 전구, 스위치, 전원 장치와 연결하고, 스위치를 닫아 전구에 불이 켜지는지 확인한다.

(나) (가)에서 다이오드의 연결 방향만 반대로 하여 스위치를 닫아 전구에 불이 켜지는지 확인한다.

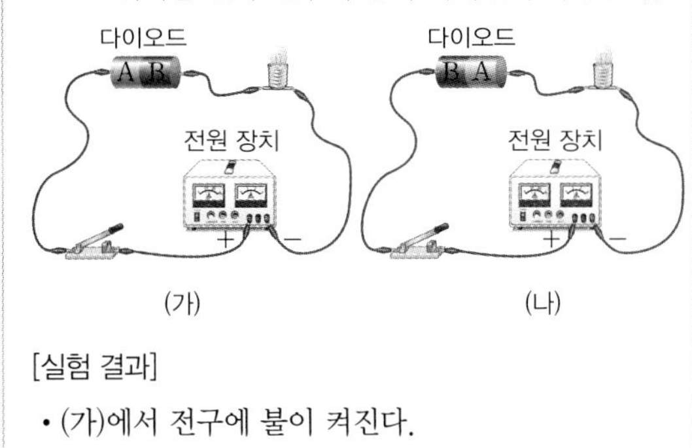

(가) (나)

[실험 결과]

• (가)에서 전구에 불이 켜진다.

• ________________

이에 대한 옳은 설명만을 〈보기〉에서 있는 대로 고른 것은? [3점]

보기

ㄱ. A는 n형 반도체이다.

ㄴ. (나)에서도 전구에 불이 켜진다.

ㄷ. 다이오드는 교류를 직류로 전환해 주는 정류 회로에 사용된다.

① ㄱ ② ㄷ ③ ㄱ, ㄴ ④ ㄱ, ㄷ ⑤ ㄴ, ㄷ

150 그림은 반도체 (가)와 (나)를 접합해 만든 태양 전지에 저항이 연결되어 있는 모습을 모식적으로 나타낸 것이다. 태양 전지에 빛을 비추면 접합면에서 전자와 양공의 쌍이 발생하여 전자는 (가) 쪽으로, 양공은 (나) 쪽으로 이동한다.

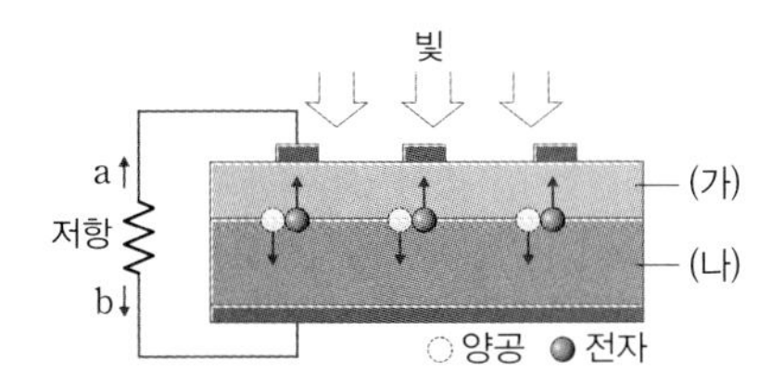

이에 대한 옳은 설명만을 〈보기〉에서 있는 대로 고른 것은? [3점]

보기

ㄱ. (가)는 p형 반도체이다.

ㄴ. 전류는 a 방향으로 흐른다.

ㄷ. 태양 전지는 태양광 발전에 이용된다.

① ㄱ ② ㄴ ③ ㄱ, ㄷ
④ ㄴ, ㄷ ⑤ ㄱ, ㄴ, ㄷ

151 다음은 발광 다이오드(LED)에서 빛이 발생하는 원리를 설명한 글이다.

그림과 같은 회로에서 LED에 (가) 전압이 걸리면 n형 반도체의 전자와 p형 반도체의 (나) 이/가 각각 p-n 접합면으로 이동하여 결합하고, 띠 간격에 해당하는 에너지를 빛으로 방출한다. 이때 회로에는 (다) 방향으로 전류가 흐른다.

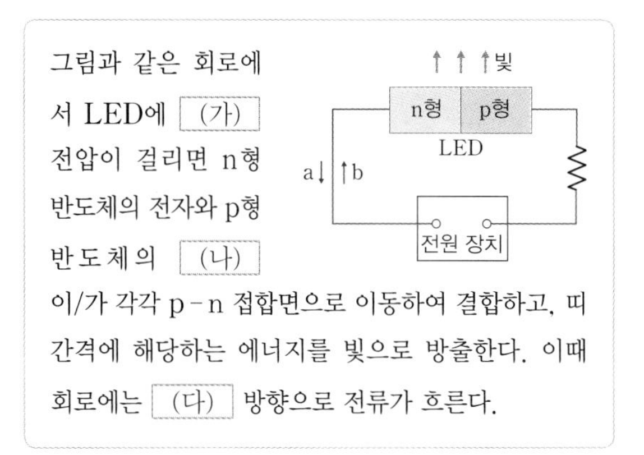

(가)~(다)에 들어갈 내용으로 옳은 것은?

	(가)	(나)	(다)
①	순방향	양공	a
②	역방향	양공	a
③	순방향	전자	a
④	역방향	전자	b
⑤	순방향	전자	b

152 그림 (가)는 발광 다이오드(LED)가 연결된 태양 전지에 빛을 비추었을 때 LED에서 빛이 방출되는 모습을, (나)는 이를 모식적으로 나타낸 것이다. 태양 전지와 LED는 p형과 n형 반도체를 결합하여 만든 것이다.

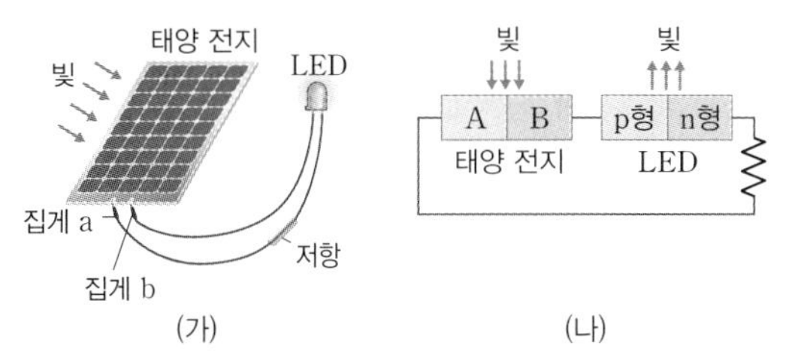

(가) (나)

이에 대한 설명으로 옳은 것만을 〈보기〉에서 있는 대로 고른 것은? [3점]

보기

ㄱ. (나)에서 태양 전지의 p-n 접합면에 형성된 전기장에 의해 전자는 접합면에서 A쪽으로 이동한다.

ㄴ. LED의 p-n 접합면에서 전자와 양공이 결합한다.

ㄷ. (가)에서 집게 a, b를 서로 바꾸어 연결해도 LED는 빛을 방출한다.

① ㄱ ② ㄴ ③ ㄱ, ㄴ
④ ㄱ, ㄷ ⑤ ㄴ, ㄷ

기출 분석

31 유형

출제 의도

직선 전류에 의한 자기장의 세기와 방향을 이해하고, 두 개의 전류가 만드는 합성 자기장을 구할 수 있는지를 묻는 문제이다.

이렇게 대비하자!

직선 전류가 만드는 자기장의 방향은 오른손 법칙에 의해 결정되며 자기장의 세기는 전류의 세기와 비례하고 거리와 반비례함을 알아 두자.

■ 연관 기출 문제 키워드

#무한히 긴 직선 도선

문제 분석

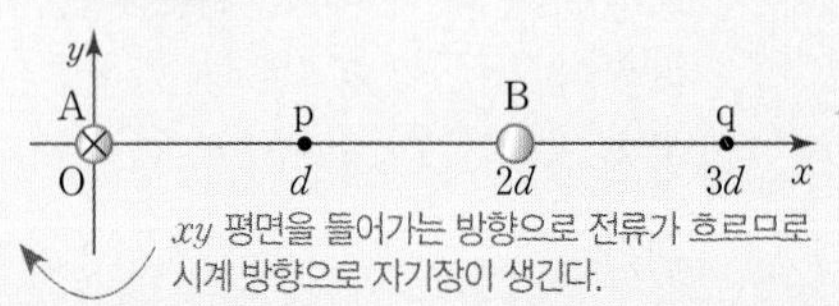

❶ 도선 B의 전류

전류가 만드는 자기장의 세기는 거리에 반비례하고 전류 세기에 비례한다. q점에서 자기장의 세기는 0이므로 도선 A와 B가 만드는 자기장의 세기는 같고 방향은 반대이다. 도선 A와 q 사이의 거리는 도선 B와 q 사이 거리의 3배이므로 A에서 전류의 세기는 B의 3배이다.

❷ 점 p에서 자기장 방향

점 p에서 합성 자기장은 도선 A와 도선 B에 흐르는 전류에 의한 자기장의 합이다. 도선 A와 도선 B는 점 p로부터 같은 거리만큼 떨어져 있고, 도선 A에 흐르는 전류의 세기가 도선 B에 흐르는 전류의 세기보다 3배 크므로 점 p에서 자기장의 방향은 $-y$ 방향이다.

배경 지식

오른손 법칙: 전류가 만드는 자기장의 방향은 오른손 법칙을 따른다.

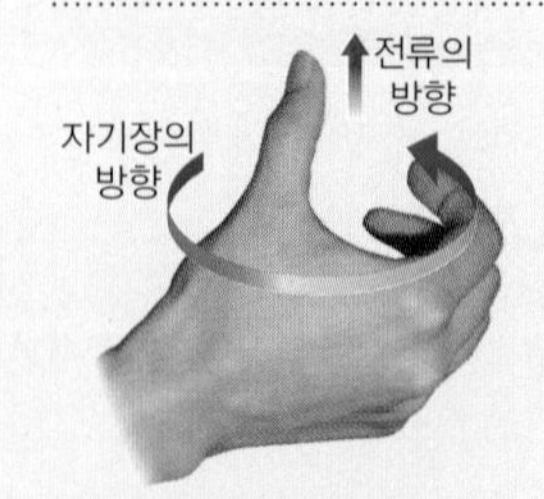

그림과 같이 일정한 전류가 흐르는 무한히 긴 직선 도선 A, B가 xy 평면에 수직으로 고정되어 있다. A에 흐르는 전류의 세기는 I이고, 방향은 xy 평면에 들어가는 방향이다. 점 q에서 전류에 의한 자기장은 0이다.

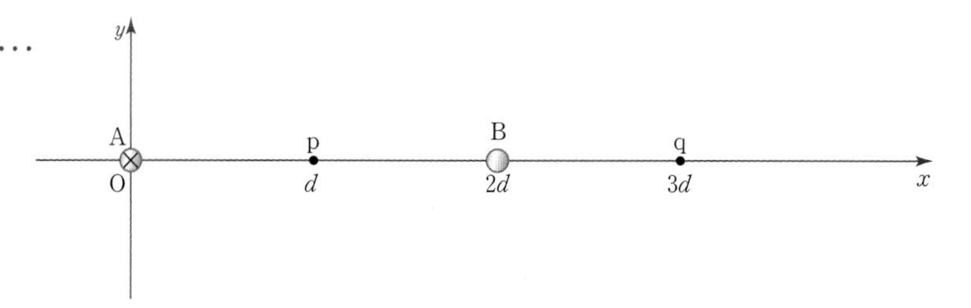

이에 대한 설명으로 옳은 것만을 <보기>에서 있는 대로 고른 것은? (단, 지구 자기장은 무시한다.) [3점]

보기

ㄱ. B에 흐르는 전류의 방향은 A에 흐르는 전류의 방향과 반대이다.
ㄴ. B에 흐르는 전류의 세기는 I보다 크다.
ㄷ. 점 p에서 자기장의 방향은 $+y$ 방향이다.

① ㄱ ② ㄷ ③ ㄱ, ㄴ ④ ㄴ, ㄷ ⑤ ㄱ, ㄴ, ㄷ

■ 문항별 해설

ㄱ. 도선 A와 B가 q점에 만드는 합성 자기장의 세기는 0이므로 도선 A가 만드는 자기장의 방향과 도선 B가 만드는 자기장의 방향은 반대이다. 따라서 오른손 법칙에 의해 도선 A가 q점에 만드는 자기장의 방향은 $-y$ 방향이므로 도선 B에 의한 자기장의 방향은 $+y$ 방향이어야 한다.
오른손 법칙에 의해 도선 B에 흐르는 전류의 방향은 xy 평면을 뚫고 나오는 방향이므로 도선 A에 흐르는 전류의 방향과 반대이다. (○)

ㄴ. 무한히 긴 직선 전류가 만드는 자기장의 세기는 거리에 반비례하고 전류 세기에 비례한다. q점에서 도선 B보다 도선 A가 더 멀리 떨어져 있으므로 도선 A에 흐르는 전류의 세기가 도선 B에 흐르는 전류의 세기보다 크다. (×)

ㄷ. 도선 A가 p점에 만드는 자기장의 방향은 $-y$ 방향이고, 도선 B가 만드는 자기장의 방향은 $-y$ 방향이므로 p점에서 자기장의 방향은 $-y$이다. (×)

답 ①

기출 문제

정답과 해설 29쪽

153 다음은 직선 도선에 흐르는 전류에 의한 자기장을 알아보는 실험이다.

[실험 과정]

(가) 그림과 같이 직선 도선을 남북 방향으로 놓고 도선 아래에 나침반을 놓는다.

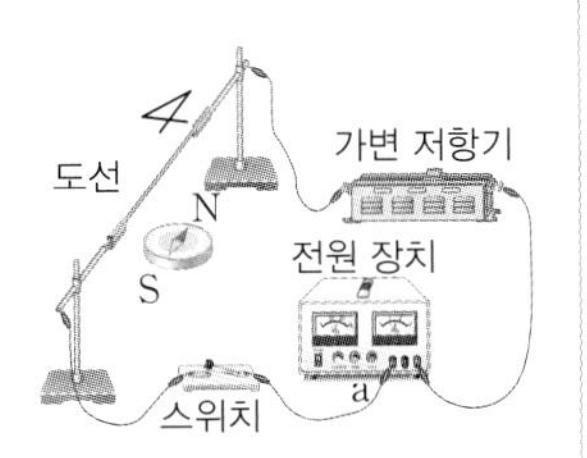

(나) 스위치를 닫고 나침반을 관찰한다.

(다) (나)의 결과에서 가변 저항기의 저항값을 변화시키고 나침반을 관찰한다.

(라) (다)의 결과에서 직선 도선과 나침반 사이의 수직 거리를 변화시키고 나침반을 관찰한다.

[실험 결과]

과정	(나)	(다)	(라)
나침반의 모습	N S	N S	N S

이에 대한 설명으로 옳은 것만을 〈보기〉에서 있는 대로 고른 것은? [3점]

보기

ㄱ. 전원 장치의 단자 a는 (−)극이다.

ㄴ. (다)에서 저항값을 감소시켰다.

ㄷ. (라)에서 거리를 감소시켰다.

① ㄱ ② ㄴ ③ ㄷ ④ ㄱ, ㄴ ⑤ ㄴ, ㄷ

154 그림은 xy 평면에 놓인 가늘고 긴 직선 도선에 $+y$ 방향으로 전류가 흐르는 것을 나타낸 것이고, 표는 xy 평면에 있는 점 P, Q, R에서 자기장의 세기를 나타낸 것이다.

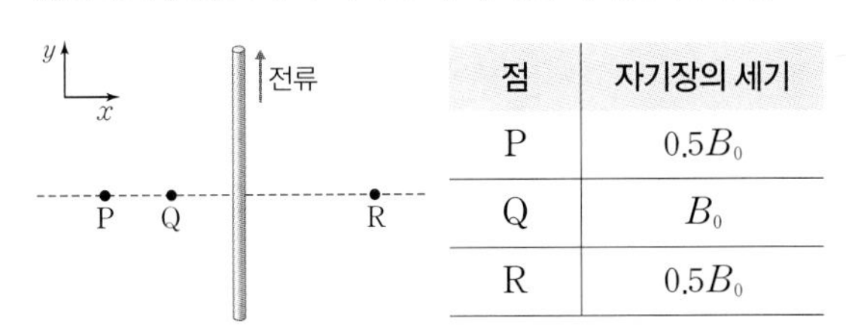

점	자기장의 세기
P	$0.5B_0$
Q	B_0
R	$0.5B_0$

직선 도선을 y축과 평행하게 P로 옮겼을 때, 이에 대한 설명으로 옳은 것만을 〈보기〉에서 있는 대로 고른 것은? [3점]

보기

ㄱ. P에서 R까지의 거리는 P에서 Q까지 거리의 3배이다.

ㄴ. Q에서 자기장의 방향은 xy 평면에 수직으로 들어가는 방향이다.

ㄷ. R에서 자기장의 세기는 $0.5B_0$보다 크다.

① ㄱ ② ㄴ ③ ㄱ, ㄴ ④ ㄱ, ㄷ ⑤ ㄴ, ㄷ

155 그림과 같이 일정한 전류가 흐르는 무한히 가늘고 긴 평행한 직선 도선 P, Q가 xy 평면에 수직으로 고정되어 있다. P, Q와 점 a, b, c는 x축 상에서 각각 같은 간격 d만큼 떨어져 있다. 표는 a, c에서 P와 Q에 흐르는 전류에 의한 자기장의 방향과 세기를 나타낸 것이다.

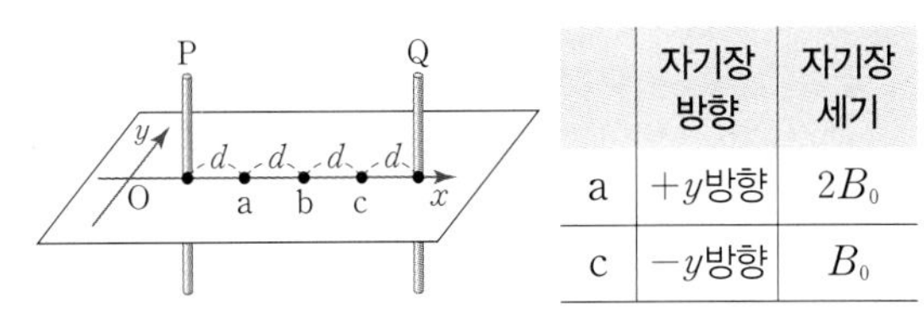

	자기장 방향	자기장 세기
a	$+y$방향	$2B_0$
c	$-y$방향	B_0

이에 대한 설명으로 옳은 것만을 〈보기〉에서 있는 대로 고른 것은? [3점]

보기

ㄱ. 전류의 방향은 P와 Q에서 서로 반대 방향이다.

ㄴ. 전류의 세기는 P에서가 Q에서보다 크다.

ㄷ. b에서 P, Q에 흐르는 전류에 의한 자기장의 방향은 $-y$ 방향이다.

① ㄱ ② ㄴ ③ ㄷ ④ ㄱ, ㄴ ⑤ ㄴ, ㄷ

기출 분석 32 유형

출제 의도

전류 세기와 거리에 따라 만들어지는 자기장을 이해하고, 두 개의 전류가 만드는 합성 자기장을 구할 수 있는지를 묻는 문제이다.

이렇게 대비하자!

원형 도선이 원 중심에 만드는 자기장의 방향은 오른손 법칙에 따라 결정되며 자기장의 세기는 전류의 세기와 비례하고 반지름과 반비례함을 알아 두자.

■ 연관 기출 문제 키워드

#원형 도선

문제 분석

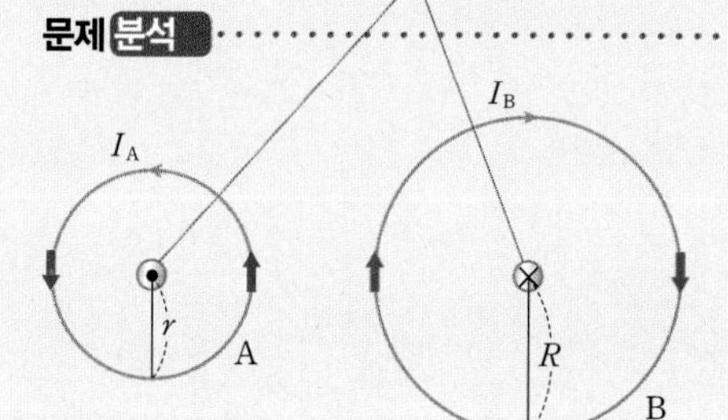

❶ **자기장의 방향**

원형 전류 역시 오른손 법칙으로 원 중심에 만들어지는 자기장의 방향을 알 수 있다. 원형 도선 A에 의한 자기장의 방향은 종이면에서 나오는 방향이고, 원형 도선 B에 의한 자기장의 방향은 종이면을 들어가는 방향이다.

❷ **자기장의 세기**

원형 도선에 흐르는 전류가 원형 도선 중심에 만드는 자기장의 세기는 전류의 세기에 비례하고 반지름에 반비례한다. 원형 도선 A와 B가 각 중심에 만드는 자기장의 세기가 같으므로 전류의 세기는 B가 A보다 크다.

배경 지식

원형 전류 중심에서 자기장의 모습과 방향은 다음과 같다.

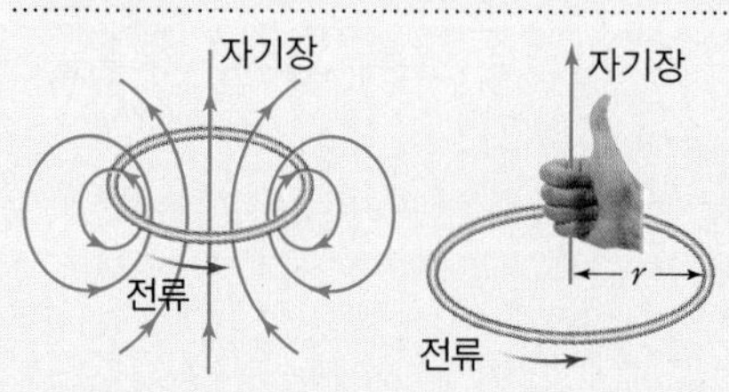

그림 (가)는 반지름 r인 원형 도선 A에 세기가 I_A인 전류가 시계 반대 방향으로 흐르는 것을, (나)는 반지름 R인 원형 도선 B에 세기가 I_B인 전류가 시계 방향으로 흐르는 것을 나타낸 것이다. A, B와 점 P는 종이면에 있고, R는 r보다 크다. A, B의 중심 O_A, O_B점에서 자기장의 세기는 서로 같다.

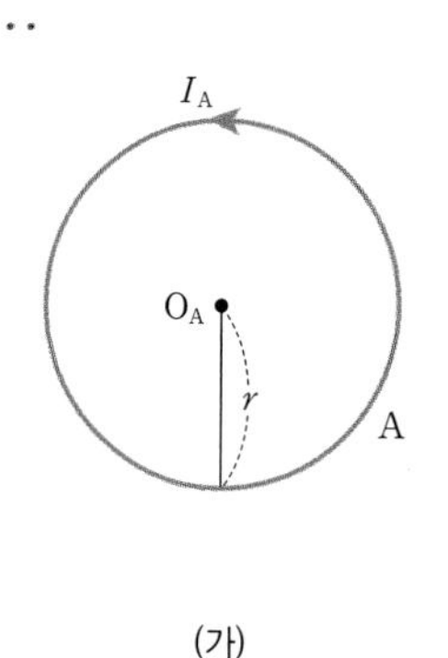

(가)

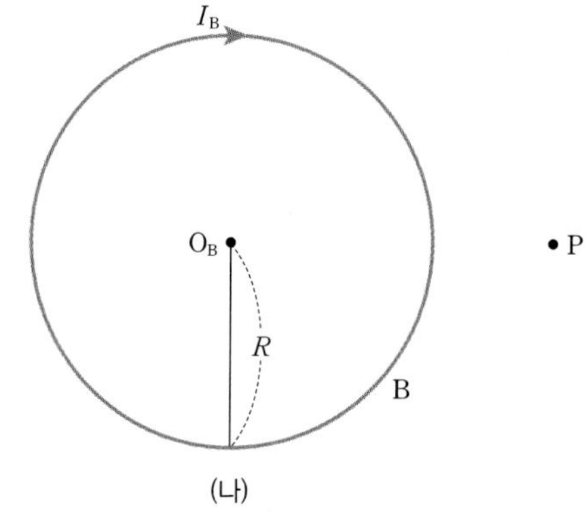

(나)

이에 대한 설명으로 옳은 것만을 〈보기〉에서 있는 대로 고른 것은? (단, 도선 A, B 사이 자기장의 영향과 지구 자기장은 무시한다.) [3점]

보기

ㄱ. O_A에서 자기장의 방향은 종이면에서 나오는 방향이다.
ㄴ. O_B에서와 P에서 자기장의 방향은 같다.
ㄷ. $I_A > I_B$이다.

① ㄱ ② ㄷ ③ ㄱ, ㄴ ④ ㄱ, ㄷ ⑤ ㄴ, ㄷ

■ **문항별 해설**

ㄱ. 오른손 법칙에 의해 원형 도선 A에 흐르는 전류가 원형 도선 중심에 만드는 자기장의 방향은 종이면에서 나오는 방향이다. (○)

ㄴ. 오른손 법칙에 의해 원형 도선 B에 흐르는 전류가 원형 도선 중심에 만드는 자기장의 방향은 종이면으로 들어가는 방향이고, P점에서 원형 도선 B에 의한 자기장 방향은 종이면에서 나오는 방향이다. (×)

ㄷ. 원형 도선 중심에 만들어지는 자기장의 세기는 반지름에 반비례하고 전류의 세기에 비례한다. 여기서 도선 A가 만드는 자기장과 도선 B가 만드는 자기장 세기가 같고 반지름은 도선 B가 도선 A보다 크므로 도선 B에 흐르는 전류의 세기가 도선 A에 흐르는 전류의 세기보다 크다. (×)

답 ①

기출 문제

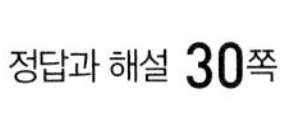

156 다음은 원형 고리에 흐르는 전류에 의한 자기장을 알아보기 위한 실험 과정이다.

(가) 그림과 같이 원형 고리의 중심축과 동서를 연결하는 선을 일치시켜 전기 회로를 구성하고, 원형 고리의 중심에 나침반을 놓는다.

(나) 전원 장치에 연결된 집게 a, b의 위치와 가변 저항기의 저항값을 조절하여 나침반 자침의 N극이 가리키는 방향이 북쪽 방향으로부터 동쪽으로 45°가 되도록 한다.

(다) 가변 저항기의 저항값만을 감소시키면서 자침의 N극이 가리키는 방향을 관찰한다.

(라) a와 b의 위치를 서로 바꾸어 연결하고 자침의 N극이 가리키는 방향을 관찰한다.

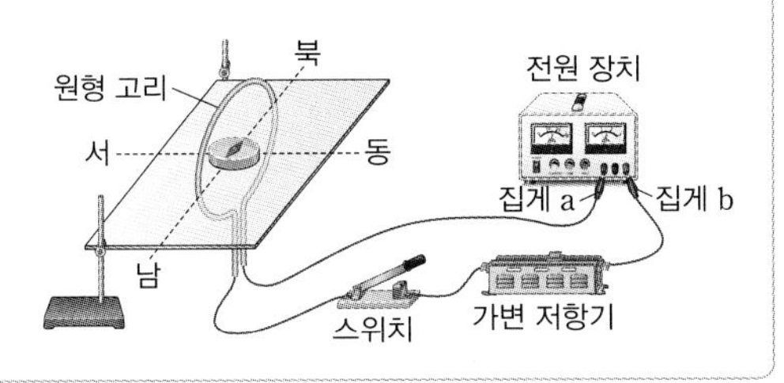

이 실험에 대해 옳게 말한 사람만을 〈보기〉에서 있는 대로 고른 것은? [3점]

보기

철수: 과정 (나)에서 원형 고리에 흐르는 전류의 방향은 동쪽에서 보았을 때 시계 방향이야.

영희: 과정 (다)에서 북쪽 방향과 자침의 N극이 가리키는 방향 사이의 각은 45°보다 커져.

민수: 과정 (라)에서 원형 고리에 흐르는 전류에 의해 원형 고리의 중심에 형성된 자기장의 방향은 서쪽이야.

① 철수 ② 민수 ③ 철수, 영희
④ 영희, 민수 ⑤ 철수, 영희, 민수

157 그림은 원형 도선을 수평면에 대해 수직으로 놓고 전류를 흘렸을 때, 원형 도선의 중심 O에 놓인 나침반을 나타낸 것이다.

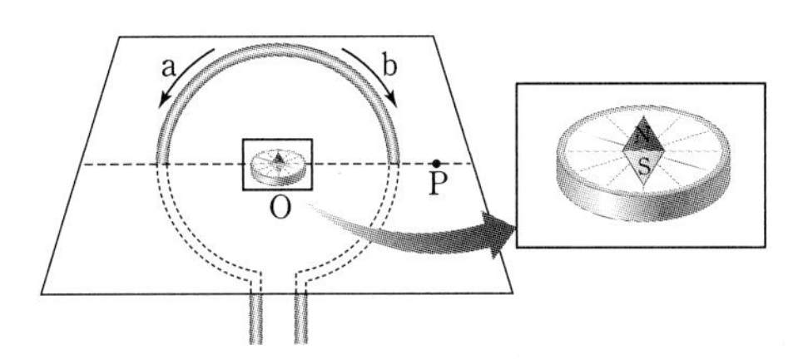

이에 대한 설명으로 옳은 것만을 〈보기〉에서 있는 대로 고른 것은? (단, 지구 자기장은 무시한다.) [3점]

보기

ㄱ. 원형 도선에 흐르는 전류의 방향은 b이다.

ㄴ. 나침반의 N극이 가리키는 방향은 O에서와 P에서가 같다.

ㄷ. 전류의 세기를 2배로 하면 O에서의 자기장의 세기도 2배가 된다.

① ㄴ ② ㄷ ③ ㄱ, ㄴ
④ ㄱ, ㄷ ⑤ ㄱ, ㄴ, ㄷ

158 그림은 무한히 긴 직선 도선 P가 y축에 고정되어 있고, 시계 방향으로 일정한 세기의 전류 I가 흐르는 원형 도선 Q가 xy 평면에 고정되어 있는 것을 나타낸 것이다. 점 A는 Q의 중심이다. 표는 P에 흐르는 전류에 따른 A에서의 P와 Q에 의한 자기장을 나타낸 것이다.

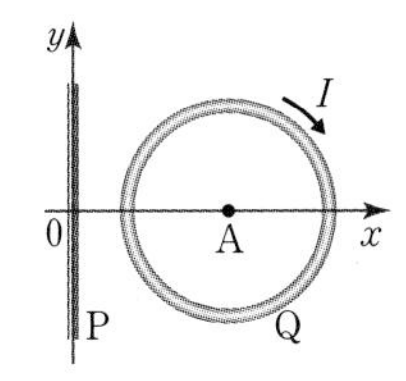

P에 흐르는 전류		A에서 P와 Q에 의한 자기장	
세기	방향	세기	방향
I_0	㉠	0	없음
I_0	$+y$	B_0	㉡
$2I_0$	$-y$	㉢	㉣

이에 대한 설명으로 옳은 것만을 〈보기〉에서 있는 대로 고른 것은? [3점]

보기

ㄱ. ㉠은 $-y$이다.

ㄴ. ㉡과 ㉣은 같다.

ㄷ. ㉢은 B_0보다 크다.

① ㄱ ② ㄴ ③ ㄱ, ㄷ
④ ㄴ, ㄷ ⑤ ㄱ, ㄴ, ㄷ

기출 분석

33 유형

출제 의도

솔레노이드에 흐르는 전류가 만든 자기장의 성질을 알고 있는지 묻는 문제이다.

이렇게 대비하자!

솔레노이드가 만드는 자기장의 방향은 오른손 법칙에 의해 결정되며 자기장의 세기는 전류의 세기와 비례하고 단위 길이 당 감은 도선의 수에 비례함을 알아 두자.

■ **연관 기출 문제 키워드**

#솔레노이드

문제 분석

❶ a 방향으로 전류가 흐르는 경우

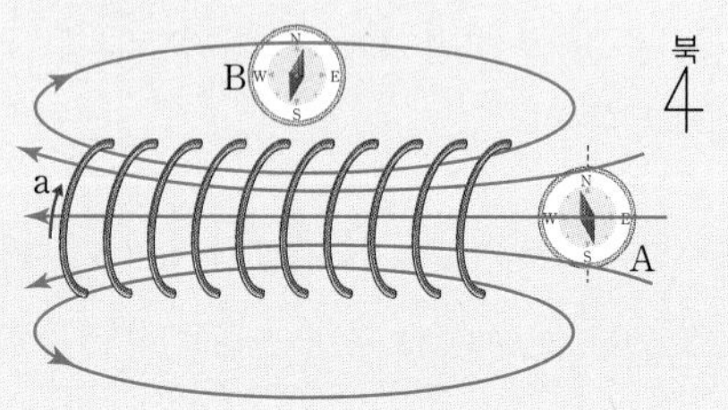

a 방향으로 전류가 흐르는 솔레노이드 주변에 나침반을 놓았을 때, A의 자침은 반시계 방향으로, B의 자침은 시계 방향으로 회전한다. 또한 솔레노이드에 흐르는 전류가 세질수록 솔레노이드가 만드는 자기장의 세기가 커지므로 나침반의 자침이 회전하는 각도 역시 커진다.

❷ b 방향으로 전류가 흐르는 경우

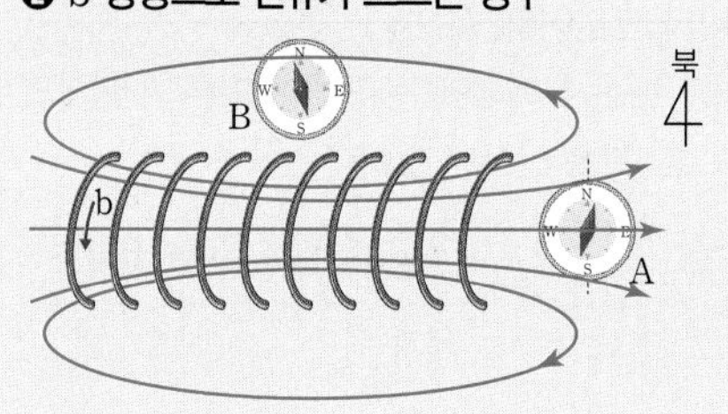

솔레노이드에 b 방향으로 전류가 흐를 때 A의 자침은 시계 방향으로, B의 자침은 반시계 방향으로 회전한다.

배경 지식

솔레노이드에 의한 자기장

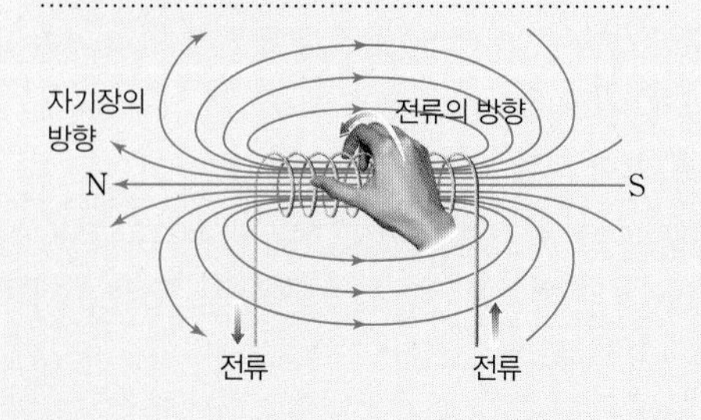

그림과 같이 솔레노이드의 중심축을 지나는 평면 위에, 나침판 A는 중심축을 지나는 지점에 놓고 나침판 B는 솔레노이드의 중앙 바깥 지점에 놓았다.

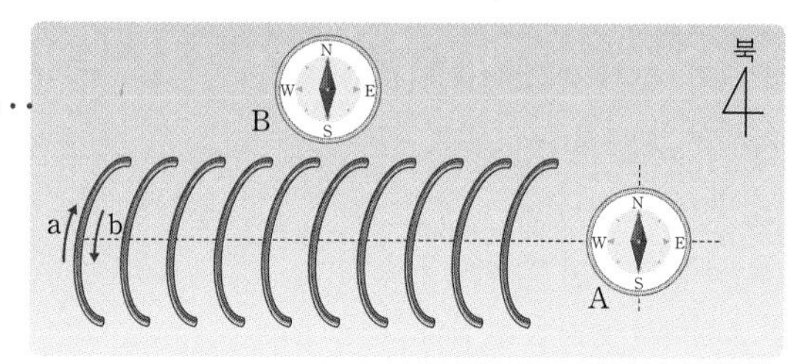

솔레노이드에 세기가 I인 전류를 흘려주어 A의 자침이 반시계 방향으로 각 θ만큼 회전했을 때, 이에 대한 설명으로 옳은 것만을 〈보기〉에서 있는 대로 고른 것은? (단, $\theta < 90^\circ$이다.)

보기

ㄱ. 솔레노이드에 흐르는 전류의 방향은 a이다.

ㄴ. B의 자침은 반시계 방향으로 회전한다.

ㄷ. 솔레노이드에 흐르는 전류의 세기가 $2I$이면 A의 자침이 회전하는 각은 θ보다 작아진다.

① ㄱ ② ㄴ ③ ㄱ, ㄷ ④ ㄴ, ㄷ ⑤ ㄱ, ㄴ, ㄷ

■ **문항별 해설**

ㄱ. 솔레노이드에 전류가 흐르면 생기는 자기장은 오른손 법칙을 따라 방향이 결정되는데 A의 자침이 반시계 방향으로 회전하는 것으로 보아 솔레노이드에 흐르는 전류의 방향은 a이다. (○)

ㄴ. B의 자침은 시계 방향으로 회전한다. (×)

ㄷ. 솔레노이드에 흐르는 전류가 만든 자기장의 세기는 전류의 세기에 비례하므로 전류의 세기가 I일 때 만드는 자기장은 $2I$일 때 만드는 자기장보다 작다. 그러므로 솔레노이드에 흐르는 전류의 세기가 $2I$가 되면 A의 자침이 회전하는 각은 θ보다 커진다. (×)

답 ①

기출 문제

정답과 해설 30쪽

159 다음은 전류가 흐르는 코일 주위에 형성되는 자기장에 대한 실험 과정이다.

[실험 과정]

(가) 그림과 같이 코일의 중심축과 나침반의 동서를 연결하는 선을 일치시켜 전기 회로를 구성한다.

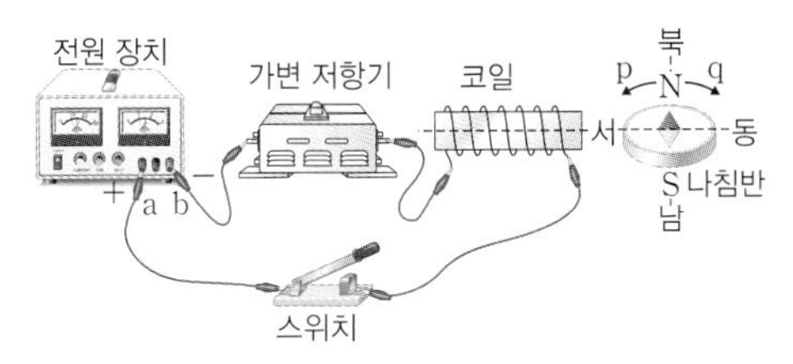

(나) 전원 장치의 전압을 일정하게 유지하며 스위치를 닫은 후 나침반 자침의 N극이 회전하는 방향과 각도를 관찰한다.

(다) (나)에서 가변 저항기의 저항값만을 증가시킨 후 자침의 N극이 회전하는 각도를 관찰한다.

(라) (나)에서 전원 장치에 연결된 집게 a, b의 위치를 서로 바꾸어 연결한 후 자침의 N극이 회전하는 방향을 관찰한다.

이에 대한 설명으로 옳은 것만을 〈보기〉에서 있는 대로 고른 것은? (단, p, q는 자침의 N극이 회전하는 방향이다.) [3점]

보기

ㄱ. (나)에서 코일에 흐르는 전류에 의해 코일 내부에 형성되는 자기장의 방향은 동 → 서이다.

ㄴ. 자침의 N극이 회전하는 각도는 (다)에서가 (나)에서보다 크다.

ㄷ. (라)에서 자침의 N극이 회전하는 방향은 q이다.

① ㄱ ② ㄴ ③ ㄱ, ㄷ
④ ㄴ, ㄷ ⑤ ㄱ, ㄴ, ㄷ

160 그림과 같이 길이가 같은 원통에 감은 수가 각각 N, $2N$인 두 솔레노이드 A, B를 가까이 놓았다. 두 솔레노이드에는 화살표 방향으로 같은 세기의 전류가 흐른다. P, Q는 A와 B의 중심축을 잇는 직선상의 점이다.

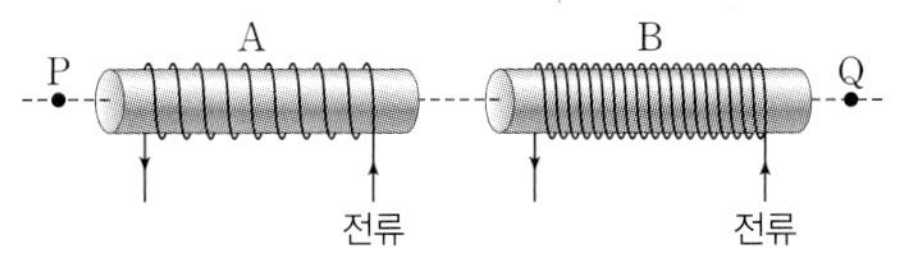

이에 대한 설명으로 옳은 것만을 〈보기〉에서 있는 대로 고른 것은? (단, 지구 자기장은 무시한다.) [3점]

보기

ㄱ. A와 B 사이에는 척력이 작용한다.

ㄴ. P와 Q에서 자기장의 방향은 같다.

ㄷ. 솔레노이드 내부에서 자기장의 세기는 A가 B보다 크다.

① ㄱ ② ㄴ ③ ㄷ
④ ㄱ, ㄴ ⑤ ㄴ, ㄷ

161 그림과 같이 전원에 연결된 솔레노이드에 전류가 흐르고 있다. 솔레노이드 중심축 위의 P는 솔레노이드 외부의 점이고, Q는 내부의 점이다.

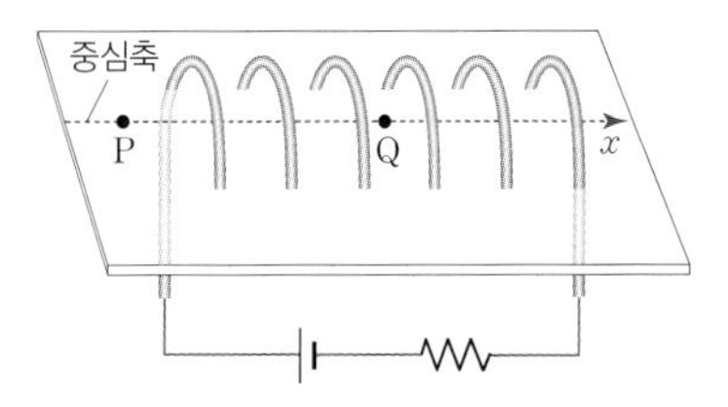

이에 대한 설명으로 옳은 것만을 〈보기〉에서 있는 대로 고른 것은? (단, 지구 자기장은 무시한다.)

보기

ㄱ. P에서 자기장의 방향은 $-x$ 방향이다.

ㄴ. Q에 나침반을 놓으면 자침의 N극은 $+x$ 방향을 가리킨다.

ㄷ. 전류의 세기를 증가시키면 Q에서 자기장의 세기는 증가한다.

① ㄱ ② ㄴ ③ ㄷ
④ ㄱ, ㄷ ⑤ ㄴ, ㄷ

기출 분석

34 유형

출제 의도

자석을 물체에 가까이 가져갔을 때, 물체가 띠는 자성에 따라 자석과 물체 사이에는 자기력이 작용하고, 그 특성에 따라 자성체 종류를 구분할 수 있는지를 묻는 문제이다.

이렇게 대비하자!

외부 자기장에 의해 자기화된 강자성체는 외부 자기장을 제거한 이후에도 자기성을 오래 유지한다는 것을 기억하자.

■ 연관 기출 문제 키워드

#물질의 자성 #자기력 #반자성체 #자성체

문제 분석

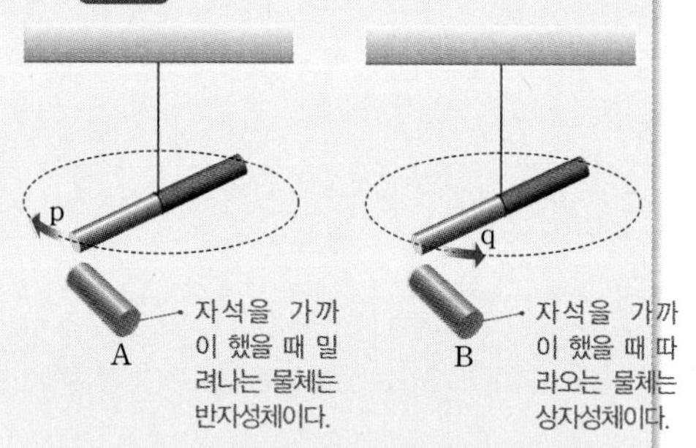

자성을 가진 물질은 외부에 자석을 가까이 했을 때 자화가 되는데, 자화되는 성질에 따라 상자성체, 반자성체, 강자성체로 구분된다.

배경 지식

- **상자성체**: 외부 자기장 방향으로 약하게 자기화, 외부 자기장이 사라지면 자성은 사라진다.

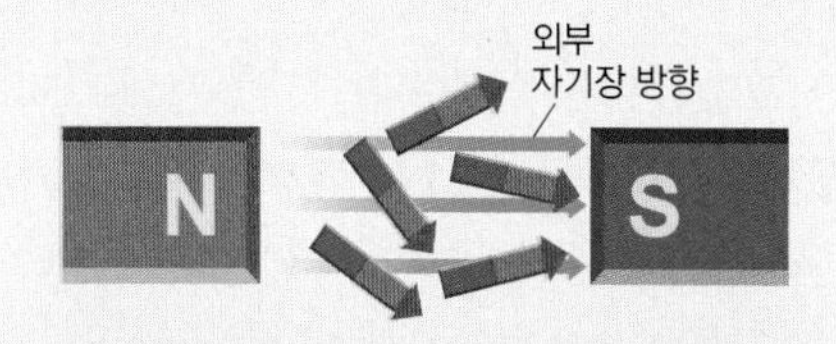

- **반자성체**: 외부 자기장과 반대 방향으로 약하게 자기화, 외부 자기장이 사라지면 자성은 사라진다.

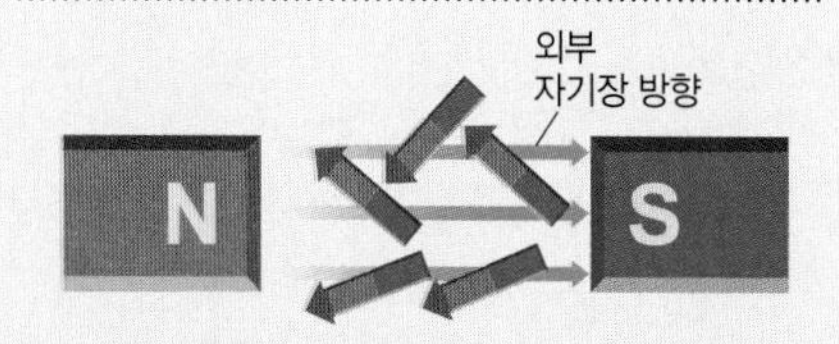

다음은 물질 A와 B의 자성을 알아보기 위한 실험 과정과 결과이다.

[실험 과정]

그림과 같이 천장에 실로 매단 자석 가까이에 자화되지 않은 A 또는 B를 천천히 가져갈 때 자석의 회전 방향을 관찰한다.

자석

A 또는 B

[실험 결과]

A를 가져갈 때 자석은 p 방향으로 회전하였고, B를 가져갈 때 자석은 q 방향으로 회전하였다.

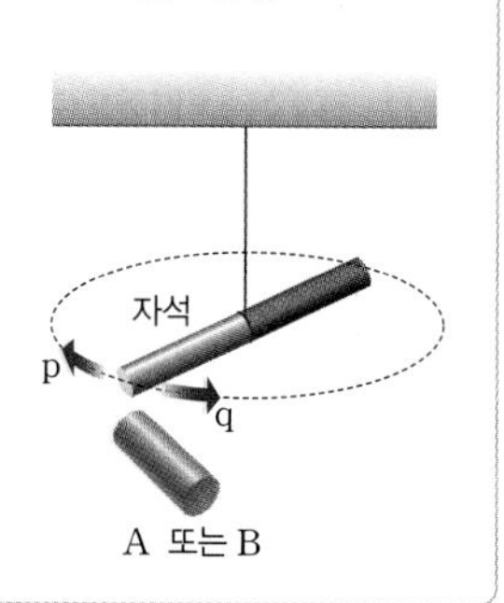

이에 대한 설명으로 옳은 것만을 〈보기〉에서 있는 대로 고른 것은? (단, 지구 자기장은 무시한다.)

보기

ㄱ. 자석과 A 사이에 자기력이 작용한다.
ㄴ. A는 반자성체이다.
ㄷ. B는 자석에 의한 자기장의 방향과 같은 방향으로 자화되는 성질이 있다.

① ㄴ ② ㄷ ③ ㄱ, ㄴ ④ ㄱ, ㄷ ⑤ ㄱ, ㄴ, ㄷ

■ 문항별 해설

ㄱ. 자석을 A에 가까이 가져갔을 때, p 방향으로 회전하는 것으로 보아 자석과 A 사이에는 척력이 작용하므로 자기력이 작용한다. (○)

ㄴ. A와 자석 사이에 척력이 작용하는 것으로 보아 A는 자석의 자기장과 반대 방향으로 자화되었으므로 반자성체이다. (○)

ㄷ. 자석을 B에 가까이 가져갔을 때, q 방향으로 회전하는 것으로 보아 자석과 B 사이에는 인력이 작용하므로 B는 자석의 자기장과 같은 방향으로 자화되었다. (○)

답 ⑤

기출 문제

정답과 해설 30쪽

162 다음은 물질 A, B의 자성을 알아보는 실험이다.

[과정]

(가) 자기화되어 있지 않은 A, B에 각각 자석을 가까이 가져간다.

(나) A, B에서 자석을 동시에 치운 후, A, B를 자기화되어 있지 않은 철 클립에 동시에 갖다 대어 들어 올린다.

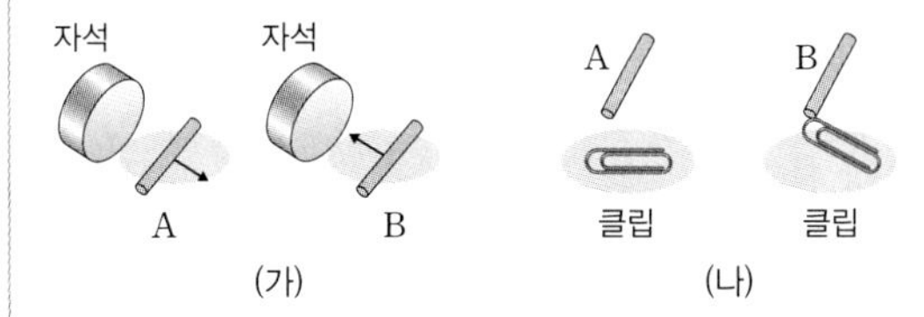

[결과]

- (가)의 결과: A는 자석에 밀리고, B는 자석에 붙는다.
- (나)의 결과: A에는 클립이 붙지 않고, B에는 클립이 붙는다.

이에 대한 설명으로 옳은 것만을 〈보기〉에서 있는 대로 고른 것은? [3점]

보기

ㄱ. (나)에서 자기화된 상태는 B가 A보다 오래 유지된다.

ㄴ. (나)의 결과, B에 붙은 클립은 자기화되어 있다.

ㄷ. A는 강자성체이다.

① ㄱ ② ㄷ ③ ㄱ, ㄴ ④ ㄱ, ㄷ ⑤ ㄴ, ㄷ

163 그림 (가)와 같이 연직 방향의 균일한 자기장 영역에 자기화되어 있지 않은 직육면체 모양의 강자성체 A를 넣었더니 A가 자기화되었다. 그림 (나)와 같이 (가)에서 A를 꺼내어 P가 직육면체 모양의 상자성체 B를 향하게 하여 A, B를 고정시켰다. A, B의 중심축은 x축과 같고, 점 O는 중심축 상의 점이다.

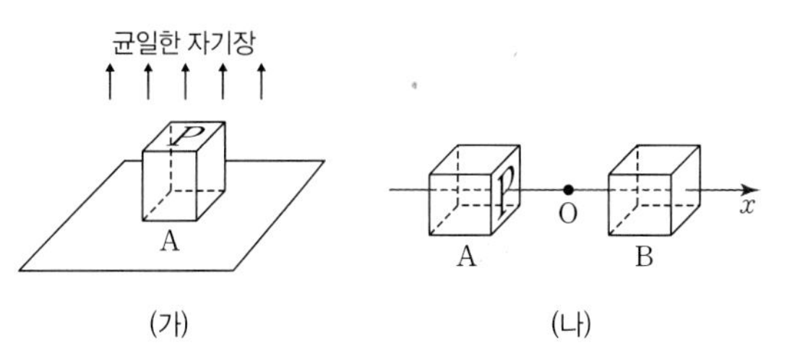

이에 대한 설명으로 옳은 것만을 〈보기〉에서 있는 대로 고른 것은? [3점]

보기

ㄱ. (가)에서 A의 P쪽이 N극이다.

ㄴ. (나)의 O에서 A와 B에 의한 자기장의 방향은 $+x$ 방향이다.

ㄷ. (나)에서 A, B 사이에는 서로 당기는 자기력이 작용한다.

① ㄱ ② ㄴ ③ ㄱ, ㄷ ④ ㄴ, ㄷ ⑤ ㄱ, ㄴ, ㄷ

164 그림 (가)는 솔레노이드에 전류 I가 흐를 때 솔레노이드에 클립이 붙지 않는 모습을, 그림 (나)는 (가)의 솔레노이드에 자화되지 않은 물체 A를 넣었더니 클립이 A에 붙어 있는 모습을 나타낸 것이다.

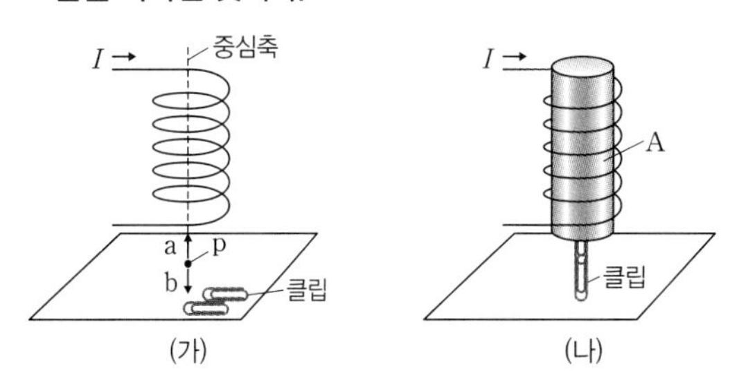

이에 대한 설명으로 옳은 것만을 〈보기〉에서 있는 대로 고른 것은? (단, p점은 솔레노이드의 중심축 위에 있다.)

보기

ㄱ. A는 반자성체이다.

ㄴ. (가)의 p에서 자기장의 방향은 b 방향이다.

ㄷ. 솔레노이드 내부에서 자기장의 세기는 (가)에서와 (나)에서가 같다.

① ㄱ ② ㄴ ③ ㄱ, ㄷ ④ ㄴ, ㄷ ⑤ ㄱ, ㄴ, ㄷ

기출 분석

35 유형

출제 의도

빗면 운동을 하는 자석이 원형 도선을 통과할 때, 유도되는 전류의 방향과 운동하는 자석과의 자기력을 묻는 문제이다.

이렇게 대비하자!

자석이 원형 도선을 통과하여 내려갈 때 자석의 운동 에너지 중 일부가 전기 에너지(유도 전류) 전환되는 것을 알아 두자.

그림과 같이 빗면을 따라 운동하던 자석이 점 p를 속력 v로 통과한 후 고정된 원형 도선, 점 q를 차례로 지나 올라갔다가 다시 내려온다.

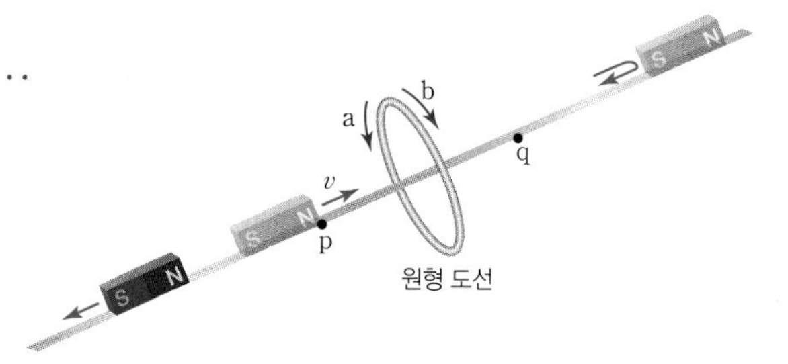

a
b
q
v
p
원형 도선

이에 대한 설명으로 옳은 것만을 〈보기〉에서 있는 대로 고른 것은? (단, 자석의 크기, 마찰과 공기 저항은 무시한다.) [3점]

보기

ㄱ. 자석이 올라가며 p를 지날 때, 원형 도선에 흐르는 유도 전류의 방향은 a 방향이다.

ㄴ. 자석이 원형 도선으로부터 받는 자기력의 방향은 자석이 올라가며 q를 지날 때와 자석이 내려가며 q를 지날 때가 같다.

ㄷ. 자석이 내려가며 p를 지날 때, 자석의 속력은 v이다.

① ㄱ ② ㄷ ③ ㄱ, ㄴ ④ ㄴ, ㄷ ⑤ ㄱ, ㄴ, ㄷ

■ 연관 기출 문제 키워드

#자기 선속 #유도 전류 #원형 도선

문제 분석

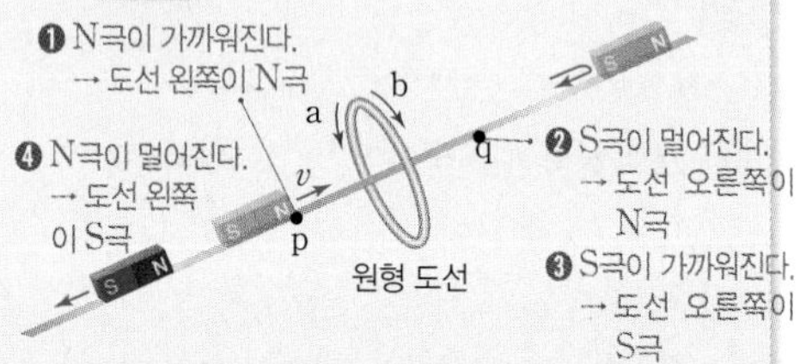

❶ N극이 가까워진다. → 도선 왼쪽이 N극
❹ N극이 멀어진다. → 도선 왼쪽이 S극
❷ S극이 멀어진다. → 도선 오른쪽이 N극
❸ S극이 가까워진다. → 도선 오른쪽이 S극
a
b
q
v
p
원형 도선

❶ 점 p를 지날 때 전류 방향: 자석의 N극이 원형 도선에 점점 가까워질수록 이 운동을 방해하는 방향으로 유도 전류가 발생한다. ➡ a 방향

❷ 점 q를 지낼 때 전류 방향: 자석의 S극이 원형 도선에 점점 멀어질수록 이 운동을 방해하는 방향으로 유도 전류가 발생한다. ➡ b 방향

❸ 점 q를 지날 때 전류 방향: 자석의 S극이 원형 도선에 점점 가까워질수록 이 운동을 방해하는 방향으로 유도 전류가 발생한다. ➡ a 방향

❹ 점 p를 지날 때 전류 방향: 자석의 N극이 원형 도선에 점점 멀어질수록 이 운동을 방해하는 방향으로 유도 전류가 발생한다. ➡ b 방향

배경 지식

전자기 유도(렌츠의 법칙): 솔레노이드를 통과하는 자기 선속이 변할 때 자기 선속의 변화를 방해하는 방향으로 전류가 발생한다.

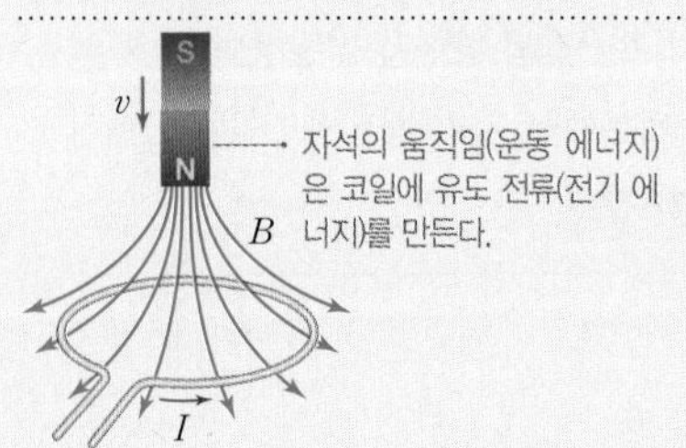

S
N
v
자석의 움직임(운동 에너지)은 코일에 유도 전류(전기 에너지)를 만든다.
B
I

■ 문항별 해설

ㄱ. 원형 도선에 흐르는 유도 전류는 원형 도선을 통과하는 자기 선속의 변화를 방해하는 방향으로 흐른다. 자석이 p를 지나 원형 고리와 가까워질 때 원형 고리를 통과하는 자기 선속이 증가하므로 이 변화를 방해하는 방향인 a로 유도 전류가 흐른다. (○)

ㄴ. 자석이 올라가는 방향으로 q를 지날 때 원형 도선으로부터 받는 자기력은 인력이고, 자석이 내려가는 방향으로 q를 지날 때 원형 도선으로부터 받는 자기력은 척력이다. (×)

ㄷ. 자석이 내려가며 p를 지날 때 원형 도선에는 자석의 운동 에너지로 인한 유도 전류가 발생한다. 즉 자석의 운동 에너지의 일부가 전기 에너지로 전환된다. 때문에 p를 지날 때, 자석의 속력은 v보다 작다. (×)

답 ①

기출 문제

정답과 해설 31쪽

165 그림과 같이 막대자석이 금속 고리의 중심축을 따라 고리를 통과하여 낙하한다. 점 p, q는 중심축상의 지점이다. 막대자석이 q를 지나는 순간 고리에 유도되는 전류의 방향은 ⓐ이다.
이에 대한 설명으로 옳은 것만을 〈보기〉에서 있는 대로 고른 것은? (단, 막대자석의 크기는 무시한다.)

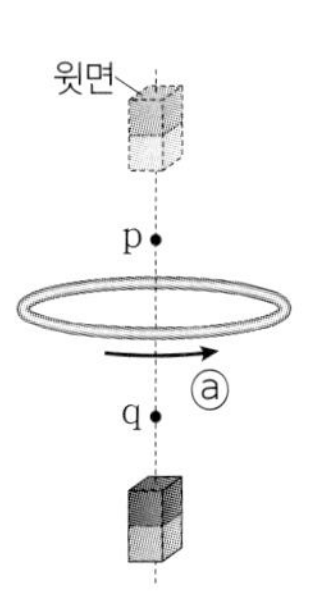

보기

ㄱ. 막대자석의 윗면은 S극이다.
ㄴ. 막대자석이 p를 지나는 순간, 고리에 유도되는 전류의 방향은 ⓐ와 반대이다.
ㄷ. 막대자석이 q를 지나는 순간, 막대자석과 고리 사이에는 서로 당기는 힘이 작용한다.

① ㄱ ② ㄷ ③ ㄱ, ㄴ
④ ㄴ, ㄷ ⑤ ㄱ, ㄴ, ㄷ

166 그림과 같이 막대자석이 원형 도선 X, Y의 중심축을 따라 X를 통과하여 Y를 향해 움직이고 있다.

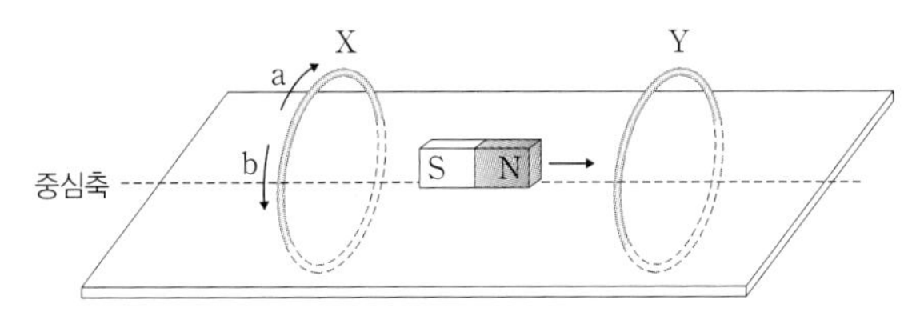

이에 대한 설명으로 옳은 것만을 〈보기〉에서 있는 대로 고른 것은? [3점]

보기

ㄱ. X에 흐르는 유도 전류의 방향은 b이다.
ㄴ. Y를 통과하는 자기 선속은 감소한다.
ㄷ. Y와 막대자석 사이에는 서로 밀어내는 자기력이 작용한다.

① ㄱ ② ㄷ ③ ㄱ, ㄴ
④ ㄱ, ㄷ ⑤ ㄴ, ㄷ

167 그림과 같이 위로 던져진 자석이 고정된 원형 도선 A를 통과한 후 다시 A를 통과해 내려온다. 자석이 점 p를 지날 때의 속력은 올라갈 때가 내려올 때보다 크다. 이에 대한 설명으로 옳은 것만을 〈보기〉에서 있는 대로 고른 것은? (단, 자석은 회전하지 않으며, 공기 저항, 자석의 크기는 무시한다.) [3점]

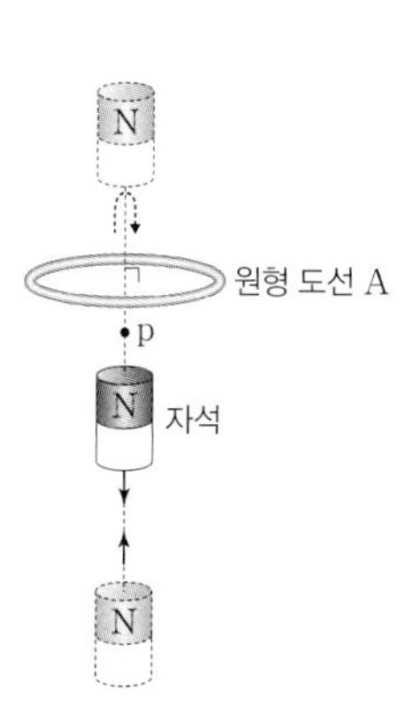

보기

ㄱ. A에 흐르는 유도 전류의 세기는 p에서 자석이 올라갈 때가 내려올 때보다 크다.
ㄴ. A에 흐르는 유도 전류의 방향은 p에서 자석이 올라갈 때와 내려올 때가 같다.
ㄷ. 자석이 A로부터 받는 힘의 방향은 p에서 자석이 올라갈 때와 내려올 때가 같다.

① ㄱ ② ㄷ ③ ㄱ, ㄴ
④ ㄴ, ㄷ ⑤ ㄱ, ㄴ, ㄷ

168 그림 (가)는 강자성 막대에 붙어 있는 자석을 수평면에 놓인 원형 도선에 가까이 하는 것을, (나)는 (가)에서 자석을 떼어내고 강자성 막대를 원형 도선으로부터 멀리 하는 것을 나타낸 것이다.

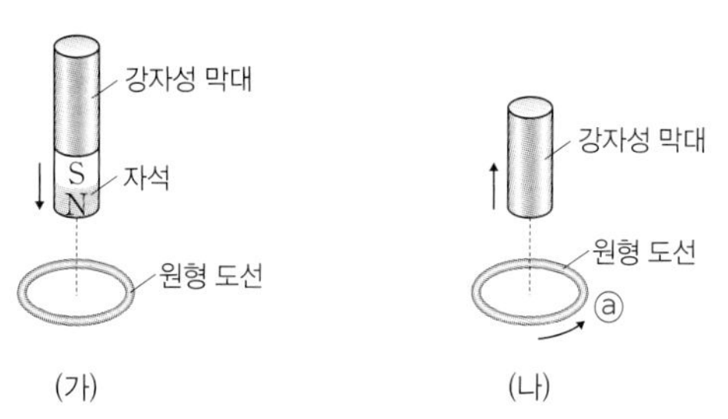

이에 대한 설명으로 옳은 것만을 〈보기〉에서 있는 대로 고른 것은? [3점]

보기

ㄱ. (가)에서 원형 도선에는 자석에 의한 자기 선속이 증가한다.
ㄴ. (나)에서 원형 도선에는 ⓐ 방향으로 전류가 흐른다.
ㄷ. (나)에서 원형 도선과 강자성 막대 사이에는 끌어당기는 자기력이 작용한다.

① ㄱ ② ㄴ ③ ㄱ, ㄷ
④ ㄴ, ㄷ ⑤ ㄱ, ㄴ, ㄷ

기출 분석 36 유형

출제 의도
코일을 통과하는 자기 선속을 변화시켰을 때, 유도되는 전류의 특성을 렌츠의 법칙으로 이해하는 문제이다.

이렇게 대비하자!
코일에 전류가 유도될 때 자석과 코일 사이에 작용하는 자기력의 특성을 알아 두자.

■ 연관 기출 문제 키워드
#코일 #렌츠 법칙 #유도 전류 #자기 선속

문제 분석

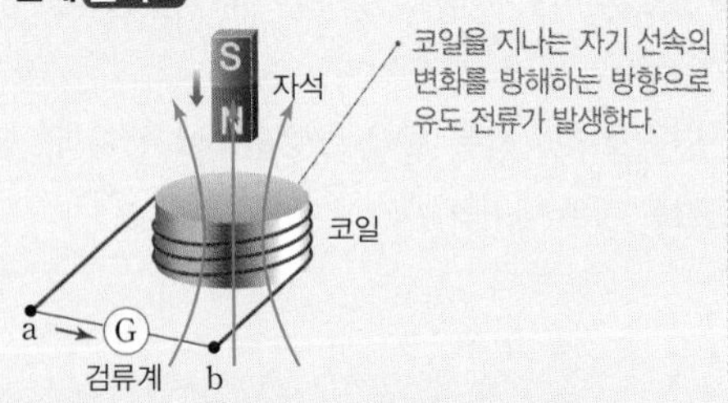

❶ 자석의 N극이 코일과 가까워지는 경우
- N극이 코일과 가까워질수록 코일 속을 통과하는 자기 선속이 증가한다.
- 코일에는 코일을 통과하는 자기 선속을 방해하는 방향으로 자기장이 생긴다.
- 유도 전류의 방향은 a → Ⓖ → b이다.

❷ 자석의 S극이 코일과 가까워지는 경우
- S극이 코일과 가까워질수록 코일 속을 통과하는 자기 선속이 증가한다.
- 코일에는 코일을 통과하는 자기 선속을 방해하는 방향으로 자기장이 생긴다.
- 유도 전류의 방향은 b → Ⓖ → a이다.

다음은 렌츠 법칙에 대한 실험이다.

[실험 과정]
(가) 그림과 같이 코일과 검류계를 이용하여 회로를 구성하고, 자석의 N극을 아래로 향하도록 한다.
(나) 자석을 코일에 가까이 가져가면서 검류계에 흐르는 전류의 방향을 관찰한다.

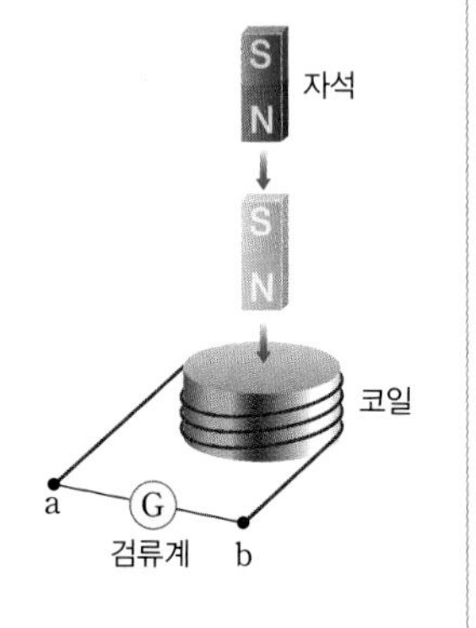

[실험 결과]
(나)에서 a → Ⓖ → b 방향으로 유도 전류가 흐른다.

이 실험에 대한 설명으로 옳은 것만을 〈보기〉에서 있는 대로 고른 것은?

보기
ㄱ. 코일 내부의 자기 선속 변화를 방해하도록 유도 전류가 흐른다.
ㄴ. 유도 전류에 의한 코일 내부의 자기장의 방향은 아래 방향이다.
ㄷ. 자석의 S극을 아래로 향하도록 한 후 과정 (나)를 하면 b → Ⓖ → a 방향으로 유도 전류가 흐른다.

① ㄱ ② ㄴ ③ ㄷ ④ ㄱ, ㄷ ⑤ ㄱ, ㄴ, ㄷ

■ 문항별 해설

ㄱ. 렌츠 법칙에 따라 유도 전류는 코일 내부를 통과하는 자기 선속의 변화를 방해하는 방향으로 흐른다. (○)
ㄴ. (나)의 결과 자석을 코일에 가까이 가져갔을 때 유도 전류는 a → Ⓖ → b 방향으로 흘러 코일과 자석 사이에는 척력이 작용하므로 코일 내부의 자기장의 방향은 윗 방향이다. (×)
ㄷ. 과정 (나)와 반대로 S극을 아래로 향한 후 코일에 가까이 가져가면 유도 전류는 코일을 통과하는 자기 선속의 변화를 방해하는 방향으로(S극이 코일과 가까워지는 운동을 방해하는 방향) 유도된다. 따라서 유도 전류의 방향은 b → Ⓖ → a 이다. (○)

답 ④

배경 지식
유도 전류는 왜 자기 선속의 변화를 방해하는 방향으로 생기는 걸까? 만일 위와 같이 자석의 N극이 아래로 향할 때 b → Ⓖ → a 방향의 유도 전류가 흐르게 된다면 코일 인력으로 자석의 운동 에너지는 증가하며, 코일에는 전기 에너지가 유도될 것이다. 이것은 에너지 보존 법칙에 위배되는 결과이다.

기출 문제

정답과 해설 31쪽

169 그림은 솔레노이드와 검류계를 연결하고 막대자석의 N극을 솔레노이드에 가까이 가져갈 때 검류계 바늘이 a 방향으로 움직이는 것을 나타낸 것이다. 이에 대한 설명으로 옳은 것만을 〈보기〉에서 있는 대로 고른 것은?

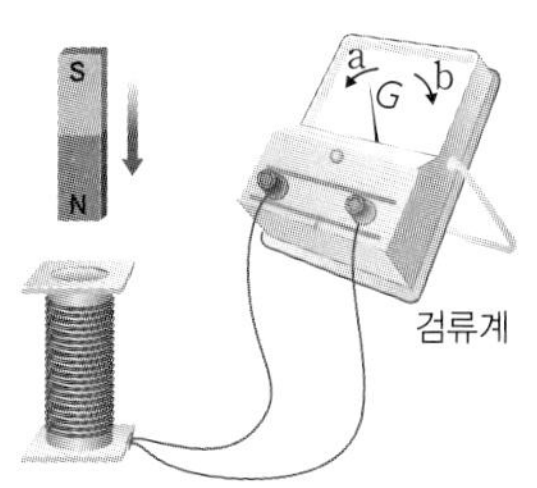

보기

ㄱ. N극을 솔레노이드에 가까이 가져갈 때 막대자석과 솔레노이드 사이에는 밀어내는 힘이 작용한다.

ㄴ. S극을 솔레노이드에 가까이 가져갈 때 검류계 바늘은 b 방향으로 움직인다.

ㄷ. 솔레노이드에 전류가 흐르는 것을 전자기 유도 현상으로 설명할 수 있다.

① ㄱ ② ㄷ ③ ㄱ, ㄴ ④ ㄴ, ㄷ ⑤ ㄱ, ㄴ, ㄷ

170 그림은 빗면을 따라 내려온 자석이 솔레노이드의 중심축에 놓인 마찰이 없는 수평 레일을 따라 운동하는 모습을 나타낸 것이다. 점 p, q는 레일 위에 있다.

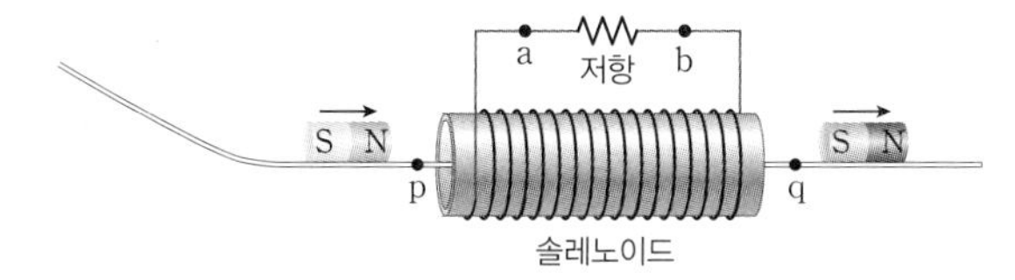

이에 대한 설명으로 옳은 것만을 〈보기〉에서 있는 대로 고른 것은? [3점]

보기

ㄱ. 자석이 p를 지날 때, 유도 전류는 a→저항→b 방향으로 흐른다.

ㄴ. 자석의 속력은 p에서가 q에서보다 작다.

ㄷ. 자석이 q를 지날 때, 솔레노이드 내부에서 유도 전류에 의한 자기장의 방향은 q→p 방향이다.

① ㄱ ② ㄴ ③ ㄱ, ㄷ ④ ㄴ, ㄷ ⑤ ㄱ, ㄴ, ㄷ

171 그림과 같이 자석 A를 수평면에 고정된 솔레노이드에서 멀어지는 방향으로 움직였더니, 정지해 있던 자석 B가 솔레노이드에서 멀어지는 방향으로 움직인다. B의 ㉠은 N극과 S극 중 하나이다.

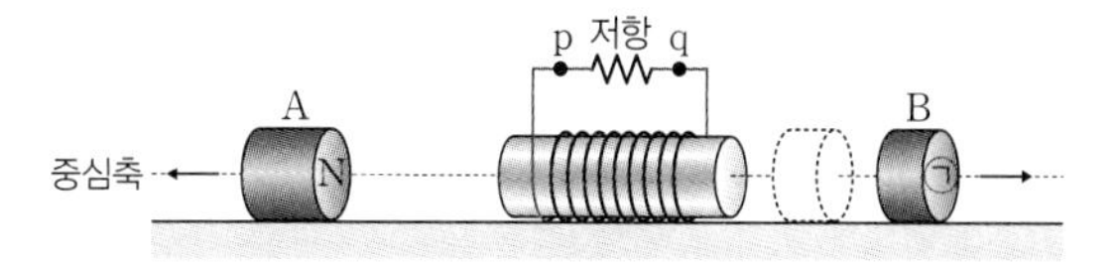

이에 대한 설명으로 옳은 것만을 〈보기〉에서 있는 대로 고른 것은? [3점]

보기

ㄱ. 솔레노이드를 통과하는 A에 의한 자기 선속은 감소한다.

ㄴ. 솔레노이드에 흐르는 전류의 방향은 q→저항→p이다.

ㄷ. ㉠은 S극이다.

① ㄱ ② ㄷ ③ ㄱ, ㄴ ④ ㄴ, ㄷ ⑤ ㄱ, ㄴ, ㄷ

172 그림은 빗면을 따라 내려온 자석이 마찰이 없고 수평인 직선 레일을 따라 솔레노이드를 통과하는 것을 나타낸 것이다. a, b는 고정된 솔레노이드의 중심에서 같은 거리만큼 떨어진 중심축상의 점이다.

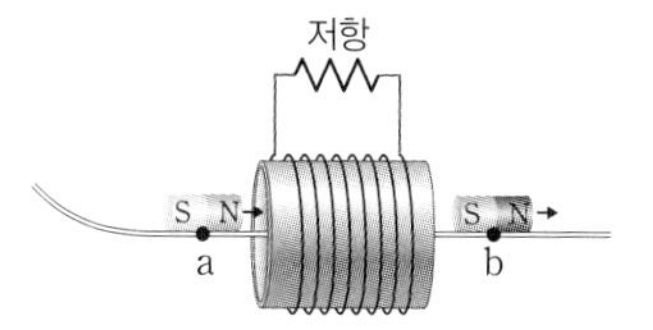

이에 대한 설명으로 옳은 것만을 〈보기〉에서 있는 대로 고른 것은? (단, 자석의 크기는 무시한다.)

보기

ㄱ. 저항에 흐르는 유도 전류의 방향은 자석이 a를 지날 때와 b를 지날 때가 서로 같다.

ㄴ. 저항에 흐르는 유도 전류의 세기는 자석이 a를 지날 때가 b를 지날 때보다 크다.

ㄷ. 솔레노이드에 의해 자석이 받는 자기력의 방향은 자석이 a를 지날 때와 b를 지날 때가 서로 반대 방향이다.

① ㄱ ② ㄴ ③ ㄷ ④ ㄱ, ㄴ ⑤ ㄴ, ㄷ

기출 분석 37 유형

출제 의도

균일한 자기장을 직사각형 도선이 통과할 때, 동일한 면적을 통과하는 자기장의 세기 변화에 따라 직사각형 도선에 유도되는 전류의 특성을 묻는 문제이다.

이렇게 대비하자!

일정한 면적을 가지고 있는 도선에 유도되는 전류의 세기는 단위 시간당 자기장의 변화와 비례함을 알아 두자.

■ 연관 기출 문제 키워드

#직사각형 도선 #균일한 자기장

그림 (가)는 저항 R가 연결된 직사각형 도선의 일부가 균일한 자기장 영역에 고정되어 있는 것을 나타낸 것이다. 자기장의 방향은 도선이 이루는 면에 수직으로 들어가는 방향이다. 그림 (나)는 (가)에서 자기장 영역의 자기장 세기를 시간에 따라 나타낸 것이다.

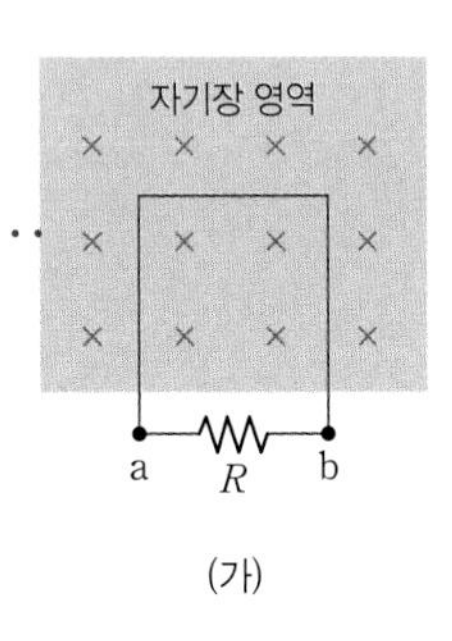

(가)

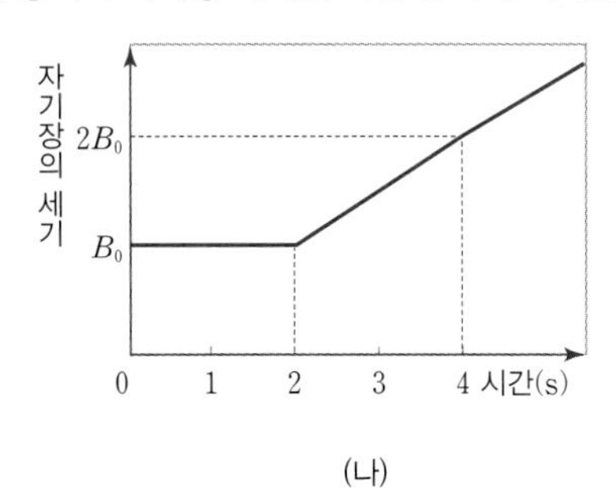

(나)

이에 대한 설명으로 옳은 것만을 〈보기〉에서 있는 대로 고른 것은? (단, 온도에 따른 저항 변화는 무시한다.) [3점]

보기

ㄱ. 1초일 때 R에는 전류가 흐르지 않는다.

ㄴ. 3초일 때 R에 흐르는 전류의 방향은 a→R→b이다.

ㄷ. R에 흐르는 전류의 세기는 4초일 때가 3초일 때보다 크다.

① ㄱ ② ㄴ ③ ㄷ ④ ㄱ, ㄴ ⑤ ㄱ, ㄴ, ㄷ

$V \propto \frac{\Delta B}{\Delta t} = \frac{B_0}{2s} \neq 0$으로 유도 전류가 발생한다.

문제 분석

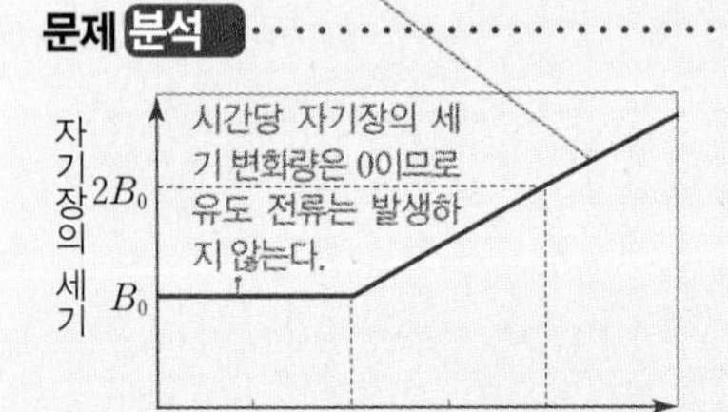

- 0~2초: 자기장 세기가 일정하기 때문에 유도 전류는 발생하지 않는다.
- 2~4초: 직사각형 도선을 지나는 자기장 세기가 커지므로(자기장의 방향은 아래이다.) 변화를 방해하는 방향인 윗방향으로 자기장이 유도되어 a→R→b 방향의 유도 전류가 발생한다.

■ 문항별 해설

ㄱ. 유도 전류는 직사각형 도선을 통과하는 자기장 세기의 시간당 변화율에 비례한다. 따라서 0초에서 2초 사이에는 자기장의 세기가 변하지 않으므로 1초일 때 직사각형 도선에는 전류가 흐르지 않는다. (○)

ㄴ. 2초부터 직사각형 도선을 통과하는 자기장의 세기가 수직으로 들어가는 방향으로 점점 커지므로 직사각형 도선에는 수직으로 나오는 방향의 자기장이 유도된다. 그러므로 도선에는 a → R → b으로 전류가 유도된다. (○)

ㄷ. 자기장의 세기 변화로 발생하는 유도 전류의 세기는 시간당 자기장 세기 변화량에 비례한다. 2초부터 직사각형 도선을 통과하는 자기장의 세기가 같은 비율로 증가하므로 3초일 때와 4초일 때 유도되는 전류의 세기는 같다. (×)

답 ④

배경 지식

전자기 유도

유도 기전력은 시간에 따른 자기 선속의 변화율에 비례한다.

$$V = -N\frac{\Delta \Phi}{\Delta t}$$

(자기 선속의 변화를 방해하는 방향으로 기전력이 생기기 때문에 부호는 '−'이다.)

기출 문제

정답과 해설 32쪽

173 그림과 같이 균일한 자기장 영역에 놓인 금속선의 양 끝을 일정한 속력으로 당겨 원형 부분 P의 반지름을 일정하게 감소시키고 있다. 자기장의 방향은 종이면에 수직으로 들어가는 방향이다.

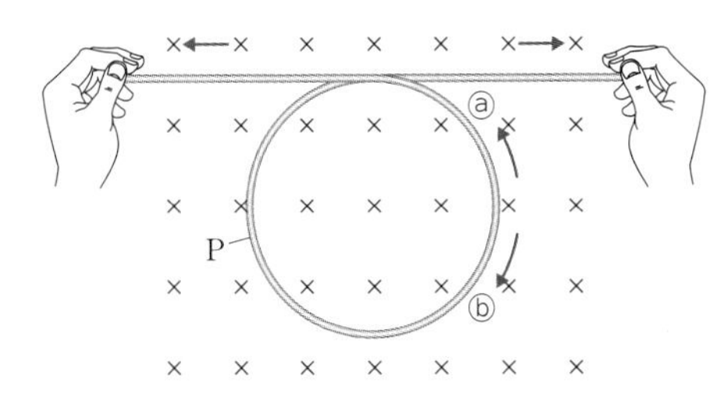

P에 유도되는 기전력의 크기와 전류의 방향은? (단, 금속선을 당기는 동안 금속선의 종이면에 놓여 있다.)

	기전력의 크기	전류 방향		기전력의 크기	전류 방향
①	감소한다	ⓐ	②	감소한다	ⓑ
③	일정하다	ⓐ	④	일정하다	ⓑ
⑤	증가한다	ⓐ			

174 그림 (가)는 고정된 도선의 일부가 균일한 자기장 영역 I, II에 놓여 있는 모습을 나타낸 것이다. 자기장의 방향은 도선이 이루는 면에 수직으로 들어가는 방향이고, 도선이 I, II에 걸친 면적은 각각 S, $2S$이다. 그림 (나)는 I, II에서의 자기장 세기를 시간에 따라 나타낸 것이다.

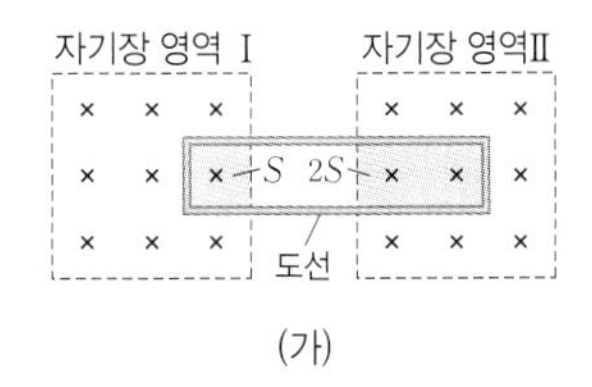

(가)

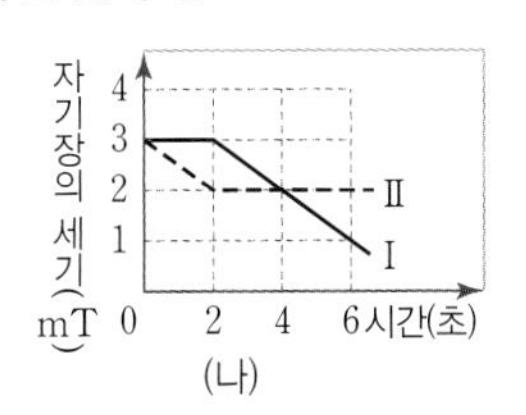

(나)

도선에 흐르는 유도 전류에 대한 설명으로 옳은 것만을 〈보기〉에서 있는 대로 고른 것은? [3점]

보기

ㄱ. 1초일 때, 전류는 시계 방향으로 흐른다.

ㄴ. 전류의 방향은 3초일 때와 5초일 때가 서로 반대이다.

ㄷ. 전류의 세기는 1초일 때가 5초일 때보다 작다.

① ㄱ ② ㄴ ③ ㄱ, ㄷ
④ ㄴ, ㄷ ⑤ ㄱ, ㄴ, ㄷ

175 그림 (가)와 같이 종이면에 수직으로 들어가는 방향의 균일한 자기장 영역에 저항과 발광 다이오드(LED)가 연결된 회로가 고정되어 있다. X, Y는 p형 반도체와 n형 반도체를 순서 없이 나타낸 것이다. 그림 (나)는 (가)에서 자기장의 세기를 시간에 따라 나타낸 것이다. t_0일 때 LED에서는 빛이 방출되고 있다.

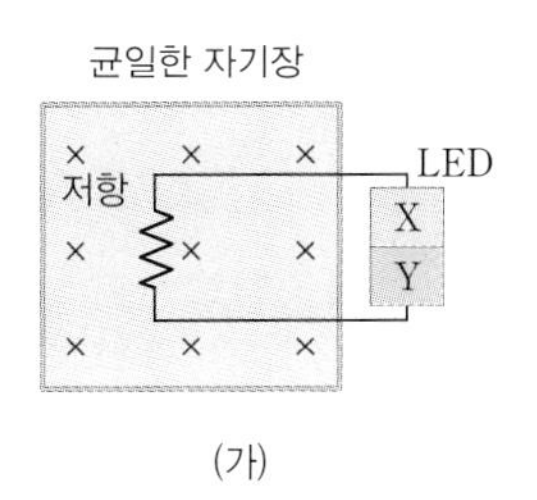

(가)

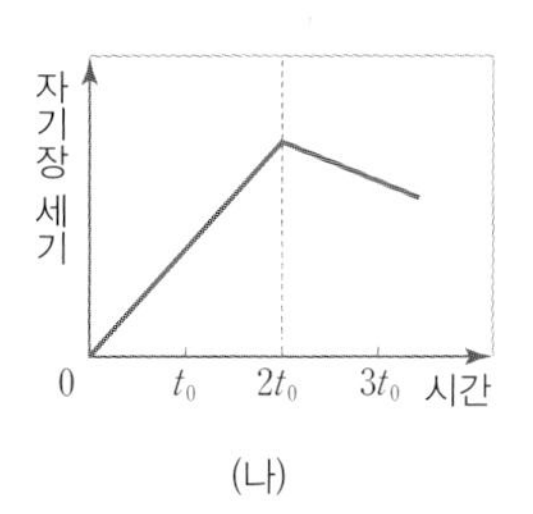

(나)

이에 대한 설명으로 옳은 것만을 〈보기〉에서 있는 대로 고른 것은?

보기

ㄱ. t_0일 때 유도 전류는 저항 → X → Y 방향으로 흐른다.

ㄴ. X는 n형 반도체이다.

ㄷ. $3t_0$일 때 저항에 유도 전류가 흐른다.

① ㄱ ② ㄴ ③ ㄷ
④ ㄱ, ㄴ ⑤ ㄴ, ㄷ

176 그림과 같이 정사각형 금속 고리 P가 1 cm/s의 속력으로 x축에 나란하게 등속도 운동하여 자기장 영역 I, II, III을 통과한다. $t=0$일 때, P의 중심의 위치는 $x=0$이다. I, II, III에서 자기장의 세기는 각각 B_0, $2B_0$, B_0으로 균일하다.

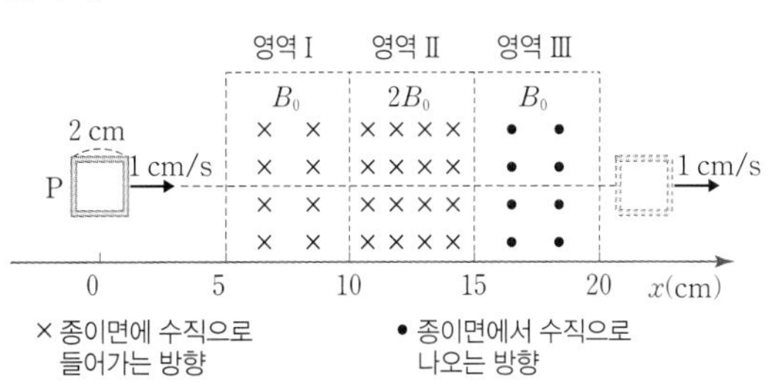

이에 대한 설명으로 옳은 것만을 〈보기〉에서 있는 대로 고른 것은? [3점]

보기

ㄱ. $t=5$초일 때, P에 흐르는 유도 전류의 방향은 시계 방향이다.

ㄴ. $t=13$초일 때, P에 흐르는 유도 전류는 0이다.

ㄷ. P에 흐르는 유도 전류의 세기는 $t=10$초일 때가 $t=15$초일 때보다 작다.

① ㄱ ② ㄴ ③ ㄱ, ㄷ
④ ㄴ, ㄷ ⑤ ㄱ, ㄴ, ㄷ

기출 분석

38 유형

출제 의도
전류가 만드는 자기장의 원리와 자기장의 변화가 만드는 전류(전자기 유도 법칙)를 이용하여 실생활에 사용하고 있는 장치를 알아보는 문제이다.

이렇게 대비하자!
일상 생활에서 전자기 유도와 렌츠 법칙을 활용한 예를 알고 원리가 어떻게 적용되는지 이해하고 있어야 한다.

■ **연관 기출 문제 키워드**

#마이크 #스피커

문제 분석

- 소리는 진동판의 진동을 만들어 자석과 코일 사이에 상대 운동을 만든다. 코일에는 그 운동을 방해하는 방향으로 유도 전류가 발생한다. – 렌츠 법칙 (소리 신호 → 전기 신호)
- 마이크에서 만들어진 유도 전류가 증폭기를 지나 스피커의 코일로 흐르면, 코일에 흐르는 전류의 세기에 따라 코일에서 발생하는 자기장이 자석과 자기력을 작용하여 진동하게 된다. (전기 신호 → 소리 신호)

다음은 마이크와 스피커의 원리에 대한 설명이다.

> ㉠소리가 발생하면 공기의 진동에 의해 마이크의 진동판에 연결된 코일이 진동하게 된다. 이 진동에 의해 코일을 지나는 자기 선속이 변하게 되어 코일에는 ㉡전류가 흐른다. 이 전류가 증폭기를 거쳐 ㉢스피커의 코일로 흐르게 되면 코일은 자기력을 받게 되고, 코일과 연결된 진동판은 마이크에 입력된 소리와 같은 진동수로 진동하게 된다. 이 진동에 의해 스피커에서 ㉣소리가 발생한다.
>
> 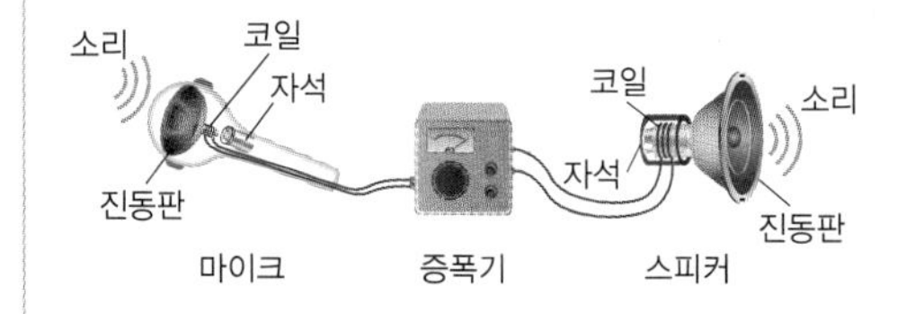
>

이에 대한 설명으로 옳은 것만을 〈보기〉에서 있는 대로 고른 것은?

보기

ㄱ. ㉠과 ㉣은 같은 높이의 소리이다.
ㄴ. ㉡은 전자기 유도 현상에 의해 발생한다.
ㄷ. ㉢은 소리 신호를 전기 신호로 변환해 주는 장치이다.

① ㄱ ② ㄷ ③ ㄱ, ㄴ ④ ㄴ, ㄷ ⑤ ㄱ, ㄴ, ㄷ

■ **문항별 해설**

ㄱ. 소리의 진동수는 마이크의 진동판을 통해 전기 신호로 변환되며, 그 전기 신호는 증폭기를 지나 스피커를 통해 같은 진동수의 소리를 발생시키므로 ㉠과 ㉣은 같은 높이의 소리이다. (○)
ㄴ. 자기 선속의 변화로 전류가 생기는 현상을 전자기 유도 현상이라고 한다. (○)
ㄷ. 스피커는 증폭기를 통해 얻은 전기 신호를 소리 신호로 변환하는 장치이다. (×)

답 ③

■ **오류 피하기**

···› 증폭기는 입력 신호와 출력 신호의 비(데시벨)에 따라 전류의 진폭을 조절하는 장치이다. 소리의 크기는 진동수가 아닌 진폭에 의해 조절되기 때문에 마이크에서 증폭기를 지나 스피커로 흐르는 전류의 진동수는 일정하며 진폭은 데시벨에 따라 달라진다. 소리에서 진동수는 높낮이와 관련있는 값이다.

기출 문제

정답과 해설 32쪽

177 그림은 소리가 마이크와 증폭기를 거쳐 스피커에서 재생되는 과정을 모식적으로 나타낸 것이다.

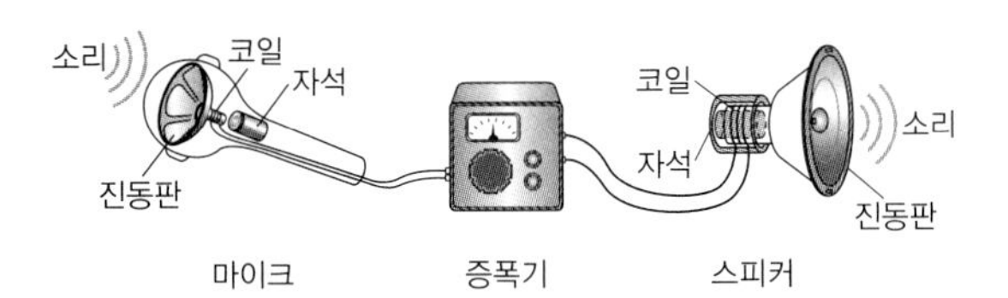

이에 대한 설명으로 옳은 것만을 ⟨보기⟩에서 있는 대로 고른 것은?

보기

ㄱ. 마이크의 진동판은 공기의 진동에 의해 진동한다.
ㄴ. 마이크에서는 소리가 전기 신호로 전환된다.
ㄷ. 스피커에서는 전기 신호가 소리로 전환된다.

① ㄴ　② ㄷ　③ ㄱ, ㄴ　④ ㄱ, ㄷ　⑤ ㄱ, ㄴ, ㄷ

178 다음은 마이크에 대한 설명이다.

그림은 코일, 자석, 진동판으로 이루어진 마이크이다. 공기의 진동에 의해 진동판이 진동하면 코일에 전류가 흐른다. 이와 같이 마이크는 (가) 신호를 (나) 신호로 전환시키는데, 이 과정은 (다)으로 설명할 수 있다.

(가), (나), (다)에 들어갈 내용으로 옳은 것은?

	(가)	(나)	(다)
①	소리	전기	앙페르 법칙
②	소리	전기	패러데이 법칙
③	소리	전기	옴의 법칙
④	전기	소리	앙페르 법칙
⑤	전기	소리	패러데이 법칙

179 그림은 플래터의 정보 저장 물질에 디지털 정보가 저장되는 하드 디스크의 구조와 하드 디스크의 헤드가 정보 저장 물질에 정보를 기록하는 모습을 나타낸 것이다.

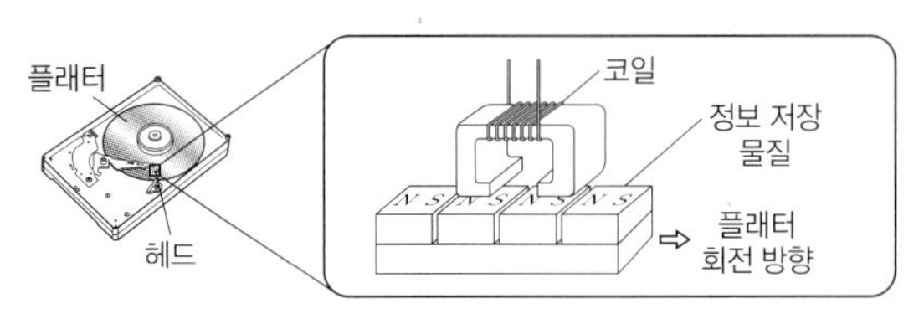

이에 대한 설명으로 옳은 것만을 ⟨보기⟩에서 있는 대로 고른 것은?

보기

ㄱ. 하드 디스크에 연결된 전원을 끄면 저장된 정보가 사라진다.
ㄴ. 헤드의 코일에 흐르는 전류의 방향을 바꾸면 정보 저장 물질의 자기화 방향이 바뀐다.
ㄷ. 플래터의 정보 저장 물질은 강자성체이다.

① ㄴ　② ㄷ　③ ㄱ, ㄴ　④ ㄱ, ㄷ　⑤ ㄴ, ㄷ

180 다음은 휴대 전화를 무선 충전하는 원리에 대한 설명이다.

- 무선 충전기에서 시간에 따라 크기와 방향이 변하는 자기장이 발생하면, ㉠휴대 전화 내부 코일에 유도 전류가 흘러 휴대 전화가 충전된다.
- 그림과 같이 어느 순간 무선 충전기에서 발생한 자기장이 윗방향이고 자기 선속이 증가하고 있으면, 휴대 전화 내부 코일에 흐르는 유도 전류의 방향은 (가) 이다.

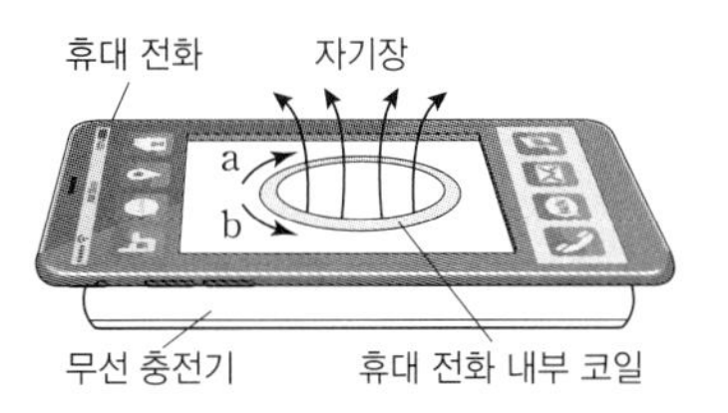

이에 대한 설명으로 옳은 것만을 ⟨보기⟩에서 있는 대로 고른 것은?

보기

ㄱ. ㉠에는 유도 기전력이 발생한다.
ㄴ. (가)는 b 방향이다.
ㄷ. 휴대 전화 무선 충전은 전자기 유도 현상을 이용한다.

① ㄱ　② ㄴ　③ ㄷ　④ ㄱ, ㄷ　⑤ ㄴ, ㄷ

기출 분석

39 유형

출제 의도

파동의 요소를 알고, 파동 그래프를 해석하여 파장, 진동수, 속력의 관계를 설명할 수 있는지 묻는 문제이다.

이렇게 대비하자!

파동의 변위-시간 그래프와 변위-위치 그래프의 차이를 알고, 각각의 그래프에서 파동의 요소를 찾을 수 있어야 한다.

■ 연관 기출 문제 키워드

#파동의 표시 #진동수 #주기

그림 (가)는 줄에서 x축과 나란하게 진행하는 파동의 어느 순간의 모습을 나타낸 것이다. 점 P는 줄에 고정된 한 점이다. 그림 (나)는 (가)의 순간부터 y축과 나란하게 진동하는 P의 변위를 시간에 따라 나타낸 것이다.

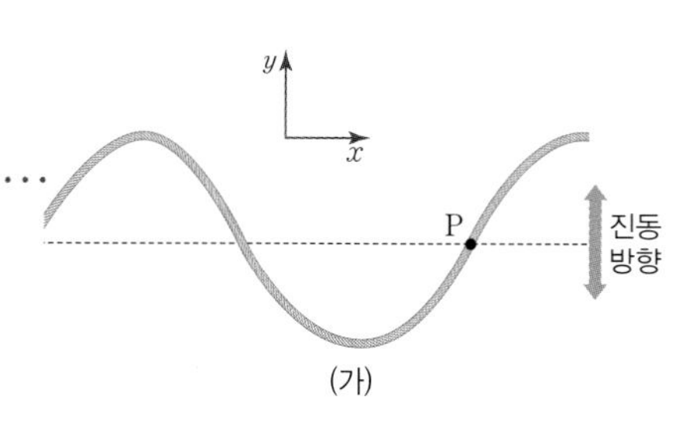

(가)

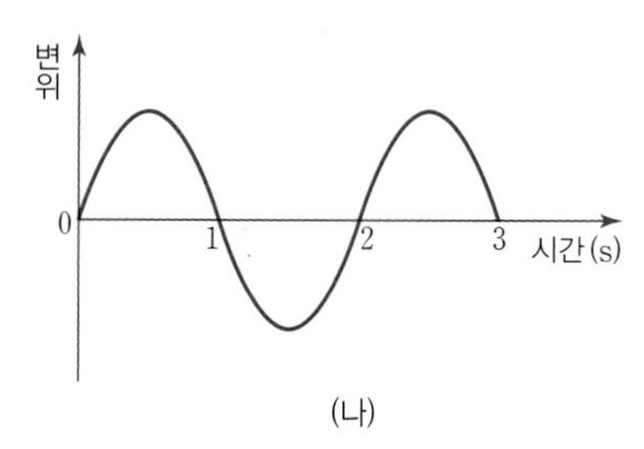

(나)

이 파동에 대한 설명으로 옳은 것만을 <보기>에서 있는 대로 고른 것은?

보기
ㄱ. 횡파이다.
ㄴ. 진동수는 2 Hz이다.
ㄷ. 파동의 진행 방향은 $-x$ 방향이다.

① ㄱ ② ㄴ ③ ㄷ ④ ㄱ, ㄷ ⑤ ㄱ, ㄴ, ㄷ

문제 분석

❶ 변위-위치 그래프

문제의 (가)는 어느 순간 파동의 모습을 위치에 따라 나타낸 것이다. 이 그래프에서 파동의 진폭과 파장을 알 수 있다.

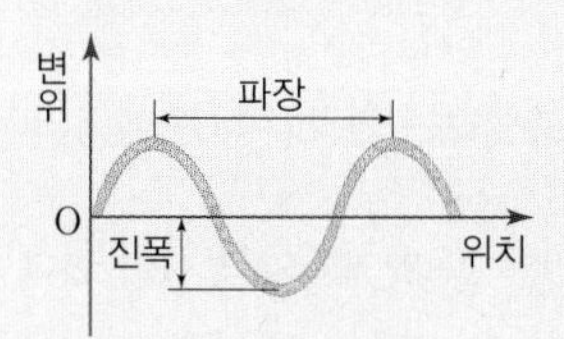

❷ 변위-시간 그래프

문제의 (나)는 매질의 한 지점이 진동하는 모습을 시간에 따라 나타낸 그래프이다. 파동의 진폭, 주기, 진동수를 알 수 있다.

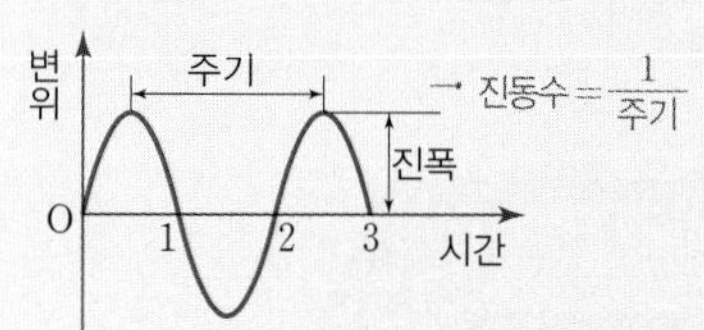

배경 지식

- **파장**: 이웃한 마루(골)와 마루(골) 사이의 거리이다.
- **주기**: 매질의 한 점이 1회 진동하는 데 걸리는 시간(단위: 초)이다. 즉, 파동이 한 파장 이동하는데 걸리는 시간이다.
- **진동수**: 매질의 한 점이 1초 동안 진동하는 횟수(단위: Hz)이다. 주기와 진동수는 서로 역수 관계이다.

■ 문항별 해설

ㄱ. 파동의 진행 방향과 줄의 진동 방향이 수직이므로 횡파이다. (○)

ㄴ. 주기와 진동수는 역수 관계에 있다. 문제의 그래프에서 P가 1회 진동하는 데 걸리는 시간은 2초이고, 이것이 파동의 진동 주기이다. 따라서 진동수 $= \frac{1}{주기} = \frac{1}{2}$ Hz가 된다. (×)

ㄷ. 변위-시간 그래프를 보면 0초에서 1초까지 P의 변위 방향은 $+y$ 방향이다. 즉, 0초일 때 파동의 모습을 나타낸 그림 (가)에서 0초를 지난 후 P의 위치가 $+y$가 되려면 파동은 왼쪽, 즉 $-x$ 방향으로 진행해야 한다. 시간에 따른 파동의 모양은 오른쪽 그림과 같다. (○)

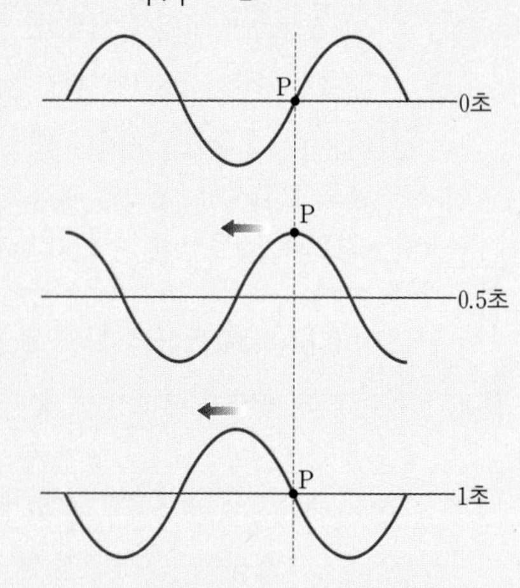

답 ④

■ 오류 피하기

⋯› 그림 (나)는 P점의 변위를 나타낸 것이다. 0초일 때 P는 변위가 0이고, 이때 파동의 모습이 (가)와 같다.

기출 문제

정답과 해설 33쪽

181 그림 (가)는 진행하는 파동의 어느 한 순간의 변위를 위치 x에 따라 나타낸 것이고, (나)는 $x=l$인 위치에서 파동의 변위를 시간에 따라 나타낸 것이다.

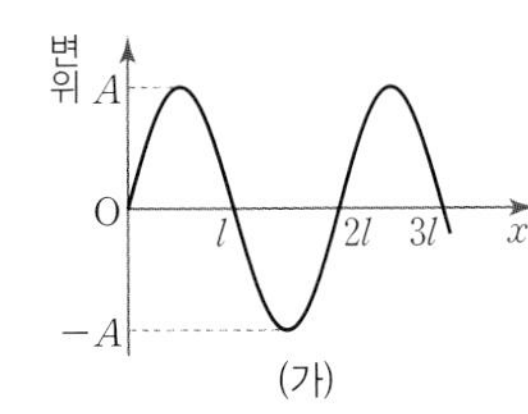

(가)

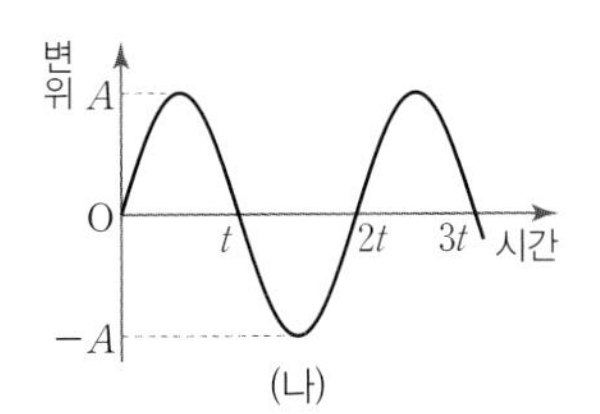

(나)

이 파동에 대한 설명으로 옳은 것만을 〈보기〉에서 있는 대로 고른 것은?

보기
ㄱ. 진폭은 $2A$이다.
ㄴ. 파장은 $2l$이다.
ㄷ. 진행 속력은 $\frac{l}{t}$이다.

① ㄱ ② ㄴ ③ ㄱ, ㄷ
④ ㄴ, ㄷ ⑤ ㄱ, ㄴ, ㄷ

182 그림 (가)는 진행하는 두 파동 A와 B의 어느 한 점의 변위를 시간에 따라 나타낸 것이고, 그림 (나)는 어느 순간에 A와 B 중 하나의 변위를 위치에 따라 나타낸 것이다. 진행 속력은 A가 B의 2배이다.

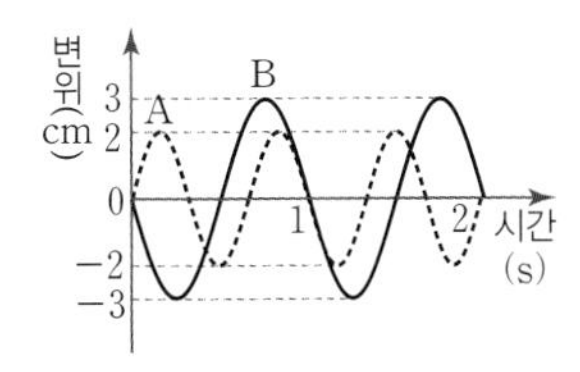

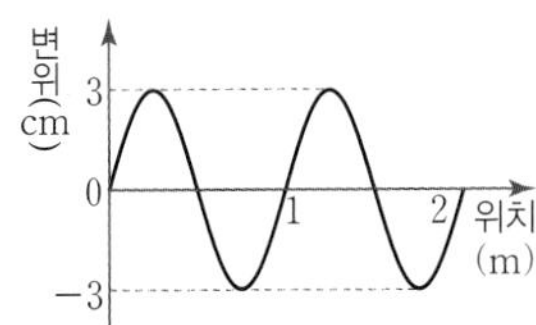

이에 대한 설명으로 옳은 것만을 〈보기〉에서 있는 대로 고른 것은?

보기
ㄱ. 진동수는 A가 B의 2배이다.
ㄴ. B의 파장은 1 m이다.
ㄷ. A의 진행 속력은 2 m/s이다.

① ㄴ ② ㄷ ③ ㄱ, ㄴ
④ ㄱ, ㄷ ⑤ ㄴ, ㄷ

183 그림은 주기가 같은 파동 A, B의 어느 순간의 변위를 나타낸 것이다. B가 A의 2배인 물리량만을 〈보기〉에서 있는 대로 고른 것은?

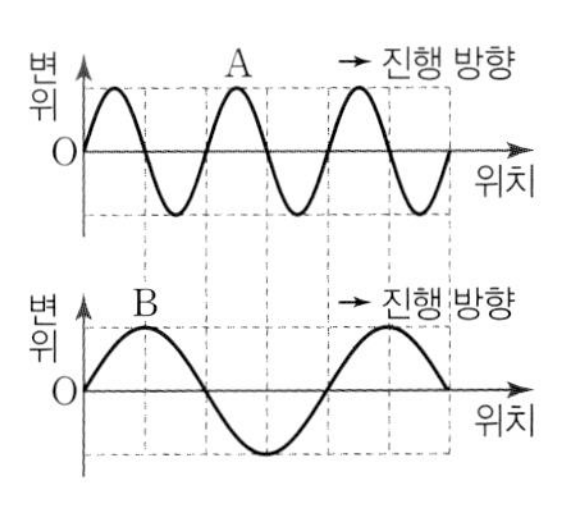

보기
ㄱ. 진동수 ㄴ. 파장 ㄷ. 파동의 속력

① ㄱ ② ㄴ ③ ㄷ
④ ㄱ, ㄴ ⑤ ㄴ, ㄷ

184 그림 (가)는 진행하는 횡파의 어느 순간의 모습과 매질 위의 점 A를, (나)는 (가)의 순간부터 A의 변위를 시간에 따라 나타낸 것이다.

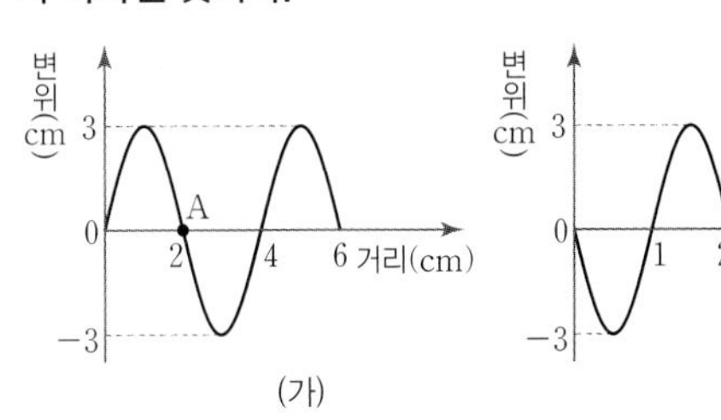

(가) (나)

이 파동의 진행 방향과 속력으로 옳은 것은?

	방향	속력		방향	속력
①	왼쪽	0.5 cm/s	②	오른쪽	1 cm/s
③	왼쪽	1 cm/s	④	오른쪽	2 cm/s
⑤	왼쪽	2 cm/s			

185 그림은 같은 속력으로 진행하는 파동 A, B의 어느 순간의 변위를 위치에 따라 나타낸 것이다. 이에 대한 설명으로 옳은 것만을 〈보기〉에서 있는 대로 고른 것은?

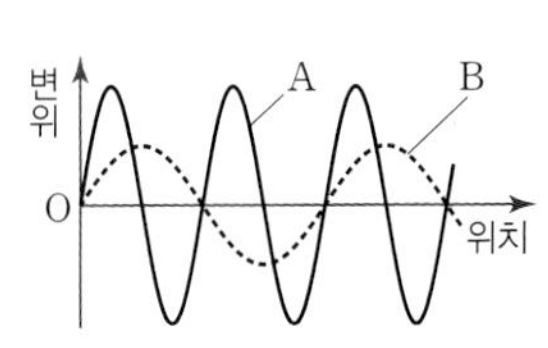

보기
ㄱ. 파장은 A가 B보다 작다.
ㄴ. 진폭은 A와 B가 같다.
ㄷ. 주기는 A와 B가 같다.

① ㄱ ② ㄴ ③ ㄱ, ㄷ
④ ㄴ, ㄷ ⑤ ㄱ, ㄴ, ㄷ

기출 분석

40 유형

? 출제 의도
종파와 횡파의 특성을 알고 둘의 차이를 구분할 수 있는지를 묻는 문제이다.

이렇게 대비하자!
종파와 횡파의 모양과 특징, 파동의 표시 방법, 예를 구분하여 기억해 두자.

■ **연관 기출 문제 키워드**

#종파 #횡파 #파동의 진행 방향 #매질의 진동 방향

문제 분석

파동의 종류를 구분할 때는 매질(용수철)이 진동하는 방향과 파동의 진행 방향을 비교한다.

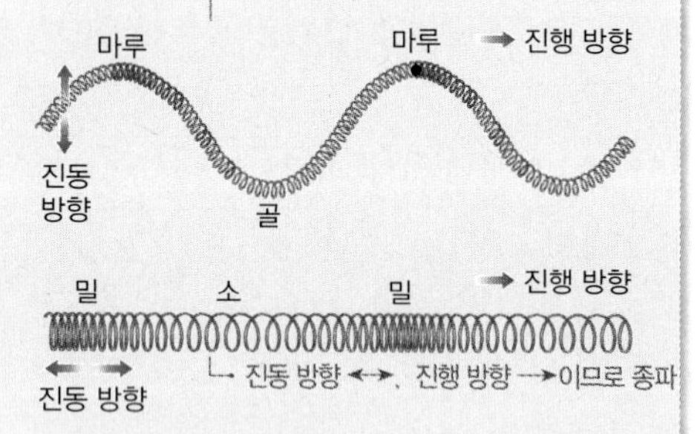

➡ 진행 방향과 진동 방향이 수직이면 횡파, 나란하면 종파이다.

다음은 파동 실험용 용수철을 이용한 파동의 발생과 전파에 관한 실험 과정이다.

[실험 과정]

(1) 수평인 실험대 위에 파동 실험용 용수철을 올려놓고, 용수철의 한 점에 종이 조각을 붙인다.

(2) 그림 (가), (나)와 같이 용수철의 한쪽 끝을 잡고 각각 좌우와 앞뒤로 흔들면서 파동을 발생시켜, 파동의 진행 방향과 종이 조각의 진동 방향을 관찰한다.

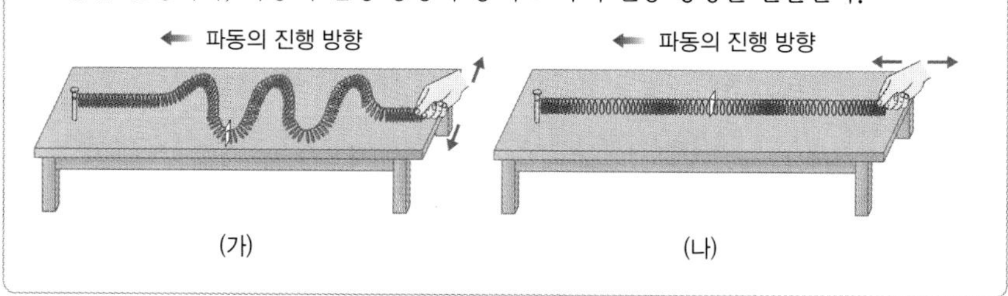

(가) (나)

이 실험에 대해 옳게 말한 사람만을 <보기>에서 있는 대로 고른 것은?

보기

철수: (가)와 같이 진행하는 파동을 횡파라고 해.
영희: (나)에서 종이 조각의 진동 방향은 파동의 진행 방향과 나란해.
민수: 빛은 (나)와 같이 진행하는 파동이야.

① 철수 ② 영희 ③ 철수, 영희
④ 영희, 민수 ⑤ 철수, 영희, 민수

배경 지식

파동은 한 곳에서 생긴 진동이 주위로 퍼져 나가며 에너지를 전달하는 현상이다. 용수철을 잡고 좌우나 앞뒤로 흔들면 진동이 용수철을 따라 퍼져 나가는데, 이 역시 파동이 발생했기 때문이다.

이때 용수철과 같이 파동을 전달하는 물질을 매질이라고 하며, 파동이 전파될 때 에너지는 이동하고(용수철의 흔들림은 이동), 매질은 제자리에서 진동한다(용수철 자체가 이동하는 것은 아니고 좌우나 앞뒤로 진동만 한다).

■ **문항별 해설**

문제에서 그림 (가)는 횡파, 그림 (나)는 종파이다.

- 철수: (가)는 매질의 진동 방향과 파동의 진행 방향이 수직인 횡파이다. (○)
- 영희: (나)는 매질의 진동 방향과 파동의 진행 방향이 나란한 종파이다. 종이 조각의 진동 방향이 매질의 진동 방향이며, 이는 파동의 진행 방향과 나란하다. (○)
- 민수: 빛은 전자기파의 일종으로 전기장과 자기장의 진동 방향과 빛의 진행 방향이 수직인 횡파이다. (×)

답 ③

■ **오류 피하기**

⋯› 횡파에는 빛, 전자기파, 지진파 중 S파가 있으며, 종파에는 음파(소리), 초음파, 지진파 중 P파가 있다. 종파나 횡파 모두 파동이 진행할 때 매질은 같이 진행하지 않고 제자리에서 진동한다는 것을 명심하자.

기출 문제

정답과 해설 33쪽

186 그림은 주기가 T이고 속력이 일정한 물결파의 어느 순간의 파면을 나타낸 것이다. 실선과 점선은 각각 물결파의 마루와 골을 나타내고, 이웃한 실선과 실선 사이의 거리는 $2L$이다. 이 물결파에 대한 설명으로 옳은 것만을 〈보기〉에서 있는 대로 고른 것은?

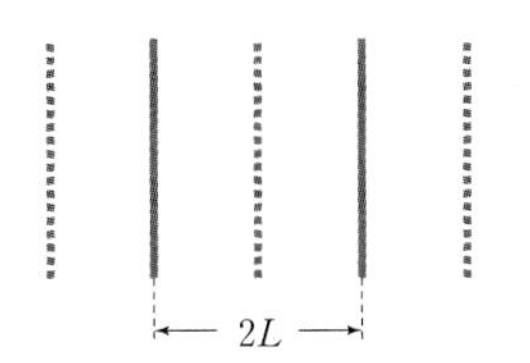

보기

ㄱ. 파장은 L이다.

ㄴ. 속력은 $\frac{2L}{T}$이다.

ㄷ. 시간이 $\frac{T}{2}$만큼 지난 후 마루는 골이 된다.

① ㄱ ② ㄴ ③ ㄷ
④ ㄱ, ㄴ ⑤ ㄴ, ㄷ

187 그림은 일정한 크기와 높이의 소리가 전달될 때 어느 순간 공기의 밀도를 나타낸 것으로, L은 공기 분자의 밀도가 밀한 이웃한 지점 사이의 거리이다.

이에 대한 설명으로 옳은 것만을 〈보기〉에서 있는 대로 고른 것은? (단, 공기에서 소리의 속력은 일정하다.)

보기

ㄱ. 소리의 진행 방향과 공기의 진동 방향은 나란하다.

ㄴ. L이 길어질수록 소리의 회절이 잘 일어난다.

ㄷ. 소리의 진동수를 증가시키면 L은 짧아진다.

① ㄱ ② ㄷ ③ ㄱ, ㄴ
④ ㄴ, ㄷ ⑤ ㄱ, ㄴ, ㄷ

188 그림 (가)와 같이 물결파 발생 장치로 평면파를 발생시켰다. 그림 (나)는 (가)에서 진동자의 진동수를 f로 같이하고 물의 깊이를 달리하였을 때 스크린에 투영된 평면파의 무늬를 나타낸 것이다.

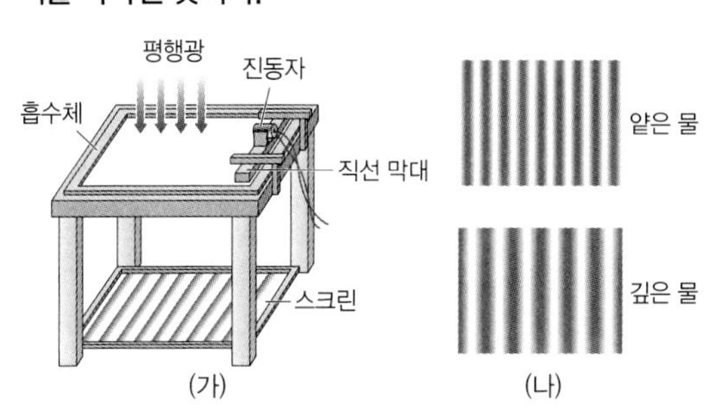

이에 대한 설명으로 옳은 것만을 〈보기〉에서 있는 대로 고른 것은?

보기

ㄱ. (나)에서 물결파의 주기는 $\frac{1}{f}$이다.

ㄴ. (나)에서 '깊은 물'의 경우가 물결파의 진행 속력이 더 빠르다.

ㄷ. (가)에서 물의 깊이를 일정하게 하고 진동자의 진동수를 증가시키면 이웃한 밝은 무늬 사이의 간격은 증가한다.

① ㄴ ② ㄷ ③ ㄱ, ㄴ
④ ㄱ, ㄷ ⑤ ㄱ, ㄴ, ㄷ

189 그림은 두 용수철 A, B를 동일한 진동수로 진동시켰을 때 A, B를 따라 진행하는 파동의 어느 순간의 모습을 나타낸 것이다.

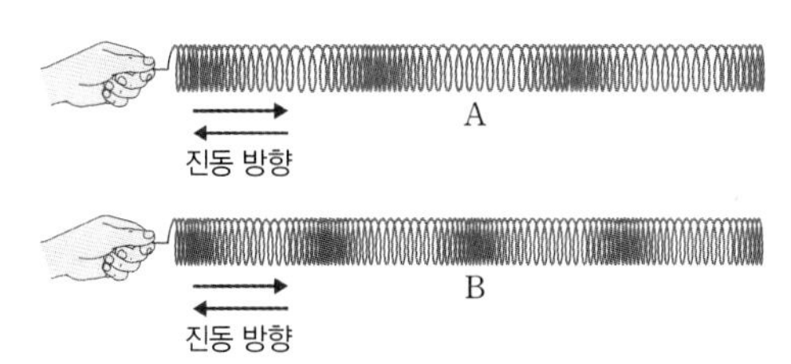

이에 대한 옳은 설명만을 〈보기〉에서 있는 대로 고른 것은?

보기

ㄱ. A의 파동은 종파이다.

ㄴ. 파장은 A에서가 B에서보다 길다.

ㄷ. A와 B에서 파동의 속력은 같다.

① ㄱ ② ㄷ ③ ㄱ, ㄴ
④ ㄴ, ㄷ ⑤ ㄱ, ㄴ, ㄷ

기출 분석

41 유형

출제 의도

파동이 굴절될 때 파장, 진동수, 속력 변화를 이해하고 굴절 법칙을 적용할 수 있는지 묻는 문제이다.

이렇게 대비하자!

두 매질의 경계면에서 파동이 굴절될 때 입사각과 굴절각, 속력, 파장의 관계를 알고 있어야 한다.

■ 연관 기출 문제 키워드

#파동의 굴절 #매질에 따른 빛의 굴절 #굴절률 #굴절될 때 속력, 파장 변화

문제 분석

❶ 두 매질의 굴절률을 확인한다.

➡ 굴절률: 매질 Ⅱ > 매질 Ⅰ

❷ 굴절률이 크다는 말은 굴절이 많이 된다는 뜻이다. 즉, 굴절률이 큰 매질로 갈수록 빛은 더 많이 굴절되어 법선 쪽으로 더 많이 꺾인다.

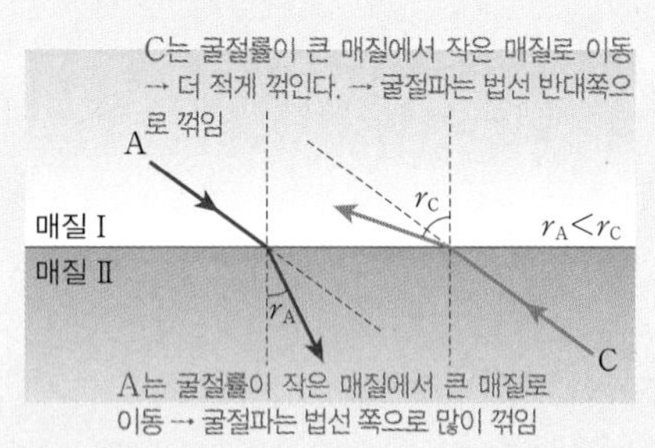

❸ 굴절될 때 파동에서 변하는 것과 변하지 않는 것을 기억하자.

- 변하는 것: 파장, 속력
- 변하지 않는 것: 진동수

굴절률 大 → 굴절률 小: 파장 길어짐

굴절률 小 → 굴절률 大: 파장 짧아짐

속력 = 파장 × 진동수, 굴절률이 커질수록 파장이 짧아져 속력이 느려진다.

진동수는 파원에 따라 달라진다. 즉, 진동수는 처음 파동이 생겼을 때 정해지는 것이므로 굴절되거나 반사되어도 변하지 않는다.

배경 지식

입사각과 굴절각은 파동과 법선이 이루는 각임에 주의하자.

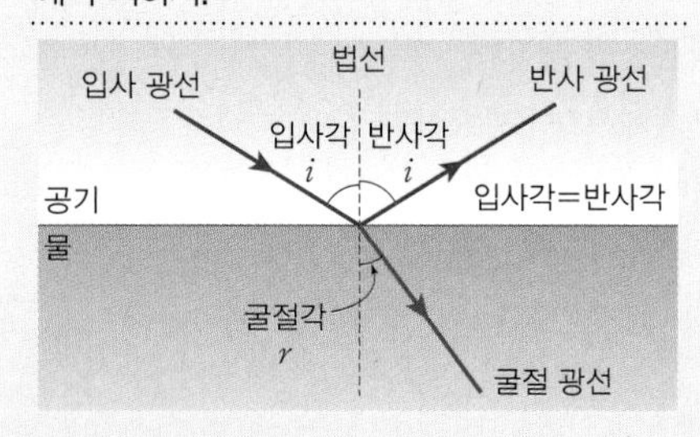

그림과 같이 단색광 A, B는 매질 Ⅰ에서 매질 Ⅱ로, 단색광 C는 Ⅱ에서 Ⅰ로 입사한다. A, B, C는 동일한 단색광이며, A와 C는 입사각이 서로 같고 굴절률은 Ⅱ가 Ⅰ보다 크다. 이에 대한 설명으로 옳은 것만을 〈보기〉에서 있는 대로 고른 것은? (단, C는 전반사하지 않는다.) [3점]

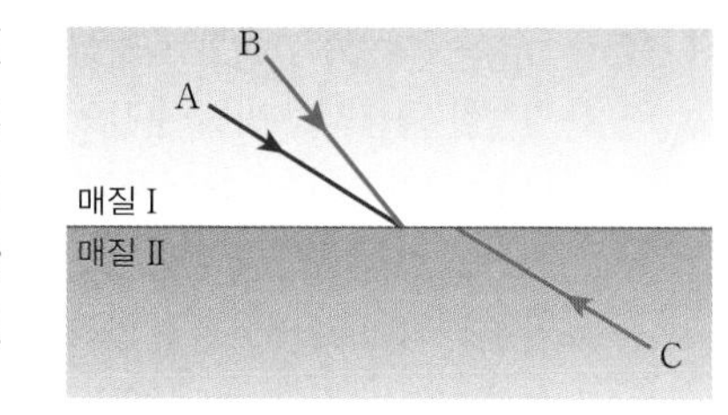

보기

ㄱ. 반사각은 A가 B보다 크다.

ㄴ. 굴절각은 C가 A보다 크다.

ㄷ. C의 진동수는 Ⅰ에서가 Ⅱ에서보다 크다.

① ㄱ ② ㄷ ③ ㄱ, ㄴ ④ ㄴ, ㄷ ⑤ ㄱ, ㄴ, ㄷ

■ 문항별 해설

ㄱ. 파동이 반사할 때 '입사각=반사각'이다. 매질 Ⅰ에서 매질 Ⅱ로 입사하는 A의 입사각이 B의 입사각보다 크므로 반사각도 A가 B보다 크다. (○)

ㄴ. 매질 Ⅰ, Ⅱ의 굴절률을 각각 n_{I}, n_{II}, 입사각을 i, A, C가 굴절되었을 때의 굴절각을 각각 r_A, r_C라 하고 굴절 법칙을 적용하면 다음과 같다.

A: $n_{\mathrm{I}}\sin i = n_{\mathrm{II}}\sin r_A$, C: $n_{\mathrm{II}}\sin i = n_{\mathrm{I}}\sin r_C$

굴절률은 Ⅱ가 Ⅰ보다 크므로 $\frac{n_{\mathrm{I}}}{n_{\mathrm{II}}} = \frac{\sin r_A}{\sin i} < 1$이고, $\frac{n_{\mathrm{II}}}{n_{\mathrm{I}}} = \frac{\sin r_C}{\sin i} > 1$이므로, $r_A < i < r_C$이다. 따라서 굴절각은 C가 A보다 크다. (○)

ㄷ. 굴절률이 다른 매질로 파동이 진행하여 굴절되더라도 파동의 진동수는 변하지 않는다. 따라서 C의 진동수는 Ⅰ과 Ⅱ에서 서로 같다. (×)

답 ③

■ 오류 피하기

⋯› 빛이 굴절될 때 굴절률이 큰 매질로 갈수록 속력이 느려지고, 빛이 법선 쪽으로 더 많이 꺾여 굴절각이 작아진다. 굴절의 기본 원리를 알고 있으면 수식을 적용하지 않아도 문제를 풀 수 있다.

기출 문제

정답과 해설 34쪽

190 그림 (가)와 같이 단색광이 공기에서 반원형 매질 A로 입사하여 2개의 경계면에서 굴절한 뒤 공기로 진행한다. 단색광이 A에서 매질 B로 입사할 때 입사각은 θ_0이고, B에서 공기로 굴절할 때 굴절각은 θ_1이다. 그림 (나)는 (가)에서 B를 매질 C로 바꾸었을 때 (가)의 단색광이 진행하는 경로를 나타낸 것이고, C에서 공기로 굴절할 때 굴절각은 θ_2이다.

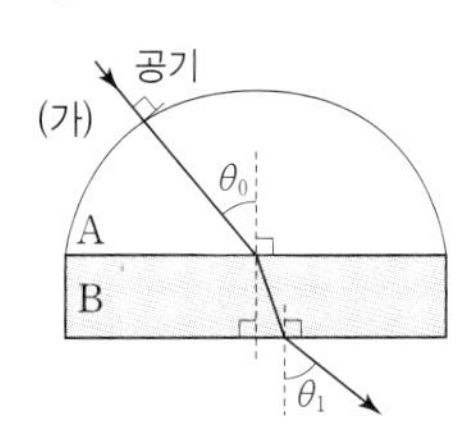

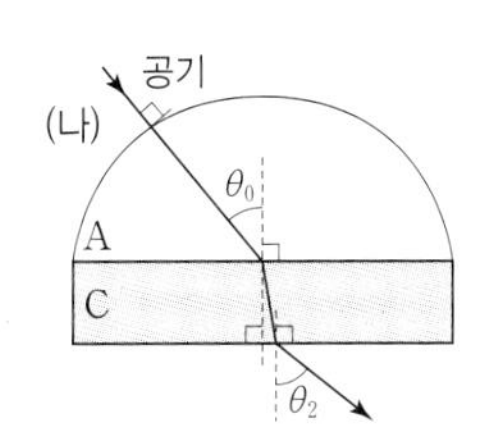

이에 대한 설명으로 옳은 것만을 〈보기〉에서 있는 대로 고른 것은? [3점]

보기

ㄱ. 굴절률은 A가 B보다 작다.
ㄴ. 단색광의 속력은 B에서가 C에서보다 작다.
ㄷ. $\theta_1 > \theta_2$이다.

① ㄱ ② ㄴ ③ ㄷ
④ ㄱ, ㄴ ⑤ ㄱ, ㄷ

191 그림과 같이 단색광이 매질 A와 B를 지나 진행한다. A, B의 굴절률은 각각 n_1, n_2이다. 이에 대한 설명으로 옳은 것만을 〈보기〉에서 있는 대로 고른 것은? [3점]

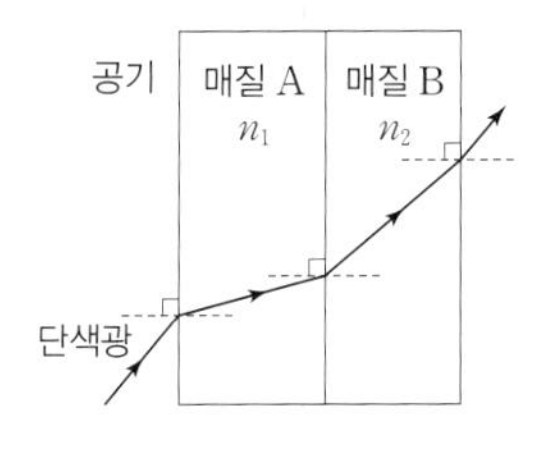

보기

ㄱ. 단색광의 속력은 공기 중에서가 A에서보다 작다.
ㄴ. $n_1 > n_2$이다.
ㄷ. 단색광의 파장은 A에서가 B에서보다 크다.

① ㄱ ② ㄴ ③ ㄷ
④ ㄱ, ㄴ ⑤ ㄴ, ㄷ

192 그림과 같이 파장 λ인 두 빛이 간격 d_1로 공기 중에서 프리즘 A에 입사각 θ_1로 입사하여 프리즘 B에서 공기 중으로 굴절각 θ_2로 진행한다. $d_1 < d_2$이고, 빛은 A와 B의 경계면에 수직으로 입사한다.

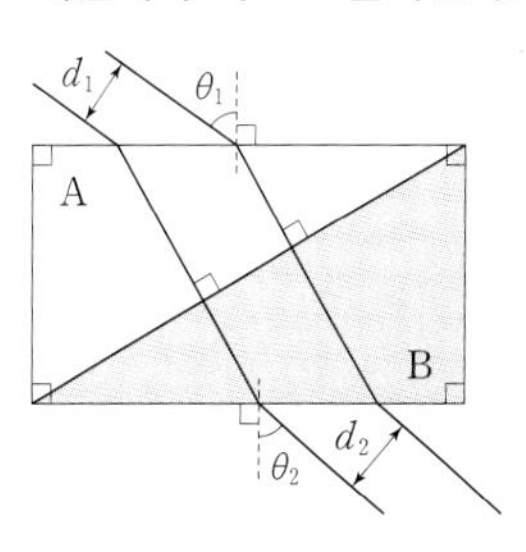

이에 대한 설명으로 옳은 것만을 〈보기〉에서 있는 대로 고른 것은?

보기

ㄱ. 빛의 속력은 공기 중에서가 A에서보다 크다.
ㄴ. 굴절률은 A가 B보다 작다.
ㄷ. $\theta_1 < \theta_2$이다.

① ㄱ ② ㄴ ③ ㄱ, ㄷ
④ ㄴ, ㄷ ⑤ ㄱ, ㄴ, ㄷ

193 그림 (가), (나)와 같이 진동수가 같은 단색광이 동일한 프리즘에 수직으로 입사한 후 각각 경계면에서 매질 A와 매질 B로 진행하고 있다.

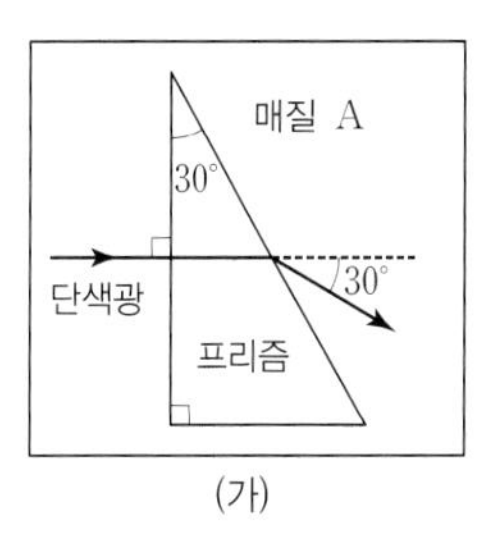

(가)

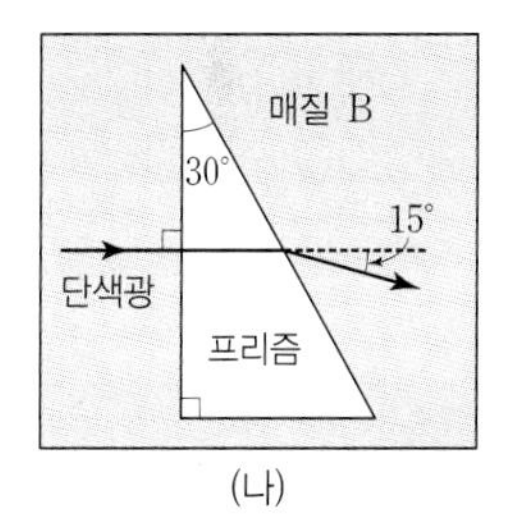

(나)

이에 대한 설명으로 옳은 것만을 〈보기〉에서 있는 대로 고른 것은? [3점]

보기

ㄱ. (가)에서 단색광의 속력은 프리즘에서가 A에서보다 작다.
ㄴ. (나)에서 단색광의 파장은 B에서가 프리즘에서의 $\sqrt{2}$배이다.
ㄷ. A에 대한 B의 굴절률은 $\sqrt{\frac{3}{2}}$이다.

① ㄱ ② ㄴ ③ ㄱ, ㄷ
④ ㄴ, ㄷ ⑤ ㄱ, ㄴ, ㄷ

기출 분석

42 유형

출제 의도

물결파가 굴절하는 모양을 보고, 두 매질에서 파동의 파장, 속력, 진동수를 비교할 수 있는지 묻는 문제이다.

이렇게 대비하자!

물결파가 나타나는 모양에서 파장을 찾고, 입사각과 굴절각의 크기를 비교하여 굴절률의 차이를 알아낼 수 있어야 한다.

■ 연관 기출 문제 키워드

#물결파 #굴절률 #입사각과 반사각 #파동의 속력

문제 분석

❶ 입사각, 굴절각, 파장을 표시한다.

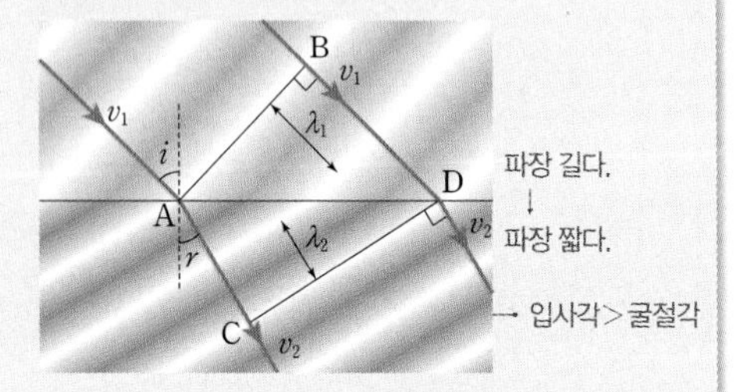

❷ 스넬 법칙(굴절 법칙)을 떠올린다.

➡ $\dfrac{\sin i}{\sin r}=\dfrac{\lambda_1}{\lambda_2}=\dfrac{v_1}{v_2}$

(i: 입사각, r: 굴절각, λ_1: 매질 Ⅰ에서 파장, λ_2: 매질 Ⅱ에서 파장)

❸ 두 매질의 파장, 속력, 굴절률 비교

- 파장: Ⅰ>Ⅱ → 그림에서 마루와 마루 사이의 거리로 파악
- 속력: Ⅰ>Ⅱ → 속력=파장×진동수, 진동수는 변하지 않음 → 파장이 크면 속력도 빨라짐
- 굴절률: Ⅰ<Ⅱ → 속력이 느릴수록 굴절률이 커진다.

그림은 물결파가 깊은 곳(영역 Ⅰ)과 얕은 곳(영역 Ⅱ)의 경계면에 비스듬히 입사할 때 굴절하는 모습을 모식적으로 나타낸 것이다. 점 A, B와 C, D는 각각 같은 파면 위에 있는 점이고, A와 D는 경계면에 있다. 영역 Ⅰ, Ⅱ에서 파동의 진행 속력은 각각 v_1, v_2이다. 이에 대한 설명으로 옳은 것만을 <보기>에서 있는 대로 고른 것은?

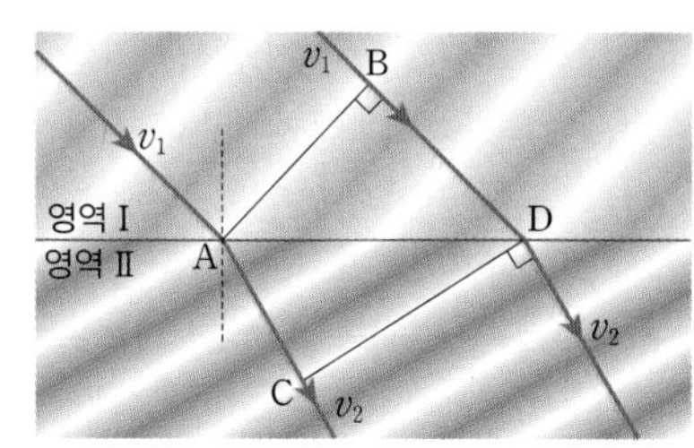

보기

ㄱ. v_1은 v_2보다 작다.

ㄴ. 진동수는 영역 Ⅰ과 영역 Ⅱ에서 같다.

ㄷ. 물결파가 A에서 C까지 진행하는 동안 걸린 시간은 B에서 D까지 진행하는 동안 걸린 시간보다 짧다.

① ㄱ ② ㄴ ③ ㄷ ④ ㄱ, ㄴ ⑤ ㄴ, ㄷ

■ 문항별 해설

ㄱ. 문제의 그림에서 파면 사이의 거리(마루 ↔ 마루, 골 ↔ 골)가 파장이다. 매질 Ⅰ에서 파장이 매질 Ⅱ에서의 파장보다 길다. 파동의 속력은 '파장×진동수'이며, 진동수는 굴절하여도 변하지 않으므로 속력은 v_1이 v_2보다 크다. (×)

ㄴ. 진동수는 파원에 따라 달라지는 것으로, 파동이 반사하거나 굴절할 때 변하지 않고 일정하다. (○)

ㄷ. 물결파가 A에서 C까지 이동하는 데 걸린 시간은 파동이 굴절되어 매질 Ⅱ에서 2파장만큼 이동하는 데 걸린 시간이고, B에서 D까지 이동하는 데 걸린 시간은 파동이 굴절되기 전 매질 Ⅰ에서 2파장만큼 이동하는 데 걸린 시간이다. 파동이 한 파장 이동하는 데 걸린 시간이 주기이고, 주기는 $\dfrac{1}{진동수}$이다. 물결파가 굴절될 때 진동수는 변하지 않으므로, 주기도 같고, 파동이 2파장만큼 이동하는 데 걸린 시간도 같다. (×)

답 ②

배경 지식

물결파가 진행할 때 수심이 얕아질수록 속력은 느려지고 파장은 짧아진다. 굴절할 때는 깊이에 따라 굴절 정도가 달라진다.

	깊은 물 → 얕은 물	얕은 물 → 깊은 물
속력	느려짐	빨라짐
입사각과 굴절각	입사각 >굴절각	입사각 <굴절각
파장	짧아진다.	길어진다.
굴절률	커진다.	작아진다.
주기, 진동수	일정하다.	

■ 오류 피하기

⋯➝ 물결파의 마루와 골은 수면에 밝은 부분과 어두운 부분을 만든다. 따라서 이 무늬를 보고 파장을 알아낸다.

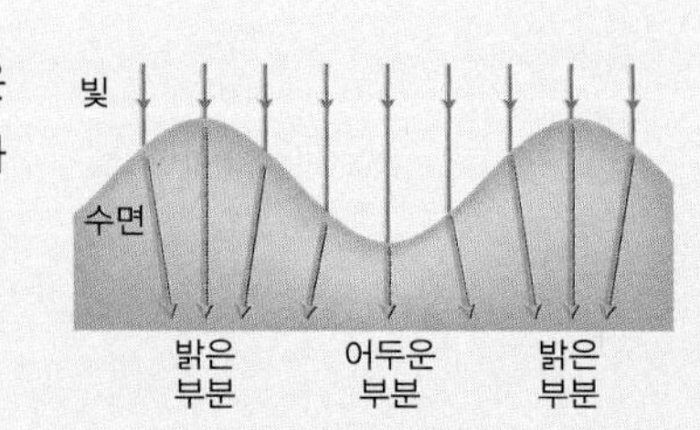

기출 문제

정답과 해설 35쪽

194 그림은 물결파가 매질 I, II의 경계면에서 굴절하면서 진행하는 것을 모식적으로 나타낸 것이다. I, II에서 물결파의 파장은 각각 λ_1, λ_2이다. 물결파에 대한 설명으로 옳은 것만을 〈보기〉에서 있는 대로 고른 것은?

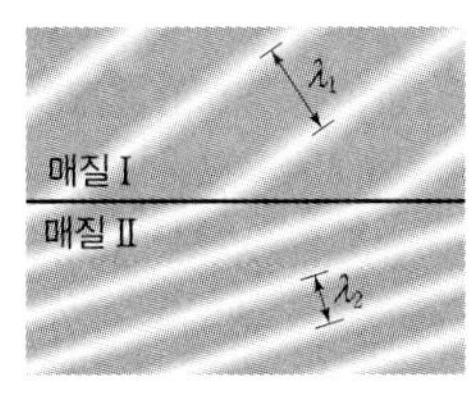

보기

ㄱ. 속력은 I에서가 II에서보다 크다.

ㄴ. 진동수는 I에서가 II에서보다 크다.

ㄷ. I에 대한 II의 굴절률은 $\frac{\lambda_1}{\lambda_2}$이다.

① ㄱ ② ㄷ ③ ㄱ, ㄴ
④ ㄱ, ㄷ ⑤ ㄴ, ㄷ

195 그림 (가)는 매질 I에서 진행하는 파동 A의 파면을, (나)는 A가 매질 I, II의 경계면에서 반사된 파동 B와 경계면을 투과한 파동 C의 파면을 모식적으로 나타낸 것이다. λ_1, λ_2는 각각 B, C에서 이웃한 파면 사이의 거리이다.

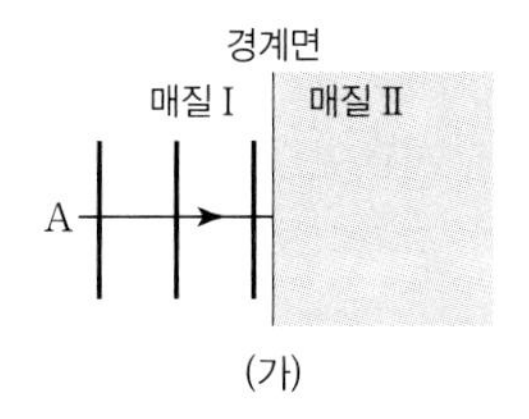

(가)

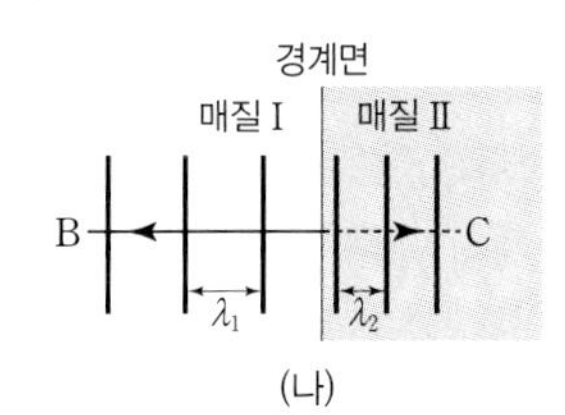

(나)

이에 대한 설명으로 옳은 것만을 〈보기〉에서 있는 대로 고른 것은? [3점]

보기

ㄱ. A의 파장은 λ_1이다.

ㄴ. I에 대한 II의 굴절률은 $\frac{\lambda_1}{\lambda_2}$이다.

ㄷ. 진동수는 B가 C보다 작다.

① ㄱ ② ㄷ ③ ㄱ, ㄴ
④ ㄴ, ㄷ ⑤ ㄱ, ㄴ, ㄷ

196 그림은 물결파가 매질 A에서 B로 진행할 때, 두 매질의 경계면에서 굴절하는 모습을 모식적으로 나타낸 것이다. θ는 물결파의 진행 방향과 두 매질의 경계면이 이루는 각이다. 이에 대한 설명으로 옳은 것만을 〈보기〉에서 있는 대로 고른 것은?

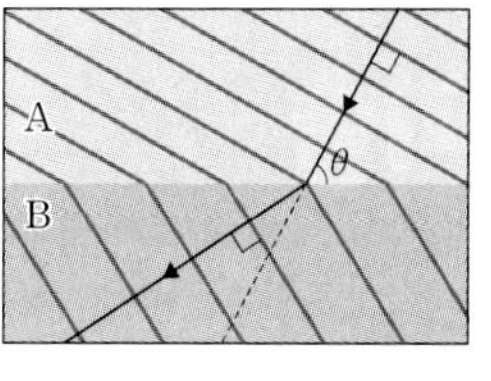

보기

ㄱ. 물결파의 속력은 A에서가 B에서보다 크다.

ㄴ. 물의 깊이는 B가 A보다 깊다.

ㄷ. θ는 입사각이다.

① ㄱ ② ㄴ ③ ㄱ, ㄷ
④ ㄴ, ㄷ ⑤ ㄱ, ㄴ, ㄷ

197 그림은 해안가로 접근하는 파도의 진행 방향이 변하는 것을 나타낸 것이다. 이와 같은 현상으로 설명할 수 있는 것은?

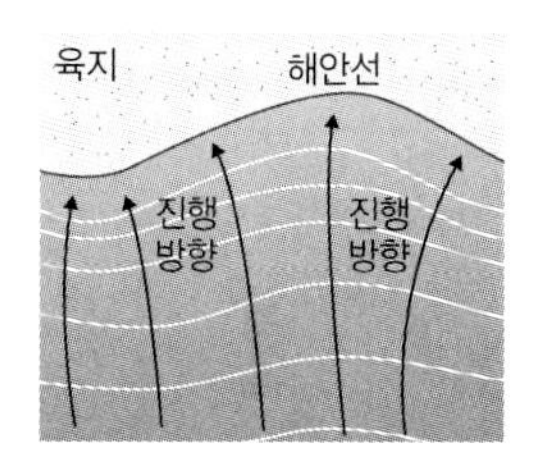

① 거울에 비친 내 모습을 본다.
② 산에서 소리를 지르면 메아리가 들린다.
③ 볼록 렌즈에 입사한 빛은 한 점에 모인다.
④ 어군 탐지기를 이용하여 물고기 떼를 찾는다.
⑤ 박쥐는 초음파를 이용하여 먹이의 위치를 찾는다.

198 그림은 물결파가 매질 I에서 매질 II로 진행할 때 어느 순간의 파면을 나타낸 것이다. 매질의 경계면과 파면이 이루는 각은 각각 θ_1, θ_2이고, $\theta_1 < \theta_2$이다. 이에 대한 옳은 설명만을 〈보기〉에서 있는 대로 고른 것은?

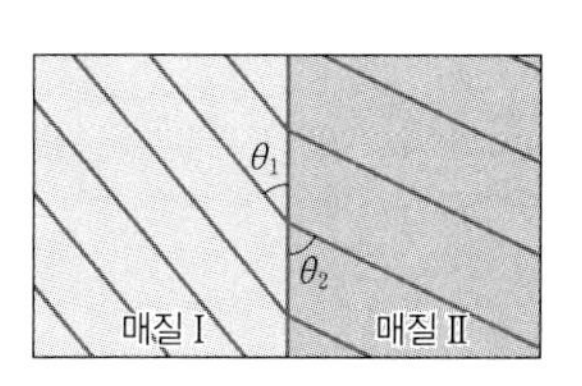

보기

ㄱ. I에서 II로 입사할 때 입사각은 θ_1이다.

ㄴ. I에 대한 II의 굴절률은 $\frac{\sin\theta_2}{\sin\theta_1}$이다.

ㄷ. 물결파의 진동수는 I에서가 II에서보다 크다.

① ㄱ ② ㄴ ③ ㄱ, ㄷ
④ ㄴ, ㄷ ⑤ ㄱ, ㄴ, ㄷ

기출 분석 43 유형

출제 의도
전반사 현상을 이해하고, 전반사가 일어날 때 매질의 굴절률과 임계각을 알고 있는지를 묻는 문제이다.

이렇게 대비하자!
임계각을 구하는 식을 알고 두 매질의 굴절률을 비교하여 전반사가 일어날 때 입사각을 계산할 수 있어야 한다.

■ 연관 기출 문제 키워드

#전반사 #임계각 #굴절률 #입사각

그림 (가)와 같이 단색광을 입사각 θ_1로 물질 A에서 물질 B로 입사시켰더니 단색광이 경계면에서 일부는 반사하고 일부는 굴절한다. 그림 (나)와 같이 이 단색광을 입사각 θ_2로 A에서 B로 입사시켰더니 경계면에서 전반사한다.

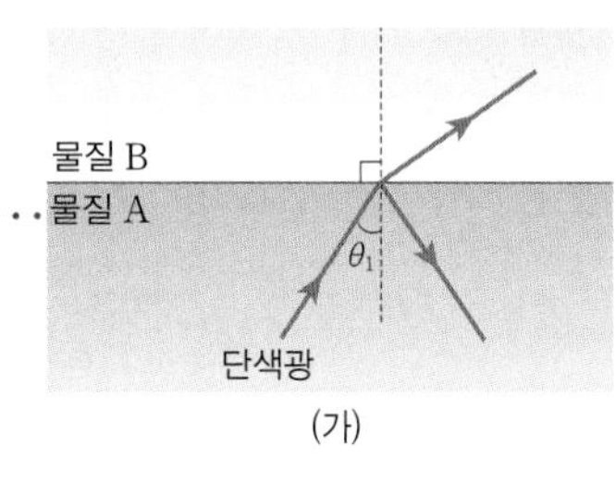

(가)

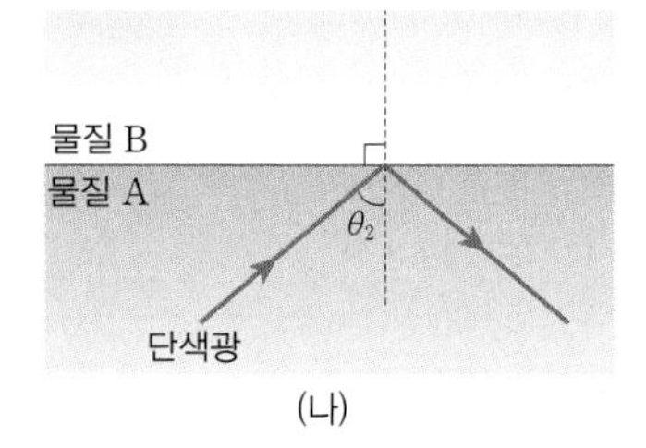

(나)

이에 대한 설명으로 옳은 것만을 〈보기〉에서 있는 대로 고른 것은?

보기
ㄱ. 굴절률은 A가 B보다 크다.
ㄴ. A와 B의 경계면에서 임계각은 θ_1보다 작다.
ㄷ. 이 단색광을 입사각 θ_2로 B에서 A로 입사시키면 경계면에서 전반사한다.

① ㄱ ② ㄴ ③ ㄱ, ㄷ ④ ㄴ, ㄷ ⑤ ㄱ, ㄴ, ㄷ

문제 분석

❶ 그림 (가)에서 매질 A, B의 굴절률을 비교한다.

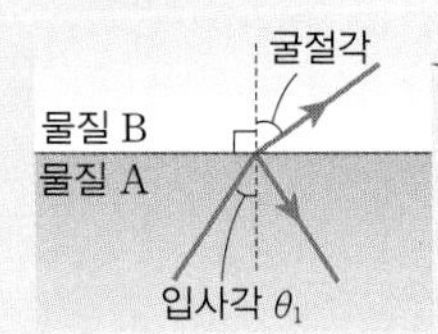

→ θ_1의 각도로 입사할 때 파동이 굴절하므로 두 매질의 굴절률 크기를 비교할 수 있다.
- 입사각 < 굴절각
- 굴절률: A > B

또한 전반사는 '굴절률이 큰 매질 → 굴절률이 작은 매질'로 파동이 진행할 때만 일어난다는 것을 기억하면 더 쉽게 굴절률을 비교할 수 있다.

❷ 전반사가 일어날 조건을 기억하자. 전반사는 입사각이 임계각보다 큰 경우에 일어난다.
- (가): 입사각 θ_1 < 임계각 → 전반사 일어나지 않음
- (나): 입사각 θ_2 > 임계각 → 전반사 일어남

■ 문항별 해설

ㄱ. 전반사는 빛이 굴절률이 큰 물질에서 굴절률이 작은 물질로 입사할 때만 일어난다. 문제에서 단색광이 매질 A에서 B로 입사할 때 전반사가 일어났으므로 매질 A의 굴절률이 매질 B의 굴절률보다 크다. (○)

ㄴ. 입사각이 θ_1일 때는 전반사가 일어나지 않았고, 입사각이 θ_2일 때는 전반사가 일어났다. 따라서 임계각은 θ_1보다는 크고 θ_2보다는 작다. (×)

ㄷ. 단색광을 매질 B에서 매질 A로 입사시키면 굴절률이 작은 매질에서 큰 매질로 입사하게 되므로 입사각에 관계없이 전반사가 일어나지 않는다. (×)

답 ①

배경 지식

전반사
- 빛이 속력이 느린 매질에서 빠른 매질로 진행할 때 일어난다.
- 입사각이 임계각보다 커야 한다.
- 전반사한 빛의 세기는 입사한 빛의 세기와 같다.

■ 오류 피하기

…› 빛이 진행할 때 성질이 다른 매질을 만나면 경계면에서 일부는 반사하고 일부는 굴절한다. 즉, 반사와 굴절은 동시에 일어난다. 그러나 입사각이 임계각보다 크면 굴절은 일어나지 않고 반사만 일어난다.

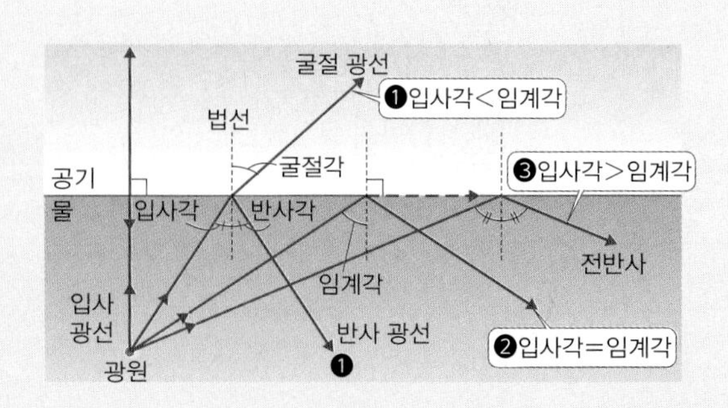

기출 문제

정답과 해설 36쪽

199 그림과 같이 단색광을 매질 A, B의 경계면에 입사각 45°로 입사시켰더니, 단색광이 B로 굴절하여 B와 매질 C의 경계면에서 전반사하였다.

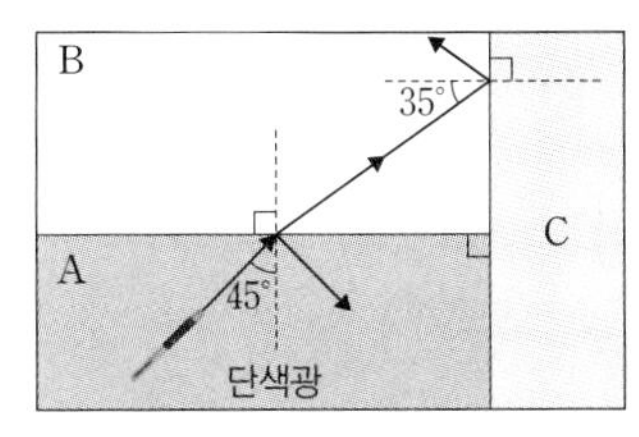

이에 대한 설명으로 옳은 것만을 ⟨보기⟩에서 있는 대로 고른 것은?

보기

ㄱ. 단색광이 A에서 B로 입사할 때 임계각은 45°보다 크다.

ㄴ. 단색광의 속력은 B에서가 C에서보다 크다.

ㄷ. A, B, C 중에서 굴절률이 가장 큰 것은 A이다.

① ㄴ ② ㄷ ③ ㄱ, ㄴ
④ ㄱ, ㄷ ⑤ ㄴ, ㄷ

200 그림은 단색광이 매질 1과 매질 2의 경계면에 입사각 i_0으로 입사하여 두 번 굴절한 후 매질 3을 지나는 모습을 나타낸 것이다.

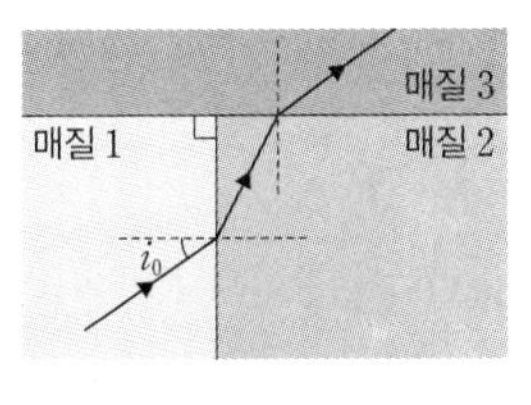

이에 대한 설명으로 옳은 것만을 ⟨보기⟩에서 있는 대로 고른 것은? [3점]

보기

ㄱ. 단색광의 속력은 매질 1에서가 매질 2에서보다 크다.

ㄴ. 굴절률은 매질 1이 매질 3 보다 크다.

ㄷ. 매질 1에서 단색광의 입사각을 i_0보다 크게 하면 매질 2와 매질 3의 경계면에서 전반사가 일어날 수 있다.

① ㄴ ② ㄷ ③ ㄱ, ㄴ
④ ㄱ, ㄷ ⑤ ㄴ, ㄷ

201 그림 (가)와 같이 단색광 A를 공기에서 매질 Ⅰ로 입사각 θ_i로 입사시켰더니, 전반사하며 매질 Ⅰ 내에서 진행하였다. 그림 (나)는 (가)에서 매질 Ⅱ를 매질 Ⅲ으로 바꾸어 A를 입사각 θ_i로 입사시킨 모습을 나타낸 것이다. Ⅲ의 굴절률은 Ⅱ의 굴절률보다 작다.

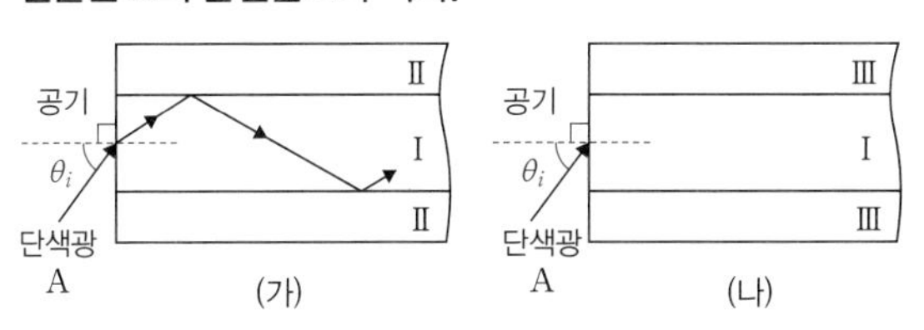

이에 대한 설명으로 옳은 것만을 ⟨보기⟩에서 있는 대로 고른 것은? [3점]

보기

ㄱ. 매질에서 A의 속력은 Ⅰ에서가 Ⅱ에서보다 작다.

ㄴ. (가)에서 0보다 크고 θ_i보다 작은 입사각으로 A를 입사시키면 Ⅰ과 Ⅱ의 경계에서 전반사가 일어나지 않는다.

ㄷ. (나)에서 A는 Ⅰ과 Ⅲ의 경계에서 전반사한다.

① ㄴ ② ㄷ ③ ㄱ, ㄴ
④ ㄱ, ㄷ ⑤ ㄱ, ㄴ, ㄷ

202 그림은 단색광 P, Q가 물질 X와 Y의 경계면에 동일한 입사각 θ_0으로 입사하여 진행하는 경로를 나타낸 것이다. P는 일부는 굴절, 일부는 반사하였고 Q는 전반사하였다.

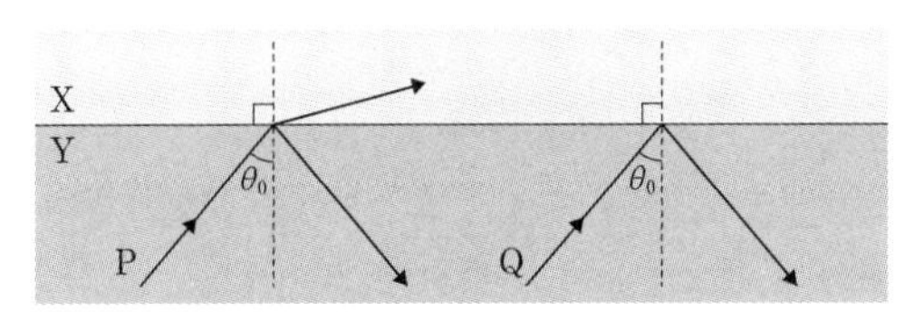

이에 대한 옳은 설명만을 ⟨보기⟩에서 있는 대로 고른 것은?

보기

ㄱ. 굴절률은 Y가 X보다 크다.

ㄴ. 임계각은 P가 입사할 때가 Q가 입사할 때보다 크다.

ㄷ. X와 Y로 광섬유를 만든다면 Y를 코어로 사용해야 한다.

① ㄱ ② ㄴ ③ ㄱ, ㄷ
④ ㄴ, ㄷ ⑤ ㄱ, ㄴ, ㄷ

기출 분석

44 유형

? 출제 의도

광섬유의 구조와 이용 사례를 알고, 광섬유에서 전반사가 일어나는 과정을 이해하고 있는지를 묻는 문제이다.

이렇게 대비하자!

전반사가 일어나는 조건을 매질의 굴절률과 관련지어 이해하고, 전반사를 이용한 다양한 예를 알고 있어야 한다.

■ 연관 기출 문제 키워드

#광섬유 #전반사 #전반사의 이용 #굴절률

그림 (가)는 광섬유의 구조를 나타낸 것이고, (나)는 빈 우유팩에 물을 넣은 후 레이저 광선을 쏘았을 때 레이저 광선이 물줄기를 따라 이동하는 것을 나타낸 것이다.

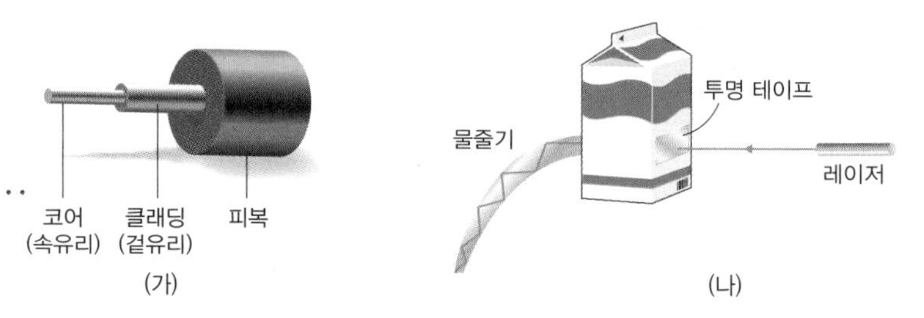

이에 대한 설명으로 옳은 것만을 〈보기〉에서 있는 대로 고른 것은?

보기

ㄱ. (가)에서 코어는 (나)의 물줄기에 해당한다.
ㄴ. (나)에서 레이저 광선이 물줄기 속에서 전반사되었다.
ㄷ. 내시경은 (나)의 원리를 이용한다.

① ㄴ ② ㄷ ③ ㄱ, ㄴ ④ ㄱ, ㄷ ⑤ ㄱ, ㄴ, ㄷ

문제 분석

❶ 광섬유에서 빛이 어떻게 전반사하는지 떠올리자.

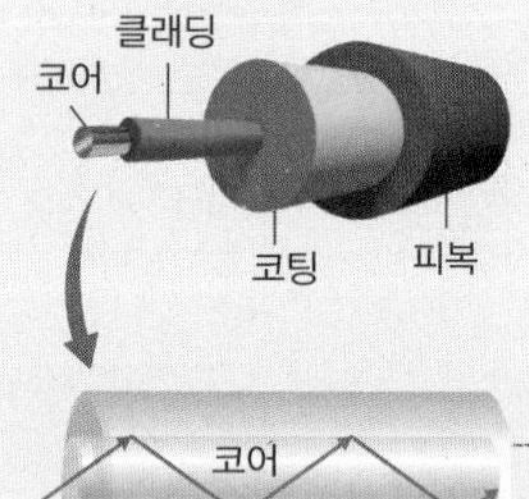

- 굴절률: 코어 > 클래딩
- 빛의 속력: 코어 < 클래딩

빛이 코어와 클래딩의 경계면에서 전반사하므로 코어로 들어간 빛은 클래딩으로 빠져나가지 못하고 코어를 따라 진행한다.

❷ 그림 (나)에서 빛이 어떻게 움직이는지 확인하자. ➡ 빛이 물줄기를 따라 움직이므로 전반사가 일어났다.

- 물줄기: 코어
- 공기: 클래딩

물줄기로 들어간 빛이 공기로 빠져나가지 못하고 물줄기를 따라 움직인다.

■ 문항별 해설

ㄱ. 빛이 물줄기를 따라 움직일 때 굴절률이 큰 물이 코어, 굴절률이 작은 공기가 클래딩의 역할을 한다. (○)

ㄴ. 레이저 광선이 물줄기를 따라 이동하였으므로 물줄기 속에서 레이저 광선은 전반사하였다. (○)

ㄷ. (나)는 전반사의 원리를 나타낸 것이다. 내시경은 가는 광섬유 다발을 소형 카메라에 연결한 것으로, 카메라에 잡힌 영상이 광섬유를 따라 전반사하여 전달된다. 쉽게 구부러질 수 있고 빛의 세기가 줄어들지 않으므로 수술을 하지 않고도 몸속의 모습을 볼 수 있다. (○)

답 ⑤

배경 지식

광섬유: 빛을 전송할 수 있는 섬유 모양의 관을 광섬유라고 한다. 광섬유는 굴절률이 큰 중앙의 코어를 굴절률이 작은 클래딩이 감싸고 있는 이중 원기둥 구조이다. 빛이 반사와 굴절을 모두 하면 반사광과 굴절광은 모두 입사광보다 세기가 약해진다. 광섬유를 이용하면 빛이 전반사하므로 반사광의 세기가 입사광과 같아지므로 빛의 세기가 약해지지 않고 멀리까지 보낼 수 있다.

■ 오류 피하기

⋯› 빛이 전반사한다는 것은 굴절이 일어나지 않는다는 의미이다. 굴절은 파동이 한 매질에서 다른 매질로 진행할 때 진행 방향이 꺾이는 현상인데, 전반사가 일어나면 파동이 다른 매질로 진행하지 못하고, 처음 매질에서 반사하며 이동한다. 따라서 전반사를 이용하면 굴절광이 없으므로 빛의 세기가 약해지지 않고, 반사를 거듭하므로 빛의 경로를 바꿀 수 있으며, 빛을 멀리까지 보낼 수 있다.

기출 문제

정답과 해설 37쪽

203 그림은 물이 담긴 페트병의 아래 부분에 구멍을 뚫어 물줄기가 나오게 한 후, 구멍 뚫린 반대편에서 물줄기 안으로 입사된 레이저가 점 p에 입사각 i로 입사하여 전반사하는 모습을 나타낸 것이다.

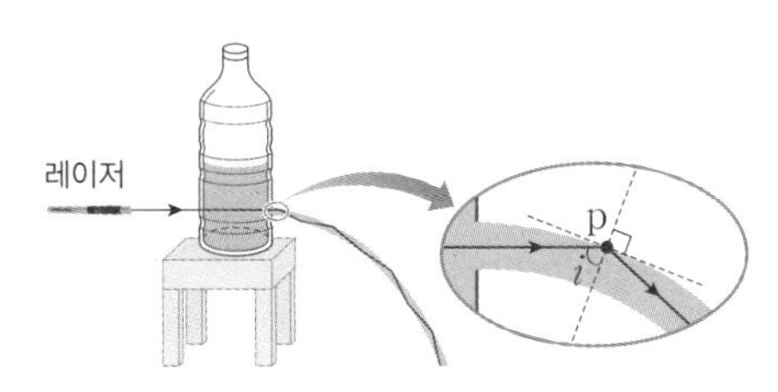

이에 대한 설명으로 옳은 것만을 〈보기〉에서 있는 대로 고른 것은? [3점]

보기
ㄱ. 물의 굴절률이 공기의 굴절률보다 크다.
ㄴ. i는 임계각보다 작다.
ㄷ. 전반사는 광섬유를 이용한 광통신에 활용된다.

① ㄱ ② ㄴ ③ ㄷ
④ ㄱ, ㄴ ⑤ ㄱ, ㄷ

204 다음은 광섬유를 이용한 음성 통화 과정을 설명한 것이다.

전화기의 마이크에서 (가)가 (나)로 전환되어 발신기에 입력되면 발신기에서 (다)가 방출되어 광섬유를 따라 진행한다. 광 검출기가 (다)를 (나)로 전환하여 전화기의 스피커에 입력하면 (가)가 재생된다.

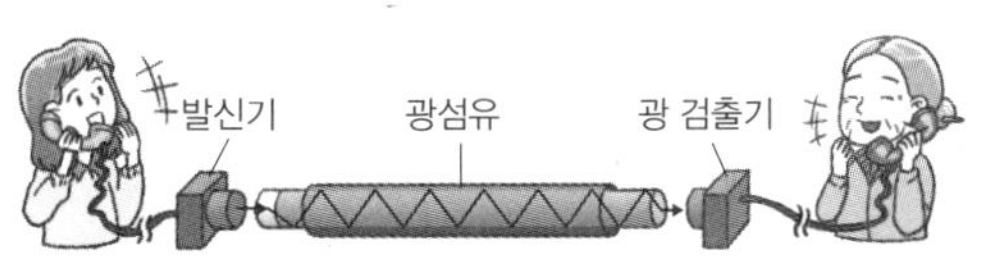

(가), (나), (다)에 해당하는 신호로 옳은 것은?

	(가)	(나)	(다)
①	소리 신호	빛 신호	전기 신호
②	소리 신호	전기 신호	빛 신호
③	전기 신호	빛 신호	소리 신호
④	전기 신호	소리 신호	빛 신호
⑤	빛 신호	전기 신호	소리 신호

205 그림은 세 종류의 투명한 물질 A, B, C로 만든 광섬유 P, Q를 나타낸 것이다. 코어와 클래딩 사이의 임계각은 P에서가 Q에서보다 크다.

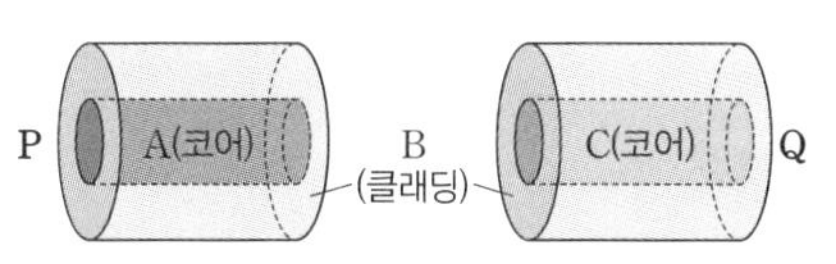

A, B, C의 굴절률 n_A, n_B, n_C를 옳게 비교한 것은?

① $n_A < n_B < n_C$ ② $n_A < n_C < n_B$
③ $n_B < n_A < n_C$ ④ $n_B < n_C < n_A$
⑤ $n_C < n_A < n_B$

206 그림은 유리 A, B로 만든 광섬유를 따라 단색광이 진행하는 모습을 나타낸 것이다. 단색광은 A와 B의 경계면에서 전반사하며 A 속을 진행하다가 급격히 휘어진 부분의 점 P에서 일부는 반사하여 A로 진행하고, 일부는 굴절하여 B로 진행한다. 이에 대한 옳은 설명만을 〈보기〉에서 있는 대로 고른 것은? [3점]

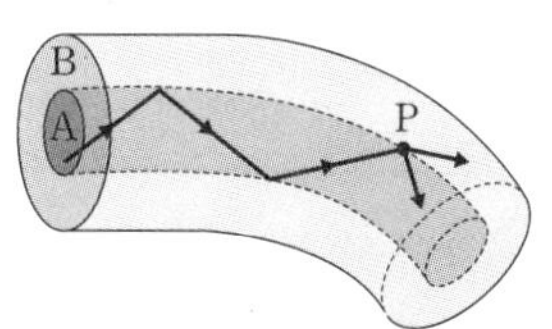

보기
ㄱ. 굴절률은 A가 B보다 크다.
ㄴ. P에서 단색광의 입사각은 임계각보다 크다.
ㄷ. P에 입사한 빛과 P에서 반사된 빛의 세기는 같다.

① ㄱ ② ㄷ ③ ㄱ, ㄴ
④ ㄴ, ㄷ ⑤ ㄱ, ㄴ, ㄷ

207 그림은 광섬유를 따라 레이저가 진행하는 모습을 모식적으로 나타낸 것이다. A로 들어간 레이저의 세기와 B에서 나오는 레이저의 세기는 같았다. 이에 대한 옳은 설명만을 〈보기〉에서 있는 대로 고른 것은?

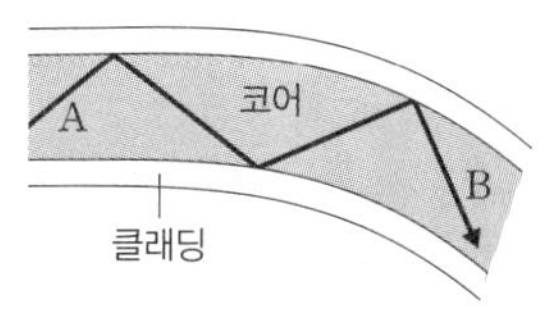

보기
ㄱ. 굴절률은 코어가 클래딩보다 크다.
ㄴ. 코어와 클래딩의 경계면에서 레이저가 전반사한다.
ㄷ. 광섬유는 광통신에 이용된다.

① ㄴ ② ㄷ ③ ㄱ, ㄴ
④ ㄱ, ㄷ ⑤ ㄱ, ㄴ, ㄷ

기출 분석 45 유형

? 출제 의도

전반사를 이해하고, 광섬유에서 전반사가 일어날 때 임계각과 입사각을 비교할 수 있는지를 묻는 문제이다.

이렇게 대비하자!

매질이 세 종류일 때 입사각과 굴절각으로 굴절률을 비교하고, 이를 적용하여 빛이 전반사하는 각도를 찾을 수 있어야 한다.

■ **연관 기출 문제 키워드**

#전반사 #광섬유 #광통신

그림 (가)는 두 물질 A, B 사이에서 일어나는 단색광의 굴절 현상과 입사각에 따른 굴절각을 나타낸 것이고, (나)는 (가)에서 사용된 단색광이 A, B로 만든 광섬유에서 전반사하여 진행하는 모습을 나타낸 것이다.

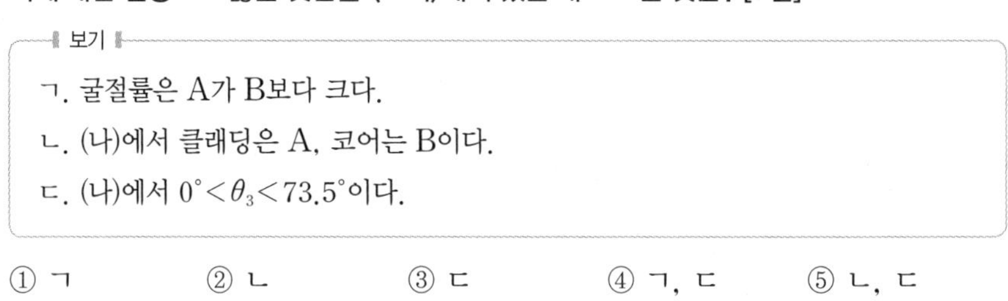

입사각(θ_1)	굴절각(θ_2)
60.0°	64.6°
70.0°	78.5°
73.5°	89.2°

(가) (나)

이에 대한 설명으로 옳은 것만을 〈보기〉에서 있는 대로 고른 것은? [3점]

보기

ㄱ. 굴절률은 A가 B보다 크다.

ㄴ. (나)에서 클래딩은 A, 코어는 B이다.

ㄷ. (나)에서 $0° < \theta_3 < 73.5°$이다.

① ㄱ ② ㄴ ③ ㄷ ④ ㄱ, ㄷ ⑤ ㄴ, ㄷ

문제 분석

❶ 입사각과 굴절각을 비교하여 굴절률의 크기를 알아내자.

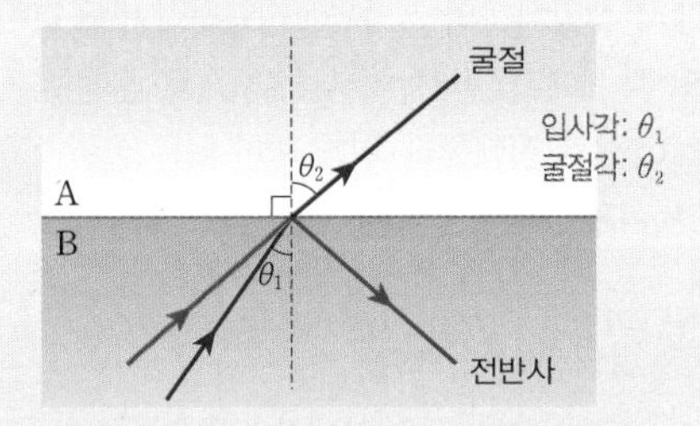

$\theta_1 < \theta_2$이므로 굴절률 A<B이다. 굴절률이 클수록 그 매질을 지날 때 빛의 속력이 줄어들고 굴절되는 정도가 커져 법선 쪽으로 더 많이 꺾인다.

❷ 전반사는 굴절광이 없는 경우이다. 입사각이 73.5°에서는 굴절광이 생기므로 전반사하려면 입사각이 73.5°보다 커야 한다.

■ **문항별 해설**

ㄱ. 입사각(θ_1)보다 굴절각(θ_2)이 더 크므로 굴절률은 B가 A보다 크다. (×)

ㄴ. (가)에서 B는 A보다 굴절률이 크고, (나)에서 광섬유의 코어는 클래딩보다 굴절률이 커야 하므로 클래딩은 A, 코어는 B이다. (○)

ㄷ. (가)에서 입사각이 73.5°일 때 빛은 89.2°의 굴절각으로 굴절하였다. 빛이 전반사하려면 굴절각이 90°에 근접해야 한다. 따라서 (나)에서처럼 빛이 전반사하려면 θ_3는 73.5°보다 커야 한다. (×)

답 ②

배경 지식

여러 가지 전반사 현상

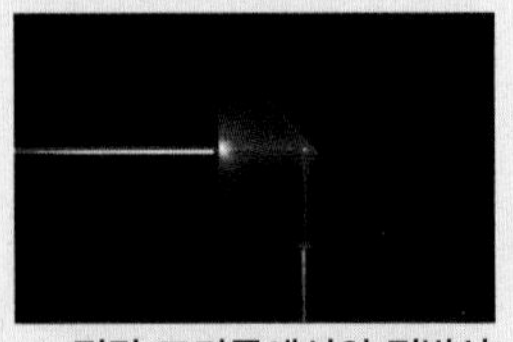

▲ 직각 프리즘에서의 전반사

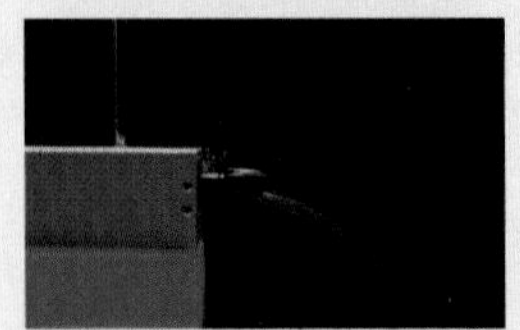

▲ OHP 필름을 따라 빛이 전반사

■ **오류 피하기**

⋯› 임계각은 굴절각이 90°가 될 때의 입사각을 말한다. 빛의 입사각이 임계각보다 클 때 입사한 빛이 전부 반사되는 전반사 현상이 나타난다. (가)에서 입사각이 73.5°일 때 굴절각이 89.2°로 90°보다 작고, (나)에서 전반사가 일어나고 있으므로 $\theta_3 > 73.5°$이어야 한다.

기출 문제

정답과 해설 37쪽

208 그림과 같이 공기와 코어의 경계면의 점 P에 입사각 i로 입사시킨 단색광 A가 코어와 클래딩의 경계면에서 전반사한다. 코어와 클래딩의 굴절률은 각각 n_1, n_2이다.

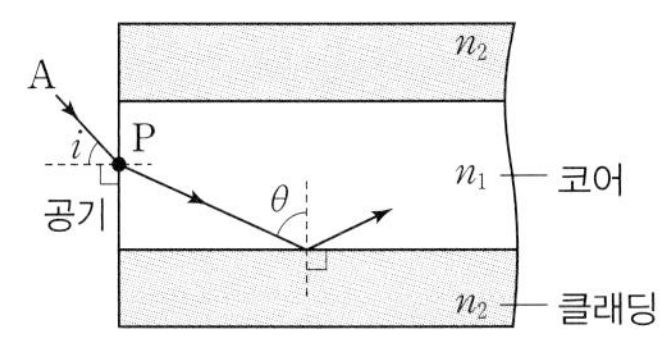

이에 대한 설명으로 옳은 것만을 〈보기〉에서 있는 대로 고른 것은? [3점]

보기

ㄱ. $n_1 > n_2$이다.
ㄴ. 코어와 클래딩 사이의 임계각은 θ보다 크다.
ㄷ. A를 i보다 작은 입사각으로 P에 입사시킬 때, 코어와 클래딩의 경계면에 도달한 A는 전반사한다.

① ㄱ ② ㄴ ③ ㄷ
④ ㄱ, ㄴ ⑤ ㄱ, ㄷ

209 그림 (가)는 단색광 P가 물질 A, B, C에서 진행하는 모습을 나타낸 것이다. 그림 (나)는 (가)의 A, B, C 중 2가지로 코어와 클래딩을 만든 광섬유에서 P가 전반사하며 진행할 때, 코어와 클래딩 사이의 임계각이 가장 작은 광섬유를 나타낸 것이다.

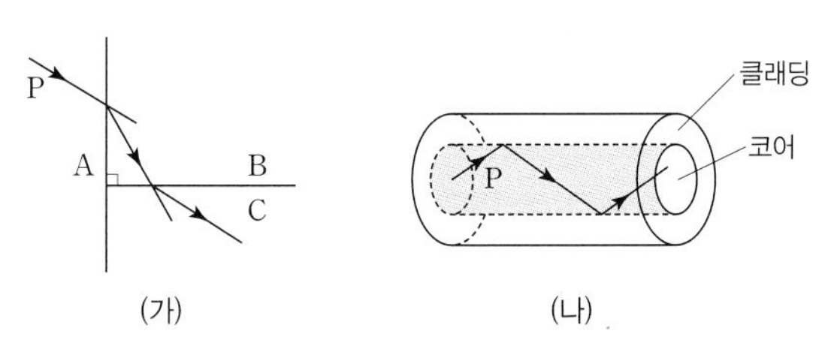

(가) (나)

(나)에서 코어와 클래딩의 구성 물질로 옳은 것은? [3점]

	코어	클래딩
①	A	B
②	A	C
③	B	C
④	C	A
⑤	C	B

210 그림 (가)와 같이 입사각 θ_1로 물질 B에서 물질 A로 입사한 단색광이 A와 B의 경계면에서 전반사한 뒤, B와 물질 C의 경계면에서 굴절각 θ_2로 굴절하여 진행한다. $\theta_1 < \theta_2$이다. 그림 (나)는 A, C로 만든 광섬유에서 (가)의 단색광이 전반사하며 진행하는 모습을 나타낸 것이다.

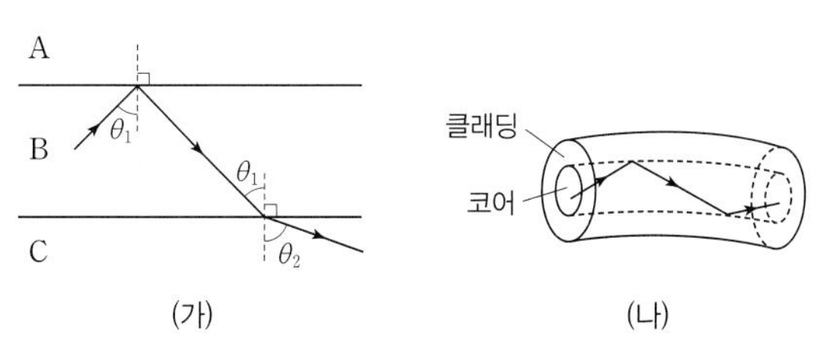

(가) (나)

이에 대한 설명으로 옳은 것만을 〈보기〉에서 있는 대로 고른 것은? [3점]

보기

ㄱ. A와 B 사이의 임계각은 θ_1보다 크다.
ㄴ. 단색광의 속력은 B에서가 C에서보다 작다.
ㄷ. (나)에서 클래딩은 C로 만들어졌다.

① ㄱ ② ㄴ ③ ㄷ
④ ㄱ, ㄴ ⑤ ㄴ, ㄷ

211 그림은 광섬유에서 단색광이 공기와 코어의 경계면에서 각 i로 입사하여 코어 내에서 전반사하며 진행하는 것을 나타낸 것이다. 코어와 클래딩의 굴절률은 각각 n_1, n_2이며, 코어와 클래딩 사이에서 전반사가 일어나는 i의 최댓값은 i_m이다.

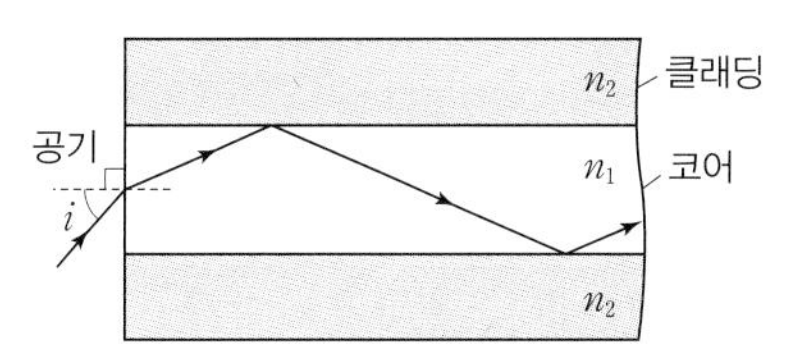

이에 대한 설명으로 옳은 것만을 〈보기〉에서 있는 대로 고른 것은?

보기

ㄱ. $n_1 > n_2$이다.
ㄴ. 단색광의 속력은 공기에서가 코어에서보다 크다.
ㄷ. n_2를 작게 하면 i_m은 작아진다.

① ㄱ ② ㄷ ③ ㄱ, ㄴ
④ ㄴ, ㄷ ⑤ ㄱ, ㄴ, ㄷ

기출 분석

46 유형

출제 의도

전자기파의 종류를 알고, 다양한 전자기파가 실생활에 어떻게 이용되는지를 알고 있는지 묻는 문제이다.

이렇게 대비하자!

전자기파는 파장(진동수)에 따라 구분하며, 파장에 따라 전자기파의 성질과 이용이 달라짐을 알아 두자.

■ 연관 기출 문제 키워드

#전자기파의 종류 #전자기파의 파장
#전자기파의 진동수 #전자기파의 이용

그림은 전자기파를 파장에 따라 분류한 것이다.

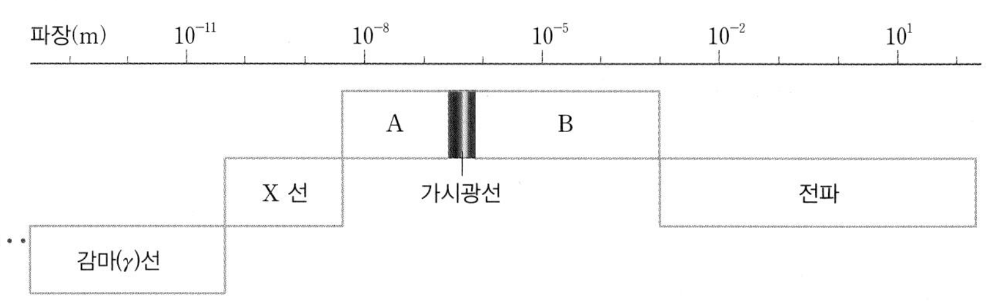

이에 대한 설명으로 옳은 것만을 〈보기〉에서 있는 대로 고른 것은?

보기

ㄱ. A는 가시광선보다 파장이 짧으며 살균이나 소독에 이용된다.
ㄴ. 전자레인지에 이용되는 마이크로파는 A에 속한다.
ㄷ. 감마(γ)선은 B보다 진동수가 크다.

① ㄱ ② ㄴ ③ ㄷ ④ ㄱ, ㄴ ⑤ ㄱ, ㄷ

문제 분석

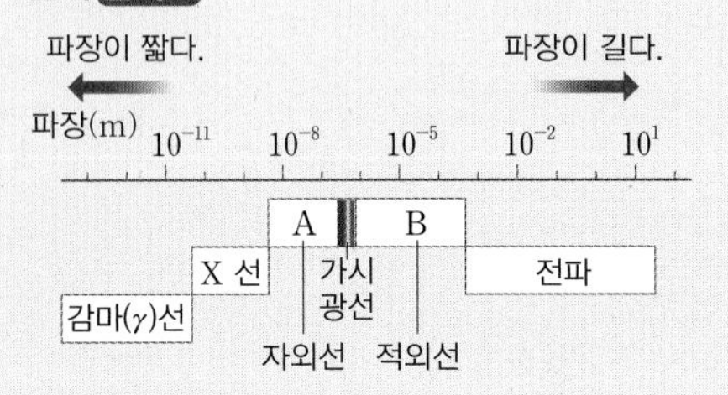

전자기파는 파장에 따라 구분하며, 파장의 길이는 '전파 > 적외선 > 가시광선 > 자외선 > X선 > 감마(γ)선' 순이다.

■ 문항별 해설

ㄱ. A 영역은 자외선, B 영역은 적외선에 속한다. 자외선은 가시광선보다 파장이 짧으며, 살균 작용, 형광 작용 등에 이용된다. (○)

ㄴ. 전파는 마이크로파와 라디오파 영역을 합친 전자기파이다. 따라서 마이크로파는 전파 영역에 속한다. (×)

ㄷ. 전자기파의 파장은 진동수에 반비례한다. 파장이 가장 짧은 영역의 감마(γ)선은 파장이 긴 B보다 진동수가 크다. (○)

답 ⑤

배경 지식

전자기파의 이용

전자기파		이용
감마(γ)선		암 치료, γ선 우주 망원경
X선		X선 사진, 공항의 수하물 검색, 물질의 특성 파악
자외선		살균 소독, 위조 지폐 판별, 비타민 D 합성
가시광선		신호등, 영상 장치, 광통신, 광학 기구
적외선		적외선 카메라, 적외선 온도계, 열화상 사진기
전파	마이크로파	전자레인지, 레이더, 휴대 전화의 데이터 통신
전파	라디오파	라디오, 텔레비전 방송, GPS

■ 오류 피하기

⋯› 전자기파는 진공에서의 파장에 따라 성질이 다르다. 이때 전자기파의 속력은 진공에서 파장에 관계없이 모두 빛의 속력과 같다. 즉, '파동의 속력 = 파장 × 진동수'에서 속력이 항상 일정하므로, 파장이 긴 전자기파는 진동수가 작고, 파장이 짧은 전자기파는 진동수가 크다.

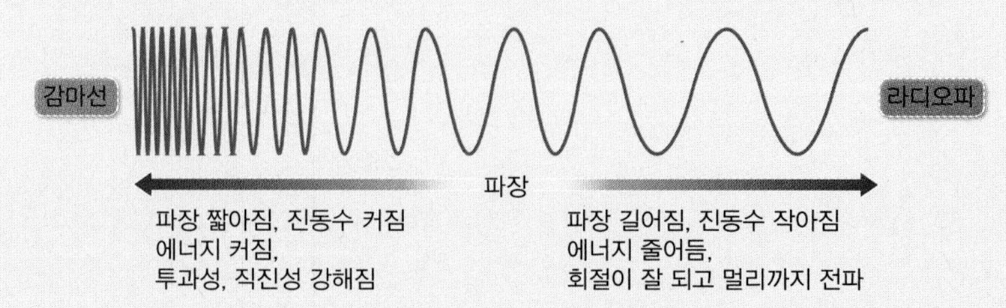

기출 문제

정답과 해설 38쪽

212 그림은 등산을 할 때 알아 두어야 할 사항에 대한 TV 뉴스 내용의 일부를 나타낸 것이다.

이에 대한 설명으로 옳은 것만을 〈보기〉에서 있는 대로 고른 것은?

> 보기
> ㄱ. ⓐ는 살균 기능이 있어 식기 소독기에 이용된다.
> ㄴ. 파장은 ⓑ가 ⓒ보다 크다.
> ㄷ. 진공에서의 속력은 ⓐ와 ⓒ가 같다.

① ㄴ ② ㄷ ③ ㄱ, ㄴ
④ ㄱ, ㄷ ⑤ ㄱ, ㄴ, ㄷ

213 그림은 학생이 전자레인지에 음식을 넣는 모습을 나타낸 것이다. 전자레인지에 사용되는 마이크로파에 대한 설명으로 옳은 것만을 〈보기〉에서 있는 대로 고른 것은?

> 보기
> ㄱ. 진동수는 가시광선보다 작다.
> ㄴ. 진공에서의 파장은 X선보다 작다.
> ㄷ. 진공에서의 속력은 자외선보다 크다.

① ㄱ ② ㄷ ③ ㄱ, ㄴ
④ ㄴ, ㄷ ⑤ ㄱ, ㄴ, ㄷ

214 그림 (가)는 전자기파를 진동수에 따라 분류한 것을, (나)는 어떤 전자기파를 이용해 공항에서 수하물을 검색하는 모습을 나타낸 것이다.

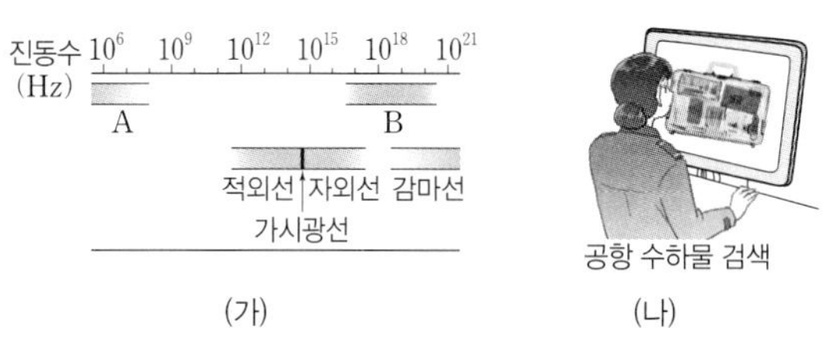

(가) (나)

이에 대한 설명으로 옳은 것만을 〈보기〉에서 있는 대로 고른 것은?

> 보기
> ㄱ. (나)에서 이용되는 전자기파는 A에 속한다.
> ㄴ. 감마선은 TV 리모컨에 이용된다.
> ㄷ. 진공에서 파장은 B가 적외선보다 짧다.

① ㄱ ② ㄷ ③ ㄱ, ㄴ
④ ㄱ, ㄷ ⑤ ㄴ, ㄷ

215 그림은 일상생활에서 활용되는 전자기파이다.

A. 라디오에 수신되는 라디오파

B. TV 화면에서 나오는 가시광선

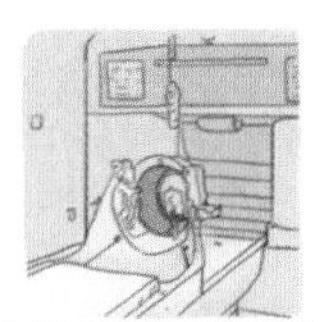
C. 암 치료용 의료 기기에서 사용되는 감마선

A, B, C에 해당하는 전자기파의 파장을 각각 λ_A, λ_B, λ_C라고 할 때, 파장을 비교한 것으로 옳은 것은?

① $\lambda_A < \lambda_C < \lambda_B$ ② $\lambda_B < \lambda_A < \lambda_C$ ③ $\lambda_B < \lambda_C < \lambda_A$
④ $\lambda_C < \lambda_A < \lambda_B$ ⑤ $\lambda_C < \lambda_B < \lambda_A$

216 그림은 전자기파를 진동수에 따라 분류하여 나타낸 것이다.

진동수 (Hz): 10^9, 10^{12}, 10^{15}, 10^{18}, 10^{21} — A 영역, B 영역, 가시광선, C 영역, γ선

이에 대한 설명으로 옳지 <u>않은</u> 것은?

① 진공 중에서 전자기파의 속력은 가시광선이 γ선보다 크다.
② 전자레인지에 이용되는 마이크로파는 A 영역에 속한다.
③ 적외선 야간 투시경에 이용되는 전자기파는 B 영역에 속한다.
④ 의료 장비에 이용되는 X선은 C 영역에 속한다.
⑤ 진공 중에서 전자기파의 파장은 γ선이 A 영역의 전자기파보다 짧다.

기출 분석

47 유형

? 출제 의도
파동의 간섭 현상을 이해하고 보강 간섭과 상쇄 간섭을 구분하여 그 특징을 이해하고 있는지를 묻는 문제이다.

이렇게 대비하자!
파동의 독립성을 이해하고, 파동이 중첩될 때 진폭 변화와 위상을 경로차와 관련지어 알고 있어야 한다.

■ 연관 기출 문제 키워드

#보강 간섭 #상쇄 간섭 #중첩 #경로차

그림 (가)는 두 점 S_1, S_2에서 같은 진폭과 위상으로 발생시킨 두 수면파의 어느 순간의 모습이고, (나)는 (가)의 모습을 평면 상에 모식적으로 나타낸 것이다. 두 수면파의 파장은 λ로 같고 속력은 일정하다. 실선과 점선은 각각 수면파의 마루와 골의 위치를, 점 p, q, r는 평면 상에 고정된 지점을 나타낸 것이다.

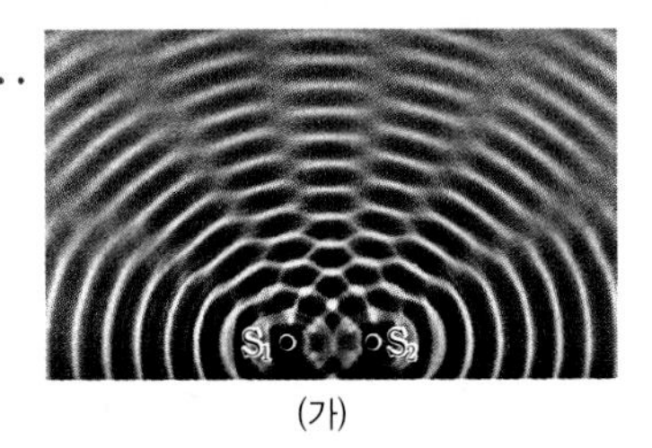

(가)

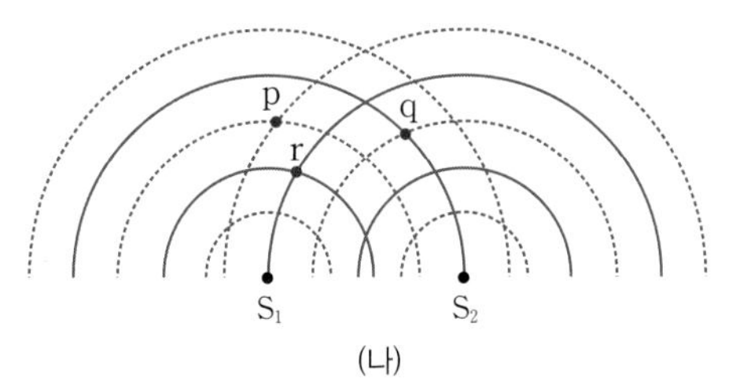

(나)

이에 대한 설명으로 옳은 것만을 <보기>에서 있는 대로 고른 것은?

보기

ㄱ. p에서 보강 간섭이 일어난다.
ㄴ. p, q, r 중 수면의 높이가 가장 낮은 곳은 q이다.
ㄷ. S_1, S_2에서 r까지의 경로차는 λ이다.

① ㄱ ② ㄴ ③ ㄱ, ㄴ ④ ㄱ, ㄷ ⑤ ㄴ, ㄷ

문제 분석

❶ 수면파의 모식도에 마루, 골, 파장을 표시한다. 이때 파장은 마루(골)에서 마루(골) 사이의 거리이다.

파면은 동심원이므로 S_1에서 r까지의 거리는 λ, S_2에서 r까지의 거리는 2λ이다.

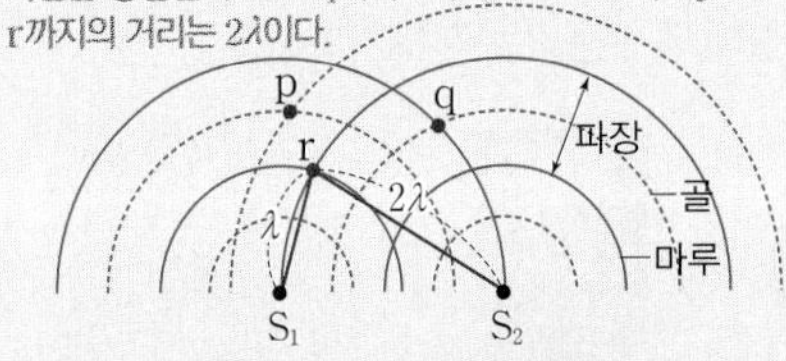

❷ p, q, r이 각각 보강 간섭인지, 상쇄 간섭인지 판단한다.
- 서로 같은 위상으로 만날 때
- p: 골+골 → 보강 간섭
- q: 마루+골 → 상쇄 간섭 ← 서로 반대 위상으로 만날 때
- r: 마루+마루 → 보강 간섭

배경 지식

- **보강 간섭**: 두 파동이 같은 위상(마루와 마루, 또는 골과 골)으로 만나 합성파의 진폭이 커지는 간섭

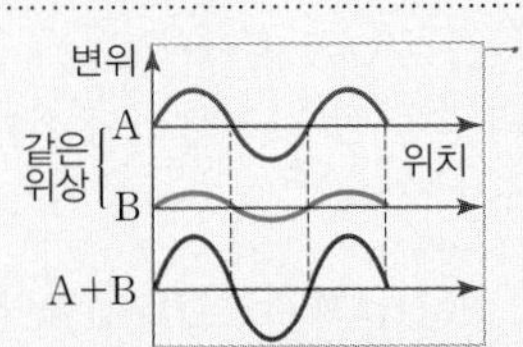

→ 두 파동의 진폭이 같으면 합성파의 진폭은 2배가 된다.

- **상쇄 간섭**: 두 파동이 반대 위상(마루와 골)으로 만나 합성파의 진폭이 줄어드는 간섭

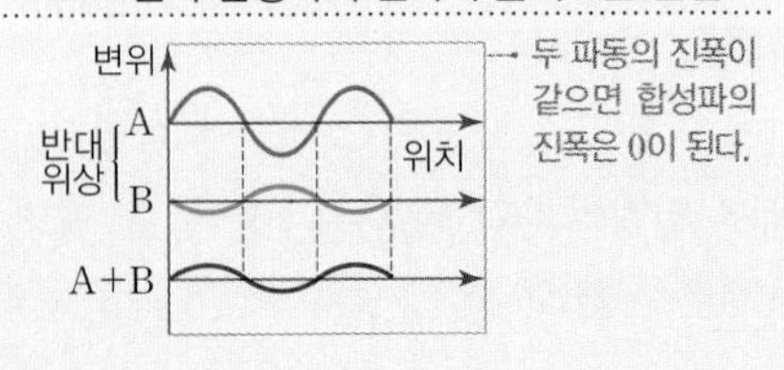

→ 두 파동의 진폭이 같으면 합성파의 진폭은 0이 된다.

■ **문항별 해설**

ㄱ. p에서는 수면파의 골과 골(같은 위상)이 중첩되고 있으므로 보강 간섭이 일어난다. (○)
ㄴ. q에서는 마루와 골이 중첩되지만, p에서는 골과 골이 중첩되므로 이 순간 수면의 높이가 가장 낮은 곳은 p이다. (×)
ㄷ. 경로차는 두 파원에서 한 점까지의 거리 차이이다. S_1에서 r까지의 거리는 λ이고, S_2에서 r까지의 거리는 2λ이므로 경로차는 두 거리의 차인 '$2\lambda-\lambda$', 즉 λ이다. (○)

답 ④

■ **오류 피하기**

⋯▸ p와 r에서는 모두 보강 간섭이 일어난다. 이때 골과 골이 만나는 p에서는 진폭이 2배가 되고, 수면이 아래로 내려간다. 이에 비해 마루와 마루가 만나는 r에서는 진폭이 2배가 되며 수면이 높아진다. 상쇄 간섭이 일어나는 q에서는 진폭이 0이 되며(S_1과 S_2는 진폭이 같으므로) 수면은 잔잔하다.

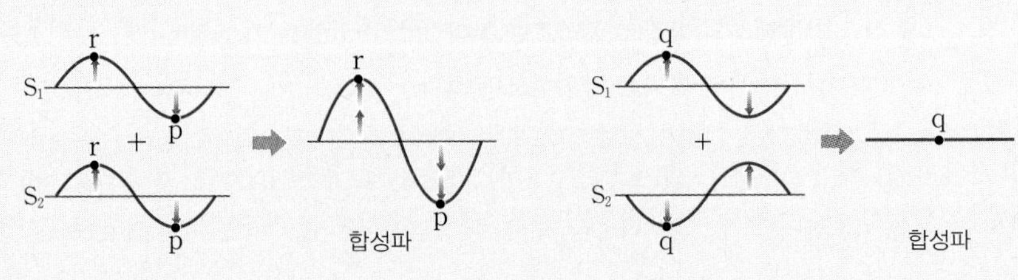

기출 문제

정답과 해설 39쪽

217 그림은 깊이가 일정한 수면상의 점파원 S_1, S_2에서 각각 물결파를 발생시켰을 때, 어느 순간 점파원 주위에 나타난 물결파의 마루를 실선으로 나타낸 것이다. A는 S_1과 S_2로부터 같은 거리에 있는 수면상의 한 지점이다.

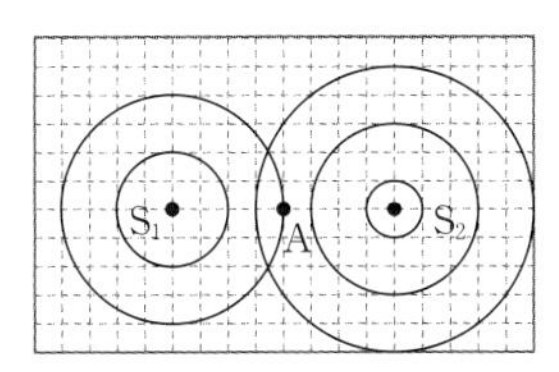

이에 대한 설명으로 옳은 것만을 〈보기〉에서 있는 대로 고른 것은? (단, S_1, S_2에서 발생하는 파동의 진폭은 같다.)

보기

ㄱ. S_1, S_2의 진동수는 같다.
ㄴ. S_1, S_2에서 발생하는 물결파의 위상은 같다.
ㄷ. A에서는 시간에 따라 매질이 진동한다.

① ㄱ ② ㄷ ③ ㄱ, ㄴ
④ ㄴ, ㄷ ⑤ ㄱ, ㄴ, ㄷ

218 그림은 파장과 진폭이 같은 두 물결파가 x축을 따라 서로 반대 방향으로 진행하는 어느 순간의 모습을 나타낸 것이다. 두 물결파의 진행 속력은 모두 10 cm/s이다.

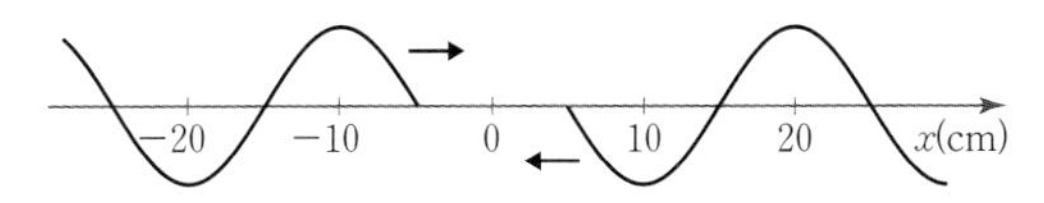

이때부터 1초 동안 x축상의 위치가 −10 cm인 곳과 10 cm인 곳 사이에서 나타나는 수면의 모습만을 〈보기〉에서 있는 대로 고른 것은? [3점]

보기

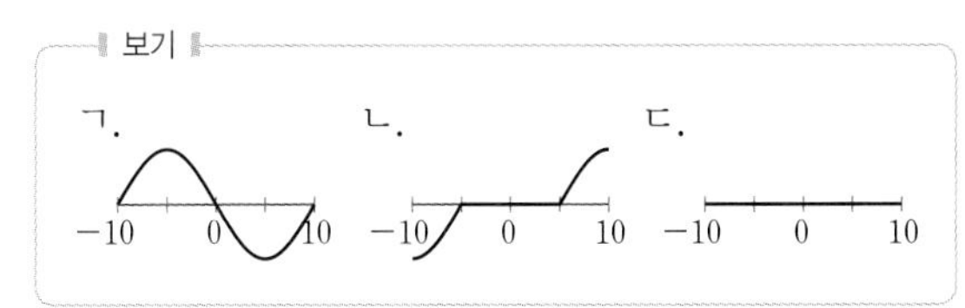

① ㄱ ② ㄴ ③ ㄷ
④ ㄱ, ㄴ ⑤ ㄴ, ㄷ

219 그림은 두 점 S_1, S_2에서 같은 진폭과 위상으로 발생시킨 두 수면파의 $t=0$일 때의 모습을 평면상에 나타낸 것이다. 두 수면파의 파장과 주기는 각각 λ와 T로 같고 속력은 일정하다. 실선과 점선은 각각 수면파의 마루와 골의 위치를, 점 P와 Q는 평면상에 고정된 두 지점을 나타낸 것이다.

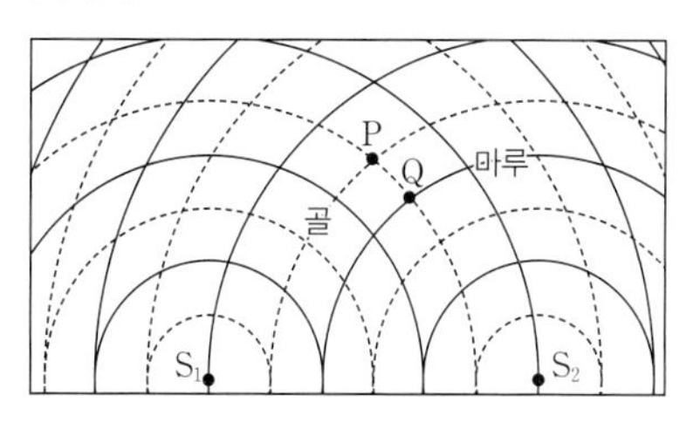

이에 대한 설명으로 옳은 것만을 〈보기〉에서 있는 대로 고른 것은? [3점]

보기

ㄱ. S_1, S_2에서 P까지의 두 수면파의 경로차는 0이다.
ㄴ. $t=0$일 때 수면의 높이는 P에서가 Q에서보다 높다.
ㄷ. P에서 수면의 높이는 $t=\frac{T}{2}$초일 때가 $t=0$일 때보다 높다.

① ㄱ ② ㄴ ③ ㄷ
④ ㄱ, ㄷ ⑤ ㄴ, ㄷ

220 그림 (가)는 두 점 S_1, S_2에서 서로 같은 진폭과 서로 반대의 위상으로 발생된 두 수면파의 어느 순간의 모습을 나타낸 것이다. S_1과 S_2 사이의 거리는 1 m이다. 그림 (나)는 점 P, Q 중 한 점의 변위를 시간에 따라 나타낸 것이다.

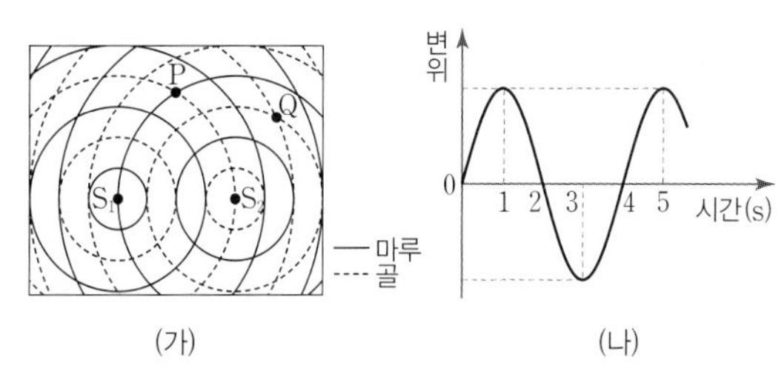

이에 대한 설명으로 옳은 것만을 〈보기〉에서 있는 대로 고른 것은? (단, 물의 깊이는 일정하다.)

보기

ㄱ. (나)는 Q의 변위를 나타낸 것이다.
ㄴ. 수면파의 속력은 0.25 m/s이다.
ㄷ. S_1, S_2로부터의 경로차는 P가 Q보다 크다.

① ㄱ ② ㄴ ③ ㄷ
④ ㄱ, ㄴ ⑤ ㄱ, ㄷ

기출 분석

48 유형

? 출제 의도

두 개의 스피커를 이용한 보강 간섭과 상쇄 간섭을 알고 있는지 묻는 문제이다.

이렇게 대비하자!

소음을 제거하는 데 파동의 간섭이 어떻게 적용되는지를 알고 있어야 한다.

■ 연관 기출 문제 키워드

#빛의 간섭 #이중 슬릿 #간섭 무늬 #회절

다음은 철수가 수행한 소리의 중첩에 대한 실험이다.

[실험 과정]

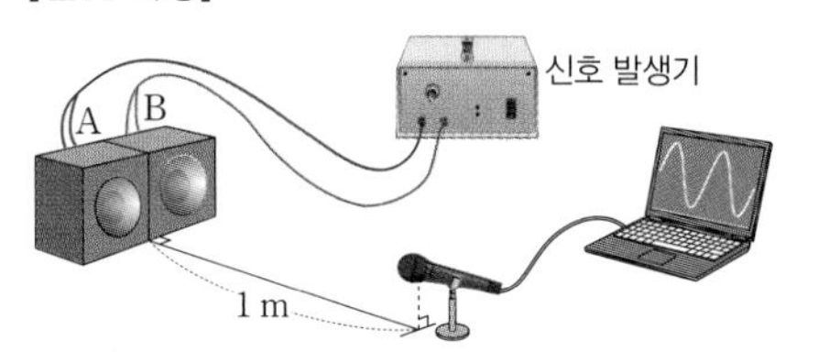

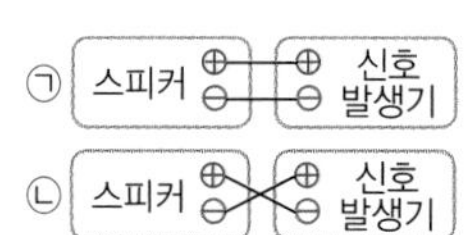

▲ 스피커 단자와 신호 발생기 단자 사이의 연결 방법

(가) 그림과 같이 동일한 스피커 A와 B를 나란히 놓고 A를 ㉠ 방법으로 신호 발생기에 연결한다.

(나) B를 ㉠ 또는 ㉡ 중 하나의 방법으로 신호 발생기에 연결한다.

(다) 스피커로부터 1 m 떨어진 위치에서 마이크와 소리 분석기를 이용하여 소리의 파형을 측정한다.

(라) B를 (나)에서와 다른 방법으로 신호 발생기에 연결한다.

(마) 과정 (다)를 반복한다.

[실험 결과]

• (다)의 결과

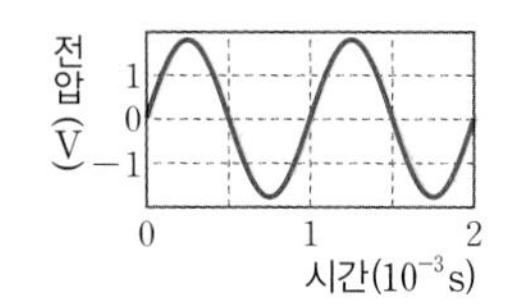

• (마)의 결과

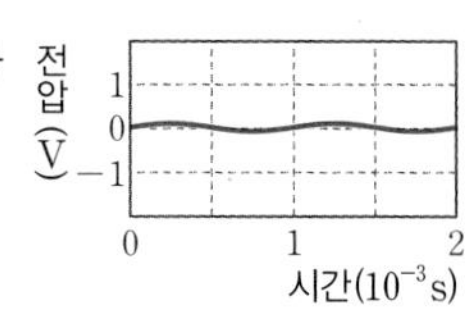

이에 대한 설명으로 옳은 것만을 〈보기〉에서 있는 대로 고른 것은? (단, 소리의 속력은 340 m/s이다.) [3점]

보기

ㄱ. (라)에서 B의 연결 방법은 ㉠이다.

ㄴ. (마)의 결과는 소음 제거 장치에 응용된다.

ㄷ. 소리의 파장은 17 cm이다.

① ㄱ ② ㄴ ③ ㄷ ④ ㄱ, ㄴ ⑤ ㄴ, ㄷ

문제 분석

❶ 두 파동의 간섭 그래프를 보고 두 스피커에서 나온 파동이 보강 간섭을 했는지, 상쇄 간섭을 했는지 확인한다.

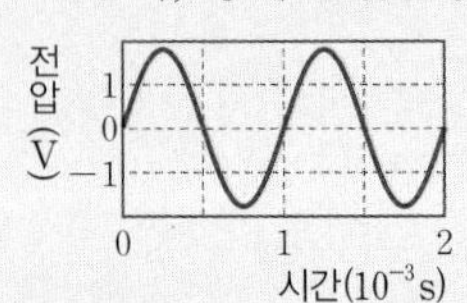

보강 간섭: 두 파동이 같은 위상으로 만나 진폭이 커진다.

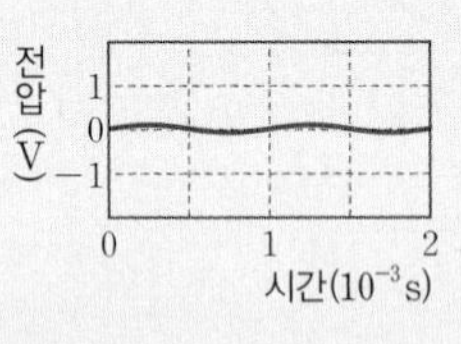

상쇄 간섭: 두 파동이 반대 위상으로 만나 진폭이 줄어든다. → 동일한 스피커에서 나온 파동이므로 진폭이 비슷하며, 상쇄 간섭으로 진폭이 0에 가까워진다.

❷ 문제에서 파동의 위상에 영향을 주는 요인은 스피커 단자와 신호 발생기를 연결하는 방법이다. 즉, 두 스피커를 같은 방식으로 연결하면 스피커에서 나오는 파동의 위상이 같고, 서로 다른 방식으로 연결하면 파동의 위상이 반대가 된다.

배경 지식

소리의 간섭: 두 소리가 만나면 서로 간섭이 일어나 소리의 크기가 변한다. 진폭이 클수록 큰 소리가 나는데, 상쇄 간섭이 일어나 진폭이 줄어들면 소리가 작아지고, 보강 간섭이 일어나 진폭이 커지면 소리도 커진다. 이때 두 스피커와의 거리 차이인 경로차가 반파장의 짝수 배이면 보강 간섭이, 반파장의 홀수 배이면 상쇄 간섭이 일어난다.

■ 문항별 해설

ㄱ. (라)의 결과 두 스피커의 파동은 상쇄 간섭을 하였다. 스피커 A를 ㉠ 방법으로 연결했으므로 이와 반대 위상의 파동을 만들려면 B 스피커는 ㉡의 방법으로 연결해야 한다. (×)

ㄴ. (마)의 결과는 진폭이 0에 가까워지므로 소음 제거 장치에 응용된다. (○)

ㄷ. (다)의 결과 소리의 주기가 1×10^{-3} s이고, 소리의 속력은 340 m/s이다. 파장은 '속력×주기'이므로 파장 $\lambda=(34000\ \text{cm/s})\times(1\times10^{-3}\ \text{s})=34\ \text{cm}$이다. (×)

답 ②

기출 문제

정답과 해설 39쪽

221 그림은 파장 λ인 단색광이 이중 슬릿을 통과하여 스크린에 간섭 무늬를 만드는 것을 나타낸 것이다. 스크린 상의 점 O는 두 슬릿 S_1과 S_2로부터 같은 거리에 있고, 점 P에는 O로부터 두 번째 어두운 무늬가 생긴다.

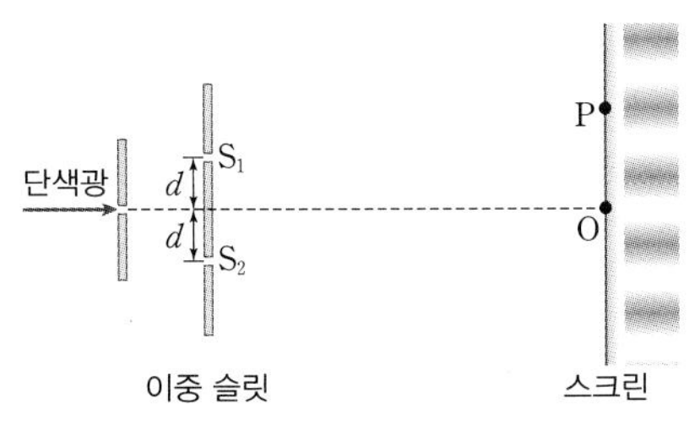

이에 대한 설명으로 옳은 것만을 〈보기〉에서 있는 대로 고른 것은? [3점]

보기

ㄱ. O에서는 보강 간섭이 일어난다.

ㄴ. S_1, S_2를 지나 P에 도달한 단색광의 경로차는 $\frac{3}{2}\lambda$이다.

ㄷ. 이중 슬릿의 슬릿 간격이 작을수록 이웃한 밝은 무늬 간격은 작아진다.

① ㄱ ② ㄴ ③ ㄱ, ㄴ
④ ㄴ, ㄷ ⑤ ㄱ, ㄴ, ㄷ

222 다음은 헤드셋에서 소음을 제거하는 방법을 설명하는 내용의 일부분이다.

헤드셋의 마이크를 통해 입력된 주변의 소음은 내부 장치에 의해 반대 위상으로 변환된다. 변환된 소리와 음원의 소리가 함께 헤드셋의 스피커를 통해 귀로 전달되면, 변환된 소리와 주변의 소음이 만나 소음을 제거할 수 있다.

헤드셋에서 소음이 제거되는 것을 설명할 수 있는 현상은?

① 반사 ② 굴절 ③ 회절
④ 간섭 ⑤ 투과

223 다음은 소리의 간섭 현상을 확인하기 위한 실험 과정이다.

[실험 과정]

(가) 그림과 같이 거리가 d이고 수평면에 고정된 두 스피커 S_1, S_2에서 세기가 같고 파장이 λ인 소리가 같은 위상으로 발생하도록 한다.

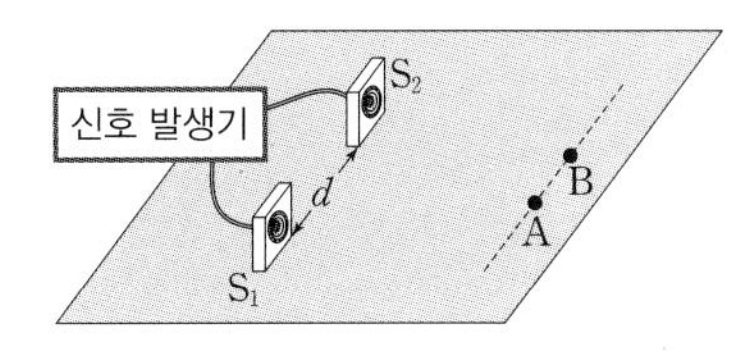

(나) 점선을 따라 이동하면서 보강 간섭이 일어나는 점 A와 상쇄 간섭이 일어나는 점 B를 찾고, A와 B 사이의 거리를 측정한다.

(다) S_1, S_2로부터 각 점까지의 경로차를 구한다.

(라) d만을 변화시키면서 과정 (나)를 반복한다.

이 실험에 대한 설명으로 옳은 것만을 〈보기〉에서 있는 대로 고른 것은? (단, 스피커의 크기는 무시한다.)

보기

ㄱ. A에서는 B에서보다 소리가 크게 들린다.

ㄴ. S_1, S_2로부터 B까지의 경로차는 λ의 정수배이다.

ㄷ. d만을 감소시키면 A와 B 사이의 거리는 증가한다.

① ㄱ ② ㄴ ③ ㄱ, ㄷ
④ ㄴ, ㄷ ⑤ ㄱ, ㄴ, ㄷ

224 그림 (가)는 특정한 진동수의 초음파를 이용하여 해저 지형을 조사하는 모습을, (나)는 소음을 제거하는 헤드폰의 원리를 간단히 나타낸 것이다.

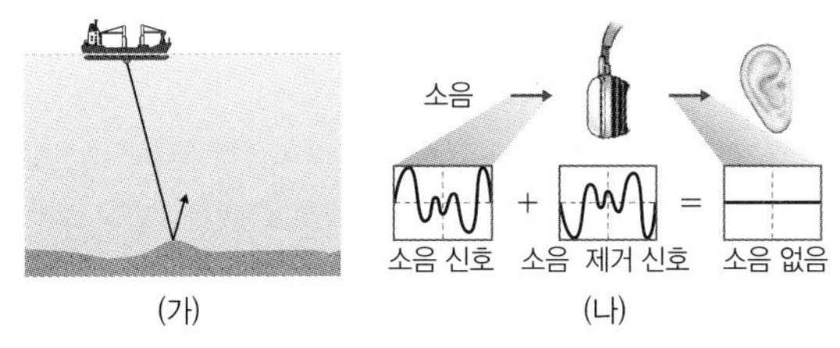

이에 대한 설명으로 옳은 것만을 〈보기〉에서 있는 대로 고른 것은?

보기

ㄱ. (가)의 초음파 진동수는 사람이 들을 수 있는 소리의 진동수보다 작다.

ㄴ. (나)는 파동의 간섭 현상을 이용한다.

ㄷ. (가)의 초음파 속력은 공기 중에서가 바닷물 속에서보다 크다.

① ㄱ ② ㄴ ③ ㄱ, ㄷ
④ ㄴ, ㄷ ⑤ ㄱ, ㄴ, ㄷ

기출 분석

49 유형

출제 의도

광전 효과에서 방출되는 광전자의 수와 최대 운동 에너지의 변화를 이해하는지 묻는 문제이다.

이렇게 대비하자!

빛이 입자의 성질을 가지고 있음을 알고, 광전 효과를 이용해 영상 정보를 기록하는 CCD의 원리도 익혀 두자.

■ 연관 기출 문제 키워드

#빛의 입자성 #광전자 #문턱 진동수 #광양자설 #일함수

그림 (가)는 도선으로 연결된 대전되지 않은 금속판 A, B에 진동수가 f인 빛을 같은 세기로 비추고 있을 때 A와 B 중에서 한 개의 금속판에서만 광전 효과가 일어나 도선에 오른쪽 방향으로 전류가 흐르는 모습을 나타낸 것이다. 그림 (나)는 (가)에서 B에만 진동수가 f인 빛을 비추는 모습을 나타낸 것이다. 빛의 세기는 (나)에서가 (가)에서보다 크다.

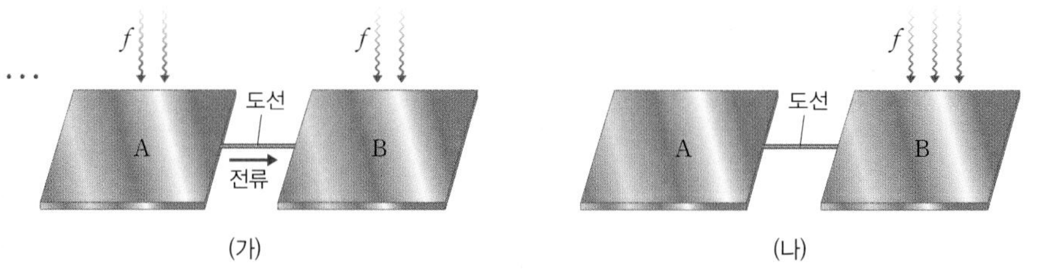

이에 대한 설명으로 옳은 것만을 <보기>에서 있는 대로 고른 것은? [3점]

보기

ㄱ. 광전 효과가 일어난 금속판은 B이다.

ㄴ. B의 문턱 진동수는 f보다 크다.

ㄷ. (나)의 도선에는 왼쪽 방향으로 전류가 흐른다.

① ㄱ ② ㄴ ③ ㄷ ④ ㄱ, ㄴ ⑤ ㄱ, ㄷ

문제 분석

전류가 흐르므로 A, B 중 한군데에서 광전 효과가 일어나 두 금속판 사이에 전압 차이가 발생하였다.

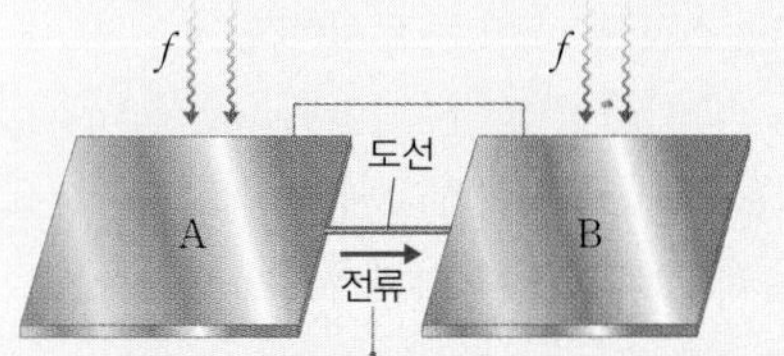

전류는 (+)극에서 (−)극으로 흐른다.

❶ 전류가 A → B 방향으로 흐르므로 A는 (+)극, B는 (−)극이 되었다.

❷ 광전 효과가 일어나 전자가 외부로 튀어나간 금속판은 (+)전하를 띤다.
➡ (−)전하를 가진 전자가 빠져나갔기 때문이다.

❸ 전류가 흐를 때 (+)극이 되는 A에서 광전 효과가 일어났다.

■ 문항별 해설

ㄱ. (가)에서 전류가 오른쪽 방향으로 흐르므로 금속판 A에서 광전 효과가 일어난다. (×)

ㄴ. 진동수가 f인 빛을 비출 때 B에서는 광전 효과가 일어나지 않으므로 B의 문턱 진동수는 f보다 크다. (○)

ㄷ. B의 문턱 진동수가 f보다 크므로 (가)에서보다 센 빛을 비추더라도 (나)에서는 광전 효과가 일어나지 않고 전류도 흐르지 않는다. (×)

답 ②

배경 지식

빛의 이중성: 광전 효과는 빛이 입자의 성질을 가지고 있음을 보여 주는 현상이다. 그러나 빛의 간섭 현상에서 알 수 있듯이 빛은 파동의 성질도 가지고 있다. 그러므로 빛은 두 가지 성질을 모두 가지고 있으며, 이를 빛의 이중성이라고 한다.

■ 오류 피하기

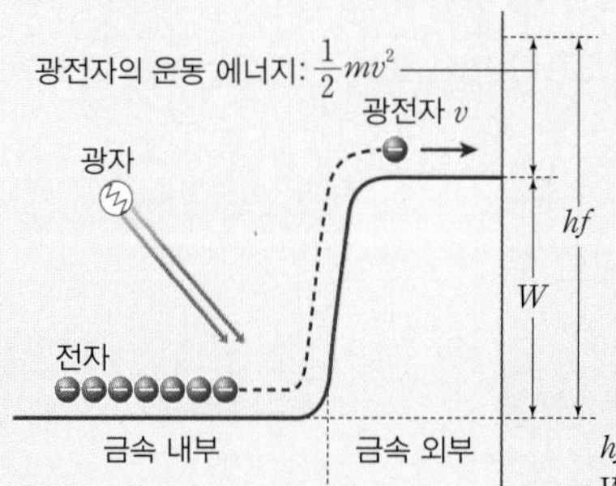

⋯▸ 문턱 진동수 이상의 진동수를 갖는 빛을 금속 표면에 비추면 전자(광전자)가 튀어 나온다.

⋯▸ 진동수가 같은 빛을 비추면 단위 시간당 방출되는 광전자의 수는 빛의 세기에 비례한다.

⋯▸ 방출된 광전자의 최대 운동 에너지는 빛의 진동수가 클수록 크다.

hf: 진동수 f인 광자 1개의 운동 에너지

W: 일함수 ⟶ 전자가 금속 표면에서 튀어 나오기 위한 최소한의 에너지

기출 문제

정답과 해설 40쪽

225 그림 (가)는 금속판 P에 빛을 비추었을 때 광전자가 방출되는 모습을 나타낸 것이고, (나)는 (가)에서 방출되는 광전자의 최대 운동 에너지를 빛의 진동수에 따라 나타낸 것이다. 진동수가 f이고 세기가 I인 빛을 비추었을 때, 방출되는 광전자의 최대 운동 에너지는 E이다.

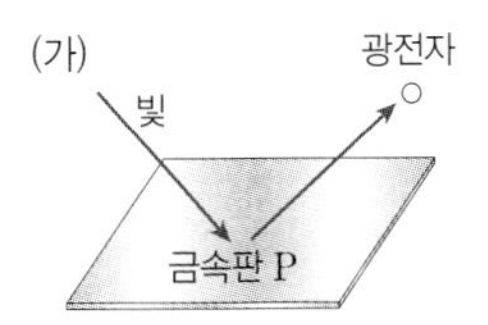

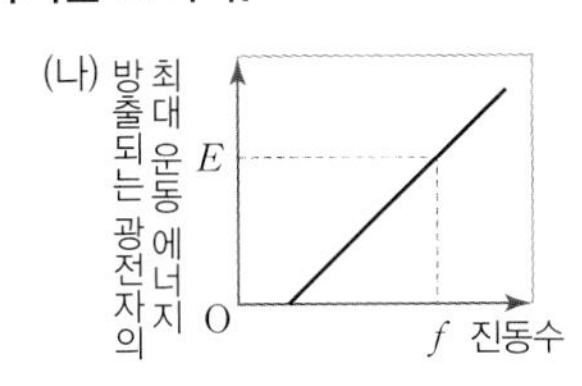

이에 대한 설명으로 옳은 것만을 〈보기〉에서 있는 대로 고른 것은? [3점]

보기

ㄱ. 진동수가 f이고 세기가 $2I$인 빛을 P에 비추면, 방출되는 광전자의 최대 운동 에너지는 E이다.

ㄴ. 진동수가 $2f$이고 세기가 I인 빛을 P에 비추면, 방출되는 광전자의 최대 운동 에너지는 E보다 크다.

ㄷ. 빛의 입자성을 보여 주는 현상이다.

① ㄱ ② ㄴ ③ ㄱ, ㄷ
④ ㄴ, ㄷ ⑤ ㄱ, ㄴ, ㄷ

226 그림은 디지털 카메라에서 사용하는 CCD(전하 결합 소자)의 일부분을 간략히 나타낸 것으로, 이 CCD에는 빨강(R), 초록(G), 파랑(B)의 세 가지 종류로 구성된 색상 필터가 있다. 이 CCD에 대한 옳은 설명만을 〈보기〉에서 있는 대로 고른 것은? [3점]

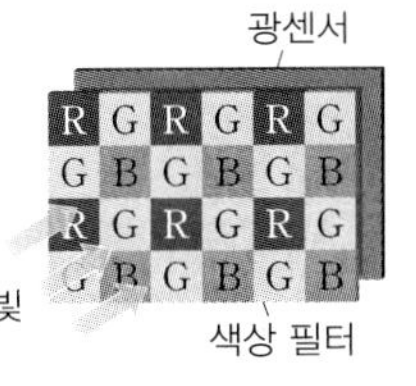

보기

ㄱ. 빛 신호를 전기 신호로 바꾸어 준다.

ㄴ. 백색광을 비추면 신호가 발생하지 않는다.

ㄷ. 빛의 밝기에 따라 발생하는 신호 세기가 변한다.

① ㄱ ② ㄴ ③ ㄱ, ㄷ
④ ㄴ, ㄷ ⑤ ㄱ, ㄴ, ㄷ

227 그림 (가), (나)는 동일한 금속판에 진동수 $2f$, $3f$인 단색광을 각각 비추었을 때 광전자가 방출되는 것을 모식적으로 나타낸 것이다. 방출되는 광전자의 최대 운동 에너지는 (나)에서가 (가)에서의 3배이다.

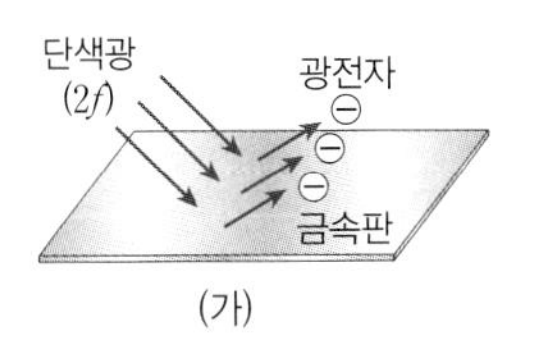

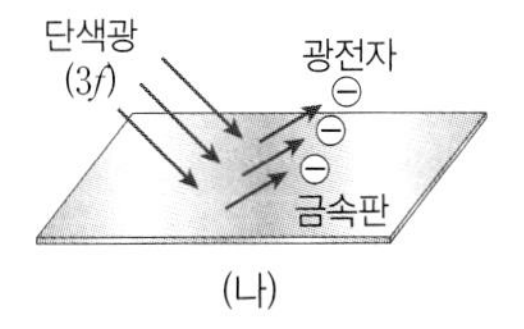

이 금속판의 문턱 진동수는? [3점]

① $\frac{1}{2}f$ ② f ③ $\frac{3}{2}f$ ④ $2f$ ⑤ $3f$

228 그림은 광전 효과를 알아보기 위해 각각 빨강, 파랑 빛을 내는 LED(발광 다이오드)를 금속판 A에 비추는 모습이고, 표는 이때 전자의 방출 여부를 나타낸 것이다.

금속판 A

빨강 파랑

LED	전자의 방출 여부
빨강	방출되지 않음
파랑	방출됨

이에 대한 설명으로 옳은 것만을 〈보기〉에서 있는 대로 고른 것은?

보기

ㄱ. 광자 한 개의 에너지는 빨강 빛이 파랑 빛보다 크다.

ㄴ. 빨강 빛과 파랑 빛을 동시에 A에 비추면 전자가 방출된다.

ㄷ. 광전 효과는 빛의 입자성의 증거이다.

① ㄱ ② ㄴ ③ ㄱ, ㄷ
④ ㄴ, ㄷ ⑤ ㄱ, ㄴ, ㄷ

229 그림은 금속판 A, B에 각각 단색광을 비추었을 때, 방출된 광전자의 최대 운동 에너지를 단색광의 진동수에 따라 나타낸 것이다. 이에 대한 설명으로 옳은 것만을 〈보기〉에서 있는 대로 고른 것은?

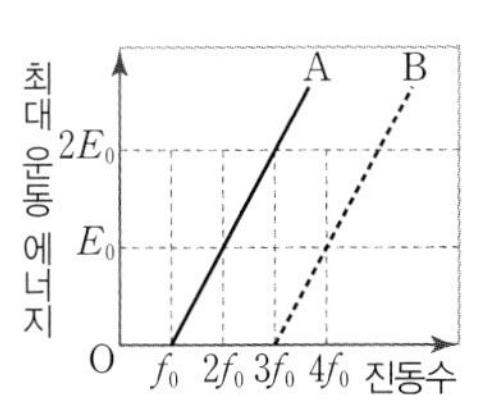

보기

ㄱ. A의 일함수는 E_0과 같다.

ㄴ. $\frac{E_0}{f_0}$은 플랑크 상수와 같다.

ㄷ. 진동수가 $4f_0$인 단색광을 비추면 광전자의 최대 운동 에너지는 A가 B의 3배이다.

① ㄴ ② ㄷ ③ ㄱ, ㄴ
④ ㄱ, ㄷ ⑤ ㄱ, ㄴ, ㄷ

기출 분석 50 유형

? 출제 의도

광전 효과 실험을 통해 빛의 진동수와 세기에 따른 광전 효과를 설명할 수 있는지를 묻는 문제이다.

이렇게 대비하자!

광전 효과 실험 과정과 결과를 이해하고, 빛의 진동수와 세기에 따라 방출되는 광전자의 개수가 달라짐을 알고 있어야 한다.

■ **연관 기출 문제 키워드**

#광전 효과 #광전 효과 실험 #금속판
#광전자의 방출

다음은 빛의 진동수와 세기에 따른 광전 효과를 확인하는 실험 과정과 결과이다.

[실험 과정]
(가) 검전기 위에 아연판을 놓고 (−)전하로 대전시켜 금속박이 벌어지도록 한다.
(나) 아연판에 네온등을 비춘다.
(다) 아연판에 네온등 대신 자외선등을 비춘다.
(라) 자외선등을 아연판에 더 가까이 비춘다.

네온등 또는 자외선등 / 아연판 / 금속박

[실험 결과]
• (나)에서는 금속박이 오므라들지 않는다.
• (다)에서는 금속박이 서서히 오므라든다.
• (라)에서는 (다)에서보다 금속박이 더 빨리 오므라든다.

이 실험에 대해 옳게 말한 사람만을 〈보기〉에서 있는 대로 고른 것은? [3점]

보기

철수: (다)과정은 아연판에 비추는 빛의 진동수를 바꾸기 위해서야.
영희: 금속박이 오므라드는 것은 아연판에서 광전자가 방출되기 때문이야.
민수: 자외선등을 가까이 비추어 빛의 세기를 크게 하였더니 단위 시간당 방출되는 광전자의 수가 증가했어.

① 철수 ② 민수 ③ 철수, 영희
④ 영희, 민수 ⑤ 철수, 영희, 민수

문제 분석

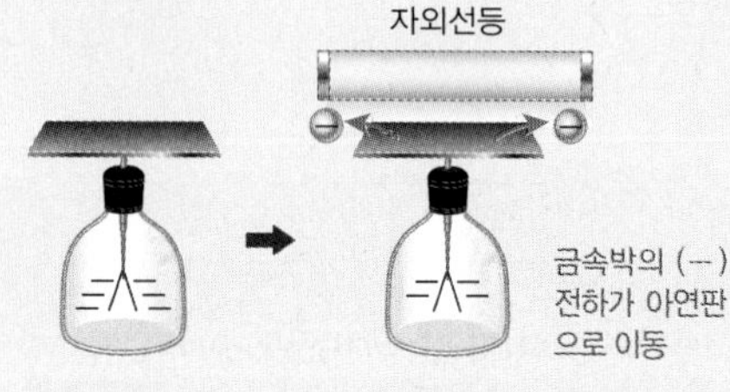

자외선등을 비추면 아연판에서 광전 효과가 일어난다. 즉, 아연판의 광전자가 외부로 방출되고, 금속박에 있던 (−)전하가 아연판으로 이동하여 금속박의 (−) 전하량이 줄어든다. 따라서 금속박이 오므라든다.

■ **문항별 해설**

⋯› (나)에서 네온등에 의해 금속박이 오므라들지 않았기 때문에 광전 효과가 일어나지 않았다. 반면 (다)에서 자외선등에 의해 금속박이 오므라든 것은 아연판에서 광전자가 방출된 것이므로 광전 효과가 일어났다.

⋯› (라)에서 자외선등을 아연판에 더 가까이 비추었을 때 (다)보다 금속박이 더 빨리 오므라든 것은 광전 효과가 더 활발히 일어나기 때문이다.

철수: 빛은 종류에 따라 진동수가 다르다. 네온등을 자외선등으로 바꾼 것은 빛의 진동수를 바꾸어 실험하기 위해서이다. (○)

영희: 금속박이 오므라드는 것은 금속박에 있는 (−)전하가 줄어든 것으로, 아연판에서 광전자가 방출되었기 때문이다. (○)

민수: 금속박이 더 빨리 오므라드는 것은 아연판에서 방출되는 광전자의 개수가 많아졌다는 것이다. 즉, 빛의 세기가 세질수록 방출되는 광전자의 개수는 증가한다. (○)

답 ⑤

배경 지식

• **문턱 진동수**: 금속판에 빛을 비출 때 빛의 진동수가 문턱 진동수보다 작으면 아무리 센 빛을 비추어도 광전자가 방출되지 않는다. 문턱 진동수 이상의 빛을 비추었을 때 광전 효과가 일어난다.

• **광전자의 개수**: 단위 시간당 방출된 광전자의 개수는 빛의 세기에 비례한다. 빛을 금속판에 더 가까이 하면 빛의 세기가 세지므로 방출되는 광전자의 개수가 많아진다.

기출 문제

정답과 해설 41쪽

230 다음은 광전 효과에 대한 실험 과정과 실험 결과를 나타낸 것이다.

[실험 과정]

Ⅰ. 그림과 같이 세기가 일정한 단색광 A, B를 각각 금속판에 비추고 전류계에 흐르는 전류의 세기를 측정한다.

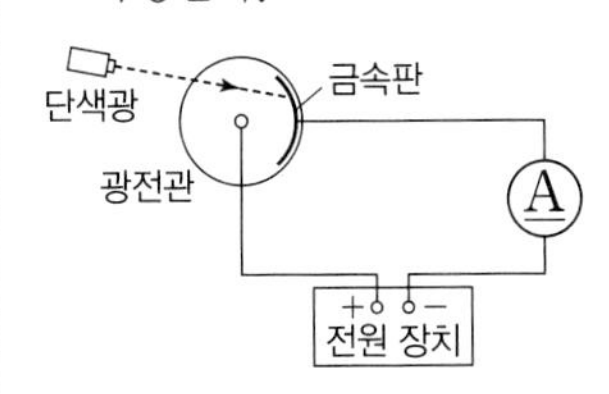

Ⅱ. Ⅰ에서 B의 세기만을 다르게 하여 금속판에 비추고 전류계에 흐르는 전류의 세기를 측정한다.

[실험 결과]

과정	단색광의 종류	전류의 세기
Ⅰ	A	0
	B	I_0
Ⅱ	B	$2I_0$

이에 대한 설명으로 옳은 것만을 ⟨보기⟩에서 있는 대로 고른 것은? [3점]

보기

ㄱ. 진동수는 A가 B보다 크다.
ㄴ. B의 세기는 Ⅱ에서가 Ⅰ에서보다 세다.
ㄷ. Ⅰ에서 A의 세기를 증가시키면 전류계에 전류가 흐른다.

① ㄱ ② ㄴ ③ ㄷ
④ ㄴ, ㄷ ⑤ ㄱ, ㄴ, ㄷ

231 다음은 검전기를 이용한 광전 효과 실험 과정과 결과이다.

[실험 과정]

(가) 검전기를 (−)전하로 대전시켜 금속박이 벌어져 있도록 한다.
(나) 그림과 같이 빛 A를 금속판에 비추고 금속박의 움직임을 관찰한다.
(다) (가) 상태의 검전기에 A와 세기가 같은 빛 B를 비추어 금속박의 움직임을 관찰한다.

[실험 결과]

빛의 종류	A	B
금속박의 움직임	오므라든다.	움직이지 않는다.

이에 대한 설명으로 옳은 것만을 ⟨보기⟩에서 있는 대로 고른 것은?

보기

ㄱ. 진동수는 A가 B보다 크다.
ㄴ. (나)에서 A의 세기를 증가시키면 금속판에서 방출되는 광전자의 최대 운동 에너지가 증가한다.
ㄷ. (다)에서 B의 세기를 증가시키면 금속박을 오므라들게 할 수 있다.

① ㄱ ② ㄴ ③ ㄱ, ㄴ
④ ㄱ, ㄷ ⑤ ㄴ, ㄷ

232 그림은 광전 효과를 이용하여 빛을 검출하는 광전관을 나타낸 것이다. 금속판에 단색광 A를 비추었을 때에는 광전자가 방출되었고, 단색광 B를 비추었을 때에는 광전자가 방출되지 않았다. 이에 대한 설명으로 옳은 것만을 ⟨보기⟩에서 있는 대로 고른 것은? [3점]

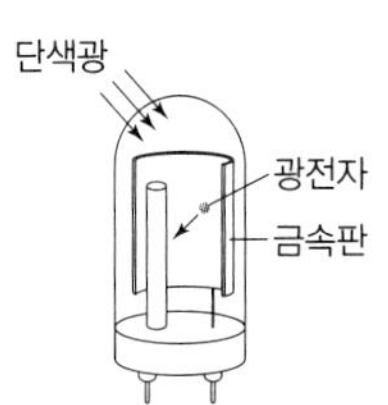

보기

ㄱ. 진동수는 A가 B보다 크다.
ㄴ. A의 세기가 클수록 방출되는 광전자의 개수가 많다.
ㄷ. A의 진동수가 클수록 방출되는 광전자의 운동 에너지(최대 운동 에너지)가 크다.

① ㄴ ② ㄷ ③ ㄱ, ㄴ
④ ㄱ, ㄷ ⑤ ㄱ, ㄴ, ㄷ

기출 분석

51 유형

출제 의도
물질이 파동성을 가지는 것을 이해하고, 전자의 파동적 성질을 이용한 예를 설명할 수 있는지 묻는 문제이다.

이렇게 대비하자!
전자의 파동성을 확인한 실험을 알아 두고, 그 성질을 이용한 전자 현미경의 특징을 익혀 두자.

■ **연관 기출 문제 키워드**

#물질파(드브로이파) #물질의 이중성
#전자의 파동성 #전자 현미경

문제 분석
야구공과 전자의 물질파 비교

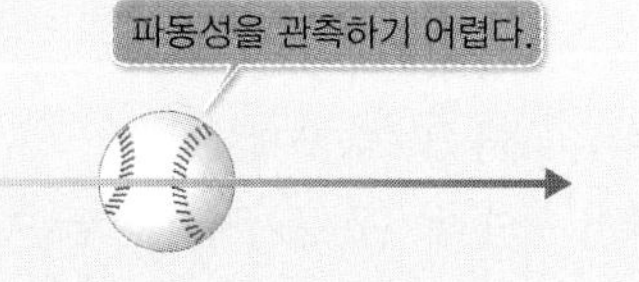

- 야구공은 전자에 비해 질량이 매우 커서 드브로이 파장이 매우 짧다. 따라서 일상 생활에서 야구공의 물질파를 관찰하기 어렵다.

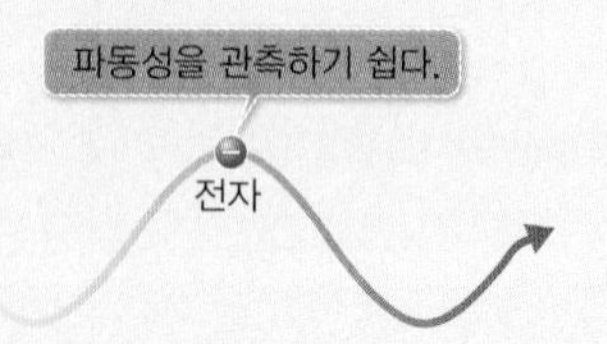

- 전자는 질량이 매우 작아 드브로이 파장이 야구공에 비해 매우 길다. 따라서 전자의 물질파는 쉽게 관찰할 수 있다.

그림은 철수, 민수, 영희가 물질파에 대해 대화하는 것을 나타낸 것이다.

옳게 말한 사람만을 있는 대로 고른 것은?

① 철수 ② 민수 ③ 철수, 영희
④ 민수, 영희 ⑤ 철수, 민수, 영희

■ **문항별 해설**

질량이 m인 입자가 v의 속력으로 운동할 때 입자의 드브로이 파장은 $\lambda=\frac{h}{mv}$이다(h: 플랑크 상수). 즉, 드브로이 파장은 운동량에 반비례한다. 따라서 속력이 같으면 드브로이 파장은 질량에 반비례한다.

- 철수: 전자의 질량이 야구공보다 작으므로 속력이 같을 때 전자의 드브로이 파장이 야구공의 드브로이 파장보다 길다. (○)
- 민수: 드브로이 파장과 운동량의 관계 $\lambda \propto \frac{1}{p}$에서 운동량이 증가할수록 드브로이 파장은 감소한다. (○)
- 영희: 전자 현미경은 전자의 파동적 성질을 이용한 것이다. 전자의 드브로이 파장이 가시광선보다 짧은 것을 이용하여 분해능을 높인다. (○)

답 ⑤

배경 지식
과학자 드브로이는 빛이 파동과 입자의 성질을 모두 가지고 있듯이, 전자와 같은 입자도 파동의 성질을 가질 것이라고 주장하였다. 이처럼 질량을 가진 물질 입자가 나타내는 파동을 물질파, 또는 드브로이파라고 한다.

■ **오류 피하기**

⋯› 전자의 파동성을 이용하여 분해능이 높은 현미경을 만들 수 있다. 현미경의 분해능은 시료를 관찰할 때 사용하는 파동의 파장이 짧을수록 높다. 가시광선을 이용한 현미경을 '광학 현미경', 전자의 물질파를 이용하여 만든 현미경을 '전자 현미경'이라고 한다.

기출 문제

정답과 해설 41쪽

233 그림 (가)는 X선을 금속박에 입사시켰을 때 얻은 회절 무늬를, (나)는 전자선을 금속박에 입사시켰을 때 얻은 무늬를 나타낸 것이다.

(가)
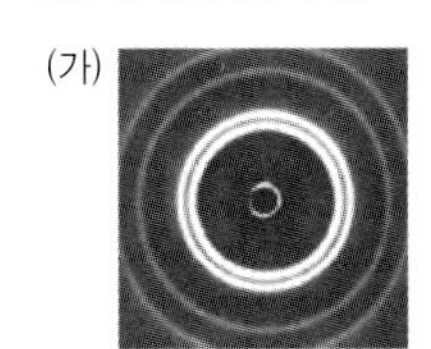

(나)
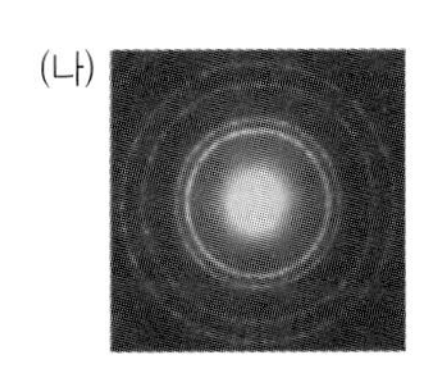

이에 대해 옳게 말한 사람을 〈보기〉에서 모두 고른 것은?

보기

철수 : (나)의 무늬는 전자의 회절 무늬야.

영희 : (나)의 무늬는 전자가 파동성을 갖기 때문에 나타나는 거야.

민수 : 전자의 속력이 커지면 전자의 물질파 파장이 커져.

① 철수 ② 영희 ③ 민수
④ 철수, 영희 ⑤ 철수, 영희, 민수

234 그림 (가), (나)는 두 종류의 현미경으로 모기를 관찰한 모습을 나타낸 것이다.

(가)

가시광선을 이용하는 광학 현미경으로 본 모기

(나)
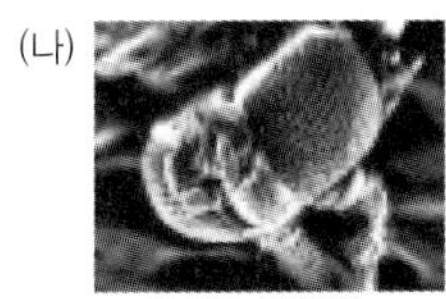

전자를 이용하는 전자 현미경으로 본 모기 눈

이에 대한 설명으로 옳은 것만을 〈보기〉에서 있는 대로 고른 것은?

보기

ㄱ. 운동하는 전자는 파동성을 갖는다.

ㄴ. 전자 현미경에서 전자의 운동량을 더 작게 하면 더 작은 물체까지 볼 수 있다.

ㄷ. 전자 현미경은 광학 현미경보다 더 높은 배율로 볼 수 있다.

① ㄴ ② ㄷ ③ ㄱ, ㄴ
④ ㄱ, ㄷ ⑤ ㄱ, ㄴ, ㄷ

235 다음은 물질파와 관련된 기사의 일부이다.

> 연구자들은 레이저와 자기장을 이용하여 기체 상태의 원자 사이의 간격을 좁히고 원자의 속력을 매우 느리게 하여 원자들의 물질파의 파장과 위상이 모두 같아지는 보즈-아인슈타인 응축 현상을 관찰하였다.

그림 (가)는 보즈-아인슈타인 응축된 원자들이 서로 반대 방향으로 운동하는 것을 모식적으로 나타낸 것이다. 그림 (나)는 이 원자들이 겹쳤을 때 원자의 분포를 찍은 사진이며, 물질파의 중첩에 의해 정상파가 생성된 것을 보여 주고 있다. d는 이웃한 어두운 무늬 사이의 간격이다.

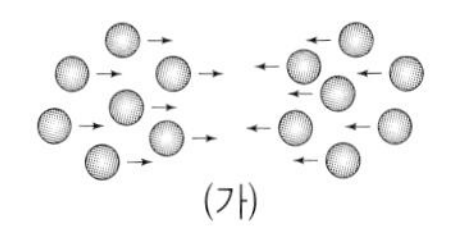

(가)

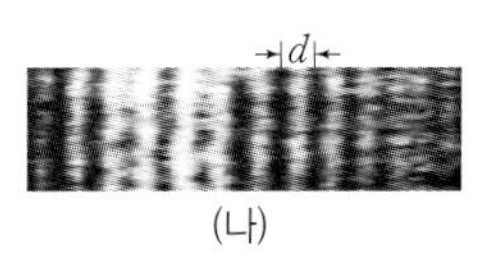

(나)

이에 대한 설명으로 옳은 것만을 〈보기〉에서 있는 대로 고른 것은?

보기

ㄱ. (나)의 무늬는 원자가 파동성을 가지기 때문에 나타나는 것이다.

ㄴ. 원자의 운동량이 커지면 물질파의 파장은 작아진다.

ㄷ. 운동량이 더 큰 원자들이 겹쳐지면 d가 커진다.

① ㄱ ② ㄷ ③ ㄱ, ㄴ
④ ㄴ, ㄷ ⑤ ㄱ, ㄴ, ㄷ

236 다음은 철수가 데이비슨·거머 실험에 대해 정리한 내용이다.

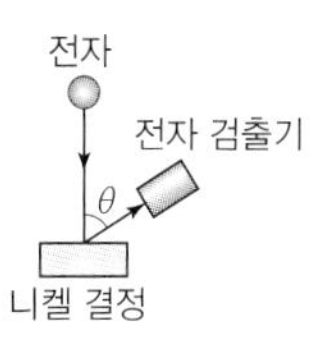

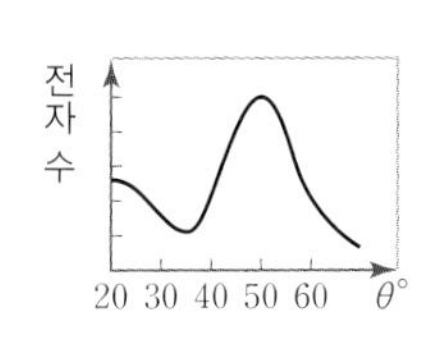

- 데이비슨과 거머는 니켈 결정에 54 V의 전압으로 가속된 전자선을 입사시켰더니 50°의 각으로 산란된 전자가 많은 것을 발견하였다.
- 이들은 X선이 결정면에서 반사하여 회절하는 것과 같이 전자도 회절한다고 생각하였다.
- 이들은 전자의 드브로이 파장을 구한 후 50°의 각으로 산란된 전자가 (가) 조건을 만족하는 것을 확인하여 드브로이의 (나) 이론을 검증하였다.

(가)와 (나)에 들어갈 것으로 옳은 것은?

	(가)	(나)		(가)	(나)
①	상쇄 간섭	정상파	②	상쇄 간섭	물질파
③	보강 간섭	정상파	④	보강 간섭	물질파
⑤	보강 간섭	전자기파			

기출 분석

52 유형

? 출제 의도

질량이 m인 입자가 속력 v로 운동할 때 입자의 파동성과 관련된 파동의 파장을 수식으로 계산할 수 있는지를 묻는 문제이다.

이렇게 대비하자!

다양한 입자의 운동에 물질파를 적용하고 물질파의 파장과 운동량의 관계를 알고 계산할 수 있어야 한다.

■ 연관 기출 문제 키워드

#물질파 #물질파 파장 #플랑크 상수
#입자의 운동

그림 (가)는 진공 장치 안에서 정지 상태로 있던 입자 A에 힘이 작용하여 입자가 직선 운동하는 모습을 나타낸 것이고, (나)는 A에 작용하는 힘을 시간에 따라 나타낸 것이다.

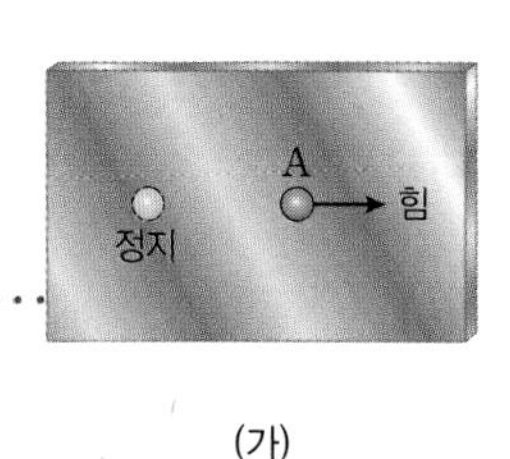

(가)

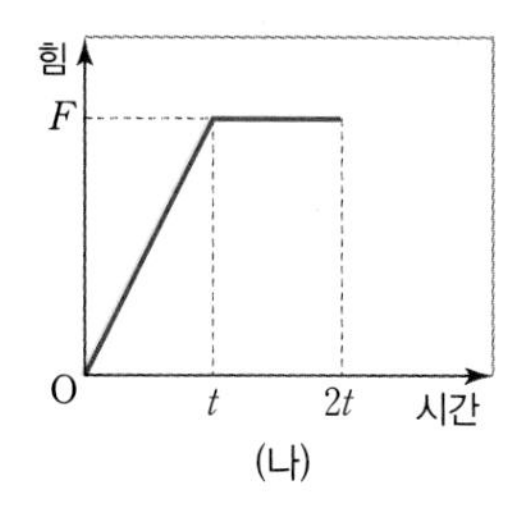

(나)

t, $2t$일 때 A의 물질파 파장을 각각 λ_t, λ_{2t}라고 하면, $\lambda_t : \lambda_{2t}$는?

① 1 : 3 ② 1 : 2 ③ 1 : 1 ④ 2 : 1 ⑤ 3 : 1

문제 분석

❶ 물질파의 파장을 구하는 식을 떠올린다.

$\lambda = \frac{h}{p} = \frac{h}{mv}$ (h는 플랑크 상수)

❷ 주어진 그래프에서 충격량을 구한다.

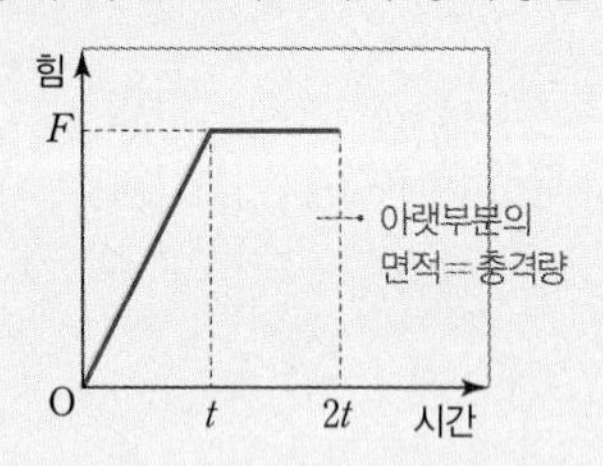

❸ 충격량과 운동량의 관계를 떠올린다.

충격량=나중 운동량−처음 운동량

❹ 물질파의 파장은 운동량과 반비례하므로 과정 ❸에서 구한 운동량으로 물질파의 파장을 비교한다.

■ 문항별 해설

⋯› 힘-시간 그래프에서 그래프 아랫부분의 면적이 충격량이다. 시간이 t일 때 A가 받은 충격량은 $\frac{1}{2}Ft$, 시간이 $2t$일 때 충격량은 $\frac{3}{2}Ft$이다. 충격량은 곧 운동량의 변화량이고, 입자 A는 처음에 정지 상태였으므로 '충격량=나중 운동량'이다. 따라서 t, $2t$일 때 운동량(p)의 비는 $\frac{1}{2}Ft : \frac{3}{2}Ft = 1 : 3$이다.

⋯› 물질파 파장 $\lambda = \frac{h}{mv} = \frac{h}{p}$에서 운동량의 비가 1 : 3이므로 물질파 파장의 비는 3 : 1이다.

답 ⑤

■ 오류 피하기

⋯› 물질파의 파장 $\lambda = \frac{h}{p}$에서 h는 플랑크 상수이다.

($h = 6.63 \times 10^{-34}$ J · s)

따라서 물질파 파장은 운동량, 질량, 속력에 반비례한다.

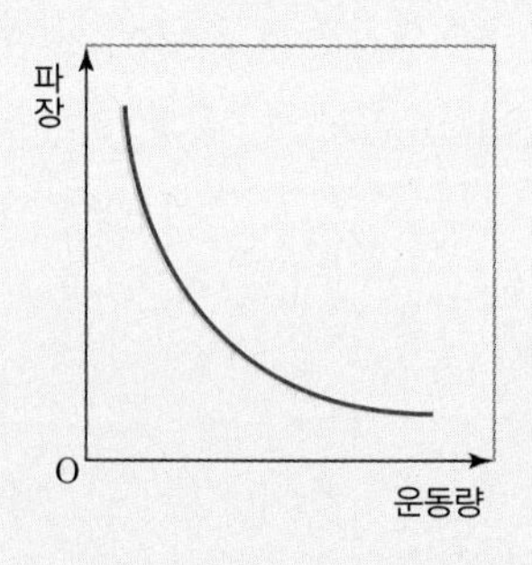

배경 지식

물질의 이중성: 전자뿐만 아니라 양성자, 중성자, 야구공, 행성 등과 같은 입자들도 파동성을 갖는다. 즉, 물질도 빛과 마찬가지로 입자성과 파동성을 모두 가지는데, 이것을 물질의 이중성이라고 한다.

기출 문제

정답과 해설 42쪽

237 그림은 진공으로 된 장치 안에서 정지 상태에 있던 입자에 힘이 작용하여 입자가 직선 운동하는 모습을 나타낸 것이다. 그래프는 입자에 작용하는 힘을 이동 거리에 따라 나타낸 것이다.

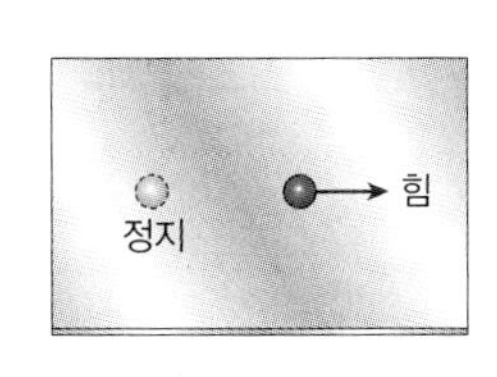

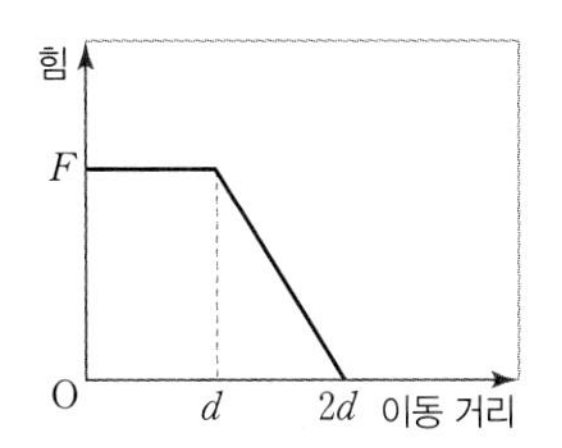

이동 거리가 d, $2d$일 때, 입자의 물질파 파장을 각각 λ_1, λ_2라고 하면, $\lambda_1 : \lambda_2$는? [3점]

① $1 : \sqrt{2}$　② $\sqrt{2} : 1$　③ $\sqrt{2} : \sqrt{3}$
④ $\sqrt{3} : 1$　⑤ $\sqrt{3} : \sqrt{2}$

238 그림은 속력 v로 등속도 운동하던 입자 A가 정지해 있던 입자 B와 충돌한 후 A, B가 각각 $0.5v$, $1.5v$의 속력으로 등속도 운동하는 것을 나타낸 것이다. A, B의 질량은 각각 $3m$, m이다.

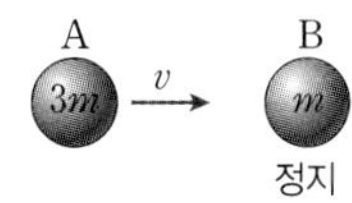

[충돌 전]

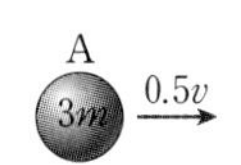

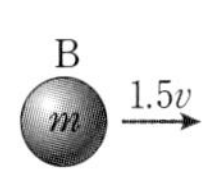

[충돌 후]

이에 대한 설명으로 옳은 것만을 〈보기〉에서 있는 대로 고른 것은?

보기
ㄱ. 입자의 운동량이 클수록 입자의 물질파 파장은 길다.
ㄴ. A의 물질파 파장은 충돌 후가 충돌 전보다 길다.
ㄷ. 충돌 후 물질파 파장은 A와 B가 같다.

① ㄱ　② ㄴ　③ ㄷ
④ ㄴ, ㄷ　⑤ ㄱ, ㄴ, ㄷ

239 그림은 기준선에 정지해 있던 질량이 각각 m, $2m$인 입자 A, B가 중력에 의하여 등가속도로 떨어지는 것을 나타낸 것이다.

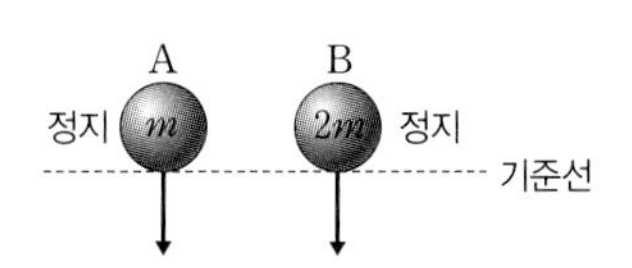

A, B가 기준선으로부터 각각 거리 d, $2d$만큼 낙하했을 때의 물질파 파장을 각각 λ_A, λ_B라 하면, $\lambda_A : \lambda_B$는?

① $1 : 1$　② $\sqrt{2} : 1$　③ $2 : 1$
④ $2\sqrt{2} : 1$　⑤ $4 : 1$

240 그림은 입자가 연직 아래로 운동하는 것을 나타낸 것이다. 기준선 A, B를 지날 때 입자의 물질파 파장은 각각 $2\lambda_0$, λ_0이다. 입자가 A와 B를 지나는 순간 입자의 운동량의 크기를 각각 p_A, p_B라 할 때, $p_A : p_B$는?

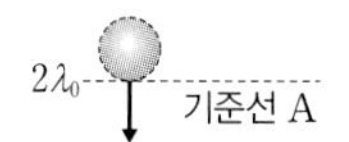

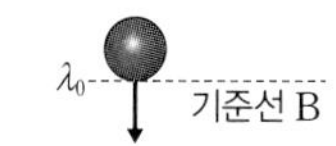

① $1 : 1$　② $1 : 2$　③ $1 : 4$
④ $2 : 1$　⑤ $4 : 1$

241 표는 운동하는 입자 A, B의 질량과 물질파 파장을 나타낸 것이다.

입자	질량	물질파 파장
A	$4m$	λ
B	m	2λ

이에 대한 설명으로 옳은 것만을 〈보기〉에서 있는 대로 고른 것은?

보기
ㄱ. A와 B의 운동 에너지는 같다.
ㄴ. 속력은 A가 B보다 크다.
ㄷ. 운동량의 크기는 A가 B보다 작다.

① ㄱ　② ㄴ　③ ㄱ, ㄷ
④ ㄴ, ㄷ　⑤ ㄱ, ㄴ, ㄷ

Memo
S·H·E·R·P·A

피곤한 눈을 맑고 개운하게!
눈 스트레칭

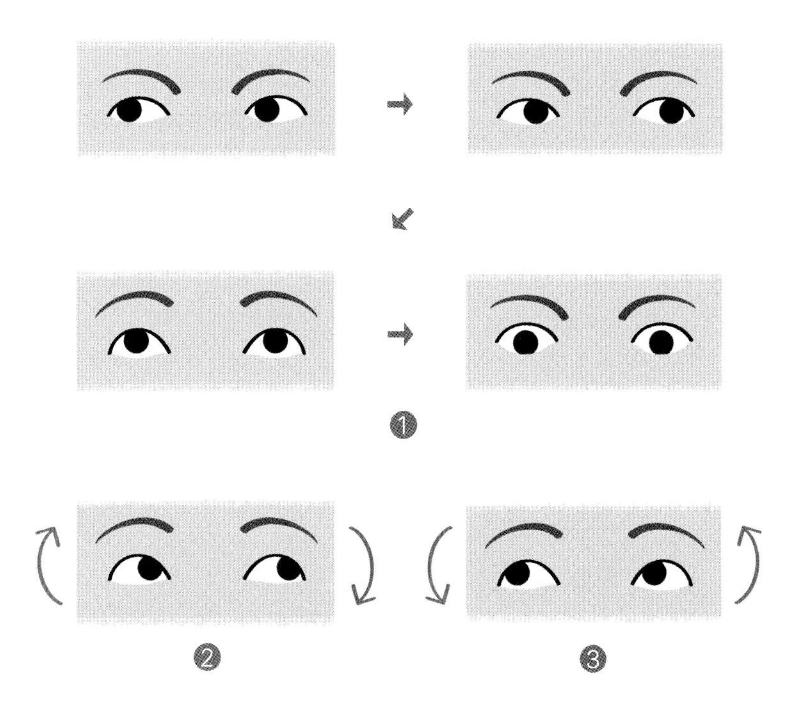

눈이 피곤하면 집중력도 떨어지고, 심한 경우 두통이 생기기도 합니다.
꾸준한 눈 스트레칭으로 눈의 피로를 꼭 풀어 주세요. 눈 스트레칭을 할 때 목은 고정하고 눈동자만 움직여야 효과가 좋아진다는 것! 잊지 마세요.

❶ 눈동자를 다음과 같은 순서로 움직여 보세요. 한 방향당 10초간 머물러야 합니다.
왼쪽 → 오른쪽 → 위쪽 → 아래쪽

❷ 눈동자를 시계 방향으로 한 바퀴 돌려 주세요.

❸ 눈동자를 시계 반대 방향으로 한 바퀴 돌려 주세요.

※ 스트레칭 후에도 눈에 피곤함이 남아 있다면, 2~3회 반복해 주세요.

Sherpa

물리학 I

김명하·김태은·강태욱·남벽우·조봉제

BOOK 2

문제 기본서 | 정답과 해설

천재교육

Sherpa

문제 기본서 | 정답과 해설

개념을 쌓아가는 **기본서**

고등 셀파

빠른 기출 문제 정답

기출 1~50

001 ②	002 ①	003 ④	004 ②	005 ⑤	006 ①	007 ②	008 ①	009 ①
010 ③	011 ①	012 ②	013 ③	014 ③	015 ②	016 ③	017 ⑤	018 ②
019 ③	020 ②	021 ⑤	022 ⑤	023 ③	024 ③	025 ⑤	026 ⑤	027 ③
028 ③	029 ④	030 ①	031 ⑤	032 ③	033 ③	034 ③	035 ②	036 ④
037 ⑤	038 ③	039 ②	040 ②	041 ②	042 ①	043 ④	044 ④	045 ③
046 ⑤	047 ⑤	048 ⑤	049 ②	050 ④				

기출 51~100

051 ⑤	052 ①	053 ⑤	054 ⑤	055 ①	056 ④	057 ④	058 ①	059 ④
060 ⑤	061 ②	062 ⑤	063 ②	064 ①	065 ②	066 ④	067 ⑤	068 ③
069 ②	070 ①	071 ②	072 ②	073 ④	074 ④	075 ④	076 ①	077 ②
078 ①	079 ①	080 ⑤	081 ③	082 ⑤	083 ④	084 ②	085 ④	086 ③
087 ③	088 ②	089 ⑤	090 ⑤	091 ③	092 ④	093 ④	094 ②	095 ②
096 ⑤	097 ①	098 ④	099 ⑤	100 ⑤				

기출 101~150

101 ⑤	102 ⑤	103 ④	104 ①	105 ③	106 ②	107 ②	108 ④	109 ①
110 ③	111 ⑤	112 ④	113 ①	114 ⑤	115 ③	116 ⑤	117 ⑤	118 ②
119 ③	120 ⑤	121 ③	122 ②	123 ④	124 ②	125 ③	126 ⑤	127 ④
128 ③	129 ②	130 ②	131 ①	132 ④	133 ②	134 ④	135 ⑤	136 ①
137 ③	138 ③	139 ④	140 ③	141 ①	142 ①	143 ③	144 ⑤	145 ③
146 ③	147 ③	148 ①	149 ②	150 ④				

기출 151~200

151 ①	152 ③	153 ②	154 ②	155 ②	156 ④	157 ④	158 ①	159 ③
160 ②	161 ⑤	162 ③	163 ⑤	164 ②	165 ④	166 ④	167 ①	168 ③
169 ⑤	170 ①	171 ⑤	172 ②	173 ②	174 ①	175 ②	176 ④	177 ⑤
178 ②	179 ⑤	180 ④	181 ④	182 ⑤	183 ⑤	184 ⑤	185 ①	186 ⑤
187 ⑤	188 ③	189 ③	190 ①	191 ②	192 ①	193 ⑤	194 ④	195 ③
196 ②	197 ③	198 ①	199 ④	200 ①				

기출 201~241

201 ④	202 ⑤	203 ⑤	204 ②	205 ③	206 ①	207 ⑤	208 ⑤	209 ②
210 ②	211 ③	212 ⑤	213 ①	214 ②	215 ⑤	216 ①	217 ①	218 ④
219 ④	220 ①	221 ③	222 ④	223 ③	224 ②	225 ⑤	226 ③	227 ③
228 ④	229 ⑤	230 ②	231 ①	232 ⑤	233 ④	234 ④	235 ③	236 ④
237 ⑤	238 ④	239 ④	240 ②	241 ①				

001 **답 ②** | ② 물체는 구간별로 0초~3초: 20 m, 3초~8초: 12 m, 8초~10초: 12 m를 이동하였으므로 이동 거리는 44 m이다.

오답 피하기

① 위치-시간 그래프에서 기울기는 운동 방향이 바뀌지 않는다면 속력을 의미한다. 그러므로 0초부터 3초까지 기울기가 점점 작아지므로 속력은 점점 작아진다.

③ 변위는 처음 거리에서 나중 거리를 잇는 직선 거리이므로 -20 m이다.

④ 물체의 운동 방향은 3초에 한 번, 8초에 한 번 총 두 번 바뀐다.

⑤ 3초일 때 운동 방향이 바뀌므로 2초일 때와 6초일 때의 운동 방향은 다르다.

문제 속 자료 위치-시간 그래프 해석

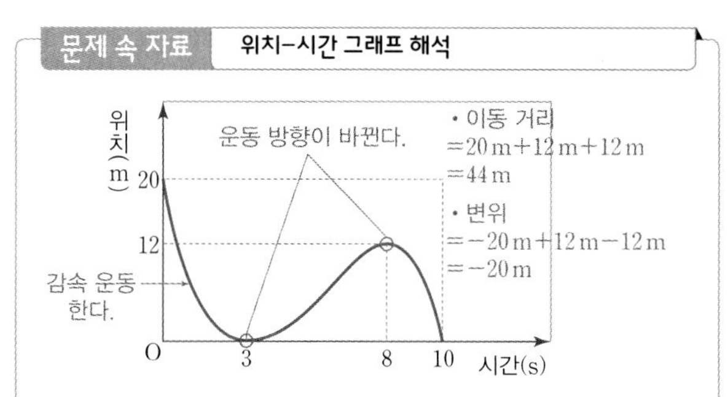

물체가 일직선상으로 운동 방향의 변화 없이 운동하는 경우를 제외하고는 이동 거리와 변위는 다른 값을 갖는다. 즉, 0~3초까지 물체는 운동 방향의 변화가 없으므로 이동 거리와 변위가 같지만 3초부터는 이동 거리와 변위는 다르다. (처음 방향을 '$-$'라 하고, 반대 방향을 '$+$'라 한다.)

002 **답 ①** | ㄱ. 물체의 운동 방향이 0~4초까지 바뀌지 않으므로 이동 거리와 변위의 크기는 같다.

오답 피하기

ㄴ. 운동 방향은 4초에서 한 번 바뀐다. 때문에 0~6초까지 물체의 이동 거리와 변위는 다른 값을 가지므로 평균 속력과 평균 속도의 크기는 다르다.

ㄷ. 운동 방향은 4초에서 한 번 바뀌므로 3초일 때와 5초일 때 물체의 운동 방향은 다르다.

003 **답 ④** | ㄱ. 강아지가 영희의 뒤에서 출발하였지만 영희와 같은 위치에 도착하였으므로 평균 속력은 강아지가 더 크다.

ㄴ. 0초부터 12초까지 운동 방향의 변화 없이 직선으로 운동하므로 이동 거리와 변위는 같다.

오답 피하기

ㄷ. 위치-시간 그래프는 강아지의 운동을 나타낸 것이 아닌 영희가 관찰한 강아지의 운동을 나타낸 것이다. 따라서 그래프에서 강아지의 속도가 $(-)$가 되는 구간인 10초부터 12초까지의 속력이 가장 느리다.

004 **답 ②** | ㄴ. 위치-시간 그래프에서 기울기의 부호는 운동 방향을 나타낸다. 즉, A와 B는 같은 방향으로 운동을 시작하지만 B는 1초와 2초 사이에 운동 방향을 반대로 바꾼다. 따라서 2초에서는 A의 운동 방향과 B의 운동 방향은 반대이다.

오답 피하기

ㄱ. 위치-시간 그래프에서 기울기는 속력이므로 0초부터 3초까지 A의 속력은 일정하다.

ㄷ. 0초부터 3초까지 A의 속도는 일정하지만 B의 속도는 계속 변한다. 때문에 A에 대한 B의 속도는 일정하지 않다.

005 **답 ⑤** | ㄱ. 속도-시간 그래프에서 기울기는 가속도이므로 0초부터 1초까지 가속도의 크기는 2 m/s^{2}이다.

ㄴ. 1초부터 2초까지 물체의 속도는 2 m/s로 일정하므로 등속도 운동을 한다.

ㄷ. 속도-시간 그래프의 면적은 이동 거리를 의미하므로 0초부터 2초까지 이동 거리는 3 m이다.

문제 속 자료 속도-시간 그래프 해석

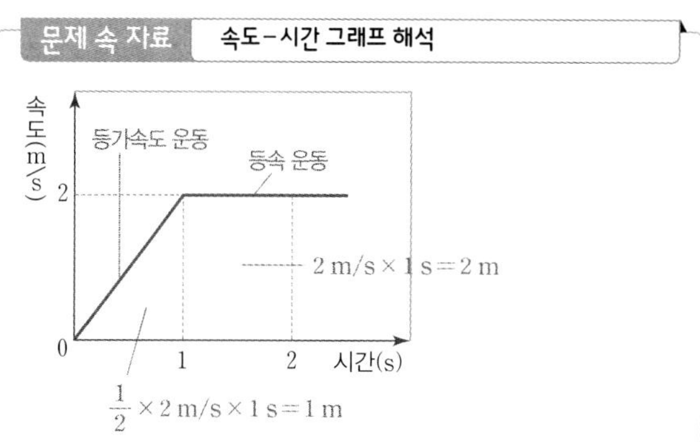

속도-시간 그래프에서 기울기로 물체의 가속도를 구할 수 있지만 등가속도 직선 운동 방정식으로도 가속도를 구할 수 있다.

• 식 $v=v_0+at \rightarrow a=\dfrac{v-v_0}{t}$을 이용한다.

0~1초: $\dfrac{2\text{ m/s}-0\text{ m/s}}{1\text{ s}}=2\text{ m/s}^2$ ➡ 등가속도 운동

1~2초: $\dfrac{2\text{ m/s}-2\text{ m/s}}{1\text{ s}}=0\text{ m/s}^2$ ➡ 등속도 운동

또한 속도-시간 그래프에서 면적으로 물체가 이동한 거리를 구할 수 있지만 등가속도 직선 운동 방정식으로도 이동 거리를 구할 수 있다.

• 식 $s=v_0t+\dfrac{1}{2}at^2$을 이용한다.

0~1초: $s=0\text{ m/s}\times 1\text{ s}+\dfrac{1}{2}\times 2\text{ m/s}^2\times(1\text{ s})^2=1\text{ m}$

1~2초: $s=2\text{ m/s}\times 1\text{ s}+\dfrac{1}{2}\times 0\text{ m/s}^2\times(1\text{ s})^2=2\text{ m}$

006 **답 ①** | 등가속도 직선 운동 방정식 $s=v_0t+\dfrac{1}{2}at^2$이고, A와 B의 처음 속도가 0 m/s으로 같으므로 $s_A-s_B=\dfrac{1}{2}a_A(10\text{ s})^2-\dfrac{1}{2}a_B(10\text{ s})^2=100$ m이다. 그러므로 $a_A-a_B=2$ m/s^{2}이다.

007 답 ② | 0초일 때, A에 대한 B의 속도가 -2 m/s이고, $v_A = 10$ m/s이므로 $v_B - v_A = -2$ m/s에 의해 0초 일 때 B의 속도는 $v_B = 8$ m/s이다. 또한 그래프의 기울기는 가속도를 의미하므로 B는 1 m/s^{2}의 크기로 등가속도 운동을 한다. 출발할 때 두 선수의 거리 차는 d이고 6초 일 때 $2d$가 되므로 6초 동안 두 선수의 운동으로 벌어진 거리는 d이다.

$$d = s_B - s_A$$
$$= (v_{B0}t + \frac{1}{2}a_Bt^2) - v_At$$
$$= (8\text{ m/s} \times 6\text{ s} + \frac{1}{2} \times 1\text{ m/s}^2 \times (6\text{s})^2) - 10\text{ m/s} \times 6\text{ s}$$

$= 6$ m이다. (a_B: B의 가속도, v_A: A의 속도, v_{B0}: 0초일 때 B의 처음 속도)

또다른 풀이

그래프 아래 면적은 A와 B 사이의 거리를 의미한다. 여기서 A와 B의 속도가 같아지는 순간은 2초일 때로 0~2초까지 A와 B 사이의 거리는 2 m만큼 가까워지고, 2~6초까지는 8 m만큼 멀어진다. 따라서 0~6초까지 A와 B 사이 거리의 변화 $d = 6$ m이다.

008 답 ① | ㄱ. 3초일 때 2 m/s의 속력으로 움직이는 영희가 관찰한 철수의 속력은 2 m/s이므로 지면에 대한 철수의 속력은 4 m/s이다.

오답 피하기

ㄴ. 속도-시간 그래프에서 면적은 영희와 철수 사이의 거리를 의미하므로 6초일 때 철수와 영희 사이의 거리가 가장 멀다.

ㄷ. 속도-시간 그래프에서 기울기는 가속도를 의미하므로 6초일 때 철수의 가속도의 크기는 2 m/s^{2}이다.

문제 속 자료 속도-시간 그래프 해석

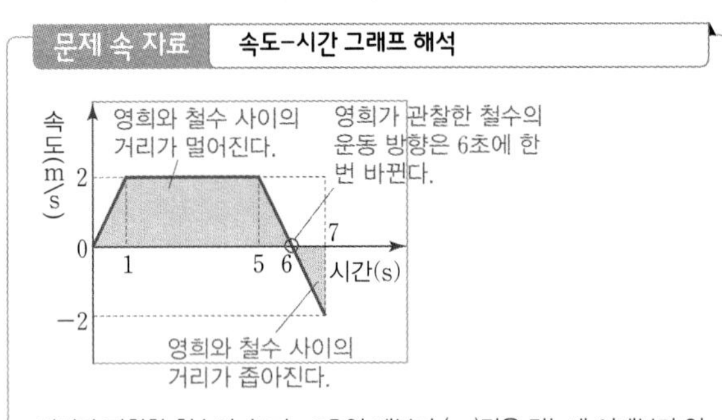

영희가 관찰한 철수의 속도는 6초일 때부터 (−)값을 갖는데 이때부터 영희의 속도가 철수의 속도보다 더 빠르므로(지면을 기준으로 관찰했을 때 속도) 둘 사이의 거리는 줄어든다. 지면에서 관찰한 철수의 운동은 방향 변화 없이 운동한다.

009 답 ① | 그래프에 따르면 물체는 시간에 따라 일정하게 이동하고 있으므로 속력이 일정한 등속도 운동을 하고 있다. 빗면을 따라 운동하는 'ㄴ'과 'ㄷ'의 경우 중력 가속도의 영향으로 등가속도 운동을 하기 때문에 등속도 운동을 할 수 있는 경우는 'ㄱ'뿐이다.

010 답 ③ | 표의 물체의 운동을 위치-시간, 속도-시간, 가속도-시간 그래프로 나타내면 다음과 같다.

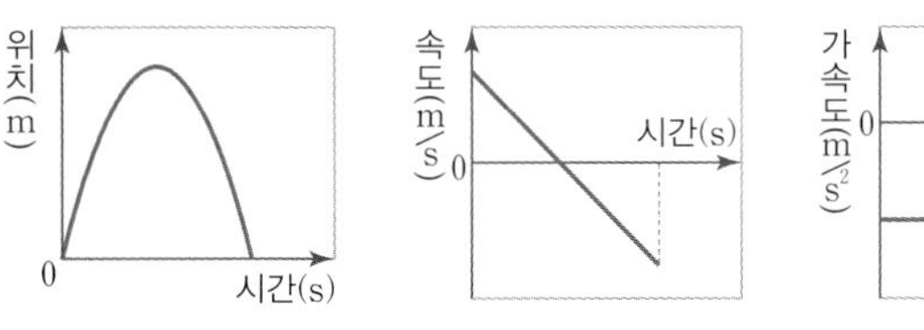

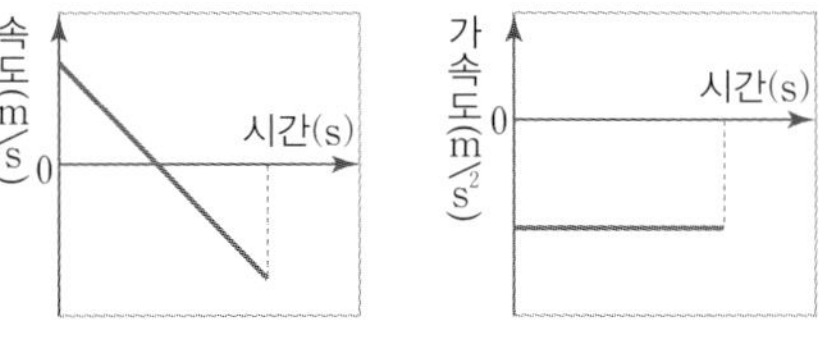

011 답 ① | 등가속도 직선 운동을 하는 자동차의 속력과 위치의 관계는 등가속도 직선 운동 식 $2as = v^2 - v_0^2$으로 알 수 있다. 이 식을 $v = f(s)$식으로 전환하면 $v = \sqrt{2as + v_0^2}$이므로 가속도와 초기 속도를 상수로 보았을 때 속력-위치 그래프는 제곱근 그래프를 그린다.

012 답 ② | 자유 낙하하는 공의 움직임은 지면과 충돌 전까지는 운동 방향과 중력의 방향이 같기 때문에 등가속도 운동을 하며 (+)값을 갖고 속도가 점점 증가한다. 하지만 지면과 충돌 후 공의 운동 방향과 중력의 방향이 반대가 되기 때문에 감속 운동을 하며 속도는 (−)값을 갖게 된다.

문제 속 자료 자유 낙하하는 물체의 속도-시간 그래프

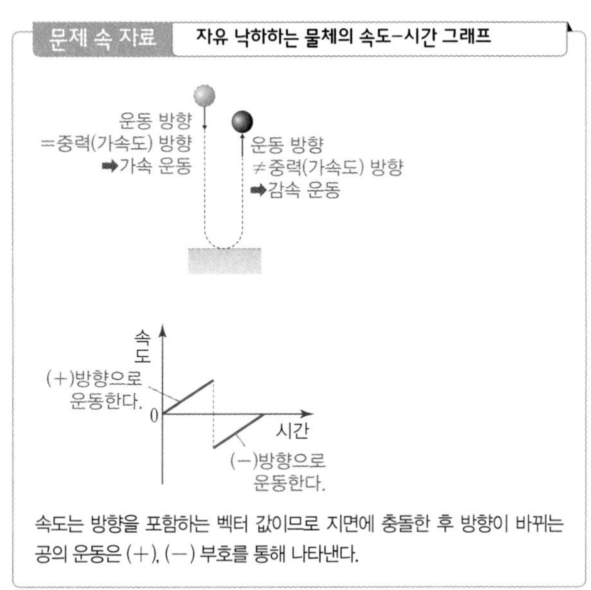

속도는 방향을 포함하는 벡터 값이므로 지면에 충돌한 후 방향이 바뀌는 공의 운동은 (+), (−) 부호를 통해 나타낸다.

013 답 ③ | 정지해 있던 자동차가 등가속도 직선 운동으로 5초 후의 속력은 20 m/s이므로 가속도 $a = \frac{\Delta v}{\Delta t}$에 의해 $\frac{20\text{ m/s} - 0}{5\text{ s}} = 4\text{ m/s}^2$이다.

1초 후 속력은 $v = v_0 + at$에 의해 4 m/s이므로 등가속도 직선 운동식 $2as = v^2 - v_0^2 \Rightarrow s = \frac{v^2 - v_0^2}{2a}$을 이용하여 자동차가 1초부터 5초까지 이동한 거리 L은

$L = \frac{(20\text{ m/s})^2 - (4\text{ m/s})^2}{2 \times 4\text{ m/s}^2} = 48$ m이다.

014 답 ③ | 두 자동차 A와 B는 등가속도 직선 운동을 하므로 $2as = v^2 - v_0^2 \Rightarrow a = \dfrac{v^2 - v_0^2}{2s}$에 의해 자동차 A는

$a_A = \dfrac{(5\ \text{m/s})^2 - (15\ \text{m/s})^2}{2 \times 100\ \text{m}} = -1\ \text{m/s}^2$이고,

$a_B = \dfrac{(5\ \text{m/s})^2 - (25\ \text{m/s})^2}{2 \times 150\ \text{m}} = -2\ \text{m/s}^2$이므로 가속도 크기는 B가 A의 2배이다.

015 답 ② | 자동차 B가 기준선 Q를 통과할 때 갖는 속력을 v'라 고 할 때 $v = v_0 + at$, $a = \dfrac{v - v_0}{t}$이므로 $a_A = \dfrac{5v - v}{t} = \dfrac{4v}{t}$이고 $a_B = \dfrac{v' - 5}{t}$이다. 자동차 A의 가속도가 자동차 B의 가속도에 2배이므로 관계식을 $a_A = 2a_B$ 관계식을 정리하면 식 ① $2v = v' - 5$를 얻을 수 있다.

두 자동차 A와 B가 기준선 P와 Q를 동시에 통과하므로 평균 속력이 같으므로 평균 속력 $= \dfrac{5v + v}{2} = \dfrac{v' + 5}{2}$이고, 식 ② $6v = v' + 5$를 얻을 수 있다. 식 ①과 ②를 정리하면 $v' = 10\ \text{m/s}$이다.

016 답 ③ | ㄱ. 정지해 있던 자동차 A는 $2\ \text{m/s}^2$의 가속도로 등가속도 운동을 하므로 2초 동안 이동한 거리는 $s = v_0 t + \dfrac{1}{2}at^2$에 의해 $s = \dfrac{1}{2} \times 2\ \text{m/s}^2 \times (2\text{s})^2 = 4\ \text{m}$이다. 따라서 평균 속력 $= \dfrac{4\ \text{m}}{2\ \text{s}} = 2\ \text{m/s}$이다.

ㄷ. $2as = v^2 - v_0^2$에 의해 자동차 A가 도착선을 통과할 때 속력은 $2 \times 2\ \text{m/s}^2 \times 16\ \text{m} = v^2 - 0^2 \Rightarrow v = 8\ \text{m/s}$이다.

오답 피하기

ㄴ. 속력-시간 그래프에서 면적은 이동 거리를 의미하므로 $s = \dfrac{1}{2} \times 2\ \text{m/s} \times 4\ \text{s} = 4\ \text{m}$이다.

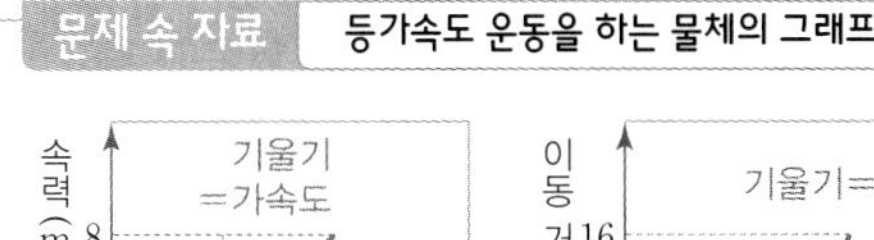

문제 속 자료
등가속도 운동을 하는 물체의 그래프

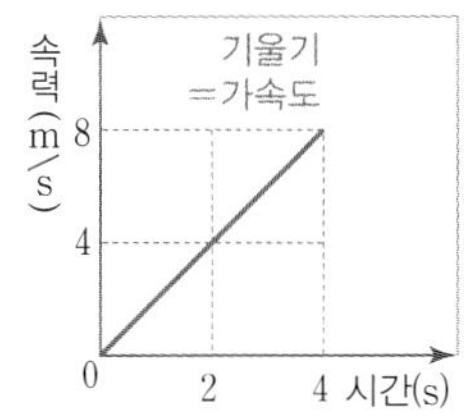

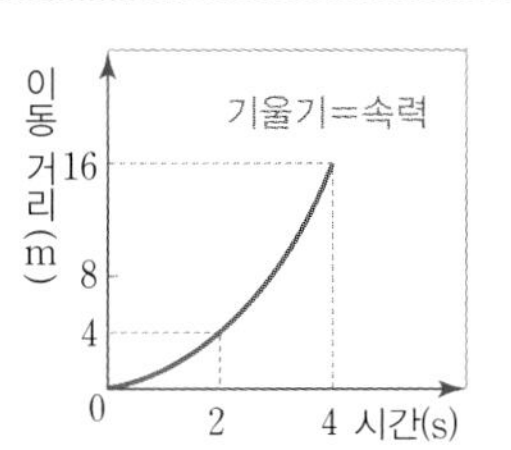

$2\ \text{m/s}^2$의 크기로 등가속도 운동을 하고 있는 자동차 A의 운동을 속력-시간 그래프와 이동 거리-시간 그래프로 나타내면 다음과 같다. 속력-시간 그래프에서 기울기는 가속도와 같고 이동 거리-시간 그래프에서 기울기는 속력과 같다.

017 답 ⑤ | ㄱ. 자동차 A가 기준선 P를 통과한 순간부터 기준선 R을 통과하는데 걸리는 시간은 자동차 B가 기준선 P를 출발하여 기준선 Q를 통과하는데 걸리는 시간과 같다. 자동차 B가 기준선 Q를 통과하는데 걸리는 시간을 구하면, 자동차 B는 등가속도 직선 운동을 하므로 식 $s = v_0 t + \dfrac{1}{2}at^2$와 $v = v_0 + at$($\Rightarrow$ $at = v - v_0$변형 후 대입)에 의해 $t = \dfrac{2s}{v + v_0} = \dfrac{2L}{3v_0}$이다. 그러므로 A가 기준선 Q를 통과하는데 걸리는 시간은 $\dfrac{2L}{3v_0}$이다.

ㄴ. 자동차 A가 기준선 R을 통과할 때까지 평균 속력은 평균 속력 $= \dfrac{\text{이동 거리}}{\text{시간}} = 2L \times \dfrac{3v_0}{2L} = \dfrac{v + v_0}{2}$이므로 R을 통과할 때 자동차 A의 속력은 $5v_0$이다.

ㄷ. 가속도는 속도의 변화량을 시간으로 나눈 값이다. 두 자동차의 운동 시간은 같으므로 속도의 변화량을 비교해보면 자동차 A는 $5v_0 - v_0 = 4v_0$이고 자동차 B는 $3v_0$이므로 자동차 A의 가속도가 B보다 크다.

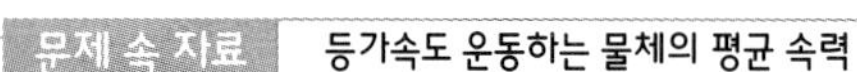

문제 속 자료
등가속도 운동하는 물체의 평균 속력

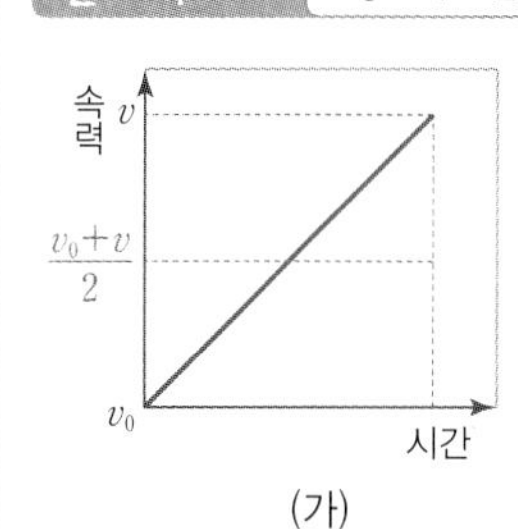

(가)

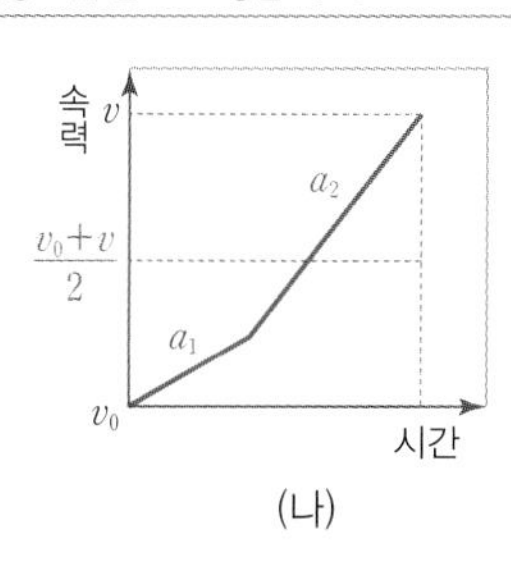

(나)

그래프 (가)와 같이 가속도의 크기가 변하지 않는 등가속도 운동을 하는 물체는 평균 속력 $= \dfrac{v + v_0}{2} = \dfrac{\text{이동 거리}}{\text{시간}}$와 같다. 하지만 그래프 (나)와 같이 가속도의 크기가 변하는 경우 '평균 속력 $\neq \dfrac{v + v_0}{2}$'이므로 주의하자.

018 답 ② | 자동차 B는 등속도 운동을 하므로 6초 동안 이동한 거리는 $10\ \text{m/s} \times 6\ \text{s} = 60\ \text{m}$이다. 그러므로 자동차 A가 6초 동안 이동한 거리 s는 $s = L + 60\ \text{m}$이다.

자동차 A는 4초일 때 가속도의 방향이 바뀌므로 가속도가 변하기 전후 A가 이동한 거리는 다음과 같다.

- 0초~4초: $s = v_0 t + \dfrac{1}{2}at^2$에 의해

  $s_1 = 10\ \text{m/s} \times 4\ \text{s} + \dfrac{1}{2} \times 5\ \text{m/s}^2 \times (4\ \text{s})^2 = 80\ \text{m}$이다.

- 4초~6초: 4초일 때 속력은 $v = v_0 + at$에 의해 $v_{4초} = 10\ \text{m/s} + 5\ \text{m/s}^2 \times 4\ \text{s} = 30\ \text{m/s}$이므로 $s_2 = 30\ \text{m/s} \times 2\ \text{s} + \dfrac{1}{2} \times (-5\ \text{m/s}^2) \times (2\ \text{s})^2 = 50\ \text{m}$이다.

따라서 자동차 A가 6초 동안 이동한 거리 s는 $s = L + 60\text{ m} = s_1 + s_2 = 130\text{ m}$이므로 L은 70 m이다.

019 **답** ③ | ㄷ. 식 $2as = v^2 - v_0^2$에 의해 도착선에 도달하는 순간의 속력은 20 m/s이다.

오답 피하기

ㄱ. P점에서 Q점까지 눈썰매의 평균 속력이 10 m/s이므로 $\dfrac{v_P + v_Q}{2} = 10\text{ m/s}$이고, Q점에서 R점까지 눈썰매의 평균 속력은 15 m/s이므로 $\dfrac{v_Q + v_R}{2} = 15\text{ m/s}$이다. 두 식을 빼면 $v_R - v_P = 10\text{ m/s}$이다. 또 각각의 구간을 지나는 데 3초와 2초가 걸리므로 가속도를 구하면 가속도 $= \dfrac{\Delta v}{t} = \dfrac{v_R - v_P}{t} = \dfrac{10\text{ m/s}}{5\text{ s}}$, 즉 썰매의 가속도는 2 m/s²이다.

ㄴ. 썰매가 P점에 도달했을 때 속도는 $v = v_0 + at$에 의해 $2\text{ m/s}^2 \times t_P$이고 Q점에서 속도는 $2\text{ m/s}^2 \times (t_P + 3\text{ s})$이므로 P점에서 Q점까지 눈썰매의 평균 속력 관계를 통해 $t_P = \dfrac{7}{2}$ s이다. 등가속도 직선 운동식 $s = v_0t + \dfrac{1}{2}at^2$에 의해 출발선에서 P까지 거리 x는

$x = 0 \times \dfrac{7}{2}\text{ s} + \dfrac{1}{2} \times 2\text{ m/s}^2 \times (\dfrac{7}{2}\text{ s})^2 = \dfrac{49}{4}$ m이다.

020 **답** ② | ㄷ. 두 자동차가 기준선을 통과한 순간부터 속력이 v로 같아질 때까지 걸린 시간은 $v = v_0 + at$에 의해 $20\text{ m/s} = 10\text{ m/s} + (2.5\text{ m/s}^2)t \Rightarrow t = 4$초임을 알 수 있다.

오답 피하기

ㄱ. v는 아래 ㄴ에서 20 m/s로 구하였으며, 자동차 A가 10 m/s의 속력으로 기준선을 통과하여 속력이 v가 될 때까지 이동한 거리는 $2a_As_A = v^2 - v_0^2$에 의해

$s_A = \dfrac{(20\text{ m/s})^2 - (10\text{ m/s})^2}{2a}$이고, 자동차 B가 기준선을 출발하여 속력이 v가 될 때까지 이동한 거리는

$s_B = \dfrac{(20\text{ m/s})^2}{4a}$이다. 두 자동차의 속력이 v로 같은 순간 A는 B보다 20 m 앞서 있기 때문에 $s_A - s_B = \dfrac{300}{2a} - \dfrac{400}{4a} = \dfrac{50}{a} = 20$이므로 $a = 2.5\text{ m/s}^2$이다.

ㄴ. 자동차 A와 자동차 B의 속력이 v로 같은 순간을 t라고 했을 때 $v = v_0 + at$에 의해 A의 t초 후 속력은 $v = 10\text{ m/s} + at$이고, B의 t초 후 속력은 $v = 2at$이므로 $v = 20\text{ m/s}$이다.

021 **답** ⑤ | ㄱ. 직선 운동하는 자동차는 6초까지 두 번 가속도가 바뀐다. 각 구간에서 속도 변화는 $v = v_0 + at$에 의해

- 0~2초: $-a \Rightarrow v_0 = 4\text{ m/s}$, $v = 4 - 2a$
- 2~4초: 등속 운동을 하므로 속도의 변화는 없다.
- 4~6초: $2a \Rightarrow v_0 = 4 - 2a$,
  $v = (4 - 2a) + 4a = 4 + 2a = 6\text{ m/s}$

이므로 a는 1 m/s²이다.

즉, 1초일 때 가속도의 크기는 1 m/s²이다.

ㄴ. 3초일 때는 등속도 구간이므로 2초일 때 속도와 같으므로 2 m/s이다.

ㄷ. $s = v_0t + \dfrac{1}{2}at^2$에 의해 각 구간에서 이동한 거리는

- 0~2초: $s = 4 \cdot 2 + \dfrac{1}{2} \cdot (-1) \cdot 2^2 = 6\text{ m}$
- 2~4초: $s = 2 \cdot 2 + \dfrac{1}{2} \cdot 0 \cdot 2^2 = 4\text{ m}$
- 4~6초: $s = 2 \cdot 2 + \dfrac{1}{2} \cdot (2) \cdot 2^2 = 8\text{ m}$

총 18 m를 이동하므로 6초 동안 평균 속력은 3 m/s이다.

문제 속 자료 물체의 가속도-시간 그래프 해석

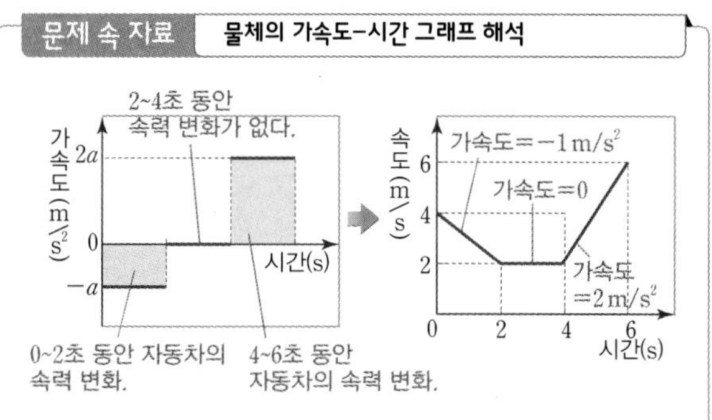

0~2초 동안 자동차는 운동 방향의 반대 방향으로 등가속도 운동을 하므로 속력이 점점 작아지고, 2~4초 동안은 가속도 크기가 0으로 등속도 운동을 하며, 4~6초까지는 운동 방향으로 등가속도 운동을 하므로 속력이 점점 커져 점 Q를 6 m/s로 통과한다.

022 **답** ⑤ | ㄴ. 0~10초 동안 영희는 $s = v \times t = 2 \cdot 10 = 20\text{ m}$ 이동하고 철수는 $s = v_0t + \dfrac{1}{2}at^2 = 0 \cdot 10 + \dfrac{1}{2}(0.2) \cdot (10)^2 = 10\text{ m}$ 이동하므로 영희가 철수의 2배 이동한다.

ㄷ. $v = v_0 + at$에 $v = 0 + (0.2) \cdot (10) = 2\text{ m/s}$의해 10초일 때 철수의 속도는 2 m/s이다.

오답 피하기

ㄱ. 영희는 2 m/s로 등속도 운동을 하여 40 m을 이동하였으므로 $s = vt$에 의해 걸린 시간은 20초이다. 이때 철수와 영희가 이동한 거리와 시간이 같고 철수는 등가속도 운동을 하므로 $s = v_0t + \dfrac{1}{2}at^2$에 의해 $40\text{ m} = 0 \cdot 20 + \dfrac{1}{2} \cdot a \cdot (20)^2$이므로 a는 0.2 m/s²이다.

023 **답** ③ | ㄱ. 일정한 가속도로 등가속도 운동을 하는 물체의 평균 속력 $=\dfrac{\text{이동 거리}}{\text{시간}}$이므로 $25\ \text{m/s}=\dfrac{\text{이동 거리}}{10\ \text{s}}$ 즉, 자동차가 10초 동안 이동한 거리는 250 m이다.

ㄴ. 평균 속력 $=\dfrac{v+v_0}{2}$이므로 $25\ \text{m/s}=\dfrac{30\ \text{m/s}+v}{2}$ 즉, B를 통과할 때 자동차의 속력은 20 m/s이다.

오답 피하기

ㄷ. 자동차는 감속 운동을 하므로 가속도의 방향은 운동 방향과 반대이다.

024 **답** ③ | 4초 동안 두 자동차가 이동한 거리가 같으므로 식 $v=v_0+at$와 $s=v_0t+\dfrac{1}{2}at^2$을 이용하여 각 구간에서 두 자동차가 이동한 거리를 구하면 다음과 같다.

[자동차 A]

• 0~2초: $v_{2초}=v_0+1\ \text{m/s}^2\cdot 2\ \text{s}=v_0+2\ \text{m/s}$

$$s=v_0\cdot 2\ \text{s}+\frac{1}{2}\cdot 1\ \text{m/s}^2\cdot(2\ \text{s})^2=2v_0+2\ \text{m}$$

• 2~4초: $s=v_{2초}\cdot 2\ \text{s}+\dfrac{1}{2}\cdot 2\ \text{m/s}^2\cdot(2\ \text{s})^2=2v_0+8\ \text{m}$

따라서 자동차 A는 총 $4v_0+10\ \text{m}$를 이동한다.

[자동차 B]

0~2초: $v_{2초}=0+3\ \text{m/s}^2\cdot 2\ \text{s}=6\ \text{m/s}$

$$s=0\cdot 2\ \text{s}+\frac{1}{2}\cdot 3\ \text{m/s}^2\cdot(2\ \text{s})^2=6\ \text{m}$$

2~4초: $s=6\ \text{m/s}\cdot 2\ \text{s}+\dfrac{1}{2}\cdot 2\ \text{m/s}^2\cdot(2\ \text{s})^2=16\ \text{m}$

따라서 자동차 B는 총 22 m를 이동한다.

두 자동차의 이동 거리가 같으므로 v_0는 3 m/s이다.

025 **답** ⑤ | ⑤ 3초부터 4초까지 일정한 힘이 주어지므로 가속도의 크기는 일정하다.

오답 피하기

① 0~2초 동안 1 N의 일정한 힘을 작용한 물체는 등가속도 운동을 하므로 점점 일정한 간격으로 속력이 빨라지는 운동을 한다.

② 2초일 때 가속도의 크기는 바뀌지만 힘의 방향은 바뀌지 않으므로 물체는 1~3초 동안 물체는 속력이 점점 빨라지는 등가속도 운동을 한다. 따라서 3초일 때가, 1초일 때보다 속력이 빠르다.

③ 물체는 2초부터 다른 크기의 힘을 받지만 힘의 방향은 변하지 않으므로 운동 방향도 변하지 않는다.

④ 가속도 법칙에 의해 가속도는 물체에 주어지는 힘의 크기에 비례하므로 가속도는 3초일 때가 1초일 때보다 2배 크다.

문제 속 자료 힘-시간 그래프 변화

힘-시간 그래프를 속력-시간 그래프로 바꿀 수 있다.

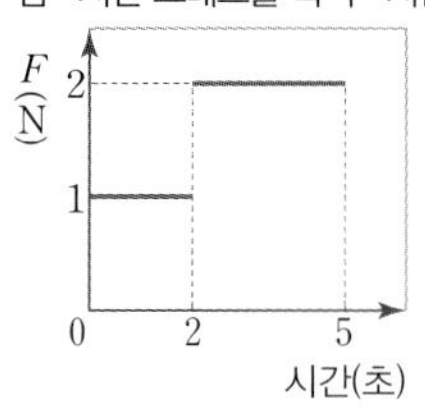

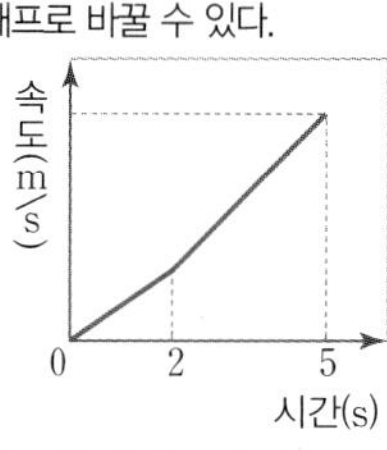

물체의 질량은 알 수 없으므로 힘을 받은 후 속도의 변화량은 알 수 없지만 속력-시간 그래프에서 0초부터 2초까지 기울기는 2초부터 5까지 기울기의 $\dfrac{1}{2}$ 크기를 가지므로 2~5초까지 속도 변화율은 0~2초까지 속도 변화율의 2배이다.

026 **답** ⑤ | 실이 끊어지기 전 두 물체는 실로 연결되어 하나의 운동을 하므로 도르래를 기준으로 오른쪽을 (+), 왼쪽을 (−)라고 했을 때 두 물체에 작용하는 알짜힘은 $F=20\ \text{N}-F_\text{A}=(m+2\ \text{kg})\cdot 1\ \text{m/s}^2$이고 실이 끊어진 후 물체 A가 받는 힘은 $-F_\text{A}=m\times-5\ \text{m/s}^2$이므로 두 식을 연립하면 m은 3 kg이다.

027 **답** ③ | ㄱ. 두 물체는 실로 연결되어 하나의 운동을 하므로 도르래를 기준으로 오른쪽을 (−), 왼쪽을 (+)라고 했을 때 1~3초 동안 두 물체에 작용한 알짜힘은

알짜힘 $=m_\text{A}g-m_\text{B}g=(m_\text{A}+m_\text{B})\cdot a$

➡ $10\ m_\text{A}-30\ \text{N}=(m_\text{A}+3\ \text{kg})\cdot(-5\ \text{m/s}^2)$이므로 m_A는 1 kg이다.

ㄷ. F의 힘을 A에 작용할 때 두 물체에 작용하는 알짜힘을 구하면 알짜힘 $=(m_\text{A}+m_\text{B})\cdot a=(m_\text{A}\cdot g+F)-m_\text{B}\cdot g$

➡ $(1\ \text{kg}+3\ \text{kg})\cdot 10\ \text{m/s}^2=10\ m_\text{A}+F-30\ \text{N}$이므로 $F=60\ \text{N}$ 이다.

오답 피하기

ㄴ. 2초일 때 실이 B를 당기는 힘을 T_B라고 할 때 B에 작용하는 알짜힘은

알짜힘 $=T_\text{B}-m_\text{B}g=m_\text{B}a$ ➡ $T_\text{B}-30\ \text{N}=3\ \text{kg}\cdot(-5\ \text{m/s}^2)$ ➡ $T_\text{B}=15\ \text{N}$이다.

문제 속 자료 B를 당기는 실의 장력

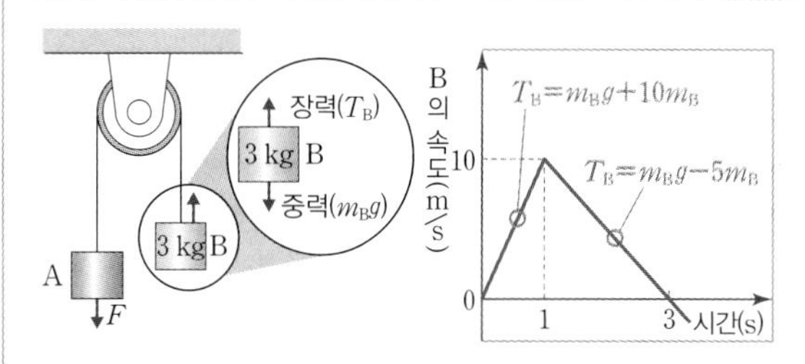

물체 B에는 위쪽 방향으로 당기는 장력과 아래 방향으로 작용하는 중력이 있다. 1초일 때 장력의 크기는 $m_\text{B}g+10\ m_\text{B}$이고, 1초 이후 장력의 크기는 $m_\text{B}g-5\ m_\text{B}$이다. 그러므로 물체 B에 작용하는 알짜힘의 크기는 장력의 크기에 따라 달라지고 가속도 역시 알짜힘에 비례하여 달라진다.

028 답 ③ | ㄱ. 두 물체는 실로 연결되어 하나의 운동을 하므로 B와 A의 가속도의 크기는 같다. 속력 − 시간 그래프에서 기울기는 가속도를 의미하므로 A의 가속도의 크기는 $3\ \mathrm{m/s^2}$이다.

ㄴ. $F = (1\ \mathrm{kg} + 2\ \mathrm{kg}) \times 3\ \mathrm{m/s^2} = 9\ \mathrm{N}$이다.

오답 피하기

ㄷ. 실이 B에 작용하는 힘을 T_B라고 했을 때 물체 B에 작용하는 알짜힘은 $F - T_\mathrm{B} = m_\mathrm{B}a = 6\ \mathrm{N}$이므로 T_B는 3 N이다.

029 답 ④ | ㄴ. q가 A를 당기는 힘은 A가 q를 당기는 힘과 작용 반작용 관계이므로 힘의 크기는 같고 방향은 반대이다.

ㄷ. 물체 B가 $1\ \mathrm{m/s^2}$의 크기로 등가속도 운동하는 것으로 보아 물체 B에 작용하는 합력의 크기는 1 N이다.

오답 피하기

ㄱ. p가 A를 당기는 힘을 T_p라 하고, q가 A를 당기는 힘을 T_q라 할 때 물체 A에 작용하는 힘의 합력은 $T_\mathrm{p} - m_\mathrm{A}g - T_\mathrm{q} = m_\mathrm{A} \times (1\ \mathrm{m/s^2})$ ➡ $T_\mathrm{p} = T_\mathrm{q} + 11\ m_\mathrm{A}$이므로 T_p가 T_q보다 크다.

030 답 ① | 세 물체의 운동 방정식은 '$m_\mathrm{C}g - m_\mathrm{B}g = (m_\mathrm{A} + m_\mathrm{B} + m_\mathrm{C})a$'이므로 세 물체는 $\frac{2}{5}g$의 크기로 등가속도 운동을 한다. 따라서 물체 B에 작용하는 알짜힘의 크기는

$F_\mathrm{B} = m_\mathrm{B} \times a_\mathrm{B} = m \times \frac{2}{5}g = \frac{2}{5}mg$이다.

031 답 ⑤ | ㄴ. 그림 (나)에서 두 물체에 작용하는 합력은 '$m_\mathrm{B}g - m_\mathrm{A}g =$ 지면이 B를 떠받치는 힘'이다. 여기서 $3m = 3m_\mathrm{A} = m_\mathrm{B}$이므로 B가 지면을 누르는 힘의 크기는 $2mg$이다.

ㄷ. (가)에서 실이 물체 A를 당기는 힘을 $T_{(가)}$라고 할 때, 물체 A에 작용하는 힘의 관계식은 $T_{(가)} - m_\mathrm{A}g = m_\mathrm{A} \times \frac{g}{2}$이므로 $T_{(가)} = \frac{3}{2}mg$이고, (나)에서 실이 물체 A를 당기는 힘을 $T_{(나)}$라고 할 때, 물체 B에 작용하는 힘의 관계식은 $T_{(나)} - m_\mathrm{A}g = 0$이므로 $T_{(나)} = mg$이다.

오답 피하기

ㄱ. (가)에서 두 물체의 운동 방정식은

$m_\mathrm{B}g - m_\mathrm{A}g = (m_\mathrm{A} + m_\mathrm{B}) \times \frac{g}{2}$이므로 $m_\mathrm{B} = 3m_\mathrm{A} = 3m$이다. (여기서, 도르래를 기준으로 오른쪽은 (+)이고, 왼쪽은 (−)이다.)

문제 속 자료 도르래에서 두 물체에 작용하는 힘

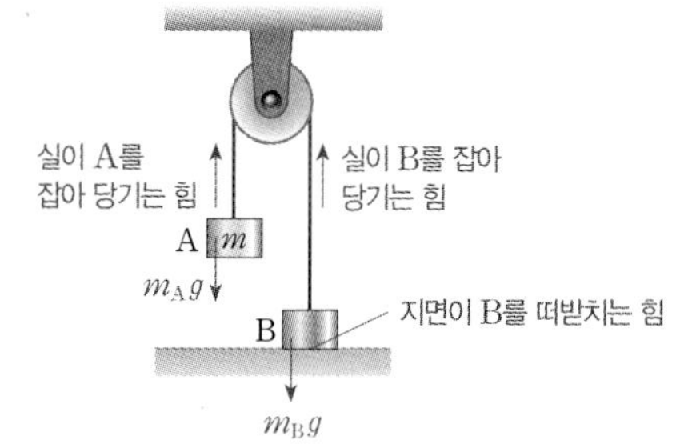

실이 A를 잡아 당기는 힘
실이 B를 잡아 당기는 힘
A m
$m_\mathrm{A}g$
B
지면이 B를 떠받치는 힘
$m_\mathrm{B}g$

(가)에서 도르래에 실로 연결되어 있는 두 물체는 등가속도 운동을 하므로 작용하는 알짜힘의 크기는 0이 아니고 같은 가속도의 크기로 운동한다.
(나)에서 도르래에 실로 연결되어 있는 두 물체가 정지해 있으므로 물체 A와 물체 B에 작용하는 힘은 평형 상태이다.

- 물체 A: 실이 A를 잡아당기는 힘(장력) $= m_\mathrm{A}g$
- 물체 B: 실이 B를 잡아당기는 힘(장력) + 지면이 B를 떠받치는 힘 $= m_\mathrm{B}g$

032 답 ③ | ㄱ. 실의 한쪽 끝을 F의 힘으로 잡아당길 때 두 물체는 정지해 있으므로 두 물체에 작용하는 알짜힘은 0이다. 따라서, $m_\mathrm{A}g + m_\mathrm{B}g = F$이다. 여기서 $2F$의 힘으로 잡아 당기는 경우 두 물체에 작용하는 힘의 합력은

$2F - (m_\mathrm{A} + m_\mathrm{B})g = (m_\mathrm{A} + m_\mathrm{B})a$이므로 두 물체의 가속도는 g이다. (여기서 도르래를 기준으로 오른쪽은 (+)이고, 왼쪽은 (−)이다.)

ㄷ. T_a를 a가 A를 당기는 힘이라고 할 때, A에 작용하는 힘의 합력은 $T_\mathrm{a} - m_\mathrm{A}g = m_\mathrm{A}a$이므로 T_a는 $2m_\mathrm{A}g$이다.

오답 피하기

ㄴ. T_b를 b가 B를 당기는 힘이라고 할 때, B에 작용하는 힘의 합력은 $T_\mathrm{b} - T_\mathrm{a} - m_\mathrm{B}g = m_\mathrm{B}a$이므로 $T_\mathrm{b} > T_\mathrm{a}$이다.

033 답 ③ | 도르래를 기준으로 오른쪽은 (+), 왼쪽을 (−)라고 할 때 (가)에서 두 물체의 운동 방정식은 $m_\mathrm{B}g = (m_\mathrm{A} + m_\mathrm{B})a$이므로 $a = \frac{1}{2}g$이고, (나)에서 두 물체의 운동 방정식은 $m_\mathrm{C}g - m_\mathrm{A}g = (m_\mathrm{A} + m_\mathrm{C})a$이므로 (가)와 (나)에서 가속도의 크기가 같을 때 $m_\mathrm{C} = 3m$이다.

034 답 ③ | (가)에서 두 물체가 등속도 운동을 하는 것으로 보아 두 물체의 질량은 같고, (나)에서 두 물체의 운동 방정식은 $m_\mathrm{B}g = (m_\mathrm{A} + m_\mathrm{B})a$으로 $g = 2a$이다.

여기서, 용수철저울이 나타내는 힘은 실이 물체를 잡아당기는 힘이므로 물체 B에 작용하는 힘의 합력은

$m_\mathrm{B}g - F_{(가)} = 0$이고 (나)에서 물체 B에 작용하는 힘의 합력은 $m_\mathrm{B}g - F_{(나)} = m_\mathrm{B} \times \frac{1}{2}g$이다. 그러므로

$F_{(가)} : F_{(나)} = 2 : 1$이다.

문제 속 자료 두 물체를 잡아당기는 힘의 크기

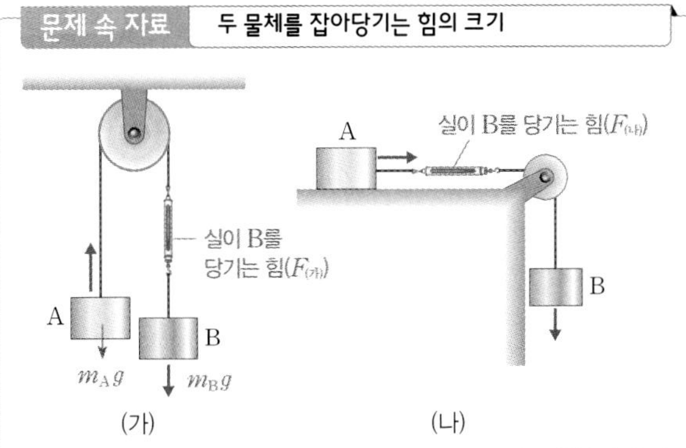

용수철에 나타나는 힘의 크기는 실이 물체 B를 잡아당기는 힘(장력)과 같다. 또한 두 물체에 작용하는 장력은 A가 B를 당기는 힘이 되거나 B가 A를 당기는 힘이 될 수 있는 작용 반작용 관계로 A를 잡아당기는 힘과 B를 잡아당기는 힘의 크기는 같다.

(가) • 물체 A: 실이 A를 잡아당기는 힘(장력) $- m_Ag = 0$

• 물체 B: $m_Bg -$ 실이 B를 잡아당기는 힘(장력) $= 0$

등속 운동을 하므로 $(m_A + m_B) \times 0 = 0$

➡ 물체 A와 물체 B의 질량은 같다.

035 답 ② | (가)에서 두 물체의 운동 방정식은 $m_Ag = (m_A + m_B)a$ ➡ $4g = (4+1)g$이므로 $a = \frac{4}{5}g$이고, (나)에서 두 물체의 운동 방정식은 $m_Bg + F = (m_A + m_B) \times \frac{4}{5}g$ ➡ $g + F = (4+1) \times \frac{4}{5}g$이므로 $F = 3g = 30$ N이다.

036 답 ④ | ㄴ. (나)에서 운동 방정식은 $m_Bg = (m_A + m_B)a$이고 물체 A와 물체 B의 질량은 m으로 같다. 따라서 A의 가속도의 크기는 $\frac{1}{2}g$이다.

ㄷ. 용수철저울이 측정한 힘의 크기는 실이 물체 B를 잡아당기는 힘(T)과 같다. 물체 B에 작용하는 힘의 합력은 $m_Bg - T = m_B \times \frac{1}{2}g$로 T는 $\frac{1}{2}mg$이다.

오답 피하기

ㄱ. (가)에서 두 물체는 정지해 있으므로 평형 상태이다. 용수철이 A를 잡아당기는 힘은 mg이고, 용수철이 B를 잡아당기는 힘은 mg이므로 용수철저울로 측정한 힘의 크기는 mg이다.

문제 속 자료 작용·반작용

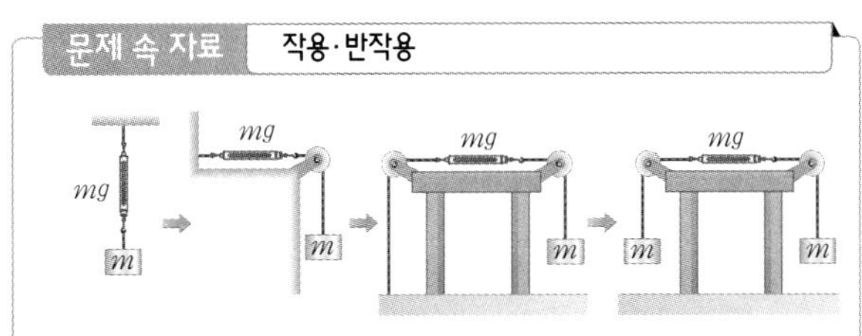

그림 (가)처럼 용수철 저울 양쪽 끝에 질량이 m인 물체를 매달면 A가 용수철저울에 작용한 힘이 작용이라면, B가 용수철저울에 작용한 힘이 반작용으로 저울에 측정되는 질량은 mg이다.

037 답 ⑤ | ㄴ. 물체 A와 물체 B는 같은 운동을 하므로 가속도의 크기가 같고, 질량이 m으로 같으므로 알짜힘의 크기가 같다.

ㄷ. 세 물체의 운동 방정식은 $m_Cg - m_Ag = (m_A + m_B + m_C)a$로 가속도의 크기는 $\frac{1}{4}g$이다.

오답 피하기

ㄱ. 실 p가 물체 B를 잡아당기는 힘을 T_P라 하고 실 q가 물체 B를 잡아당기는 힘을 T_q라 할 때, 물체 B에 작용하는 힘의 합력은 $T_q - T_p = ma$이므로 T_q가 T_P보다 더 크다.

038 답 ③ | (가)와 (나)에서 물체 A와 B의 운동 방정식은 다음과 같다.

• (가): $m_Ag = (m_A + m_B)a_{(가)}$ ➡ $\frac{m_A}{m_A + m_B}g = a_{(가)}$

• (나): $m_Bg = (m_A + m_B)a_{(나)}$ ➡ $\frac{m_B}{m_A + m_B g} = a_{(나)}$ 가속도는 (가)에서가 (나)보다 2배 크므로 두 물체의 질량 관계는 $2m_B = m_A$이고 $a_{(가)} = \frac{2}{3}g$, $a_{(나)} = \frac{1}{3}g$이다.

(가)에서 물체 A에 작용하는 힘은 $m_Ag - T_1 = m_A(\frac{2}{3}g)$이므로 실이 A를 당기는 힘의 크기는 $\frac{1}{3}m_Ag$이고, (나)에서 물체 A에 작용하는 힘은 $T_2 = m_A(\frac{1}{3}g)$이므로 $T_1 : T_2 = 1 : 1$이다.

039 답 ② | ㄴ. (나)에서 C가 등속도 운동을 하므로 C에 작용하는 알짜힘은 0이다.

오답 피하기

ㄱ. (가)에서 $a_{(가)}$의 크기로 등가속도 운동을 하는 세 물체의 운동 방정식은 $m_Ag = (m_A + m_B + m_C)a_{(가)}$이고, (나)에서 $a_{(나)}$의 크기로 등가속도 운동을 하는 세 물체의 운동 방정식은 $m_Ag = (m_A + m_B)a_{(나)}$이므로 가속도의 크기가 $a_{(나)} = 2a_{(가)}$일 때, B의 질량은 m이다.

ㄷ. p가 A를 당기는 힘을 T라고 할 때 (가)에서 물체 A에 작용하는 힘의 합력은 $mg - T_{(가)} = m \times \frac{1}{2}a$이고, (나)에서 물체 A에 작용하는 힘의 합력은 $mg - T_{(나)} = ma$이므로 $T_{(가)}$에서 $T_{(나)}$보다 더 크다.

040 답 ② | ㄴ. F의 힘으로 당길 때 두 물체가 정지해 있으므로 두 물체에 작용하는 알짜힘은 0이며 물체 A에 작용하는 중력과 F는 평형 관계이다. ➡ $F = m_A \times g = \frac{1}{2}mg$

오답 피하기

ㄱ. (나)에서 두 물체의 운동 방정식은 $m_A g=(m_A+m)\frac{1}{3}g$으로 $m_A=\frac{1}{2}m$이다.

ㄷ. 실이 A를 당기는 힘을 T라고 할 때, (가)에서 A에 작용하는 힘의 합력은 $\frac{1}{2}mg=T_{(가)}$이고, (나)에서 A에 작용하는 힘의 합력은 $\frac{1}{2}mg-T_{(나)}=\frac{1}{2}m\times\frac{g}{3}$이므로 $T_{(가)}$가 $T_{(나)}$보다 크다.

041 답 ② | ㄴ. B가 멈춰있으므로 알짜힘은 0이다.

오답 피하기

ㄱ. B가 A를 떠받치는 힘의 작용 반작용은 A가 B를 누르는 힘이고, A에 작용하는 중력에 작용 반작용은 A가 지구를 당기는 힘이다.

ㄷ. 바닥이 C를 떠받치는 힘은 C가 바닥을 누르는 힘과 A가 C를 누르는 힘의 합력과 같다.

042 답 ① | ㄱ. 배팅 티 위에 올려 놓은 공은 정지하고 있으므로 공에 작용하는 알짜힘은 0이다.

오답 피하기

ㄴ. 배팅 티가 공을 떠받치는 힘과 공에 작용하는 중력은 평형 관계이다.

ㄷ. 수평면이 배팅티를 떠받치는 힘의 크기는 배팅티에 작용하는 중력과 공이 배팅티를 누르는 힘의 합력이다.

043 답 ④ | ㄱ. 질량이 있는 물체에는 중력이 작용하므로 B에는 중력이 작용한다.

ㄴ. A가 B에 작용하는 힘과 B가 A에 작용하는 힘은 작용 반작용 관계이므로 같은 힘의 크기를 갖는다.

오답 피하기

ㄷ. 탁자가 A를 떠받치는 힘은 A와 B의 중력의 합이다.

044 답 ④ | ㄱ. 공은 정지해 있으므로 알짜힘은 0이다.

ㄷ. 수평면이 공에 작용하는 힘은 공이 수평면에 작용하는 힘과 영희가 공에 작용하는 힘의 합력이므로 영희가 공에 작용하는 힘의 크기가 수평면이 공에 작용하는 힘의 크기보다 작다.

오답 피하기

ㄴ. 공이 영희에게 작용하는 힘의 반작용은 영희가 공을 누르는 힘이고, 공이 수평면에 작용하는 힘의 반작용은 수평면이 공을 떠받치는 힘으로 이때 공이 수평면을 누르는 힘의 크기는 영희가 공을 누르는 힘과 공에 작용하는 중력의 합이다.

문제 속 자료 **작용 반작용과 힘의 평형**

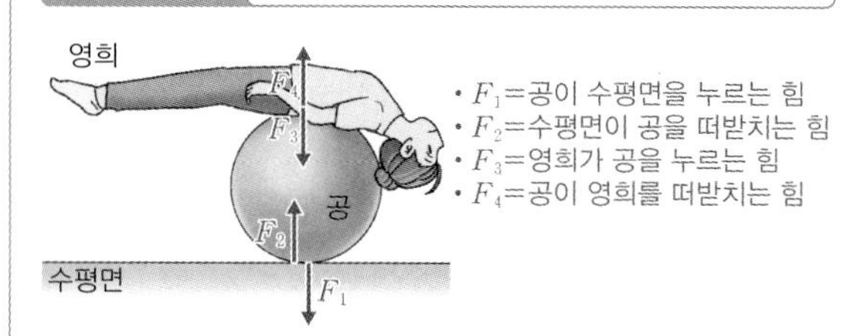

F_1은 F_2와 작용 반작용 관계이고, F_3는 F_4와 작용 반작용 관계이다. 지구가 영희에 작용하는 중력과 F_4는 영희에게 작용하는 힘으로 영희는 정지해 있으므로 두 힘은 평형 상태이다.

045 답 ③ | 철수: 퍼텐셜 에너지에서 운동 에너지로 바뀌는 과정에서 질량은 속력과 상관없다.

오답 피하기

영희: 사람이 쿠션에 충돌할 때 쿠션은 충격력을 줄여주지만 충격량은 동일하다.

민수: 쿠션에 충돌하는 순간 사람과 쿠션이 주고받는 힘은 작용 반작용의 관계이다.

문제 속 자료 **역학적 에너지 보존**

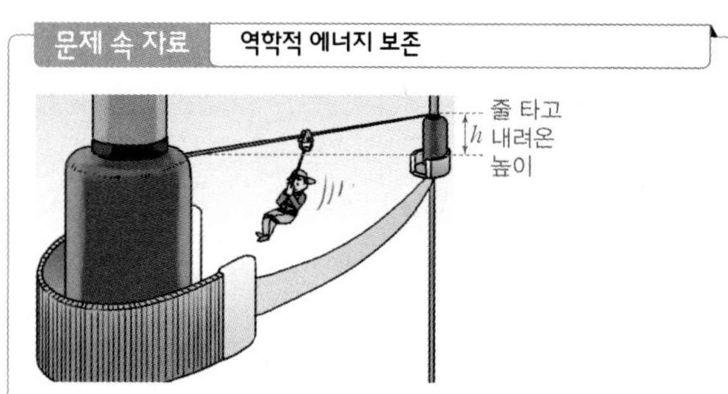

줄을 타고 높은 지점에서 낮은 지점까지 내려올 때 사람이 갖는 위치 에너지가 운동 에너지로 전환되면서 속력은 빨라진다. 이때 위치 에너지는 질량에 비례하고($E_p=mgh$) 운동 에너지도 질량에 $E_k=\frac{1}{2}mv^2$비례하므로 위치 에너지가 운동 에너지로 전환될 때 질량은 속력에 변수로 작용하지 않는다.

046 답 ⑤ | 철수: 운동량은 속력과 비례하므로 빠르게 던질수록 공의 운동량의 크기는 커진다.

영희: 충격량이 같은 조건에서 충돌하는 데 걸리는 시간을 길게 하면 평균 힘이 작아지므로 손을 뒤로 빼면 공으로부터 받는 평균 힘의 크기는 작아진다.

민수: 공을 받을 때 공이 손에 작용하는 충격력과 손이 공에 작용하는 충격력은 작용 반작용 관계이므로 크기가 같고 충돌 시간이 같으므로 충격량의 크기도 서로 같다.

047 답 ⑤ | ㄱ. (가)에서 야구공과 야구 선수가 충돌 후 속력이 0이 되었고, (나)에서는 야구공과 야구 방망이가 충돌 후 야구공은 처음 운동과 반대 방향으로 운동을 하기 때문에 (나)의 운동량 변화량이 더 크다.

ㄴ. 충격량은 운동량 변화량과 같으므로 (나)가 더 크다.

ㄷ. 공에 작용한 평균 힘의 크기는 $\frac{\text{충격량}}{\text{충돌한 시간}}$이므로 (나)가 더 크다.

048 **답** ⑤ | ㄱ, ㄴ. 철수와 영희가 서로에게 작용하는 힘은 작용과 반작용으로 같은 크기의 힘이 반대 방향으로 작용하므로 가속도의 방향은 서로 반대이다.

ㄷ. 철수와 영희 사이에 작용하는 힘의 크기와 작용하는 시간이 같으므로 충격량의 크기도 같다.

049 **답** ② | ㄴ. 힘-시간 그래프에서 면적은 충격량을 의미하고 충격량은 물체의 운동량의 변화량과 같다.

$S=\Delta p_B=m_Bv-m_Bv_0=mv$이므로 충돌 직후 B의 속력은 $\frac{S}{m}$이다.

오답 피하기

ㄱ. 충돌하는 동안 A가 B로부터 받은 충격량은 B가 A로부터 받은 충격량과 작용 반작용이므로 두 힘의 크기는 같다.

ㄷ. A가 B에 작용한 평균 힘의 크기는 B가 A에 작용한 평균 힘의 크기와 같으므로 $\frac{S}{T}$이다.

050 **답** ④ | ㄴ. 힘-시간 그래프 아래의 넓이는 인형이 받은 충격량을 의미한다. 두 인형의 그래프의 넓이 $S_1=S_2$이므로 두 인형이 받은 충격량의 크기는 같다.

ㄷ. 충격량과 운동량의 변화량은 같으므로 두 인형의 운동량의 변화량 크기도 같다.

오답 피하기

ㄱ. 자동차가 벽에 충돌하는 순간 에어백이 작동하면 인형이 충돌하여 멈추기까지 걸리는 시간을 늘려주므로 힘을 받는 시간이 길어진 b가 A의 인형이 받는 힘을 타나낸 그래프이다.

문제 속 자료 힘-시간 그래프 해석

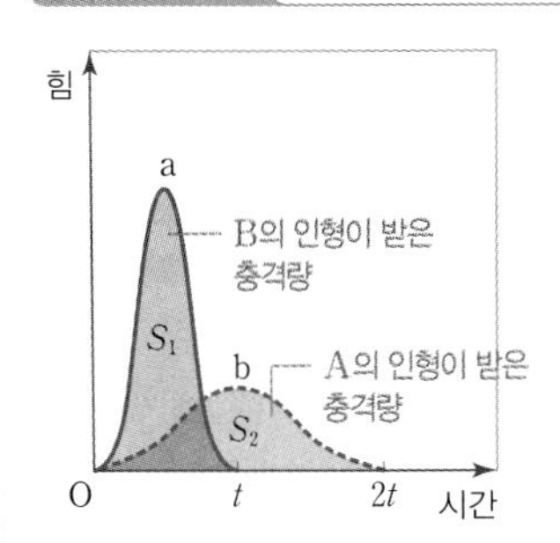

그래프 아래의 넓이는 물체가 받은 충격량 또는 물체의 운동량의 변화량과 같다. A, B 자동차가 벽에 충돌하기 전 속력과 충돌 후 속력이 같으므로 운동량의 변화량이 같다. 따라서 두 자동차가 받는 충격량은 같다.

051 **답** ⑤ | ㄴ. 수레가 벽으로부터 가장 큰 힘을 받는 시간은 t이므로 용수철이 최대로 압축되는 시간은 t이다.

ㄷ. 힘-시간 그래프의 아래 넓이는 충격량, 즉 운동량의 변화량을 의미하므로

$S=\Delta p=mv-mv_0=mv-m(-v)=2mv$이다.

오답 피하기

ㄱ. 수레가 용수철로부터 받은 충격량의 크기는 힘-시간 그래프의 아래 면적과 같다.

052 **답** ① | ① 운동량-시간 그래프에서 기울기는 그 물체에 작용한 힘을 뜻하므로 0~2초까지 물체에 작용하는 합력의 크기는 2 N이다.

오답 피하기

② 0~4초 동안 속도 변화량의 크기는 '운동량 변화량÷질량'으로 알 수 있으므로 6 m/s이다.

③ 충격량의 크기는 운동량의 변화량과 같다. 2~4초까지 물체가 받은 충격량은 2 kg·m/s이다.

④ 2초일 때 물체의 가속도는 (+)이므로 합력의 방향은 운동 방향과 같고, 6초일 때 물체의 가속도는 (−)이므로 운동 방향과 반대 방향이므로 2초인 순간과 6초인 순간의 합력의 방향은 다르다.

⑤ 4초부터 8초까지 물체는 등가속도(감속) 운동을 하였다.

문제 속 자료 운동량-시간 그래프 해석

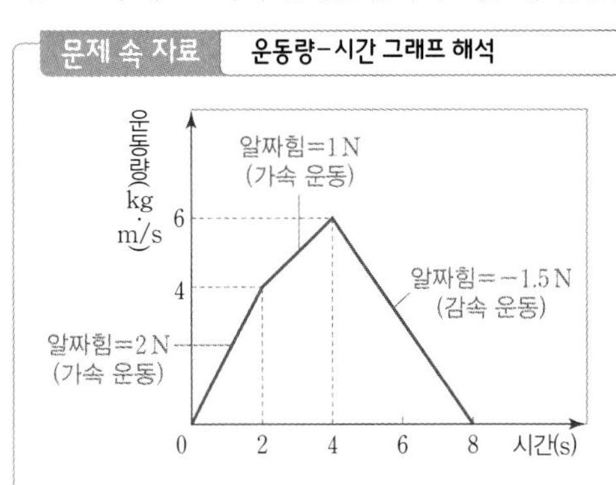

운동량-시간 그래프에서 기울기$=\frac{mv-mv_0}{\Delta t}=m\cdot\frac{\Delta v}{\Delta t}=ma$로 물체에 작용하는 알짜힘을 의미한다. 물체에 작용하는 알짜힘의 방향이 운동 방향과 같은 경우 가속 운동을 하고, 알짜힘의 방향이 운동 방향과 반대인 경우 감속 운동을 한다.

053 **답** ⑤ | ㄱ. 2초부터 물체는 일정한 운동량으로 운동하는데, 이때 운동량은 2 kg·m/s이고 질량은 2 kg이므로 물체의 속도는 1 m/s이다.

ㄴ. 운동량-시간 그래프에서 기울기는 그 물체에 작용하는 힘이므로 0~2초 동안 물체에 작용한 합력은 1 N이다.

ㄷ. 충격량은 운동량의 변화량과 같으므로 0~4초 동안 충격량 $I=\Delta p=2\text{ kg·m/s}-0=2\text{ kg·m/s}$이다.

054 **답 ⑤** | ㄱ. 충돌하는 동안 A가 B로부터 받은 충격량의 크기는 A의 운동량 변화량과 같으므로

$I = \Delta p = 2\ \text{kg}\cdot\text{m/s} - 4\ \text{kg}\cdot\text{m/s} = -2\ \text{kg}\cdot\text{m/s}$이다.

(kg·m/s와 N·s는 같은 단위이다.)

ㄴ. 충돌하는 동안 B가 A로부터 받은 평균 힘의 크기는

$\dfrac{\text{충격량}}{\text{충돌 시간}} = \dfrac{2\ \text{N}\cdot\text{s}}{0.01\text{s}} = 200\ \text{N}$이다.

ㄷ. 충돌 후 운동량의 변화량은 A와 B가 같으므로 B의 운동량 변화량은

$\Delta p_B = m_B v - m_B v_0 = 1\ \text{kg}\cdot v - 0 = 2\ \text{kg}\cdot\text{m/s}$이므로 충돌 후 B의 속력은 2 m/s이고, A의 속력은 1 m/s이므로 B가 A의 2배이다.

055 **답 ①** | ㄱ. 충돌 전 A의 운동량은 $3p_0$으로 운동하다가 B와 충돌 후 A의 운동량은 $-p_0$이 된다. 따라서 충돌 후 A는 충돌 전과 반대 방향으로 움직인다.

오답 피하기

ㄴ. 충돌 후 B와 C의 운동량은 각각 p_0과 $2p_0$이고 질량은 B의 질량이 C의 2배이므로 C의 속력은 B의 속력의 4배이다.

ㄷ. B가 받은 평균 힘의 크기는 $\dfrac{\text{충격량}}{\text{충돌 시간}}$이므로 B가 A와 충돌하는 동안 받은 평균 힘의 크기는 $\dfrac{3p_0}{2T}$이고, C와 충돌하는 동안 받은 평균 힘의 크기는 $\dfrac{2p_0}{T}$이다. 따라서 B가 받은 평균 힘의 크기는 A와 충돌하는 동안 받은 힘이 C와 충돌하는 동안 받은 힘보다 작다.

056 **답 ④** | 충돌 전과 충돌 후 운동량의 합은 동일하다. 충돌 후 각각 v_A', v_B'의 속력을 갖는다고 할 때 $mv_A = (m + 2m)v_A'$으로 물체 A와 충돌 후 물체 C의 속도는 $\dfrac{1}{3}v_A$이고, $4mv_B = (4m + 2m)v_B'$으로 물체 B와 충돌 후 물체 C의 속도는 $\dfrac{2}{3}v_B$이다. 충돌 과정에서 물체 C가 받은 충격량의 크기가 같기 때문에 충돌 후 속도 $\dfrac{1}{3}v_A$와 $\dfrac{2}{3}v_B$는 같다.

그러므로 $v_A : v_B = 2 : 1$이다.

057 **답 ④** | ㄱ. 그래프에서 면적은 A와 B 사이의 거리를 의미한다. 두 물체는 0~2초까지 점점 가까워져 2초일 때 충돌하므로 1초일 때 A와 B의 사이 거리는 4 m이다.

ㄷ. 충돌하는 동안 A가 B로부터 받는 충격량과 B가 A로부터 받는 충격량은 작용 반작용 관계이므로 같은 크기를 갖는다.

오답 피하기

ㄴ. 1초일 때 두 물체는 충돌 전 운동을 하므로 A는 6 m/s의 일정한 속력으로 운동을 하고 A에 대한 B의 속도가 −4 m/s이므로 B는 2 m/s의 속력으로 운동을 한다. 충돌 후 두 물체의 속력 관계는 $v_A' + 4\ \text{m/s} = v_B'$이다. 충돌 전후 두 물체의 운동량의 합은 보존되므로 $m_A v_A + m_B v_B = m_A v_A' + m_B v_B'$에 의해 $8m = m(v_A' + v_B') = m(2v_A' + 4)$ ➡ v_A'는 2 m/s이고 v_B'는 6 m/s이므로 충돌 후 운동량의 크기는 B가 A의 3배이다.

문제 속 자료 충돌에 따른 두 물체의 속도 변화

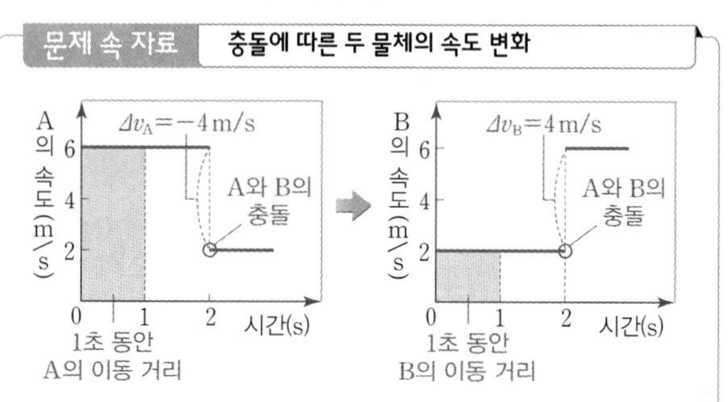

충돌 전 6 m/s의 크기로 등속 운동을 하는 A와 A에 대한 B의 속도 그래프를 통해 A와 B의 시간-속도 그래프를 구해보면 위와 같다. 충돌하면서 A가 B에 주는 충격량과 B가 A에 주는 충격량은 작용 반작용 관계이므로 충돌 후 A와 B의 운동량 변화량의 크기는 같고 방향은 반대이고 두 물체 질량은 같으므로 두 물체의 속도 변화량의 크기는 같고 방향은 반대이다.

058 **답 ①** | ㄱ. (가)에서 두 물체의 운동량의 합은 충돌 전과 후가 같다.

오답 피하기

ㄴ. (가)와 (다)에서 운동량은 보존되므로 (가)에서 충돌 후 A의 속도는 $m_A v_A + m\cdot 0 = (m_A + m)\cdot v_A'$ ➡ $v_A' = \dfrac{1}{2}v$이고 (다)에서 충돌 후 C의 속도는 $m_C v_C + m\cdot 0 = (m_C + m)\cdot v_C'$ ➡ $v_C' = \dfrac{2}{3}v$이므로 C가 A의 $\dfrac{4}{3}$배이다.

ㄷ. (나)에서도 운동량은 보존되므로 물체 B의 충돌 후 속도는 $m_B v_B + m\cdot 0 = (m_B + m)\cdot v_B'$ ➡ $v_B' = v$이다. 그러므로 충돌 후 속도의 크기는 B가 C보다 크다.

059 **답 ④** | ㄱ. A가 받은 충격량은 A의 운동량 변화량과 같다. $I = \Delta p = 2\ \text{kg}\cdot 1\ \text{m/s} - 2\ \text{kg}\cdot 3\ \text{m/s} = -4\ \text{N}\cdot\text{s}$이므로 A가 받은 충격량의 크기는 4 N·s이다.

ㄷ. 두 물체의 운동량의 합은 충돌 전과 충돌 후가 같으므로 $m_A v_A + m_B v_B = m_A v_A' + m_B v_B'$ ➡ $2\ \text{kg}\cdot 3\ \text{m/s} = 2\ \text{kg}\cdot 1\ \text{m/s} + m_B\cdot 4\ \text{m/s}$에 의해 m_B는 1 kg이다.

오답 피하기

ㄴ. 두 물체가 충돌하면서 받는 충격량은 서로가 같으므로 운동량 변화량의 크기는 A와 B가 같다.

060 **답 ⑤** | 물체에 한 일의 크기는 작용한 힘과 힘의 방향으로 이동한 거리의 곱으로 나타낸다.

일(W) = 힘(F) × 힘의 방향으로 이동한 거리(s)

ㄱ. (가)에서 물체가 받은 일은 '작용한 힘 30 N × 이동 거리 1 m = 30 J'이다.

ㄴ. 일 · 운동 에너지 정리에서 물체에 작용한 알짜힘이 한 일은 운동 에너지 변화량과 같다. (나)의 물체에는 위로 30 N의 힘이 작용하고, 아래로 중력($2\ kg \times 10\ m/s^2 = 20\ N$)이 작용한다.

따라서 (나)의 물체에 작용하는 알짜힘의 크기는 두 힘의 차인 30 N − 20 N = 10 N이다. 알짜힘이 물체를 1 m 이동시켰으므로, 물체에 한 일은 '10 N × 1 m = 10 J'이고, 이것은 운동 에너지 변화량과 같다.

ㄷ. (가)와 (나)에서 물체에 작용하는 힘이 30 N으로 같고, 이동 거리도 1 m로 같으므로 두 물체의 역학적 에너지 변화량은 같다.

• (가): 정지 상태에서 운동 상태가 되었으므로 운동 에너지는 증가하였고, 위치 변화는 없으므로 중력 퍼텐셜 에너지는 변화 없다.

• (나): 정지 상태에서 운동 상태가 되었으며 운동 에너지 증가량은 10 J(물체에 작용한 알짜힘이 한 일)이다. 위치도 변하였으므로 퍼텐셜 에너지도 증가하였다. 퍼텐셜 에너지 증가량은 mgh이므로 '$2\ kg \times 10\ m/s^2 \times 1\ m = 20\ J$'이다. 즉, (나)에서 물체는 운동 에너지는 10 J, 퍼텐셜 에너지는 20 J 증가하여, 전체 역학적 에너지는 30 J 증가하였다.

061 **답 ②** | 힘-시간 그래프에서 그래프 아랫부분의 면적은 충격량과 같다.

이 물체의 충격량은 $\frac{1}{2} \times 6\ s \times 2\ N = 6\ N \cdot s$이다.

운동량과 충격량의 공식은 다음과 같다.

• 충격량 = 나중 운동량 − 처음 운동량

• 운동량 = 질량 × 속도

이 운동에서 물체의 처음 운동량은 0(정지 상태)이므로 '충격량 = 나중 운동량 = 2 kg × v', 즉, 6초일 때 물체의 속도는 3 m/s이다. 0~6초 동안 힘이 물체에 한 일은 물체의 운동 에너지 변화량과 같다.

$$W = E_k = \frac{1}{2}mv^2 - \frac{1}{2}mv_0^2$$
$$= \frac{1}{2} \times 2\ kg \times (3\ m/s)^2 - \frac{1}{2} \times 2\ kg \times 0^2 = 9\ J$$

또다른 풀이

운동 에너지 $= \frac{1}{2}mv^2 = \frac{(mv)^2}{2m} = \frac{(\text{운동량})^2}{2m}$이다. 6초에서 물체의 운동량은 6 kg·m/s이고 물체의 질량은 2 kg이므로 6초일 때 운동 에너지는 $\frac{(6)^2}{2 \times 2}$이며, 이는 0~6초 동안 힘이 물체에 한 일과 같다.

062 **답 ⑤** | 일 · 운동 에너지 정리에서 알짜힘이 한 일의 양은 운동 에너지의 변화량과 같다. A, B는 정지 상태에서 일정한 힘을 받아 운동하여 t에서 속도가 각각 $2v$, v가 되었다.

운동 에너지 변화량은 $\frac{1}{2}mv^2 - \frac{1}{2}mv_0^2$이고, $v_0 = 0$이므로 두 물체의 운동 에너지 변화량은 각각 $\frac{1}{2}m(2v)^2$, $\frac{1}{2}mv^2$이며 이것은 두 물체에 한 일과 같다.

즉, $W_A : W_B = \frac{1}{2}m(2v)^2 : \frac{1}{2}mv^2 = 4 : 1$이다.

063 **답 ②** | 전동기가 물체에 한 일의 양은 중력에 의한 물체의 퍼텐셜 에너지 증가량과 운동 마찰력이 한 일의 합과 같다.

• 물체의 중력 퍼텐셜 에너지 증가량
$= 1\ kg \times 10\ m/s^2 \times 1\ m = 10\ J$

물체가 등속 운동을 하므로 '작용한 힘 = 운동 마찰력'이다.

• 운동 마찰력이 한 일 = 2 N × 3 m = 6 J

따라서 전동기가 물체에 한 일의 양은 16 J이다.

064 **답 ①** | • 0~1초 사이에 물체의 이동 거리 구하기: 속력-시간 그래프에서 그래프 아래의 면적은 이동 거리와 같다. 그래프에서 0초에서 1초까지 물체 A와 B는 5 m 이동하여 속력이 10 m/s가 되었을 때 실이 끊어졌다.

• B의 질량 구하기: 속력-시간 그래프에서 그래프의 기울기는 물체의 가속도이다. 1~3초까지 그래프의 기울기 크기가 실이 끊어진 후 중력이 작용하여 움직이는 두 물체 A, B의 가속도의 크기이며 $\frac{10\ m/s}{2\ s} = 5\ m/s^2$이다.

B의 질량을 m_B라고 할 때, 1초 이후 줄이 끊어진 물체 A와 B에 작용한 힘의 크기는 '(A의 질량 + B의 질량) × 가속도'이고, 이는 'B에 작용하는 중력(m_Bg)'의 크기와 같다.

즉, $(2\ kg + m_B) \times 5\ m/s^2 = m_B \times 10\ m/s^2$

따라서 B의 질량은 2 kg이다.

• 0~1초 사이에 전동기가 한 일: 전동기가 일을 하여 A, B의 속도가 증가하고, B의 위치가 높아졌다. 따라서 전동기가 한 일은 'A와 B의 운동 에너지 증가량 + B의 중력 퍼텐셜 에너지 증가량'이다. 정지 상태의 두 물체가 1초일 때 속력이 10 m/s가 되었으므로 'A와 B의 운동 에너지 증가량'은 $\frac{1}{2} \times 2 \times 10^2 + \frac{1}{2} \times 2 \times 10^2 = 200$ (J)이다. 또한 물체 B는 높이가 5 m 올라갔으므로 중력 퍼텐셜 에너지 증가량은 $2 \times 10 \times 5 = 100$ (J)이다.

따라서 전동기가 한 일은 200 J + 100 J = 300 J이다.

문제 속 자료 속력-시간 그래프 해석

전동기 2kg A B m_Bg

a의 가속도로 알짜힘 $(F-m_Bg)$이 물체 A와 B를 끌어 당김

속력(m/s) 10 0 1 3 시간(s)

그래프 아래의 면적 = 이동 거리

- 0~1초 동안 A, B 두 물체는 전동기의 일을 받아 움직이므로 물체 A와 B의 운동 에너지가 늘어나고, 물체 B는 위치가 증가하므로 중력 퍼텐셜 에너지도 증가하게 된다. 따라서 두 에너지의 증가량이 전동기가 한 일이 된다.
- 또다른 풀이: 전동기가 물체를 잡아 당기는 힘을 F라고 하면 0~1초 사이에 물체에 작용하는 알짜힘은 'F − B에 작용한 중력'이 되고, 이 힘이 A, B 두 물체를 가속도 10 m/s²으로 잡아 당긴다.
  ➡ $F - 2\text{ kg} \times 10\text{ m/s}^2 = (2\text{ kg} + 2\text{ kg}) \times 10\text{ m/s}^2$이므로 $F = 60$ J이 된다. 0~1초 사이에 A, B는 5 m 이동했으므로, 전동기가 한 일 $W = F \times s = 60\text{ J} \times 5\text{ m} = 300$ J이다.

065 **답** ② | 실이 끊어지면 A는 자유 낙하를 하고, B, C는 연결되어 화살표 방향으로 진행한다. 이 때 B−C에는 C에 작용하는 중력이 알짜힘으로 작용한다. 즉, 물체 B와 C는 줄이 끊어진 후에도 관성에 의해 화살표 방향으로 진행하며, C에 작용하는 중력이 알짜힘으로 작용하므로, 속력이 점점 느려진다.

따라서 B의 운동 에너지는 감소하고, C의 역학적 에너지는 증가(C의 운동 에너지 감소, C의 중력 퍼텐셜 에너지 증가)하며, 두 값은 서로 같다.

ㄴ. B와 C의 역학적 에너지가 보존되므로 B의 운동 에너지 감소량만큼 C의 역학적 에너지는 증가한다.

오답 피하기

ㄱ. 실이 끊어지면 A는 자유 낙하한다. A의 가속도의 크기는 중력 가속도(g)이고, 실에 연결된 B와 C의 가속도의 크기를 a라고 할 때, '$mg = (2m + m)a$'이므로 $a = \frac{1}{3}g$이다. 따라서 가속도의 크기는 A가 B의 3배이다.

ㄷ. B와 C의 역학적 에너지가 보존되므로 B의 운동 에너지 감소량은 'C의 중력 퍼텐셜 에너지 증가량 + C의 운동 에너지 감소량)'과 같다.

066 **답** ④ | ㄱ. A, B는 실로 연결되어 움직이므로 속력, 이동 거리, 가속도의 크기가 같다. 또한 A, B의 질량이 같으므로 작용하는 알짜힘의 크기가 같다($F = ma$이고 질량과 가속도가 같으므로). 또한 A, B의 이동 거리가 같으므로 A, B에 작용하는 각각의 알짜힘이 한 일은 같다.

ㄴ. A, B를 비교하면 A, B의 질량과 속도가 같으므로 두 물체의 운동 에너지 증가량은 같다.

감소한 퍼텐셜 에너지양을 보면 빗면을 내려온 물체 A의 높이 차가 수직으로 내려 온 B의 높이차보다 작으므로, 퍼텐셜 에너지는 A가 B보다 적게 감소한다.

역학적 에너지는 '운동 에너지 + 퍼텐셜 에너지'이고, A와 B의 역학적 에너지는 보존되므로 A의 역학적 에너지는 증가하고 B의 역학적 에너지는 감소한다.

오답 피하기

ㄷ. A, B의 역학적 에너지가 보존되므로 A, B의 증가한 운동 에너지의 합은 A, B의 감소한 중력 퍼텐셜 에너지의 합과 같다.

문제 속 자료 도르래로 연결된 물체의 역학적 에너지

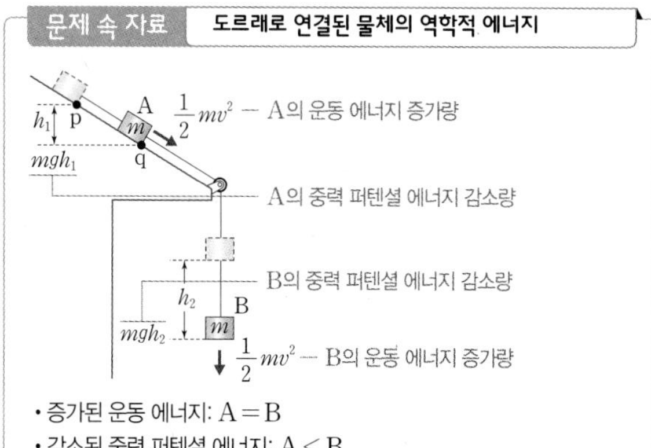

- 증가된 운동 에너지: A = B
- 감소된 중력 퍼텐셜 에너지: A < B
  ➡ 중력 퍼텐셜 에너지 감소량은 높이 변화가 더 큰 B가 A보다 크다.
- A와 B의 역학적 에너지는 보존되므로 중력 퍼텐셜 에너지 감소량이 더 큰 B의 역학적 에너지는 감소, 중력 퍼텐셜 에너지 감소량이 작은 A의 역학적 에너지는 증가하였다.

067 **답** ⑤ | ㄱ. 물체 B를 놓기 전, 물체 A와 B는 서로 같은 높이 h에서 정지 상태이다. 높이 h에서 중력 퍼텐셜 에너지는 A가 mgh이고 B는 $3mgh$이므로 A와 B의 운동 에너지 합이 0일 때, 중력 퍼텐셜 에너지의 합은 $4mgh$이다.

ㄴ. 물체 B가 h만큼 낙하하였을 때 A와 B의 운동 에너지가 각각 $\frac{1}{2} \times m \times v^2$, $\frac{1}{2} \times 3m \times v^2$이므로 A와 B의 운동 에너지의 합은 $2mv^2$이다.

ㄷ. B가 h만큼 낙하했을 때 A의 중력 퍼텐셜 에너지는 $2mgh$(높이가 $2h$이므로)이고 B의 중력 퍼텐셜 에너지는 0(높이가 0이므로)이다. B를 놓기 전후에 A와 B의 역학적 에너지가 보존되므로 $0 + 4mgh = 2mv^2 + 2mgh$가 성립하며, 이 식을 풀면 $v = \sqrt{gh}$이다.

068 **답** ③ | ㄱ. 중력 가속도를 g, A와 B의 질량을 m이라 하면, 같은 높이 h인 지점에서 수평면까지 A, B가 내려오는 동안 중력이 한 일은 mgh로 동일하다.

ㄴ. 높이 h에서 수평면까지 A, B가 내려오는 동안 운동 에너지 변화량은 중력이 물체에 한 일과 같으므로 mgh로 서로 같다.

오답 피하기

ㄷ. A와 B가 지나는 빗면이 서로 다른 각도로 꺾여 있다. 만약 h인 지점에 두 물체를 가만히 놓는다면 같은 거리만큼 이동하는 데 걸리는 시간은 A가 B보다 크다(빗면의 기울기에 따라 속력 변화가 다르므로). 그런데 높이 h인 지점을 동시에 통과하고, 같은 거리만큼 이동하여 동시에 수평면에 도달하였으므로 h인 지점을 지나는 순간의 속력은 A가 B보다 커야 한다.

즉, 두 물체 A, B의 처음 속력이 다르므로 운동 에너지도 다르다. h인 지점에서 중력 퍼텐셜 에너지는 같으므로 역학적 에너지는 운동 에너지가 더 큰 A가 B보다 크다.

문제 속 자료 경사면의 각도와 속력

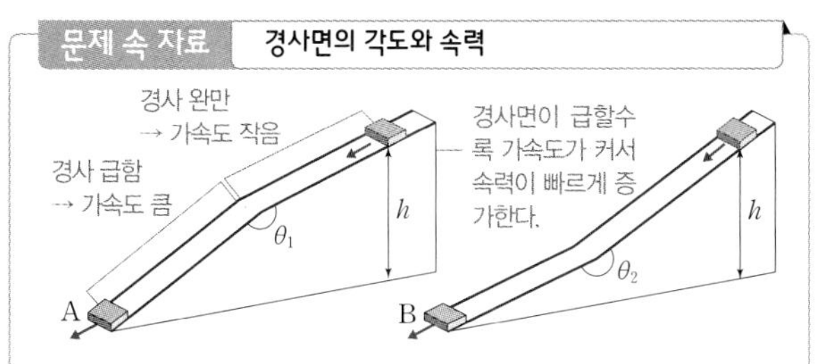

- A는 '완만한 경사면+급한 경사면'을 지나고, B는 '급한 경사면+완만한 경사면'을 지난다. 즉, A는 처음 가속도는 작고 경사면을 지난 후 가속도가 커지며, B는 처음 가속도는 크고 경사면을 지난 후 가속도가 줄어든다.
- 물체의 속력-시간 그래프에서 그래프 아래의 면적은 이동 거리를 나타내고, 문제에서 두 물체의 이동 거리는 같다. 그래프에서 두 물체의 이동 거리가 같으려면 처음 속력인 h점을 지나는 속력이 A가 B보다 더 커야 한다.

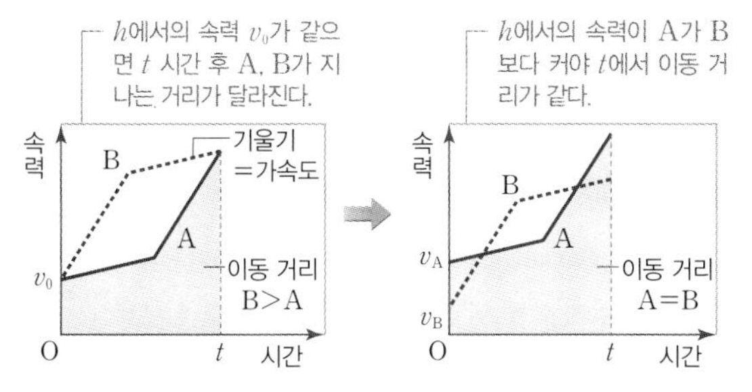

- 물체가 빗면을 내려오는 동안 운동 에너지 변화량은 같지만, h와 바닥에서의 속력이 A > B이므로 운동 에너지는 A가 B보다 크다.

069 답 ② | A에서 B까지 운동 에너지 감소량은 C에서 D까지 중력에 의한 퍼텐셜 에너지 증가량과 같다. 여기서 D의 높이를 H라고 하면 $\frac{1}{2}m(2v)^2 - \frac{1}{2}m(v)^2 = mgH - mgh$가 된다. ➡ $\frac{3}{2}v^2 = gH - gh \cdots$①

또한 역학적 에너지 보존 법칙에 따라 A에서의 운동 에너지는 D에서의 퍼텐셜 에너지와 같기 때문에 다음 관계가 성립한다. $\frac{1}{2}m(2v)^2 = mgH \cdots$②

②식에서 $v^2 = \frac{gH}{2}$이므로 ①식의 v^2에 ②식에서 구한 $\frac{gH}{2}$를 대입하면, $H = 4h$를 얻을 수 있다.

070 답 ① | p에서의 속력을 v라고 하면, q에서의 속력은 $3v$이고, 두 점에서 역학적 에너지는 같으므로 q를 기준점으로 놓았을 때 p와 q에서 역학적 에너지는 다음과 같다.

$\frac{1}{2}mv^2 + mgh = \frac{1}{2}m(3v)^2 + 0$ (q를 기준점으로 놓으면, q에서 중력 퍼텐셜 에너지는 0이다.)

➡ $v^2 = \frac{gh}{4}$

수평면에서 q까지의 높이를 H라고 하면, q에서 운동 에너지는 중력 퍼텐셜 에너지의 2배이므로 다음 식이 성립한다.

$\frac{1}{2}m(3v)^2 = 2mgH$

이때 $v^2 = \frac{gh}{4}$이므로 $H = \frac{9}{16}h$이다.

문제 속 자료 퍼텐셜 에너지의 기준점

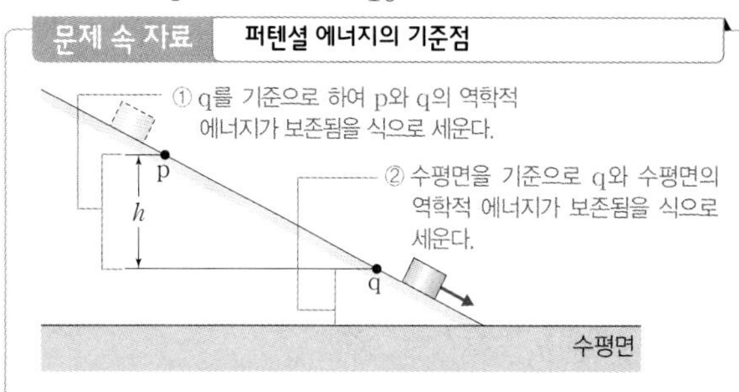

① q를 기준으로 하여 p와 q의 역학적 에너지가 보존됨을 식으로 세운다.
p
h
② 수평면을 기준으로 q와 수평면의 역학적 에너지가 보존됨을 식으로 세운다.
q
수평면

- 두 점에서 역학적 에너지는 보존된다. p에서 물체의 중력 퍼텐셜 에너지가 q에서 운동 에너지로 전환되면서 q에서 물체의 운동 에너지가 커진다.
- 물체의 중력 퍼텐셜 에너지는 p점에서 q점으로 내려 오면서 mgh만큼 줄어들었다.
- 기준면이 달라지면 중력 퍼텐셜 에너지 값은 달라지지만 두 점 사이의 중력 퍼텐셜 에너지의 차이는 일정하다.

071 답 ② | 각 지점에서 중력에 의한 역학적 에너지는 보존된다. A지점에서 공을 가만히 놓았으므로 역학적 에너지는 A지점에서의 중력 퍼텐셜 에너지, B나 D지점에서의 운동 에너지와 같다.

ㄷ. 일 · 에너지 정리에서 공에 작용하는 중력이 한 일만큼 운동 에너지가 변한다. 즉, 중력이 일을 하여 공이 아래로 내려오는 동안 공의 운동 에너지가 증가한다.

오답 피하기

ㄱ. 마찰과 공기 저항이 없으므로 각 지점에서 역학적 에너지는 보존된다. 역학적 에너지는 A~D에서 모두 같다.

ㄴ. 운동량은 '질량 × 속도'이다. B점과 D점에서 운동 에너지가 같으므로 물체의 속도가 같다. 즉, B와 D에서 물체의 운동량 크기는 같다.

072 답 ② | 물체의 역학적 에너지는 보존되므로 물체가 p점을 지나는 순간(물체에 작용하는 힘 제거) 물체의 운동 에너지는 물체가 h까지 올라가 정지한 순간의 중력 퍼텐셜 에너지와 같다.

또한 p점에서 물체의 운동 에너지는 물체에 힘을 작용한 O점에서 p점까지 물체를 이동시킨 힘이 한 일과 같다.
물체의 질량을 m, O와 p 사이에서 물체의 가속도의 크기를 a라 하면, 다음 식이 성립한다.
수평면에서 힘이 물체에 한 일 W
$= ma \times 2h$ ← 한 일$=F\cdot s$이고, $F=ma$이므로
= p점에서 물체의 운동 에너지
= 높이 h에서 물체의 중력 퍼텐셜 에너지
$= mgh$
즉, $ma \times 2h = mgh$ ➡ $a = \frac{g}{2}$이다.

073 답 ④ | 물체의 속력은 r에서가 q에서의 2배이므로 운동 에너지는 r에서가 q에서의 4배이다. q에서 운동 에너지를 E_k라 하면 r에서의 운동 에너지는 $4E_k$가 된다. p, q, r에서 역학적 에너지는 모두 같으므로
$mgh_1 = mgh_2 + E_k = 4E_k$
즉, $mgh_1 = 4E_k$, $mgh_2 + E_k = 4E_k$에서
$mgh_2 = 3E_k$이다.
즉, h_1과 h_2에서 중력 퍼텐셜 에너지의 비 '$mgh_1 : mgh_2 = 4E_k : 3E_k$'이며, '$h_1 : h_2 = 4 : 3$'이다.

074 답 ④ | 마찰이 없는 면에서는 역학적 에너지 보존에 의해 용수철과 물체가 분리된 직후에 용수철이 압축된 길이 x만큼의 탄성 퍼텐셜 에너지가 물체의 운동 에너지로 전환된다. 따라서 용수철의 탄성 퍼텐셜 에너지 $E_p = \frac{1}{2}kx^2$은 물체의 운동 에너지 $E_k = \frac{1}{2}mv^2$이 된다. 마찰이 있는 면에서는 등가속도 운동 방정식을 적용하여 가속도를 구할 수 있다.
ㄴ. 용수철과 분리된 직후는 마찰이 없는 면이므로 역학적 에너지(운동 에너지 + 퍼텐셜 에너지)가 보존된다. 탄성 퍼텐셜 에너지가 감소한 만큼 운동 에너지로 전환되었기 때문에 처음 물체가 가지고 있는 역학적 에너지는 $\frac{1}{2}kx^2$이다.
물체는 마찰면을 지나면서 정지하고, 이때 물체가 가진 역학적 에너지는 0이다. 따라서 감소한 역학적 에너지는 $\frac{1}{2}kx^2$이다.
ㄷ. 마찰면으로 들어간 처음 속력은 $x\sqrt{\frac{k}{m}}$이고(ㄱ번 해설 참조), 물체는 등가속도 운동을 하므로 $2as = v^2 - v_0^2$, $v=0$이므로(운동 후 정지), 가속도의 크기는 $\frac{kx^2}{2ms}$이다.

오답 피하기
ㄱ. 역학적 에너지 보존에 의해 용수철과 분리된 직후 운동 에너지 $\frac{1}{2}mv^2 = \frac{1}{2}kx^2$이므로 속력은 $v = x\sqrt{\frac{k}{m}}$이다.

문제 속 자료 탄성 퍼텐셜 에너지

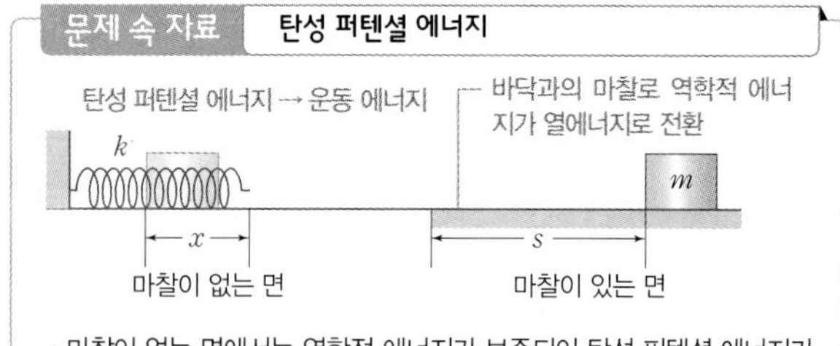

- 마찰이 없는 면에서는 역학적 에너지가 보존되어 탄성 퍼텐셜 에너지가 운동 에너지로 전환되었다.
- 마찰이 있는 면에서 바닥과의 마찰로 물체는 정지하게 되었고, 이때 역학적 에너지는 보존되지 않는다.

075 답 ④ | ㄱ. 물체는 아래로 내려가고 있으므로(위치 감소) 중력에 의한 퍼텐셜 에너지는 감소한다.
ㄴ. 용수철이 늘어나고 있으므로 $E_P = \frac{1}{2}kx^2$에서 x의 증가로 탄성 퍼텐셜 에너지는 증가한다.

오답 피하기
ㄷ. 용수철에 매달린 물체에는 중력과 탄성력이 동시에 작용하고 있다. 이 힘에 의해 탄성 퍼텐셜 에너지, 중력 퍼텐셜 에너지, 운동 에너지가 변한다. 따라서 '(탄성 퍼텐셜 에너지 + 중력 퍼텐셜 에너지 + 운동 에너지) = 역학적 에너지'이며, 이 값이 일정하다.

076 답 ① | 물체가 용수철에 매달려 진동할 때 역학적 에너지는 보존된다. 역학적 에너지는 탄성 퍼텐셜 에너지와 운동 에너지의 합이다.
- P지점($x = \frac{A}{2}$)에서 질량 m인 물체의 운동 에너지를 E라 할 때, $\frac{1}{2}kA^2 = E + \frac{1}{2}k(\frac{A}{2})^2$ ➡ $E = \frac{3}{8}kA^2$이다.
- P지점에서 질량 $2m$, 용수철 상수 $\frac{k}{2}$인 물체의 운동 에너지를 E'라 하면, $\frac{1}{2}(\frac{k}{2})A^2 = E' + \frac{1}{2}(\frac{k}{2})(\frac{A}{2})^2$
➡ $E' = \frac{3}{16}kA^2$이다.
$\frac{3}{8}kA^2 = E$이므로 $E' = \frac{1}{2}E$이다.

077 답 ② | 물체의 역학적 에너지는 운동 에너지와 퍼텐셜 에너지의 합이다. 즉, 운동 에너지가 0일 때 퍼텐셜 에너지는 최대이고, 퍼텐셜 에너지가 0일 때는 운동 에너지가 최대이다. 탄성 퍼텐셜 에너지는 용수철이 늘어나거나 압축된 길이만큼 달라지므로 평형 위치 $x=0$에서는 0이다.
ㄴ. (나)에서 운동 에너지가 E_0인 지점은 탄성 퍼텐셜 에너지가 0이므로 용수철에 연결된 물체가 평형 위치에 있다. 따라서 물체에 작용하는 탄성력은 0이다. 힘이 작용하지 않는 상태이므로 가속도 역시 0이다.

오답 피하기

ㄱ. 그래프에서 퍼텐셜 에너지가 0일 때 운동 에너지는 E_0이다. 물체의 역학적 에너지 = 운동 에너지의 최댓값 = 퍼텐셜 에너지의 최댓값 = E_0이다.

ㄷ. 물체가 최대 변위인 x 위치에 있을 때 탄성 퍼텐셜 에너지가 $\frac{1}{2}kx^2$이고, 이것이 E_0이다. 탄성 퍼텐셜 에너지가 $\frac{E_0}{2}$일 때, 물체와 평형 위치 사이의 거리를 A라고 하면 $\frac{1}{2}kA^2 = \frac{E_0}{2}$이다. 두 식을 정리하면 A는 $\frac{x}{\sqrt{2}}$이다.

078 **답** ① | 기체의 압력이 일정하게 유지되면서 기체의 부피가 증가하는 등압 팽창 과정이다. 기체가 열을 받아 등압 과정으로 팽창할 때, 부피가 증가해 외부에 일을 하고, 압력은 일정하며, 내부 에너지가 증가하므로 온도도 상승한다.

ㄴ. 기체의 내부 에너지가 증가하여 기체의 온도가 증가하였다. 기체 분자의 평균 속력은 온도가 높을수록 빠르다.

오답 피하기

ㄱ. 기체의 온도는 '기체의 압력 × 부피'에 비례한다. 기체는 압력이 일정하고 부피가 증가하므로 온도 역시 증가한다.

ㄷ. 기체가 흡수한 열량(Q)은 기체가 외부에 한 일(W)과 내부 에너지 증가량($\varDelta U$)의 합과 같다. ($Q = W + \varDelta U$)

079 **답** ① | ㄱ. A는 (가) → (나)의 등압 팽창 과정에서 열량 Q를 흡수해 외부에 W의 일을 하고 내부 에너지가 증가하여 온도가 높아졌다. (나) → (다)의 과정에서 W의 일을 받아 부피가 수축하였으며, 외부로 열출입이 없으므로 단열 압축이다. 단열 압축에서 외부에서 일을 받아 내부 에너지가 증가하므로 A의 온도는 (다)에서가 (나)에서보다 높다.

따라서 기체의 온도는 (다) > (나) > (가) 순으로 높으므로, A의 온도는 (가)에서가 (다)에서보다 낮다.

오답 피하기

ㄴ. (나) → (다) 과정은 단열 과정이고 부피가 감소하므로 A의 압력은 증가한다.

ㄷ. (나) → (다) 과정은 단열 과정이므로 $\varDelta U = -W$, 즉, 내부 에너지 변화량은 기체가 받은 일의 양과 같다. 기체가 한 일 $W = P\varDelta V$로 구할 수 있다.

(가) → (나)와 (나) → (다)에서 기체의 부피 변화는 같다(A의 부피는 (가)와 (다)가 같다고 제시되어 있으므로). 그러나 기체의 압력은 (나) < (다)이므로((나) → (다)는 단열 압축이므로 압력은 (다) > (나) = (가)이다), (가) → (나) 과정에서 A가 한 일의 양보다 (나) → (다) 과정에서 A가 받은 일의 양(A의 내부 에너지 변화량)이 더 크다.

문제 속 자료 열역학 과정 그래프

(가)에서 기체 A의 부피와 압력은 V_1, P_1이라 하고 기체의 압력-부피 그래프를 그리면 다음과 같다.

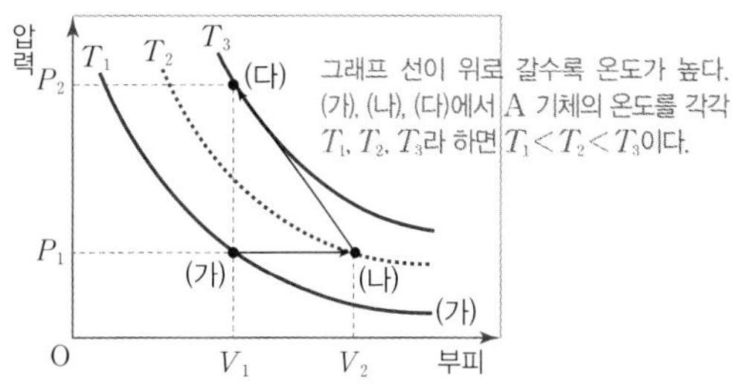
압력
부피
O
P_1
P_2
V_1
V_2
T_1
T_2
T_3
(가)
(나)
(다)
그래프 선이 위로 갈수록 온도가 높다.
(가), (나), (다)에서 A 기체의 온도를 각각 T_1, T_2, T_3라 하면 $T_1 < T_2 < T_3$이다.

- (가) → (나)의 등압 팽창 과정: 그래프에서 압력이 P_1로 일정하고, 부피가 $V_1 \rightarrow V_2$로 증가하였다. 열량 Q를 받아 외부에 W의 일을 하며, 내부 에너지가 증가하여 온도가 증가한다.
- (나) → (다)의 단열 압축 과정: 부피가 $V_2 \rightarrow V_1$로 감소하고 압력이 $P_1 \rightarrow P_2$로 증가하고 있다.
- 온도: (가) < (나) < (다)
- 압력: (가) = (나) < (다) ··· 기체의 온도는 '부피 × 압력'에 비례한다.
- 부피: (가) = (다) < (나)

080 **답** ⑤ | ㄱ, ㄴ. (나)에서 기체는 외부로부터 일을 받아 단열된 상태에서 부피가 줄었으므로 단열 압축 과정이다. 따라서 (나)에서 기체가 받은 일 W_0은 모두 내부 에너지 변화에 사용되어 내부 에너지가 증가하였다. 기체의 내부 에너지는 기체의 온도에 비례하므로 $T_2 > T_1$이다.

ㄷ. (가)와 (나)에서 기체의 온도 변화가 같으므로 기체의 내부 에너지 변화량도 같다. (가)에서 기체가 외부에 한 일을 W라고 하면, $Q_0 = W + \varDelta U$이고, (나)에서 기체가 받은 일의 양 W_0은 기체의 내부 에너지 증가량 $\varDelta U$와 같다. 계산하면, $W = Q_0 - W_0$이다.

081 **답** ③ | ㄱ. (가)는 등적 과정으로 $Q = \varDelta U$이므로 받은 열량 Q는 모두 내부 에너지 증가에 사용되었다.

ㄴ. (나)는 등압 과정으로 $Q = \varDelta U + W$이며, 받은 열량으로 일을 하고 내부 에너지가 증가된다. 내부 에너지가 증가하므로 기체의 온도가 높아지고, 기체 분자의 평균 속력이 빨라진다.

오답 피하기

ㄷ. (가)와 (나)는 단열된 실린더 안에서 동일한 열량 Q를 공급받았다. (가)에서 기체는 외부에 일하지 않았으므로 내부 에너지 변화량 $\varDelta U_{(가)} = Q$이고, (나)에서 기체는 외부에 일(W)을 하였으므로 내부 에너지 변화량 $\varDelta U_{(나)} = Q - W$이다. 열량 Q가 같으므로 내부 에너지 증가량은 '(가) > (나)'이다. 문제에서 열량 Q를 공급받은 후 (가)와 (나)의 내부 에너지가 같아졌으며, 열량 Q를 공급받은 후 내부 에너지 증가량은 (가)가 (나)보다 크므로, 가열 전 기체의 내부 에너지는 '(가) < (나)'이다.

082 **답** ⑤ | 밸브를 열면 B의 압력이 감소한다.

ㄴ. A는 단열된 상태에서 부피가 증가하여 외부에 일을 하였으므로 내부 에너지가 감소하여 온도가 낮아진다. 즉, A는 단열 팽창하므로 내부 에너지를 사용하여 외부에 일을 한 것이다.

ㄷ. $Q=\Delta U+W=0$에서 $\Delta U=-W<0$이므로 내부 에너지가 감소하여 기체의 온도가 낮아지고, 기체 분자의 평균 속력이 작아진다. 기체 분자의 운동 속력은 온도가 높을수록 빨라진다.

오답 피하기

ㄱ. (나)에서 밸브를 열었으므로 B의 압력이 감소하고, 피스톤이 올라오다 정지하였으므로 A와 B의 압력은 같다. 따라서 A의 압력도 감소한다.

083 **답** ④ | ㄴ. A, B는 단열되지 않은 칸막이로 나뉘어져 있다. 따라서 열이 이동하여 열평형 상태가 되었으므로 A, B의 온도는 같다.

ㄷ. B는 A에서 이동한 열을 받아 B의 부피가 팽창하며 내부 에너지는 증가한다. 따라서 B의 온도는 증가한다.

오답 피하기

ㄱ. 열역학 제1법칙 $Q=\Delta U+W$에서 A가 한 일은 0이므로 A가 받은 열량 Q는 모두 A의 내부 에너지를 높이는 데 사용되어야 한다. 그러나 A가 단열된 상태가 아니므로 Q의 일부는 B로 전달되었다. 따라서 A의 내부 에너지 변화량은 Q보다 작다.

084 **답** ② | ㄴ. (나)에서 A와 B가 들어 있는 실린더의 두 피스톤의 단면적이 동일하고 피스톤이 정지해 있으므로 피스톤의 양쪽에서 작용하는 힘의 크기가 같다. 따라서 A와 B의 압력은 같다. 즉, A와 B가 서로 따로 움직이는 것이 아니므로 부피와 압력을 생각할 때 A, B를 함께 고려해야 한다.

오답 피하기

ㄱ. B가 들어 있는 실린더와 피스톤이 단열되어 있으므로 B는 흡수한 열량이 0이고, 피스톤이 B에 해 준 일은 B의 내부 에너지 증가량과 같다. 따라서 피스톤이 이동하는 동안 B의 온도는 올라간다.

ㄷ. A는 (가)의 상태에서 Q만큼의 열량을 받아서 온도가 상승하였으므로 내부 에너지가 증가한다. 또한 A의 부피가 증가하였으므로 A는 외부에 일을 한다.

(나)에서 A가 한 일을 W_A, A의 내부 에너지 변화량을 ΔU_A라고 하면, 열역학 제1법칙에 따라 $Q=W_A+\Delta U_A$이다. 따라서 A의 내부 에너지는 (나)에서가 (가)에서보다 $Q-W_A$ 만큼 크다.

085 **답** ④ | A, B가 열전달이 잘되는 금속판으로 나뉘어 있으므로 열량 Q를 B에 가하면 열이 이동하여 A, B가 열평형을 이룬다. A와 B는 열평형으로 온도가 같으므로 내부 에너지도 같다. A의 부피만 서서히 증가하였으므로 A의 압력은 변함이 없다.

ㄱ. (나)에서 B는 (가)에서보다 온도가 상승하였으나 부피 변화가 없으므로(등적 과정), (가)에서보다 압력이 증가하였다. A는 부피가 서서히 증가하여 피스톤이 대기압과 추에 의한 압력으로 정지하였다. 즉, 압력이 (가)일 때와 변하지 않았으므로 (나)에서 기체의 압력은 A<B이다.

ㄷ. (가)에서 (나)로 되는 과정에서 A와 B의 온도 변화는 같으므로(열평형 상태이므로) 내부 에너지 변화량 역시 동일하다($\Delta U_A=\Delta U_B=\Delta U$). A가 받은 열량을 Q_A, B가 받은 열량을 Q_B라고 하면 A는 부피가 증가하면서 기체가 외부에 일을 하였으므로 $Q_A=W+\Delta U_A$이고, B는 외부에 한 일이 0이므로 $Q_B=\Delta U_B$이다.

흡수한 열량 $Q=Q_A+Q_B$이므로

$Q_A=W+\Delta U_A=W+Q_B=W+Q-Q_A$이고,

따라서 $Q_A=\frac{1}{2}W+\frac{1}{2}Q$이다. (가)에서 (나)로 되는 과정에서 A가 흡수한 열량 Q_A는 공급된 열량의 $\frac{1}{2}$인 $\frac{1}{2}Q$보다 $\frac{1}{2}W$만큼 크다.

오답 피하기

ㄴ. (나)에서 A와 B는 열평형 상태이므로 A와 B의 온도가 같고 내부 에너지 또한 같다. 기체의 내부 에너지는 기체의 온도에 따라 변한다.

문제 속 자료 A, B의 열역학 과정

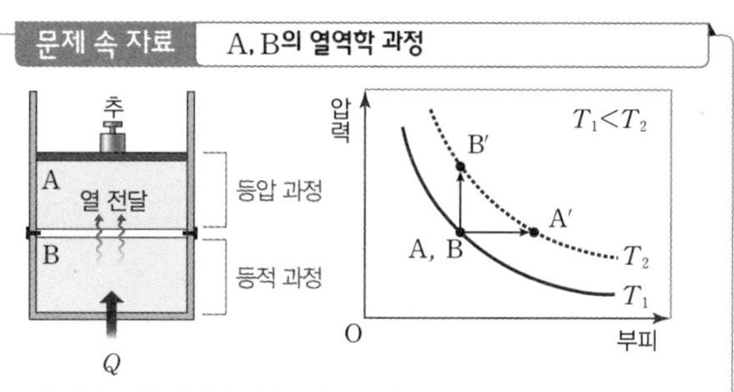

- A, B는 처음 열평형 상태에 있고 압력과 부피가 같다.
- B는 등적 과정을 거치므로 부피는 일정하고 압력은 증가한다.
- A는 등압 과정을 거치므로 부피는 증가하고 압력은 일정하다.
- A, B는 열량 Q를 받은 후에도 열평형을 이루므로 온도가 같다.

086 **답** ③ | ㄱ. A → B 과정에서 부피는 일정하지만 온도가 증가하므로 기체가 외부에 하는 일은 0이지만, 내부 에너지가 증가한다. 따라서 열을 흡수한다.

ㄷ. B 상태의 온도가 C 상태의 온도보다 높으므로 기체 분자의 평균 운동 에너지도 크다. 기체 분자는 온도가 높을수록 분자 운동이 빨라지므로 운동 에너지도 커진다.

오답 피하기

ㄴ. 문제에 제시된 그래프는 부피－온도 그래프이다. 이를 압력－부피 그래프로 그려보면 다음과 같다. 그래프 아랫부분의 면적은 기체가 한 일의 양과 같다.

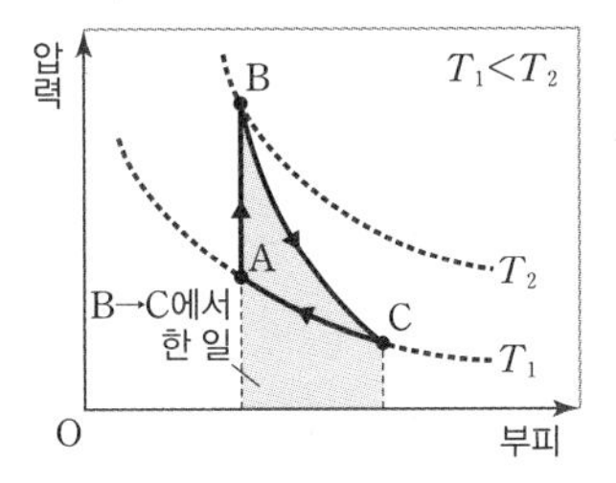

• A → B 과정: 등적 과정으로, 부피는 일정하고 압력은 증가한다. 따라서 기체가 한 일은 0이고, 온도는 높아진다.

• B → C 과정: 단열 팽창 과정으로, 기체가 외부에 한 일은 압력－부피 그래프 아랫부분의 면적과 같다.

• C → A 과정: 등온 과정으로 내부 에너지의 변화가 없으므로 기체가 방출한 열량은 기체가 받은 일과 같으며 그래프 아래의 면적과 같다. 따라서 B → C 과정에서 기체가 한 일은 C → A 과정에서 기체가 방출한 열량보다 크다.

문제 속 자료 기체의 부피－온도 그래프

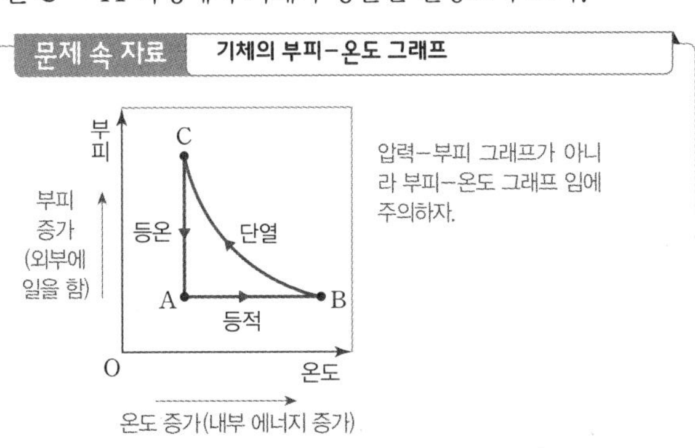

압력－부피 그래프가 아니라 부피－온도 그래프 임에 주의하자.

• A → B: 등적 과정이므로 부피는 일정하고 압력이 증가한다.
➡ $Q=\varDelta U$

• B → C: 단열 과정이며, 부피가 늘어나는 것으로 보아 단열 팽창이다. 외부에 일을 한 만큼 내부 에너지가 감소하였다.
➡ $W=-\varDelta U$

• C → A: 등온 과정이며 부피가 줄어들었으므로 압력은 증가한다. 또한 온도가 일정하므로 내부 에너지는 변하지 않는다.
➡ $Q=W$

087 답 ③ | ㄱ. 기체의 온도는 압력과 부피의 곱에 비례한다. B에서 '압력 × 부피'는 $4PV$, A에서는 $3PV$이다. 따라서 온도는 B가 A보다 높다.

ㄴ. 내부 에너지는 기체의 온도에 따라 변한다. 즉, 온도가 높을수록 내부 에너지가 높다. C의 '압력 × 부피 $=3PV$'로 A와 같다. 즉, A와 C는 서로 온도가 같다.

오답 피하기

ㄷ. 기체가 한 일은 그래프 아랫부분의 넓이와 같다. 그래프 아래의 넓이를 비교하면, 'A → B > B → C'이므로 기체가 한 일도 'A → B > B → C'이다.

088 답 ② | 단열 과정은 외부에서 열 출입 없이 기체의 부피가 팽창하거나 감소함에 따라 기체가 외부에 일을 하거나 받아 온도가 변하는 과정이다. 등압 과정은 압력이 일정한 상태에서 외부에서 열을 받아 기체의 부피가 변하는 과정으로, 외부에서 열을 얻으므로 기체의 온도가 상승한다.

ㄷ. B → C 과정에서 기체의 부피는 증가하고 압력은 변하지 않았다. 기체의 온도는 '압력 × 부피'에 비례하는데, B → C로 변할 때 압력은 일정하나 부피가 증가하였다. 따라서 온도가 높아졌으며, 기체는 열을 흡수하였다.

부피가 증가하였으므로 기체는 외부에 일을 하였고, 온도가 높아졌으므로 기체의 내부 에너지는 증가하였다.

$Q=\varDelta U+W$이고, $\varDelta U>0$, $W>0$이므로, $Q>0$이고 기체는 열을 흡수하였다.

오답 피하기

ㄱ. A → B 과정은 단열 과정이며, 기체의 부피가 줄어들었으므로 단열 압축이다. 단열 압축에서 기체는 외부에서 일을 받고, 이 일은 기체의 내부 에너지를 증가시켜 기체의 온도가 높아진다.

ㄴ. B → C 과정은 등압 과정이고, 기체의 부피는 증가하였지만 기체의 압력은 일정하다. 모래의 양을 감소시키면 기체의 압력이 감소하므로 모래의 양을 감소시키지 않았다.

문제 속 자료 단열 과정

단열 과정은 외부와 열 출입 없이 부피 변화로 기체의 온도가 변한다.
$Q=\varDelta U+W$에서 $Q=0$이므로 $W=-\varDelta U$이다.
이때 기체의 부피가 증가하면 단열 팽창, 부피가 감소하면 단열 압축이다.

• 단열 팽창: 부피 증가 → 외부에 일을 함 → 내부 에너지 사용 → 기체의 온도 내려감
• 단열 압축: 부피 감소 → 외부에서 일을 받음 → 내부 에너지 증가 → 기체의 온도 상승

089 답 ⑤ | ㄴ. B → C 과정은 단열 과정이므로 기체의 내부 에너지 감소량은 기체가 외부에 한 일과 같다.

ㄷ. D → A 과정에서 기체가 단열 압축되므로 온도가 증가하고, A → B 과정에서도 온도가 증가한다. 따라서 온도는 B에서가 D에서보다 높다.

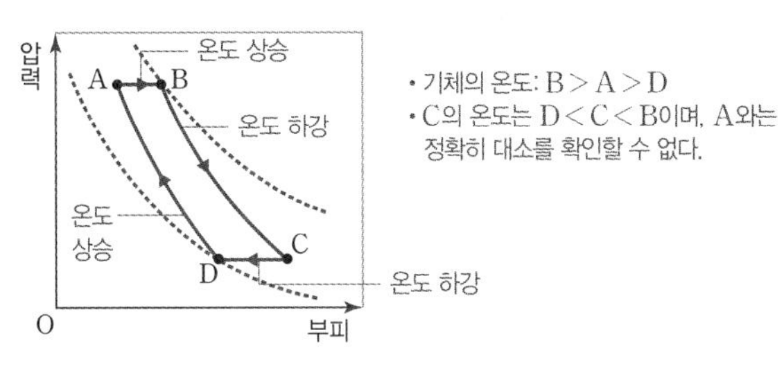

• 기체의 온도: B > A > D
• C의 온도는 D < C < B이며, A와는 정확히 대소를 확인할 수 없다.

오답 피하기

ㄱ. A → B 과정은 부피가 증가하므로 기체가 외부에 일을 한다.

090 **답** ⑤ | ㄱ. 열기관의 열효율이 0.2이고, 한 일이 W이므로 $0.2=\frac{W}{Q_1}$에서 $Q_1=5W$이다.

$Q_2=Q_1-W$이므로 $Q_2=4W$이다.

ㄴ. A → B는 등적 과정으로 기체의 부피는 일정하고 압력만 증가하였다. 기체의 부피 변화가 없으므로 기체는 외부에 일을 하지 않았다. 또한 부피는 일정한데 압력이 증가했으므로 '부피×압력' 값이 커지고, 온도는 높아졌다. 열역학 제1법칙을 적용하면 $Q=\Delta U$이다.

기체의 온도가 상승하였으므로 내부 에너지도 증가하였다. $Q=\Delta U$에서 $\Delta U>0$이므로 $Q>0$이 되며, 기체는 열을 흡수한다.

ㄷ. B → C는 단열 과정으로 열의 이동이 없는 상태에서 기체의 부피가 증가하였다. 즉, 단열 팽창되었고, 기체는 내부 에너지를 이용하여 외부에 일을 하였다. 열역학 제1법칙을 적용하면 $Q=\Delta U+W=0$에서 $W=-\Delta U$이므로 기체가 한 일은 기체의 내부 에너지 감소량과 같다.

091 **답** ③ | ㄱ. 열은 온도가 높은 곳에서 낮은 곳으로 이동하므로 T_1은 고열원이고 T_2는 저열원이다. 따라서 열원의 온도는 $T_1>T_2$이다.

ㄴ. 열기관이 한 일 $W=$ 흡수한 열 $-$ 방출한 열 $=10$ kJ $-$ 6 kJ $=4$ kJ이다.

오답 피하기

ㄷ. 열기관의 열효율 $e=\frac{\text{한 일}}{\text{흡수한 열}}=1-\frac{\text{방출한 열}}{\text{흡수한 열}}=1-\frac{6\text{ kJ}}{10\text{ kJ}}=0.4$이다.

092 **답** ④ | ㄱ. 그래프에서 A는 열기관이 한 일이고, 이 열기관은 카르노 기관이다. 카르노 기관의 열효율 $e_{카}=1-\frac{T_2}{T_1}$이다. 문제에서 고열원의 온도가 400 K, 저열원의 온도가 300 K이므로 열효율은 '$1-\frac{300}{400}=0.25$'이다.

또한 열효율 $e=\frac{W}{Q_1}$이므로 Q_1이 100 J이면 $0.25=\frac{W}{100}$가 되고, 열기관이 한 일 W는 25 J이다.

ㄴ. 에너지 보존 법칙에 따라 흡수한 열량과 방출한 열량의 차이만큼 일로 전환된다. 즉, '열기관이 한 일 $W=$ 고열원에서 흡수한 열량 Q_1- 저열원으로 방출한 열량 Q_2'이다.

오답 피하기

ㄷ. 카르노 기관은 열효율이 가장 높은 이상적인 열기관으로, 열효율은 두 열원의 온도에 의해서만 결정된다. 즉, Q_1이 커지더라도 Q_2가 더 크게 증가하면 열기관의 열효율은 감소한다.

문제 속 자료 카르노 기관의 열역학 과정

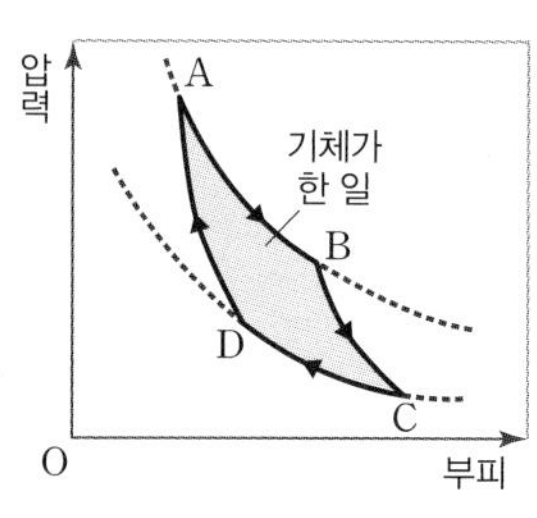

카르노 기관은 순환 후 처음 상태로 되돌아오므로 내부 에너지가 변하지 않는다.

과정	열 에너지	부피 변화	일	온도 변화	내부 에너지
A → B (등온 팽창)	흡수 (Q_1)	증가	일을 함	일정	변화 없음
B → C (단열 팽창)	출입 없음	증가	일을 함	하강	감소
C → D (등온 압축)	방출 (Q_2)	감소	일을 받음	일정	변화 없음
D → A (단열 압축)	출입 없음	감소	일을 받음	상승	증가

- 열기관은 A → B → C 과정에서 부피가 팽창하면서 외부에 일을 하고, C → D → A 과정에서 부피가 줄어들면서 외부에서 일을 받는다.
- 열기관이 한 일은 그래프에서 ABCD로 둘러싸인 부분의 면적이다.
- 열기관이 외부에서 열을 흡수하는 구간은 A → B이며, 이때 흡수한 열량이 Q_1이다.
- 열기관이 외부에 열을 방출하는 구간은 C → D이며, 이때 방출한 열량이 Q_2이다.
- 카르노 기관에서 고열원의 온도를 T_1, 저열원의 온도를 T_2라 할 때 열효율은 다음과 같다.

$$e=1-\frac{Q_2}{Q_1}=\frac{T_1-T_2}{T_1}=1-\frac{T_2}{T_1}$$

➡ 카르노 기관은 고열원과 저열원의 온도차를 크게 하여 열효율을 높일 수 있지만 열효율이 100 %가 될 수는 없다.

093 **답** ④ | 열역학 제2법칙은 자연에서 일어나는 변화의 비가역적(변화가 한쪽 방향으로만 일어나는 것) 방향성을 제시하는 법칙으로, 자연 현상에서 일어나는 변화가 원래 상태로 돌아가는 것이 열역학 제1법칙(에너지 보존 법칙)에 위배되지 않더라도 결코 스스로 일어나지 않는다는 의미이다. 열기관에서 일을 하는 과정에서 열이 온도가 낮은 쪽으로 저절로 이동하기 때문에 열효율이 100 %인 열기관을 만들 수 없는 것도 열역학 제2법칙에 해당한다.

ㄱ. 비가역 과정은 한쪽 방향으로만 일어나 스스로 처음 상태로 돌아갈 수 없는 과정을 말한다. 깨진 컵이 저절로 붙지 않는 것이나, 퍼진 잉크 방울이 다시 모이지 않는 것이 바로 비가역 과정이다. 열은 고온에서 저온으로만 저절로 이동하므로 열의 이동은 비가역 과정이다.

ㄷ. 잉크 방울이 물속으로 퍼져 나가는 일은 일어나지만, 퍼진 잉크 방울이 한 곳에 모이지는 않는다. 즉, 비가역 과정이므로 열역학 제2법칙으로 설명할 수 있다.

오답 피하기

ㄴ. 열이 저온에서 고온으로 이동하여도 열역학 제1법칙은 만족한다. 즉, 열의 이동 방향에 관계없이 에너지는 보존된다. 따라서 열의 이동이 한쪽 방향으로만 일어나는 현상은 열역학 제1법칙으로 설명할 수 없다. 이처럼 열역학 제1법칙에 위배되지는 않지만 자연계에서 절대 스스로 일어나지 않는 현상을 설명하는 것이 열역학 제2법칙이다.

094 답 ② | 특수 상대성 이론에 의해 모든 관성 좌표계에서 보았을 때, 진공에서 빛의 속력은 관찰자나 광원의 속도에 관계없이 항상 같다. 즉, 빛의 속력은 누가, 어떤 상황에서 관찰하건 모두 같다. 따라서 $v_1 = v_2$이다.

영희가 보았을 때 기차는 정지해 있으므로 영희가 측정한 기차의 길이 L_2는 고유 길이이다. 철수가 보았을 때 기차는 광속에 가까운 속력으로 운동하므로 길이 수축이 일어난다. 따라서 철수가 측정한 기차의 길이 L_1은 영희가 측정한 기차의 고유 길이 L_2보다 작으며, $L_1 < L_2$이다.

095 답 ② | 고유 길이는 관찰자가 측정하였을 때 정지해 있는 물체의 길이, 또는 어떤 관성 좌표계에 대해 고정된 두 지점 사이의 길이이다. 문제에서와 같이 영희가 $0.7c$의 속도로 운동하는 우주선을 볼 때는 그 길이가 수축되는 것으로 관측된다. 이것을 길이 수축이라고 한다.

길이 수축은 물체의 속도가 빠를수록 더 크게 일어나며, 운동 방향으로만 일어나고, 운동 방향에 수직인 방향으로는 일어나지 않는다. 즉, 운동 방향에 수직인 b는 길이 수축이 일어나지 않고 운동 방향인 a는 고유 길이인 a_0에 비해 수축되어 보인다.

096 답 ⑤ | ㄴ. 광속 불변의 원리에 따라 빛의 속력은 누가 측정하는지에 관계없이 항상 같다.

ㄷ. 우주선 밖에 있는 철수가 측정할 때, 광원에서 발생한 빛은 사선을 따라 내려가 B에 도달하는 것으로 보인다. 따라서 빛이 이동한 거리는 광원과 B 사이의 고유 거리인 L보다 크므로 걸린 시간은 $\frac{L}{c}$보다 크다.

오답 피하기

ㄱ. 영희가 측정할 때 빛이 A, B에 동시에 도달하였으므로, 광원과 A 사이의 거리는 L이고, 이것이 고유 길이가 된다. 철수가 측정할 때, 우주선의 운동 방향과 나란한 방향으로 길이 수축이 일어나므로 광원과 A 사이의 거리는 L보다 작다. 길이 수축은 운동 방향으로만 일어나며, 운동 방향과 수직인 방향에 있는 광원과 B 사이의 거리에는 길이 수축이 일어나지 않는다.

097 답 ① | 물체가 운동하는 속력이 빠를수록 시간은 느리게 간다. A 구간에서의 속력을 v_A, B 구간에서의 속력을 v_B라고 할 때, A 구간에서 철수의 시간이 B 구간보다 느리게 간 것은 $v_A > v_B$이기 때문이다.

또한, 속력이 빠를수록 길이 수축이 더 크다.

ㄴ. A 구간에서가 B 구간에서보다 속력이 빠르므로 영희가 측정할 때 A 구간에서의 우주선 길이 L_1이 B 구간에서의 우주선 길이 L_2보다 짧다.

오답 피하기

ㄱ. 영희가 측정할 때, 철수의 시간이 A에서가 B보다 더 느리므로 $v_A > v_B$이다(시간 지연). 따라서 B에서의 우주선의 속력은 $0.6c$보다 작다.

ㄷ. 영희가 볼 때는 철수가 운동하지만, 철수가 볼 때는 영희가 왼쪽(뒤쪽)으로 운동하고 있다. 철수 관점에서 철수가 A 구간을 지날 때 철수는 정지하고 있고 영희가 v_A의 속력으로 왼쪽(뒤쪽)으로 지나고 있다.

철수가 B 구간을 지날 때는 철수는 정지해 있고 영희가 v_B의 속력으로 이동하고 있다. 따라서 철수가 보는 영희의 속력도 $v_A > v_B$의 관계이다. 철수의 우주선이 A를 지날 때, 철수가 보는 영희의 속력이 더 빠르기 때문에 영희의 시간이 더 느리게 간다.

098 답 ④ | 시간 지연은 정지한 관측자가 빠르게 움직이는 물체를 볼 때 상대방의 시간이 느리게 가는 것으로 관찰되는 현상이다.

ㄱ. 마찰이 없고 우주선이 $0.8c$의 속도로 우주 정거장을 향해 등속 운동을 할 때, 우주선에서 관측하면 우주 정거장이 $0.8c$의 속도로 다가오는 것으로 보인다. 즉, 우주선에서 측정한 우주 정거장의 속력은 $0.8c$이다.

ㄴ. 우주선에서 보면 우주 정거장이 빠르게 움직인다. 따라서 우주선에서 측정할 때 빠르게 움직이는 우주 정거장에서의 시간은 시간 지연이 일어나 느리게 간다. 시간 지연은 우주 정거장에서 관측할 때도 일어나므로 우주 정거장의 관측자는 우주선의 시간이 느리게 가는 것으로 관측된다.

오답 피하기

ㄷ. 광속 불변이므로 관측자에 관계없이 레이저 빛의 속력은 일정하다.

099 답 ⑤ | 영희의 좌표계에서는 광원에서 동시에 발생한 빛이 빛 검출기 A, B에 동시에 도달한다. 광원에서 A까지를 s라고 할 때, 동시에 도달하였다는 것은 $v = \frac{s}{t}$, $s = vt$에서 도달한 시간 t가 같다는 것이고, 속력은 빛의 속력 c로 불변하므로 거리 s가 같음을 알 수 있다.

ㄱ. 광속 불변의 원리에 따라 관찰자나 광원의 속도에 상관없이 빛의 속력 $c=3\times10^8\ \mathrm{m/s}$로 일정하다.

ㄴ. 빛의 속력이 같고 영희의 좌표계에서는 빛이 A, B에 동시에 도달하였으므로 거리가 같다.

ㄷ. 문제의 자료는 영희가 정지한 상태에서 철수를 측정하였을 때 철수가 앞(오른쪽)으로 운동하는 것으로 보인다. 철수의 관점에서는 철수가 정지해 있고 영희가 뒤(왼쪽)로 운동하는 것으로 보인다.

영희에게는 정지 좌표계 내에서 빛이 A, B에 도달하는 사건이 동시에 일어나지만, 철수에게는 영희가 뒤로(왼쪽) 운동하기 때문에 빛이 B에 먼저 도달하는 것으로 보인다. 이를 동시성의 상대성이라고 한다.

문제 속 자료 **동시성의 상대성**

한 관측자에게 동시에 일어난 사건이 상대적으로 운동하는 다른 관측자에게는 동시에 일어난 사건이 아닐 수 있다. 이렇게 동시성이 관측자의 운동에 따라 달라지는 것을 동시성의 상대성이라고 한다.

광속에 가깝게 움직이는 우주선 가운데에 위치한 광원에서 빛이 나올 때, 빛이 광원에서 같은 거리에 있는 두 검출기에 도달하는 사건이 있다.

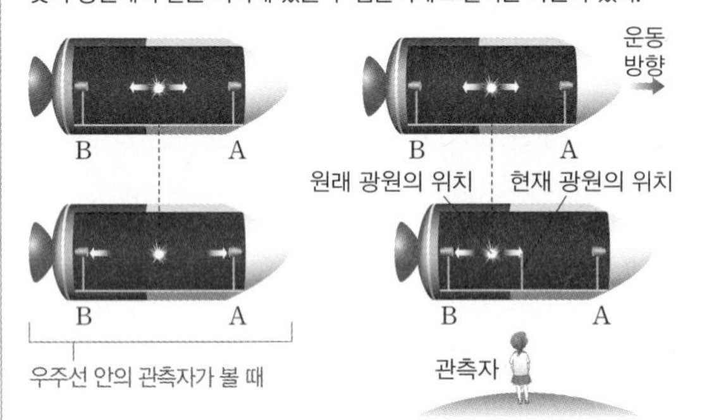

이 사건을 우주선 안에 있는 관측자가 볼 경우 빛은 A, B에 동시에 도달하는 것처럼 보인다. ➡ 두 사건 A, B가 동시에 일어난다.

그러나 우주선 밖의 정지한 행성에 있는 관찰자가 볼 경우 빛이 이동하는 동안 우주선도 이동하므로 왼쪽에 있는 B검출기에 빛이 먼저 도달한다. ➡ 사건 B가 먼저 일어난다.

100 **답** ⑤ | 고유 길이는 관찰자가 측정했을 때 정지 상태에 있는 물체의 길이, 또는 한 관성 좌표계에 대해 고정된 두 지점 사이의 길이이다. (가)에서 철수와 거울은 정지해 있으므로 A와 B 사이의 거리는 고유 길이이고, (나)에서 관측자 영희는 우주선에 타고 있으므로 영희가 측정한 A와 B 사이의 거리는 길이 수축이 일어난다.

ㄱ. (가)에서 빛이 A$-$B 사이를 왕복하는데 걸린 시간이 T_1이므로 A$-$B를 이동하는 데는 $\frac{T_1}{2}$이 걸린다. A, B 사이의 거리는 '속도 × 시간' $=c\times\frac{T_1}{2}$이다.

ㄴ. (가)에서 철수가 측정한 A, B 사이의 거리 $0.5cT_1$은 고유 거리이고, (나)에서 영희가 측정한 A, B사이의 거리 $0.7cT_2$($=$속도 × 시간 $=0.7c\times T_2$)는 길이 수축이 되어 짧아진 거리이므로 A, B 사이의 거리는 (가)에서가 (나)에서보다 길다. 영희가 측정한 거리는 수축하였다.

ㄷ. 민수와 민희는 같은 공간에서 정지해 있으므로 두 사람이 측정한 A와 B 사이의 거리 $0.3cT_3$($=$속도 × 시간 $=0.3c\times T_3$)은 고유 길이이다.

101 **답** ⑤ | ㄴ. P와 Q 사이의 거리는 철수가 측정한 값이 고유 길이이므로 영희가 측정하면 길이 수축이 일어난다.

ㄷ. 빛의 속력은 영희나 철수가 측정할 때 모두 같고, 빛이 진행하는 거리는 영희가 측정할 때가 철수가 측정할 때보다 짧다. '걸린 시간 $=\frac{거리}{속력}$'이므로 빛이 진행하는 데 걸린 시간도 영희가 철수보다 짧게 측정한다.

오답 피하기

ㄱ. 진공에서 빛의 속력은 관측자나 광원의 속도에 상관없이 항상 같다.

102 **답** ⑤ | 광원에서 P, Q 사이의 고유 길이는 정지한 관측자 C가 측정한 값이다. 즉, 광원과 P 사이의 고유 거리는 L이고, 광원과 Q 사이의 고유 거리는 $0.8\,L$이다. 그런데 A가 측정한 광원과 P 사이의 거리와 B가 측정한 광원과 Q 사이의 거리가 같다는 것은 우주선 Ⅰ의 속력이 Ⅱ보다 빠르다는 것을 의미한다. 길이 수축은 속력이 빠를수록 크게 일어나는데 우주선 Ⅰ의 속력이 Ⅱ보다 크므로, A가 측정한 광원과 P 사이의 거리가 B가 측정한 광원과 Q 사이의 거리보다 더 크게 축소하였기 때문이다.

ㄱ. 광속 불변 원리에 의해 광원에서 나온 빛의 속력은 A가 측정할 때와 B가 측정할 때가 같다.

ㄴ. L은 광원과 P에 대해 정지한 관측자 C가 측정한 거리이므로 고유 길이이고, A는 스스로 정지해 있고 공간이 수축한다고 측정하기 때문에 관측자 A가 측정한 광원과 P 사이의 거리는 수축된 거리이므로 고유 길이인 L보다 짧다.

ㄷ. 속력이 빠를수록 시간이 더 느리게 간다(시간 지연). 우주선의 속력은 Ⅰ이 Ⅱ보다 크므로 A의 시간이 B의 시간보다 더 느리게 간다.

103 **답** ④ | ㄱ. 거울과 바닥 사이의 거리가 두 우주선에서 동일하고, 빛의 속력은 항상 같다. t_A와 t_B는 같은 사건을 측정한 고유 시간이므로 $t_\mathrm{A}=t_\mathrm{B}$이다.

ㄴ. 영희가 탄 우주선 B가 민수가 탄 우주선 A에 대해 $0.5c$로 운동하므로 영희가 측정할 때 민수의 시간은 자신(영희)의 시간보다 느리게 간다. 즉, 서로 다른 관성 좌표계 사이에서 서로 상대방의 시간이 느리게 가는 것으로 관측된다.

오답 피하기

ㄷ. 영희가 측정할 때 우주선 A의 속력과 민수가 측정할 때 우주선 B의 속력이 같고, $t_A = t_B$이므로 민수가 측정할 때 t_A 동안 멀어진 A와 B 사이의 거리는 영희가 측정할 때 t_B 동안 멀어진 A와 B 사이의 거리와 같다.

104 답 ① | ㄱ. 철수가 깃대를 보면 철수는 정지 상태이므로 고유 길이이다. 영희가 철수를 볼 때 영희는 정지해 있고, 철수와 깃대가 왼쪽(뒤쪽)으로 운동하므로 길이 수축이 일어난다.

오답 피하기

ㄴ. 철수가 측정할 때 A가 광원 쪽으로 움직이므로 빛은 B보다 A에 먼저 도달한다.

ㄷ. 영희는 운동하고 있다. 영희가 측정한 시간이 고유 시간이므로 철수가 측정한 시간은 고유 시간보다 크다.

105 답 ③ | ㄷ. 영희에 대한 뮤온의 속도가 0이므로 영희가 측정한 뮤온의 수명은 고유 시간에 해당한다. 철수에 대해 뮤온이 운동하므로 시간 지연에 의해 철수가 측정한 뮤온의 수명은 고유 시간보다 길다.

오답 피하기

ㄱ. 빛의 속력은 관찰자의 운동 상태에 관계없이 항상 같다.

ㄴ. 영희가 측정한 우주선의 길이는 고유 길이에 해당하고, 철수에 대해 우주선이 운동하므로 길이 수축에 의해 철수가 측정한 우주선의 길이는 고유 길이보다 짧다.

106 답 ② | 뮤온과 함께 움직이는 좌표계에서 봤을 때는 정지한 좌표계(지상의 관측자 기준)에서 관측했을 때보다 길이가 짧아지므로 $L > L'$이다(길이 수축). 정지한 좌표계에서 봤을 때 뮤온의 시간이 느리게 가므로 $T > T'$이다(시간 지연).

107 답 ② | ㄴ. 시간 지연은 속력이 빠를수록 커진다. 즉, 속력이 큰 B가 속력이 작은 A보다 시간 지연이 크게 일어나 수명이 더 길어진다. 따라서 수명이 상대적으로 짧은 A는 지면에 도달하기 전에 붕괴하고, 시간 지연이 크게 일어나 수명이 더 긴 B는 지면에 도달한 순간 붕괴한다.

오답 피하기

ㄱ. 뮤온의 고유 수명이 t_0이다. 관찰자가 측정할 때, 시간 지연이 일어나므로 A가 생성된 순간부터 붕괴하는 순간까지 걸리는 시간은 t_0보다 크다.

ㄷ. 관찰자가 측정할 때, h는 고유 거리이므로 '뮤온의 속도 × 걸린 시간'으로 구할 수 있다. B가 지면에 닫는 순간 붕괴하므로 h는 '$0.99c \times t$'이고, 관측자가 볼 때 뮤온의 수명 t는 t_0보다 크다. 따라서 h는 $0.99ct_0$보다 크다.

108 답 ④ | 물체가 광속에 가깝게 운동할 때 정지 좌표계에서는 시간 지연이, 움직이는 좌표계에서는 길이 수축이 일어난다. 즉, 지상의 관측자가 볼 때 뮤온의 시간 지연이 일어나 뮤온의 수명이 늘어나고, 뮤온의 좌표계에서는 길이 수축이 일어나 뮤온과 지표면 사이의 거리가 줄어든다.

109 답 ① | ㄱ. 중수소($^2_1$H)와 삼중수소($^3_1$H)는 원자 번호(양성자수)는 같고 질량수가 다르므로 동위 원소이다.

오답 피하기

ㄴ. (가)는 헬륨 원자핵($^4_2$He)으로 질량수는 4이다.

ㄷ. 핵융합 과정에서 질량 결손에 의해 에너지가 발생하므로 핵반응 전 질량의 합은 핵반응 후 질량의 합보다 크다.

110 답 ③ | ㄱ. (가)는 핵반응 후 질량수가 큰 원자핵이 되었으므로 핵융합 반응이고, (나)는 질량수가 큰 원자핵이 질량수가 작은 원자핵 2개로 나뉘었으므로 핵분열 반응이다.

ㄴ. 핵반응 전후에 전하량 보존 법칙이 성립하므로 (가)에서 핵반응 전후의 전하량 합은 같다.

오답 피하기

ㄷ. 핵반응 전후에 질량수는 보존되지만 전체 질량은 줄어든다. 이렇게 결손된 질량이 에너지로 전환된다.

111 답 ⑤ | ㄱ. 핵분열 반응식은

$^{235}_{92}\mathrm{U} + ㉠ \longrightarrow {}^{141}_{56}\mathrm{Ba} + {}^{92}_{36}\mathrm{Kr} + 3㉠$

이므로 ㉠에 해당하는 입자는 중성자($^1_0$n)이다.

ㄴ. 질량수는 양성자수와 중성자수의 합이므로 바륨(Ba), 크립톤(Kr)의 중성자수는 각각 85, 56이다.

ㄷ. 핵반응에서 방출된 에너지는 질량 결손에 의한 것이다.

문제 속 자료 원소의 표시

원소의 양성자수를 그 원소의 원자 번호라고 하며, 양성자수와 중성자수를 합한 수를 질량수라고 한다.

$^{A}_{Z}\mathrm{X}$ A: 질량수 = 양성자수 + 중성자수
Z: 원자 번호 = 양성자수

- 동위 원소는 양성자수는 같고, 중성자수가 다른 원소를 말한다.

112 답 ④ | ㄱ. 질량수가 큰 원자핵이 두 개의 작은 원자핵으로 쪼개지는 것을 핵분열이라 한다.

ㄷ. 우라늄의 핵반응 과정에서 방출되며, 핵반응에 기여하는 것은 중성자이다. 방출된 중성자는 다른 우라늄에 연쇄적으로 흡수되어 핵분열이 기하급수적으로 일어난다.

오답 피하기

ㄴ. B는 핵융합으로, 핵융합 과정에서 질량의 손실이 발생하며 손실된 질량은 에너지로 전환된다. 즉, 핵반응 후 질량합은 핵반응 전보다 줄어든다.

113 답 ① | ㄱ. 높은 에너지 준위인 E_2에서 낮은 에너지 준위인 E_1로 전자가 전이할 때, 두 에너지 준위 차이만큼의 에너지를 방출한다. 즉, $E_2 - E_1 = hf$이므로 E_2 준위에 있는 전자는 E_1 준위에 있는 전자보다 에너지가 hf만큼 크다.

오답 피하기

ㄴ. E_2 준위에서 E_3 준위로 전이하는 데 필요한 에너지는 E_1 준위에서 E_2 준위로 전이하는 데 필요한 에너지보다 작다. 따라서 진동수가 f인 빛을 비춰도 E_2 준위에 있는 전자는 E_3 준위로 전이하지 못한다.

ㄷ. E_2 준위에 있는 전자가 E_1 준위로 전이할 때 방출되는 단색광의 진동수는 f이다.

114 답 ⑤ | ㄱ. 전자는 특정한 궤도에만 존재할 수 있으므로 전자의 에너지 준위는 불연속적이다.

ㄴ. 전자의 에너지는 원자핵에서 멀어질수록 높아지므로 $n=3$인 상태가 $n=1$인 상태보다 큰 에너지를 갖는다.

ㄷ. 빛의 파장은 빛의 에너지에 반비례하므로 $\lambda_1 < \lambda_2$이다.

115 답 ③ | ㄱ. 전자는 특정한 궤도에만 존재할 수 있으므로 수소 원자에서 방출되는 빛의 스펙트럼은 불연속적이다.

ㄷ. $E_B = E_C - E_A = 12.1\text{ eV} - 1.9\text{ eV} = 10.2\text{ eV}$이므로 (가)는 10.2 eV이다.

오답 피하기

ㄴ. 전자가 $n=3$에서 $n=2$인 상태로, $n=2$에서 $n=1$인 상태로 전이할 때 방출되는 빛의 에너지의 합은 $n=3$에서 $n=1$인 상태로 전이할 때 방출되는 빛의 에너지와 크기와 같다. 그러므로 $hf_C = hf_A + hf_B$에 의해 $f_C = f_A + f_B$이다.

문제 속 자료 전자 전이

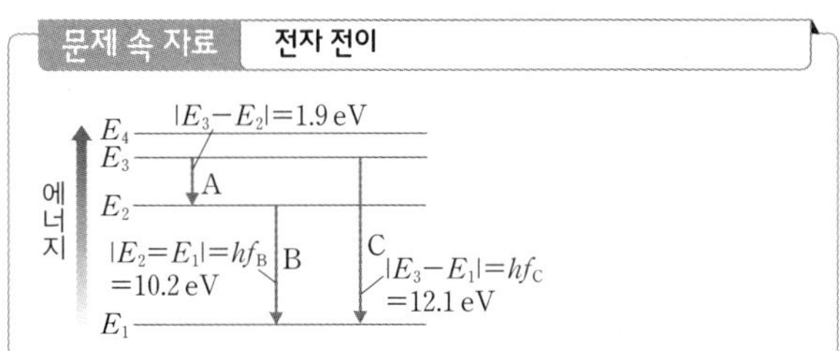

높은 에너지 준위에 있던 전자가 낮은 에너지 준위로 전이하면 그 에너지 준위 차이만큼의 에너지를 가진 빛을 방출한다. 에너지 준위가 가지는 부호(−)는 전자가 원자핵에 속박되었다는 의미로 빛에너지가 갖는 크기는 (+)이다.

116 답 ⑤ | ㄱ. 전자는 특정한 궤도에만 존재할 수 있으므로 수소 원자에서 방출되는 빛의 스펙트럼은 불연속적이다.

ㄴ. 빛의 진동수는 빛의 에너지에 비례하므로 A가 B보다 더 큰 진동수를 갖는다.

ㄷ. $n=3$인 궤도에서 $n=2$인 궤도로 전자가 전이할 때 방출되는 에너지는 $(E_3 - E_1) - (E_2 - E_1) = E_3 - E_2$이므로 $E_A - E_B$이다.

117 답 ⑤ | ㄱ. 선 스펙트럼을 가지므로 A 원자의 에너지 준위는 불연속적이다.

ㄴ. 빛의 에너지와 빛의 파장은 반비례 관계이므로 전자가 전이하면서 방출하는 에너지는 P가 Q보다 크다.

ㄷ. A와 B는 선 스펙트럼 모양이 다르므로 다른 원자이다.

118 답 ② | ㄷ. 선 스펙트럼을 가지므로 수소 원자의 에너지 준위는 불연속적이다.

오답 피하기

ㄱ. 빛의 에너지와 빛의 파장은 반비례 관계를 가지므로 a의 에너지가 b의 에너지보다 크다.

ㄴ. 수소 원자에서 전자가 $n=2$인 궤도로 전이할 때 방출되는 가시광선 중 $n=3$인 궤도에서 $n=2$인 궤도로 전이할 때 가장 작은 에너지를 가지므로 b인 빛이 방출된다.

119 답 ③ | ㄱ. 전자는 특정 궤도에만 존재할 수 있으므로 수소 원자의 에너지 준위는 불연속적이다.

ㄷ. 전자가 $n=3$에서 $n=2$인 궤도로 전이할 때 갖는 빛에너지는 $hf_A = E_3 - E_2$이고, $n=4$에서 $n=2$인 궤도로 전이할 때 갖는 빛에너지는 $hf_B = E_4 - E_2$이므로

$f_B - f_A = \dfrac{E_4 - E_3}{h}$이다.

오답 피하기

ㄴ. 전자가 높은 에너지 준위에서 낮은 에너지 준위로 전이하면서 방출하는 빛의 에너지는 준위 간 차가 작을수록 작다. 빛의 진동수는 에너지와 비례하므로 f_A는 $n=3$에서 $n=2$인 궤도로 전이할 때 방출되는 빛의 진동수이다.

120 답 ⑤ | ㄱ. 연속 스펙트럼을 가진 빛이 온도가 낮은 수소 기체를 통과하면 수소 내 전자가 전이할 때 필요한 에너지(파장)가 수소 기체에 흡수되어 검은 선을 나타내므로 흡수 스펙트럼이 나타난다.

ㄴ. (나)에서 수소 원자는 특정한 선 스펙트럼을 가지므로 에너지가 양자화되어 있음을 알 수 있다.

ㄷ. (다) 스펙트럼에 (나) 스펙트럼이 포함되어 있으므로 태양의 성분에는 수소가 있음을 알 수 있다.

문제 속 자료 태양의 스펙트럼

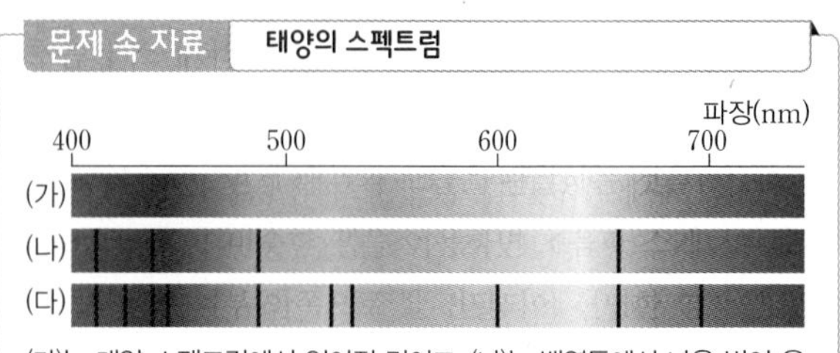

(다)는 태양 스펙트럼에서 얻어진 것이고, (나)는 백열등에서 나온 빛이 온도가 낮은 수소 기체를 통과한 빛에서 얻어진 스펙트럼이다. (다)를 보면 (나) 수소 원자 내 전자가 전이하며 흡수된 파장(에너지)을 포함하고 있으므로 태양의 성분에는 수소가 있음을 알 수 있다.

121 답 ③ | ㄱ. 광자가 갖는 파장과 에너지는 반비례 관계이다. 빛 a의 파장이 b보다 짧으므로 광자 1개의 에너지는 a가 b보다 크다.

ㄷ. 수소 원자 내 전자와 헬륨 원자 내 전자가 전이하여 방출되는 빛의 에너지가 다르므로 서로 다른 스펙트럼을 갖는다.

오답 피하기

ㄴ. (나)에서 스펙트럼은 가시광선 영역을 나타낸 것이다. 수소에서 가시광선은 전자가 $n>2$인 에너지 준위에서 $n=2$인 에너지 준위로 전이하는 경우에 방출된다.

122 답 ② | ② 수소 기체 방전관에서 나오는 빛은 방출 스펙트럼 C이다.

오답 피하기

① LCD 화면은 빨간색, 초록색, 파란색을 혼합하여 여러 색을 만든다. 그러므로 LCD 화면에서 나오는 빛의 스펙트럼은 특정 영역(빨간색, 초록색, 파란색)이 나타나는 D이다.

③ 백열등에서 나오는 빛은 연속 스펙트럼 A이다.

④ 저온 기체관을 통과한 빛의 스펙트럼은 C의 스펙트럼과 선의 위치가 다르므로 수소가 들어 있지 않다.

⑤ 수소 원자의 에너지 준위는 불연속적이다.

문제 속 자료 여러 스펙트럼의 모습

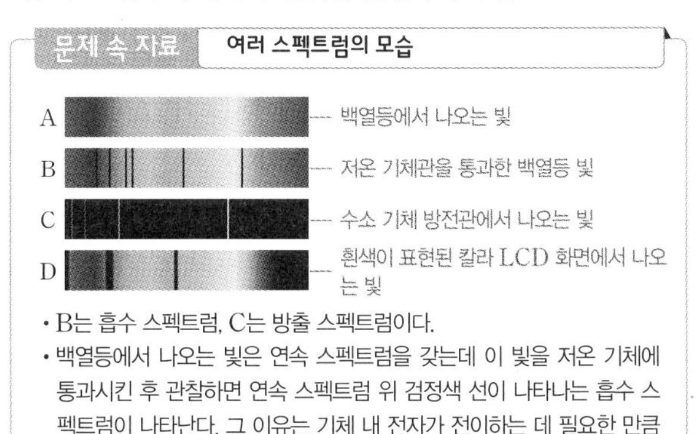

- B는 흡수 스펙트럼, C는 방출 스펙트럼이다.
- 백열등에서 나오는 빛은 연속 스펙트럼을 갖는데 이 빛을 저온 기체에 통과시킨 후 관찰하면 연속 스펙트럼 위 검정색 선이 나타나는 흡수 스펙트럼이 나타난다. 그 이유는 기체 내 전자가 전이하는 데 필요한 만큼의 에너지를 흡수하기 때문이다.

123 답 ④ | ㄱ. 빛은 전자가 높은 궤도에서 낮은 궤도로 전이할 때 방출되므로 전자가 궤도에 머물러 있는 동안에는 빛이 방출되지 않는다.

ㄷ. 원자의 에너지 준위는 양자수 n이 커질수록 에너지 궤도간 차이는 줄어든다. 즉 $n=2$인 궤도와 $n=3$인 궤도의 에너지 차이보다 $n=3$인 궤도와 $n=4$인 궤도의 에너지 차이가 더 크다. 따라서 (나) 스펙트럼에서 왼쪽 첫 번째 스펙트럼은 $n=3$인 궤도에서 $n=2$인 궤도로 전이할 때 방출하는 에너지이고 오른쪽으로 갈수록 에너지가 커지므로 파장은 짧아진다.

오답 피하기

ㄴ. 방출되는 광자의 에너지는 에너지 준위 차만큼의 에너지를 가지므로 b에서 a보다 더 큰 에너지를 방출한다.

124 답 ② | ㄷ. 두 궤도 간 전자의 전이에서 흡수 에너지와 방출 에너지의 크기는 같으므로 $n=2$인 궤도에 있는 전자가 파장 λ_1의 빛을 흡수하면 $n=4$의 궤도로 전이한다.

오답 피하기

ㄱ. 궤도의 에너지가 높아질수록 궤도 간 에너지 차이가 줄어들기 때문에 a는 λ_2이고, b는 λ_1이다. 에너지와 파장은 반비례 관계이므로 $\lambda_1<\lambda_2$이다.

ㄴ. c에 의해 방출되는 빛의 파장은 (가)의 맨 왼쪽 선이다.

문제 속 자료 스펙트럼과 에너지띠

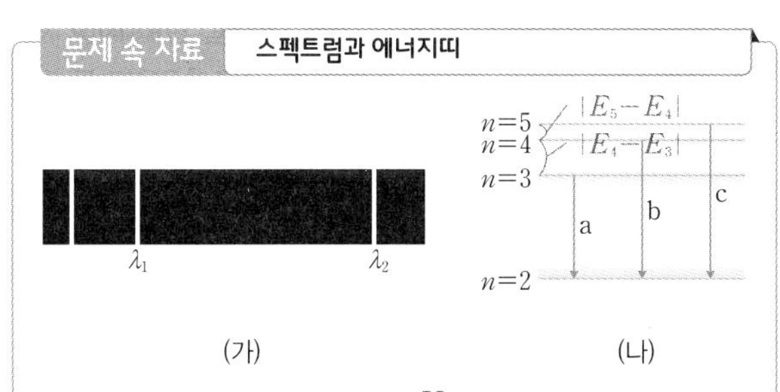

에너지 준위 값은 식 $E_n=-\dfrac{13.6\text{ eV}}{n^2}$에 의해 양자수 n이 커질수록 에너지 값도 커지는데 에너지 준위 간의 차이는 점점 작아진다. 즉 $n=3$인 에너지 준위와 $n=4$인 에너지 준위 차이보다 $n=4$인 에너지 준위와 $n=5$인 에너지 준위 차이가 더 작은 것이다. (가)의 스펙트럼을 보면 λ_1와 λ_2의 차이보다 λ_1와 λ_x차이가 더 작으므로 λ_1와 λ_2는 각각 b와 a 전이 과정에서 나타난 선이다.

125 답 ③ | ㄱ. 빛의 파장은 빛의 에너지와 반비례 관계를 가진다. 즉, 파장이 짧은 빛일수록 에너지가 더 크다. 따라서 광자 한 개의 에너지는 파장이 짧은 a에서가 파장이 긴 b에서보다 크다.

ㄴ. 낮은 에너지 준위에서 높은 에너지 준위로 전자가 전이할 때 흡수 스펙트럼이 나타나므로 c는 ㉡에 의해 나타난 스펙트럼선이다.

오답 피하기

ㄷ. 선 스펙트럼에서 d는 흡수 스펙트럼 중 가장 작은 에너지를 가지므로 전자가 $n=2$에서 $n=3$인 상태로 전이할 때 흡수된 에너지이다.

$$hf_d=E_3-E_2 \Rightarrow f_d=\frac{E_3-E_2}{h}$$

문제 속 자료 선 스펙트럼

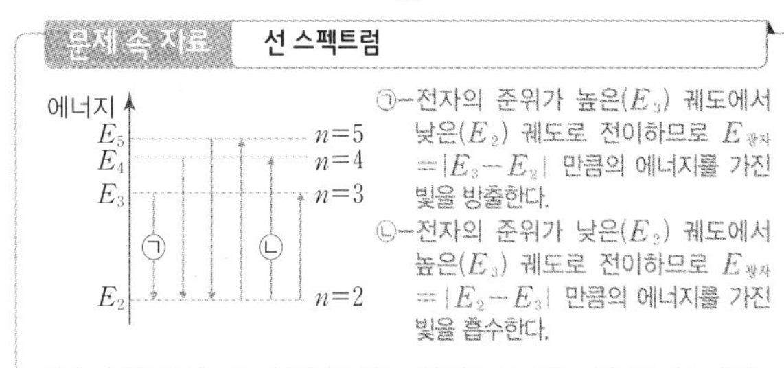

에너지
E5
E4
E3
E2
n=5
n=4
n=3
n=2
㉠
㉡
㉠−전자의 준위가 높은(E3) 궤도에서 낮은(E2) 궤도로 전이하므로 E광자=|E3−E2| 만큼의 에너지를 가진 빛을 방출한다.
㉡−전자의 준위가 낮은(E2) 궤도에서 높은(E3) 궤도로 전이하므로 E광자=|E2−E3| 만큼의 에너지를 가진 빛을 흡수한다.

방출 스펙트럼을 갖는 빛의 에너지는 전자가 전이하는 에너지 궤도 간의 차이가 클수록 큰 에너지 값을 갖고 파장은 작은 값을 갖는다.
흡수 스펙트럼 역시 선 스펙트럼으로 나타난 빛의 에너지는 전자가 전이하는 에너지 궤도 간의 차이가 클수록 큰 에너지 값을 갖고 파장은 작은 값을 갖는다.

126 **답 ⑤** | ㄱ. 빛의 진동수는 빛의 에너지에 비례하므로 $f_A > f_C$이다.

ㄴ. (가)에서 진동수가 f_A, f_C인 빛이 가지는 에너지의 크기는 $f_A > f_C$이고, (나)에서 파장 p, q인 빛이 가지는 에너지의 크기는 $E_p > E_q$이므로 p는 A에 의해 나타난 스펙트럼선이다.

ㄷ. 두 궤도 준위 차이가 같은 경우 전자가 전이할 때 흡수($E_2 \rightarrow E_3$) 혹은 방출($E_3 \rightarrow E_2$)할 때 갖는 광자 한 개의 에너지 값은 같다.

127 **답 ④** | ㄴ. 수소 원자에서 전자가 $n=1$인 궤도에 있을 때 바닥상태라고 한다.

ㄷ. 수소 원자에서 발머 계열은 전자가 $n>2$인 궤도에서 $n=2$인 궤도로 전이할 때 방출하는 스펙트럼이다.

오답 피하기

ㄱ. 에너지 준위는 원자핵에서 멀어질수록 높아지므로 $E_3 > E_2$이다.

문제 속 자료 **발머 계열**

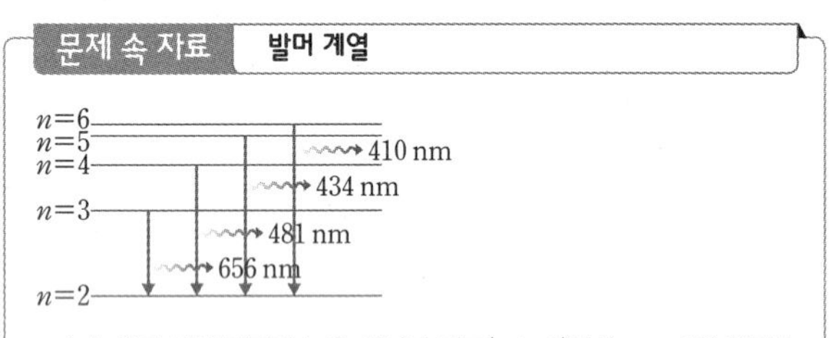

- 수소 원자 내에 전자가 높은 에너지 궤도($n>2$)에서 $n=2$인 궤도로 전이할 때 발머 계열의 빛이 방출되는데, 이때 진동수가 가장 작은 4개의 빛은 가시광선으로 관찰할 수 있다. ($E_3 \rightarrow E_2$, $E_4 \rightarrow E_2$, $E_5 \rightarrow E_2$, $E_6 \rightarrow E_2$ 전이 과정에서 방출되는 빛이다.)
- $n>6$인 궤도에서 전이할 때 방출되는 빛은 자외선 영역이다.

128 **답 ③** | ㄱ. 연속 스펙트럼을 가진 빛이 온도가 낮은 수소 기체를 통과하면 수소 내 전자가 전이할 때 필요한 에너지(파장)가 수소 기체에 흡수되어 검은 선을 나타내므로 흡수 스펙트럼이 나타난다.

ㄴ. 특정한 선 스펙트럼을 가지므로 수소 원자 내 전자의 에너지 준위는 양자화되어 있다.

오답 피하기

ㄷ. 빛의 에너지와 파장은 반비례 관계이므로 파장이 a인 빛의 에너지가 파장이 b인 빛의 에너지보다 크다.

129 **답 ②** | ㄴ. 원자가 띠와 전도띠 사이 간격이 좁을수록 작은 에너지로도 전자가 전이 되어 전기 전도성이 좋아진다.

오답 피하기

ㄱ. (가)는 전도띠로 원자가 띠 위에 있는 에너지띠이고 전자가 완전히 채워져 있지 않다.

ㄷ. 에너지띠는 여러 에너지 준위로 구성되어 있다.

130 **답 ②** | ㄷ. 띠 간격이 작을수록 물질의 전기 전도도가 크다.

오답 피하기

ㄱ, ㄴ. 고체는 수많은 원자들이 인접해 있는데 한 원자 내에서 2개의 전자가 같은 에너지를 가질 수 없으므로 에너지 준위가 미세한 차이를 두고 나뉘어지면서 겹치게 되어 연속적인 띠와 같은 모양을 가지게 된다. 따라서 원자가 띠에는 많은 전자들이 존재한다.

131 **답 ①** | ㄱ. 전도띠는 원자가 띠 위에 있는 에너지띠로 절대 온도 0 K에서 전자가 존재하지 않는다.

오답 피하기

ㄴ. 절대 온도 0 K에서 반도체의 전도띠에는 전자가 존재하지 않고 원자가 띠에는 전자로 채워져 있으며, 온도가 높아질수록 열에너지로 인한 전자의 전이로 원자가 띠에 전자가 늘어난다.

ㄷ. 온도가 올라갈수록 전도띠로 전이하는 전자 개수가 늘어나므로 전기 전도성이 높아진다.

132 **답 ④** | ㄴ. 띠 간격은 전자가 존재할 수 없는 영역이다.

ㄷ. 원자가 띠에서 전자가 에너지를 흡수하여 전이하면 전도띠로 전자가 이동하고 원자가 띠에는 양공(전자의 빈공간)이 생긴다.

오답 피하기

ㄱ. 하나의 에너지 준위에 2개 이상의 전자가 존재할 수 없으므로 고체는 여러 에너지 준위가 미세한 차이를 두며 겹쳐 에너지띠를 이룬다. 그러므로 원자가 띠의 전자들은 서로 다른 에너지 준위를 갖는다.

문제 속 자료 **고체 에너지띠**

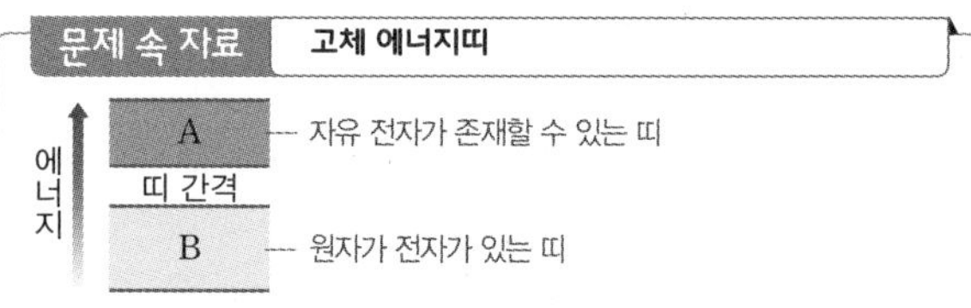

원자 내의 두 전자가 하나의 에너지 준위에 존재할 수 없다. 이를 파울리 배타 원리라고 하는데 이 특성 때문에 고체의 에너지띠는 거리가 가까워지면서 미세한 거리를 두며 존재하게 되고 수많은 에너지 준위가 촘촘히 모여 에너지띠를 만든다.

그러므로 에너지띠에 존재하는 전자들은 서로 다른 에너지를 가지며 띠 간격을 제외한 허용된 띠 내에 존재한다.

133 **답 ②** | (가) 도체의 원자가 띠와 전도띠는 겹쳐 있어서 사이 간격이 존재하지 않는다.

(나) 절연체의 띠 간격이 도체와 반도체의 띠 간격보다 크다.

(다) 반도체에 띠 간격 이상의 에너지를 주입하면 원자가 띠 내 전자의 전이로 전기 전도성이 높아진다.

134 **답** ④ | 띠 간격에 따라 a는 도체, b는 반도체, c는 절연체로 분류할 수 있다.

문제 속 자료 고체의 특성

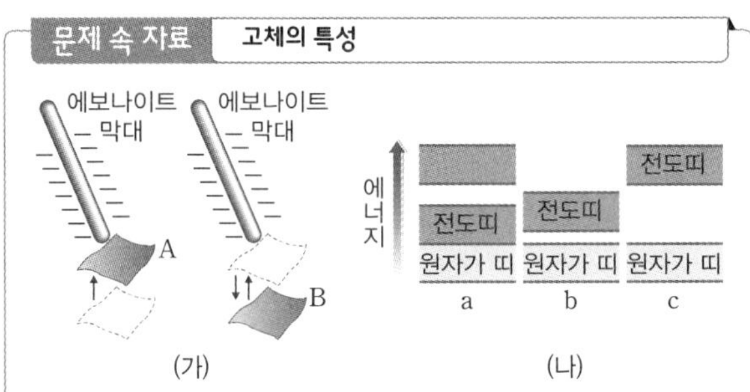

(가) A는 음(−)전하를 가진 에보나이트에 달라붙으므로 절연체이고, B는 정전기 유도에 의해 달라붙었다 떨어졌으므로 도체임을 알 수 있다.
(나) 고체의 에너지띠 구조
- a(도체): 전도띠와 원자가 띠가 일부 겹쳐 있으며 작은 외부 전압에서도 전류가 잘 흐른다.
- b(반도체): 띠 간격이 좁아 적당한 에너지를 흡수하면 전자가 전이하여 전류가 흐른다.
- c(절연체): 띠 간격이 넓어서 전도띠로 전자가 전이하기 어렵기 때문에 전류가 흐르지 않는다.

135 **답** ⑤ | ㄱ. 절연체는 반도체와 도체에 비해 가장 큰 띠 간격을 갖는다.
ㄴ. 금속 도선은 도체이므로 에너지띠는 B와 같다.
ㄷ. 순수한 반도체의 전기 전도성은 거의 절연체와 비슷하지만 불순물을 첨가하면 전기 전도성을 높힐 수 있다.

136 **답** ① | ㄱ. 절연체의 띠 간격이 가장 크다.

오답 피하기
ㄴ. 상온에서 전기 전도성은 도체가 반도체보다 크다.
ㄷ. 온도가 높을수록 열에너지로 인한 전자 전이가 발생하므로 B에서 양공의 수는 증가한다.

137 **답** ③ | ㄷ. Y에서는 양공이 전류를 흐르게 하므로 순수한 실리콘보다 전기 전도성이 좋다.

오답 피하기
ㄱ. 붕소를 불순물로 첨가하였을 때 양공이 생기므로 붕소의 원자가 전자는 3개이다.
ㄴ. Y는 p형 반도체이다.

138 **답** ③ | ㄷ. X는 p형 반도체, Y는 n형 반도체이므로 순방향 전압이 걸린다.

오답 피하기
ㄱ. 순수 반도체에 원자가 전자가 3개인 불순물을 첨가하면 양공이 생기므로 p형 반도체이다.
ㄴ. Y는 원자가 전자가 5개인 불순물이 첨가되었으므로 여분의 전자가 전류를 흐르게 한다.

139 **답** ④ | ㄴ. 순수 반도체에 불순물 a를 첨가하였을 때 여분의 전자가 발생하였으므로 a의 원자가 전자는 5개이다.
ㄷ. p−n 다이오드에서 순방향의 전압을 걸어 주면 p형 반도체 내 양공과 n형 반도체 내 전자는 p−n 접합면 쪽으로 이동한다.

오답 피하기
ㄱ. 에너지띠는 여러 개의 에너지 준위로 구성되어 있으므로 전자의 에너지는 모두 다르다.

문제 속 자료 n형 반도체

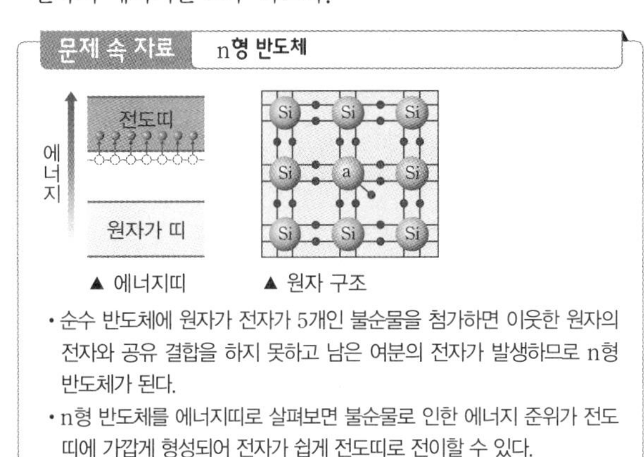

- 순수 반도체에 원자가 전자가 5개인 불순물을 첨가하면 이웃한 원자의 전자와 공유 결합을 하지 못하고 남은 여분의 전자가 발생하므로 n형 반도체가 된다.
- n형 반도체를 에너지띠로 살펴보면 불순물로 인한 에너지 준위가 전도띠에 가깝게 형성되어 전자가 쉽게 전도띠로 전이할 수 있다.

140 **답** ③ | ㄱ. 반도체 B는 여분의 전자를 가지므로 n형 반도체이고 A는 p형 반도체이다. p형 반도체에 첨가된 a의 원자가 전자는 3개이다.
ㄴ. p형 반도체에 (+)극이 연결되고 n형 반도체에 (−)극이 연결되어 있으므로 (가)에서 전압은 순방향이다.

오답 피하기
ㄷ. 순방향 전압이 걸릴 때 p형 반도체 내 양공은 접합면으로 이동한다.

141 **답** ① | ㄱ. n형 반도체의 주된 전하 운반체는 전자이다. 따라서 A의 n형 반도체는 전원 장치의 (+)극과 연결되어 있다.

오답 피하기
ㄴ. B 다이오드에는 순방향 바이어스가 걸리므로 R_B에는 전류가 흐른다.
ㄷ. 역방향 바이어스가 걸리는 경우 주된 전하 운반체는 접합면과 멀어진다.

142 **답** ① | ㄴ. Y는 n형 반도체로, 원자가 전자가 5개인 불순물을 순수 반도체에 도핑하여 만든 것이다.

오답 피하기
ㄱ. 주된 전하 운반체가 양공이므로 p형 반도체이다.
ㄷ. 순방향 바이어스가 걸린 다이오드(LED)에서 X에 있는 양공과 Y에 있는 전자는 접합면 쪽으로 이동한다.

문제 속 자료 순방향 전압에서 전하의 이동

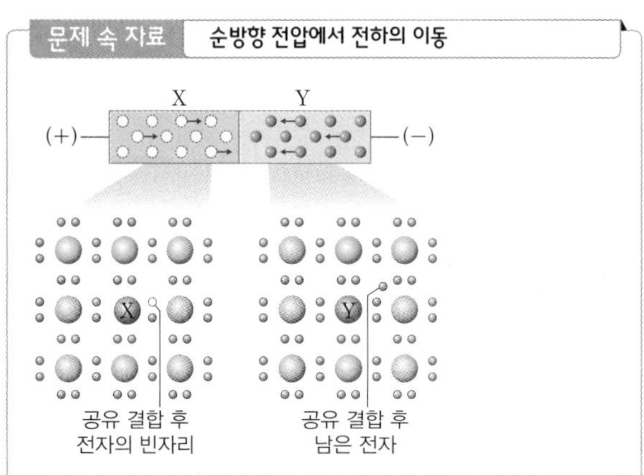

n형 반도체에 첨가되는 불순물은 원자가 전자가 5개인 원소로 공유 결합을 하지 못한 전자가 전류의 흐름을 만드는 주된 전하 운반체가 된다. p형 반도체에 첨가되는 불순물은 원자가 전자가 3개인 원소로 공유 결합을 하지 못한 한 쌍에 생긴 양공이 전류의 흐름을 만드는 주된 전하 운반체가 된다. 또한 순방향의 전압이 걸리는 경우 각 반도체에 주된 전하 운반체는 p−n 접합면 쪽으로 이동한다.

143 답 ③ | ㄱ. 스위치 a를 닫았을 때 A다이오드에는 순방향 전압이 걸리므로 X는 n형 반도체이다.

ㄴ. 스위치 b를 닫았을 때 C다이오드와 순방향 전압이 걸리므로 Y는 p형 반도체이고 양공이 주로 전류를 흐르게 한다.

오답 피하기

ㄷ. 스위치를 a에 연결했을 때와 b에 연결했을 때 저항에 흐르는 전류의 방향은 같다.

문제 속 자료 전파 정류 회로

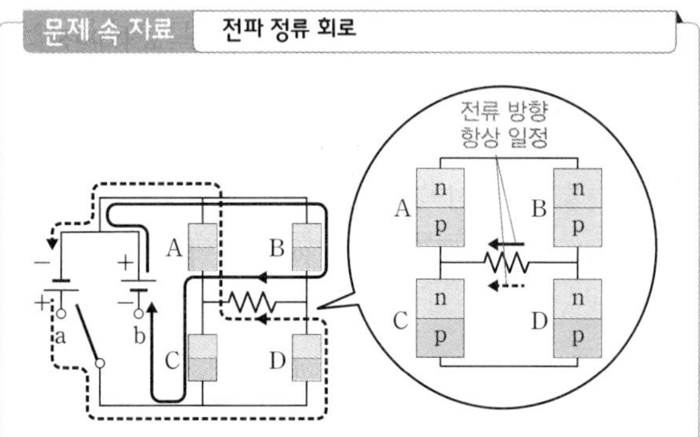

p−n 접합 발광 다이오드에서 빛이 나오기 위해서는 순방향 전압이 걸려야한다. p형 반도체에는 (+)극이 연결되고 n형 반도체에는 (−)극이 연결되는 경우가 순방향 전압이다.

- 스위치 a를 연결하였을 때 A와 D가 켜지므로 A의 X는 n형 반도체이고, D의 아랫 부분은 p형 반도체이다.
- 스위치 b를 연결하였을 때 B와 C가 켜지므로 B의 윗 부분은 p형 반도체이고, C의 아랫 부분은 n형 반도체이다.
- 저항 R에 흐르는 전류의 방향은 어느 방향의 전압을 걸어주어도 오른쪽에서 왼쪽으로 연결된다.

144 답 ⑤ | ㄴ. 태양 전지에 빛을 비추면 태양 전지 내부에서는 전자와 양공이 쌍으로 생성된다.

ㄷ. (나)에서 p−n 접합 다이오드에는 역방향 전압이 걸리므로 n형 반도체 내에 있는 전자는 p−n 접합면과 멀어지는 방향으로 이동한다.

오답 피하기

ㄱ. 태양 전지에 빛을 비추었을 때 순방향 전압이 걸린 것으로 보아 X는 p형 반도체이다.

145 답 ③ | ㄱ. 태양 전지는 빛에너지를 받아 전기 에너지로 변환한다.

ㄴ. 다이오드 A에 순방향 전압이 걸렸으므로 X는 p형 반도체이다.

오답 피하기

ㄷ. 다이오드 B는 역방향 전압이 걸렸으므로 n형 반도체 내 전자는 p−n 접합면과 멀어진다.

146 답 ③ | ㄱ. 디지털 카메라는 빛 신호를 전기 신호로 변환한다.

ㄴ. 주된 전하 운반체가 양공인 경우는 p형 반도체이다.

오답 피하기

ㄷ. 전자의 이동 방향은 전류 방향과 반대이다.

147 답 ③ | 교류 전원 장치에서 발생한 전류의 방향과 상관없이 R에 걸리는 전류 방향(a → R → b)은 같다.

문제 속 자료 다이오드 특성

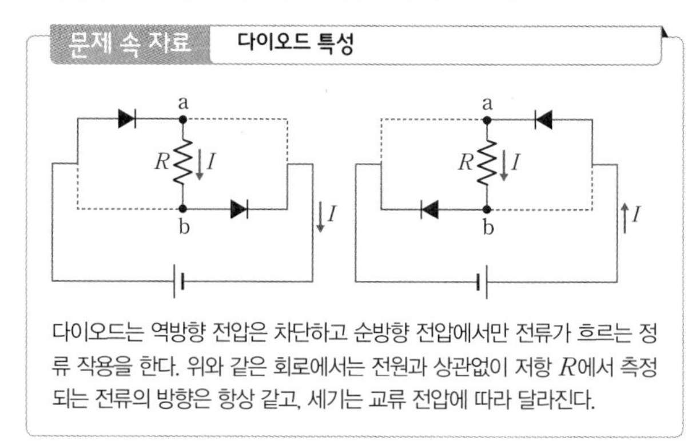

다이오드는 역방향 전압은 차단하고 순방향 전압에서만 전류가 흐르는 정류 작용을 한다. 위와 같은 회로에서는 전원과 상관없이 저항 R에서 측정되는 전류의 방향은 항상 같고, 세기는 교류 전압에 따라 달라진다.

148 답 ① | ㄱ. A를 비출 때 전류가 흐르는 것으로 보아 광다이오드에서 A의 빛에너지가 전기 에너지로 전환된 것이다.

오답 피하기

ㄴ. 띠 간격 이상의 에너지가 주입된 경우 전이된 전자로 전류가 흐를 수 있다.

ㄷ. 빛에너지는 진동수와 비례하므로 빛의 세기를 증가시켜도 전류는 흐르지 않는다.

149 답 ② | ㄷ. 다이오드는 순방향 바이어스의 전류만 흐를 수 있으므로 교류를 직류로 바꾸는 정류 회로에 사용된다.

오답 피하기

ㄱ. (가)에서 전구에 불이 켜지는 것으로 보아 순방향 바이어스가 걸려있음을 알 수 있으므로 A는 p형 반도체이다.

ㄴ. (나)에서 다이오드에 역방향 바이어스가 걸리므로 전구에는 불이 들어오지 않는다.

150 답 ④ | ㄴ. 전류는 a 방향으로 흐른다.
ㄷ. 태양 전지는 태양으로부터 받은 빛에너지를 전기 에너지로 전환하는 장치로써 태양광 발전에 이용된다.

오답 피하기

ㄱ. 접합면에서 발생한 전자와 양공이 각각 (가), (나) 쪽으로 이동하는 것으로 보아 (가)는 n형 반도체이다.

151 답 ① | 그림과 같은 회로에서 LED에 순방향 전압이 걸리면 n형 반도체의 전자와 p형 반도체의 양공이 각각 p-n 접합면 쪽으로 이동하여 결합하고, 띠 간격에 해당하는 에너지를 빛으로 방출한다. 이때 회로에는 a 방향으로 전류가 흐른다.

152 답 ③ | ㄱ. LED에서 빛이 방출되기 위해서는 순방향 바이어스가 걸려야하므로 A와 B는 각각 n형 반도체와 p형 반도체이고 빛에너지로 발생한 태양 전지 내에 전자와 양공 쌍 중 전자는 p-n 접합면에서 A쪽으로 이동한다.
ㄴ. LED의 p-n 접합면에서 전자와 양공이 결합하여 빛을 발생한다.

오답 피하기

ㄷ. 다이오드는 순방향 바이어스에 의한 전류만 흐르기 때문에 극을 바꾸면 LED는 빛을 방출하지 않는다.

문제 속 자료 발광 다이오드와 태양 전지

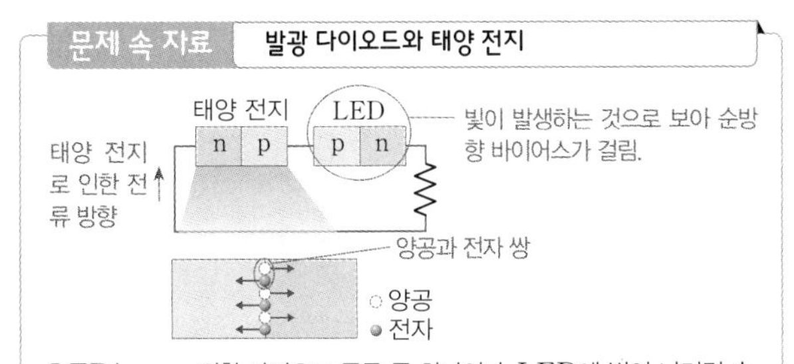

LED는 p-n접합 다이오드 종류 중 하나이다. LED에 빛이 나려면 순방향 전압이 걸려야 하므로 태양 전지는 오른쪽이 p형 반도체, 왼쪽이 n형 반도체이다. 태양 전지가 빛에너지를 받으면 접합면에서는 양공과 전자 쌍이 생성되고 양공은 p형 반도체 방향으로, 전자는 n형 반도체 방향으로 이동하여 전류가 흐른다.

153 답 ② | ㄴ. (다)의 실험 결과 나침반의 회전 각이 커졌으므로 나침반에 작용하는 자기장의 세기가 커졌다. 도선에 흐르는 전류의 세기가 커질수록 나침반이 받는 자기장의 세기도 커지므로 (다)에서 가변 저항기의 저항값은 감소하였다.

오답 피하기

ㄱ. 도선에 전류가 흐를 때 나침반이 왼쪽으로 자기장을 받기 때문에 오른손 법칙에 의해서 전류의 방향은 북쪽이라는 것을 알 수 있다. 그러므로 전원 장치의 단자 a는 (+)극이다.
ㄷ. (라)의 실험 결과 (다)의 실험 결과에 비해 나침반의 회전 각이 작아졌다. 자기장의 세기와 수직 거리는 반비례 관계이므로 (라)에서 거리는 증가하였다.

154 답 ② | ㄴ. 직선 도선을 P로 평행하게 이동했을 때 Q에서 자기장 방향은 xy 평면에서 수직으로 들어가는 방향이다.

오답 피하기

ㄱ. 전류에 의한 자기장의 세기는 수직 거리와 반비례 관계이므로 직선 도선에서 Q까지의 수직 거리를 r이라고 하면 자기장의 세기를 통해 직선 도선에서 P까지는 $2r$, 직선 도선에서 R까지는 $2r$임을 알 수 있다. 그러므로 P에서 R까지의 수직 거리는 P에서 Q까지 거리의 4배이다.
ㄷ. 직선 도선이 $2r$보다 더 멀어지므로 자기장의 세기는 $0.5B_0$보다 작아진다.

문제 속 자료 직선 전류가 만드는 자기장

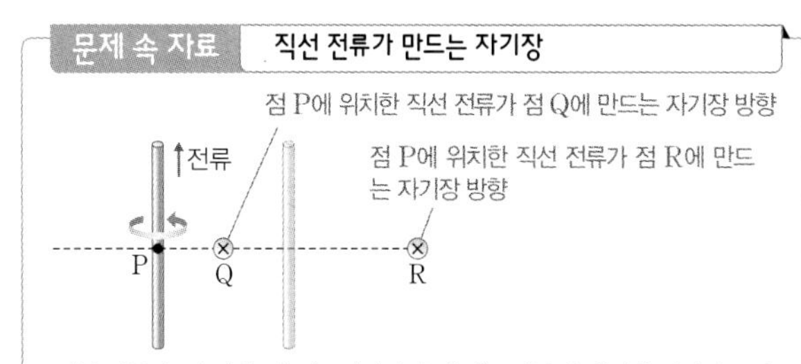

직선 전류가 각 점에 만드는 자기장의 세기는 전류의 세기에 비례하고 수직 거리에 반비례한다. 그러므로 이동 전 직선 도선에서 P까지의 수직 거리는 Q까지의 수직 거리보다 2배 멀다.
또한 직선 도선에서 P까지의 수직 거리는 R까지의 수직 거리와 같으므로 직선 도선을 P로 옮겼을 때 직선 전류가 만드는 자기장은 Q에서가 R에서보다 4배 크고 지면으로 들어가는 방향이다.

155 답 ② | ㄴ. 전류가 만드는 자기장의 세기는 전류에 비례하고 수직 거리에 반비례한다. 점 a에 만들어지는 합성 자기장의 세기가 점 c보다 크므로 도선 P에 흐르는 전류의 세기가 도선 Q에 흐르는 전류의 세기보다 더 크다.

오답 피하기

ㄱ. 도선 P와 Q가 점 a와 점 c에 만드는 합성 자기장의 방향으로 보아 도선 P와 Q에 흐르는 전류는 xy 평면을 뚫고 올라가는 방향으로 같다.
ㄷ. 도선 P에 흐르는 전류의 세기가 더 크고 두 도선이 같은 거리만큼 떨어져 있으므로 점 b에서 합성 자기장은 $+y$ 방향이다.

156 답 ④ | 영희: 저항값이 감소하면 원형 도선에 흐르는 전류의 세기가 커지므로 전류에 의한 자기장의 세기도 커져 북쪽 방향과 이루는 각은 45°보다 커진다.
민수: 도선과 연결된 극을 바꾸면 전류의 방향도 반대로 바뀌므로 전류에 의한 자기장의 방향은 서쪽으로 바뀐다.

오답 피하기

철수: 나침반의 N극이 동쪽으로 기울기 위해서는 서쪽에서 동쪽으로 자기장이 만들어져야 하므로 원형 도선에 흐르는 전류 방향은 시계 반대 방향이다.

157 **답 ④** | ㄱ. 오른손 법칙을 통해 전류의 방향은 b임을 알 수 있다.
ㄷ. 전류에 의한 자기장의 세기는 전류의 세기에 비례한다.

오답 피하기

ㄴ. 자기장의 방향은 O에서와 P에서 다르므로 나침반의 N극이 가리키는 방향도 다르다.

문제 속 자료 **원형 도선이 만드는 자기장**

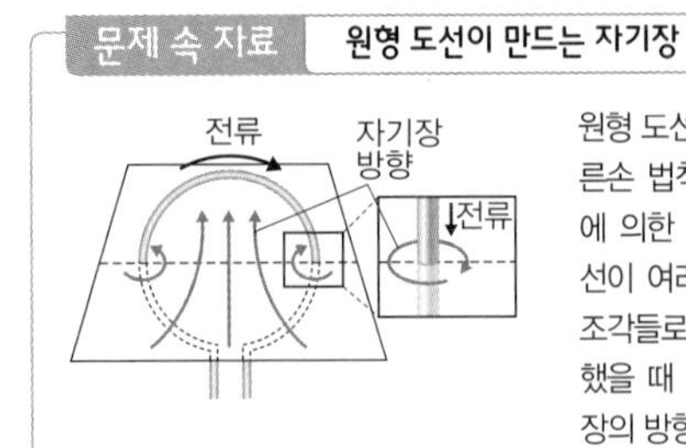

원형 도선이 만드는 자기장은 오른손 법칙을 따른다. 원형 도선에 의한 자기장 방향은 원형 도선이 여러 개의 작은 직선 도선 조각들로 이루어져 있다고 생각했을 때 직선 전류에 의한 자기장의 방향으로 생각하면 쉽다.

158 **답 ①** | ㄱ. 원형 도선에 의한 자기장은 지면으로 들어가는 방향이다. 여기서 A에서의 합성 자기장이 0이므로 직선 도선에 의한 자기장은 지면에서 나오는 방향이다. 그러므로 ㉠은 $-y$이다.

오답 피하기

ㄴ. $+y$ 방향으로 흐르는 직선 전류에 의한 자기장 방향은 지면으로 들어가는 방향이므로 ㉡은 지면으로 들어가는 방향이고, ㉣은 $-y$ 방향으로 흐르는 직선 전류에 의한 자기장의 세기가 원형 전류에 의한 자기장의 세기보다 크기 때문에 합성 자기장의 방향은 직선 도선에서 만든 자기장의 방향과 같으므로 지면에서 나오는 방향이다.
ㄷ. ㉢은 B_0보다 작다.

159 **답 ③** | ㄱ. 전류는 (+)극에서 (−)극방향으로 흐르므로 코일에 흐르는 전류가 만드는 자기장의 방향은 오른손 법칙을 따라 동 → 서이다.
ㄷ. 전원 장치에 연결된 a와 b의 위치를 바꾸면 전류의 방향도 반대로 바뀌므로 코일이 만드는 자기장의 방향도 반대로 바뀐다. 따라서 자침의 N극이 회전하는 방향은 q이다.

오답 피하기

ㄴ. 가변 저항기의 저항을 올리면 전류의 세기가 작아지므로 코일이 만드는 자기장의 세기도 작아진다. 따라서 자침의 N극이 회전하는 각도는 (다)에서가 (나)에서보다 작다.

160 **답 ②** | ㄴ. 점 P와 Q에서 자기장의 방향은 왼쪽으로 같다.

오답 피하기

ㄱ. 화살표 방향으로 전류가 흐를 때 솔레노이드 A의 오른쪽은 S극이 되고 솔레노이드 B의 왼쪽은 N극이 되므로 A와 B 사이에는 인력이 작용한다.
ㄷ. 솔레노이드가 만드는 자기장의 세기는 단위 길이당 감은 수에 비례하므로 B 내부에서 자기장의 세기가 A보다 크다.

문제 속 자료 **솔레노이드에 흐르는 전류가 만드는 자기장**

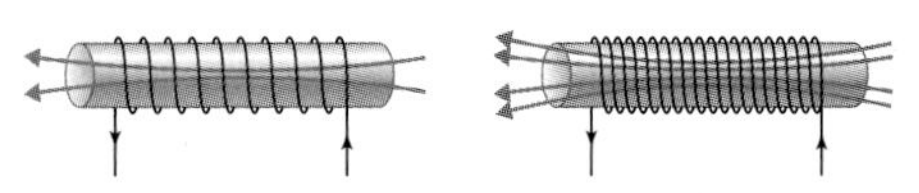

솔레노이드에 의한 자기장은 전류의 세기에 비례하고 단위 길이 당 도선을 감은 수에 비례한다. 또한 자기장의 방향은 솔레노이드에 흐르는 전류 방향을 오른손 네 손가락으로 감아쥘 때 엄지손가락이 가리키는 방향이다.

161 **답 ⑤** | ㄴ. 솔레노이드 내부에서 자기장의 방향은 오른손 네 손가락을 전류의 방향으로 감아쥘 때 엄지손가락이 가리키는 방향이다. 나침반의 자침의 N극은 자기장의 방향을 가리키므로 Q점에서 자침의 N극은 $+x$ 방향을 가리킨다.
ㄷ. 솔레노이드에 흐르는 전류가 만드는 자기장의 세기는 전류의 세기와 비례한다.

오답 피하기

ㄱ. 전류는 '+'에서 '−' 방향으로 흐르므로, 솔레노이드에 흐르는 전류가 만드는 자기장의 방향은 $+x$이다.

162 **답 ③** | ㄱ. (나)에서 클립에 반응한 모습을 보아 B는 자성을 가지고 있고 A는 자성을 잃은 것을 알 수 있다.
ㄴ. 클립은 자성체이므로 B에 의해 자기화되었다.

오답 피하기

ㄷ. 자석에 가까이 했을 때 약하게 밀려나고 외부 자기장이 없어졌을 때 자성이 없어지는 물질은 반자성체이다.

163 **답 ⑤** | ㄱ. 강자성체는 외부 자기장 방향으로 강하게 자기화되므로 P는 N극이다.
ㄴ. A를 외부 자기장이라고 했을 때, B는 상자성체이므로 외부 자기장 방향으로 자기화된다. 그러므로 점 O에서의 자기장 방향은 $+x$이다.
ㄷ. B는 상자성체이므로 A와 B사이에는 인력이 작용한다.

문제 속 자료 **물질의 자성**

▲ 강자성체

▲ 상자성체

▲ 반자성체

• **강자성체**
외부 자기장을 가했을 때 외부 자기장의 방향으로 강하게 자기화되어 자석에 잘 붙는다. 외부 자기장을 제거해도 자석의 효과가 오래 유지된다.
• **상자성체**
외부 자기장의 방향으로 약하게 자기화되어 자석에 약하게 붙는다. 외부 자기장이 제거되면 자석의 효과가 즉시 사라진다.
• **반자성체**
외부 자기장을 가했을 때 외부 자기장의 방향과 반대로 자기화되어 자석에 붙지 않는다. 외부 자기장이 제거되면 자석의 효과가 즉시 사라진다.

164 **답 ②** | ㄴ. 오른손 법칙에 따라 솔레노이드에 I 방향으로 전류가 흐를 때 p에서 자기장의 방향은 b이다.

오답 피하기

ㄱ. A를 넣었을 때 솔레노이드에 클립이 끌려온 것으로 보아 전류로 인한 자기장의 세기가 커진 것을 알 수 있다. 그러므로 A는 상자성체 혹은 강자성체이다.

ㄷ. 솔레노이드 내부에 강자성체(혹은 상자성체)를 넣으면 자기장의 세기는 커진다.

165 답 ④ | ㄴ. S극이 가까워지는 것을 방해하는 방향으로 유도 전류가 흐르므로 전류의 방향은 ⓐ와 반대이다.

ㄷ. N극이 멀어지는 것을 방해하기 위해 고리의 밑은 S극으로 유도 된다. 때문에 막대자석과 고리 사이에는 서로 당기는 힘이 작용한다.

오답 피하기

ㄱ. 유도 전류는 자석의 운동을 방해하는 방향으로 유도 된다. q지점을 통과하는 순간 자석의 윗면이 멀어지는 것을 방해하는 방향으로 유도 전류가 발생하므로 윗면은 N극이다.

문제 속 자료 **유도 전류**

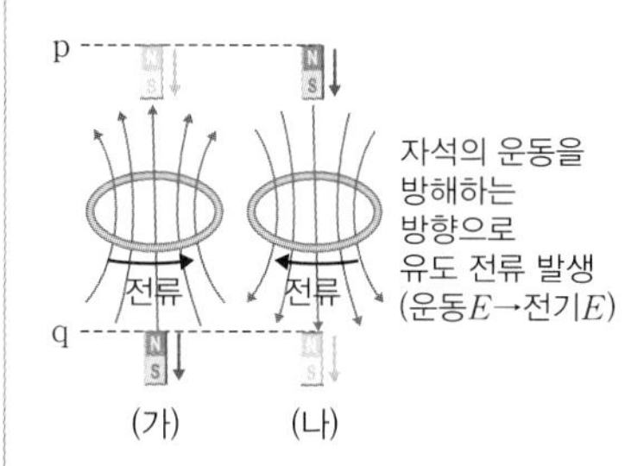

(가) 막대자석이 q를 지나 금속 고리와 멀어지는 운동을 하면 금속 고리를 지나는 자기 선속이 감소하게 되는데 이때 금속 고리에는 자기 선속의 변화를 방해하는 방향인 ⓐ방향으로 전류가 흐르게 된다. → 막대자석의 윗면은 N극이다.
따라서 금속 고리의 아래 부분은 S극이 되므로 자석이 자유 낙하 운동을 방해한다.
(나) 막대자석의 S극이 p를 지나 금속 고리와 가까워지는 운동을 하면 금속 고리를 지나는 자기 선속이 증가하므로 자기 선속의 변화를 방해하는 방향으로 유도 전류가 흐르게 되는데 이때 방향은 ⓐ의 반대 방향이다.
따라서 금속 고리의 윗 부분이 S극이 되므로 자석의 자유 낙하 운동을 방해한다.

166 답 ④ | ㄱ. X에는 자석이 멀어지는 운동을 방해하는 방향으로 유도 전류가 발생하므로 유도 전류의 방향은 b이다.

ㄷ. Y와 막대자석 사이에는 막대자석의 운동을 방해는 척력이 작용한다.

오답 피하기

ㄴ. 자석이 가까워지므로 자기 선속은 증가한다.

167 답 ① | ㄱ. 자석의 속도가 클수록 원형 도선을 통과하는 자기 선속의 변화가 커지므로 유도 전류의 세기는 내려올 때가 더 작다.

오답 피하기

ㄴ. 자석이 올라갈 때 원형 도선 아래쪽에는 N극이 유도되고, 자석이 내려올 때 원형 도선 아래쪽에는 S극이 유도된다.

ㄷ. 자석이 올라갈 때 자석과 A 사이에는 척력이 발생하고, 자석이 내려갈 때 자석과 A 사이에는 인력이 발생한다.

168 답 ③ | ㄱ. 자석이 원형 도선에 가까워지므로 원형 도선에는 자석에 의한 자기 선속이 증가한다.

ㄷ. 원형 도선에는 강자성 막대가 멀어지는 것을 방해하는 방향으로 유도 전류가 흐르므로 원형 도선과 강자성 막대 사이에는 인력이 작용한다.

오답 피하기

ㄴ. 자석에 의해 강자성 막대의 아래는 N극으로 위는 S극으로 자화된다. 이렇게 자화된 강자성 막대를 원형 도선에서 멀어지는 방향으로 움직이면 원형 도선에는 이 운동을 방해하는 ⓐ 반대 방향으로 전류가 흐른다.

169 답 ⑤ | ㄱ. 자석을 솔레노이드에 가까이 가져가면 솔레노이드를 통과하는 자기 선속이 증가하므로 이 변화를 방해하는 방향으로 자기력이 발생하고 척력이 작용한다.

ㄴ. N극을 솔레노이드에 가까이 가져갈 때 검류계 바늘이 a 방향으로 움직이므로 S극을 솔레노이드에 가까이 하면 전류는 반대 방향으로 유도되어 바늘은 b 방향으로 움직인다.

ㄷ. 솔레노이드를 통과하는 자기 선속의 변화를 방해하는 방향으로 전류가 발생하는 것은 전자기 유도 현상이다.

170 답 ① | ㄱ. 자석의 운동을 방해하는 방향으로 유도 전류가 발생하므로 전류는 a → 저항 → b 방향으로 흐른다.

오답 피하기

ㄴ. 자석의 운동 에너지는 전기 에너지로 전환되기 때문에 속력이 줄어들어 p에서의 속력은 q에서보다 크다.

ㄷ. 자석이 q를 지날 때 솔레노이드 오른쪽은 N극이 된다. 그러므로 자기장의 방향은 p → q이다.

171 답 ⑤ | ㄱ. 자석 A가 솔레노이드에서 멀어지는 방향으로 운동하므로 A에 의한 자기 선속은 감소한다.

ㄴ. 자석 A의 운동을 방해하는 방향으로 솔레노이드에 유도 전류가 흐르므로 유도 전류의 방향은 q → 저항 → p이다.

ㄷ. 자석 A의 운동으로 솔레노이드 오른쪽은 N극이 된다. 이때 자석 B에 척력이 작용하므로 ㉠은 S극이다.

172 답 ② | ㄴ. 자석의 운동 에너지는 전기 에너지로 전환되기 때문에 속도가 줄어들어 a를 지날 때가 b를 지날 때보다 빠르다. 그러므로 자석의 운동으로 유도되는 전류의 세기는 a를 지날 때가 더 크다.

오답 피하기

ㄱ. 자석의 운동을 방해하는 방향으로 유도 전류가 발생하므로 자석이 a를 지날 때와 b를 지날 때 유도 전류의 방향이 서로 다르다.

ㄷ. 자석이 a를 지날 때는 척력을 받고 b를 지날 때는 인력을 받으므로 힘의 방향은 같다.

173 답 ② | 유도되는 기전력의 크기는 시간당 자기장의 변화에 비례하여 세기가 결정되는데 원형의 반지름이 일정하게 감소하고 있으므로 넓이의 감소율은 작아진다. (넓이: πr^2) 그러므로 기전력의 크기는 점점 작아지고 방향은 자기장 감소를 방해하는 ⓑ 방향으로 흐른다.

문제 속 자료 원형 도선에 유도되는 전류

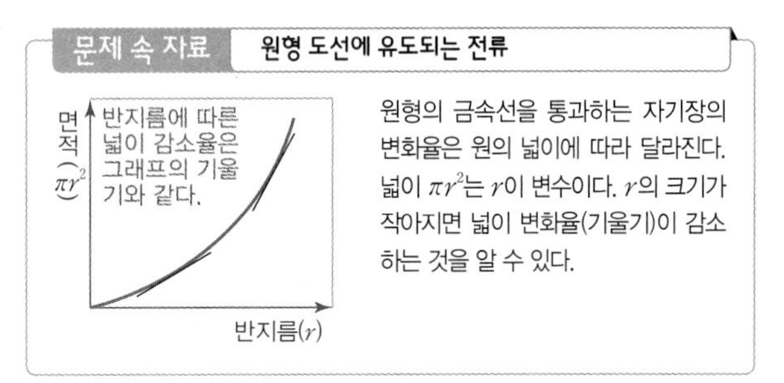

원형의 금속선을 통과하는 자기장의 변화율은 원의 넓이에 따라 달라진다. 넓이 πr^2는 r이 변수이다. r의 크기가 작아지면 넓이 변화율(기울기)이 감소하는 것을 알 수 있다.

174 답 ① | ㄱ. 1초일 때 도선이 Ⅱ에 걸친 면적을 지나는 자기장의 세기가 작아지므로 자기장 세기의 변화를 방해하는 방향인 시계 방향으로 유도 전류가 발생한다.

오답 피하기

ㄴ. 3초일 때나 5초일 때나 도선을 지나는 자기장의 세기가 일정하게 작아지므로 유도 전류의 방향은 같다.

ㄷ. 1초일 때 Ⅱ의 시간당 자기장 세기 변화율과 5초일 때 Ⅰ의 시간당 자기장 세기 변화율의 크기는 같다. 하지만 Ⅱ가 Ⅰ보다 2배 더 크기 때문에 전체 직사각형 도선으로 봤을 때는 1초일 때 자기장 변화율이 더 크다. 그러므로 도선에 유도되는 전류의 세기는 1초일 때가 5초일 때보다 크다.

175 답 ② | ㄴ. t_0일 때 순방향 전류가 흐르므로 X는 n형 반도체이다.

오답 피하기

ㄱ. 회로를 통과하는 자기장의 변화를 방해하는 방향으로 유도 전류가 발생하므로 '저항→Y→X' 방향으로 흐른다.

ㄷ. $3t_0$일 때 다이오드에는 역방향 전압이 걸리므로 전류는 흐르지 않는다.

176 답 ④ | ㄴ. 13초일 때 정사각형 금속 고리를 통과하는 자기장은 변하지 않으므로 P에 유도되는 전류는 0이다.

ㄷ. 자기장의 변화는 15초일 때가 10초일 때보다 크므로 유도 전류의 세기는 15초일 때가 10초일 때보다 크다.

오답 피하기

ㄱ. 5초일 때 정사각형의 중심은 $x=5$ cm를 지나는데 이때 정사각형을 통과하는 자기장의 세기는 수직으로 들어가는 방향으로 증가하므로 도선에는 자기장 세기 변화를 방해하는 방향인 반시계 방향으로 유도 전류가 흐른다.

문제 속 자료 자기장의 변화를 그래프로 전환

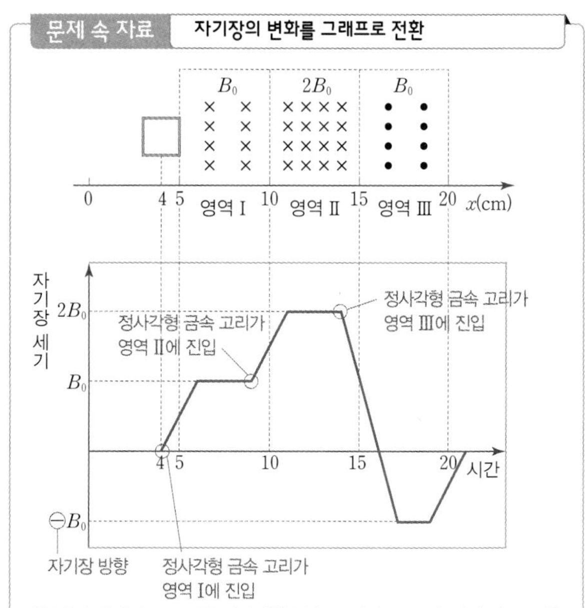

한 변의 길이가 2 cm인 정사각형 금속 고리가 1 cm/s의 속력으로 운동할 때 금속 고리를 통과하는 자기장 세기가 변하는 시점은 영역 Ⅰ을 진입하는 4초부터 금속 고리가 완전하게 들어오는 6초까지이다. 그 이후 Ⅰ→Ⅱ, Ⅱ→Ⅲ를 지날 때 마다 자기장 세기의 변화가 생긴다.

177 답 ⑤ | ㄱ, ㄴ. 마이크의 진동판에 소리로 인한 공기의 진동이 작용하면 그 진동은 진동판에 붙어 있는 코일과 자석의 상대적 운동을 만든다. 또한 그 운동으로 유도 전류가 발생하는데 이는 마이크가 소리 신호를 전기 신호로 전환하는 것이다.

ㄷ. 스피커에서는 마이크와 반대로 전류가 만드는 자기장 세기의 변화로 진동판을 진동시켜 같은 진동수의 소리를 발생시킨다.

178 답 ② | 마이크는 소리 신호를 전기 신호로 전환시키는데, 이 과정은 패러데이 법칙으로 설명할 수 있다.

179 답 ⑤ | ㄴ. 전류의 방향을 바꾸면 그로 인한 자기장 방향도 바뀌므로 저장 물질의 자기화 방향이 바뀐다.

ㄷ. 플래터의 정보 저장 물질은 강자성체이다.

오답 피하기

ㄱ. 정보를 저장하고 기록하는 장치인 하드 디스크는 강자성체로 만들어져 연결된 전원을 꺼도 정보가 사라지지 않는다.

180 답 ④ | ㄱ. 휴대 전화 내부 코일을 통과하는 자기장 세기의 변화를 방해하는 방향으로 유도 기전력(전류)이 발생한다.

ㄷ. 휴대 전화 무선 충전은 전자기 유도 현상을 이용한다.

오답 피하기

ㄴ. 유도 전류는 자기장의 변화를 방해하는 방향으로 유도되므로 a 방향으로 흐른다.

181 답 ④ | (가)는 변위-위치 그래프로, 파장과 진폭을 구할 수 있고, (나)는 변위-시간 그래프로, 주기를 알 수 있다.

ㄴ. 파장은 마루(골)에서 마루(골) 사이의 거리이므로 (가)에서 이 파동의 파장은 $2l$이다.

ㄷ. 주기는 그림 (나)에서 매질의 한 점이 1회 진동하는 데 걸린 시간으로 확인한다. 파장이 $2l$이고 주기가 $2t$이므로 파동의 속력은 $\frac{\text{파장}}{\text{주기}}=\frac{l}{t}$이다.

오답 피하기

ㄱ. 파동의 진폭은 평형 위치에서부터의 최대 변위까지의 크기이다. 평형 위치로부터 최대 변위가 A이므로 파동의 진폭은 A이다.

문제 속 자료 변위-위치 그래프

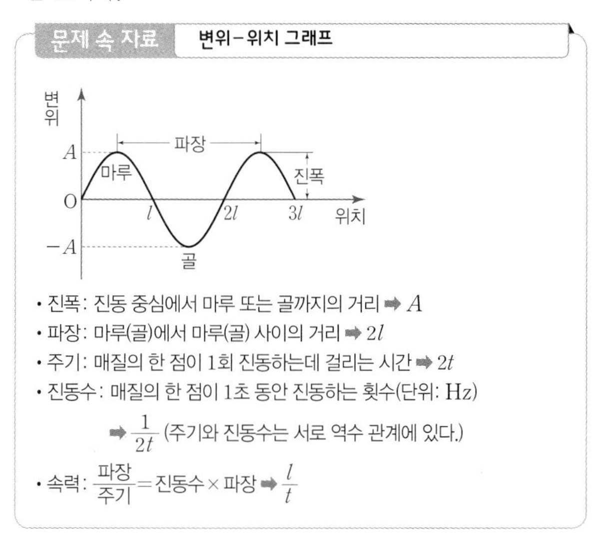

- 진폭: 진동 중심에서 마루 또는 골까지의 거리 ➡ A
- 파장: 마루(골)에서 마루(골) 사이의 거리 ➡ $2l$
- 주기: 매질의 한 점이 1회 진동하는데 걸리는 시간 ➡ $2t$
- 진동수: 매질의 한 점이 1초 동안 진동하는 횟수(단위: Hz) ➡ $\frac{1}{2t}$ (주기와 진동수는 서로 역수 관계에 있다.)
- 속력: $\frac{\text{파장}}{\text{주기}}$ = 진동수 × 파장 ➡ $\frac{l}{t}$

182 답 ⑤ | ㄴ. 그림 (나)는 진폭이 3 cm이므로 파동 B의 변위-위치 그래프임을 알 수 있다. 따라서 B의 파장은 1 m이다. 또한 그림 (가)에서 B 파동의 주기는 1초이다.

ㄷ. 파동의 진행 속력은 $\frac{\text{파장}}{\text{주기}}$이다. 따라서 B의 속력은 1 m/s이고, 문제에서 진행 속력은 A가 B의 2배라고 했으므로, A의 진행 속력은 2 m/s이다.

오답 피하기

ㄱ. (가)에서 2초 동안 A는 3회 진동하였고, B는 2회 진동하였다. 따라서 파동의 진동수는 A는 $\frac{3}{2}$ Hz, B는 $\frac{2}{2}$ Hz이고 A의 진동수는 B의 1.5배이다.

183 답 ⑤ | ㄴ. 마루에서 마루까지의 거리가 파장이다. 마루에서 마루까지 거리는 B가 A의 2배이므로 파장은 B가 A의 2배이다.

ㄷ. 파동의 속력은 파장과 진동수의 곱이다. 문제에서 A, B는 주기가 같으므로, 주기의 역수인 진동수도 같다. ㄴ에서 파장은 B가 A의 2배이므로 파동의 속력은 B가 A의 2배이다.

오답 피하기

ㄱ. 문제에서 두 파동의 주기가 같다고 하였다. 따라서 두 파동의 진동수(주기$=\frac{1}{\text{진동수}}$) 또한 같다.

184 답 ⑤ | 파동의 변위-거리 그래프(가)에서 이 파동의 파장은 4 cm이고, 변위-시간 그래프(나)에서 이 파동의 주기는 2초이다. 파동의 속력은 $\frac{\text{파장}}{\text{주기}}$이므로 이 파동의 속력은 $\frac{4\text{ cm}}{2\text{ s}}=2$ cm/s이다.

또한 A가 그림 (가)의 위치에서 움직이기 시작할 때 (나)에서 0~1초 동안 A의 변위는 (−) 방향이다. 즉, 그림 (가)에서 파동이 어느 방향으로 수평 이동했을 때 A의 변위가 (−)가 되는지를 살펴보면 왼쪽이다. 즉, 이 파동은 시간에 따라 왼쪽으로 진행하였다.

185 답 ① | ㄱ. 변위-위치 그래프의 마루에서 인접한 마루까지의 거리가 파동의 파장이다. 파장은 A가 B보다 작다.

오답 피하기

ㄴ. 진동 중심에서 최대 변위까지의 거리가 진폭이므로 진폭은 A가 B보다 크다.

ㄷ. 파동의 속력은 $v=\frac{\lambda}{T}$이다. 문제에서 A와 B의 속력은 같다고 하였고, ㄱ에서 파장(λ)은 A가 B보다 작으므로 주기(T)도 A가 B보다 작다.

186 답 ⑤ | ㄴ. 파동의 속력은 $\frac{\text{파장}}{\text{주기}}$이고, 문제에서 주기가 T이므로 속력은 $\frac{2L}{T}$이다.

ㄷ. 매질의 한 점은 1회 진동하는 동안 '진동 중심-마루-진동 중심-골-진동 중심'을 반복한다. 문제의 파동은 주기 T 동안 이 과정을 따라 진동하며, $\frac{T}{2}$ 동안에는 그 절반을 진동한다. 따라서 $\frac{T}{2}$ 시간 후 마루는 골이 된다.

오답 피하기

ㄱ. 이웃한 마루와 마루 사이의 거리가 파장이므로 파장은 $2L$이다.

187 답 ⑤ | 음파가 공기 중으로 전달될 때 매질은 공기가 되며, 물체의 진동이 공기로 전달되어 공기 입자를 진동시키면서 소리가 전달된다. 음파는 공기 입자의 분포가 빽빽해지거나 성겨지면서 진동이 전달되는 종파이다.

ㄱ. 소리는 종파이므로 소리의 진행 방향과 매질인 공기의 진동 방향이 나란하다. 즉, 그림에서 빽빽한 부분과 성긴 부분의 진동 방향이 소리가 전달되는 방향과 나란하다.

ㄴ. 종파에서 파장은 밀(소)에서 이웃한 밀(소)까지의 거리이다. 즉, 문제의 L은 이 음파의 파장이다.

회절은 파동이 좁은 틈이나 장애물의 가장자리를 지날 때 좁은 틈이나 장애물의 가장자리를 돌아서 휘어져 나가는 현상이다. 이때 틈이 좁을수록, 장애물의 크기가 작을수록, 파장이 길수록 회절이 잘 된다.

ㄷ. 공기 중에서 소리의 속력이 일정하며(같은 매질에서 파동의 속력은 일정하므로), 파동의 속력은 '진동수×파장'으로 구한다. 따라서 진동수가 커지면 파장은 짧아진다.

188 답 ③ | ㄱ. 주기는 진동수의 역수이며, 문제에서 물의 깊이에 관계없이 진동수가 f로 같으므로 (나)에서 물결파의 주기는 $\frac{1}{f}$이다.

ㄴ. 물결파에서 밝은 무늬 사이의 간격이 파장이다. 물의 깊이에 따라 물결파 무늬를 비교했을 때 깊은 물에서 물결파의 파장이 더 길다. 파동의 속력은 $\frac{\text{파장}}{\text{주기}}$으로 구해지며, 주기가 같으므로(진동수가 같으므로) 파장이 긴 깊은 물에서 진행하는 파동의 속력이 파장이 짧은 얕은 물에서보다 빠르다. 즉, 물결파는 수심이 깊을수록 더 빨리 진행한다.

오답 피하기

ㄷ. 매질의 종류가 같을 때 파동의 속력은 일정하다. 물결파에서는 물의 깊이가 매질의 종류가 된다. 물의 깊이를 일정하게 했으므로 파동의 속력은 일정하다. 속력이 일정할 때 진동수를 증가시키면 파장은 짧아진다(파동의 속력=진동수×파장). 즉, 밝은 무늬 사이의 간격은 감소한다.

189 답 ③ | ㄱ. 종파는 파동의 진행 방향이 매질의 진동 방향과 나란하다. 문제의 A와 B는 모두 종파이다.

ㄴ. 종파에서 파장은 밀(소)한 곳에서 다음 밀(소)한 곳까지의 거리이다. 파장은 A가 B보다 길다.

오답 피하기

ㄷ. 파동의 속력은 '진동수×파장'이다. 문제에서 동일한 진동수로 진동시켰으며, 파장이 A가 더 길므로, 파동의 속력은 A가 B보다 빠르다.

문제 속 자료 종파의 파장

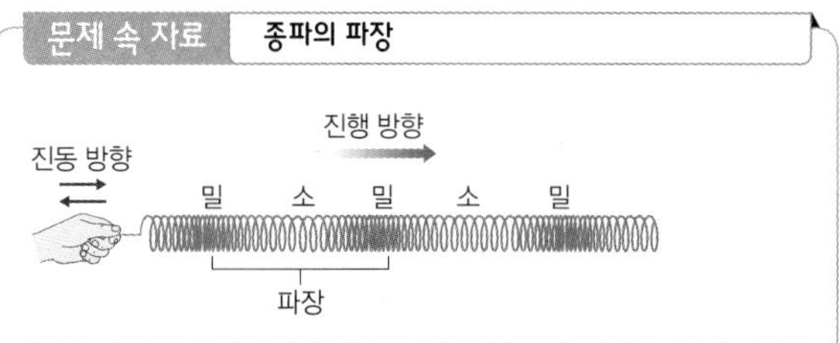

종파는 파동의 진행 방향과 매질의 진동 방향이 나란하다. 종파는 매질이 성긴 부분(소)과 빽빽한 부분(밀)이 반복되며 진행하고, 밀(소)에서 밀(소)까지의 거리가 파장이다.

190 답 ① | 문제의 (가), (나)에서 빛이 A→B로 갈 때와 A→C로 갈 때를 비교해 보면 입사각은 같지만 C로 들어갈 때가 B로 들어갈 때보다 더 많이 굴절된다. 굴절률이 클수록 빛이 더 많이 꺾이므로 굴절률의 크기는 C>B>A이다.

ㄱ. (가)에서 빛이 A에서 B로 진행할 때, 입사각보다 굴절각이 작으므로 굴절률은 A가 B보다 작다.

오답 피하기

ㄴ. 파동의 속력은 굴절률이 클수록 느려진다. 굴절률은 C가 B보다 크므로 단색광의 속력은 C에서가 B에서보다 작다.

ㄷ. 굴절 법칙을 적용하여 식을 세워 보자. 공기, A, B, C의 굴절률을 각각 $n_{\text{공기}}$, n_A, n_B, n_C라 하고, (가)에서 A에서 B로 진행할 때의 굴절각을 θ_B라고 하면 굴절 법칙에 따라 다음이 성립한다.

$n_A \sin\theta_0 = n_B \sin\theta_B = n_{\text{공기}} \sin\theta_1$ …… ①

(나)에서 A에서 C로 진행할 때의 굴절각을 θ_C라고 하면 굴절 법칙에 따라 다음이 성립한다.

$n_A \sin\theta_0 = n_C \sin\theta_C = n_{\text{공기}} \sin\theta_2$ …… ②

두 식 ①, ②에서 $\theta_1 = \theta_2$이다.

191 답 ② | 단색광이 '공기→A'로 진행할 때 '입사각>굴절각'이므로 굴절률은 '공기<A'이다. 단색광이 A→B로 이동할 때는 '입사각<굴절각'이므로 굴절률은 'A>B'이다. 즉, 굴절률의 크기는 'A>B>공기'이다.

ㄴ. 단색광이 굴절될 때, 단색광의 속력은 법선과 이루는 각이 큰 매질(굴절률 小)에서가 법선과 이루는 각이 작은 매질(굴절률 大)에서보다 빠르다. 즉, 단색광의 속력은 굴절률에 반비례하며, 파동은 굴절률이 큰 매질로 갈수록 느려진다. 따라서 법선과 이루는 각이 작은 A의 굴절률 n_1이 B의 굴절률 n_2보다 크다.

오답 피하기

ㄱ. 단색광의 속력은 굴절률이 클수록 느려지므로 공기 중에서가 A에서보다 빠르다.

ㄷ. 단색광이 굴절될 때 단색광의 속력은 파장에 비례한다. 즉, 속력이 크면 파장도 길고, 속력이 작으면 파장도 짧다. 또한 파동의 속력은 굴절률이 클수록 느려지므로 매질 사이의 굴절률, 속력, 파장을 비교하면 다음과 같다.

- 굴절률 : A>B>공기
- 속력 : A<B<공기
- 파장 : A<B<공기

(굴절률–속력: 서로 반비례 관계, 속력–파장: 서로 비례 관계)

192 답 ① | ㄱ. 파동의 속력은 굴절률이 클수록 느려진다. 빛이 공기 중에서 A로 진행할 때, 입사각(θ_1)보다 굴절각이 작으므로 빛의 속력은 공기 중에서가 A에서보다 크다.

오답 피하기

ㄴ, ㄷ. 평행한 두 광선이 한 매질에서 다른 매질로 진행할 때 굴절되는 정도가 클수록 평행 광선 사이의 간격 변화가 커진다. $d_1 < d_2$이므로 빛이 '공기 → A'로 진행할 때 굴절되는 정도가 빛이 'B → 공기'로 진행할 때 굴절되는 정도보다 크다. 따라서 $\theta_1 > \theta_2$이다.

공기 중에서 A로 진행할 때 굴절각을 r라고 하면, B에서 공기 중으로 진행할 때의 입사각도 r이다(엇각). 따라서 굴절 법칙을 적용하면, $n_{공기}\sin\theta_1 = n_A \sin r$, $n_B \sin r = n_{공기} \sin\theta_2$이고, $\theta_1 > \theta_2$이므로 굴절률은 A가 B보다 크다.

문제 속 자료 빛의 굴절

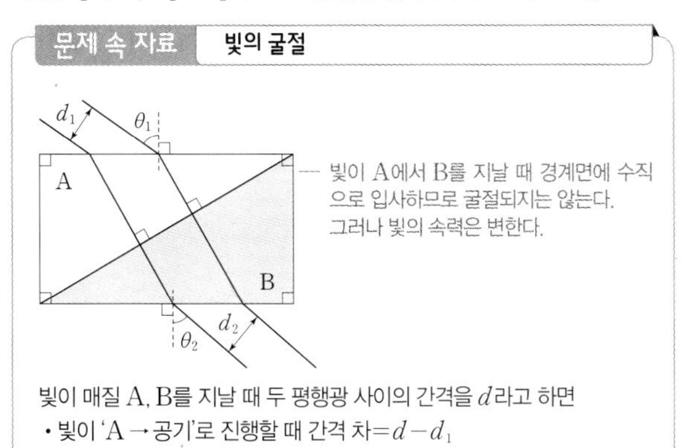

빛이 매질 A, B를 지날 때 두 평행광 사이의 간격을 d라고 하면
- 빛이 'A → 공기'로 진행할 때 간격 차$=d-d_1$
- 빛이 'B → 공기'로 진행할 때 간격 차$=d-d_2$

이다. 이때 d는 같고, $d_1 < d_2$이므로 빛이 'A → 공기'로 진행할 때 두 평행광 사이의 간격 변화가 크며, 간격 변화가 클수록 굴절률이 크다. 따라서 굴절률은 A가 B보다 크다.

193 답 ⑤ | ㄱ. (가)에서 프리즘에서 매질 A로 빛이 진행할 때 입사각은 30°이고 굴절각은 60°이다. 굴절할 때 빛의 속력은 법선과 이루는 각이 큰 매질에서 더 빠르다. 따라서 단색광의 속력은 프리즘에서가 A에서보다 작다.

ㄴ. (나)에서 빛이 프리즘에서 매질 B로 진행할 때 입사각은 30°이고, 굴절각은 45°이다. 스넬 법칙에 의해 $\sin 30° : \sin 45° = \lambda_{프리즘} : \lambda_B = 1 : \sqrt{2}$이다.

ㄷ. 프리즘, 매질 A, 매질 B의 굴절률을 각각 $n_프$, n_A, n_B라고 하면, 그림 (가)에서 프리즘에 대한 매질 A의 굴절률은 $\frac{\sin 30°}{\sin 60°} = \frac{n_A}{n_프}$이고, 그림 (나)에서 프리즘에 대한 매질 B의 굴절률은 $\frac{\sin 30°}{\sin 45°} = \frac{n_B}{n_프}$이다.

A에 대한 B의 굴절률은 $\frac{n_B}{n_A}$이므로, $\frac{\sin 60°}{\sin 45°} = \sqrt{\frac{3}{2}}$이다.

문제 속 자료 스넬 법칙

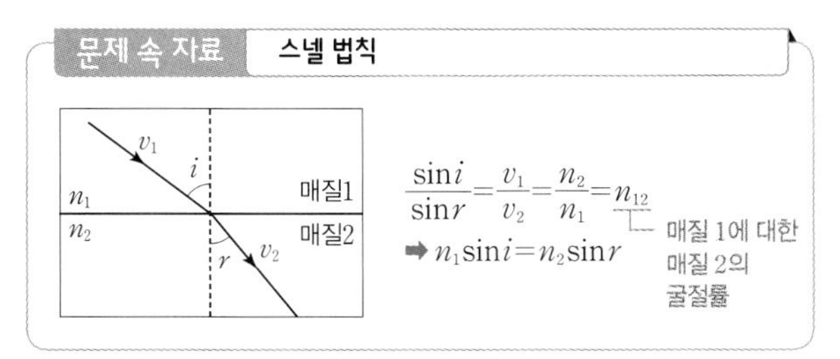

194 답 ④ | 물결파가 굴절할 때 파장은 매질 Ⅰ → Ⅱ로 진행하면서 짧아졌다. 파동의 파장이 짧아지면 속력은 느려지고, 굴절률은 커진다.

ㄱ. 파동의 속력 $v=f\lambda$ (f: 진동수, λ: 파장)이다. 파동의 진동수는 진행 도중 변하지 않고 일정하다. 따라서 물결파의 속력은 파장이 긴 Ⅰ에서가 Ⅱ에서보다 크다.

ㄷ. Ⅰ, Ⅱ에서 물결파의 속력을 각각 v_1, v_2라 하고, Ⅰ, Ⅱ에서 물결파의 파장을 각각 λ_1, λ_2라 할 때 매질 Ⅰ에 대한 매질 Ⅱ의 굴절률($n_{\mathrm{I\,II}}$)은 $\frac{v_1}{v_2} = \frac{\lambda_1}{\lambda_2}$이다.

오답 피하기

ㄴ. 파동의 진동수는 파원에 의해 결정되며, 진행 도중 변하지 않는다. 따라서 Ⅰ과 Ⅱ에서 물결파의 진동수는 같다.

195 답 ③ | ㄱ. B는 매질 Ⅰ과 매질 Ⅱ의 경계면에서 반사된 파동이므로 입사파인 A와 파장이 같다. 이웃한 파면 사이의 거리가 파장이므로 A의 파장은 λ_1이다.

ㄴ. 매질 Ⅰ에서 파동의 파장은 λ_1, 매질 Ⅱ에서 파동의 파장은 λ_2이므로 스넬 법칙에서 Ⅰ에 대한 Ⅱ의 굴절률은 $\frac{\lambda_1}{\lambda_2}$이다.

오답 피하기

ㄷ. 파동이 속력이 다른 매질로 진행하거나 반사하더라도 파동의 진동수는 변하지 않는다. 따라서 진동수는 A, B, C가 모두 같다.

196 답 ② | 파동의 모양을 보면 파장은 A에서가 B에서보다 짧다. 즉, 파장은 굴절된 후 길어지며, '입사각 < 굴절각'이다. 따라서 파동이 수심이 얕은 곳(A)에서 깊은 곳(B)으로 진행하는 경우이다.

ㄴ. 파장이 길어진 것은 파동이 수심이 얕은 곳에서 깊은 곳으로 진행한 경우이다.

오답 피하기

ㄱ. 물결파의 속력은 수심이 깊을 때가 수심이 얕을 때보다 빠르다.

ㄷ. 입사각은 두 매질의 경계면과 수직인 선(법선)이 파동의 진행 방향과 이루는 각이다. 즉, 입사각은 $90° - \theta$이다.

문제 속 자료 물결파의 굴절

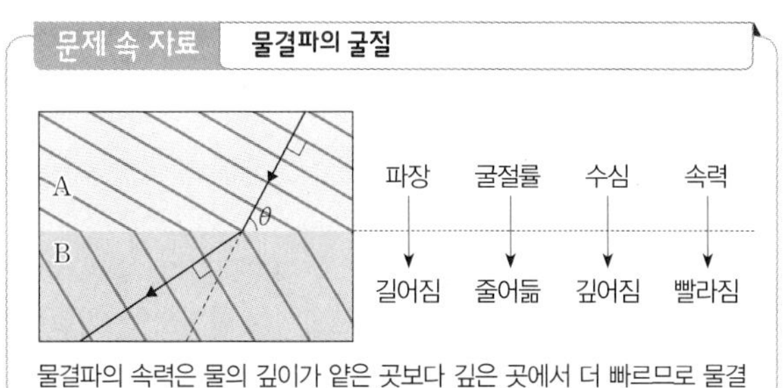

물결파의 속력은 물의 깊이가 얕은 곳보다 깊은 곳에서 더 빠르므로 물결파가 얕은 곳에서 깊은 곳으로 진행하면 파장이 길어진다.

197 답 ③ | 해안가로 접근하는 파도는 수심에 따라 속력이 달라지면서 진행 방향이 변하게 되는데, 이것은 굴절과 관련된 현상이다. 즉, 파도가 해안으로 접근할 때 수심이 낮아지므로 속력이 느려진다. 물결파에서 수심은 매질의 종류에 해당하므로, 다른 종류의 매질로 입사할 때 파동은 굴절한다. 볼록 렌즈에 입사하는 빛은 렌즈와의 경계면에서 진행 방향이 굴절된다.

오답 피하기

①, ②, ④, ⑤는 모두 파동의 반사에 해당하는 예이다.

198 답 ① | ㄱ. 그림은 물결파의 파면을 나타낸 것이다. 따라서 물결파가 진행하는 모습을 보려면 파면이 어떻게 움직이는지를 나타내어야 하며, 이것은 파면에 수직인 선으로 표시한다. 이렇게 파동의 진행을 선으로 표현한 후 입사각을 찾는다. 입사각은 파동이 경계면에 들어오는 방향과 경계면의 법선이 이루는 각이다. 문제와 같이 파면이 주어졌을 때 입사각은 파면과 경계면이 이루는 각(θ)과 같다.

오답 피하기

ㄴ. 입사각이 θ_1이고 굴절각이 θ_2이므로 Ⅰ에 대한 Ⅱ의 굴절률은 $\dfrac{\sin\theta_1}{\sin\theta_2}$이다.

ㄷ. 파동이 굴절할 때 진동수는 변하지 않는다.

문제 속 자료 | 물결파의 굴절

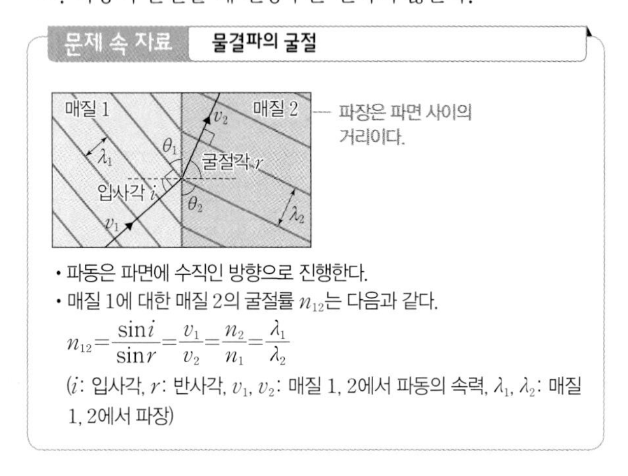

- 파동은 파면에 수직인 방향으로 진행한다.
- 매질 1에 대한 매질 2의 굴절률 n_{12}는 다음과 같다.

$$n_{12}=\frac{\sin i}{\sin r}=\frac{v_1}{v_2}=\frac{n_2}{n_1}=\frac{\lambda_1}{\lambda_2}$$

(i: 입사각, r: 반사각, v_1, v_2: 매질 1, 2에서 파동의 속력, λ_1, λ_2: 매질 1, 2에서 파장)

199 답 ④ | ㄱ. A에서 B로 단색광이 입사할 때 전반사가 일어나지 않으므로 임계각은 45°보다 크다.

ㄷ. A에서 B로 단색광이 입사할 때 입사각이 굴절각(55°)보다 작으므로 굴절률은 'A>B'이고, B에서 C로 입사할 때 전반사가 일어나고, 전반사는 굴절률이 큰 매질에서 작은 매질로 빛이 진행할 때 일어나므로 굴절률은 'B>C'이다. 즉, 세 매질의 굴절률은 A>B>C이다.

오답 피하기

ㄴ. B에서 C로 단색광이 입사할 때 전반사가 일어나므로 굴절률은 B가 C보다 크다. 빛의 속력은 굴절률이 클수록 줄어든다. 따라서 단색광의 속력은 B에서가 C에서보다 작다.

200 답 ① | ㄴ. 단색광이 매질 1에서 매질 2로 입사할 때 굴절각이 입사각보다 크므로 매질 1의 굴절률이 매질 2의 굴절률보다 크다. 그리고 단색광이 매질 2에서 매질 3으로 입사할 때 굴절각이 입사각보다 크므로 매질 3의 굴절률이 매질 2의 굴절률보다 작다. 따라서 굴절률의 크기는 '매질 1>2>3' 순이다.

오답 피하기

ㄱ. 매질 1의 굴절률이 매질 2의 굴절률보다 크고, 빛의 속력은 굴절률이 클수록 느려지므로 단색광의 속력은 매질 1에서가 매질 2에서보다 느리다.

ㄷ. 매질 2와 3의 경계면에서 전반사가 일어나려면 입사각이 더 커져야 한다. 매질 1에서 단색광의 입사각을 현재보다 크게 하면 매질 2에서의 굴절각도 커지고, 이 각이 커지면 단색광이 매질 2에서 3으로 입사할 때의 입사각이 줄어든다. 즉, 전반사는 일어날 수 없게 된다.

문제 속 자료 | 입사각과 굴절각

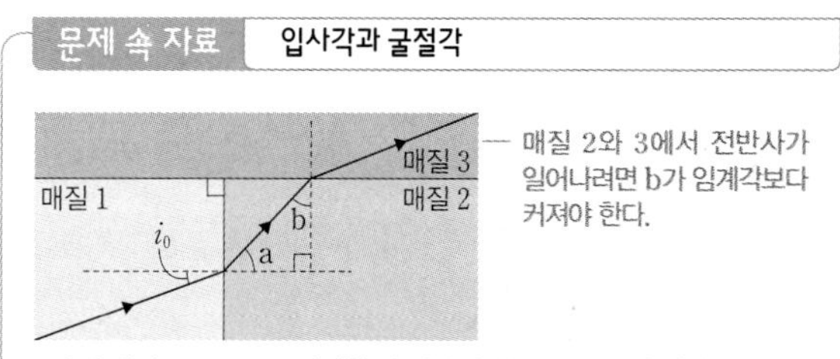

- 빛이 매질 2 → 3으로 입사할 때 입사각 b는 90° − a와 같다.
- 빛이 매질 1에서 2로 입사할 때, i_0는 입사각, a는 굴절각이므로 i_0가 증가하면 a도 커진다(입사각이 커지면 굴절각도 커짐).
- a가 증가하면 b(=90−a)는 감소한다. b는 매질 2에서 3으로 입사하는 광선의 입사각이다.

201 답 ④ | ㄱ. 매질 Ⅰ에서 진행하던 빛이 매질 Ⅱ와의 경계에서 전반사했으므로 굴절률은 매질 Ⅰ이 Ⅱ보다 크고, A의 속력은 매질 Ⅰ에서가 Ⅱ에서보다 작다.

ㄷ. 매질 Ⅲ의 굴절률은 매질 Ⅱ의 굴절률보다 작으므로 매질 Ⅰ과 Ⅲ의 굴절률 차이가 더 커지고 A의 임계각은 더 작아진다. 따라서 매질 Ⅰ로 입사각 θ_i로 입사시킨 단색광 A는 매질 Ⅰ과 Ⅲ의 경계에서 전반사한다.

오답 피하기

ㄴ. (가)에서 매질 Ⅰ로 입사하는 A의 입사각이 0보다 크고 θ_i보다 작으면 매질 Ⅰ에서 Ⅱ로 입사하는 A의 입사각이 임계각보다 커지므로 A는 매질 Ⅰ과 Ⅱ의 경계면에서 전반사한다.

202 답 ⑤ | ㄱ. Q가 전반사하였으므로 굴절률은 Y가 X보다 크다. 전반사는 굴절률이 큰 매질에서 굴절률이 작은 매질로 빛이 진행할 때 일어난다.

ㄴ. 전반사는 '입사각>임계각'일 때 일어난다. P는 전반사가 일어나지 않았으므로 임계각이 θ_0보다 크고, Q는 전반사가 일어났으므로 임계각이 θ_0보다 작다.

ㄷ. 광섬유에서 굴절률은 코어가 클래딩보다 커야 한다. 따라서 굴절률이 큰 Y를 코어로, 굴절률이 작은 X를 클래딩으로 사용해야 한다.

203 답 ⑤ | ㄱ. 물줄기에서 전반사가 일어나므로 물의 굴절률이 공기의 굴절률보다 크다. 전반사는 빛이 굴절률이 큰 매질에서 작은 매질로 진행할 때 일어난다.

ㄷ. 광통신은 전반사의 원리를 이용한다.

오답 피하기

ㄴ. 임계각은 굴절각이 90°일 때의 입사각이며, '입사각 > 임계각'일 때 전반사가 일어난다. i는 입사각이고 전반사가 일어났으므로 임계각보다 크다.

204 답 ② | 마이크는 소리 신호를 전기 신호로, 발신기는 전기 신호를 빛 신호로, 광 검출기(수신기)는 빛 신호를 전기 신호로, 스피커는 전기 신호를 소리 신호로 전환시킨다.

205 답 ③ | 코어는 클래딩보다 굴절률이 크고, 코어와 클래딩 사이의 임계각이 클수록 두 매질의 굴절률 차이가 작다. 따라서 굴절률은 C가 A보다 크다.

206 답 ① | ㄱ. 전반사는 굴절률이 큰 매질에서 작은 매질로 빛이 진행할 때 일어난다. 따라서 굴절률은 A가 B보다 크다.

오답 피하기

ㄴ. '입사각 > 임계각'일 때 전반사가 일어난다. P점에서는 반사와 굴절이 같이 일어났으므로 빛은 전반사하지 않았고, 입사각은 임계각보다 작았다.

ㄷ. P에 입사한 빛 중 일부가 굴절되어 B로 진행하였으므로 반사된 빛의 세기는 입사한 빛보다 줄어든다.

207 답 ⑤ | ㄱ, ㄴ. A와 B에서 레이저의 세기가 같으므로 레이저는 코어와 클래딩의 경계면에서 전반사하였다. 따라서 굴절률은 코어가 클래딩보다 크다.

ㄷ. 광통신은 광섬유를 이용하여 신호를 전달한다.

208 답 ⑤ | ㄱ. 빛이 임계각보다 큰 각으로 굴절률이 큰 매질에서 작은 매질로 입사할 때 전반사한다. 따라서 $n_1 > n_2$이다.

ㄷ. A가 i보다 작은 각으로 입사하면 코어와 클래딩의 경계면에서 입사각의 크기가 증가하므로 A는 전반사한다.

오답 피하기

ㄴ. A가 코어와 클래딩의 경계면에서 전반사하였으므로 θ는 코어와 클래딩 사이의 임계각보다 크다. 임계각은 굴절률이 90°일 때의 입사각으로, 입사각이 임계각보다 클 때 전반사가 일어난다.

209 답 ② | P가 A에서 B로, B에서 C로 진행할 때 각각 굴절각이 입사각보다 크므로 굴절률은 A > B > C이다. 광섬유에서 코어의 굴절률은 클래딩의 굴절률보다 크고, 코어와 클래딩의 굴절률 차이가 클수록 임계각이 작으므로 코어는 A, 클래딩은 C이다. 코어가 A, 클래딩이 B일 때도 전반사가 일어나지만 'A−C'일 때보다 임계각이 커진다.

문제 속 자료 광섬유와 전반사

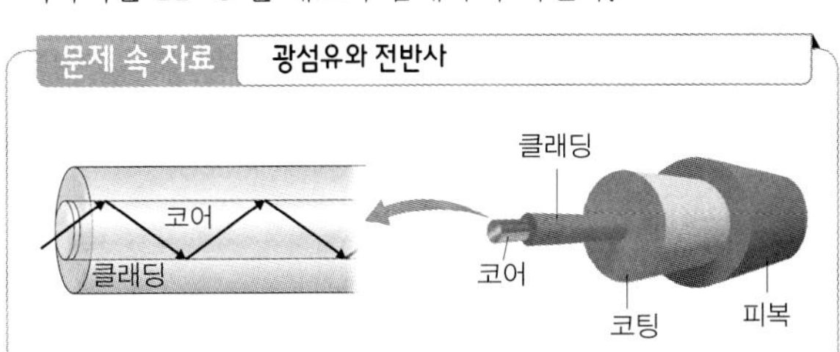

광섬유는 유리로 만들어진 가늘고 투명한 코어와, 코어를 감싸고 있는 클래딩의 구조로 되어 있다. 광섬유 내부로 빛을 입사시키면 빛은 굴절률이 큰 코어와 굴절률이 작은 클래딩의 경계에서 전반사하여 광섬유 밖으로 새어 나가지 않고 광섬유를 따라 멀리까지 이동할 수 있다. 광섬유 여러 가닥을 묶어서 만든 광케이블을 이용하면 대용량의 정보를 신속하게 전달하는 광통신이 가능하다.

210 답 ② | A, B, C의 굴절률을 비교해 보면 단색광이 A−B의 경계에서 전반사하므로 굴절률은 'B > A'이고, B−C의 경계면에서 굴절할 때 '입사각 < 굴절각'이므로 굴절률은 'B > C'이다.

ㄴ. 굴절률은 B가 C보다 크다. 굴절률이 클수록 단색광의 속력이 작아지므로 단색광의 속력은 B에서가 C에서보다 작다. 파동의 속력은 매질의 굴절률이 클수록 느려져 법선 쪽으로 더 많이 꺾인다. ➡ 굴절각이 줄어든다.

오답 피하기

ㄱ. 전반사는 입사각이 임계각보다 클 때 일어나므로 임계각은 θ_1보다 작다.

ㄷ. B에서 진행한 단색광이 같은 입사각으로 입사하였을 때 A와 B의 경계면에서는 전반사하고, B와 C의 경계면에서는 전반사하지 못하므로 A−B에서 임계각은 θ_1보다 작고, B−C에서 임계각은 θ_1보다 크다. 두 물질의 굴절률 차이가 클수록 임계각은 작아지므로 굴절률은 A가 C보다 작다(굴절률: B > C > A). 광섬유에서 굴절률은 클래딩이 코어보다 작으므로 클래딩은 A, 코어는 C이다.

211 답 ③ | ㄱ. 전반사는 빛이 굴절률이 큰 매질에서 작은 매질로 진행할 때 일어난다. 코어와 클래딩의 경계면에서 전반사하므로 코어의 굴절률(n_1)은 클래딩의 굴절률(n_2)보다 크다.

ㄴ. 단색광이 공기에서 코어로 진행할 때 굴절각은 입사각보다 작으므로 굴절률은 '공기 < 코어'이고, 단색광의 속력은 '공기 > 코어'이다.

오답 피하기

ㄷ. n_2를 작게 하면 코어와 클래딩의 굴절률 차가 커져 임계각의 크기가 줄어든다. 따라서 코어에서 클래딩으로 빛이 진행할 때 전반사가 일어날 수 있는 입사각의 범위가 증가하게 된다. ➡ 입사각이 작아도 전반사가 일어난다.

빛이 코어에서 클래딩으로 진행할 때 입사각은 '$90° - i$의 굴절각'이다. 즉, i가 커질수록 코어에서 클래딩으로 들어가는 빛의 입사각이 줄어든다. n_2가 줄어들면 코어-클래딩 사이의 입사각이 줄어들어도 전반사가 일어나며, 이 입사각의 크기는 i에 반비례한다. 즉, i가 커져도 전반사가 일어나며, 코어와 클래딩 사이에서 전반사가 일어나기 위해 공기에서 코어로 입사하는 각의 최댓값 i_m이 증가한다.

212 답 ⑤ | ㄱ. 자외선은 미생물을 죽이는 살균 기능이 있어서 식기 소독기에 이용되고, 자외선에 피부가 오래 노출되면 피부 노화가 촉진된다.

ㄴ. 전파의 파장은 X선의 파장보다 크다.

ㄷ. 진공에서는 전자기파의 종류에 관계없이 속력이 같다.

문제 속 자료 **전자기파의 종류와 이용**

① 전파(라디오파, 마이크로파)
- 모든 전자기파 중에서 파장이 가장 길고 진동수가 가장 낮다.
- 라디오파: 라디오, 텔레비전 등에서 정보를 전송하는 데 이용
- 마이크로파: 전자레인지, 선박과 항공기의 운항을 추적하거나 날씨를 예측하는 데 필요한 레이더와 위성 통신에 이용된다.

② 적외선
- 강한 열작용을 하여 열선이라고 부른다.
- 리모컨, 자동문, 적외선 온도계, 적외선 카메라 등에 이용된다.

③ 가시광선
- 전자기파 중에서 사람의 눈이 감지할 수 있는 영역
- 조명, TV나 모니터와 같은 영상 장치, 레이저 포인터, 망원경이나 현미경과 같은 광학 장치 등에 이용된다.

④ 자외선
- 살균 작용을 하여 식기 소독기 등에 이용된다.
- 형광 작용이 있어서 형광등, 위조지폐 감별 등에 이용된다.
- 자외선에 피부가 오래 노출되면 피부가 검게 타고 노화가 촉진된다.

⑤ X선
- 투과력이 강해서 인체의 질병을 진단하거나 공항 등에서 물체의 내부를 알아보는 데 이용된다.

⑥ 감마(γ)선
- 전자기파 중에서 파장이 가장 짧고 진동수와 에너지가 가장 크다.
- X선보다 투과력이 강하며 에너지가 크기 때문에 감마선에 노출되면 매우 위험하다.
- 암세포를 제거하는 방사선 치료에 이용된다.

213 답 ① | ㄱ. 마이크로파는 가시광선보다 파장이 길고, 진동수는 작다.

오답 피하기

ㄴ. 마이크로파의 파장은 X선의 파장보다 길다.

ㄷ. 진공에서 모든 전자기파의 속력은 같다. 따라서 진공에서는 마이크로파와 자외선의 속력이 같다.

214 답 ② | 문제에 제시된 그림은 진동수가 기준이다. 오른쪽으로 갈수록 진동수가 커지므로 파장은 짧아지고, 왼쪽으로 갈수록 진동수가 작아지므로 파장이 길어진다. 따라서 A는 전파 영역, B는 X선 영역이다.

ㄷ. 진공에서 전자기파는 종류에 관계없이 속력이 같고, 진동수는 B가 적외선보다 크므로 파장은 B가 적외선보다 짧다.

오답 피하기

ㄱ. A는 전파 영역이고, 공항 수하물 검색은 강한 투과력이 필요하므로 X선을 사용한다.

ㄴ. TV 리모컨에 사용되는 전자기파는 적외선이다.

215 답 ⑤ | 전자기파를 성질이 비슷한 것끼리 구분할 때, 파장이 짧은 것으로부터 긴 순서대로 '감마선-X선-자외선-가시광선-적외선-마이크로파-라디오파'로 나열할 수 있다. 따라서 파장의 길이를 비교하면 $\lambda_C < \lambda_B < \lambda_A$이다.

216 답 ① | 전자기파는 파장(진동수)에 따라 구분한다. 파장이 짧은 것으로부터 긴 순서대로 '감마선-X선-자외선-가시광선-적외선-마이크로파-라디오파'이다.

한편, 진공에서 전자기파의 속력은 파장에 관계없이 빛의 속력과 같다. '파동의 속력=파장×진동수'이고 속력이 일정하므로, 파장이 길어지면 진동수는 작아지고, 파장이 짧아지면 진동수는 커진다.

문제에서는 파동을 진동수에 따라 구분하였다. 즉, 진동수가 작은 A쪽이 파장이 긴 전자기파이고, 진동수가 큰 C쪽이 파장이 짧은 전자기파이다. 따라서 A는 전파, B는 적외선, C는 X선이다.

② 마이크로파는 전파의 일종이므로 A 영역이다. 전파에는 마이크로파와 라디오파가 있으며, 마이크로파의 파장이 라디오파보다 짧다.

③ 적외선 야간 투시경에 이용되는 전자기파는 적외선으로, B 영역이다.

④ X선은 자외선보다 파장이 짧으며(진동수가 크며) 그림에서 C 영역이다.

⑤ 진공에서 전자기파의 파장은 감마선이 전파보다 짧다.

오답 피하기

① 진공에서 전자기파의 속력은 파장에 관계없이 모두 같다.

217 답 ① | ㄱ. 깊이가 일정한 수면(같은 매질)에서 발생한 두 물결파의 속력은 같다. 파동의 속력은 '진동수×파장'이고 두 파동의 파장이 같으므로(그림에서 실선과 실선 사이의 거리가 같으므로) 진동수는 같다.

오답 피하기

ㄴ, ㄷ. 두 파동의 마루가 반파장 차이로 진행하므로 위상은 서로 반대이고, A에서는 서로 반대 위상의 파동이 만나므로 진폭은 0이다. 즉, A에서는 상쇄 간섭이 일어나므로 매질이 진동하지 않는다.

218 답 ④ | ㄱ, ㄴ은 각각 0.5초와 1초일 때 수면의 모습이다. ㄷ은 2초일 때 수면의 모습이다.

문제 속 자료 파동의 간섭

두 물결파의 속력과 파장, 진폭이 같으므로 파동의 진행 모습을 시간에 따라 나타내면 다음과 같다.

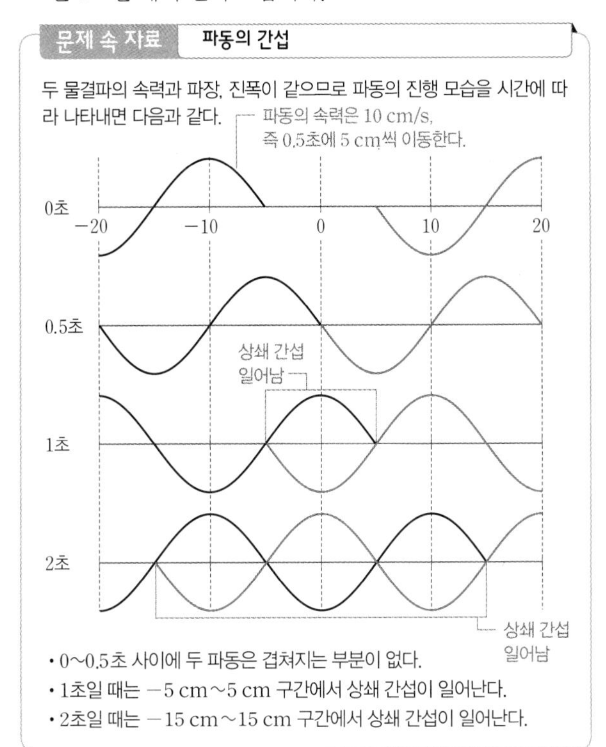

- 0~0.5초 사이에 두 파동은 겹쳐지는 부분이 없다.
- 1초일 때는 −5 cm~5 cm 구간에서 상쇄 간섭이 일어난다.
- 2초일 때는 −15 cm~15 cm 구간에서 상쇄 간섭이 일어난다.

219 답 ④ | ㄱ. S_1-P 거리는 $\frac{5}{2}\lambda$이고, S_2-P 거리는 $\frac{5}{2}\lambda$이다. 따라서 S_1, S_2에서 P까지의 두 수면파의 경로차는 0이다.

ㄷ. P에서 $t=0$일 때는 두 수면파의 골과 골이 중첩된다. 수면파의 주기가 T(초)이므로 $t=\frac{T}{2}$초일 때는 두 수면파의 마루와 마루가 중첩된다. 따라서 수면의 높이는 $t=\frac{T}{2}$초일 때가 $t=0$일 때보다 높다.

오답 피하기

ㄴ. $t=0$일 때 P에서는 골과 골이 중첩되고, Q에서는 골과 마루가 중첩되므로 수면의 높이는 Q에서가 P에서보다 높다.

220 답 ① | P는 마루와 골이 만나므로 상쇄 간섭이 일어나고, Q는 골과 골이 만나므로 보강 간섭이 일어난다.

ㄱ. (가)의 순간 Q에서는 두 수면파의 골이 중첩되므로 Q에서는 보강 간섭이 일어나 크게 진동하게 된다. 따라서 (나)는 Q의 변위를 나타낸 것이다. P에서는 상쇄 간섭이 일어나므로 진폭이 0이 된다.

오답 피하기

ㄴ. 그림 (나)에서 Q의 진동 주기는 4초이다. Q에서는 보강 간섭이 일어나므로 Q의 진동 주기는 S_1과 S_2에서 생긴 수면파의 진동 주기와 같다. 또한 S_1과 S_2 사이의 거리가 1 m이고, 이 거리는 S_1과 S_2에서 발생한 파동의 2파장에 해당한다. 따라서 이 수면파의 파장은 0.5 m이다.

수면파의 속력은 $\frac{\text{파장}}{\text{주기}}=\frac{0.5\text{ m}}{4\text{ s}}=0.125\text{ m/s}$이다.

ㄷ. P에서 경로차는 0이고, Q에서 경로차는 0.75 m이다.

문제 속 자료 물결파의 간섭과 경로차

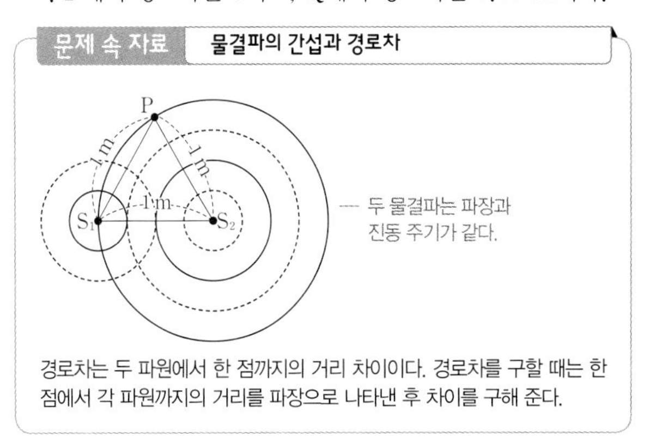

경로차는 두 파원에서 한 점까지의 거리 차이이다. 경로차를 구할 때는 한 점에서 각 파원까지의 거리를 파장으로 나타낸 후 차이를 구해 준다.

221 답 ③ | 이중 슬릿을 통과한 두 빛이 스크린에서 같은 위상으로 만나는 보강 간섭이 일어날 때는 밝은 무늬가 나타나고, 반대 위상으로 만나는 상쇄 간섭이 일어날 때는 어두운 무늬가 나타난다.

ㄱ. O는 S_1과 S_2로부터의 거리가 같으므로 경로차가 0이다. 따라서 O에서는 보강 간섭이 일어난다. 경로차가 반파장의 짝수 배이면 보강 간섭이, 반파장의 홀수 배이면 상쇄 간섭이 일어난다.

ㄴ. P는 O로부터 2번째 어두운 무늬가 나타난 곳이므로 S_1과 S_2를 지나 P에 도달한 단색광의 경로차는 $\frac{3}{2}\lambda$이다.

오답 피하기

ㄷ. 이중 슬릿의 슬릿 간격이 작을수록 이웃한 밝은 무늬 사이의 간격은 넓어진다.

문제 속 자료 이중 슬릿에 의한 빛의 간섭

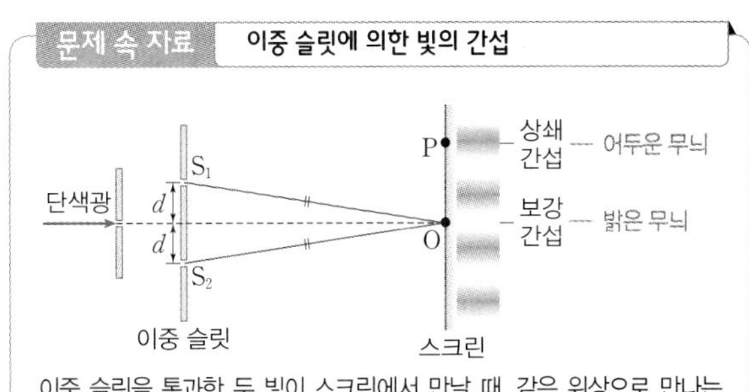

이중 슬릿을 통과한 두 빛이 스크린에서 만날 때, 같은 위상으로 만나는 지점에서는 보강 간섭이 일어나 밝은 무늬가 나타나고, 반대 위상으로 만나는 지점에서는 상쇄 간섭이 일어나 어두운 무늬가 나타난다.

222 답 ④ | 원래 소음과 위상만 반대인 소리가 만나면 두 음파는 상쇄 간섭을 일으켜 진폭이 0에 가까워진다. 진폭이 줄어들수록 소리의 크기가 줄어들므로 소음을 제거할 수 있다.

223 답 ③ | ㄱ. A에서는 보강 간섭이 일어나며, 보강 간섭이 일어나는 지점에서는 진폭이 커져 소리가 크게 들린다.
ㄷ. 보강 간섭과 상쇄 간섭이 일어나는 점 사이의 거리는 두 파원 사이의 거리 d가 작을수록, 파장 λ가 클수록 커진다. 즉, d를 감소시키면 A와 B 사이의 거리는 증가한다.

오답 피하기

ㄴ. 상쇄 간섭은 경로차가 $\frac{\lambda}{2}$의 홀수 배일 때 생긴다.

문제 속 자료 두 스피커에서 소리의 간섭

두 스피커에서 세기와 파장이 같은 소리가 나올 때, 두 소리는 간섭을 일으켜 소리의 크기가 변한다.

	보강 간섭	상쇄 간섭
소리의 위상	두 소리가 같은 위상으로 만난다.	두 소리가 반대 위상으로 만난다.
소리의 세기	소리가 크게 들린다.	소리가 작게 들린다.
두 스피커까지의 거리 차이(경로차)	반파장의 짝수 배	반파장의 홀수 배

- 파장이 짧을수록 마루와 마루 사이의 거리가 좁아지므로 중앙에서 가까운 지점에서 상쇄 간섭이 일어난다. 즉, 보강 간섭과 상쇄 간섭이 일어나는 지점 사이의 거리가 짧아진다.
- 소리의 속력은 일정하므로(속력=파장×진동수), 진동수가 큰 소리일수록 파장이 짧아진다. 따라서 진동수가 클수록(=파장이 짧을수록) 상쇄 간섭과 보강 간섭이 일어나는 지점 사이의 거리는 짧아진다.

224 답 ② | ㄴ. 진폭이 같고 위상이 반대인 두 파동을 중첩시켜서 진폭을 0으로 만들어 소음을 제거하는 것은 파동의 상쇄 간섭 현상을 이용한 것이다.

오답 피하기

ㄱ. 사람이 들을 수 있는 소리의 주파수(진동수)인 가청 주파수는 20~20,000 Hz인데 비해 초음파는 진동수가 20,000 Hz 이상의 소리이다. 따라서 초음파의 진동수는 사람이 들을 수 있는 소리의 진동수보다 크다.
ㄷ. 초음파는 소리이므로 기체보다 액체에서 더 빠르게 움직인다. 따라서 초음파의 속력은 공기 중에서가 바닷물 속에서보다 느리다.

225 답 ⑤ | ㄱ. P에서 빛에 의해 방출되는 광전자의 최대 운동 에너지는 빛의 세기와는 무관하고 빛의 진동수에만 관계가 있으므로 진동수가 f이고 세기가 $2I$인 빛을 P에 비추어도 방출되는 광전자의 최대 운동 에너지는 E이다.
ㄴ. P에 비추는 빛의 진동수가 증가하였으므로 방출되는 광전자의 최대 운동 에너지도 증가한다. 따라서 방출되는 광전자의 최대 운동 에너지는 E보다 크다.
ㄷ. 광전 효과는 빛의 입자성을 증명한 실험이다.

226 답 ③ | ㄱ. CCD는 광 다이오드가 모인 것으로 빛을 전기 신호로 바꾸어 준다.
ㄷ. 빛이 밝을수록 전기 신호의 세기가 더 크게 발생한다.

오답 피하기

ㄴ. 백색광은 색상 필터에서 세 가지 색으로 분리되어 통과하므로 전기 신호가 발생된다.

227 답 ③ | $E_k=hf-W=hf-hf_0$이다.
(가)에서는 진동수가 $2f$이므로 $2hf-hf_0=E_k$이다.
(나)에서는 진동수가 $3f$이고, 최대 운동 에너지가 (가)의 3배이므로 $3hf-hf_0=3E_k$이다. 이 두 식을 풀면 $f_0=\frac{3}{2}f$이다.
(가), (나)는 동일한 금속판이므로 문턱 진동수는 같다.

228 답 ④ | ㄴ. 빨강 빛과 파랑 빛을 동시에 비추면 파랑 빛에 의해 금속판에서 전자가 방출된다.
ㄷ. 광전 효과는 빛의 입자성으로 설명된다.

오답 피하기

ㄱ. 전자는 광자 한 개의 에너지에 의해 방출되므로, 금속판에서 전자를 방출시키는 파랑 빛이 전자를 방출시키지 못하는 빨강 빛보다 광자 한 개의 에너지가 더 크다.

229 답 ⑤ | 방출된 광전자의 최대 운동 에너지 $E_k=hf-W$이다. 이때 hf는 광자의 에너지, W는 일함수를 나타낸다. 문제의 그래프는 이 식을 일차 함수의 그래프로 나타낸 것이다.
ㄱ. 문제에 제시된 $E_k=hf-W$ 그래프에서 x축은 진동수 f이고, y축은 광전자의 최대 운동 에너지 E_k이다. A의 그래프에서 A에 $2f_0$인 빛을 비춘 경우(x축이 $2f_0$일 때 y축의 값을 그래프에서 찾으면 E_0이다.) $E_0=2hf_0-W_A$이고, $3f_0$인 빛을 비춘 경우에 $2E_0=3hf_0-W_A$이다. 두 식을 풀면 $2(hf_0-W_A)=3hf_0-W_A$이므로 A의 일함수 $W_A=E_0$이다.
ㄴ. A에 $2f_0$인 빛을 비춘 경우 $E_0=2hf_0-E_0$이므로 플랑크 상수 $h=\frac{E_0}{f_0}$이다.
ㄷ. 진동수가 $4f_0$인 빛을 B에 비춘 경우 광전자의 최대 운동 에너지는 E_0이고, A에 비춘 경우 $E_k=4hf_0-E_0=3E_0$이므로 A가 B의 3배이다.

문제 속 자료 광양자설

아이슈타인은 광전 효과를 설명하기 위해 '빛은 진동수에 비례하는 에너지를 갖는 광자(광양자)라고 하는 입자들의 흐름이다.'라는 광양자설을 제안하였다.

① 광전 효과는 광자와 전자 사이의 충돌로 생각할 수 있다.

② 빛의 진동수가 문턱 진동수보다 크면 광전자가 방출되며, 빛의 진동수가 클수록 광전자의 최대 운동 에너지도 커진다.

③ 빛의 세기가 강해도 진동수가 문턱 진동수보다 작은 광자는 전자에게 전달하는 에너지가 작으므로 광전자가 방출되지 않는다.

④ 일함수(W): 금속 표면에 있는 전자 1개를 방출시키는 데 필요한 최소한의 에너지로, 금속의 종류에 따라 다르다.

$W=hf_0$ (f_0: 문턱 진동수)

➡ 문턱 진동수가 클수록 일함수가 크다.

➡ 일함수가 클수록 전자가 잘 방출되지 않는다.

⑤ 광전자의 최대 운동 에너지: 광전자의 최대 운동 에너지는 광자 한 개의 에너지 hf에서 일함수 W를 빼준 값과 같다.

$$E_k=\frac{1}{2}mv^2=hf-W=hf-hf_0$$

(h: 플랑크 상수, f: 광자의 진동수)

➡ 광자의 에너지(hf) 중 일부는 금속 표면에서 전자를 방출시키는 에너지(W)로 사용되고, 남은 에너지는 광전자의 운동 에너지(E_k)로 전환된다.

➡ 광자의 에너지(hf)가 일함수(W)보다 크면 광전자가 방출된다.

➡ 광자의 에너지(hf)가 일함수(W)보다 작으면 광전자가 방출되지 않는다.

230 답 ② | ㄴ. 전자가 방출될 때 빛의 세기가 클수록 광전류의 세기도 크다. 따라서 B의 세기는 Ⅱ에서가 Ⅰ에서보다 세다.

오답 피하기

ㄱ. Ⅰ에서 A를 비출 때는 전자가 방출되지 않았으며(전류가 흐르지 않음), B를 비출 때는 전자가 방출(전류가 흐름)되었으므로 빛의 진동수는 A가 B보다 작다.

ㄷ. Ⅰ에서 단색광 A를 비출 때 광전 효과가 일어나지 않았으므로 A의 진동수는 금속판의 문턱 진동수보다 작다. 따라서 A의 세기가 증가해도 광전 효과는 일어나지 않는다.

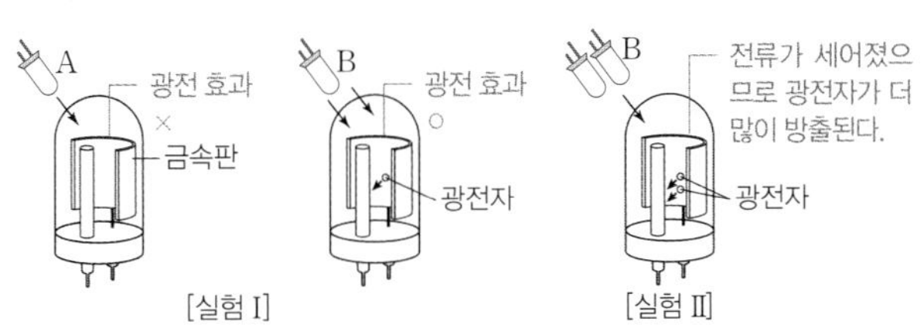

231 답 ① | 광전 효과는 문턱 진동수 이상의 빛을 비출 때만 일어난다.

ㄱ. A에 의해서만 광전 효과가 일어났으므로 A의 진동수가 B의 진동수보다 크다.

오답 피하기

ㄴ. A의 세기를 증가시키면 단위 시간당 방출되는 광전자의 개수만 증가할 뿐 광전자의 최대 운동 에너지는 변하지 않는다. ➡ 광전자의 최대 운동 에너지는 빛의 진동수가 클수록 커진다.

ㄷ. B의 진동수는 문턱 진동수보다 작으므로 세기를 증가시켜도 광전자는 방출되지 않는다.

문제 속 자료 광전 효과 실험

검전기 위에 아연판을 올려놓고 검전기를 음(−)전하로 대전시킨 후 형광등과 자외선등을 차례로 비추며 변화를 관찰한다.

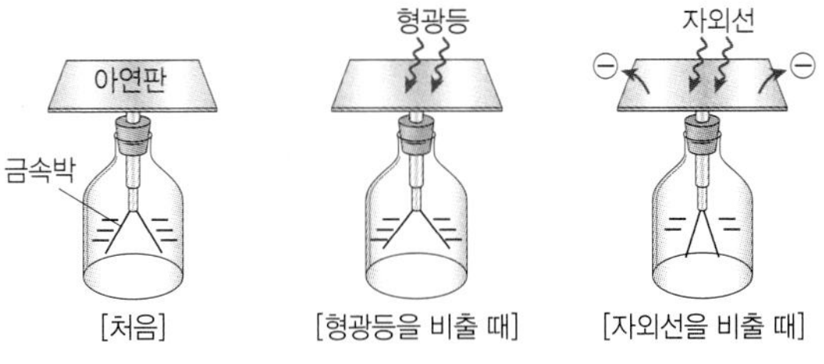

① 아연판에 형광등을 비추면 금속박은 벌어진 상태로 변함이 없다.

➡ 형광등에 포함된 빛의 진동수는 아연판의 문턱 진동수보다 작기 때문에 전자의 방출이 일어나지 않아서 아연판과 금속박의 음(−)전하 대전 상태가 그대로 유지된다.

② 아연판에 자외선등을 비추면 금속박의 벌어진 정도가 줄어든다.

➡ 자외선등에 포함된 빛의 진동수가 아연판의 문턱 진동수보다 크기 때문에 전자가 방출되면서 금속박의 음(−)전하가 줄어들게 되어 금속박이 벌어진 정도가 줄어든다.

③ 자외선의 진동수 > 아연판의 문턱 진동수 > 형광등의 진동수

232 답 ⑤ | ㄱ. 광전자가 방출되기 위해서는 빛의 진동수가 금속판의 문턱 진동수보다 커야 한다. 따라서 광전자를 방출시킨 A의 진동수는 금속판의 문턱 진동수보다 크고, B의 진동수는 금속판의 문턱 진동수보다 작다.

ㄴ. 빛의 진동수가 문턱 진동수보다 클 때, 빛의 세기가 클수록 방출되는 광전자의 개수가 많아진다.

ㄷ. 광전자의 운동 에너지 $E_k=hf-W$이다. 빛의 진동수가 클수록 광자의 에너지(hf)가 크므로 방출되는 광전자의 최대 운동 에너지도 크다.

233 답 ④ | • 철수: (나)에서 전자선이 금속박을 통과한 후의 무늬가 X선의 회절 무늬와 동일하므로 (나)의 무늬는 전자선이 회절하여 나타난 무늬이다.

• 영희: (나)의 무늬는 전자선이 회절하여 나타난 것인데 회절은 파동의 성질이다. 따라서 (나)의 무늬는 전자선이 파동의 성질을 띠었음을 알려 준다.

오답 피하기

• 민수: 물질파 파장 $\lambda=\dfrac{h}{mv}$이므로 속력이 커지면 물질파 파장은 짧아진다.

234 답 ④ | ㄱ. 전자 현미경은 빛 대신 전자의 물질파를 이용하는 현미경이다. 운동하는 전자는 파동성을 가진다.

ㄷ. 전자의 물질파 파장은 가시광선보다 짧다.

오답 피하기

ㄴ. 운동량이 작아지면 물질파의 파장이 커져 회절이 잘 일어나므로 더 작은 물체를 볼 수 없다. 즉, 빛의 파장이 시료의 크기보다 작을 경우 회절이 적게 일어나 물체를 자세히 관찰할 수 있다.

235 답 ③ | ㄱ. (나)의 무늬는 원자가 파동성, 즉 물질파의 성질을 나타내기 때문에 파동의 특성들 중 하나인 간섭 현상을 나타내는 것이다.

ㄴ. 원자의 물질파 파장 $\lambda = \frac{h}{mv} = \frac{h}{p}$이므로 원자의 운동량 p가 커지면 물질파의 파장 λ는 짧아진다.

오답 피하기

ㄷ. 원자들의 운동량 p가 증가하면 물질파의 파장 λ가 그것에 반비례하여 짧아지므로 이웃한 어두운 무늬의 간격, 즉 정상파의 마디와 마디 사이의 간격은 좁아진다.

236 답 ④ | 데이비슨과 거머는 니켈 결정에 54 V의 전압으로 가속된 전자선을 입사시켰을 때, 전자가 가장 많이 발견된 산란각 50°가 전자기파의 회절에 의해 보강 간섭이 일어나는 조건과 일치한다는 것을 보였다. 이것으로 드브로이의 물질파 이론을 검증하였다.

237 답 ⑤ | 힘-이동 거리 그래프에서 그래프 아랫부분의 면적은 물체가 받은 일을 나타낸다. 또한 물체가 받은 일은 운동 에너지 변화량이고, 입자가 정지 상태에 있었으므로 '받은 일 =입자의 운동 에너지($\frac{1}{2}mv^2$)'이다.

- d일 때 운동 에너지$=F\times d$
- $2d$일 때 운동 에너지$=F\times d + \frac{1}{2}F\times d = \frac{3}{2}F\times d$

한편 운동 에너지는 $\frac{p^2}{2m}$이고, 물질파의 파장은 $\frac{h}{p}$이다. 즉, 파장은 운동량에 반비례하고, 운동량은 운동 에너지의 제곱근에 비례한다.

$$\lambda_1 : \lambda_2 = \frac{h}{p_1} : \frac{h}{p_2} = \frac{1}{\sqrt{F\times d}} : \frac{1}{\sqrt{\frac{3}{2}F\times d}}$$

이고, 이것은 $\frac{1}{1} : \frac{\sqrt{2}}{\sqrt{3}} = \sqrt{3} : \sqrt{2}$이다.

238 답 ④ | ㄴ. 물질파의 파장 $\lambda=\frac{h}{p}$이다. 즉, 물질파의 파장은 운동량에 반비례한다. 운동량은 '질량×속도'로 구한다.

A는 충돌 전 운동량이 $3m\times v=3mv$이고 충돌 후 운동량이 $3m\times 0.5v=1.5mv$이다. 따라서 충돌 전 운동량이 충돌 후보다 크므로 A의 물질파 파장은 충돌 후가 충돌 전보다 길다.

ㄷ. 충돌 후 A의 운동량($1.5mv$)과 B의 운동량($1.5mv$)이 서로 같으므로 물질파의 파장은 A와 B가 같다.

오답 피하기

ㄱ. 물질파의 파장과 운동량은 반비례하므로 운동량이 클수록 물질파의 파장은 짧아진다.

239 답 ④ | 물질파의 파장 $\lambda = \frac{h}{p}$(h는 플랑크 상수)이다.

그러므로 $\lambda_A : \lambda_B = \frac{h}{p_A} : \frac{h}{p_B} = \frac{1}{p_A} : \frac{1}{p_B}$ ⋯①이다.

A, B가 각각 기준선에서 d, $2d$만큼 낙하했을 때, A, B의 속력은 역학적 에너지 보존 법칙에 따라

- A: $\frac{1}{2}mv_A^2 = mgd$ ⋯ ②,
- B: $\frac{1}{2}(2m)v_B^2 = (2m)g(2d)$⋯ ③

이므로 $v_A = \sqrt{2gd}$⋯ ④, $v_B = \sqrt{4gd}$⋯ ⑤이다.

①식에서 $\lambda_A : \lambda_B = \frac{h}{p_A} : \frac{h}{p_B} = \frac{1}{mv_A} : \frac{1}{(2m)v_B}$이므로

④와 ⑤식에서 얻은 v_A, v_B 값을 대입하여 정리하면

$\lambda_A : \lambda_B = \frac{1}{\sqrt{2gd}} : \frac{1}{2\sqrt{4gd}} = \frac{1}{\sqrt{2}} : \frac{1}{2\sqrt{4}} = 2\sqrt{2} : 1$이다.

240 답 ② | 물질파의 파장 $\lambda=\frac{h}{p}$이므로 $p=\frac{h}{\lambda}$이다. 입자가 A점을 지날 때 파장이 $2\lambda_0$이므로 $p_A = \frac{h}{2\lambda_0} = \frac{1}{2}\frac{h}{\lambda_0}$, $p_B = \frac{h}{\lambda_0}$이다. 따라서 $p_A : p_B = \frac{1}{2}\frac{h}{\lambda_0} : \frac{h}{\lambda_0} = \frac{1}{2} : 1 = 1 : 2$이다.

241 답 ① | 물질파 파장 $\lambda = \frac{h}{p}$에서 $p \propto \frac{1}{\lambda}$이다. 즉, 운동량은 파장에 반비례하므로 A의 운동량은 B의 2배이다.

운동량 $p=mv$이므로 $v=\frac{p}{m}$이다. B의 운동량을 p라고 하면 A의 운동량은 $2p$이다. 입자 A의 속력은 $\frac{2p}{4m} = \frac{p}{2m}$이고, 입자 B의 속력은 $\frac{p}{m}$이다. 즉 A의 속력을 v라 하면 B의 속력은 A의 2배인 $2v$이다.

운동 에너지 $E_k = \frac{1}{2}mv^2$에서 A, B의 E_k는 같다.

	A	B
질량	$4m$	m
물질파 파장	λ	2λ
운동량	$2p$	p
속력	v	$2v$
운동 에너지	E	E

파장에 반비례 $\lambda=\frac{h}{p}$

A: $2p=4m\times v_A$
B: $p=m\times v_B$

E_A: $\frac{1}{2}\times 4m\times v^2$
E_B: $\frac{1}{2}\times m\times (2v)^2$

Memo
S·H·E·R·P·A

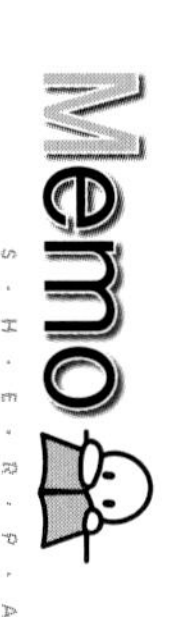
Memo
S·H·E·R·P·A

Memo
S·H·E·R·P·A

Memo
S·H·E·R·P·A

Memo
S·H·E·R·P·A

Memo
S·H·E·R·P·A

개념을 쌓아가는 **기본서**

고등 셀파

BOOK 2

문제 기본서 | 정답과 해설

물리학 I

개념을 쌓아가는 **기본서**

고등 셀파

배움으로 행복한 내일을 꿈꾸는

천재교육 커뮤니티 안내

교재 안내부터 구매까지 한 번에!

천재교육 홈페이지

자사가 발행하는 참고서, 교과서에 대한 소개는 물론
도서 구매도 할 수 있습니다. 회원에게 지급되는 별을 모아
다양한 상품 응모에도 도전해 보세요!

다양한 교육 꿀팁에 깜짝 이벤트는 덤!

천재교육 인스타그램

천재교육의 새롭고 중요한 소식을 가장 먼저 접하고 싶다면?
천재교육 인스타그램 팔로우가 필수!
깜짝 이벤트도 수시로 진행되니 놓치지 마세요!

수업이 편리해지는

천재교육 ACA 사이트

오직 선생님만을 위한, 천재교육 모든 교재에 대한 정보가 담긴
아카 사이트에서는 다양한 수업자료 및 부가 자료는 물론
시험 출제에 필요한 문제도 다운로드하실 수 있습니다.

https://aca.chunjae.co.kr

천재교육을 사랑하는 샘들의 모임

천사샘

학원 강사, 공부방 선생님이시라면 누구나 가입할 수 있는 천사샘!
교재 개발 및 평가를 통해 교재 검토진으로 참여할 수 있는 기회는 물론
다양한 교사용 교재 증정 이벤트가 선생님을 기다립니다.

아이와 함께 성장하는 학부모들의 모임공간

튠맘 학습연구소

튠맘 학습연구소는 초·중등 학부모를 대상으로 다양한 이벤트와 함께
교재 리뷰 및 학습 정보를 제공하는 네이버 카페입니다.
초등학생, 중학생 자녀를 둔 학부모님이라면 튠맘 학습연구소로 오세요!